B.A.C.

Historia de la Iglesia en España

BIBLIOTECA

DE

AUTORES CRISTIANOS

Declarada de interés nacional

——————————MAIOR 20——————————

LA EDITORIAL CATOLICA, S.A. — APARTADO 466
MADRID • MCMLXXIX

Historia de la Iglesia en España

DIRIGIDA POR

RICARDO GARCIA VILLOSLADA

COMITE DE DIRECCION

VICENTE CARCEL ORTI
JAVIER FERNANDEZ CONDE
JOSE LUIS GONZALEZ NOVALIN
ANTONIO MESTRE SANCHIS

Historia de la Iglesia en España

V

La Iglesia en la España contemporánea (1808-1975)

DIRIGIDO POR

VICENTE CARCEL ORTI

COLABORADORES:

Vicente Cárcel Ortí • José Manuel Cuenca
Toribio • Baldomero Jiménez Duque • Joaquín
Luis Ortega Martín • Manuel Revuelta González
Rafael María Sanz de Diego • Carlos Valverde
Mucientes

BIBLIOTECA DE AUTORES CRISTIANOS
MADRID • MCMLXXIX

© Biblioteca de Autores Cristianos, de EDICA, S. A. Madrid 1979
Mateo Inurria, 15. Madrid
Depósito legal M 14.416-1979 (V)
ISBN 84-220-0906-4 Obra completa
ISBN 84-220-0907-2 tomo V
Impreso en España. Printed in Spain

DATOS BIOGRAFICOS DE LOS COLABORADORES

Vicente Cárcel Ortí
Nació en Manises (Valencia) en 1940. Sacerdote. Es doctor en Historia Eclesiástica por la Universidad Gregoriana (Roma), en Filosofía y Letras por la Universidad de Valencia y en Derecho Canónico por la de Santo Tomás de Aquino (Roma). Diplomado en Archivística y Biblioteconomía por las Escuelas Vaticanas. Ha publicado: *Política eclesial de los gobiernos liberales españoles (1830-1840)* (Pamplona, Eunsa, 1975), *Correspondencia diplomática del nuncio Tiberi (1827-1834)* (Pamplona, Eunsa, 1976) e *Iglesia y Revolución en España. 1868-1874* (Pamplona, Eunsa, 1979). Colabora en numerosas revistas españolas y extranjeras, históricas y jurídicas. En la actualidad es notario del Tribunal Supremo de la Signatura Apostólica y capellán de S.S., nombrado por Pablo VI, en 1977.

José Manuel Cuenca Toribio
Nació en Sevilla en 1939. Ha sido profesor de la Universidad de Navarra, agregado de la de Barcelona, catedrático de Historia Universal Moderna y Contemporánea de la Universidad de Valencia y decano de la Facultad de Filosofía y Letras de dicha Universidad. Actualmente es catedrático de Historia Contemporánea de la Facultad de Filosofía y Letras de la Universidad de Córdoba. Ha publicado numerosos artículos sobre temas relacionados con la Iglesia española en los siglos XVIII-XX. Entre sus obras destacan: *Don Pedro de Iguanzo y Rivero, el último primado del Antiguo Régimen* (Pamplona, Eunsa, 1965); *La Iglesia española ante la revolución liberal* (Madrid 1971); *Estudios sobre la Iglesia española del XIX* (Madrid 1973), *Estudios sobre la Sevilla liberal* (Sevilla 1974)) y *Aproximación a la historia de la Iglesia contemporánea en España* (Madrid, Rialp, 1978).

Baldomero Jiménez Duque
Nació en Avila en 1911. Sacerdote. Es doctor en Filosofía y licenciado en Teología y Derecho Canónico por la Universidad Gregoriana de Roma. Ha sido rector del Seminario diocesano de Avila y delegado de Pastoral. Ha publicado cerca de treinta libros y centenares de artículos sobre temas relacionados con la ascética y la mística. Destacan: *Teología de la mística, Santidad y vida seglar, Dios y el hombre, La espiritualidad española en el siglo XIX* (Madrid 1975).

Joaquín Luis Ortega Martín
Nació en Burgo de Osma (Soria) en 1933. Sacerdote. Es doctor en Historia Eclesiástica por la Universidad Gregoriana y licenciado en Teología por la misma Universidad. Licenciado en Filosofía y Letras por la Complutense de Madrid. Ha sido profesor de Historia de la Iglesia en la Facultad de Teología de Burgos y redactor durante varios años de la revista *Vida Nueva*. Ha publicado: *Don Pascual de Ampudia, obispo de Burgos (1496-1512)* (Roma 1973) y *Criterios para una revisión del Arte Sacro contemporáneo* (Burgos 1965). En la actualidad dirige la revista *Ecclesia*, órgano de la Acción Católica Española.

Manuel Revuelta González
Nació en Población de Campos (Palencia) en 1936. Jesuita. Es doctor en Historia por la Universidad Complutense de Madrid, licenciado en Filosofía por la de Comillas y en Teología por la facultad de Frankfurt am Main (Alemania). Profe-

sor de Historia de España en la Pontificia Universidad Comillas y de Historia de la Iglesia Contemporánea en la Complutense de Madrid. Ha sido profesor de Historia Contemporánea de España en la Universidad de Deusto. Ha publicado: *Política religiosa de los liberales en el siglo XIX. Trienio constitucional* (Madrid, C.S.I.C., 1973); *La exclaustración (1833-1840)* (Madrid, 1976) (= BAC 383) y numerosos artículos sobre temas de Historia eclesiástica.

Rafael María Sanz de Diego Verdes Montenegro

Nació en Madrid en 1940. Jesuita. Es doctor en Historia Eclesiástica por la Universidad Gregoriana de Roma; licenciado en Filosofía por la Facultad de Alcalá de Henares, en Teología por la Universidad Comillas y en Filosofía y Letras por la Complutense de Madrid. Es profesor en la Universidad Comillas y en el Instituto León XIII y director de la revista *Estudios Eclesiásticos*. Ha publicado varios artículos sobre temas de Historia de la Iglesia española en el siglo XIX.

Carlos Valverde Mucientes

Nació en Los Balbases (Burgos) en 1922. Jesuita. Es doctor en Filosofía por la Universidad Gregoriana de Roma y licenciado en Teología por la de Comillas. Es profesor ordinario de Historia de la Filosofía Moderna y Contemporánea de la Universidad Comillas. Ha sido decano de la Facultad de Filosofía de la misma Universidad. Ha cuidado la edición de las *Obras completas de Donoso Cortés* (Madrid, 1970) (= BAC 12-13) 2 tomos, y ha publicado *Los orígenes del marxismo* (Madrid, 1974) (= BAC 358) y *El pensamiento de Marx y Engels. I. El materialismo dialéctico* (Madrid, Espasa-Calpe, 1978).

INDICE GENERAL

PRIMERA PARTE

LA IGLESIA ESPAÑOLA ANTE LA CRISIS DEL ANTIGUO REGIMEN (1803-33)

Por Manuel Revuelta González

SEGUNDA PARTE

EL LIBERALISMO EN EL PODER (1833-68)

Por Vicente Cárcel Ortí

TERCERA PARTE

LA REVOLUCION BURGUESA (1868-74)

Por Vicente Cárcel Ortí

CUARTA PARTE

EL CATOLICISMO ESPAÑOL EN LA RESTAURACION (1875-1931)

Por José Manuel Cuenca Toribio

QUINTA PARTE

LA II REPUBLICA Y LA GUERRA CIVIL (1931-39)

Por Vicente Cárcel Ortí

SEXTA PARTE

ESPIRITUALIDAD Y APOSTOLADO

Por Baldomero Jiménez Duque

SÉPTIMA PARTE

LOS CATOLICOS Y LA CULTURA ESPAÑOLA

Por Carlos Valverde

OCTAVA PARTE

LA IGLESIA ESPAÑOLA ANTE EL RETO DE LA INDUSTRIALIZACION

Por Rafael M.ª Sanz de Diego

APÉNDICE I

LA IGLESIA ESPAÑOLA DESDE 1939 HASTA 1975

Por Joaquín Luis Ortega

APÉNDICE II

DOCUMENTOS

PRESENTACION

E L *volumen que presentamos es el quinto de la* HISTORIA DE LA IGLESIA EN ESPAÑA, *que, editada por la BAC, reúne las colaboraciones de varios investigadores, profesores e historiadores españoles, de universidades eclesiásticas y civiles, especialistas en sus respectivas materias y épocas.*

Hace ya más de un siglo, en 1875, la Compañía de Impresores y Libreros del Reino, que tenía su sede en la madrileña calle de las Fuentes, 12, daba a la luz el volumen VI y último de la segunda edición de la Historia eclesiástica de España, *escrita por Vicente de la Fuente, doctor en Teología y Jurisprudencia, catedrático de Disciplina Eclesiástica de la Universidad de Madrid y académico de número en la Real de la Historia. Dicha* Historia *concluía con la I República. Desde entonces no ha vuelto a escribirse otra historia de la Iglesia española. Las aportaciones han sido modestas y parciales, como puede verse en la «Introducción bibliográfica» que sigue a estas páginas.*

Por ello, al programar esta HISTORIA, *el comité de dirección ha tenido en cuenta la profunda evolución que durante los últimos años han experimentado las ciencias históricas. La historia de la Iglesia no puede quedar desplazada de la nueva orientación dada a la investigación en archivos y bibliotecas y de los nuevos métodos del quehacer histórico, ni debe prescindir de una serie de elementos fundamentales para entenderla, como son la superación del historicismo y del positivismo, a la vez que debe contar con las aportaciones que en los dos últimos siglos han dado el liberalismo y el socialismo para una mejor comprensión de la Iglesia y de su historia.*

Sin embargo, nos hallamos ante una HISTORIA DE LA IGLESIA *que comporta un conocimiento histórico de la institución y de la actuación de sus miembros, y, a la vez, una penetración eclesial de los comportamientos históricos.*

En este sentido, no podemos ignorar la nueva orientación proveniente del concilio Vaticano II, que ha puesto de relieve la importancia del estudio de la historia, como elemento fundamental para contribuir al desarrollo y progreso de la familia humana (Gaudium et spes 57), *y ha recomendado que el estudio y enseñanza de la misma se haga con fidelidad al magisterio de la Iglesia, según la constitución dogmática* De Ecclesia (Optatam totius 16).

El Vaticano II ha insistido en la función del «Pueblo de Dios», y la teología posterior está profundizando y desarrollando este concepto. De ahí que se tienda, cada vez con mayor insistencia, hacia la historia de la vida y de las mentalidades religiosas, dejando un tanto al margen la historia de las instituciones eclesiásticas, la de los dogmas y la de la misma teología. Al mismo tiempo, por jerarquía no se entiende sólo papa y obispos, como poderes espirituales-temporales aislados, sino a los segundos, como colegio episcopal en comunión con el primero, sucesor de Pedro en la primera sede. Esto lleva a profundizar sobre la historia de las iglesias locales, con detrimento de las clásicas historias del pontificado, que han insistido más sobre aspectos relacionados con el dominio temporal de los papas que con los que se refieren a la vitalidad de la Iglesia.

Una HISTORIA DE LA IGLESIA *planteada en estos términos supone una profunda reflexión teológica. Congar ha llegado a hablar de la historia de la Iglesia como lugar teológico, mientras que Aubert insiste en su necesidad para interpretar rectamente las decisiones del magisterio eclesiástico.*

La revista internacional de teología Concilium *ha dedicado dos números monográficos a las nuevas posturas en la historia de la Iglesia (n.57, Madrid 1970) y a la historia de la Iglesia como autocomprensión de sí misma (n.67, Madrid 1971), donde el lector encontrará, ampliamente expuestos por un selecto grupo de colaboradores, los conceptos anteriormente indicados.*

Resulta a todas luces evidente la dificultad objetiva que encierra la tarea que iniciamos con el volumen V, ya que los estudios sobre historia eclesiástica española durante las dos recientes centurias están apenas en sus albores, y la producción científica, aunque parece copiosa, y en realidad lo es, sin embargo, debe ser cuidadosamente cercenada, ya que, más que fruto de paciente investigación y de madura reflexión, es, en buena parte, el resultado de apresuradas síntesis, con superficiales planteamientos, carentes de sólidas bases documentales.

Por ello, al concebir este volumen, tuvimos en cuenta las limitaciones que tenía una HISTORIA DE LA IGLESIA CONTEMPORÁNEA, *habida cuenta del estado actual de los estudios. Es de desear que la presente iniciativa sirva de estímulo y que nuestra más reciente historia eclesiástica pueda ser ampliada y enriquecida con nuevas y valiosas aportaciones, especialmente las procedentes de la historia política, social y económica. No puede hacerse historia prescindiendo de la sociología y de la geografía; pero no hemos querido caer en el exceso de presentar como* historia de la Iglesia *lo que no hubiera dejado de ser una historia religiosa o de las mentalidades y actitudes de los individuos o de la sociedad frente a la fe y al fenómeno religioso. Tampoco hemos querido hacer un ensayo filosófico o sociológico, con interpretaciones subjetivas, limitadas y parciales —aunque el historiador no está exento totalmente del subjetivismo y de la pasión a la hora de presentar hechos pasados—, sino una* HISTORIA DE LA IGLESIA *que pudiera satisfacer las exigencias del momento que vivimos.*

Por una parte, se ha insistido en los métodos tradicionales, que conceden interés primordial a las relaciones Iglesia-Estado, pues alrededor de ellos ha girado la historia de la Iglesia. Sin embargo, se ha procurado incluir la amplia problemática relacionada con la presencia de la Iglesia en la sociedad española contemporánea, sintetizada en los tres grandes capítulos, que tratan otros tantos temas fundamentales, como son la espiritualidad y el apostolado, la cultura y los aspectos sociales y económicos.

Con respecto a los límites cronológicos, ha parecido oportuno iniciar el volumen V en 1808, porque los primeros años del siglo XIX, anteriores a la invasión napoleónica en España, son, en verdad, una continuación política y social del siglo XVIII. Se quiso poner punto final en 1931, con la caída de la monarquía de Alfonso XIII, porque la historia posterior difícilmente puede hacerse con la escasa documentación que poseemos, a la vez que sobra pasión y falta serenidad para afrontar una época tan conflictiva y cercana. Sin embargo, habida cuenta de la aparición de algunas colecciones documentales importantes y de la copiosa bibliografía reciente, se ha estimado conveniente que la HISTORIA *acabase el día 1.º de abril, fecha que señala oficialmente el fin de la guerra civil y el comienzo del nuevo Estado español, dejando para un apéndice la crónica de los sucesos más importantes ocurridos en la Iglesia española desde 1939 hasta 1975.*

Cada autor es responsable de su escrito. El lector advertirá inmediatamente que la HISTORIA *se centra de lleno en España y prescinde de temas o cuestiones generales, eclesiásticos o civiles, para los que se cuenta con las respectivas historias universales. La bibliografía se dedica, por consiguiente, a los problemas españoles.*

Roma, febrero 1979.

VICENTE CÁRCEL ORTÍ

INTRODUCCION BIBLIOGRAFICA

Por Vicente Cárcel Ortí

1. Historias de la Iglesia española (Edad Contemporánea)

Me limito a reseñar las que se refieren a los siglos XIX-XX, materia del presente volumen. Excluyo, por tanto, las antiguas.

El primer conato, muy sumario, lo debemos a Vicente de la Fuente, que publicó una *Historia eclesiástica de España, o Adiciones a la Historia general de la Iglesia*, escrita por Alzog (Barcelona 1855), 3 vols. En realidad no era una creación del autor, sino un suplemento a una obra general, con todas las limitaciones que trabajos de este tipo llevan consigo. La fecha de su publicación indica además que no pudo llegar mucho más allá del concordato de 1851.

Poco después apareció la *Historia de la Iglesia en España desde la predicación de los apóstoles hasta el año 1856* (Barcelona 1856-57), en 2 tomos, escrita por un grupo de autores, dirigidos por el franciscano exclaustrado Ramón Buldú, siguiendo la *Historia sagrada de España*, del P. Flórez, y otros historiadores nacionales. No es obra científica, aunque aporta interesantes apéndices documentales.

La Fuente dio a conocer, entre la I República y la Restauración, la segunda edición, corregida y aumentada, de su *Historia eclesiástica de España* (Madrid 1873-75), en 6 tomos, que dedica al siglo XIX buena parte del tomo VI, con abundantes y documentados apéndices.

Por esas fechas estaba saliendo en Alemania una historia de la Iglesia española, redactada por el benedictino alemán Pius Bonifacius Gams (1816-92), titulada *Die Kirchengeschichte von Spanien* (Regensburg 1862-79), tres tomos en 5 vols. El último está dedicado al siglo XIX, pero de forma muy sumaria y superficial.

Menéndez Pelayo no intentó escribir una historia eclesiástica, pero su *Historia de los heterodoxos españoles* (Madrid 1880-82), 3 vols., ofrece una panorámica amplísima de las luchas políticas del XIX español y de las tensiones Iglesia-Estado, ilustradas con su apabullante erudición.

Existen otras producciones de escaso valor científico. Son manuales o resúmenes muy elementales para uso de colegios y seminarios. Quizá el mejor es el del agustino Fermín de Uncilla Arroita-Jáuregui (1854-1904), *Compendio de historia eclesiástica de España* (Madrid 1892) .

Leopoldo Arias Prieto, párroco de Palencia, publicó un *Compendio de historia eclesiástica de España* (Valladolid 1916), que luego refundió y amplió en una *Síntesis de historia eclesiástica de España y general* (Torrelavega 1926). La atención que estos autores dedican a nuestra época contemporánea es muy escasa.

La *Historia eclesiástica de España* que el P. García-Villada comenzó a publicar en 1929 no tuvo continuidad, pues en 1931, durante el asalto a los conventos, fueron destruidos el archivo y la biblioteca del I. C. A. I., donde residía el P. García-Villada. Los intentos del P. Leturia, fundador de la Facultad de Historia de la Pontificia Universidad Gregoriana, maestro de historiadores, y las iniciativas que siguieron tras su muerte, pueden leerse en la *Introducción historiográfica*, del P. Ricardo García-Villoslada, S.I., que abre el primer tomo del *Diccionario de historia eclesiástica de España* (Madrid 1972), de Q. Aldea, T. Marín y J. Vives.

En la reciente traducción española de la *Historia de la Iglesia*, de Fliche-Martin, se han añadido varios apéndices a los tomos dedicados a *La Revolución (1789-1846)* y a *Pío IX (1846-78);* pero son tan parciales y desiguales, que de ningún modo pueden considerarse una historia de la Iglesia española contemporánea. Los reseñamos a título de inventario. En el volumen XXIII (J. LEFLON, *La Revolución*, Valencia, Edicep, 1975) aparecen tres colaboraciones: de J. Manuel Cuenca Toribio (*La Iglesia española en la crisis del Antiguo Régimen* [*1789-1833*] p.547-72), Vicente Cárcel Ortí (*La Iglesia española durante el pontificado de Gregorio XVI* [*1831-1846*] p.573-99) y Leandro Tormo Sanz (*La Iglesia en las Indias españolas durante la Revolución* p.601-15). En el volumen XXIV (R. AUBERT, *Pío IX y su época*, Valencia, Edicep, 1974) hay cuatro colaboraciones: de J. M. Cuenca Toribio (*La Iglesia española en tiempos de Pío IX* p.565-91), Lamberto de Echeverría (*El concordato español de 1851* p.593-609), Daniel Olmedo, S.I. (*La Iglesia en Latinoamérica durante el siglo XIX* p.611-650), y Jesús Martín Tejedor, S.I. (*Los obispos españoles en el concilio Vaticano I* p.651-80).

Las grandes historias generales de la Iglesia no han dedicado a la española la atención que merece. Se exceptúa la *Historia de la Iglesia católica*, de la BAC, en su tomo IV (Edad Moderna [1648-1963]), ampliamente revisado y completado en su 3.ª ed. (Madrid 1963), donde el P. García-Villoslada incluye un amplio capítulo sobre *La Iglesia y el Estado en España* (p.525-86). Las restantes ofrecen pocas páginas a los problemas españoles. Véanse las versiones castellanas de la *Nueva historia de la Iglesia*, dirigida por L. J. Rogier, R. Aubert y M. D. Knowles, en sus tomos IV (*De la Ilustración a la Restauración* [1715-1848]) y V (*La Iglesia y el mundo moderno* [1848-1975]) (Madrid, Ed. Cristiandad, 1977) p.302-304; p.104-107, y el *Manual de Historia de la Iglesia*, dirigido por H. Jedin, tomo VII (Barcelona, Herder, 1978), p.231-234, 750-758, 923-925; tomo VIII (ibid. 1978), p.192-201.

2. Documentos pontificios

Las actas de los tres primeros papas del siglo XIX están en *Bullarii Romani continuatio*. Y en concreto las de PÍO VII (14-3-1800/20-8-1823), en los t.11-15 (Romae, Typ. Rev. Cam. Apostolicae, 1846-53); las de LEÓN XII (28-9-1823/10-2-1829), en los t.16 y 17 (Romae 1854-55), y las de PÍO VIII (31-3-1829/30-11-1830), en el t.18 (Romae 1856). Estas actas fueron recogidas por A. Barberi y R. Segreti. Reimpresión en Graz (Akad. Verlagsanstalt, 1963).

Las de GREGORIO XVI (2-2-1831/1-6-1846) fueron publicadas por A. M. Bernasconi, *Acta Gregorii Papae XVI* (Romae 1901-1904); reimpres. Graz, Akad. Verlagsanstaldt (1971), 4 vols. Los primeros años de su pontificado están en el vol.19 de *Bullarii Romani continuatio*.

`PÍO IX (16-6-1846/7-2-1878): *Pii IX Pontificis Maximi acta. Pars prima. Acta exhibens quae ad Ecclesiam universam spectant* (Roma 1854), 7 vols.; *Atti del Sommo Pontefice Pio IX felicemente regnante. Parte seconda, che comprende i Motu-proprii, chirografi, editti, notificazioni, ec. per lo Stato Pontificio* (Roma 1857), 2 vols.; *Discorsi del Sommo Pontefice Pio IX pronunziati in Vaticano ai fedeli di Roma e dell'orbe dal principio della sua prigionia fino al presente*, editados por P. de Franciscis, 2.ª ed. (Roma, Tip. Ghione e Lovesio y Tip. Barberà, 1878-82), 4 vols.

LEÓN XIII (20-2-1878/20-7-1903): *Leonis XIII Pontificis Maximi acta* (Roma, Typ. Vaticana, 1881-1905), 23 vols; *Leonis XIII allocutiones, epistolae et constitutiones* (Brujas 1878-1900), 7 vols.

San PÍO X (4-8-1903/20-8-1914): *Pii X Pontificis Maximi acta* (Roma, Typ. Vaticana, 1905-14), 5 vols.

BENEDICTO XV (3-9-1914/22-1-1922): *Actes de Benoit XV* (París 1924-26), 3 vols.

PÍO XI (6-2-1922/10-2-1939): *Actes de Pie XI* (París 1928).

PÍO XII (2-3-1939/9-10-1958): *Discorsi e radiomessaggi di Sua Santità Pio XII* (Tip. Poliglotta Vaticana, 1940-58), 21 vols.; *Discursos y radiomensajes de S. S. Pío XII* (Madrid 1946-58); *Anuario Petrus. La voz del papa Pío XII* (Barcelona 1948).

De JUAN XXIII (28-10-1958/3-6-1963): *Discorsi messaggi colloqui del Santo Padre Giovanni XXIII* (Tip. Poliglotta Vaticana, 1960-67), 6 vols.; el último contiene los índices.

De PABLO VI (21-6-1963/6-8-1978): *Insegnamenti di Paolo VI* (Tip. Poliglotta Vaticana, 1965ss). Han aparecido 15 vols.; *Pablo VI. Enseñanzas al Pueblo de Dios* (Città del Vaticano 1970-78). Recoge catequesis, discursos y homilías de este papa por años. Han salido 10 vols.

Otros documentos pontificios pueden verse en *Acta Sanctae Sedis*, colección no oficial publicada desde 1865 hasta 1904, y oficial desde este año hasta 1908, y en el órgano oficial de la Santa Sede *Acta Apostolicae Sedis*, que aparece con periodicidad mensual desde 1909.

3. Documentos de concilios ecuménicos

a) Vaticano I (1869-70)

J. D. MANSI, *Sacrorum conciliorum nova et amplissima collectio*, continuada por J. B. Martin y L. Pettit (sobre el Vaticano I cf. los t.50-53, París 1927). Cf. H. QUENTIN, *Mansi et les grandes collections conciliaires* (París 1900).

Acta congregationum generalium quae a patribus Sacrosancti Oecumenici Concilii Vaticani usque ad eius intermissionem habitae sunt (Roma, Typ. Vaticana, 1875-84), 4 vols.

Collectio Lacensis sive acta et decreta sacrorum conciliorum recentiorum, reimpr. (Romae, Istituto per gli Antichi Testi, 1964), 7 vols.; el VII está dedicado al Vaticano I.

Conciliorum Oecumenicorum decreta, curantibus J. Alberigo, J. A. Dossetti, P. Ioannou, C. Leonardi, P. Prodi; consultante: H. Jedin, 3.ª ed. (Bologna, Istituto per le Scienze Religiose, 1973) p.801-16.

b) Vaticano II (1962-65)

Acta et documenta concilio oecumenico Vaticano II apparando. Series I (Antepraeparatoria) (Typ. Polygl. Vaticanis, 1959-61), 16 vols.
Acta et documenta concilio oecumenico Vaticano II apparando. Series II (Praeparatoria) (Typ. Polygl. Vaticanis, 1961-62), 7 vols.
Acta Synodalia sacrosancti concilii oecumenici Vaticani II (Typ. Polygl. Vaticanis, 1970-78). Han aparecido 25 vols.
Conciliorum oecumenicorum decreta... p.817-1135.

4. Anuarios y estadísticas de la Santa Sede

La colección más antigua y prestigiosa es la del _Annuario Pontificio_, que apareció en 1716, en Roma, editado por Chracas o Cracas bajo el título _Notizie per l'anno..._ La Biblioteca Apostólica Vaticana conserva la colección completa desde 1780, con algunas lagunas entre 1808-18. Durante el período de la ocupación napoleónica le sustituyó el _Almanacco per i dipartimenti del Tevere e del Trasimeno_ y el _Anuario politico, statistico, topografico e commerciale del dipartimento di Roma._ Reapareció en 1818 como _Notizie per l'anno..._ hasta el decenio 1860-70, en que se llamó _Annuario Pontificio pel...,_ editado por la Tipografía de la Reverenda Cámara Apostólica. En 1871 no apareció. Desde 1872 hasta 1880, los hermanos Monaldi editaron _La Gerarchia cattolica e la famiglia pontificia per l'anno...,_ que desde 1881 cambió el título por _La Gerarchia cattolica, la cappella e la famiglia pontificie per l'anno..., con appendice di altre notizie riguardanti la Santa Sede._ Nueva variante en el título se introdujo en 1889: _La Gerarchia cattolica, la famiglia e la cappella pontificie per l'anno..., con appendice di altre notizie riguardanti la Santa Sede._ Desde 1899 hasta 1904 tuvo carácter oficial, con el título _La Gerarchia cattolica, la famiglia e la capella pontificia. Con appendice._ A partir de 1906 se llamó _La Gerarchia cattolica, la famiglia e la cappella pontificia. Le Amministrazioni Palatine. Le Sacre Congregazioni e gli altri dicasteri pontifici. Appendice._ Y desde 1909, _La Gerarchia cattolica, la famiglia e la cappella pontificia. Le Amministrazioni Palatine. La Curia Romana, con appendice._ Desde 1912 hasta 1978 se titula _Annuario Pontificio per l'anno..._ Tuvo carácter de «pubblicazione ufficiale» entre 1912 y 1923. Desde 1883 lo imprime la Tipografía Poliglota Vaticana.

Otra colección valiosa es el _Annuaire Pontifical Catholique_, por Mons. A. Battandier, publicado en París desde 1898 hasta 1939 y continuado desde 1948.

En el campo estricto de la estadística eclesiástica es muy reciente la aparición de la _Raccolta di tavole statistiche. Tabularum Statisticarum collectio,_ a cargo de la Oficina Central de Estadística de la Iglesia (Secretaría de Estado, Ciudad del Vaticano), que apareció en 1971, con datos relativos a 1969. En 1973 salió el _Annuario statistico della Chiesa-Annuarium statisticum Ecclesia, 1970._ Y posteriormente ha sido publicado el _Annuarium Statisticum Ecclesiqe. Statistical Yearbook of the Church. Annuaire Statistique de l'Église. 1973_ y años sucesivos hasta 1976. Los imprime la Tipografía Poliglota Vaticana.

La Secretaría de Estado publica desde 1940, con periodicidad anual, el volumen _L'attività della Santa Sede,_ editado por la Tipografía Poliglota

Vaticana. No es oficial, pero recoge la actividad del papa, de los dicasterios de la curia romana, de las administraciones palatinas y de todos los organismos del Estado de la Ciudad del Vaticano.

5. Ediciones de fuentes eclesiásticas españolas

Dos son las colecciones de fuentes documentales para la *Historia de la Iglesia española contemporánea* en curso de publicación. Una se refiere al siglo XIX y otra al XX.

La Facultad de Filosofía y Letras de la Universidad de Navarra patrocina la edición de *Documentos para la historia de las relaciones Iglesia-Estado en la España del siglo XIX,* dirigida por V. Cárcel Ortí, articulada en cuatro series: I: Nunciatura. II: Embajada. III: Obispos. IV: Varios. Ha aparecido la *Correspondencia diplomática del nuncio Tiberi (1827-1834).* Edición, introducción y notas por V. Cárcel (Pamplona, Eunsa, 1976), que es el volumen IV de la serie I (LXXXIII + 873 págs. y 7 láminas). Próxima es la publicación del volumen V de la misma serie: *Correspondencia diplomática del nuncio Amat y del vicegerente Ramírez de Arellano (1833-1841).*

El monasterio de Montserrat ha comenzado a publicar en su colección «Scripta et Documenta» el *Arxiu Vidal i Barraquer,* bajo el título general *Església i Estat durant la Segona República Espanyola. 1931-1936.* Textos en la llengua original. Edició a cura de M. Batllori i V. M. Arbeloa y de otros colaboradores. El volumen I *(14 d'abril-30 d'octubre de 1931)* está dividido en dos tomos, con un total de XIV + 560 págs., más varias láminas y retratos. El volumen II *(30 d'octubre de 1931-12 d'abril de 1932)* se publica también en dos tomos (773 págs.). El volumen I apareció en 1971, y el II, en 1975. En 1977 ha aparecido el volumen III *(14 d'abril-21 de desembre de 1932),* VIII + 549 págs.

Aunque no tienen carácter sistemático ni forman parte de alguna colección de textos, hay que señalar como edición de fuentes el *Epistolario de Pío IX con Isabel II de España,* preparado por J. Gorricho (Archivum Historiae Pontificiae 4 [1966] 281-348), que debe completarse con los *Documentos sobre el problema de la sucesión de Isabel II,* editados por M. F. Núñez *(Estudios de historia contemporánea* vol.1 [Madrid, C. S. I. C., 1976] p.355-407).

En la misma línea hay que citar parte de la correspondencia del nuncio Barili, editada por C. Meneguzzi Rostagni *(Il carteggio Antonelli-Barili, 1859-1861,* Roma, Ist. per la Storia del Risorgimento Italiano, 1973) y por J. M. Goñi Galarraga *(El reconocimiento del reino de Italia y Mons. Claret, confesor de Isabel II. La correspondencia Barili-Claret:* Anthologica annua 17 [1970] 369-461).

6. Catálogos de archivos

Me refiero a índices de documentos conservados en archivos eclesiásticos o civiles que encierran interés para la historia eclesiástica de los siglos XIX y XX. La tarea más intensa se ha hecho hasta el momento en el archivo de la Embajada de España ante la Santa Sede (conservado en el Ministerio de Asuntos Exteriores, Madrid) y en el archivo de la Nunciatura de Madrid (conservado en el Archivio Segreto Vaticano, Città del Vaticano). Este último se cita ASV *AN Madrid.*

El P. J. M. Pou Martí publicó el *Indice analítico de los documentos de la primera mitad del siglo* XIX, volumen IV de su obra *Archivo de la Embajada de España cerca de la Santa Sede* (Madrid, imp. Galo Sáez, 1935). Su investigación ha sido continuada por J. de Olarra Garmendia y M. L. de Larramendi, viuda de Olarra, que tiene en curso de publicación el índice del *Archivo de la Embajada de España cerca de la Santa Sede. (1850-1860):* Anthologica annua 17 (1970) 585-845; *(1860-1870):* ibid., 19 (1972) 675-1022; *(1871-1880):* ibid., 21 (1974) 453-623.

Con respecto al archivo de la Nunciatura de Madrid y a otros archivos integrados en el Archivio Segreto Vaticano hay que consultar la obra de L. Pásztor *Guida delle fonti per la storia dell'America Latina negli archivi della Santa Sede e negli archivi ecclesiastici d'Italia* (= Collectanea Archivi Vaticani: 2) (Città del Vaticano 1970). Una orientación más exacta puede encontrarse en los índices publicados por V. Cárcel Ortí: *El archivo del nuncio en España Giacomo Giustiniani (1817-1827):* Escritos del Vedat (Valencia) 6 (1976) 265-300; *Los despachos de la Nunciatura de Madrid (1847-1857):* Archivum Historiae Pontificiae 13 (1975) 311-400; 14 (1976) 265-356; *El archivo de la Nunciatura de Madrid desde 1868 hasta 1875:* ibid., 15 (1977) 363-76; *El archivo del nuncio Barili (1857-1868):* ibid., 17 (1979); *Cartas entre españoles y Pío IX durante el sexenio revolucionario (1868-1874):* Scriptorium Victoriense 24 (1977) 219-37.

7. Documentos episcopales españoles

No existen colecciones generales del magisterio episcopal español, pero sí algunas particulares. Es difícil encontrar cartas pastorales u otros escritos de los obispos del primer tercio del XIX, pero disponemos de algunas obras que llenan, en parte, este vacío. Los escritos relacionados con el trienio constitucional (1820-23) están reunidos en la *Colección eclesiástica española comprensiva de los breves de S. S., notas del R. Nuncio, representaciones de los SS. Obispos a las Cortes, pastorales, edictos, etc., con otros documentos relativos a las innovaciones hechas por los constitucionales en materias eclesiásticas desde el 7 de marzo de 1820* (Madrid 1823-24), 14 tomos. Recogieron estos documentos Fr. Juan Antonio Díaz Merino, O.P. (1772-1844), prior del convento de San Pablo de Cuenca, y el canónigo lectoral de la misma ciudad, Basilio Antonio Carrasco Hernando (1783-1852). En 1831 fueron nombrados obispos de Menorca e Ibiza respectivamente.

Otros escritos de los obispos del primer tercio del XIX, aunque de carácter más político-social que pastoral, han sido dados a conocer por F. SUÁREZ en el tomo II de los *Documentos del reinado de Fernando VII;* son los *Informes sobre el estado de España (1825)* (Pamplona 1966), y por P. A. PERLADO, *Los obispos españoles ante la amnistía de 1817* (Pamplona 1971).

En la segunda mitad del XIX comenzaron a publicarse en todas las diócesis los boletines oficiales eclesiásticos, que divulgaban puntualmente el magisterio episcopal. Lo mismo hicieron otras publicaciones paralelas, aunque sin carácter oficial, como *La Voz de la Religión* y *La Cruz.* La primera revista es particularmente interesante para los años 30 y 40, pues reproduce escritos pastorales íntegros. *La Cruz* fue fundada por León Carbonero y Sol en 1852 y apareció ininterrumpidamente hasta 1914. Prácticamente fue el órgano oficioso del episcopado español. Desde 1941, *Ecclesia,* órgano de la Acción Católica Española, difunde hasta nuestros días los textos más significativos del magisterio episcopal, lo mismo que la edición en lengua española de *L'Osservatore Romano,* desde el 5 de enero de 1969.

J. Iribarren ha editado los *Documentos colectivos del episcopado español. 1870-1974* (BAC 355) (Madrid 1974).

8. Guías y estadísticas españolas

Desde 1814 hasta 1835 se editó en Madrid (imprenta de Sancha), con periodicidad anual, la *Guía del estado eclesiástico seglar y regular, de España en particular y de toda la Iglesia católica en general, para el año de...* Su autor, Julián Sánchez de Haedo, recogía datos muy completos sobre el personal eclesiástico, distribuido por diócesis y órdenes religiosas. Esta *Guía* había comenzado a publicarse a finales del siglo XVIII (se conservan ejemplares de 1787 hasta 1807).

En 1849 apareció el *Boletín del clero español en 1848, con las biografías de Su Santidad Pío IX, nuncio apostólico y de los señores prelados de España; necrología de los individuos más notables del clero secular y regular fallecidos en dicho año, variaciones y estado personal del clero, con un extracto de los decretos que le son relativos publicados durante el mismo año* (Madrid, ed. José Lorente, 1849). De este *Boletín* salieron tres tomos (1848, 1849 y 1850). El editor Lorente lo tuvo que suspender por cuestiones legales, pero en 1853, bajo la protección del patriarca de las Indias, Tomás Iglesias Barcones, lanzó la segunda serie del *Boletín,* titulada *Historia contemporánea del clero español correspondiente a 1851 y 1852* (Madrid 1853), que recogía los datos ya reunidos en el *Boletín,* actualizados con abundante legislación sobre asuntos eclesiásticos. Apareció después el *Suplemento al tomo primero de la segunda serie de Historia contemporánea del clero español, con las variantes de alta y baja que han ocurrido en el personal de todas las iglesias metropolitanas, sufragáneas, reales capillas y colegiatas de España y Ultramar durante el año de 1853* (Madrid 1854).

Desde 1850 hasta 1868, el Ministerio de Gracia y Justicia publicó la *Guía del estado eclesiástico de España para el año de...,* riquísima en datos y noticias oficiales, que recogía, por real orden, el editor de obras religiosas, Primitivo Fuentes.

Juan Sáez Marín *(Datos sobre la Iglesia española contemporánea. 1768-1868,* Madrid, Ed. Nacional, 1975) ha consultado en buena parte las *Guías* citadas, el *Diccionario* de Madoz y los presupuestos anuales del Ministerio de Gracia y Justicia, con lo cual consigue ofrecer interesantes cuadros estadísticos.

Desde 1868 hasta 1915 existe un gran vacío, que no logran colmar algunas iniciativas, a nivel diocesano, de escasa continuidad.

Bajo la dirección del sacerdote Lorenzo Pérez Belloso fue publicado el *Anuario eclesiástico de España, 1904* (Madrid 1904).

El editor y librero pontificio E. Subirana publicó en Barcelona, desde 1915 hasta 1936, un *Anuario eclesiástico,* riquísimo en datos, noticias y documentación variada gracias a una red de corresponsales diocesanos organizada eficazmente.

Después de la guerra civil, en los años cuarenta hay que registrar la aparición en 1943 de la *Guía de la Iglesia y de la Acción Católica Española,* editada por el Secretario de Publicaciones de la Junta Técnica Nacional de la A. C. E., que no tuvo continuidad, y el *Anuario Religioso Español* (Madrid 1947), iniciativa privada, que tampoco siguió.

En 1951 se publicó una documentada *Guía eclesiástica y civil de los pueblos de España* (Barcelona, ed. Vilamala, 1951), dirigida por el canónigo lectoral de Tarragona, José Vallés y Barceló, y dos años más tarde apareció el *Anuario católico español* dirigido por Fr. Justo Pérez de Urbel (Madrid 1953).

Al crearse la Oficina General de Información y Estadística de la Iglesia en España, comenzaron las tareas para la edición de una *Guía de la Iglesia en España,* que apareció por primera vez en 1954. Siguieron otras ediciones en 1960 y 1963. En los años intermedios han aparecido *Suplementos.*

9. Colecciones legislativas civiles españolas de los siglos XIX-XX

Prontuario de leyes y decretos del Rey Nuestro Señor Don José Napoleón I desde el año 1808 (Madrid 1810-12).

Código español del reinado de José Napoleón Bonaparte, por Miguel de los Ríos (Madrid 1845).

Colección de decretos y órdenes que han expedido las Cortes generales y extraordinarias (Cádiz 1811-1813).

Decretos del rey Don Fernando VII... por Fermín Martín de Balmaseda (Madrid, Imp. Real, 1816-1824), 7 vols.

Colección de las reales células, decretos y órdenes de Su Magestad Don Fernando VII (Barcelona, M. y T. Gaspar, 1818-1819).

Apéndice a los tomos I, II, III y IV de la obra Decretos del rey D. Fernando VII... respecto a los años 1814, 1815, 1816 y 1817 por F. Martín de Balmaseda (Madrid, Imp. Real, 1819).

Colección de las reales cédulas, decretos y órdenes de Su Magestad el Señor Fernando VII desde 4 de mayo de 1814 (Valencia 1814ss).

Colección de los decretos y órdenes que han expedido las Cortes generales y extraordinarias (Madrid 1820ss).

Colección de los decretos y órdenes de las Cortes ordinarias (Madrid 1820).

Colección de los decretos y órdenes de las Cortes (Madrid 1820-23), 10 vols.

Decretos y resoluciones de la Junta Provisional, Regencia del Reino y los expedidos por S. M. desde que fue libre del tiránico poder revolucionario (Madrid 1823).

Decretos, órdenes y reglamentos expedidos por la Regencia del Rino desde su instalación (Barcelona, Vda. e hijos de A. Brusi, 1823).

Decretos del Rey Nuestro Señor Fernando VII..., por Josef María de Nieva (Madrid 1823-33).

Decretos de la reina nuestra señora doña Isabel II, dados en su real nombre por su augusta madre la reina gobernadora, y reales órdenes, resoluciones y reglamentos generales expedidos por las secretarías del Despacho universal desde el 1.º de enero de 1834..., por Josef María de Nieva (Madrid 1835-37).

Colección de las leyes, reales decretos, órdenes, circulares y resoluciones generales, expedidas sobre todos los ramos de la administración y gobierno del Estado (Madrid 1837-48).

Colección de las leyes, decretos y declaraciones de las Cortes y de los reales decretos, órdenes, resoluciones y reglamentos generales expedidos por las secretarías del Despacho (Madrid 1837-44).

Colección legislativa de España (continuación de la colección de decretos (Madrid, Imp. Nacional, 1848ss). El primer volumen, correspondiente al primer trimestre de 1846, indica que es el «Tomo XXXVI» de la antigua *Colección de decretos.* Se publicó hasta principios del siglo XX.

J. I. CASO, *Guía legislativa. Indice general de las leyes, decretos, órdenes y circulares contenidas en los noventa tomos de la «Colección legislativa oficial de España», que comprende desde 24 de septiembre de 1810 hasta el día* (Madrid, L. Palacios, 1859-60), 2 vols.

10. Ediciones recientes de textos políticos fundamentales

A. PADILLA SERRA, *Constituciones y leyes fundamentales de España (1808-1947)* (Granada 1954).

R. SAINZ DE VARANDA, *Colección de leyes fundamentales* (Zaragoza, Acribia, 1957).

F. GARRIDO FALLA, *Leyes políticas de España* (Madrid, B. O. E., 1969).

Leyes constitucionales (Madrid, Taurus, 1963), 2 vols.; recoge las principales constituciones del mundo y tres leyes fundamentales del régimen del general Franco.

L. SÁNCHEZ AGESTA, *Los documentos constitucionales y supranacionales, con inclusión de las leyes fundamentales del Estado* (Madrid, Ed. Nacional, 1972).

D. SEVILLA ANDRÉS, *Constituciones y otras leyes y proyectos políticos de España* (Madrid, Ed. Nacional, 1969), 2 vols.

Leyes políticas españolas fundamentales (1808-1936). Recopilación de textos y prefacio de E. Tierno Galván (Madrid, Tecnos, 1975) 2.ª reimpr.

* A. GALLEGO ANABITARTE, *Leyes constitucionales y administrativas de España* (Pamplona, Eunsa, 1976).

Constituciones españolas y extranjeras. Edición y estudio preliminar por Jorge de Esteban, con la colaboración de Javier García Fernández (Madrid, Taurus, 1977), 2 vols.

J. SOLÉ TURÁ, *Constituciones y períodos constituyentes en España (1808-1936)* (Madrid, Siglo XXI, ² 1978).

J. DE ESTEBAN, J. GARCÍA FERNÁNDEZ y E. ESPÍN, *Esquemas del constitucionalismo español 1808-1976* (Madrid, Fac. Derecho, 1976); sirve de complemento a las obras anteriores.

11. Colecciones de tratados y acuerdos internacionales españoles

MINISTERIO DE ESTADO, *Indices generales de los tratados, convenios y otros documentos de carácter internacional firmados por España. Así como de las leyes, decretos y reales órdenes que afectan a las relaciones internacionales desde 1801 a 1897 inclusives. Indices cronológicos y por materias* (Madrid, Minuesa de los Ríos, 1900).

Nota de los tratados que ha celebrado España con las potencias extranjeras desde el advenimiento de la dinastía de Borbón. Es el apéndice al *Tratado de las relaciones internacionales* (Madrid, Ramón Rodríguez de Rivera, 1848), de Facundo Goñi.

Relación de los tratados, estipulaciones y demás documentos de carácter internacional promulgados desde el reinado de D.ª Isabel II hasta el día (Madrid, Imp. y Fundac. de M. Tello, 1887). Comprende desde el 17 de febrero de 1834 hasta el 27 de octubre de 1886.

Sumario alfabético de todos los tratados internacionales en que ha intervenido España; véase en el *Diccionario de la Administración española. Compilación de la novísima legislación de España Península y Ultramar,* de M. Martínez Alcubilla, 5.ª ed. vol.9 p.921-23.

Colección de los tratados, convenios y documentos internacionales celebrados por nuestros Gobiernos con los Estados extranjeros desde el reinado de D.ª Isabel II hasta nuestros días. Acompañados de notas histórico-críticas sobre su negociación y cumplimiento y cotejados con los textos originales..., bajo la dirección del marqués de Olivart (Madrid 1890ss), 14 vols. Conocida como la primera serie del marqués de Olivart.

Tratados y documentos internacionales de España publicados oficialmente y coleccionados en la Revista de Derecho Internacional y Política Extranjera, bajo la dirección del marqués de Olivart (Madrid 1905-12), 4 vols.: I, 1905; II, 1906; III, 1907; IV, 1908-10. Conocida como la segunda serie del marqués de Olivart.

J. LÓPEZ OLIVÁN, *Repertorio diplomático español. Indice de los tratados ajustados por España (1125-1935) y de otros documentos internacionales* (Madrid 1944). Completa y subsana las omisiones del marqués de Olivart en sus dos colecciones anteriores.

Colección de los tratados, convenios y otros documentos de carácter internacional firmados por España y de las leyes, decretos y órdenes que atañen a las relaciones exteriores. 1944-1945 (Madrid, Minist. de Asuntos Exteriores, Dir. General de Relaciones Culturales, 1955). Es una continuación de la segunda serie del marqués de Olivart, y, por consiguiente, comienza en 1911, aunque incluye textos correspondientes a los años 1834-1910 omitidos por Olivart. Esta *Colección* está editada por el ministro plenipotenciario Justo Gómez Ocerín.

12.   Colecciones de actas parlamentarias

Diario de sesiones de Cortes (Madrid, J. A. García, 1870-1876), 26 vols. (Contiene extraordinarias de 1810-1813, con 8 vols., más uno de índices; las ordinarias de 1813-1814 y las ordinarias y extraordinarias de 1820-1823).

Cortes. Actas de las sesiones de las Cortes de la legislatura ordinaria de 1813 (Madrid 1876).

Cortes. Actas de las sesiones de las Cortes de la legislatura ordinaria de 1814 (Madrid 1876). Este vol. contiene índices del mismo y del volumen anterior.

Actas de las sesiones secretas de las Cortes generales y extraordinarias de la Nación española, que se instalaron en la isla de León, el día 24 de septiembre de 1810 y cerraron sus sesiones en Cádiz el 14 de igual mes de 1813, de las celebradas por la Diputación permanente de las Cortes... y de las secretas de las Cortes Ordinarias (Madrid 1874).

Diario de las sesiones de Cortes celebradas en Sevilla y Cádiz en 1823 (Madrid 1858).

Diario de sesiones de las Cortes Constituyentes (Madrid 1870-71).

Diario de sesiones de las Cortes (Madrid 1871-73).

Diario de la Asamblea Nacional (Madrid 1873).

Diario de las Cortes Constituyentes de la República Española (Madrid 1873-74).

Diarios de las Sesiones de las Cortes. Congreso de los Diputados (Madrid 1876ss).

Diarios de las Sesiones de las Cortes. Senado (Madrid 1876ss).

13. Historias generales de la España contemporánea

ARTOLA GALLEGO, Miguel, *Los orígenes de la España contemporánea* (Madrid 1975), 2 vols.

La España de Fernando VII. Intr. de C. Seco Serrano (Madrid 1968) (= Historia de España, dirigida por R. Menéndez Pidal: XXVI).

La burguesía revolucionaria (1808-1874) (Madrid 1974) (= Historia de España Alfaguara: 5).

Partidos y programas políticos. 1808-1936 (Madrid 1974-75), 2 vols.

BENEYTO, Juan, *Historia social de España y de Hispanoamérica. Repertorio manual para una historia de los españoles* (Madrid 1973).

CARR, Raymond, *España 1808-1939* (Barcelona 197?).

CIERVA, Ricardo de la, *Historia básica de la España actual (1800-1974)* (Barcelona 1976) 9.ª ed.

COMELLAS, José Luis, *Historia de la España moderna y contemporánea* (Madrid, Rialp, ² 1978), 2 vols.

CUENCA, José Manuel, *Historia de España* (Barcelona 1973), 2 vols.

DESCOLA, Jean, *Historia de España* (Barcelona 1973).

FERNÁNDEZ ALMAGRO, Melchor, *Orígenes del régimen constitucional español* (Madrid 1928).

Historia política de la España contemporánea (Madrid 1968), 3 vols.

GARCÍA ESCUDERO, José María, *Historia política de las dos Españas* (Madrid 1976), 4 vols.

LAFUENTE, Modesto, *Historia general de España..., continuada por J. Valera* (Barcelona 1887-90), 25 vols.

MADARIAGA, Salvador de, *España. Ensayo de historia contemporánea* (Madrid ¹¹1978).

MENÉNDEZ PIDAL, Ramón, *Historia de España. Introducción* (Madrid 1947).

PALACIO ATARD, Vicente, *La España del siglo XIX, 1808-1898* (Madrid 1978).

SÁNCHEZ AGESTA, Luis, *Historia del constitucionalismo español* (Madrid 1953).

SECO SERRANO, Carlos, *La España contemporánea* (Barcelona, Lust. Gallach, 1978), 2 vols.

SEVILLA ANDRÉS, Diego, *Historia política de España (1800-1973)* (Madrid 1974).

TUÑÓN DE LARA, Manuel, *La España del siglo XIX (1808-1914)* (París 1961, Barcelona, Laia, ²1978).

La España del siglo XX (Barcelona ³1978).

TUSELL GÓMEZ, Xavier, *La España del siglo XX* (Madrid 1975).

UBIETO, Antonio-REGLA, Juan-JOVER, José María-SECO, Carlos, *Introducción a la historia de España* (Barcelona ²1970).

VICÉNS VIVES, Jaime, *Historia social y económica de España y América*, dirigida por... (Barcelona 1957-59), 5 vols.

14. Recientes misceláneas sobre varios aspectos de la historia de España en los siglos XIX-XX

Ante la imposibilidad de reseñar los numerosos artículos que aparecen continuamente en revistas históricas nacionales y extranjeras sobre la España contemporánea, señalo algunos volúmenes que recogen conferencias o trabajos sobre aspectos diversos, incluidos algunos relacionados con la historia eclesiástica y religiosa de los siglos XIX y XX.

La Biblioteca Universitaria Guadiana ha publicado *Historia social de España. Siglo XIX* (Madrid 1972) e *Historia social de España. Siglo XX* (Madrid 1976); son dos volúmenes que reúnen las conferencias pronunciadas en el Ateneo de Málaga en 1972 y 1974-75.

El Centro de Investigaciones Históricas, de la Universidad de Pau, celebra coloquios sobre el XIX y XX españoles, cuyas comunicaciones desde el tercer coloquio han sido publicadas por la Editorial Cuadernos para el Diálogo, Instituto de Técnicas Sociales (I. T. S.): *Sociedad, política y cultura en la España de los siglos XIX y XX* (Madrid 1973); *Movimiento obrero, política y literatura en la España contemporánea* (Madrid 1974); *Prensa y sociedad en España (1820-1936)* (Madrid 1975); *La cuestión agraria en la España contemporánea* (Madrid 1976); *Crisis del Antiguo Régimen e industrialización en la España del siglo XIX* (Madrid 1977).

La Escuela de Historia Moderna, del Instituto Jerónimo Zurita, del C. S. I. C., ha publicado un volumen de *Estudios sobre la España liberal. 1808-1848* (Madrid 1973) (= Anexos de la revista «Hispania»: 4) y otro de *Estudios de historia contemporánea* vol.1 (Madrid 1976); los dirige ambos el profesor V. Palacio Atard.

Bajo la dirección de J. M. Jover Zamora, la editorial Planeta ha publicado *El siglo XIX en España: doce estudios* (Barcelona 1974), cuya primera colaboración es un extenso y valioso trabajo sintético sobre *El siglo XIX en la historiografía española contemporánea (1939-1972)* p.9-151.

Por último, es oportuno remitir a varios congresos celebrados en los últimos años, cuyas actas están en curso de publicación, porque han dedicado gran atención a temas de nuestra historia eclesiástica y civil de los siglos XIX y XX. Me refiero a:

Primer Congreso de Historia del País Valenciano. Celebrado en Valencia del 14 al 18 de abril de 1971 (Valencia, Universidad, 1973ss). Está todavía en curso de edición, pero ya ha salido el vol. IV, dedicado a la época contemporánea.

Actas de las I Jornadas de Metodología aplicada de las Ciencias Históricas. Celebradas en la Universidad de Santiago de Compostela del 24 al 27 de abril de 1973. Vol.IV Historia contemporánea (Santiago de Compostela, Universidad-Fundación «Juan March», 1975).

Actas del Primer Congreso de Historia de Andalucía. Celebrado en diciembre de 1976 (Córdoba, Monte de Piedad y Caja de Ahorros, 1978). Han salido 7 vols.

Aproximación a la historia social de la Iglesia Española contemporánea (San Lorenzo de El Escorial 1978) (= Colección Biblioteca de Ciudad de Dios). Recoge las actas de los coloquios celebrados en el Real Monasterio del Escorial en julio de 1976.

HISTORIA DE LA IGLESIA EN ESPAÑA

V

La Iglesia en la España contemporánea
(1808-1976)

PRIMERA PARTE

LA IGLESIA ESPAÑOLA ANTE LA CRISIS DEL ANTIGUO REGIMEN (1808-33)

Por MANUEL REVUELTA GONZÁLEZ

INTRODUCCION BIBLIOGRAFICA

Para el conocimiento de la historia de la Iglesia durante el reinado de Fernando VII (1808-33) existen varias colecciones de fuentes impresas. Entre las de carácter oficial conviene destacar los *Diarios de Cortes* [1], pues en los inicios del parlamentarismo se ventilan los temas fundamentales de la política religiosa con amplitud y apasionamiento. La *Gaceta de Madrid* [2] publica las más importantes decisiones legislativas y contiene a menudo artículos de fondo en apoyo de las medidas religiosas adoptadas por los diversos gobiernos. Las *Colecciones de decretos* [3], tanto en los períodos liberales como en los absolutistas, constituyen un cómodo y eficaz complemento.

Buen número de los más significativos documentos eclesiásticos fueron recopilados en la *Colección eclesiástica española* [4], rica antología, aun-

[1] Nos referimos a las *Cortes de Cádiz* (1810-13), *Cortes ordinarias* de Cádiz y Madrid (1813-14) y a las Cortes del trienio (1820-23). Seguiremos la *editio princeps,* que se publica en el momento en que se celebran las sesiones, citándola con la sigla DC.

[2] La *Gaceta de Madrid* (GM) es especialmente importante para el estudio del Gobierno afrancesado, pues resulta insuficiente el *Prontuario de leyes y decretos del Rey nuestro Señor don José Napoleón I desde el año 1808* (Madrid 1810-12) y el *Código español del reinado de José Napoleón Bonaparte,* por D. Miguel de los Ríos (Madrid 1845).

[3] *Colección de los decretos y órdenes que han expedido las Cortes generales y extraordinarias* t.1-4 (Madrid 1820); *Colección de los decretos y órdenes de las Cortes ordinarias* t.5 (Madrid 1820); *Colección de los decretos y órdenes de las Cortes* t.6ss (Madrid 1820-23); *Decretos del Rey D. Fernando VII...,* por don Fermín Martín de Balmaseda t.1-6 (1814-20); *Decretos y resoluciones de la Junta provisional, Regencia del Reino y los expedidos por S.M. desde que fue libre del tiránico poder revolucionario...* t.7 (1823); *Decretos del Rey nuestro Señor...,* por don Josef María de Nieva t.8-18 (1823-33). Nos serviremos de estas ediciones para las citas, pero indicando solamente la fecha del decreto, real orden, circular o instrucción, pues ella basta para una fácil localización.

[4] *Colección eclesiástica española* comprensiva de los breves de S. S., notas del R. Nuncio, representaciones de los SS. Obispos a las Cortes, pastorales, edictos,

que no exhaustiva, de las reacciones de la jerarquía durante el trienio constitucional. Los *Documentos de Fernando VII*, publicados por la Universidad de Navarra, ofrecen materiales importantes para conocer las actitudes eclesiásticas durante las épocas absolutistas [5]. La correspondencia del nuncio Tiberi nos revela el interesante mundo de las relaciones diplomáticas con Roma [6].

Estas fuentes elementales han de completarse con el inmenso número de publicaciones coetáneas de diversa especie. Entre ellas debe destacarse un elemento nuevo, de importancia capital para conocer la divulgación del ambiente anticlerical y la consiguiente respuesta apologética: la prensa periódica, representada no sólo en los diarios [7], sino también en una serie de cartas y escritos debidos a la pluma de un solo autor que polemiza con periodicidad irregular. Tal es el caso, por ejemplo, de las *Cartas del filósofo rancio* (P. Alvarado), de *Don Roque Leal* (Villanueva) o del *Pobrecito holgazán* (Miñano). A todo ello debe añadirse el mar inabarcable de los folletos, unas veces serios, otras satíricos, en que se discuten las cuestiones del día; así como la abundante proliferación de pastorales y sermones, en los que las ideas teológicas se acomodan a las más diversas circunstancias e ideologías políticas. La *Colección del Fraile,* del Servicio Histórico Militar, demuestra la abundancia de estas obras menores, de gran valor historiográfico [8]. Toda consulta del estudioso en cualquier biblioteca con fondos antiguos le hará descubrir hallazgos no registrados en las bibliografías.

Los libros «clásicos» de la historiografía de aquel tiempo que suelen aparecer mencionados en las monografías, son más conocidos que los folletos y periódicos. Entre los más imprescindibles para esta zona de

etcétera, con otros documentos relativos a las innovaciones hechas por los constitucionales en materias eclesiásticas desde el 7 de marzo de 1820, 14 tomos (Madrid 1820-23).

[5] *Documentos del reinado de Fernando VII:* Seminario de Historia Moderna, Universidad de Navarra (Pamploma 1965ss). Han aparecido por ahora 8 volúmenes, todos con introducción y notas de F. Suárez (excepto el vol.3, por A. M. Beraluce, que colabora también en el vol.5). Los más importantes para la historia eclesiástica son el vol.2: *Informes sobre el estado de España* (1825), y el vol.8: *Los agraviados de Cataluña*, en 3 tomos. También ha publicado F. Suárez los informes oficiales sobre Cortes: *Cortes de Cádiz* (Pamplona 1967-74), 3 vols. De gran interés son los documentos publicados por P. A. PERLADO, *Los obispos españoles ante la amnistía de 1817* (Pamplona 1971).

[6] V. CÁRCEL ORTÍ, *Correspondencia diplomática del nuncio Tiberi (1827-1834)* (Pamplona 1976).

[7] Sobre la efervescencia periodística de las dos épocas liberales fernandinas, cf. los catálogos que ofrecen M. GÓMEZ IMAZ, *Los periódicos durante la guerra de la Independencia (1808-1814)* (Madrid 1910), y A. GIL NOVALES, *Las sociedades patrióticas (1820-1823)* t.2 (Madrid 1975).

[8] ESTADO MAYOR DEL EJÉRCITO, Servicio Histórico Militar, *Indice catalogado de la famosa colección histórica llamada del Fraile*, 4 tomos (Madrid 1949-50); *Diccionario bibliográfico de la guerra de la Independencia española. 1808-14*, 3 tomos (Madrid 1947-52). También aparecen citados numerosos folletos en la obra indicada de Gil Novales y en M. ARTOLA GALLEGO, *Los orígenes de la España contemporánea* t.2 (Madrid 1976). Ofrece un buen repertorio de sermones A. MARTÍNEZ ALBIACH, *Religiosidad hispana y sociedad borbónica* (Burgos 1967).

la historia eclesiástica hemos de recordar las obras de Alvarado, Vélez, Villanueva, Blanco, Llorente, Amat, Toreno, Galiano, Inguanzo, Canga Argüelles y otros autores coetáneos a los que haremos referencia en las líneas subsiguientes.

Las fuentes impresas, sin embargo, sólo son capaces, por lo general, de trazar la silueta fundamental del pasado histórico. Los verdaderos latidos de la historia se captan en la paciente consulta de las fuentes inéditas de los archivos, a menudo prolijas y referidas a tiempos y espacios muy concretos, pero portadoras siempre del cálido aliento del pasado. La historia eclesiástica española contemporánea debe rehacerse sobre la documentación original que guardan el Archivo Vaticano [9], los archivos nacionales [10] y los todavía no suficientemente explorados archivos parroquiales, episcopales y de órdenes religiosas.

El interés que ha suscitado últimamente nuestra historia eclesiástica decimonónica, ha dado como fruto monografías, nada despreciables en número y calidad, publicadas en estos últimos años [11]. Sin embargo, quedan todavía por estudiar importantes aspectos de la época fernandina; e incluso se echan de menos monografías que aborden, en una síntesis rigurosa, períodos tan fundamentales como la guerra de la Independencia y los períodos absolutistas. Por eso siguen siendo todavía útiles obras generales como la *Historia eclesiástica de España,* de V. de la Fuente, los *Heterodoxos,* de Menéndez Pelayo, o las *Relaciones diplomáticas entre España y la Santa Sede en el siglo XIX,* de J. Becker, así como las historias de las órdenes religiosas [12], los episcopologios [13] y las obras de

[9] V. CÁRCEL ORTÍ, *El archivo del nuncio en España Giacomo Giustiniani (1817-1827):* Escritos del Vedat 6 (1976) 265-300; *Política eclesial de los gobiernos liberales españoles. 1830-1840* (Pamplona 1975) 27-51.

[10] En el Archivo Histórico Nacional son de especial interés los Papeles de la Junta Central, en la sección de Estado. En la sección de Consejos, los leg.12027-12084 (religiosos del siglo XIX), así como varios libros y legajos de Hacienda y Clero, para los que existen los correspondientes catálogos mecanografiados. En el Archivo de Simancas hay importantes fondos eclesiásticos en la sección de Gracia y Justicia. En el archivo del Ministerio de Asuntos Exteriores se conserva la documentación de la Embajada. J. POU Y MARTÍ, *Archivo de la Embajada de España cerca de la Santa Sede,* IV; *Documentos de la primera mitad del siglo XIX* (Madrid 1935).

[11] Para los artículos de revista contamos ya con una estimable reseña: J. M. CUENCA-J. LONGARES, *Bibliografía de la historia de la Iglesia. 1940-1974: Artículos de revista* (Valencia-Córdoba 1976). Otros libros y monografías de interés serán citados en su lugar adecuado.

[12] SILVERIO DE SANTA TERESA, *Historia del Carmen Descalzo en España, Portugal y América* (Burgos 1935-49), 14 vols.; L. FRÍAS, *Historia de la Compañía de Jesús en la Asistencia moderna de España,* 2 tomos (Madrid 1923,1944); P. SANAHUJA, *Historia de la Seráfica Provincia de Cataluña* (Barcelona 1959); C. RABAZA, *Historia de las Escuelas Pías en España* (Valencia 1917-18), 4 vols.; M. CARCELLER, *Historia general de la Orden de Recoletos de San Agustín.* T.1: *1808-1836* (Madrid 1962); C. BARRAQUER Y ROVIRALTA, *Las casas de religiosos en Cataluña durante el primer tercio del siglo XIX* (Barcelona 1906) 2 vols.; *Los religiosos en Cataluña durante la primera mitad del siglo XIX* (Barcelona 1915 y 1917), 2 vols.; JUAN C. GÓMEZ, *Historia de la Orden Hospitalaria de San Juan de Dios* (Granada 1963); J. M. CASTELLS, *Las asociaciones religiosas en la España contemporánea (1767-1965)* (Madrid 1973).

carácter enciclopédico [14]. También son útiles algunas visiones y panorámicas de conjunto que, sin entrar en detalles, pueden ofrecer síntesis y valoraciones de interés para todo el período que nos ocupa [15].

Nuestro cometido consiste en elaborar una síntesis de la historia externa de la Iglesia española, especialmente en sus relaciones con el poder civil. Conscientes de la estrecha vinculación entre nuestra historia religiosa y civil, hemos ajustado los períodos de aquélla a los que configuran la historia política de España. Otros aspectos no menos importantes quedarán tratados por otros colaboradores de este volumen. Hubiéramos deseado desarrollar, a modo de plataforma de arranque de esta historia, un elenco de datos estadísticos [16] y una pintura sobre la situación económica, administrativa, cultural y espiritual de la Iglesia de España a principios del ochocientos [17]; pero no ha sido factible por los imperativos de espacio y la planificación general de este volumen.

[13] Remitimos a las obras reseñadas por J. M. CUENCA, *Materiales para el estudio de la Iglesia jerárquica española contemporánea: episcopologios, biografías, obras de carácter general:* Bol. de la R. Acad. de la Historia 171 (1974) 293-317; *Sociología de una élite de poder en España e Hispanoamérica contemporáneas. La jerarquía eclesiástica (1789-1965)* (Córdoba 1976).

[14] *Diccionario de historia eclesiástica de España,* dirigido por Q. ALDEA, T. MA-RÍN y J. VIVES, 4 tomos (Madrid 1972-73-75).

[15] A. MARTÍNEZ ALBIACH, *Talante del catolicismo español:* Burgense 17 (1976) 99-160.543-632; 18 (1977) 253-317; M. TUÑÓN DE LARA, *El hecho religioso en España* (París 1968); J. M. CUENCA, *La Iglesia española en la crisis del Antiguo Régimen (1789-1833) Iglesia y Estado en la España contemporánea (1789-1914),* en *Aproximación a la Historia de la Iglesia Contemporánea en España* (Madrid 1978) 17-148; A.M. ROUCO VARELA, *Antecedentes históricos de las relaciones actuales entre la Iglesia y la comunidad política en España:* Salmanticensis 21 (1974) 217-34; M. REVUELTA GONZÁLEZ, *Crítica y reforma de los primeros liberales a la Iglesia española* (Madrid 1976); VÁZQUEZ-MEDÍN-MÉNDEZ, *La Iglesia española contemporánea* (Madrid 1973); J. MERCADER RIBA, *Orígenes del anticlericalismo español:* Hispania 33 (1973) 101-23.

[16] J. SÁEZ MARÍN, *Datos sobre la Iglesia española contemporánea. 1768-1868* (Madrid 1975). También se encuentran interesantes datos en J. CANGA ARGÜELLES, *Diccionario de Hacienda* 5 tomos (Londres 1826-27); MOREAU DE JONNES, *Estadística de España,* tra. y adicionada por Pascual Madoz (Barcelona 1835). Y en las *Guías del Estado eclesiástico seglar y regular de España* de la época.

[17] Sobre el estado de la Iglesia, especialmente del clero, en el primer tercio del XIX se han ocupado: V. PALACIO ATARD, *Fin de la sociedad española del Antiguo Régimen* (Madrid 1952); M. ARTOLA GALLEGO, *Los orígenes de la España contemporánea* t.1 (Madrid ² 1975) 38-52; M. REVUELTA GONZÁLEZ, *Política religiosa de los liberales en el siglo XIX. Trienio constitucional* (Madrid 1973) 22-52; J. PLAZA PRIETO, *Estructura económica de España en el siglo XVIII* (Madrid 1976) 157-60.642-54; G. FELÍU, *La clerecía catalana durante el trienni liberal* (Barcelona 1972); L. HIGUERUELA DEL PINO, *El clero de la diócesis de Toledo durante el pontificado del cadernal Borbón* (tesis doctoral en vías de publicación); A. PACHO, *El P. Palau y su momento histórico:* Monte Carmelo 80 (1972) 17-75.

CAPÍTULO I

LA GUERRA SANTA DE LA INDEPENDENCIA

La historia contemporánea española comienza con una guerra santa. El motivo religioso no fue el único factor que impulsó a los españoles al levantamiento, ni fue sentido por todos de la misma manera. Pero ese motivo existía, y era tan fuerte y espontáneo, que no podría ser olvidado por los dirigentes de la insurrección. Los criterios políticos de éstos y sus mismas convicciones religiosas podían ser dispares. Algunos políticos integrarán el sentimiento religioso a la insurrección con espontaneidad y convicción; otros procurarán manipular ese sentimiento por conveniencias e interés. Pero a todos se les ofrece como una fuerza imponente para lograr la independencia de España.

La fuerza del sentimiento religioso estriba en su carácter eminentemente popular; y no puede olvidarse que en definitiva fue el pueblo español quien hizo y ganó la guerra. Era un pueblo que luchaba por amor a su religión, a su rey y a su patria. Para este pueblo, todavía no contaminado por las ideas de la Ilustración, esa trilogía era la expresión de unos valores primarios e inseparables. Por eso, la lucha por la libertad del rey cautivo y por la independencia de la tierra profanada quedó espontáneamente convertida en una cruzada en defensa de la religión de los padres. Son viejos sentimientos los que mueven a la gran masa anónima del pueblo español, que no sabe todavía separar lo divino de lo humano. Pero es nueva su forma de luchar con un tesón indómito, con un apasionamiento hasta entonces desconocido.

[1] Sobre la guerra de la Independencia en general cf. TORENO: *Historia del levantamiento, guerra y revolución de España:* BAE t.64 (Madrid 1872). J. GÓMEZ DE ARTECHE, *Guerra de la Independencia. Historia militar de España de 1808 a 1814,* 14 tomos (Madrid 1868); M. ARTOLA GALLEGO, *La España de Fernando VII,* t.26 de la *Historia de España* dirigida por R. Menéndez Pidal (Madrid 1968); J. R. AYMES, *La guerra de la Independencia en España (1808-1814)* (Madrid 1974); SERVICIO HISTÓRICO MILITAR, *Guerra de la Independencia,* 3 tomos (Madrid 1972); G. H. LOVETT, *La guerra de la Independencia y el nacimiento de la España contemporánea,* 2 tomos (Barcelona 1975); L. HIGUERUELA prepara actualmente un estudio sobre la diócesis de Toledo durante la guerra de la Independencia.

Sobre el espíritu religioso de la guerra: A. PÉREZ GOYENA: *El espíritu religioso en la guerra de la Independencia:* Razón y Fe 21 (1908) 5-18; E. PARADAS, *Las comunidades religiosas en la guerra de la Independencia* (Sevilla 1908); G. JIMÉNEZ CAMPAÑA, *Acción del clérigo español en la guerra por nuestra independencia* (Madrid 1908); AMBROSIO DE VALENCIA, *Los capuchinos de Andalucía en la guerra de la Independencia* (Sevilla 1910); C. BARRAQUER Y ROVIRALTA, *Los religiosos en Cataluña durante la primera mitad del siglo XIX* (Barcelona 1915, 1917); J. R. DE LEGÍSIMA, *Héroes y mártires gallegos. Los franciscanos de Galicia en la guerra de la Independencia* (Santiago 1912); *Las órdenes religiosas en la guerra de la Independencia:* Arch. Iberoam. 38 (1935) 189-215.

1. EL SENTIDO RELIGIOSO DE LA GUERRA

La participación del clero en el levantamiento fue una de las peculiaridades más acusadas de aquella guerra. La existencia de clérigos afrancesados y de obispos y curas que soportaban en silencio la ocupación no justifica las opiniones de quienes han querido disminuir la importancia de la colaboración clerical en la guerra contra el invasor. Ni puede tampoco sostenerse la teoría de que fue sólo el clero bajo y no los obispos quienes actuaron con patriotismo. El clero en conjunto, como estamento, atizó la guerra y la sostuvo con sus bienes, con sus exhortaciones y con el ofrecimiento radical de sus personas. La guerra de la Independencia inaugura la estampa pintoresca del cura guerrillero, que tanto había de proliferar en nuestras contiendas civiles del siglo XIX. No existe región española donde no pululen las guerrillas conducidas por canónigos, curas o frailes [2].

En Galicia, las conduce Acuña, Carrascón, Rivera, Couto, Valladares, y los abades de Valdeorras, Casoyo, Cela, San Mamed y Trives. En Santander las dirige el obispo, estrafalario y barroco, Menéndez de Luarca. En Castilla la Vieja, los curas Merino y Tapia y el capuchino Délica se revelan como geniales estrategas. En la Mancha hacen la guerra Quero, Ayestarán, Salazar e Isidro. En Aragón y Navarra, el párroco de Valcarlos, el prior de Ujué, el beneficiado de Laguares y el presbítero Rubio. En Cataluña se destaca Rovira, al que emulan Montaña y Díaz. En Andalucía, el fraile Rienda y los curas de Riofrío, Lobello y Casabermeja. Existieron activos organizadores de las defensas de las ciudades, como Santiago Sas y el P. José de la Consolación, en Zaragoza [3], e incansables espías y estrategas, como Fr. Baudilio de San Boy [4], en Cataluña, o el P. Teobaldo, en Aragón. Hubo batallones compuestos exclusivamente por eclesiásticos, como los dominicos de Málaga, los carmelitas de Logroño, los franciscanos de Burgos, los frailes a caballo de Murcia, los exclaustrados de Ronda. En la heroica Gerona se formaron compañías de cruzados eclesiásticos seculares y regulares. «El oír tocar a generala era para ellos —según un cronista franciscano— lo mismo que oír la campana de obediencia» [5].

En la organización del levantamiento encontramos a sacerdotes entre los agitadores y conductores de las masas que se oponían a las autoridades «colaboracionistas», como el P. Rico, en Valencia [6]; el P. Gil, en Sevilla; el canónigo Llano Ponte, en Oviedo, o el capuchino Berrocal, en Málaga. No había junta local o provincial en la que no estuviera presente algún clérigo, fraile u obispo [7].

[2] E. CARRO CELADA, *Curas guerrilleros en España* (Madrid 1971); N. HORTA, *La guerrilla del cura Merino:* Rev. de Hist. Militar 12 (1968) 41-64.

[3] M. CARCELLER, *El P. Consolación, héroe de Zaragoza, mártir de la Patria y santo:* Estudios de la guerra de la Independencia, III (Zaragoza 1967) 167-87.

[4] AHN Est. leg.27A n.79-91; exposición de méritos de Fr. Baudilio a la Junta Central, Tarragona, 28-8-1809.

[5] F. ARAGONÉS, *Frayles Franciscos de Cataluña* (Barcelona 1833) 50.

[6] M. DE LA E. SORIANO, *El P. Rico y el levantamiento de Valencia contra los franceses:* Arch. Iberoam. 13 (1953) 257-327.

[7] Participaron en la Junta Central los obispos Vera y Delgado (auxiliar de Sevilla) y Silva (patriarca de las Indias); el cardenal Borbón y D. Pedro Quevedo fueron presidentes de la Regencia. Actuaron de presidentes de las respectivas Juntas Provinciales los obispos de Cuenca, Santander, Toledo, Sevilla, Zamora y Orense; y de vocales, los de Cádiz, Valencia, Murcia, Huesca y Galicia. Cf. I. DE VILLAPADIERNA, *El episcopado español y las Cortes de Cádiz:* Hisp. Sacr. 8 (1955) 275-335.

Estos nombres y estos ejemplos de una participación activa de los eclesiásticos en la guerra no son lo más importante. La verdadera aportación y la más estimable consiste en la *dirección mental y espiritual del movimiento insurreccional.* Dotar de ideología, levantar los ánimos, incendiar los sentimientos, comunicar, en fin, el alma y la razón de ser del sacrificio que suponía la resistencia, eran los servicios más estimables que el clero podía ofrecer a la «santa causa» y los que más fomentaron las autoridades. El pueblo de la guerra de la Independencia no concibe una vida temporal disociada del orden sobrenatural. El sacerdote juega, por consiguiente, un papel primordial en las actitudes de las gentes, hasta tal punto, que el P. Vélez no tuvo reparo en afirmar que «el que sabe a fondo el carácter del pueblo español..., conocerá que para él ha tenido más influjo el sermón o el consejo de un fraile o clérigo que todas las amenazas del Gobierno, sus proclamas y sus órdenes» [8].

No sólo por convicción, sino por un elemental sentido político, las autoridades insurrectas —juntas, generales, caudillos— invocan en sus proclamas, manifiestos y disposiciones al factor religioso: la defensa de la religión oprimida, la pureza de la fe de los padres, la cruzada contra la impiedad de los hijos de la revolución. La Junta Central apeló al sentimiento religioso cuando el entusiasmo provocado por la victoria de Bailén parecía agotarse ante el incontenible contraataque de Napoleón, cuyo resultado sólo podía ser una guerra larga y dura contra un enemigo muy superior en el campo de batalla. En una circular desesperada, la Junta hizo entonces un llamamiento al clero español. Está convencida de que la ruina de la Patria acarrearía la de la religión, y por eso inculca a cada eclesiástico «la necesidad de avivar la fe de los fieles y de manifestar que la guerra en que nos hallamos es santa y de religión; sobre lo que tal vez produciría el mejor efecto que, como en tiempo de la Cruzada, se concedieran a los ejércitos algunos religiosos de notoria virtud y elocuencia para arengar a los soldados al tiempo de entrar en acción». Todos los párrocos, «en las conversaciones particulares, en las pláticas doctrinales y en todos los actos públicos», deberán descubrir al pueblo el peligro en que se hallan; y los conventos deberán enviar religiosos a los pueblos grandes «para entusiasmarlos e inducirlos al punto de armarse en masa cuando esta medida sea necesaria para salvar a la Patria» [9].

Persiste aún la concepción religiosa del Antiguo Régimen: sin religión no sería posible la sociedad, la Patria ni el Estado. Por eso, la noticia de que algunos pocos obispos han exhortado la obediencia al rey José, escandaliza horriblemente a la Junta, que lanza contra ellos duras represalias [10]. En 1809 vuelve la Junta Central a pedir la colaboración moral de los eclesiásticos. En Sevilla organizó una junta de regulares. Esta junta canalizó los ofrecimientos de los frailes, que actuaron de correos, de espías, de enfermeros en los hospitales, de escribientes en las

---

[8] R. DE VÉLEZ, *Preservativo contra la irreligión* (Madrid [4] 1813) 94.
[9] Llamamiento de la Junta Central al clero español en 1808, cit, por AYMES, o.c., 133.
[10] AHN Est. leg.10C n.5; dec. de 12-4-1809.

oficinas, de capellanes en los ejércitos, de vigilantes de rondas, de trabajadores en la construcción de fuertes y defensas y, sobre todo, de misioneros en los pueblos [11]. En las zonas de guerra, donde no era posible
hacer misiones, la Junta Central propagó la cruzada. Por el decreto de
28 de junio de 1809 incitaba a imitar las que se habían establecido en
Extremadura y Cataluña, como lo exigían unos enemigos «más impíos y
sacrílegos con Dios que inhumanos con los hombres» [12].

El fermento religioso de pastorales, sermones, oraciones y acciones
litúrgico-patrióticas caló profundamente en el alma popular. Las insurrecciones de las provincias surgieron al grito de la religión y se guia-
ron bajo enseñas y estandartes religiosos. Junto al retrato del rey cam-
pea la imagen de Cristo, de la Virgen o del santo patrono. Los gerundenses organizan una procesión para entregar a San Narciso el bastón de
mando. La campana y el cañón, evocados por el poeta, proclamaban un
mismo mensaje, y la guerra se iniciaba y continuaba, como una gigantes-
ca liturgia, al reclamo bíblico de Dios de los ejércitos y con las ceremonias de bendición de banderas nacionales. Los trofeos enemigos se fijaban como exvotos en los muros de los santuarios. Por doquier se organizaban, unas veces por decreto y otras por iniciativas locales, solemnes
exequias por las víctimas de la guerra, a quienes no se dudaba en atribuir el título de mártires o se entonaban solemnes *Te Deum* por las
victorias.

La fecunda veta de la religiosidad popular se expresaba en catecismos,
coplas y canciones. Un catecismo patriótico de preguntas y respuestas, al
estilo del que se aprendía en la doctrina, resultaba especialmente apto para
hacer sentir, bajo el encofrado de una terminología familiar, los temores,
afectos, odios o esperanzas suscitados por la guerra. El «español por la gracia de Dios» tiene la obligación de ser cristiano y defender la Patria y el
rey. El enemigo de nuestra felicidad es el emperador de los franceses,
«principio de todos los males, fin de todos los bienes y compuesto y depósito de todos los vicios». Napoleón tenía dos naturalezas, una diabólica y
otra humana, y los franceses —«antiguos cristianos, nuevos herejes»— habían sido conducidos a la esclavitud por la falsa filosofía. A la pregunta de
si es pecado asesinar a un francés, se responde: «No, padre; se hace una
obra meritoria librando a la Patria de estos violentos opresores» [13]. También se divulgó un credo español en el que el patriota cree en la Junta
Central del reino, poderosa y criadora de la libertad española, y en Fernando VII, su único hijo y nuestro señor [14].

Algunos periodistas liberales intentaron quitar importancia al espíritu religioso que animó la insurrección y a la colaboración clerical.
Pero ambos fenómenos eran demasiado patentes y actuales para quedar
disimulados. Ya en 1813, el P. Vélez resaltaba la evidencia de los hechos, dándoles un realce épico. «La misma religión es la que ha armado

---

[11] La Junta de regulares estaba presidida por Lorenzo Bonifaz, a quien se dirigieron
numerosos ofrecimientos de religiosos (AHN Est. leg.27A n.4-43). También la circular
sobre misiones de 20-5-1809 obtuvo clamorosa acogida.
[12] AHN Est. leg.10C n.10.
[13] *Catecismo español*. Cit. por F. Díaz Plaja, *La Historia de España en sus documentos. El
siglo xix* (Madrid 1954) 71-73.
[14] M. Gómez Imaz, *Los periódicos durante la guerra de independencia* (Madrid 1910) 158.

ahora nuestro brazo para vengar los insultos que ha sufrido del francés en nuestro suelo. La religión —prosigue— nos condujo a sus templos, bendijo nuestras armas, publicó solemnemente la guerra y santificó nuestros soldados. Así empezó la gloria y la libertad de una nación abatida.» Vélez se exalta al contemplar una lucha en la que ha participado todo el pueblo y en la que los ministros del santuario activaron la efervescencia en los ánimos. «Toda la España se llegó a persuadir que, dominando la Francia, perdíamos nuestra fe. Desde el principio se llamó a esta guerra, *guerra de religión:* los mismos sacerdotes tomaron las espadas, y aun los obispos se llegaron a poner al frente de las tropas para animarlos a pelear»[15].

El testimonio del P. Vélez, a pesar de su exaltación, no debe parecernos exagerado, pues los generales franceses y los españoles afrancesados lo confirman sistemáticamente en los testimonios que nos dejaron sobre la guerra de España[16].

2. TEOLOGÍA DE LA GUERRA DE LA INDEPENDENCIA

Una guerra concebida como cruzada y desarrollada en medio de un ferviente espíritu religioso tiene que nutrirse forzosamente de una ideología espiritual. La guerra de la Independencia tuvo a su favor una teología, como la tuvieron otras guerras anteriores, y como la estaban teniendo en aquellos años en Francia las campañas de Napoleón. La teología bélica está llena de tópicos comunes, cuya única diferencia proviene de las aplicaciones concretas. En la guerra de la Independencia se parte del supuesto incuestionable de una guerra santa. Esta convicción se admite como una evidencia que no necesita demostración, sino solamente revestimiento retórico y explanación teológica de su poliédrico contenido. Los clérigos y obispos de la guerra de la Independencia nos han dejado abundantes pastorales y sermones en los que la guerra y la revolución quedan legitimados con categorías religiosas que no son propiamente nuevas, pero que nunca habían sido expresadas con tanta convicción ni exaltación. En aquel país sin rey, cada clérigo o cada fraile que ascendía al púlpito se sentía oráculo de la divinidad. En aquellos sermones de guerra, todo es desmesurado y vehemente, a tono con la gran tragedia de España. Más que sermones, son una metralla caótica de palabras y conceptos donde se mezclan tropos retóricos, figuras teológicas e imágenes bíblicas. Hay una tendencia a mitificar lo real y a desorbitar los hechos[17].

La guerra es presentada, a menudo, como *castigo y expiación de nuestros pecados*. No pocas veces se especifican los pecados que han merecido el castigo divino. Unas veces son pecados que podemos llamar tradicio-

---

[15] VÉLEZ, *Preservativo* 83-95.

[16] R. CALVO SERER, *España y la caída de Napoleón:* Arbor 5 (1946) 215-58.

[17] Hace interesantes análisis de sermones en relación con la ideología política A. MARTÍNEZ ALBIACH, *Religiosidad hispana y sociedad borbónica* (Burgos 1969). Un precursor de esta ideología de cruzada había sido el Beato Diego de Cádiz con su obra *El soldado católico en guerra de religión* (Ecija 1794).

nales (como las faltas de asistencia a misa, la no satisfacción de diezmos o la blasfemia, que recuerda el obispo de Ibiza). Otras son pecados nuevos, como el haberse dejado contagiar por el espíritu librepensador y revolucionario. A las calamidades, infortunios y malas cosechas de años anteriores, Dios añadía sobre nosotros el terrible azote de la guerra con todas sus terribles secuelas. Pero ese castigo tenía un sentido salvífico, que nos debía conducir a la corrección y a la conversión. La guerra, por lo tanto, debía recibirse como penitencia expiatoria. De ahí la estrecha relación entre la moralidad, la conversión y la oración con la victoria final.

Todos los predicadores dan por supuesto, si es que no hablan expresamente, de que se trata de una *guerra justa,* y afirman su licitud fundándose en los principios elementales de la ética. El honor nacional ha sido herido por una invasión bárbara, que pone en peligro la propiedad, la religión y la libertad. A la vista de tantas rapiñas y ante la amenaza de cárceles y destierros, el obispo de Ibiza excita a sus diocesanos «a la justísima defensa, que nos insta, de nuestra nación, robada, insultada y perseguida» [18]. Para muchos predicadores, la guerra es, además, obligatoria, pues están en juego unos valores fundamentales, que son preferidos a la misma vida. El P. Pablo de San Hipólito predicó en la catedral de Solsona un impresionante sermón, en el que, después de pintar con vívidos colores los sacrilegios y abusos cometidos por los franceses, interpelaba a sus oyentes con el llamamiento que les hacían la Patria, la Iglesia, el rey y el mismo Dios. «¿Haréis el sordo a tantas voces? ¡Ah!, si sois verdaderos españoles, si sois cristianos, todos, todos estáis obligados a concurrir con bienes y personas a esta guerra de Dios. Lo demás sería hacerse traidores a la Patria y mostrarse herejes». La respuesta indiferente no era posible ante la guerra más justa y necesaria de todos los tiempos. Sería un crimen grande, un pecado grave, pues «jamás los cristianos ni españoles han estado más obligados que ahora a defender con todas sus fuerzas la religión y la Patria» [19].

Lo que ante todo se recalca es que se trata de una *guerra divinal y salvífica.* Para esclarecer esta concepción se sitúa a la guerra en una doble vertiente, patriótica y mística, que si, por un lado, significa un eslabón más con la historia teologal de España, por otro cobra alientos escatológicos y sobrenaturales. La guerra de la Independencia es un nuevo capítulo de la historia de salvación, que dio comienzo con las gestas de los jueces y caudillos del pueblo de Israel, que fue continuada en las guerras de cruzada de la reconquista española en defensa de la fe y que se desarrolla en estos días contra unos enemigos que pretenden conculcar los derechos de Dios y de la Patria. Se trata de una guerra entre las dos ciudades agustinianas y de una cruzada contra una nueva morisma. Las transposiciones y personificaciones son abundantísimas. España es el nuevo pueblo de Israel en armas, la heredad profa-

---

[18] AHN Est. leg.8B n.17; pastoral de Blas J. Beltrán de 24-1-1809.
[19] AHN Est. leg.27E n.281; sermón de la Circuncisión predicado por Fr. Pablo de San Hipólito en la catedral de Solsona (1809).

nada del Señor, el pueblo conducido por el Dios de los ejércitos. En el rey cautivo, en los vocales de las juntas o en los generales de los ejércitos aparecen redivivos los héroes del Antiguo Testamento —Moisés, David, Mardoqueo, los Macabeos— o los reyes y caudillos de la sagrada historia de España, los nuevos Cides, Pelayos, Jaimes o Alfonsos. Personajes, sitios o batallas quedan mitificados y transfigurados y adquieren una dimensión transcendente.

El enemigo se describe con no menos hipérboles, aunque en sentido contrario. Es un adversario digno de una guerra transcendente. Por tanto, es portador de una maldad satánica que supera los rasgos de un simple enemigo terreno. Los predicadores vomitan denuestos contra el caudillo de aquellas huestes fatídicas. Aquel Napoleón, a quien todavía los obispos de Francia estaban adulando como restaurador del culto católico, resultaba ser un monstruo de maldad y perfidia, un nuevo Satán, un hijo y propagador de la revolución regicida y deicida, un perseguidor de la Iglesia y del papa, a quien tenía cautivo. Los franceses eran unos ladrones, asesinos y herejes; propagadores de la falsa filosofía y de la nueva barbarie. Ante el enemigo, no sólo del cuerpo, sino también del alma, sólo era posible en los patriotas una actitud de desconfianza, desprecio, odio y venganza.

Por el contrario, nuestra causa es la de Dios, que pelea con nosotros y nos protege con milagros. «El cielo estuvo siempre a nuestro favor cuando, como ahora, peleábamos por la justicia, por la fe y por la religión, y nuestro apóstol Santiago asistió a nuestros combates como ángel tutelar o como el brazo y el dedo de Dios» [20]. El antropomorfismo sobrenatural imagina a Dios interviniendo en nuestras batallas y atribuye a la Virgen o a los santos una acción milagrosa a favor de nuestras armas. San José, Santiago, la Virgen del Pilar o la patrona del contorno actúan en la guerra divina. «La Patrona Nuestra Señora de las Virtudes oyó vuestras súplicas, y el cielo os favoreció», explicaba a sus feligreses el cura de Santa Cruz de Mudela, y concluía con un grito de esperanza: «El Dios de los ejércitos está de nuestra parte; decid con seguridad: *Si Deus pro nobis, quis contra nos?*» [21]. Porque, efectivamente, si se trataba de una guerra teologal contra el príncipe de las tinieblas, la victoria definitiva tenía que ser nuestra. La guerra de cruzada presupone una absoluta confianza en la victoria. Las armas de la lucha no sólo han de ser temporales, sino ascéticas; porque a los demonios sólo se los vence con oración y ayuno. Por eso, la llamada a las armas va acompañada de funciones litúrgicas, procesiones, rogativas y misiones. La cruzada tenía un sentido de expiación, purificación y penitencia. Las derrotas y desgracias no han de producir el desaliento, sino que han de recibirse como pruebas, a través de las cuales Dios nos conduce a la victoria final y a un futuro glorioso. En este contexto, la muerte en la cruzada era equivalente a un martirio. Las elegías y oraciones fúnebres en memoria de los héroes caídos en las batallas del

---

[20] Sermón de Fr. Josef M.ª de Jesús. Cf. MARTÍNEZ ALBIACH, o.c., 123.
[21] Proclama del cura Antonio Pastor de 7-11-1808 (AHN Est. leg.27D n.252).

Señor tenían el tono exultante del triunfo martirial [22]. La guerra y la muerte dejaban de convertirse en males y eran saludadas con la alegría de la liberación escatológica: «¡Oh deliciosa guerra, donde Jesucristo es la causa del pelear!... Regocíjate, gloríate sobre todos, tú que has muerto en el campo de batalla y desde él has volado a unirte con tu Dios, volando a recibir un premio eterno en la morada de los justos...» [23]

Tales eran los capítulos esenciales de la teología bélica utilizada durante la guerra de la Independencia. Grande tuvo que ser el impacto que produjo en unos oyentes previamente indignados y dotados de un hondo y primario sentido religioso. La gran tragedia de España fue coreada por los trenos patéticos de innumerables profetas. La catástrofe de la Patria fue para ellos un revulsivo de tal naturaleza, que no fueron capaces de distinguir los perfiles que separaban el mundo temporal del sobrenatural. Su teología bélica no tiene nada de racional ni sistemática; es pura emoción, es tromba de sentimientos patrióticos y religiosos, es un torrente confuso en el que se mezclaba lo humano y lo divino, la Biblia y la historia, el tiempo y la eternidad. Valga como ejemplo la siguiente peroración de uno de aquellos sermones: «Sí, dulcísimo Jesús; aquí estamos todos prontos a dar la sangre y la vida por vos y por vengar las injurias de vuestra religión santa y de vuestro reino de España. Alentadnos vos para poder resistir a ese monstruo, enemigo de vuestro santo nombre. Disipad esas legiones infernales y confundid los consejos malignos de esa nación perversa y enemiga de la paz: *dissipa gentes quae bella volunt*. Ya que no quieren que vos reinéis con el amoroso título de Príncipe de la paz, haceos para ellos Príncipe de la guerra; tomad el antiguo título de Dios de los ejércitos y destruidlos y aniquiladlos. No permitáis, Señor, que nos dominen vuestros enemigos; no entreguéis a esas bestias feroces las almas que os confiesan y adoran: *ne tradas bestiis animas confitentes tibi*. Muramos todos antes que rendirnos a vuestros enemigos. Dadnos, Señor, victorias para que os alabemos sin fin. Amén» [24].

---

[22] Domingo de Silos Moreno, *Oración fúnebre que dixo a la buena memoria de los vocales de la Junta Superior de Burgos... el día 2 de mayo del año de 1812...* (Burgos 1813).

[23] Oración de Fr. Manuel de la Virgen del Rosario, cit. por Martínez Albiach, o.c., 138.

[24] Cf. nt.19.

CAPÍTULO II

LA IGLESIA BAJO EL DOMINIO AFRANCESADO

La situación de la Iglesia española bajo el régimen afrancesado presenta difíciles problemas, debidos a la variable extensión e interinidad del dominio francés en las diversas provincias y tiempos, al distinto grado de afrancesamiento de algunos dirigentes eclesiásticos, a la falta de correlación entre las disposiciones legales y su aplicación efectiva y al imprevisible impacto que las reformas eclesiásticas habían de causar en la práctica religiosa de las zonas de ocupación o guerra. La precariedad del dominio josefino, que vacila entre la fuerza y el halago, y la interinidad de un gobierno constantemente amenazado por la insurrección, unas veces sorda y otras abierta, añaden un clima de irregularidad y ficción a la aventura reformista del rey intruso, de la que participa también aquel sector de la Iglesia sometido a su dominio. Pero es indudable que la política religiosa del rey José supuso un notable cambio en la configuración de la Iglesia. Las reformas políticas y eclesiásticas de los afrancesados representan un estadio preliberal, pionero de las hondas transformaciones que han de emprender los liberales españoles a partir de las Cortes de Cádiz. Hay, sin embargo, una diferencia de táctica y de método: las reformas de nuestros liberales se alumbran tras una sorda y lenta pugna parlamentaria, mientras las novedades josefinas, inspiradas por los afrancesados, se dictaban desde arriba de forma rápida y ordenancista. Las innovaciones eclesiásticas de los afrancesados se imponen sin posible réplica, con lo que en poco más de dos años consiguen imponer a la Iglesia española una serie de cambios que sólo en pequeña parte y después de grandes contradicciones lograrán emular los liberales gaditanos. La política religiosa del rey José no está exenta de influjos foráneos. Puede decirse que intenta sintetizar las etapas a que había quedado sometida la Iglesia de Francia desde 1789: la remodelación impuesta por la revolución, el reconocimiento al catolicismo del concordato de 1801 y los abusos cesaropapistas de Napoleón, que a la sazón mantenía prisionero al papa para reducir la independencia de la Iglesia. En la política religiosa de José se dará también un ensayo revolucionario (despojo de bienes eclesiásticos y supresión de religiosos), un criterio concordatario (reconocimiento del catolicismo como religión oficial) y un estilo cesaropapista (intromisiones del poder civil en el gobierno de la Iglesia y en algunas reservas pontificias). Sin embargo, y a pesar de estos influjos foráneos, es evidente que la política religiosa josefina se inspira, además, en las tendencias del regalismo hispano del siglo XVIII en su versión más radical. Los consejeros y ministros españoles del rey José estaban imbuidos de estas tendencias. El uso abusivo del Patronato

Real, la expulsión de los jesuitas por Carlos III y las medidas anticuriales de Urquijo en 1799 «habían creado ya un ambiente que en nada necesitaba del aliciente extranjero para aplicar sin escrúpulos el poder del aparato gubernamental a la regulación de cuestiones puramente eclesiásticas» [1].

1. LA POLÍTICA ECLESIÁSTICA AFRANCESADA

Napoleón, legislador de la Iglesia española

La cesión de la corona hecha por nuestros reyes en Bayona a favor de la persona de Napoleón, hizo de éste el verdadero árbitro de España. Napoleón dictó la nueva Constitución y nombró al nuevo rey. El proyecto del Estatuto de Bayona, sometido a la aprobación forzada de un grupo de notables españoles, contenía ya algunas medidas reformistas, como la abolición de la Inquisición y la reducción progresiva de los religiosos. Sin embargo, los informes alarmistas de algunos procuradores españoles y el deseo del emperador de evitar todo pretexto de guerra santa a los españoles, le movió a descartar aquellos proyectos. En cambio, se respeta la condición impuesta por Carlos IV, y el artículo 1.º asegura que la religión católica «será la religión del rey y de la nación española y no se permitirá ninguna otra». El respeto del emperador a la Iglesia se debía sólo a conveniencias políticas. Su odio a los frailes era patente, y no se recató de expresárselo al vicario general de San Francisco, el P. Acevedo, que fue uno de los pocos prelados que asistieron a la asamblea de Bayona: «Le preguntó quién era, qué conventos y frailes tenía, y, rompiendo la furia de su corazón, prorrumpió en execraciones contra los regulares, tratándolos de insurgentes, motores de las iniquidades del reino, predicadores de entusiasmo para alarmar a los pueblos, cuando debían contribuir a la obediencia debida a las potestades constituidas, y le mandó echara un exhorto a la paz y obediencia, pues el reino tenía admitido a su hermano Josef, y que, desde luego, se diera a la prensa en su misma imprenta» [2]. Las reformas religiosas retiradas de la Constitución de Bayona quedaban de momento aplazadas para ocasión más propicia.

Esta llegó tan pronto como el emperador se acercó a las puertas de Madrid como un conquistador victorioso. Los decretos imperiales firmados en Chamartín el 4 de diciembre de 1808 asestan duros golpes contra algunas clases privilegiadas e instituciones gubernativas del Antiguo Régimen. Por lo que toca a la Iglesia, la cirugía napoleónica intervino solamente contra la Inquisición y los frailes. El Santo Oficio quedó suprimido, y sus bienes, incorporados a la Corona como garantía de la deuda pública. Los conventos quedaron reducidos con el pretexto de que su número era excesivo y perjudicial a la prosperidad del Estado.

---

[1] H. JURETSCHKE, *Los afrancesados en la guerra de la Independencia* (Madrid 1962) 155.
[2] Extracto de una carta del P. Acevedo al arzobispo de Granada, de 16-8-1809 (AHN Est. leg.27A n.3).

En concreto, se ordenaba la reducción de los conventos a una tercera parte y la prohibición de admitir novicios hasta que el número de religiosos hubiera descendido a un tercio del actual; se daba libertad a los regulares para dejar el claustro, en cuyo caso gozarían de una pensión entre 3.000 y 4.000 reales. Los bienes de los conventos suprimidos se destinarían, en parte, a mejorar la congrua de los curas, y el resto quedaría incorporado al Estado para pago de la deuda o de las indemnizaciones a los pueblos por la guerra. En los ocho decretos de Chamartín, Napoleón marca los objetivos constantes del liberalismo español decimonónico: centralismo administrativo, supresión de jurisdicciones no estatales, nacionalización de los bienes eclesiásticos y reformas externas de la Iglesia. Napoleón hace gala de un despotismo ilustrado y sacralizado. En su fanfarrona alocución a los españoles del 7 de diciembre les dice: «Vuestro destino está en mis manos... He destruido cuanto se oponía a vuestra prosperidad y grandeza; he roto las trabas que pesaban sobre el pueblo... Dios me ha dado la voluntad y la fuerza necesarias para superar todos los obstáculos». Y dos días más tarde, en la capitulación de Madrid, ante los medrosos diputados de la villa hizo una sobria explicación de sus recientes decretos, como obra de sensatez e ilustración. La reposición de José en el trono era un favor que sólo sería concedido cuando los 30.000 ciudadanos de Madrid se juntaran en las iglesias para hacer ante el Santísimo Sacramento un juramento de fidelidad, «que salga no solamente de la boca, sino del corazón, y que sea sin restricción jesuítica» [3].

Las innovaciones religiosas de los decretos de Chamartín fueron bastante moderadas, si tenemos en cuenta las tensas circunstancias del momento. El emperador hacía gala de católico ante los españoles. Aunque suprime la ya entonces moribunda Inquisición por juzgarla atentatoria a la soberanía civil, no impone la tolerancia de cultos, y, aunque reduce el número de conventos, no suprime las órdenes religiosas. En sus reformas religiosas no quiere que se vea un castigo, sino una purificación; y por eso justifica el permiso que da para dejar los claustros con el pretexto de hacer factible el discernimiento de las verdaderas vocaciones. El cierre de conventos no se realizó en virtud del decreto de Napoleón, sino a consecuencia de la exclaustración general ordenada meses más tarde por el rey José. La crudeza de la guerra, sin embargo, se adelantó muchas veces a la aplicación de los decretos. Los incendios y saqueos de edificios religiosos, especialmente de conventos, fueron frecuentísimos durante la ocupación francesa; así como su inmediata transformación en hospitales o cuarteles.

La legislación religiosa del rey José

A finales de enero de 1809, José vuelve a entrar en Madrid, reanudando su reinado efectivo, que había de durar unos tres años, sobre la mayor parte de España. Su política religiosa está inspirada especialmente por el secretario de Estado, Urquijo; por el ministro de Cultos o Negocios Eclesiásticos, Azanza, que lo era también de Indias; por el de Hacienda, Cabarrús (durante un viaje a París fue sustituido, interina-

---

[3] Los decretos de Chamartín y la proclama del emperador a los españoles, en GM 11-12-1808 p.1568-71; la capitulación de Madrid con la alocución del corregidor y la respuesta de Napoleón, en GM 16-12-1808 p.1609-16.

mente, por el conde de Montarco en el cargo, abril-octubre 1810), y por el influyente y ambicioso consejero de Estado Juan Antonio Llorente, maestrescuela y canónigo de Toledo.

Con semejantes ministros y consejeros, que representaban al ala más radical del regalismo español, era fácil adivinar el rumbo que había de seguir la política eclesiástica. La legislación josefina responde a una teología de tendencias regalistas, conciliaristas y episcopalianas, alimentadas en fuentes galicanas y jansenistas. La *Gaceta de Madrid* no se limita a promulgar los decretos del Gobierno, sino que los justifica con un ideario teológico propagandístico. Hagamos una síntesis orgánica, más que cronológica, de la legislación eclesiástica afrancesada y de los fundamentos teológicos en que se apoya.

a) *La captación religiosa del clero y de los fieles*

El Gobierno afrancesado se esforzó mucho en atraer el clero a su partido. En su alocución de Madrid, ya Napoleón había expresado el deseo de que los sacerdotes inculcaran la sumisión a José en el confesonario y en el púlpito. El 24 de enero de 1809, el rey enviaba a los obispos una circular a guisa de homilía, donde resaltaba cómo su primer cuidado al volver a Madrid había sido postrarse a los pies del Dios «que da y quita las coronas» y consagrarle toda su existencia para lograr la felicidad de España. Quería el rey que obispos y fieles rogasen a Dios por la paz y por el acierto de su gobierno y le dieran gracias por los éxitos de los ejércitos franceses, que sólo querían nuestra felicidad. Acompañaba a esta circular otra del ministro del Interior, Manuel Romero, en la que se describía con unción la piedad del rey, cuyo primer cuidado había sido ofrecer su corona al Todopoderoso. Si toda la nación hubiera visto aquel acto, «habrían cesado en el mismo instante las calamidades de la Patria; no habría habido más que una opinión y un solo sentimiento, y, abrazándonos todos en Jesucristo, habríamos tributado al Altísimo el más humilde reconocimiento por habernos concedido tan buen rey y pedídole perdón por haber desconocido sus beneficios». Los obispos debían, pues, «desimpresionar a sus feligreses de errores y preocupaciones políticas» y hacerles ver el beneficio que Dios nos concede dándonos un rey tan ilustrado y piadoso. A los sacerdotes toca «desengañar al pueblo, predicarle la paz y la humanidad y hacerle conocer lo que mejor conviene a su patria y a su religión [4]».

El rey José buscaba en la religión una legitimación de su poder, siguiendo en ello el estilo del Antiguo Régimen. El rey manda rezar la colecta «íntegra y completa» y entonar el *Te Deum* por las victorias francesas o por la ocupación de las ciudades. La conquista de Andalucía a principios de 1810 se presenta a toda la nación, junto con la amnistía, como una apoteosis de benevolencia y piedad. La amnistía debía leerse en las iglesias en medio de solemnes funciones de acción de gracias [5].

<hr>

[4] GM 27-1-1809 p.161-62.
[5] Decreto y circular dado en Sevilla el 3-11-1810 (en GM 12-2-1810) p.179.

La colaboración religiosa se quería obtener de grado o por fuerza. Junto a los halagos se proferían terribles amenazas contra el clero insurrecto. El decreto de 1.º de mayo de 1809 especifica duros castigos contra los eclesiásticos y empleados públicos ausentes de sus destinos. Si no volvían a ellos en el término de diez días, quedarían privados de sus empleos y de sus bienes. El artículo 7.º condenaba a todo eclesiástico que extraviase la opinión del pueblo a ser preso y juzgado por la Junta criminal. Las amenazas no quedaron en el papel [6]. Numerosos eclesiásticos sufrieron detenciones, cárceles, deportaciones, y algunos fueron condenados a muerte.

b) *La reducción del personal eclesiástico*

Es otro de los objetivos de la legislación josefina. El medio era sencillo: despedir a los novicios y prohibir su entrada en las órdenes religiosas [7], así como bloquear las ordenaciones sacerdotales prohibiendo la colación del subdiaconado [8]. Se fundaba esta disposición en la existencia de un crecido número de eclesiásticos sin congrua suficiente, «lo que los tiene en una miseria impropia de su estado». La prohibición se presentaba como una medida provisional hasta que los obispos dieran los necesarios informes con el fin de arreglar las colocaciones y sueldos eclesiásticos. La prohibición de conferir órdenes no fue levantada, pues había suficientes exclaustrados para llenar las vacantes. Por esta razón en 1811 quedarán incluso bloqueados los nombramientos para provisores eclesiásticos de dignidades, canonjías, raciones, capellanías, prebendas o beneficios (excepto los curatos o auxiliares de parroquias) [9].

c) *La supresión de regulares*

Fue, sin duda, la medida más transcendente de toda la política religiosa josefina y la que produjo mayores consecuencias. La supresión parcial decretada por Napoleón iba a quedar pronto superada por una medida de alcance general. La supresión de conventos de ambos sexos se ensayó primero en la Zaragoza recién conquistada. A principios de julio, la *Gaceta* preparaba los ánimos con un alegato a favor de la próxima desamortización y exclaustración. Este anhelo secular era el que estaba dispuesto a realizar el actual soberano, movido por sus ideas «justas y liberales». El decreto se dio, al fin, el 18 de agosto de 1809.

El preámbulo presentaba un razonamiento bifaz: por una parte, se quiere castigar el «espíritu de cuerpo», que ha llevado a los religiosos a tomar parte en las turbulencias y discordias; y, por otra, se quiere premiar individualmente a los religiosos que se conduzcan bien. El contenido del decreto es muy claro y conciso, como todos los de José. Se suprimen todas las órdenes sin excepción y se da a los religiosos el plazo de quince días

---

[6] Dec. 1-5-1809 (GM 598).
[7] Estas disposiciones del decreto de Chamartín fueron reiteradas a los obispos el 11-1-1809 (AHN Est. leg.27B n.109).
[8] Dec. 26-5-1809 (ibid., n.114 [2]).
[9] Dec. 18-4-1811 (GM p.451).

para dejar el claustro y vestir los hábitos del clero secular; los regulares secularizados (tal es el nombre que se da a los exclaustrados) deberían residir en los pueblos de su naturaleza, donde recibirían una pensión de las rentas de la provincia. Los que no puedan aceptar esa residencia deberán pedir autorización al ministro de Negocios Eclesiásticos. Todos los bienes pertenecientes a los conventos quedan aplicados a la nación. Todos los religiosos «serán empleados, como los individuos del clero secular, en curatos, dignidades y todo género de piezas eclesiásticas, según su aptitud, mérito y conducta».

Pocos días después, la *Gaceta* comentaba el carácter vindicativo del decreto. Se presentaba a los regulares como fomentadores del fanatismo y la superstición y se les echaba en cara la «inútil» resistencia de Zaragoza, Gerona, Asturias, Galicia y Valencia, «porque los frailes han tenido la habilidad de hacer creer a los pobres pueblos que la causa suya era la de la religión, esto es, que no había ya religión católica en España mientras no hubiese en ella 70.000 individuos que, sin pertenecer a la sociedad, fuesen, sin embargo, los más bien librados de ella; y sin contribución con cosa alguna al Estado, antes causándole innumerables perjuicios, chupasen su jugo y su substancia». El oficioso periodista se extrañaba de que en un país católico como España no abundaran establecimientos de beneficencia: «Al paso que muchas ciudades y villas populares de España hierven de monasterios, de cofradías y de obras pías, el huérfano, débil y desamparado, la vejez cansada y la pobreza enferma o dolorida, no encuentran dónde albergarse ni quién les socorra en su desgracia». La atención del rey a los establecimientos de caridad, para la que acababa de formar un fondo general en socorros, se elogiaba, significativamente, como una útil y piadosa sustitución a los cerrados conventos [10].

La exclaustración se ejecutó en todos los países regidos por los franceses, a excepción de algunas zonas rurales de Cataluña [11]. En ambas Castillas, Aragón, Vascongadas, Navarra, Andalucía, parte de Extremadura y al final en Valencia, todos los conventos fueron desalojados. Unos fueron destinados a cuarteles o edificios públicos, otros quedaron deshabitados, y fueron pasto de la destrucción y la rapiña. Los catálogos que nos han llegado sobre el estado de los conventos arrojan impresionantes estadísticas sobre la ruina de la mayor parte de aquellos edificios [12]. La suerte de los religiosos fue varia: unos prefirieron lanzarse al monte y pasarse a Portugal o a la zona dominada por los patriotas; otros prefirieron obedecer al decreto, recluyéndose en sus pueblos, en espera de la pensión o colocación. El Gobierno afrancesado procuró que

[10] El decreto se publicó en GM 21-8-1809 p.1043 y había sido previamente ambientado con un «discurso» sobre la necesidad de desamortizar y reformar los conventos (ibid., 30-6/9-7-1809).

[11] Los religiosos de Barcelona y de otras plazas fuertes ocupadas fueron exclaustrados. En los demás lugares del principado, sin embargo, los frailes, «aunque dejaban sus conventos a la entrada de los enemigos y corrían a los montes, volvían con igual ligereza al claustro apenas aquéllos marchaban» (M. RAIS y L. NAVARRO, *Historia de la Provincia de Aragón de la Orden de Predicadores*, Zaragoza 1819). Nos ha dejado una expresiva descripción coetánea acerca de las desventuras sufridas por los conventos y religiosos (en este caso, dominicos de Castilla la Vieja, León y País Vasco), Fray MANUEL HERRERO, *Historia de la Provincia de España de la O. de P.*, publicada por J. Cuervo en *Historiadores del Convento de San Esteban de Salamanca* t.3 (Salamanca 1915) 647-777. Sobre la temprana supresión de San Pablo de Valladolid, cf. J. M. PALOMARES IBÁÑEZ, *La comunidad dominicana en el primer tercio del siglo XIX*, en *Temas vallisoletanos del siglo XIX* (Valladolid 1976) 7-42.

[12] Expedientes de estos conventos enviados a la Regencia en 1813-14. AHN Cons. leg.120027 y 12038.

los religiosos no actuaran como tales, pero en contrapartida intentó asimilarlos lo más posible al clero secular y contentarlos con pensiones o empleos. Los afrancesados iniciaban con ello una conducta, respecto a las clases clericales, que había de ser imitada por los liberales: suprimir a los regulares y su molesto «espíritu de cuerpo» y fomentar el clero parroquial, que por su aislamiento resultaba más controlable.

La legislación complementaria sobre el asunto intentará llenar este doble objetivo: para asegurar la ruptura con el pasado conventual, se prohíbe a los exclaustrados predicar, confesar y formar cualquier clase de cuerpo o sociedad. Otro decreto los declaraba capaces de suceder en los derechos de familia como cualquier ciudadano [13]. Para aliviar a los descontentos, se dictan con frecuencia, en cambio, normas sobre el puntual pago de pensiones. «El asunto es —escribía Cabarrús a los intendentes— de que, desengañados por fin muchos de aquellos individuos de sus preocupaciones, conozcan todos por los efectos la justicia del Gobierno» [14]. No parece, sin embargo, que, dada la situación crítica del erario, se pagara a los exclaustrados, a pesar de que a veces se publicaban listas de ex regulares acreedores del Tesoro Público.

Interesaba grandemente al Gobierno la colocación de los exclaustrados [15], pues ello suponía una satisfacción humana y pastoral para el interesado y un ahorro para el Tesoro. Los colocados en economatos parroquiales y sacristías no fueron pocos; especialmente en Andalucía y en Valencia. No faltaron quienes fueron agraciados con prebendas canonjiles. El P. Joaquín Ruiz, vicario general de los agustinos, que había asistido a la asamblea de Bayona, llegó incluso a ser nombrado consejero de Estado.

Los conventos de religiosas no fueron suprimidos por un decreto general. Si existieron supresiones o reuniones, fueron de carácter local, como en Zaragoza, o meramente ocasional. Al quedar suprimidos los religiosos, se dispuso que los conventos de monjas que eran de filiación de regulares quedaran sujetos a los ordinarios [16]. Más transcendencia tenían los decretos que facilitaban la secularización personal de las religiosas. Un decreto suscrito en Aranjuez el 18 de mayo de 1809 y no publicado hasta fines de agosto, regulaba el modo de abandonar la clausura. La religiosa que lo deseaba recibiría la aprobación del ministro de Negocios Eclesiásticos y se le asignarían 200 ducados anuales de pensión. El 8 de noviembre se daban instrucciones a los intendentes sobre la misma materia. En todo caso eran las autoridades civiles las que «habilitaban» el abandono de la clausura, pues los prelados sólo eran avisados [17].

El decreto de 18 de septiembre de 1809 suprimía todas las órdenes militares, excepto la del Toisón y la recientemente creada Orden Real de España, a la que pasaban los bienes de las suprimidas. El 27 de septiembre quedaban incluidas en la supresión las hermandades y congregaciones, o terceras órdenes, cuyos bienes quedaban aplicados a la Nación.

[13] Dec. de 21-8-1809 (GM p.1052) y de 28-5-1810 (GM p.652).
[14] Dec. de 20-8-1809 (GM p.1044) y 20-3-1810 (GM p.412).
[15] El decreto de 4-10-1809 mandaba a los obispos recibir a los exregulares en los concursos y oposiciones (GM p.1239).
[16] Dec. de 26-8-1809 (GM p.1071).
[17] GM año 1809 p.1071.1079.1379.

d) *Bienes eclesiásticos y desamortización*

Con razón señala Mercader que la desamortización del rey José tuvo en cuenta las desamortizaciones de Godoy, pero corregidas y aumentadas [18]. La Caja de Amortización para extinguir los vales reales emitidos por la deuda pública había sido creada en 1798. Desde el principio, el Gobierno josefino contaba, por tanto, con un organismo destinado a cubrir la deuda —que recibirá el nombre de Dirección General de Bienes Nacionales— y con unos fondos desamortizables, procedentes de viejas instituciones debilitadas (colegios mayores, temporalidades, hospitales, casas de misericordia, etc.), que habían sido aumentados en 1807 con el llamado «séptimo eclesiástico» concedido por Pío VII. El ministro de Hacienda, Cabarrús, urgió a las autoridades eclesiásticas a adelantar el empréstito que había de servir de anticipo al producto de las ventas del séptimo eclesiástico, que debía determinarse inmediatamente. A estos recursos legados por la administración borbónica no tardaron en añadirse, con destino a la Dirección General de Bienes Nacionales, otros nuevos fondos, procedentes de las confiscaciones y secuestros, los bienes de las corporaciones suprimidas, la Inquisición (4-12-1808), las órdenes religiosas (18-8-1809) y las cofradías y hermandades que les estaban anejas (27-9-1809), las cuatro órdenes militares y de Malta (18-9-1809) y los conventos de monjas suprimidos o abandonados [19].

El decreto de 9 de junio de 1809 ordenará proceder con la mayor actividad a la venta de bienes nacionales destinados a la extinción de la deuda pública mediante una regulación que precisa las tasas, subastas y pagos [20]. Además del producto de las fincas, administradas por la Dirección General de Bienes Nacionales mientras no fueran vendidas, le fueron asignados los derechos percibidos tradicionalmente por la Hacienda sobre los diezmos, tercias reales, noveno, excusado y demás derechos.

Es difícil calibrar el volumen real de las ventas efectuadas en la desamortización josefina; las listas que aparecen en la *Gaceta,* completadas con otros documentos, pueden ofrecer una primera pista para el estudio de la geografía y los beneficiarios de aquella desamortización. Esta comenzó en enero y febrero de 1809, en las provincias de Burgos y Álava, con la venta de capellanías y obras pías ordenada en el decreto del 18 de agosto de 1808. En el mes de abril se anuncia la subasta de numerosas casas en Madrid pertenecientes a establecimientos piadosos. A partir de agosto de 1809, y reguladas por el decreto del 9 de julio, se anuncian subastas de bienes nacionales en las provincias de Madrid, Avila, Guipúzcoa y Navarra. En 1810 continúan las ventas, especialmente a consecuencia del decreto de 16 de octubre, que ponía el capital de cada finca en el valor de la renta multiplicado por 12; según esto, el valor total era 83₁483.582 reales. El lote de estas fincas, eclesiásticas en su mayoría, estaba ubicado en las provincias de Avila, Aragón, Segovia, Toledo, León, Madrid, Granada, Jaén, Sevilla,

---

[18] J. MERCADER RIBA, *La desamortización en la España de José Bonaparte:* Hispania 32 (1972) 587-616.
[19] Estos y otros fondos aparecen enumerados en el decreto de 3-3-1813; cf. M. DE LOS RÍOS, *Código de José Bonaparte* p.138-39.
[20] Dec. de 9-6-1809 (GM p.757-58).

Málaga, Ciudad Rodrigo, Valladolid, la Mancha, Córdoba y Granada. En mayo de 1811 aparecen también anuncios de ventas de fincas rústicas y edificios en Córdoba, Granada, Guadalajara, Jaén, Málaga, la Mancha, Sanlúcar, Toledo, Sevilla y Madrid.

Como se ve, la geografía de la desamortización josefina coincide con la ocupación, y aparece más densa allí donde el dominio afrancesado fue más intenso, como en Madrid y en Andalucía. Las salpicaduras de la desamortización llegarán incluso a las provincias de la margen izquierda del Ebro, a pesar de haber quedado segregadas del dominio de José por Napoleón en febrero de 1810. La inseguridad de la guerra ponía, sin duda, graves obstáculos a estas ventas y alejaba a los compradores. El Gobierno afrancesado abría, sin embargo, un precedente a las sucesivas desamortizaciones eclesiásticas españolas por su decidida falta de escrúpulos en la disposición de aquellos bienes sin los permisos convenientes. La calamitosa situación hacendística del rey José intentó paliarse con empréstitos pedidos al clero y a las provincias. El empréstito fue aplicándose a los sucesivos dominios josefinos, empezando por las provincias vascongadas y Navarra [21]. El decreto de 17 de febrero de 1809 urge el empréstito pedido al clero y a las provincias de Madrid, Avila, Segovia, Guadalajara y Toledo, que debía entregarse en dinero o en bastimentos para el ejército.

El ejército invasor y el Gobierno urgieron a las instituciones eclesiásticas, por las buenas o por las malas, la entrega de granos y dinero. «El clero —escribía Cabarrús a sus intendentes en mayo de 1809— debe casi en todas partes el empréstito moderado y que por las reglas del subsidio se le ha impuesto, quasi en todas partes alega los males de la guerra para eludir el pago; pero como en la realidad este empréstito es una anticipación sobre aquella misma séptima parte de sus bienes que estaba mandada vender; como, por consiguiente, puede enajenar aquella porción que sea suficiente para pagar el empréstito; como puede echar mano del oro y plata que no sean necesarios al culto divino; como le sobran influencia y crédito para hallar dinero prestado, ningún pretexto debe detener a V. I. en exigir terminantemente y ejecutivamente este empréstito, y cada semana hasta su realización, en dinero, pastas de oro o plata, o granos necesarios a la tropa existente en la próxima, me ha de avisar V. I. los progresos de esta cobranza» [22].

El clero anduvo siempre reticente en efectuar tales pagos; salvo excepciones, como la del cabildo de Córdoba, que el 7 de abril de 1810 ofreció a José el «empréstito gratuito» de un millón de reales en señal de amor y fidelidad.

e) *Apoyo al clero parroquial*

El Gobierno del rey José inaugura también lo que será una constante del reformismo liberal: contrapesar la desarticulación del clero

---

[21] J. MERCADER RIBA, *José Bonaparte rey de España. 1808-1813. Historia externa del reinado* (Madrid 1971) 61-67.
[22] AHN Est. leg.27B n.113.

regular con una atención especial al clero secular, especialmente al parroquial. El decreto del 6 de julio de 1809 es un loable intento de aplicar equidad y racionalidad en la dotación de los párrocos. Enterado el rey de que muchos párrocos carecen de lo absolutamente necesario para su sustento por los abusos introducidos en la percepción de los diezmos, fija una congrua mínima de 400 ducados anuales, y encarga al ministro de Negocios Eclesiásticos que proponga los medios oportunos para efectuar en breve esta disposición, indudablemente justa [23]. En esta línea se inscribe el decreto expedido en Sevilla el 21 de abril de 1810, que intenta acabar con las desiguales dotaciones de los párrocos de Sevilla, destinando para ello un fondo de los bienes nacionales del arzobispado, con cuyo producto había de realizarse una dotación más razonable del culto y clero. Seguía al citado decreto un artículo en que se comparaban los antiguos abusos e injusticias con la generosa dotación que acababa de organizar el celoso y benéfico José. «El decoro eclesiástico no se verá ya abatido por la necesidad, ni los ministros tendrán excusa en el descuido de sus obligaciones» [24].

Indudablemente, entre los afrancesados existe la tendencia a aplicar criterios de razón y equidad en las dotaciones eclesiásticas. Este criterio se aplica, por ejemplo, a la abolición del voto de Santiago, por considerar que tal carga no es indispensable para el servicio de la religión y del Estado y por faltar título o fundamento histórico apoyado en la razón y en la justicia [25].

Las cortapisas impuestas a los religiosos cesaban desde el momento en que éstos eran destinados a los servicios propios del clero secular. Había positivo interés en llenar las vacantes de las canonjías, parroquias, economatos o sacristías con sacerdotes de ambos cleros que llenaran el vacío dejado por los curas muertos o huidos durante la invasión [26]. El número de nombramientos para tales puestos, tal como aparece en la *Gaceta,* es considerable, y demuestra el positivo interés del Gobierno afrancesado en llenar los cuadros de las iglesias y catedrales con sacerdotes afectos. Aunque para ocupar tales cargos era preciso jurar fidelidad al rey José, no faltaron sacerdotes dispuestos a servir a la Iglesia en esas circunstancias con las mejores intenciones.

Para disimular la desolación y ruina de los conventos, se ordenó la entrega de los ornamentos y vasos sagrados a las parroquias «que hayan sufrido los perjuicios inevitables que suelen cometer las tropas al entrar en los pueblos obstinados» [27]. La *Gaceta* llegó a publicar dos largas listas con parroquias favorecidas; pero es evidente que tales donativos eran insignificantes ante las pavorosas ruinas, rapiñas y profanaciones causadas durante la guerra a los edificios y bienes eclesiásticos.

[23] GM 15-10-1809 p.1269.
[24] GM 8-5-1810 p.534-35.
[25] Dec. 21-8-1809 (GM p.1054-105).
[26] L. HIGUERUELA DEL PINO, *Los concursos parroquiales en la diócesis de Toledo durante el pontificado del cardenal Borbón (1800-1823):* Hispania Sacra 28 (1975) 245-53.
[27] Dec. 3-5-1809 (GM p.610).

f) La usurpación de la jurisdicción eclesiástica

Por el Estado fue otra de las prácticas —sin duda, la más escandalosa— del gobierno del rey José. Llama la atención el poco escrúpulo que los dirigentes afrancesados tuvieron en aplicarla a un país como España, donde, a pesar de las tendencias regalistas, apenas se habían lesionado las reservas pontificias o las atribuciones de la jurisdicción eclesiástica. El modo fulminante de efectuar la supresión de las órdenes religiosas y militares y de aplicar al Estado los bienes eclesiásticos presuponen unas convicciones de regalismo extremado. La abolición de la jurisdicción de los prelados eclesiásticos en causas civiles y criminales puede, sin duda, justificarse en la recuperación por el Estado de unas atribuciones temporales cedidas por los príncipes a la Iglesia. Pero los reformadores no se pararon ahí. El Gobierno se sintió competente para variar la disciplina del derecho canónico al disponer que los obispos debían conceder las dispensas matrimoniales reservadas al papa [28]. Con el pretexto de evitar los perjuicios a la moral producidos por la dilación de los matrimonios proyectados y de imitar la práctica de algunos países católicos, volvía a ponerse en vigor el decreto de Urquijo de 1799. La incomunicación a que por entonces estaba sometido el papa prisionero podía, en parte, servir de pretexto a esta medida; pero tras ella subyace la teología matrimonial de Llorente, empeñado en demostrar que la Iglesia no tenía de por sí autoridad para establecer impedimentos matrimoniales; que éstos eran solamente competencia de los reyes; que sólo por delegación del poder civil la ejercían los pontífices y que los obispos podían dispensar cuando así lo disponía el soberano [29].

Más flagrante todavía resulta la usurpación del poder espiritual en la abolición unilateral de la jurisdicción castrense [30], en la destitución de los obispos y en el nombramiento de nuevos prelados para diócesis que no estaban a la sazón vacantes. Por un decreto de 1.º de mayo de 1810 era destituido de su cargo, junto con otros muchos eclesiásticos, el cardenal Borbón, arzobispo de Toledo y de Sevilla. El 13 de junio quedaban desposeídos de sus diócesis los obispos de Osma, Calahorra y Astorga, y se nombraban nuevos titulares para esas diócesis, a las que se consideraba vacantes [31].

La legislación josefina sobre materias eclesiásticas obedece, por tanto, a unos criterios radicalmente regalistas y galicanos, a los que sólo puso freno la urgencia de la guerra y la derrota final. El intento de los reformistas era, sin duda, mucho más amplio, pues tenían el propósito de acometer un «plan general del clero» [32], que probablemente había de ser un remedo de la Constitución civil del clero francés. Sin duda, es

---

[28] Dec. 23-12-1809 (GM p.1567).
[29] J. A. LLORENTE, Colección diplomática de varios papeles antiguos y modernos sobre dispensas matrimoniales y otros puntos de disciplina eclesiástica (Madrid 1809); Disertación sobre el poder que los reyes españoles ejercieron hasta el siglo duodécimo en la división de obispados (Madrid 1810).
[30] Dec. de 16-9-1811 (GM p.1099).
[31] GM año 1810 p.578.704.
[32] Se alude a él expresamente en GM de 1-12-1810.

sorprendente el silencio de la jerarquía y de los fieles que vivían bajo el dominio josefino ante tantos atentados como estaba sufriendo la Iglesia; sobre todo cuando ese silencio se compara con la enervada oposición que los eclesiásticos harán a las reformas de las Cortes de Cádiz, mucho más moderadas. Sin duda, los decretos del rey José eran considerados como engendros de un gobierno extranjero y despótico, que sólo merecían pasividad e indiferencia cuando no era posible la sublevación abierta; y como disposiciones carentes de continuidad y consistencia, que se esfumarían con el anhelado fracaso del rey intruso.

2. EL CLERO EN LA ZONA OCUPADA

Hemos comenzado el relato de esta historia resaltando la participación clerical en el levantamiento. Recogíamos allí la afirmación tradicional de que el pueblo y el clero en bloque reaccionaron patrióticamente, oponiéndose con decisión al invasor. ¿De veras puede sostenerse esta opinión? Indudablemente requiere algunas matizaciones. El afrancesamiento es un hecho incuestionable, que afectó especialmente a las clases burguesas y llegó a salpicar a algunos elementos populares. El afrancesamiento supone una ideología y unas actitudes vitales bastante complejas, que se nos presentan, no pocas veces, revestidas de patriotismo como soluciones ilustradas y válidas para regenerar la decadencia de España. Existe, además, una variada gama de afrancesados, desde los fanáticos y oportunistas hasta los tibios y ocasionales [33]. No cabe, por tanto, medir con el mismo rasero a los que colaboraron con José haciéndose apóstoles de lo que significaba su reinado, con aquellos que, por razón de su cargo, se vieron obligados a suscribir un juramento de fidelidad que aborrecían, pero o no se atrevieron a rechazarlo o lo aceptaron como un mal menor [34]. Este fue el caso de muchos de los sacerdotes y fieles que se vieron obligados a vivir bajo la férula francesa. Para los sacerdotes, el dilema resultaba especialmente angustioso; tanto mayor cuanto más elevados estaban en dignidad. Tenían que elegir entre jurar sumisión al rey intruso o exponerse a destituciones, destierros o huidas, que llevaban consigo el abandono lamentable de sus diocesanos o feligreses. La misma conciencia que les incitaba a guardar fidelidad al rey Fernando, les exigía también el cumplimiento inexorable del deber pastoral de compartir la suerte de la grey cristiana sin abandonarla.

La mayor parte de los sacerdotes permanecieron en sus parroquias entregados a su apostolado habitual. Salvo algunos casos excepcionales, no era necesario emprender la huida para demostrar su hondo patriotismo. El problema surgía cuando se les instaba incesantemente a predi-

---

[33] M. ARTOLA, *Los afrancesados* (Madrid 1953); H. JURETSCHKE, o.c.

[34] Sobre la licitud o ilicitud del juramento de fidelidad se suscitaron agudas disputas entre clérigos «jurados» y «no jurados», especialmente en Cataluña. Véanse los argumentos hostiles al juramento expuestos en la *Carta sobre el juramento de fidelidad a Napoleón escrita a los eclesiásticos de Cataluña por el Dr. D. Juan Prim* (Berga 1811) y en la *Reconvención amistosa a los RR. Curas párrocos y demás eclesiásticos del distrito —Lérida—* (Berga 1812).

car la sumisión al rey intruso con pretextos de paz y de concordia. «De aquí es —dice un contemporáneo— que oímos a muchos predicar la pretendida obediencia con palabras más o menos significativas, con expresiones o terminantes o equívocas, según la firmeza o sentimientos de que cada cual se hallaba animado; porque ni todos podían tener un pecho diamantino para arrostrar con impavidez los peligros, ni tal vez sería conveniente exponer a sus fieles, por una resistencia manifiesta, a que, privados en una persecución general de sus pastores, peligrase su creencia o fuesen regidos por pastores intrusos, cortados a medida del deseo del usurpador». El mismo autor nos refiere la conducta patriótica observada por el cura de Benacazón, D. José Alvarez Caballero, durante la dominación francesa. El buen cura mantuvo siempre la esperanza de que la aflicción no podía ser duradera; jamás pronunció en el púlpito las voces de obediencia, sumisión, respeto u otras semejantes; nunca leyó en misa las órdenes del Gobierno, ni rezó la colecta *et famulos;* no repartió a los feligreses las bulas expedidas por el rey ilegítimo; y cuando le obligaron a entonar el *Te Deum* en el acto de juramento al intruso, trocó la oración de acción de gracias por la de difuntos, en memoria de los soldados patriotas. No contento con esta actitud reticente, oculta en su casa a los fugitivos del ejército nacional, actúa de espía; y, al enterarse de la sublevación de Sevilla, lanza al vuelo las campanas y exhorta al pueblo a tomar las armas [35]. Sin llegar a profesar este activismo, muchos sacerdotes sabrán permanecer bajo el dominio josefino sin menoscabo de su patriotismo.

Pero esta actitud, que podía pasar desapercibida en los pueblos pequeños, no era posible en el caso de los obispos de los territorios ocupados, que fueron obligados a jurar fidelidad a José y a escribir pastorales a su favor. Muchos de ellos prefirieron huir. Otros procuraron buscar refugio en los lugares más recónditos de su diócesis, donde no pudieran caer en manos de los franceses [36]. Hubo obispos que llegaron a jurar fidelidad a José, y, sin embargo, se mostraron ardientes patriotas.

El obispo octogenario de Segovia, Sáez de Santa María, fue obligado por los franceses, durante la primera invasión en junio de 1808, a escribir una exhortación. Cuando por segunda vez los franceses volvieron a aproximarse a la ciudad, prefirió arrostrar las molestias de una huida penosísima «con el consuelo de haberlas sufrido antes que manchar mi ancianidad» [37]. El obispo de Astorga, Vicente Martínez Ximénez, se vio también

[35] J. PÉREZ DE LA REYNA, *El Pastor fiel a su Dios y a su Rey* (Sevilla 1815).
[36] I. DE VILLAPADIERNA, *El episcopado español y las Cortes de Cádiz:* Hispania Sacra 8 (1955) 275-335.
Huyeron de sus diócesis los obispos de Toledo, Orense, Tuy, Santander, Santiago y Segovia. El octogenario obispo de Coria, D. Juan Alvarez de Castro, fue fusilado por los franceses durante su huida. Se refugiaron en Mallorca los obispos de Teruel, Pamplona, Tarragona, Lérida, Barcelona, Tortosa y Urgel. Y en Cádiz los de Sigüenza, Plasencia y Albarracín. Allí acudieron también como diputados a Cortes los obispos de Calahorra, Mallorca y San Marcos de León. Anduvieron errantes por sus diócesis los obispos de Barbastro, Astorga y Cuenca.
[37] AHN Est. leg.27B n.187-89. Comunicación a la Junta Central, Orcajo, 7-5-1809; J. L. RODRÍGUEZ ESCORIAL, *El obispo de Segovia Sáenz de Santa María ante las libertades de 1812:* Est. Segovianos (1963) 93-117.

obligado a ir a Madrid a prestar juramento a José; pero, vuelto a su diócesis, le mostró abierta desobediencia, y anduvo errante por pueblos inaccesibles, por lo que fue desposeído de la mitra [38].

Otros obispos no mostraron tantos escrúpulos en ofrecer su colaboración a las autoridades. Entre ellos podemos establecer dos grupos: los que colaboraron con cierta pasividad y los que mostraron una adhesión explícita al rey José.

Entre los primeros podemos colocar al arzobispo de Burgos, Cid Monroy, el único obispo que asistió a la asamblea de Bayona; el de Palencia, Almonacid, presentado como modelo de santidad y caridad por la buena acogida que hizo a las tropas francesas y nombrado comendador de la Orden de España [39]; el de Valladolid, Soto y Valcarce, que, aunque durante la primera invasión se alejó de la ciudad para no verse obligado a besar la mano de José [40], permaneció después en ella y ofreció sus respetos al rey cuando pasó por allí en julio de 1811; el de Zamora, Carrillo Mayoral, que predicó con unción y energía la sumisión al soberano y la fraternidad con las tropas francesas [41]. El de Salamanca, Fr. Gerardo Vázquez, fue también de los más precoces en exhortar la sumisión al nuevo rey [42], y el de Alcalá la Real, Trujillo, que, a pesar de haber dado cuantiosos donativos a la Junta Central [43], debió de hacerse bienquisto al rey José, que en 1810 le nombró obispo de Huesca. También los obispos auxiliares de Toledo, Aguado y Jarava; de Sevilla, Cayetano Muñoz, y de Madrid, Puyal y Poveda, fueron premiados con el nombramiento para las diócesis de Calahorra, Málaga y Astorga respectivamente [44]. El último pronunció una arenga formularia y evasiva cuando José penetró en Madrid en enero de 1809 y llegó a ser designado caballero de la Orden Real de España; pero, al igual que los anteriores, no quiso aceptar el nombramiento episcopal en vida del titular.

El obispo de Avila, Gómez de Salazar, adoptó una postura ambivalente. Con extraordinaria generosidad había entregado al ejército español toda la plata labrada y fuertes cantidades de dinero. Sin embargo, en febrero de 1809 encabeza la diputación abulense que rinde en Madrid pleitesía a José; y al año siguiente es nombrado nada menos que comendador de la Orden Real de España. Estas complacencias hacia el Gobierno afrancesado no impiden que, entre tanto, el obispo escriba a la Junta Central para defender a

---

[38] P. RODRÍGUEZ LÓPEZ, *Episcopologio Asturicense* t.4 (Astorga 1908) 97.

[39] GM 13-12-1808 p.1586; 28-12-1809. L. FERNÁNDEZ MARTÍN, *La Diócesis de Palencia durante el Reinado de José Bonaparte,* artículo de próxima aparición en Public. de la Instit. Tello T. de Meneses (Palencia). Resaltamos la importancia de este estudio porque utiliza fondos del Archivo de Simancas, imprescindibles para conocer la ejecución de la política religiosa afrancesada. También pondera los méritos del obispo Almonacid como salvador de la ciudad contra las iras del invasor J. SAN MARTÍN PAYO, *El Hospital de San Bernabé y San Antolín durante la invasión francesa:* Public. de la Inst. Tello T. de Meneses 41 (1979).

[40] AHN Est. leg.27B 208-209. Representación de la Junta Central, Valladolid, 18-11-1808. El saludo que hizo el obispo de Valladolid al rey José fue, como el de otros obispos, de pura fórmula y para evitar mayores males. En su epitafio se lee: «Populi in discriminibus bellorum salutare praesidium»; M. CASTRO, *Episcopologio vallisoletano* (Valladolid 1904) 347.

[41] GM 5-4-1809 p.468.

[42] Cf. su pastoral en GM 3-2-1809, p.191. Menéndez Pelayo confunde a este obispo con Tavira en *Heterodoxos* L. 7 c.1, IV.

[43] AHN Est. leg.27B n.104; exposición a D. José Rivero, 29-12-1809.

[44] Aparecen los nombramientos en el decreto de 13-6-1810 (GM p.704); C. BAYLE, *Un obispo auxiliar de Madrid en 1790 y un decreto de José Bonaparte en 1810:* Razón y Fe (1953) 171-77. El ascenso que Puyal recibió del rey Fernando es una prueba de que su patriotismo no quedó empañado durante su convivencia con los afrancesados.

unos curas de su diócesis amenazados por las tropas nacionales, mientras sale al paso de las calumnias que le han levantado algunos malintencionados y reitera su constante adhesión a Fernando VII. «En los diferentes peligros que ha corrido la ciudad de ser saqueada y destruida, el obispo ha seguido una actitud como la de San León con Atila; ha procurado mitigar el furor de los enemigos en las difíciles ocasiones en que se dirigió a aquella ciudad con ánimo de tomar venganza de la resistencia que se les hizo» [45].

Pero tal vez a nadie puede aplicarse mejor esta certera observación del obispo de Avila que al arzobispo de Valencia, Joaquín Campany, prelado caritativo y amante de los pobres. En la primera expedición de los franceses sobre Valencia en 1808 había exhortado al pueblo a la defensa, como buen patriota. Cuando Suchet conquistó la ciudad en enero de 1812, Campany prefirió quedar al lado de su pueblo. La firmeza del obispo y la cordura de Suchet lograron hacer de Valencia un oasis de templanza y buen gobierno. El arzobispo fue nombrado caballero gran banda de la Orden de España, pero en las recepciones seguía luciendo la Orden de Carlos III. Por sus tratos con los invasores fue tildado de afrancesado y complaciente; pero su actitud revelaba, más bien, prudencia, talento y aquel sentido pastoral de servicio al pueblo que recoge su epitafio [46]. La actitud del obispo gerundense, Ramírez de Arellano, refleja también una conducta por lo menos equívoca [47].

Junto a estos afrancesados fingidos y ocasionales que, dadas las circunstancias, no merecen tal nombre, hay que recordar a otro grupo de obispos que por sus inequívocas manifestaciones públicas o por los honores que recibieron en premio a sus servicios deben ser considerados como verdaderos partidarios del rey José.

El primero en manifestarse es D. Félix Amat, arzobispo de Palmira, abad de San Ildefonso, confesor de Carlos IV, bien afamado por su sabiduría y austeridad de costumbres. Los patriotas no perdonarán al «Bossuet español» aquella imprudente pastoral que escribió a sus párrocos en la temprana fecha del 3 de junio de 1808 y fue difundida en la *Gaceta*. Amat vivió recluido en Madrid durante la francesada, dedicado a escribir sobre el pacifismo cristiano en tiempos de turbulencias políticas, y no tuvo reparo en admitir el título de comendador de la Orden de España y el nombramiento de obispo de Osma, cuya diócesis acababa de quedar vacante [48]. También se destaca, por su afección al Gobierno josefino, el ex obispo de Puerto Rico, Francisco de la Cuerda, agraciado con la Orden de España, nombrado primero obispo de Málaga, cuya diócesis pasó a gobernar como vicario capitular sede vacante, y más tarde arzobispo de Toledo [49]. El de León, Luis Blanco, mostró una adhesión pública y explícita a los franceses en numerosas ocasiones, que suscitó tremendas acusaciones de los patriotas [50].

[45] AHN Est. leg.27B 106-107; extracto de la representación del obispo de Avila a la Junta Central, 27-7-1809.
[46] E. Olmos y Canalda, *Los prelados valentinos* (Valencia 1949) 265-73.
[47] T. Noguer Musqueras, *El Ilmo. Dr. D. Juan Agapito Ramírez de Arellano, obispo de Gerona (1798-1810):* Anales del Inst. de Est. Gerundenses (1959) 17-39.
[48] F. Torres Amat, *Vida del Ilmo. S. Don Félix Amat* (Madrid 1835). Interesantísima apología para conocer las justificaciones de los afrancesados.
[49] Dec. de 13-6-1810 (GM p.704).
[50] Carta acusatoria contra el obispo de Cristóbal Rubio dirigida a la Central, León 10-9-1809 (AHN Est. leg.27B n.140).

Cuando Andalucía cayó en poder de los franceses, José recibió no pocas muestras de simpatía del clero catedralicio. Pero, sobre todo, se destacaron el obispo de Córdoba, Trevilla, y el arzobispo de Granada, Moscoso. Ambos publicaron ardientes alabanzas de José, especialmente el primero, que fue premiado con la Orden de España [51]. Pero ninguno llegó a emular las aficiones afrancesadas de los dos prelados de Zaragoza: el arzobispo Arce y su auxiliar, el gran predicador capuchino Fr. Miguel Suárez de Santander [52]. Ausentes ambos de la heroica ciudad durante los sitios, colaboraron, en cambio, estrechamente con los invasores. Arce era un prelado mundano y cortesano que, al quedar suprimido el Santo Oficio, del que era inquisidor general, recibió el cargo de patriarca de las Indias. Santander fue nombrado por Suchet comisario regio eclesiástico de Aragón. A principios de 1810 fue nombrado obispo de Huesca, de cuya sede tomó posesión, y a mediados de aquel año recibió el nombramiento de arzobispo de Sevilla y gran banda de la Orden de España.

Ante este panorama cabe replantearse la cuestión del patriotismo monolítico de los obispos españoles, que fue cuestionado ya en las Cortes de Cádiz. «La España toda —dirá en su defensa el P. Vélez— tiene la gloria de no contar entre sus pastores sino uno u otro afrancesado» [53]. Sería más exacto hablar de dos clases de patriotas entre los obispos; los que arrostraron las penalidades de la huida «por no ser traidores a su patria y ver ultrajada la religión» y los que, por cumplir sus deberes pastorales, escogieron el no menos penoso camino de permanecer con su grey en medio de los enemigos con el fin de actuar de mediadores y atemperar el furor de los franceses. La comprensión que nos merecen estos últimos no puede, sin embargo, disculpar fácilmente la actitud débil o interesada de esos siete obispos excesivamente complacientes con el intruso. A muchos de estos convictos o suspectos de afrancesamiento puede disculparles su avanzada edad. Lo que sí parece evidente es que, en el modo de afrontar la crisis de la guerra de la Independencia, la actitud de los obispos, y tras ellos del clero secular en general, no fue, en ningún modo, uniforme. El clero canonjil, que por vivir en las ciudades se veía también especialmente comprometido, muestra actitudes equívocas a menudo. Los nombramientos para dignidades y prebendas fueron numerosos en este sector del clero, y entre los agraciados encontramos a futuros obispos, como Posada y Torres Amat. Hay, pues, toda una gama de actitudes y comportamientos en el clero, desde el guerrillero Merino hasta el afrancesado Llorente [54]. En

---

[51] Cf. pastorales en GM de 1810 p.400.506.510.515.
[52] A. GASTÓN DE GOTOR, *El cabildo de Zaragoza durante los sitios*, en *Estudios de la guerra de la Independencia* II 169-208. A. DE LEGARDA, *Diócesis huérfanas en torno a Zaragoza de 1808 a 1813*: Scriptorium Victoriense 25 (1978) 67-88. El P. Santander fue duramente atacado por el P. Manuel Martínez en *Los famosos traidores refugiados en Francia, convencidos de sus crímenes* (Madrid 1813), al que respondió el obispo con unas interesantes *Apuntaciones para la apología formal* (Montpellier 1817).
[53] *Preservativo* (Madrid 4 1813) 156.
[54] *Noticia biográfica de D. Juan Antonio Llorente, o memorias para la historia de su vida escritas por él mismo* (París 1818).

la opción de estos clérigos por una u otra solución hay un entramado de motivaciones políticas, religiosas, ideológicas o simplemente oportunistas e interesadas. Entre los que se dejaron seducir por estas últimas hay que situar a un grupo de escritores o intelectuales, para los que su ordenación sacerdotal era algo marginal. Ese fue el caso, por ejemplo, de Lista [55], Reinoso y Estala, para no hablar de Marchena, cuya apostasía le coloca en lugar aparte.

3. MOTIVACIONES RELIGIOSAS DE LOS AFRANCESADOS

No faltaron pastorales ni sermones en el campo afrancesado. No fueron tan numerosos como los de los patriotas, ni fueron pronunciados con tanta convicción. La ideología religiosa que nos descubren resulta, sin embargo, sumamente expresiva, y podemos resumirla en los siguientes motivos teológicos:

a) *Legitimidad del régimen bonapartista.*—La legitimidad del trono josefino no podía fundarse ni en los derechos de la dinastía ni en su aceptación popular. Los clérigos afrancesados asientan entonces la nueva monarquía en la suprema voluntad de Dios. Amat fue el primero que lanzó la idea: «En la Sagrada Escritura se nos advierte muchísimas veces que nuestro buen Dios es quien da y quita los reinos y los imperios y quien los transfiere de una persona a otra persona, de una familia a otra familia y de una nación a otra nación o pueblo.» Dios permitió las divisiones de la familia real española y las renuncias a la Corona. Dios ha hecho de Napoleón árbitro de Europa: «Dios es quien ha puesto en sus manos los destinos de la España.» Estas ideas van a ser repetidas y desarrolladas por los demás afrancesados. Se invocan los altos juicios de Dios y los caminos de la Providencia con sus irresistibles decretos. Esta concepción agustiniana de Dios como rector de la historia contenía, sin embargo, varios equívocos. Porque la afirmación clásica de Dios como origen y fuente de todo poder es interpretada por los afrancesados sin reparar en la comunidad como receptáculo de la soberanía. Los afrancesados apelan a la voluntad y providencia de Dios, y eluden con ello la libre voluntad del pueblo. Si no es la voluntad del pueblo quien puede servir de guía para interpretar la voluntad de Dios, lo será el curso de los acontecimientos. Las convulsiones y vicisitudes políticas reflejarán la voluntad irresistible de Dios lo mismo que las leyes de la naturaleza y están «tan sabiamente ordenados en sus decretos como los períodos de los astros y la regularidad y variedad de las estaciones y de los tiempos» [56]. El desarrollo de esta teología fatalista podía llevar a denigrantes consideraciones en el supuesto de que la victoria (como la que disfrutaba José en 1810 al tomar Andalucía) era una clara expresión de

---

[55] H. JURETSCHKE, *Vida, obra y pensamiento de Alberto Lista* (Madrid 1951). Sobre la heterodoxia de algunos afrancesados cf. MENÉNDEZ PELAYO, *Heterodoxos* l.7 c.1. La actitud de Marchena en este tiempo se refleja en su desgarrado artículo *Al Gobierno de Cádiz* (GM junio de 1812, p.27-29).
[56] Discurso del lectoral de Sevilla, Nicolás Maestre (GM 18-2-1810 p.202).

la voluntad de Dios: «La justicia y la fuerza están siempre juntas, la injusticia es siempre imbécil e impotente; no hay desgracias ni infortunios, sino justos castigos de los pecados de los hombres. Un ejército, según esta idea, es una tropa de ejecutores de la justicia de Dios, que envía para hacer morir a los que han merecido la muerte. Los ejércitos son ministros de esta misma justicia, que no ejecutan sino precisamente lo que Dios ha ordenado» [57]. Asentado este criterio, era fácil ver en José al rey elegido por Dios, y en los ejércitos franceses victoriosos, un signo inequívoco de la voluntad divina, a la que no será lícito resistir.

b) *El carisma del rey José y la excelencia de su gobierno.*—El obligado cumplimiento de esa voluntad de Dios quedaba estimulado con las prendas del rey elegido y con las excelencias de su gobierno. La personalidad del nuevo rey era una prueba de las misericordias de Dios sobre España. Los afrancesados no fueron mudos en la adulación a los Bonapartes. Napoleón es exaltado como restaurador y purificador de la religión en Francia, Italia y Polonia [58]. Igualmente José es aclamado como protector de la Iglesia y restaurador del culto; es un rey bueno, adornado de luces, dotado de un corazón benigno y generoso y amante de sus vasallos. El magistral de Jaén llegó a dignificarle con los términos del más extremado absolutismo teocrático: «Está constituido entre nosotros y el Ser Supremo para ser el instrumento de su providencia, el ministro de su justicia y el poder de sus gracias; su poder es una participación del poder de Dios. Su Majestad es una imagen de la majestad divina» [59]. El magistral de Granada, Andeiro, unía, enternecido, su nombre con el de los Teodosios, Carlomagnos, Fernandos y Luises [60].

La idealizada persona del rey José guardaba coherencia perfecta con la excelencia de su gobierno, cuyas primeras disposiciones eran un pronóstico feliz de regeneración espiritual, moral y material de España. Ante todo, se quiere convencer de que la nueva situación no trae el menor obstáculo al esplendor del culto ni a la práctica religiosa. «Pues qué —pregunta el obispo Santander a sus reticentes fieles zaragozanos—; ¿se prohíbe a alguno el que confiese sus pecados y el que reciba el cuerpo y sangre del Señor? ¿El que oiga la santa misa? ¿Que asista a los divinos oficios? ¿Qué queréis? ¿Se impide a alguno ser buen cristiano y buen ciudadano? Nada menos. Pues, hermanos, *hora est iam nos de somno surgere*» [61]. El rey José propugna una religión pura e ilustrada, en estrecha relación con el progreso material. «Nuestro soberano —dirá D. Antonio Posada— no perdonará sacrificio alguno para borrar hasta las últimas huellas de los males que han afligido a sus hijos, ni hay género de bienes que no debamos prometernos de su ilustración y de su celo: educación liberal para todas las clases de la sociedad, inviolabilidad en las propiedades, seguridad en las personas, recuperación para tantos brazos que se han paralizado. Estos bellos elementos de la liber-

[57] Pastoral del obispo de Córdoba, 17-4-1810 (GM p.515).
[58] Pastoral del vicario general de Valladolid, Josef Milla, 8-1-1809 (GM p.105).
[59] GM de 1810 p.424.
[60] Ibid., p.394.
[61] Ibid., p.75.

tad civil y política son los sinceros votos que cada día forma para nosotros» [62]. La moral evangélica enlaza con una moral intramundana y el paternalismo religioso e ilustrado del nuevo monarca redundará en un paraíso de felicidad en este mundo que se prolonga en la eternidad. Para conseguir esta doble felicidad, querida por Dios y dirigida por el rey, se precisa un comportamiento receptivo y pacífico por parte de los españoles.

c) *Exhortación a la sumisión y repulsa de la rebeldía.*—Este es el estribillo constante de todas las exhortaciones. La sumisión y obediencia al príncipe que Dios nos da es una obligación estricta del cristiano, que se prueba fácilmente con las palabras de Cristo, de los apóstoles y Padres de la Iglesia. Obediencia que no debe ser pasiva, sino cordial, como respuesta adecuada a la categoría personal de un rey tan excelente. La verdadera moral evangélica inculca, igualmente, una actitud de paz, presupuesto de toda prosperidad. Los predicadores que suben al púlpito en Andalucía o en Valencia después de sus conquistas contraponen los horrores de la guerra a las delicias de la paz, y sacan la consecuencia de que el pacifismo es la única conducta cristiana y patriótica [63].

Si sólo era aceptable una actitud de paz, se deduce la repulsa categórica a la insubordinación. Los afrancesados ponen especial empeño en destruir el mito de la guerra santa que alentaba a los españoles. Especialmente, los sacerdotes debían apagar la tea de la discordia y actuar como heraldos de la paz, para conseguir una sociedad en la que debe campear la fraternidad y la caridad. La santidad de la guerra queda desmitificada bajo el supuesto de que es origen de todos los males. Y la insurrección queda degradada como una erupción del fanatismo y la ignorancia. Para algunos predicadores, la resistencia es inútil, es una causa perdida que sólo produce desolación y muerte. El verdadero patriota ha de ser realista, y debe deponer una actitud hostil, que sólo puede producir la ruina de España. Los afrancesados no ven en la guerra una expresión de la voz del pueblo, sino el engaño de unos pocos malvados sobre una turba de engañados. Los mayores anatemas se dirigen a los guerrilleros, crueles y sanguinarios; al «simulacro de gobierno» de Cádiz, que sólo piensa en bagatelas y venganzas, y a la pérfida Inglaterra —la nueva Tiro—, «que sólo pretende envolver entre ruinas y sangre a nuestra madre patria» [64].

[62] Ibid., p.206.
[63] Sermón del prelado eclesiástico Pascual Fita en Valencia (GM de 1812 p.745).
[64] Sermón de D. Antonio Posada (GM de 1810 p.206)

Capítulo III

LA REVOLUCION POLITICA ESPAÑOLA FRENTE A LA IGLESIA

La gran insurrección del pueblo español contra Napoleón no se redujo a una guerra. El abandono de la corona que hicieron nuestros reyes, la indecisión de las autoridades constituidas, la reasunción por las juntas provinciales de la soberanía abandonada y la iniciativa popular del levantamiento incubaron una profunda revolución política que había de trazar las bases de una España nueva. La guerra no fue solamente un movimiento de repulsa a las huestes francesas, sino también un rechazo, más o menos consciente, de los abusos del Antiguo Régimen, que habían alcanzado su cima en la España de Carlos IV y Godoy. Si la Junta Central representa la institucionalización de un levantamiento que encarna de hecho el ejercicio de la soberanía popular, las Cortes de Cádiz significan la legalización solemne de un deseo general de reforma de las caducas estructuras sociales, políticas y económicas del Estado antiguo. Los diputados reformistas son hombres de extracción burguesa que, apoyados en el vago anhelo popular de reforma, sabrán canalizarlo y desplegarlo aprovechando la gran oportunidad que les brinda la crisis bélica del país.

1. ANHELO DE REFORMA ECLESIÁSTICA

En junio de 1809, la Junta Central promovió una gran consulta al país con el fin de preparar el temario para las futuras Cortes. Las respuestas enviadas por algunos obispos, cabildos, ayuntamientos, universidades, juntas provinciales, audiencias y personas particulares demuestran con evidencia hasta qué punto era general el deseo de corregir y reformar. Era la primera vez que se intentaba una toma de conciencia general sobre los males de la Patria; el deseo de renovarla era general, aunque los medios propuestos fueran diversos y a veces contradictorios. Nada se escapa a la observación de los encuestados, a los que hay que añadir multitud de escritores que por propia iniciativa escriben folletos y artículos sobre los mismos asuntos. Se analizan cuestiones políticas, económicas, sociales, educativas, militares, administrativas y religiosas. A la hora de planificar el futuro de una España nueva, ¿podía eludirse un examen de una institución tan primordial como la Iglesia? Tan importante era este asunto, que, entre las cinco juntas auxiliares creadas por la Junta Central para elaborar los resultados de las respuestas, una era de materias eclesiásticas. Entre los textos que se han conservado y hacen referencia al tema eclesiástico, se destacan las respuestas enviadas por doce obispos y siete cabildos [1]. El muestreo de sus respuestas perfila una serie de abusos padecidos por la Iglesia; unos, procedentes del Estado; otros, debidos a la misma Iglesia. Se insiste, sobre todo por parte de los obispos, en la necesidad de mantener la independencia y las inmunidades eclesiásticas. «Al tratarse, pues, de una reforma exterior —dice el obispo de Calahorra— y la intervención que en ella pueda o deba tener la autoridad real, ha de considerar, lo primero, que la Iglesia es soberana e independiente, y su autoridad espiritual, establecida por el mismo Dios, sin consenso ni intervención de la potestad del siglo». Basados en este principio, casi todos desean la celebración de un concilio nacional o de concilios provinciales para resolver las reforma. de la disciplina eclesiástica; si bien, para lograr éxito de la reforma, piensan, con sentido práctico, que será precisa la cooperación de la potestad secular. Al concretar los abusos del poder civil, todos lamentan la política de Godoy sobre los bienes eclesiásticos y las exacciones abusivas sobre el clero. «Parece, Señor —se quejaba el cabildo de Cuenca—, que los eclesiásticos en España son los judíos de la nación, que, a fuerza de contribuciones, han de conseguir que se les tolere en el reino». La queja alcanza no sólo al hecho del despojo, sino al método empleado por Carlos IV, que era pedir para ello una bula pontificia, cosa que los obispos consideraban humillante e innecesaria. Hay una tendencia —encabezada por el obispo de Calahorra— a fundir la inmunidad eclesiástica con el refuerzo de la potestad episcopal. Manifestaciones de este templado episcopalismo son las sugerencias de suprimir todas las jurisdicciones espirituales exentas, someter los regulares a los obispos y obtener para éstos la concesión de dispensas matrimoniales. La persistencia de la Inquisición no parece causarles problema, y los obispos de Cuenca y Lérida hacen un cálido elogio de ella. Pero lo más llamativo es el catálogo de abusos y defectos que casi todos hacen de instituciones y personas eclesiásticas. Se alude, entre otras cosas, al número excesivo de clérigos, a las vocaciones dudosas, a los beneficiados ociosos, a la desigualdad de rentas y a instituciones inútiles, como las órdenes militares y no pocas cofradías. Las quejas más frecuentes se ceban en los religiosos, para los que se piden medidas de control, reducción y reforma.

Sobre este deseo común de reforma de la Iglesia confluyen variados criterios: la idea ilustrada de aplicar a la Iglesia criterios de utilidad, el afán espiritual de una mayor pureza evangélica, la tradición regalista, que espera la ayuda del poder civil, y la defensa a ultranza de la independencia e iniciativa de la jerarquía eclesiástica mediante una concentración del poder episcopal que debía expresarse en un concilio nacio-

[1] F. Suárez ha publicado, siguiendo un criterio geográfico, los informes oficiales procedentes de Baleares, Valencia, Aragón, Andalucía y Extremadura: Cortes de Cádiz (Pamplona 1967-68-74). M. Artola publica párrafos escogidos de 68 respuestas, englobándolas en sectores (clero, instituciones, juntas provinciales, respuestas particulares), en Los orígenes de la España contemporánea t.2 (Madrid [2] 1976). Suárez analiza en su introducción las vicisitudes del informe y las consultas. De 39 obispos consultados, consta que respondieron 15, pero se conservan sólo 12 respuestas (Menorca, Orihuela, Albarracín, Barbastro, Teruel, Córdoba, Tarragona, Calahorra, Cartagena, Cuenca, Lérida y Urgel). De los 39 cabildos consultados, se conservan las respuestas de 7.

nal. El obispo de Menorca escribe estas significativas palabras: «Baste decir, por conclusión de todo, que en la disciplina externa hay mucho que reformar. Parte puede hacerlo S. M. mediante sus regalías, y parte debe hacerlo la misma Iglesia por aquellos medios que ella misma heredó de los apóstoles; tales son los concilios». La dificultad estaba en mantener un justo equilibrio entre ambas potestades en el momento de acometer la reforma eclesiástica.

2. LAS CORTES DE CÁDIZ Y LA JUSTIFICACIÓN DEL REFORMISMO RELIGIOSO

La Junta Central no pudo hacer más que lanzar sobre el tapete la idea de reforma. La Regencia que le sucedió en enero de 1810 no pudo, a pesar de su carácter conservador, eludir la convocatoria de las Cortes, que se reunieron en septiembre de 1810. La soberanía nacional que las Cortes se atribuyeron el primer día de su reunión por iniciativa del canónigo extremeño Muñoz Torrero, ponía en sus manos los destinos de una España nueva.

Las Cortes de Cádiz no tuvieron nada de impías. ¿Cómo puede tildárselas de irreligiosas, cuando la tercera parte de sus componentes pertenecían al estado eclesiástico y comenzaban sus sesiones con la misa del Espíritu Santo? Salvo algún que otro diputado contagiado de volterianismo, el conjunto de los padres de la Patria son buenos católicos, que se aferran a la religión de sus padres y desean una Iglesia liberada de sus defectos seculares. Cuando discutieron los asuntos eclesiásticos, lo hicieron, generalmente, con respeto al sentimiento religioso del país. Si alguna vez, en el fragor de la dialéctica, se excedieron en sus críticas, fue de manera ocasional. Lo habitual eran, más bien, manifestaciones de fe recia y piedad sincera en un clima de respeto y adhesión a la Iglesia católica, a la que consideran elemento inseparable de la historia patria y de la España nueva que quieren construir. Los diputados están plenamente convencidos de que sin religión no es posible la permanencia de una sociedad justa, libre y ordenada; y de que es precisamente la religión católica la que mejor se acomoda a un gobierno ilustrado. La reacción absolutista engendró contra las Cortes de Cádiz una leyenda negra, llamada a tener larga pervivencia. Los impugnadores de las Cortes les negaron su legalidad, su originalidad y su espíritu religioso. El P. Vélez intentará demostrar que el cúmulo de medidas irreligiosas dictadas por el Congreso era la concreción de un plan diabólico forjado por las logias y por los filósofos impíos para desterrar de España la religión e implantar el ateísmo. Nada más arbitrario que este mito de una conspiración universal de jansenistas, masones y liberales contra la Iglesia. Las reformas eclesiásticas de las Cortes de Cádiz surgen merced a la coyuntura y circunstancias históricas de una España en guerra que acelera el proceso de la revolución burguesa. Es indudable que en muchas ocasiones las Cortes traspasaron más de lo justo los límites de su competencia; pero aún en esos casos es fácil encontrar comprensión y disculpa. Pensemos que las Cortes acometen la decidida empresa de implantar una renovación profunda de las estructuras políticas, sociales y económicas de España. La vieja España del despotismo ilustrado, de los estamentos sociales, de los señoríos nobiliares, de las manos muertas, de los gremios anquilosados, de la administración irregular y arcaica, tiene que dejar paso a una España nueva, con una monarquía constitucional, con libertad e igualdad civil, con organismos gubernativos centralizados, con propiedades desvinculadas. Era, pues, comprensible que se intentara una acomodación de la Iglesia al nuevo sistema; era necesario e inevitable que las reformas políticas, sociales y económicas afectaran a una Iglesia cuyas exenciones, privilegios y grandes propiedades amortizadas no podían encajar en el nuevo sistema constitucional. La gran reforma política liberal habría quedado convertida en una quimera si se hubiera respetado el *status* de la Iglesia antigua.

Tampoco puede decirse que las reformas eclesiásticas de las Cortes son un mero plagio de las efectuadas durante la Revolución francesa o de las ejecutadas en aquellos días por los afrancesados españoles. Los afrancesados sirvieron más bien de emulación que de inspiración a los diputados de Cádiz. Lógicamente, éstos no querían quedar a la zaga de los afrancesados en sus reformas; pero, si fueron mucho más revolucionarios que ellos en lo político, se mostraron, en cambio, mucho más comedidos y conservadores en lo religioso. No es necesario acudir a ejemplos ultrapirenaicos para explicar las reformas eclesiásticas de las Cortes. La mentalidad que en ellas predomina es la del regalismo español del siglo XVIII; aquella inveterada costumbre de la intervención real en la disciplina externa de la Iglesia, que se explica por la tendencia del poder civil a ampliar sus dominios en todos los campos de la sociedad y a poner un coto razonable a los privilegios y autonomías clericales. El justo equilibrio entre las regalías de la Corona y las reservas pontificias no era siempre fácilmente dilucidable y en muchos asuntos era todavía cuestión disputada entre los católicos. Los diputados liberales de las Cortes realizan una defensa de las prerrogativas del Estado sobre la disciplina eclesiástica siguiendo las tesis regalistas peculiares del despotismo ilustrado. No es en Voltaire o en Rousseau en quienes se apoyan, sino en los prohombres de nuestra Ilustración, como Macanaz, Olavide, Campomanes, Floridablanca o Urquijo, que atribuyen al poder real la competencia para intervenir en la disciplina externa de la Iglesia bajo capa de regalía, protección o policía externa. Las Cortes —herederas de aquellas prerrogativas— se sienten capacitadas para disponer de los bienes de la Iglesia, para suspender la colación de beneficios eclesiásticos, para organizar procesiones y rogativas, para reformar a los regulares y para desembarazarse de jurisdicciones eclesiásticas exentas o mixtas. El punto clave de estas controversias se resume en una reivindicación de los derechos episcopales a costa de las reservas pontificias. No es extraño. El ejercicio de la jurisdicción pontificia era la barrera que libraba a la Iglesia de las intromisiones del poder civil, o, dicho de otra manera,

era el último baluarte que impedía a las manos legas la alteración de la disciplina de la Iglesia. La pretensión de devolver a los obispos sus antiguos derechos es, en realidad, un pretexto para poder modificar más fácilmente la estructura de la Iglesia desde el Estado sin necesidad de acudir a las gracias, dispensas o donativos de Roma. Paradójicamente, los obispos rechazarán los derechos que los reformadores quieren devolverles, pues ven que es más fácil mantener la independencia y el poder de la Iglesia escudándose en el primado pontificio que si quedan a merced de la protección del Estado. Frente a unas Cortes episcopalistas, los obispos se harán ultramontanos. No es difícil encontrar en las intervenciones oratorias de los más destacados reformistas laicos o eclesiásticos proposiciones de sabor jansenista o galicano, opuestas a la reciente bula *Auctorem fidei*, de Pío VI [2]. La coordinación de esa jurisdicción universal del papa con la de los obispos, que también es de institución divina, daba pie a la controversia en el momento de determinar cuestiones de competencia en materias de disciplina. Entre las tesis extremas de un ultramontanismo que considera a los obispos como meros lugartenientes del papa y un episcopalismo que extiende más de la cuenta las consecuencias de la institución divina de los obispos, existe un vacío doctrinal, que en aquella época, previa a los dos últimos concilios Vaticanos, no había sido aún suficientemente determinado. Por encima de algunas doctrinas disputadas entre los católicos perdura la costumbre inveterada del intervencionismo estatal, el abuso de las regalías y la práctica del *exequatur,* que para unos es una concesión y para otros un derecho del poder civil. Y existían, sobre todo, abusos crónicos en la administración y economía de la Iglesia. Nuestros reformadores tenían la convicción de que una reforma eclesiástica hecha con escrupulosa corrección canónica, es decir, encomendada exclusivamente a la competente autoridad eclesiástica de los obispos y del papa, sería insuficiente y lenta para lo que pedía la urgencia del momento y la armonía del nuevo edificio constitucional que habían dado a España. Así que optaron por cortar el nudo gordiano aplicando la cirugía regalista a algunas —sólo a algunas— instituciones, bienes y personas eclesiásticas que juzgaban incompatibles con el nuevo Estado español.

En aquel momento de afirmación patriótica, el nacionalismo que impera en las Cortes de Cádiz debía, lógicamente, favorecer un cierto distanciamiento de la curia romana, si tenemos en cuenta que el ejercicio de las reservas suponía un dispendio económico considerable y que la deportación a Francia de Pío VII por aquellos años ofrecía el pretexto de la incomunicación con la Sede Apostólica. En tales circunstan-

---

[2] F. MARTÍ GILABERT, *La Iglesia en España durante la Revolución francesa* (Pamplona 1971); L. MARTÍNEZ DE MENDIJUR, *La doctrina de las jurisdicciones episcopal y pontificia en los debates de las Cortes de Cádiz:* Scriptorium Victoriense 12 (1965) 300-41; *Prerrogativas del poder real sobre la disciplina eclesiástica en los debates de las Cortes de Cádiz:* ibid., 13 (1966) 217-32.325-51. El jansenismo español tuvo preferentemente un contenido pastoral, moral y político más que teológico. J. SAUGNIEUX, *Le jansénisme espagnol du XVIIIᵉ siécle, ses composantes et ses sources* (Oviedo 1975); E. APPOLIS, *Les jansénistes espagnols* (Bordeaux 1966); M. G. TOMSICH, *El jansenismo en España* (Madrid 1971); I. DE VILLAPADIERNA, *El jansenismo español y las Cortes de Cádiz,* en *Nuove ricerche sul giansenismo* (Roma 1974).

cias no podía pensarse en un concordato que hubiera hecho compatibles la jurisdicción eclesiástica con las iniciativas reformistas de los liberales. A falta de concordato, los eclesiásticos pidieron y las Cortes planearon un concilio nacional. Pero ¿era esto posible cuando la mitad de los obispos residían en territorio ocupado por los franceses? Las Cortes harán, ciertamente, reformas eclesiásticas; unas aceptables, otras discutibles y otras abusivas. Pero estas innovaciones resultan mínimas y timidísimas comparadas con las que hizo la asamblea constituyente en Francia en 1790 o con las que por aquellos días hacían Napoleón o nuestros afrancesados.

No olvidemos, por último, las circunstancias que impulsaban a nuestras Cortes a obrar con rapidez y eficacia. Existe un anhelo previo general de reforma de la Iglesia. Existe un propósito de no defraudar a los que piden al Congreso reformas efectivas contra abusos inveterados. Y existe, en fin, el problema de sostener una guerra que cuesta dinero y para la que se precisan abundantes recursos. Todos los españoles debían contribuir económicamente al triunfo de la independencia. Cuando gravita sobre todos los ciudadanos una contribución extraordinaria de guerra, ¿puede eludirse la aportación de una institución tan rica como la Iglesia? ¿Cabría alegar las viejas exenciones y privilegios en aquel momento excepcional, en que se jugaba la independencia de la Patria? ¿O podría mantenerse el caduco Santo Oficio, cuando sus métodos y sistemas eran tan contrarios a la Constitución y a la libertad civil? Las reformas eclesiásticas de más bulto están en conexión con las necesidades económicas de un Estado que necesita recursos con urgencia. Por encima de posibles arbitrariedades anticlericales e intereses personales, existe la necesidad urgente de la nación y el criterio prevalente del bien común. El patriotismo que habían mostrado los sacerdotes y frailes alentando la insurrección, debía completarse con sacrificios más tangibles: recorte de privilegios y contribución con bienes y riquezas. Así parecía exigirlo el triunfo de la causa nacional y la necesaria acomodación al nuevo sistema político y social de España.

3. EL FERMENTO PERIODÍSTICO

El decreto de 10 de noviembre de 1810 sobre la libertad política de imprenta tuvo unas consecuencias fulminantes para el desarrollo de la revolución española. El decreto permitía escribir sobre materias políticas sin previa censura. Para castigar los abusos se establecían juntas de censura en cada provincia y una suprema de nueve miembros, de los que tres debían ser eclesiásticos. Los escritos sobre materias de religión quedaban sujetos a la censura previa de los ordinarios eclesiásticos, según lo establecido en el concilio de Trento. Ninguna objeción podía hacerse al decreto desde el punto de vista religioso, a no ser por la prescripción de que, si el ordinario negaba la licencia, podía el interesado apelar a la Junta suprema, a cuyo dictamen debía aquél acomodarse. Seguía vigente la Inquisición, aunque su ejercicio era nulo. La libertad de imprenta, permitida como un derecho individual, como medio para frenar la arbitrariedad de los gobernantes, para ilustrar al país y para conocer la verdadera opinión pública, produjo en Cádiz y en la España liberada un verdadero torrente de folletos y periódicos [3]. El periodismo español, liberado de la mordaza inquisitorial, actuará como acicate crítico y satírico contra los abusos antiguos. Se quiere recuperar el tiempo perdido, y nada se resiste a su censura. Ni siquiera la Iglesia, que es atacada en sus costumbres, personas e instituciones sin el menor escrúpulo con el pretexto de corregir los vicios políticos y sociales del Antiguo Régimen. De más eficacia que las obras doctrinales fueron los pequeños panfletos o los artículos periodísticos. El lenguaje zumbón y desvergonzado de la vieja novela picaresca renacía en las plumas de los periodistas liberales, que suplían la falta de conocimientos teológicos y canónicos con un estilo descarado y chistoso. El impacto que produjeron sobre el pueblo fue colosal. Envuelto en equívocos, generalizaciones y caricaturas y camuflado con nobles ideas de libertad, reforma y patriotismo, nacía el anticlericalismo popular español. Los periodistas crearon un ambiente propicio para las reformas religiosas de las Cortes y consiguieron modelar una opinión pública que ellos presentaban como un eco de la voluntad nacional. Cádiz era, lógicamente, el fanal de los periódicos anticlericales, entre los que se destacaron la *Abeja Española*, *El Conciso*, *El Diario Mercantil*, *El Duende de los Cafés*, *El Patriota* y *El Redactor General*. Algunos de ellos se trasplantarán al Madrid liberado. En las demás ciudades españoles no faltaban epígonos, más o menos afortunados, de esta clase de prensa. Nadie, sin embargo, llegó a alcanzar la fama de Bartolomé Gallardo, que produjo un formidable escándalo con su *Diccionario crítico-burlesco* en 1812 [4].

Los eclesiásticos quedaron desconcertados ante este balbuciente anticlericalismo socarrón, contra el que no disponían de armas adecuadas. «Al hombre hiere más una burla que una espada. Su honor no se resiente de un acometimiento injusto, pero sí se exacerba cuando el ridículo llega a mofarlo. Mientras más respeto merezca o la persona o la materia de que se trata, más sensible le debe ser que se le conteste o con indiferencia o con una bufonada. Las armas son desiguales en este caso: el acometido no podrá defenderse, si no es un desvergonzado. La lucha misma le es indecorosa, tizna el tacto; sólo al ver al enemigo enfría la sangre, hiela el espíritu, abate el ánimo» [5].

El reformismo religioso emprendido por las Cortes en aquel reducto enrarecido de Cádiz se desarrolla, pues, en medio del clima anticlerical creado por los periodistas liberales, que fueron tratados por el Congreso con una lenidad y tolerancia que contrastaba con los rigores empleados contra el obispo de Orense, el vicario general Esperanza o el

[3] M. GÓMEZ IMAZ, *Los periódicos durante la guerra de la Independencia* (Madrid 1910).
[4] Sobre los incidentes suscitados por el *Diccionario* de Gallardo cf. MENÉNDEZ PELAYO, *Heterodoxos* l.7 c.2,II.
[5] VÉLEZ, *Apología del Altar y el Trono* (Cádiz 1818) t.1 p.169.

nuncio. Los representantes de la ortodoxia, que nunca habían escuchado antes de sus compatriotas tantas irreverencias o faltas de respeto, se sentirán escandalizados, y reaccionarán con no menor apasionamiento que sus enemigos. Sentían que se desplomaba el respeto a lo sagrado y que la religión se hundía. En las tímidas reformas religiosas de las Cortes y en las frases intemperantes de los periodistas anticlericales verán el germen de una terrible revolución religiosa que era preciso atacar en su raíz. La España contemporánea gestaba desde sus orígenes, para desdicha nuestra, una polémica política y religiosa que no tardará en degenerar en guerra abierta.

4. LAS REFORMAS RELIGIOSAS DE LAS CORTES

Las Cortes de Cádiz hicieron una revolución política en nombre de la tradición. La misma Constitución ofrece un carácter híbrido, en que se dan cita aspectos democráticos y conservadores; es una obra de transición, o, si se quiere, una síntesis de tendencias diversas.

También en la legislación eclesiástica de las Cortes han dejado su huella tendencias muy diversas dentro del catolicismo hispano. La secuencia cronológica de las discusiones parlamentarias sobre temas eclesiásticos y su plasmación en los decretos correspondientes revela una evolución, en la que progresivamente se van imponiendo los criterios y soluciones del grupo reformista e innovador, más audaz y juvenil, menos escrupuloso y perfectamente compacto. Las Constituyentes comienzan por aceptar la religión católica tradicional con absoluta intolerancia hacia otros cultos, pero abriendo la puerta a la libertad de prensa; durante el difícil año de 1811 siguen la política, muy clásica en tiempos de apuro, de exigir servicios a la Iglesia protegida. En 1812, el regalismo despunta en iniciativas y disposiciones muy significativas. En 1813 —cuando ya se otea la victoria sobre los franceses y no resulta tan necesario el apoyo del clero—, las Cortes imponen medidas de mayor envergadura que afectan a algunas instituciones, personas y bienes eclesiásticos y descargan sus rigores contra los obispos que se atreven a desafiar su poder. Visto el conjunto de la legislación eclesiástica elaborada a lo largo de estos tres años, observamos que en ella se da una síntesis de tendencias opuestas. Sobre la base de una religión tradicional venerada en toda su pureza y con el pretexto de protegerla, los innovadores han logrado implantar la táctica regalista de prevalencia estatal sobre la Iglesia. El resultado final fue una reforma a medio camino, que pareció corta a los innovadores y abusiva a los tradicionales. Después de tantas discusiones y polémicas y aun concediendo que se dieron abusos en la forma de elaborarse, aquella reforma eclesiástica no pasó de moderada. Se habían tocado solamente aspectos marginales de la disciplina que podrían haber sido fácilmente subsanables por la autoridad eclesiástica. He aquí una breve síntesis de las disposiciones de las Cortes.

El reconocimiento incuestionable de la religión católica

El primer decreto de las Cortes, de 24 de septiembre de 1810, es la primera piedra de la España constitucional [6]. Allí se contiene el germen de la Constitución (división de poderes) y el principio básico del liberalismo (la soberanía popular). La fórmula del juramento que se impone a la Regencia menciona además, al lado del reconocimiento a la soberanía de la nación representada en las Cortes, la conservación de la independencia, libertad e integridad de la nación y de la religión católica, apostólica, romana. La nación española, purificada por la guerra y renovada por las Cortes soberanas, aparece expresamente identificada con la religión católica, siguiendo el impulso religioso del pueblo en armas.

El sentimiento religioso tradicional de España y la adhesión inquebrantable a la religión católica tuvieron cabida en el texto constitucional. La Constitución se abre con la clásica invocación trinitaria: «En el nombre de Dios todopoderoso, Padre, Hijo y Espíritu Santo, autor y supremo legislador de la sociedad.» Nada más lejos de la concepción roussoniana del *Contrato social* que este escueto y solemne encabezamiento de la Constitución española, en el que palpita una recia confesión de fe y una afirmación de la ética social cristiana, que pone en Dios el origen y fundamento de la sociedad y la fuente última del poder y de la soberanía.

El 2 de septiembre de 1811 se puso a discusión el artículo que trataba de la religión. El texto del proyecto decía: «La nación española profesa la religión católica, apostólica, romana, única verdadera, con exclusión de cualquiera otra.» No sólo se hace una afirmación del catolicismo como religión oficial, sino que se excluye cualquier género de tolerancia hacia otras religiones. Nada parecía más ajeno al espíritu de libertad y a las consideraciones a la persona individual. Sin embargo, el criterio del Congreso en este punto era tan notorio, que el presidente sugirió que se podía votar el artículo por aclamación. Sólo hubo una modificación, hecha por Villanueva, en el sentido de especificar más aún el sentido del artículo. Tal como estaba redactado sólo indicaba un hecho presente, y era preciso declarar que esa religión fuera considerada como ley fundamental esencial y obligatoria, pues «sin los preceptos que por ella comunica su divino autor no tienen fuerza ni obediencia las leyes humanas». Debía, pues, añadirse «que deba subsistir perpetuamente, sin que alguno que no la profese pueda ser tenido por español ni gozar los derechos de tal». Añadió todavía Villanueva, evocando a los concilios de Toledo y a la gloria de nuestros mártires, que esa religión —única verdadera— debía ser especialmente protegida por el Estado. Todos aceptaron las adiciones del sacerdote liberal, que fueron refundidas y aprobadas al día siguiente en estos términos: «La religión de la nación española es y será perpetuamente la católica, apostólica, romana,

---

[6] Citaremos en adelante solamente la fecha de los decretos, órdenes, circulares o instrucciones que hemos consultado en las colecciones indicadas en la introducción bibliográfica, pues sólo ese dato basta para su fácil localización.

única verdadera. La nación la protege por leyes sabias y justas y prohíbe el ejercicio de cualquiera otra» [7]. No es posible afirmar con mayor integrismo y exclusividad el catolicismo del Estado. Sin embargo, el mutismo que observaron en esta ocasión los liberales más destacados no significaba precisamente una aquiescencia absoluta. Argüelles no puede ser más explícito al respecto: «En el punto de la religión se cometía un error grave, funesto, origen de grandes males, pero inevitable. Se consagraba de nuevo la intolerancia religiosa, y lo peor era que, por decirlo así, a sabiendas de muchos, que aprobaron con el más profundo dolor el artículo 12. Para establecer la doctrina contraria hubiera sido necesario luchar frente a frente con toda la violencia y furia teológica del clero, cuyos efectos demasiado experimentados estaban ya, así dentro como fuera de las Cortes» [8]. Quedaba, sin embargo, una grieta en el aparentemente monolítico artículo 12 para hacer penetrar a través de ella la reforma de la Iglesia; tal era la «protección» que el Estado se atribuía sobre la religión. Dicha protección será interpretada en sentido regalista. Cuando el P. Vélez examine las reformas hechas en nombre de esa protección, encontrará en ella un lazo, un veneno y una máscara. «El artículo que parece de vida para la Iglesia, es como un decreto de muerte», dirá desengañado [9]. En realidad, la rotunda afirmación católica de las Cortes de Cádiz contenía sentidos equívocos: refleja, indudablemente, la fe sincera del pueblo español y de la gran mayoría de los diputados, provoca el enojo silencioso de los más radicales y justifica las medidas regalistas. Los que creyeron que con aquel artículo quedaba asegurada la inalterabilidad de los privilegios eclesiásticos, se engañaban lastimosamente.

Exigencia del apoyo moral y material de la Iglesia

En medio del trastorno bélico, la Iglesia se mantenía como la única institución permanente y poderosa. Afrancesados y patriotas acudían a ella para conseguir el apoyo moral de un clero influyente y la ayuda económica de los recursos eclesiásticos. Lo que los franceses obtenían sólo por la violencia, lo conseguían los patriotas con facilidad.

> Las Cortes, sobre todo al principio, imponen con toda naturalidad funciones litúrgicas y directrices pastorales. Nadie consideró como intromisión extraña del poder civil el hecho de disponer acciones de gracias, rogativas y pompas fúnebres en numerosas ocasiones; o el encargo al clero de predicar «que es indispensable sacrificarlo todo y guerrear hasta morir, porque peligran la religión y la Patria; y de procurar, por todos los medios, la reforma de las costumbres y el rechazo del enemigo» (1-12-1810). Varios obispos y monasterios pusieron espontáneamente los bienes eclesiásticos al servicio de la causa nacional, incluso llevándolos consigo en la huida o

---

[7] DC ses. del 2 y 3-9-1811 t.8 p.119-20.125. Citaremos en adelante con esta sigla los *Diarios de Cortes* en su *editio prínceps*.
[8] A. ARGÜELLES, *La reforma constitucional de Cádiz*, estudio, notas y comentarios por J. Longares (Madrid 1970) 262.
[9] *Apología*, I 201-11.

haciéndolos pasar subrepticiamente desde la zona ocupada. No pocas veces los generales españoles, al igual que los franceses, reclamarían de los cabildos y párrocos la entrega de caudales o de diezmos sin tino ni mesura [10].

Ya en 1809, la Junta Central había ordenado la entrega de todas las alhajas y plata de las iglesias que no fueran necesarias para el culto (6 de noviembre); también mandó aplicar a las urgencias del Estado los productos de toda obra pía que no estuviera aplicada al mantenimiento de hospitales, hospicios y casas de misericordia o educación.

Las Cortes urgieron el cumplimiento de estos decretos de la Junta Central (22-3 y 8-5-1811), y darán otros nuevos, como el de prohibir la colación de prebendas y beneficios, para destinar las rentas de las vacantes a las necesidades de Estado (1-12-1810); aplicar al erario los productos de los beneficios en economato, los de espolios y vacantes y parte de las pensiones eclesiásticas (20-4-1811); o destinar a los hospitales militares los productos de muchas obras pías, patronatos, memorias y cofradías (4-8-1811). Afectaba también a los clérigos, como al resto de los ciudadanos, el pago de la contribución extraordinaria de guerra impuesta por la Junta Central el 10 de enero de 1810.

Añadidas todas estas contribuciones a las aportaciones con que de antiguo venía contribuyendo la Iglesia española a las cargas del Estado, podemos afirmar que ésta pagó, más que ninguna otra corporación, el mantenimiento de la guerra de la Independencia. Si se dieron algunas resistencias por parte de algunos prelados, fue, sobre todo, por considerar que la manera autoritaria con que se exigían las exacciones lesionaba la inmunidad eclesiástica o porque, al prohibir la concesión de prebendas, se quitaba a los obispos la libertad y el derecho que tenían a conferirlas. Pero, en general, el clero español aceptó con patriotismo y sin oposición aquellas medidas que venían justificadas por la urgencia del momento y la misma provisionalidad de los decretos. «El estado eclesiástico —dirá en las Cortes el obispo de Mallorca— ha creído y cree que en estos casos de tanta miseria no está exento de contribuciones. Ha dado ya una prueba de esto pagándoles sin acordarse de su inmunidad» [11].

Los decretos de 1812

En 1812 —año de la Constitución y de la victoria de Arapiles—, las Cortes van a legislar poco sobre asuntos eclesiásticos. El autoritarismo parlamentario se manifiesta en el rigor empleado contra los clérigos políticamente desafectos y en la derogación del voto de Santiago. Era una demostración de que ni la inmunidad de las personas eclesiásticas ni la rémora de las costumbres religiosas tradicionales podían detener las iniciativas reformadoras del grupo liberal.

Entre las medidas represivas se destaca la que declara al obispo de Orense, D. Pedro de Quevedo, «indigno de la consideración de español», y le castiga con la pérdida de sus honores y empleos civiles y con

[10] AHN Est. Leg.27D 247-48. Queja del cabildo de Plasencia a la Junta Central sobre los abusos que hacían los justicias de los pueblos en la exacción de los diezmos, contra lo dispuesto en la concordia entre el Gobierno y las iglesias del reino (13-6-1809) para la colección del subsidio, que había sido ratificada por el general Cuesta en aquella diócesis.

[11] DC ses. del 3-5-1811 t.5 p.316.

la expulsión del territorio en veinticuatro horas (19-8-1812). Fue éste un decreto iliberal, ya que castigaba al obispo por no querer jurar la soberanía nacional, que repugnaba a sus convicciones. Fue, además, una ingratitud con un patriota eminente y un desacierto político, pues muchos vieron en el expulso al mártir del despotismo parlamentario, no al reo político [12]. Las Cortes iniciaban así una conducta de intransigencia y susceptibilidad contra el clero reticente. La igualdad constitucional suponía la desaparición del clero como estamento y la pérdida de sus privilegios, exenciones e inmunidades. Por eso, las destituciones y purificaciones decretadas contra los funcionarios del rey intruso inciden también en los eclesiásticos (11-8 y 21-9-1812).

Por el decreto de 28 de junio, las Cortes declararon a Santa Teresa Patrona y Abogada de España después del apóstol Santiago. Ninguna oposición hubo hacia esta muestra de devoción a «la insigne española», cuyo patronazgo se había querido implantar ya en el siglo XVII.

Contrasta con este decreto el que suprime «la carga conocida en varias provincias de la España europea con el nombre de voto de Santiago» (14-10-1812). La contribución pagada por los campesinos de algunas regiones al cabildo compostelano no era tan exorbitante como se decía. Lo que importaba atacar era su significado. En ella veían los reformistas el triste ejemplo de un abuso sostenido con pretexto de religión. Las Cortes debían velar por la pureza de la religión, que debe ir unida a la verdad y a la justicia.

Tratándose de una contribución, las Cortes podían derogarla, porque sólo a ellas corresponde establecer los impuestos: «No tratamos de bienes de Dios —dirá Calatrava—; tratamos de rentas de los canónigos de Santiago, que no las necesitan; de rentas que paga injustamente el pueblo español, aunque mucho más necesitado». La discusión fue apasionante. La erudición de Villanueva, el apasionamiento de Ruiz del Padrón, la vena popular de Terrero, la ciencia política de Calatrava y la ironía demagógica de Argüelles asestaron golpes certeros contra el voto de Santiago desde todos los flancos posibles: la historia, la moral, la justicia social y las reglas del código constitucional. Con el pretexto de derogar aquella arcaica contribución, se absolutizaba el contraste simplista de la España que fue y la que debía ser; y se celebraba el triunfo de la crítica histórica contra la mitología heroica; la religión pura, contra la superstición; la devoción auténtica, contra la injusticia sacralizada. El debate en torno a un objeto tan vulnerable resultó un excelente ensayo general para los reformistas religiosos [13]. Quedaba demostrada la posibilidad de deslindar con éxito los hasta entonces confusos campos de lo sagrado y lo profano y de domeñar la prepotencia del clero en nombre del pueblo. Envalentonados con el éxito, los innovadores sintieron que había llegado el momento para acometer reformas de mayor envergadura, como la supresión de la Inquisición, la reducción de los

---

[12] M. BEDOYA, *Retrato histórico del Emmo. Sr. D. Pedro de Quevedo y Quintano* (Madrid 1836); E. LÓPEZ AYDILLO, *El obispo de Orense en la Regencia de 1810* (Madrid 1918).
[13] DC ses. del 12, 13 y 14-10-1812 t.15 p.361-97.391-476.419-35.

conventos y el inicio de la desamortización eclesiástica. Estos programas, elaborados en el silencio de las comisiones en 1812, saldrán a relucir en las sesiones de las Cortes de 1813. La euforia de los triunfos militares y el cambio de Regencia en el mes de marzo de ese año les facilitaron la labor.

La supresión del Santo Oficio

Ningún debate produjo tanto apasionamiento dentro y fuera de las Cortes como el que se ocupó de la Inquisición [14]. Parecería increíble, si tenemos en cuenta la decadencia del Santo Oficio, que era una sombra de lo que había sido. ¿Qué miedo podía causar a los herejes un tribunal cuyo inquisidor general era el afrancesado Arce y en el que vegetaban funcionarios heterodoxos como Llorente? La Inquisición, decapitada por la defección de Arce, contaba, sin embargo, con el Consejo Supremo, refugiado en Cádiz. En abril de 1812, algunos diputados intentaron que las Cortes restablecieran el ejercicio del santo tribunal; pero, en vez de esto, el expediente fue remitido a la Comisión de Constitución para que informara si ésta era o no compatible con la Inquisición. Hasta diciembre no concluyó la mayoría de la Comisión su bien redactado dictamen, que serviría de base para la discusión a principios de 1813.

El largo y apasionado debate sobre la Inquisición se lee hoy todavía con enorme interés. Y es que lo que interesa no es tanto la Inquisición en sí, sino lo que ella significa. Quedó convertida en mito y símbolo de la concepción religiosa tradicional de España. Sus defensores o sus atacantes sostienen concepciones antagónicas sobre el pasado y el futuro de España, sobre las diversas maneras de concebir un mismo catolicismo y sobre el lugar que la Iglesia debe ocupar en la vida política del país. La defensa o el rechazo del Santo Oficio servirá para deslindar campos políticos y será uno de los elementos impulsores del dramático desgarramiento espiritual de la España contemporánea. El debate se llevó a fondo con asombrosa erudición y tenacidad por unos y otros. Fue un formidable torneo dialéctico, en que se emplearon pruebas y contrapruebas, exageraciones y sentimentalismos. Cada orador habla convencido de que de la defensa de su tesis depende la salvación de España. Hablaron los de siempre. A favor de la Inquisición se destacaron Inguanzo, Simón López, Ostolaza, Cañedo, Huerta, Hermida y el obispo de Calahorra; en contra, Argüelles, Muñoz Torrero, Villanueva, García Herreros y Ruiz del Padrón. No fue una disputa de clérigos contra laicos, pues los encontramos mezclados en cada bando. No falta-

---

[14] F. MARTÍ GILABERT, _La abolición de la Inquisición en España_ (Pamplona 1975); J. PÉREZ VILARINO, _Inquisición y Constitución en España_ (Madrid 1973). Todo lo relativo a la Inquisición fue publicado por orden de las Cortes en un tomo especial, a cuya paginación hacemos referencia en este epígrafe: _Discusión del proyecto de decreto sobre el tribunal de la Inquisición_ (Cádiz, Imprenta Nacional, 1813). Recoge, además de los dictámenes, las sesiones desde el 8-12-1812 al 5-2-1813. Entre las apologías de la Inquisición merece destacarse la de J. DE SAN BARTOLOMÉ, _El duelo de la Inquisición o pésame que un filósofo rancio da a sus amados compatriotas los verdaderos españoles por la extinción de tan santo y utilísimo tribunal_ (México 1814).

ron disonancias, como la del demagogo cura Terrero, que apostó a favor del santo tribunal. La lectura del *Diario de Cortes* produce hoy la impresión de una terrible confusión, pues se mezclaron asuntos diversísimos. El desconcierto aumenta cuando vemos que unos y otros utilizan los mismos argumentos matrices, ya que todos invocan la pureza de la religión, la tradición eclesiástica, los ejemplos de la historia, el cumplimiento de los cánones, la fuerza de la opinión pública, el bien de la Patria o la defensa de la Constitución. La impostación que cada bando presta a cada una de estas motivaciones comunes produce en éstas una coloración totalmente diversa. Sin embargo, los abolicionistas contaban con un poderoso aliado. No nos referimos a la prensa liberal, que divulgaba en la calle una atmósfera antiinquisitorial; sino al impulso irresistible del momento histórico. La actitud de los innovadores apuntaba a un futuro inevitable. En cambio, los defensores del Santo Oficio, a pesar de sus esfuerzos y de su innegable ingenio, defienden una causa perdida y desesperada.

La confusión del debate emana del carácter mixto de la Inquisición, que era un tribunal eclesiástico y civil. Trazar una nítida línea divisoria entre ambos poderes era precisamente uno de los cometidos fundamentales de los liberales. Su intento se basa, por tanto, en dos complejos de razones: unas, de orden político, y otras, de orden religioso.

Las razones de orden político contra la Inquisición se resumen en la incompatibilidad esencial entre ésta y el nuevo sistema constitucional. Este era el punto fuerte de los argumentos liberales, y en él insistió con singular acierto y claridad la Comisión en su Dictamen.

La Inquisición se oponía a la letra de la Constitución, y para ello bastaba comparar el sinuoso sistema de los juicios inquisitoriales, corrompidos por la arbitrariedad, la pesquisa, el sigilo y el tormento, con el sistema judicial implantado por la Constitución. Se oponía también al espíritu del nuevo código, es decir, a la libertad e independencia de la nación, ya que la potestad civil quedaba desplazada, y burlado el equilibrio de la división de poderes, mientras los inquisidores actúan como soberanos incontrolables. «Es el instrumento —dirá García Herreros— más a propósito para encadenar la nación y remachar los grillos de la esclavitud, con tanta mayor seguridad cuanto que se procede a nombre de Dios y en favor de la religión.» Se oponía también a la libertad individual, pues se trituran los derechos elementales del reo, que queda indefenso, sujeto a la calumnia y castigado con penas reprobadas por la Constitución, como la confiscación de bienes y la infamia, que heredan los descendientes [15]. Se oponía también la Inquisición al verdadero sentir de los pueblos, que siempre la miraron como extraña a sus tradiciones. Era, además, una institución temible y un instrumento propio de los gobiernos despóticos, establecido por razones de conveniencias políticas: «El Santo Oficio ha sido siempre, y lo es hoy —observa Argüelles—, un tribunal de Estado para servir a los fines de los gobiernos siempre que lo han creído útil». Siempre ha sido «brazo derecho de cualquier tirano», y, por tanto, incompatible con cualquier Gobierno justo e ilustrado que quiera respetar los principios de justicia universal. Era, en fin, una rémora para el cultivo de las ciencias útiles, como lo demostraban

---

[15] El dictamen de la Comisión leído en las sesiones del 8 y 9-12-1812, estaba firmado el 13 de noviembre por Muñoz Torrero, Argüelles, Espiga, Mendiola, Jáuregui y Oliveros.

tantos sabios perseguidos en todos los tiempos; y era la causa principal del abatimiento y despoblación del país y de la ruina de la agricultura, industria, y comercio [16].

También, desde el punto de vista religioso, el Santo Oficio fue durísimamente fustigado, especialmente por parte de los clérigos reformistas.

La Inquisición es inútil y nociva a la Iglesia. Inútil, porque el divino fundador de la Iglesia no omitió cuanto era necesario para su establecimiento, conservación y perpetuidad, y le prometió el Espíritu Santo, maestro consolador que confirma la fe de los fieles. Cristo instituyó ministros, pastores, evangelistas y doctores para conservar su Cuerpo místico. Por el contrario, «no entró en el plan de Jesucristo —dirá Ruiz del Padrón— este tribunal llamado la santa Inquisición ni para el establecimiento de la Iglesia ni para su conservación y perpetuidad». Pensar que la Iglesia ha de hundirse sin la Inquisición es un temor ridículo. Aparte de que la Iglesia ha vivido luengos siglos sin Inquisición y de que la protección que promete la Constitución suplirá con ventaja la falta de aquélla, no es con métodos violentos ni coactivos como ha de mantenerse la religión, pues «la pureza de la fe es la obra de la gracia». La Iglesia recibe más daño que provecho con este tribunal intruso, que usurpa el poder de los obispos, difunde el orgulloso espíritu de la pureza de sangre, confunde lo espiritual con lo temporal y fomenta los mayores excesos e inmoralidades. El terror inquisitorial ha agostado entre nosotros la devoción ilustrada y la práctica de las virtudes sociales y las ha sustituido por la superstición, las devociones pueriles y las prácticas ridículas.

La Inquisición era claramente opuesta al espíritu de paz y mansedumbre del Evangelio. En la evocación del Cristo humilde y en las características de su Iglesia, los abolicionistas se detienen con especial emoción y piedad. Puesto que los defensores aludían a ejemplos de la Escritura, Muñoz Torrero les replica con las mismas armas, haciendo una brillante distinción entre el Antiguo y el Nuevo Testamento. La ley mosaica tenía un carácter propio y nacional, muy diferente de la ley evangélica, que es universal. La legislación de Moisés es nacional y teocrática; la de Cristo está formada por preceptos morales y máximas de perfección dirigidos a individuos que viven bajo unos gobiernos constituidos. El Salvador no ha sido un legislador temporal ni ha establecido un Estado político, sino una sociedad espiritual, cuyo único objeto es la santificación de las almas. Nadie ganó a Ruiz del Padrón en la conmovedora semblanza que hizo de Jesús. En medio de su largo y agresivo discurso del día 18 de enero, el cura gallego hizo un paréntesis para introducir una homilía fervorosa que parecía dirigida a los sencillos fieles de su parroquia. Habló con unción y sinceridad de la ley evangélica como ley de gracia, de mansedumbre y misericordia, ajena a toda coacción e inhumanidad. Habló de las virtudes de Jesús, que son patrimonio de la Iglesia católica, en la que no debe haber distinción entre el griego y el romano, el judío y el gentil. Evocó a los apóstoles y a los Padres como seguidores de aquellas máximas, y dedujo que «el que no imite estos modelos no será buen ministro ni será buen cristiano». La Inquisición se oponía, además, a la tradición y a los cánones de la Iglesia, en cuanto que usurpaba la jurisdicción a los obispos, que eran los pastores natos del Pueblo de Dios [17].

---

[16] Argüelles, ses. del 9-1-1813 p.127-43.

[17] Ideas expuestas por Muñoz Torrero en la ses. del 13-1-1813 p.289ss y Ruiz de Padrón el 18-1-1813 p.327ss. Sobre este último cf. R. Otero Pedrayo, *Noticias sobre el abad de Villamartín de Valdeorras y famoso doceañista José Ruiz de Padrón:* Anales de la Asoc. Española para el Progreso de las Ciencias 13 (1953) 182-92.

Por último, los liberales explotaron el argumento misional, demostrando el invencible obstáculo que la Inquisición suponía para la aceptación de la Iglesia católica en otros países. Ya Argüelles hizo notar el bochorno que había sentido ante las reconvenciones de los católicos extranjeros. Pero fue de nuevo Ruiz del Padrón, que durante su estancia en los Estados Unidos había defendido el primado del papa en las tertulias de Filadelfia y había ejercitado su celo misional en Nueva York, Maryland y Baltimore, quien habló con conocimiento de causa, y aseguró «que la Inquisición es un obstáculo en muchos países a la propagación del Evangelio».

La Inquisición tuvo también ardorosos y valientes defensores. Terciaron en aquella batalla de ideas un grupo de oradores dignos de sus contrincantes. Inguanzo brilló por su inteligencia y por la solidez de su ciencia teológica y canónica; Ostolaza, por su inquebrantable tesón; Terrero, por su vena popular; el obispo de Calahorra, por su prestigio, y el anciano Hermida, por representar la voz de una rancia tradición desde la atalaya de su ancianidad. También sus argumentos pueden englobarse en dos bloques: defensa política y defensa religiosa de la Inquisición; débil y difícilmente sostenible la primera, enfática y compacta la segunda.

Las razones de orden político fueron poco convincentes, y más que argumentos positivos, son réplicas ingeniosas a las duras objeciones de sus contrarios.

El argumento más socorrido fue el intento de respaldar la defensa del Santo Oficio en el deseo general de la nación y de los obispos. Si el sistema liberal se asentaba en la soberanía nacional, nada más concluyente que invocar la opinión del verdadero pueblo, que no era la de los periodistas pedantescos, sino la voz de la «mayor y más sana parte de la monarquía», expresada de forma abrumadora en las múltiples representaciones, llegadas de todos los ángulos de la Península, de obispos, cabildos, ayuntamientos, juntas de partido, pueblos en común y numerosas personas particulares. No se opone la Inquisición a la Constitución, porque ésta deja en vigor a los tribunales eclesiásticos y porque la protección que presta a la religión se cumple de manera eminente por medio del Santo Oficio. Ni se opone a la libertad individual, porque los excesos inquisitoriales de los tiempos pasados no tienen lugar en los presentes. No favorece al despotismo, sino que más bien contiene y coarta su poder. Y en cuanto a la oposición a la ciencia, ahí está el esplendoroso siglo de oro, que demuestra la coexistencia de la Inquisición con un florecimiento sin par de nuestras letras, de nuestras artes, y de la ciencia verdadera, que nada tiene que ver —como decía Ostolaza— «con las doctrinas tenebrosas que procura difundir cierta clase de sabiduría» [18].

Pero en lo que sobre todo insisten los defensores de la Inquisición es en las motivaciones religiosas. El obispo de Calahorra se explica así: «La España es católica; la nación entera ha jurado la conservación de la religión de Jesucristo; debe, pues, ésta protegerla y tiene obligación de proporcionar los medios más conducentes para conservar en su pureza

---

[18] Discurso de Ostolaza en la ses. del 8-1-1813 p.86ss; R. Vargas Ugarte, *Don Blas Ostolaza, rector del seminario de Trujillo, diputado a Cortes, capellán de Fernando VII, víctima del liberalismo*: Rev. de Hist. de América 49 (1960) 121-45.

nuestra santa fe; y siendo los tribunales de Inquisición los que se atienen a este tan sagrado como indispensable asunto, incumbe a las Cortes no sólo sostenerlos para mantener en toda la monarquía la religión católica que han jurado, sino también ampararlos y defenderlos de la procacidad de sus enemigos» [19]. La Inquisición se presenta no como un fin, sino como un medio, el más excelente, para defender la fuerza de la religión.

> La Inquisición es, bajo este respecto, una institución santa, a la que cuadran los elogiosos títulos de atalaya de Israel, el mejor resguardo de la fe y de las buenas costumbres, torre fuerte de David, remedio del cielo, obra de la divina Providencia, muro de la Iglesia, columna de la verdad. Así se explica que haya sido siempre alabada por los buenos y rancios cristanos, y terriblemente odiada por los malvados y suprimida por Napoleón. Gracias a ella gozó España durante tres siglos una paz religiosa, que se verá amenazada si se destruye el tribunal; y más en unos tiempos en que los malos libros comienzan a hacer estragos. La Inquisición en nada se oponía a la disciplina eclesiástica, ya que recibe su autoridad del sumo pontífice. Es la misma Iglesia quien la ha erigido para contener la herética pravedad, y los obispos —lejos de sentirse reprimidos— ven en esto un firme apoyo para ejercer la vigilancia. La Inquisición es un medio incomparablemente más eficaz que la prometida protección constitucional a la Iglesia. Ostolaza no tuvo reparo en denunciar «una apariencia de protección a la fe, cuando en la realidad indirectamente la destruye, dificultando el castigo de los delitos contra ella y atribuyendo a Vuestra Majestad la facultad, que no tiene, para reformar la disciplina de la Iglesia y para poner trabas a las facultades de los señores obispos, so color de restablecer y vindicar sus antiguos derechos».

Con estas palabras volvía Ostolaza a tocar el nudo de la cuestión, que había sido planteado certeramente por Inguanzo. En definitiva, se trataba de determinar la competencia o incompetencia de las Cortes para disolver un tribunal pontificio. Las convicciones regalistas volvían a chocar con los escrúpulos ultramontanos y con la cerrada defensa de la autonomía de la jurisdicción eclesiástica. Inguanzo, el más sincero de los defensores, a quien, sin duda, hicieron mella los argumentos de sus contrarios, concedió que la Inquisición no era esencial a la religión y que ésta podía existir sin aquélla; pero sostuvo que el Congreso era incompetente para derogar un tribunal establecido por el sumo pontífice. No se trata de discutir sobre la conveniencia o inconveniencia del tribunal, sino de la competencia o incompetencia del poder civil para modificar una institución creada por la autoridad pontificia. Si la Iglesia había establecido ese tribunal en la parte correspondiente al poder espiritual, debía ser la Iglesia —y sólo ella— quien lo modificara, bien por propia iniciativa, bien a petición o de acuerdo con la potestad civil [20]. Las soluciones propuestas fueron acudir al papa en demanda de la derogación. La incomunicación de la Sede Apostólica era una razón más

---

[19] Ses. del 15-1-1813 p.307.

[20] El gran discurso de Inguanzo, en ses. del 8-1-1813 p.108-27, seguido de una proposición suscrita por 25 diputados que pedían no hubiera lugar a deliberar sobre el proyecto de abolición, J. M. CUENCA TORIBIO, *D. Pedro de Inguanzo y Rivero (1764-1836). Ultimo primado del Antiguo Régimen* (Pamplona 1965).

para aplazar toda medida unilateral, pues «bastaría a un pueblo honrado y fiel carecer de pontífice y de rey, gimiendo ambos bajo el yugo de un tirano que los oprimía, para abstenerse de toda novedad»[21]. Ostolaza llegó incluso a proponer que se pasara el expediente al concilio nacional que las Cortes pretendían instalar. Pero los reformistas no podían admitir ninguna de estas sugerencias, no sólo porque significaban un aplazamiento y un retraso que no estaban dispuestos a aceptar, sino por razones doctrinales basadas en criterios del más puro regalismo. Según estos criterios, el Congreso, usando del derecho inherente a la autoridad del soberano, puede decretar que cese en su ejercicio un establecimiento que usa de la jurisdicción espiritual en virtud de comisión pontificia dada al inquisidor general a ruego de nuestros reyes. Ciertamente, el *regimen exequatur* no confiere un derecho para juzgar sobre la doctrina de las bulas pontificias, pero sí para rehusar su admisión en materias de disciplina y régimen exterior de la Iglesia cuando éstas se opongan a las leyes y costumbres del reino y a la independencia de las naciones católicas de la autoridad temporal de la Santa Sede. El derecho del soberano a no admitir las bulas no se diferencia del derecho de suprimir el uso de ellas cuando surgen —como en este caso— inconvenientes en el ejercicio de la soberanía temporal[22].

El proyecto fue al fin aprobado por 80 votos contra 60. Sorprende el volumen de los votos contrarios. El decreto de 22 de febrero de 1813 sustituía la Inquisición por los tribunales protectores de la fe. La religión católica será protegida por las leyes y la Inquisición se declara incompatible con la Constitución; en consecuencia, se dejan expeditas las facultades de los obispos para conocer en las causas de fe con arreglo a los sagrados cánones y derecho común y las de los jueces seculares para imponer a los herejes las penas que señalan los cánones. El rey tomará las medidas convenientes para impedir la circulación de libros contrarios a la religión. Los obispos concederán o negarán la licencia para imprimir los escritos sobre religión; pero, en caso de negativa de licencia, los autores podrán apelar al juez eclesiástico a quien corresponda. Este pasará los escritos al Consejo de Estado, que expondrá su dictamen después de oír el parecer de una junta designada al efecto. El rey, oído el dictamen del Consejo, extenderá la lista de escritos denunciados que deban prohibirse y la mandará publicar, con aprobación de las Cortes, como ley para toda la monarquía. El decreto de abolición de la Inquisición no implanta, en modo alguno, la tolerancia religiosa; por el contrario, confirma la intransigencia del artículo 12 de la Constitución y se contenta con variar el método de las causas de fe. El sistema de la Inquisición queda sustituido por el de las *Partidas* y los reos de herejía quedarán tan sujetos como antes a las penas que les imponga el brazo secular.

De nuevo nos encontramos con curiosas anomalías. Los defensores de la Inquisición no quieren que se devuelvan a los obispos las funciones que les competen como jueces natos de la pureza de la doctrina, mientras los liberales se empeñan en devolver la plenitud de los derechos episcopales. Los inquisitoriales defienden el mantenimiento de un

[21] Discurso de Hermida, 8-1-1813 p.104.
[22] Réplica de Argüelles en la ses. del 9-1-1813 p.138-39.

tribunal excepcional y mixto, mientras sus contrarios parecen querer clarificar la independencia de la Iglesia separando los juicios eclesiásticos de los civiles. Los innovadores restablecen el sistema medieval de las *Partidas,* mientras los conservadores se aferran a un tribunal desconocido en España antes de los Reyes Católicos. Los que más alardean de defender la religión sostienen el sistema inquisitorial, tan poco concorde con el espíritu del Evangelio. Por su parte, los liberales, que se jactan de defender los derechos episcopales y los cánones, invaden esos mismos derechos y alteran esos cánones al poner por encima de los obispos la decisión del Consejo de Estado y del rey en las apelaciones sobre los escritos religiosos. El nuevo decreto no merecía en sí el dictado de revolucionario ni de herético. La caduca Inquisición no habría merecido tan largo y apasionado debate si no se hubieran tejido en torno suyo dos concepciones ideológicas opuestas.

Restablecimiento y reforma de conventos

Las Cortes se ocuparon también del problema de las órdenes religiosas. Habían sido éstas suprimidas por el Gobierno afrancesado en agosto de 1809, y la recuperación del territorio nacional planteaba en los países reconquistados el asunto de los religiosos, para el que se ofrecían dos soluciones: o la devolución de todos los conventos o la reducción de los mismos. El control del poder civil sobre las órdenes religiosas venía condicionado por la dispersión de las comunidades y por la destrucción que habían sufrido muchos conventos. A esta situación de hecho se añadían varias razones favorables a una reforma de los religiosos: las tendencias ilustradas, siempre preocupadas por un control sobre el clero regular, excesivamente numeroso, y el estado de la deuda nacional, para la que resultaría un alivio la aplicación de algunos bienes conventuales. Una vez más, vemos a las Cortes seguir un camino medio: se restablecen las órdenes religiosas, que habían jugado un papel patriótico en la guerra de la Independencia; pero no en el estado en que estaban, sino decretando la reducción de conventos en las zonas reconquistadas y procurando una reforma general.

Las primera disposición que concierne a los conventos es el decreto sobre confiscos y secuestros, del 17 de junio de 1812. El artículo 7.º extiende a favor del Estado el secuestro y aplicación de los frutos de los bienes pertenecientes a establecimientos públicos, cuerpos seculares, eclesiásticos o religiosos disueltos, extinguidos o reformados por resultas de la invasión enemiga o por providencias del Gobierno intruso: «entendiéndose lo dicho con calidad de reintegrarlos en la posesión de las fincas y capitales que se les ocupen siempre que llegue el caso de un restablecimiento», y con el cargo de señalar del producto de sus ventas los alimentos precisos a favor de los individuos de aquellas corporaciones refugiados en las provincias libres, si profesan allí su instituto. Era un decreto justo, que parecía proteger los bienes de los religiosos usurpados por el enemigo. Como esos bienes eran comunitarios y no particulares, las Cortes se reservaban la restitución a la comunidad entera cuando ésta estuviera reunida. Hasta entonces, el Estado se aplicaba transitoriamente no los bienes, sino las rentas;

pero con ello impedía también la recuperación inmediata de aquéllos por los religiosos.

El desencanto de los religiosos, que deseaban volver a su convento, se produjo tan pronto como se fueron reconquistando las ciudades. Los intendentes recibieron del ministro de Hacienda una orden de 25 de agosto, cuyo artículo 21 les ordenaba cerrar todos los conventos disueltos, extinguidos o reformados por el Gobierno intruso, inventariar sus efectos y tomar razón de sus fincas, rentas, bienes y frutos. Los intendentes cumplieron al pie de la letra esta disposición ministerial. «Cerraban conventos, tomaban posesión de cuanto les pertenecía; si había frailes dentro, los arrojaba de su casa, se arrendaban sus huertos y en nada se les miraba como sus dueños legítimos» [23].

Entre tanto, la prensa liberal desataba por aquellos días un ataque frontal contra los religiosos. Gallardo profetizaba la extinción de los frailes, a quienes veía como «gazapos en soto quemado», sin cebo ni guarida [24].

Varios religiosos acudieron entonces a las Cortes en reclamación de sus derechos, fundándose en el decreto del 17 de junio. Pero la Comisión aconsejó no levantar el secuestro de los conventos y detener provisionalmente su devolución. En la sesión del 18 de septiembre de 1812, Villanueva defendió el derecho de propiedad y la subsistencia de los religiosos, mientras Toreno sostuvo que el devolverles los conventos sería un absurdo perjudicial a los pueblos. Argüelles, Calatrava y Caneja siguieron a Toreno; López, Creus y Polo defendieron a los religiosos; también lo hicieron el obispo de Calahorra, Dou y Huerta, pero no sin expresar, como antes lo había hecho brillantemente Villanueva, la necesidad de una reforma. Como base para una futura deliberación, las Cortes aceptaron cuatro proposiciones de Villanueva: no restablecer conventos de religiosos que vivan de limosma sin expresa voluntad de los pueblos; entregar a las comunidades con renta los bienes suficientes para su subsistencia y aplicar el sobrante a la nación mientras dure la guerra; no restablecer comunidades que no cuenten con doce religiosos profesos y encargar a la Regencia que proponga las medidas oportunas para reducir los conventos al número que exija la necesidad de los pueblos y según las normas de observancia del concilio de Trento [25].

Por iniciativa de Villanueva, las Cortes mantienen a los religiosos, pero inician el proceso de su reforma. Las etapas de ésta son las siguientes: el ministro de Gracia y Justicia, Cano Manuel, presentó a las Cortes una exposición, leída el 30 de septiembre, que subsume las iniciativas de Villanueva, añadiendo nuevas precisiones sobre la reducción de conventos y prohibiendo la admisión de novicios [26]. Su plan pasó a una Comisión mixta de Hacienda, Eclesiástica y Secuestros. Esta Comisión leyó su dictamen el 1.º de febrero de 1813 [27]. El dictamen de la

[23] VÉLEZ, *Apología* I 349.
[24] *Diccionario crítico-burlesco*, art. «Frailes». En la misma prensa oficial se escribía que el clero regular era ruinoso para España y que debía emplearse en las parroquias (GM, «baxo el gobierno de la Regencia de España», n.20, sept. 1812, 204-208).
[25] DC ses. del 18-9-1812 t.15 p.203-33. Amargos comentarios sobre esta sesión en *El fraile en las Cortes* (Alicante 1813) y en el *Filósofo Rancio* (P. Alvarado), *Cartas críticas* III (Madrid, ed. 1825) 21.
[26] El texto de la exposición con 18 artículos en GM; *Baxo el gobierno de la Regencia* 302-303. Está fechado el 23-9-1812.
[27] *Dictamen de las comisiones encargadas de informar a las Cortes sobre el restablecimiento y reforma de las casas religiosas* (Cádiz 1813). Está fechado el 21-1-1813. Concluye con un proyecto de ley, dividido en dos partes, sobre establecimiento (28 artículos) y reforma de conventos (22 artículos), con el voto particular de R. L. Dou y con la traducción de la bula de Pío VII de 1802 nombrando visitador de regulares al cardenal Borbón.

Comisión es un estudio concienzudo sobre la situación de las órdenes religiosas en España, y el más serio, profundo y sereno de cuantos elaboraron los liberales sobre la materia.

Contiene dos partes fundamentales: restablecimiento y reforma de los religiosos. Se trata de un restablecimiento controlado, previo el permiso de la Regencia y el conocimiento de los alcaldes y jefes políticos, a quienes debe comunicarse el número y los caudales de cada convento. Como condiciones para la reunión se señala que las comunidades observen la vida común; que no existan varios conventos de una misma orden en un solo pueblo, ni se permitan los que no tengan doce religiosos ni los que hayan quedado totalmente destruidos; que las comunidades administren sus bienes, y los sobrantes se apliquen interinamente a las necesidades de la Patria; que en todas las solicitudes —salvo en el caso de los escolapios y hospitalarios, que deberán restablecerse— se tenga presente la opinión de los ayuntamientos en razón de la necesidad de los fieles; que no se restablezcan conventos de monjas en despoblado ni se den hábitos sino en los conventos donde se haya restablecido la vida común y la observancia del primitivo instituto. En la segunda parte, que trata de la reforma, se exige el auxilio del soberano, se propone la visita del cardenal Borbón, autorizada por la bula de 1802, y el nombramiento de visitadores con aprobación de la Regencia, y se señala un año de plazo para esta visita. En ella deben intervenir el Gobierno, con cuyo conocimiento se pasará a reducir el número de conventos y el de individuos de cada uno de ellos; se estipula que no se admitan novicios menores de veintitrés años ni se permita la profesión antes de los veinticuatro; que no se exija a los novicios la entrega de dinero, ni a las novicias el pago de dote ni de otra especie, y que se prohíba toda enajenación de bienes raíces a favor de las casas religiosas. El número de conventos de monacales no pasará de 60, ni el de las monjas de 350. Los demás conventos serán sólo los necesarios para la asistencia espiritual de los fieles. En cada convento de monjas, el número de éstas queda fijado entre 21 y 31.

Se trata, por tanto, de una reforma de envergadura, en la que se combinan las exigencias de la observancia religiosa con los criterios ilustrados de utilidad y un meticuloso control estatal.

Frente a la exclaustración general dictada por los franceses, las Cortes conservan las corporaciones religiosas, pero sometidas a tales reducciones y cortapisas, que defraudaron a los religiosos, que se sentían acreedores de especiales consideraciones. El plan de la Comisión llenó de sobresalto a los frailes. El P. Alvarado escribirá contra él amargas cartas [28] y el P. Vélez —aun reconociendo que muchas disposiciones eran laudables— lo interpretará como un ardid para acabar con las órdenes religiosas: «La reforma de nuestros conventos vendría a ser como la de Lutero y de Melancton» [29]. Tampoco a los liberales más conspi-

---

[28] El Rancio dedica cinco cartas (33 a 37) a impugnar el dictamen de las Comisiones (o.c., III 290ss).
[29] *Apología* I 373.

cuos les satisfizo el plan, pues pensaban que no debía hacerse la restauración sino después de haber hecho la reforma. El flamante plan general de reforma de regulares quedó boicoteado en las mismas Cortes y no volverá a ventilarse hasta 1820.

Sin embargo, ahí estaban los religiosos pugnando por entrar en los conventos y exigiendo a la Regencia su devolución. La Regencia conservadora del «Quintillo», presidida por el duque del Infantado, permitió, en diciembre de 1812 y en enero de 1813, el restablecimiento de algunas comunidades en los territorios liberados de Andalucía, Murcia, la Mancha y Extremadura. Las Cortes, alarmadas por la generosidad de la Regencia, se apresuraron a poner límites a estas restauraciones. En su decreto de 18 de febrero de 1813 respetaban los restablecimientos hechos, a condición de que los conventos no estuvieran arruinados, ni tuvieran menos de doce religiosos, ni hubiera más de uno de cada orden en cada población. Prohibían a los religiosos admitir novicios y hacer cuestaciones para reconstruir sus conventos. Además mandaban a la Regencia que se abstuviera en adelante de hacer nuevos restablecimientos. Estas normas se aplicaron, con carácter retroactivo, a los conventos que ya estaban ocupados, con lo que aumentó el malestar de los religiosos. Sus clamores movieron a las Cortes a levantar la prohibición absoluta de hacer nuevos establecimientos. Por el decreto de 26 de agosto de 1813 consintieron que, mientras llegaba la aprobación del plan general de regulares, «disponga la Regencia del reino que, con arreglo al decreto de 18 de febrero de este año, se entreguen a los prelados regulares algunas casas de sus respectivos institutos de las que hayan quedado habitables y existen en poblaciones, en las que, conforme al referido plan, puedan restablecerse», cuidando de que del producto de sus rentas se les entregue lo necesario para su subsistencia. Este decreto complicó aún más las cosas. La nueva Regencia, nombrada el 8 de marzo de 1813 y presidida por el cardenal Borbón, lanzaba órdenes e instrucciones meticulosas y restrictivas a los intendentes. Llovían de todas partes exigentes peticiones de restauración por parte de las comunidades hambrientas y desocupadas. Esta pugna entre los frailes y el Gobierno se mantuvo en plena efervescencia hasta el retorno del rey. El frenazo que dieron las Cortes a la plena restauración de los conventos desalojados por los franceses y aquel vasto plan de reforma que no llegó a dictarse, fueron suficientes para que los religiosos vieran en los liberales a unos enemigos irreconciliables.

Tímida desamortización eclesiástica

Las Cortes se ocuparon de la organización de la economía emprendiendo dos grandes reformas: un nuevo régimen de contribuciones y un arreglo de la deuda pública. El nuevo sistema de contribuciones constituye una verdadera innovación revolucionaria, pues sustituye el viejo sistema por el de la contribución directa. El arreglo de la deuda pública, aumentada con los gastos de la guerra, era un gravísimo problema. Desechada la declaración de bancarrota y reconocida la deuda, era preciso organizar los recursos destinados a la amortización de los vales. El arreglo de la deuda quedará indisolublemente ligado a la desamortización de los bienes comunales y eclesiásticos y a la supresión de los conventos. El 4 de julio de 1813, los secretarios de Hacienda (González de Carvajal), Guerra (O'Donojú) y Gobernación (Alvarez Guerra) leyeron a las Cortes una exposición en la que proponían la venta de los bienes nacionales como la única medida capaz de salvar la deuda nacional, con la ventaja de poner en circulación una gran masa de bienes estancados y de aliviar la miseria común. Los reglamentos y planes de la Junta Nacional de Crédito Público y de la Comisaría de Hacienda fueron discutidos en las Cortes a principios de septiembre. Resultado de aquellas iniciativas fue el decreto de 13 de septiembre de 1813 sobre la clasificación de la deuda nacional. El artículo 17 señalaba siete clases de bienes como hipoteca para extinción de los capitales de la deuda sin interés: los confiscados a traidores, temporalidades, Orden de San Juan, de maestrazgos y encomiendas vacantes de las órdenes militares, los pertenecientes a conventos y monasterios arruinados y los que queden suprimidos por la reforma que debe hacerse, las fincas de la Corona y la mitad de baldíos y realengos. Por el artículo 18 se encargaba a la Junta Nacional del Crédito Público la venta de estos bienes nacionales y se prescribían normas para la subasta pública. Lo verdaderamente importante en este decreto de las Cortes es la doctrina que establece y los caminos que abre a las futuras desamortizaciones para saldar la deuda pública. En la práctica, el único efecto que tuvo fue el de mantener los bienes indicados bajo la administración del Estado, impidiendo la plena restauración de los conventos; pero no llegaron a efectuarse las ventas desamortizadoras por impedirlo la guerra y el retorno de Fernando VII. La reacción eclesiástica contará con otro motivo para argüir a los liberales: el de la usurpación de los bienes sagrados de la Iglesia.

Planes irrealizados para un concilio nacional

Intentaron también las Cortes convocar un concilio nacional, idea vivamente apoyada por los obispos que respondieron a la consulta hecha en 1809 por la Junta Central, cuya Comisión Eclesiástica trazó ya un primer esquema sobre las materias que podrían tratarse. Las publicó el P. Vélez en el capítulo 17 de su *Apología*. Se planteaban allí numerosas cuestiones relativas al romano pontífice, obispos, concilios, cabildos, colegiatas, párrocos, clero secular, educación y seminarios, culto divino, órdenes militares, órdenes religiosas, monacales y misiones, Inquisición, establecimientos piadosos, juntas de caridad, cofradías y ermitas, diezmos, juicios eclesiásticos, espolios y cruzadas, inmunidad y subsidio y días de fiesta. Todas estas cuestiones merecían, sin duda, ser tratadas, aunque el P. Vélez intenta demostrar que sólo el hecho de tratar de reformar muchos de estos objetos habría llevado al cisma y se empeña en demostrar la afinidad que tienen con las máximas jansenistas y pistoyanas [30].

Como de costumbre, fue Villanueva quien planteó la necesidad de continuar los trabajos interrumpidos de la Junta Central, para lo que propuso la formación de una comisión [31]. Sin embargo, el que primero

---

[30] Ibid., 420-31.
[31] DC ses. del 1-4-1811 t.4 p.435-36.

propuso la idea del concilio fue nada menos que el inquisitorial Ostolaza, tal vez con la idea de sustraer a las Cortes la revisión de los asuntos eclesiásticos. El único tema que Ostolaza señalaba para tratar en el concilio era la conveniencia de salvar la religión, que peligraba con la patria; la declaración de la guerra santa y apoyo del clero a ésta con todas sus fuerzas y arbitrios [32]. Poco después (22 agosto 1811), la Comisión eclesiástica presentó un interesante informe, en el que se hacía historia de los antiguos concilios generales españoles, que, para desgracia de la Iglesia, habían cesado en el siglo XIV. El informe señalaba varias causas de la interrupción de estos concilios, como el recelo de la curia, la convicción de los obispos de que no eran necesarios y el temor de los reyes a que se les reclamasen las regalías. Sugería la Comisión algunas de las características que debía tener el futuro concilio, como la de no pedir confirmación del mismo al papa, por no exigirlo el concilio de Trento, y la asistencia de un comisario regio que velase por los derechos de la soberanía. Apoyaba la Comisión la absoluta necesidad de un concilio nacional en el clamor de los prelados, la decadencia de la disciplina, la corrupción del clero y del pueblo y las falsas ideas sembradas por los enemigos de la piedad, la libertad y el orden político. El proyecto que en concreto presentaba la Comisión estipulaba que las Cortes decretasen la celebración de un concilio nacional convocado y presidido por el arzobispo de Toledo, al que deberían asistir todos los obispos y las personas eclesiásticas que deban acudir por derecho o costumbre. Las Cortes deberían designar a una persona que asistiera en su nombre. El concilio resolvería por sí los puntos de disciplina interna y sancionaría, con aprobación del rey, los puntos de disciplina externa que el Congreso le presentara en una memoria. Los españoles doctos podrían, a su vez, presentar al concilio memorias pertinentes al objeto del concilio. Se proponía también la celebración de un concilio general de América con idénticas bases [33]. Al día siguiente comenzó la discusión, que Villanueva quería que fuese breve, pues estaba convencido de que el concilio debía convocarse inmediatamente. Sólo se discutió y aprobó el primer artículo: «Decretarán las Cortes la celebración de un concilio nacional de España.» Nadie se opuso y hasta Cañedo lo juzgó oportuno. Los obispos de Calahorra y de Mallorca fueron los más entusiastas defensores [34]. Sin embargo, la discusión se interrumpió por ocuparse las Cortes en el examen de la Constitución. Había de pasar un año hasta que se volviera a plantear en las Cortes el tema del concilio, con motivo de una ardiente proposición de Alonso y López, que cargaba las tintas sobre la relajación del clero y apuntaba decididas reformas [35]. Pasó esta proposición a la Comisión, pero nada más se hizo, y el proyecto de concilio quedó definitivamente sepultado. El P. Vélez da por ello gracias a Dios, pues presupone que en dicho concilio se habría hecho una re-

---

[32] DC ses. del 15-7-1811 t.7 p.93-94.
[33] Ibid., ses. del 22-8-1811 p.463-72. El informe, firmado por Rovira, Pascual, Serra y Villanueva, está fechado el 15 de agosto.
[34] Ibid., ses. del 23-8-1811 p.477-79.
[35] DC ses. del 11-8-1812 t.14 p.347-48.

forma revolucionaria pareja a la del Estado, de la que habría salido otro sínodo de Pistoya. En su manía por argumentar con futuribles, supone el capuchino que los reformadores pensaban cubrir las sedes vacantes con obispos tocados de jansenismo, confirmados por el arzobispo de Toledo durante la incomunicación de la Sede Apostólica. Aunque es cierto que tal proposición se hizo en las Cortes [36], la cosa no pasó adelante. Tampoco llegaron las Cortes a resolver una interesante iniciativa de Oliveros que pretendía asegurar una dotación suficiente a los pobres curas párrocos mediante un reparto más equitativo de los diezmos [37].

El conjunto de las reformas eclesiásticas efectuadas por las Cortes de Cádiz resultó tímido y moderado. Sólo legislaron sobre aspectos marginales de la disciplina eclesiástica. Cuando exigían una contribución económica de la Iglesia, no hacían más que seguir una vieja costumbre de nuestros reyes en momentos de angustia. Al derogar la Inquisición alanceaban a un muerto. Las únicas medidas de importancia fueron las disposiciones relativas a los conventos, pero aun en esto no hacían sino impulsar la corriente de una reforma de regulares deseada de tiempo atrás y exigida por las circunstancias. Todo lo demás quedó en planes y en escarceos oratorios. El modo de realizar aquellas reformas adoleció —es cierto— del viejo espíritu regalista mostrado por los más innovadores. Pero el dique de los diputados que defendían el mantenimiento de las inmunidades eclesiásticas contuvo todo exceso digno de tal nombre; que, si lo hubo, quedó compensado con la declaración del catolicismo oficial y excluyente. Comparada con la profunda y verdaderamente revolucionaria reforma política, la reforma religiosa de las Cortes resulta intranscendente en la plasmación efectiva de los decretos. Otra cosa es el significado teórico que adquiría el nuevo planteamiento de asuntos eclesiásticos, hasta entonces intangibles y vedados a toda revisión y crítica. Los que defendían a ultranza las inmunidades eclesiásticas, captaron bien la enorme transcendencia de la brecha abierta por los políticos en el monolítico edificio de la antigua Iglesia española. Más que por las reformas efectivas, las Cortes constituyentes tuvieron decisiva importancia por el hecho de transferir al dominio de la discusión pública los espinosos y candentes temas de la reforma de la Iglesia. Las siguientes Cortes ordinarias (septiembre 1813-mayo 1814), con una mayoría de diputados conservadores, no siguieron el camino abierto por las gaditanas. Sin embargo, bastaron los tímidos decretos de Cádiz y la actitud de algunos ministros de la Regencia para suscitar, ya antes del retorno de Fernando VII, una viva y apasionada polémica religiosa que había de confundirse con la política.

---

[36] DC ses. del 15-6-1811 t.10 p.182, para obispos de América. En la ses. del 31-3-1812 (t.12 p.375) se señala plazo a la Comisión Eclesiástica para que dictamine sobre el modo de suplir la confirmación de los obispos. En la ses. 19-8-1812 (t.15 p.31) se pide consulta a la Regencia, que llegó a dar un informe (t.17 p.432).

[37] DC ses. del 26-8-1813 t.22 p.224-29.

5.   LOS RIGORES DE LA ÚLTIMA REGENCIA CON EL NUNCIO Y LOS RELIGIOSOS

La Regencia creada el 8 de marzo de 1813 y presidida por el cardenal Borbón se plegó dócilmente a las iniciativas reformistas de las Cortes y chocó violentamente con amplios sectores del clero. Las principales tensiones surgieron a raíz de la orden de publicar en las iglesias la abolición de la Inquisición y a consecuencia de las restricciones seguidas en el restablecimiento de los conventos.

El principal protagonista en la resistencia contra la abolición de la Inquisición fue el nuncio, Pedro Gravina. El nuncio había quedado relegado, en la práctica, a mero embajador del papa como soberano temporal cautivo, pues el Gobierno español no acababa de reconocer las facultades extraordinarias recibidas de la Santa Sede para conceder dispensas matrimoniales, ni los derechos que tenía sobre los religiosos, ni como presidente de la Rota, que no pudo llegar a reorganizarse. Frente a él se erguía el cardenal Borbón, muy influido por Espiga, Villanueva y otros clérigos regalistas, que pretendía tener, como primado de España, más atribuciones espirituales. En torno al cardenal regente y el nuncio iban a apretarse muy pronto los partidos regalistas y ultramontanos.

El primer escándalo surgió en Cádiz, donde el cabildo en sede vacante se negó a leer en las iglesias el decreto de abolición de la Inquisición. El cabildo gaditano consultó al nuncio y a los obispos que vivían en Cádiz [38]. Con este motivo, el 5 de marzo de 1813 el nuncio dirigió una representación a la Regencia del «Quintillo» para que lograse que las Cortes suspendieran la ejecución de un decreto que dejaba sin efecto una jurisdicción delegada del papa y ponía en peligro la religión. Ese mismo día escribía al obispo de Jaén y a los cabildos de Málaga, Granada y Sevilla incitándoles a seguir la misma conducta que el cabildo de Cádiz. La tumultuosa caída de la Regencia del «Quintillo» y su sustitución por la otra provisional, presidida por el cardenal Borbón, ponía el poder ejecutivo en manos de los reformistas. Al formarse causa contra el vicario y cabildo de Cádiz se descubrieron los manejos del nuncio. Cano Manuel redactó un duro dictamen, en que pedía su expulsión. De momento, la nueva Regencia se contentó con enviar una dura reprensión al nuncio y con denigrar la conducta de éste en un manifiesto dirigido a los prelados de España (23 de abril). Siguieron varias réplicas y contrarréplicas entre el nuncio y la Regencia, y como aquél, lejos de doblegarse o disculparse, seguía defendiendo sus derechos y los de la Santa Sede, fue al fin expulsado el 7 de julio. Desde su exilio en Tavira (Portugal) siguió Gravina dirigiendo protestas a la Regencia y manifiestos al clero y fieles españoles y ejerciendo sus facultades y dispensas —no siempre expedidas con la precisa corrección— hasta el retorno de Fernando VII. Si la Regencia se mostró intransigente, el nuncio no fue tampoco modelo de diplomacia. Ni la primera podía tolerar que se hiciera frente a la autoridad de las Cortes por una persona tan significativa como el nuncio, ni el segundo podía dejar de hacer valer los derechos del

---

[38] Eran los obispos de Calahorra, San Marcos de León, Plasencia, Sigüenza y Albarracín. B. J. CABEZA, *Memoria interesante para la historia de las persecuciones de la Iglesia católica y sus ministros en España...* (Madrid 1814). Trata de la defensa en la causa formada contra el vicario capitular y otros prebendados de Cádiz.

sumo pontífice. En cuanto a las facultades extraordinarias que se atribuían el cardenal y el nuncio, hay que confesar que si el primero les daba un alcance abusivo a su favor con el pretexto, nada despreciable por otra parte, de la incomunicación con la Santa Sede, el segundo no era capaz de presentar la bula original, que había quedado en Madrid. Consecuencia de esta confusión es la división casi equitativa que observamos en la jerarquía española, a la que el nuncio divide en dos partes —adictos y renuentes—, según que acudieran a él o no en las dispensas [39]. El hecho de que un episcopado como el español, en general muy adicto a la Santa Sede, se divida en dos partes casi iguales, demuestra que el asunto no estaba tan claro como pretendía el nuncio.

Por razón de sus reticencias en publicar el decreto sobre la Inquisición, el obispo de Oviedo fue recluido en un convento; el de Santiago se vio obligado a huir, y a los siete refugiados en Mallorca se les formó causa, y fueron dispersados a sus pueblos por su pastoral colectiva. Por otra parte la prensa se encargaba de denigrar a estos últimos y a los refugiados en Cádiz como mercenarios que habían abandonado a su grey, y tachando de afrancesados a los que se habían quedado en sus diócesis. Buena parte del episcopado tenía motivos de agravio contra el régimen liberal. Ciertamente no les habían faltado persecuciones. La que sufrieron los obispos de Orense y Santander fue por motivos políticos. Los demás lo fueron por defender los derechos e inmunidades de la Iglesia, que veían invadidos por las Cortes [40]. Pero comparar la guerra que se les hizo con la que padeció Santo Tomás de Canterbury, como hacía Vélez, parece excesivo.

La aplicación concreta de las normas de las Cortes sobre los religiosos se prestaba a enojosas contestaciones entre los intendentes y los frailes; los primeros eran urgidos por la Regencia a cumplir con el mayor rigor las normas establecidas y a desalojar de los conventos a aquellas comunidades que se habían restablecido sin los requisitos señalados. No pocas autoridades locales habían entregado los conventos de manera ilegal, y, por otra parte, el determinar qué se entendía por conventos habitables, se prestaba a evidentes equívocos. A las ansias de recuperar los conventos por parte de los frailes, que padecían lo indecible al verse errantes y sin techo, respondían los intendentes con la demora, la evasión o la negativa, fundados en una minuciosa interpretación de los decretos de las Cortes y de las órdenes de la Regencia. Si exceptuamos a Galicia, Asturias, Murcia y gran parte de Cataluña, donde los conventos, por no haber sido desalojados, no necesitaban ser restablecidos, de las demás regiones de España llovían ardientes súplicas de los religiosos

---

[39] I. DE VILLAPADIERNA, *Conflicto entre el cardenal primado y el nuncio, Mons. Gravina, en 1809-1814:* Anthologica Annua 5 (1957) 261-311.

[40] I. DE VILLAPADIERNA, *El episcopado español y las Cortes de Cádiz:* Hisp. Sacra 8 (1955) 375-35; *Representación del arzobispo de Santiago pidiendo a la Regencia la conservación del Santo Tribunal de la Fe en 1813* (Sevilla, imp. Correo Político); F. BOUZA BREY, *El Consejo de Regencia en las Cortes de Cádiz y el asturiano Menéndez de Luarca, tercer obispo de Santander:* Bol. del Inst. de Est. Asturianos 10 (1956) 243-56; J. GOÑI GAZTAMBIDE, *Un obispo de Pamplona víctima de la revolución. Fray Veremundo Arias Teixeiro, O.S.B. (1804-1815):* Hisp. Sacra 19 (1966) 6-43.

a la Regencia, apoyadas muchas veces por los pueblos, en solicitud del restablecimiento, o amargas quejas contra la desatención de que eran objeto. Los conventos iban entregándose de forma muy irregular y con gran lentitud. El enojo era mayor cuando se difería la entrega de conventos que cumplían las condiciones para ser establecidos o cuando los religiosos se veían obligados a abandonar conventos que ya tenían ocupados. En Extremadura, el intendente se preparaba a revisar las irregularidades que había cometido su predecesor al entregar conventos sin los requisitos señalados. En Sevilla, la situación adquirió alto grado de tensión. Los religiosos habían ocupado en la ciudad 20 de los 38 conventos en virtud de las órdenes emitidas por la Regencia del «Quintillo»; pero el Intendente, Flórez Estrada [41], se empeñó en aplicar con efecto retroactivo el decreto de las Cortes de 18 de febrero de 1813. Juzgaba que sólo ocho estaban ocupados legalmente, por lo que exigió el desalojo inmediato de los restantes. El mutuo descontento de los frailes respecto a los liberales, y viceversa, se manifiesta con todo dramatismo en los escritos del P. Alvarado [42], que se vio obligado a abandonar el convento, y en las exposiciones de Flórez Estrada a la Regencia. No menos ruidosas fueron las reclamaciones de cuatro comunidades de Madrid a principios de 1814 [43], a quienes se les reclamaba la entrega de las llaves de sus conventos. Los religiosos no podían comprender que no se les entregasen todos sus bienes y conventos. Veían en ello una injusta lesión contra el derecho de propiedad, un primer paso para acabar con todas las religiones y una ingratitud, en contraste con los servicios que habían hecho a la Patria. Se añadía, además, el temor de que una dispersión continuada fomentase todavía más las pocas ganas que muchos mostraban de reanudar la vida regular. Aludiendo a las pensiones que recibían algunos religiosos, decía el P. Alvarado: «No pocos frailes de aquellos que están muy bien hallados con comer y no trabajar y andarse por ahí como vaca sin cencerro, así que han visto que hay dinerillo, no quisieran los pobrecitos que hubiese ni conventos donde encerrarse, ni coro donde acudir, ni campanilla que los inquietase, ni prelados que les tomasen cuentas, ni compañeros que los observasen» [44]. La política de las Cortes, en suma, había suscitado la división interna de los religiosos y planteaba un problema en torno a la licitud de muchas secularizaciones despachadas a la ligera. Al mismo tiempo había logrado crear, a principios de 1814, un frente hostil en las órdenes religiosas contra el liberalismo.

---

[41] Cf. la correspondencia de Flórez Estrada con Cano Manuel en AHN Cons. leg.12027.

[42] Exposición al obispo-coadministrador de Sevilla (9-9-1813), en *Cartas críticas* III 447-81.

[43] AHN Cons. leg.12038; exposiciones a la Regencia de las comunidades de mínimos, agustinos calzados, carmelitas calzados y agustinos recoletos en febrero de 1814.

[44] ALVARADO, o.c., 217.

6. LA PRIMERA REACCIÓN IDEOLÓGICA CONTRA EL LIBERALISMO

La dicotomía ideológica que escindió en dos bloques a los diputados de las Cortes, se propagó fuera del Congreso. De Cádiz salían las ideas reformistas, divulgadas en una persona audaz y en folletos satíricos, como el de Gallardo, o propagadas a través de las memorias de los ministros Canga Argüelles y Cano Manuel, de los discursos de los diputados liberales, dirigidos por Argüelles, o de los dictámenes de la Comisión Eclesiástica, manipulada por Villanueva. Este último demostraba la afinidad de las doctrinas de Santo Tomás con las ideas constitucionales en *Las angélicas fuentes* [45] o sostenía doctrinas regalistas en sus *Cartas de D. Roque Leal*. El conflicto con el nuncio hizo aparecer escritos anticuriales, como la *Política eclesiástica contra Mons. Nuncio* y *La política eclesiástica sobre el juramento de obediencia*. Entre los escritos reformistas que poco a poco iban brotando fuera de Cádiz, merece destacarse una severa crítica anónima contra el clero secular, de sabor jansenista [46], y la ardiente defensa de la desamortización eclesiástica, del canónigo valenciano Bernabeu [47].

A estos escritos, que venían a defender la política religiosa de las Cortes y tenían de común la defensa de la competencia del Estado para modificar la disciplina externa de la Iglesia y para incorporarse los bienes eclesiásticos, se opuso, a partir de 1812, un frente de escritores eclesiásticos en una cerrada defensa de los privilegios e inmunidades de la Iglesia. Podemos agrupar a las figuras descollantes de esta reacción en cuatro ámbitos regionales.

El foco andaluz se concentra en el Cádiz de las Cortes y en Sevilla. Dejando aparte la menuda labor periodística con la que pretendieron frenar la corriente impetuosa de la prensa liberal gaditana y los numerosos panfletos en defensa de la Inquisición o de los frailes, merecen recordarse Yurami e Inguanzo, impugnadores respectivamente de López Cepero y Bernabeu [48]. Inguanzo comienza a destacarse como gran defensor de la ortodoxia, hábil polemista y buen conocedor de las antigüedades eclesiásticas. El *Discurso sobre la confirmación de los obispos* que

---

[45] *Las Angélicas fuentes o el tomista en las Cortes* (Cádiz 1811). Este escrito ha sido interpretado por J. A. Maravall, *Sobre orígenes y sentido del catolicismo liberal en España*. Homenaje a Aranguren (Madrid 1972) 229-66. Villanueva fue refutado por F. Puigserver, *Notas a el Tomista en las Cortes* (Palma 1812); J. S. Laboa, *Doctrina canónica del Dr. Villanueva* (Vitoria 1957); A. Ventura I Conejero, *Vida i obra de Joaquim Llorenç Villanueva, xativenç, diputat del Regne a les Corts de Cádiç;* Anales del Centro de Cultura Valenciana 29 (1968) 64-143; I. Lasa Iraola, *El proceso de Joaquín Lorenzo Villanueva. 1814-1815:* Cuadernos de Historia 4 (1973) 29-82.

[46] *Abusos introducidos en la disciplina de la Iglesia y potestad de los príncipes en su corrección...*, *por un prebendado de estos reinos* (Madrid 1813).

[47] *Juicio histórico-canónico-político de la autoridad de las naciones en los bienes eclesiásticos...* (Alicante 1813).

[48] A. M. Yurami, *Demostración de las falsedades y calumnias con que pretende desacreditar a las religiones el autor del papel intitulado Sevilla libre* (Sevilla s.a.); M. Teruel y Gregorio de Tejada, *Ideología del diputado de Cádiz Manuel López Cepero:* Arch. Hispalense 42 (1966) 217-45; *Rasgos claves de la vida de Manuel López Cepero:* ibid., 40 (1964) 157-91; P. DE Inguanzo, *El dominio sagrado de la Iglesia en los bienes temporales* (Cádiz 1813; reeditado y completado en Salamanca 1820 y 1823); J. M. Cuenca, *La Iglesia sevillana en la primera época constitucional (1812-1814):* Hisp. Sacra 15 (1962) 149-62.

entonces compuso es una pieza maestra en defensa de los derechos pontificios [49]. Además, el sabio clérigo asturiano tuvo la virtud de ceñirse a la defensa de los derechos de la Iglesia, procurando no confundir su apología con las pasiones procedentes del turbio mar de la política. El P. Alvarado, autor de las *Cartas críticas del filósofo Rancio* [50], representa el pensamiento de la tradición y de la educación escolástica. El Rancio practica una dialéctica batallona y minuciosa, envuelta en un tono humorístico de dudosa calidad, que produce una sensación de desorden en su obra. Es más ingenioso que sabio. Escribía a salto de mata y sin el necesario sosiego, y esto, unido a la incapacidad de hacer a sus contrarios la menor concesión, le resta objetividad. El verdadero portaestandarte de la reacción eclesiástica es, sin disputa, el P. Rafael Vélez. Su *Apología del Altar y el Trono*, verdadera sistematización del pensamiento absolutista y reaccionario, no será publicada hasta 1818. Pero ya durante la guerra de la Independencia actúa Vélez como periodista de *El sol de Cádiz* y publica el *Preservativo contra la irreligión*. La importancia de esta obra en la difusión de lo que se ha llamado el «mito antirrevolucionario» es evidente; porque el capuchino no se limita a polemizar, como sus compañeros, sobre uno u otro punto, sino que construye con extraordinaria maña y fantasía, con un estilo brillante y exaltado, una obra de tesis a base de una interpretación de la Ilustración y de la Revolución francesa, a las que coteja con el momento político español. El *Preservativo* quiere demostrar que la ruina de la religión sigue unas etapas perfectamente planeadas por los masones y jacobinos, y que esos primeros pasos se están dando en España por obra de los políticos liberales. Establecido este paralelismo, quedaba automáticamente rechazado el nuevo sistema político español, por razones religiosas [51].

El foco reaccionario de Mallorca es mucho más violento. La isla se convirtió en asilo de refugiados y forasteros; pero, a diferencia de Cádiz, dominaban en ella los absolutistas, dirigidos por un grupo de frailes muy reaccionarios, como el franciscano Raimundo Strauch [52], traductor de Barruel y redactor del *Semanario Cristiano-Católico;* el carmelita Manuel de Santo Tomás Traggia, autor del *Amigo de la verdad,* y el trinitario Miguel Ferrer, que editaba el desvergonzado *Diari de Buja.* Eran hombres que unían la devoción y el celo religioso con un espíritu batallador y un apego fanático a la tradición político-religiosa. Influidos por el P. Strauch y el ambiente de la isla, los obispos refugiados en Mallorca escribieron una famosa pastoral, que por razón de sus autores y

---

[49] Reeditado parcialmente en 1821 y totalmente en 1836.

[50] Son 46 cartas publicadas por entregas de mayo de 1811 a marzo de 1814. Fueron reeditadas en Madrid en 1824-25 en 4 tomos, más un 5.º de cartas filosóficas. R. DE MIGUEL LÓPEZ, *El Filósofo Rancio: sus ideas políticas y las de su tiempo:* Burgense 5 (1964) 57-254.

[51] J. R. BARREIRO, *Ideario político-religioso de Rafael Vélez, obispo de Ceuta y arzobispo de Santiago (1777-1850):* Hisp. Sacra 25 (1972) 75-108. Sobre Vélez y escritores afines ha escrito una severa crítica J. HERRERO, *Los orígenes del pensamiento reaccionario español* (Madrid 1973).

[52] A. TRUYOLS Y PONT, *El Rmo. e Ilmo. P. Fr. Raimundo Strauch y Vidal, apologista mallorquín,* en *Centenario de Balmes.* Congreso Internacional de Apologética, t.2 (Vich 1916) 293-308.

por el tono doctrinal y elevado en que está escrita causó enorme impacto en toda España. La *Instrucción pastoral* es una denuncia sistemática de todas las innovaciones religiosas de las Cortes. Después de una introducción alarmista, en que se afirma que la religión está en peligro inminente, los obispos explican sus agravios en cuatro capítulos: la Iglesia, ultrajada en sus ministros, combatida en su disciplina y gobierno, atropellada en su inmunidad, atacada en su doctrina. Los obispos descubren que se están siguiendo los mismos pasos que en la Revolución francesa para destruir la religión y que se están utilizando pretextos y medios idénticos: «Los maestros y doctores de esta doctrina la dictaron y ejecutaron en París. Sus discípulos los filósofos españoles se esfuerzan cuanto pueden para extenderla en España por sus escritos. Los principios y los medios de unos y otros son los mismos. ¿Qué resta? La ejecución: descristianizar también la España. Esto es lo que la España debe temer más que a todos los franceses» [53]. En esta pastoral quedaban, pues, las Cortes tildadas de irreligión y radicalmente desacreditadas ante el pueblo católico. Los obispos se muestran campeones de la independencia de la Iglesia y detectadores del más pequeño desliz teológico. Tan valiente defensa quedaba, en cambio, deslucida por su tenaz empeño en mantener intangibles los privilegios y riquezas del clero y por su inoportuna afirmación de los principios políticos absolutistas [54]. En vez de tender un puente de comprensión, estos obispos ahondaron el abismo entre la Iglesia y el naciente Estado liberal español. En vez de disimular y comprender, prefirieron condenar. En su pastoral se habían quejado, con razón, de que los críticos liberales generalizaban los defectos particulares de algunos sacerdotes aplicándolos a todo el clero; pero ellos mismos cayeron en el mismo defecto al endilgar a toda la familia reformista los desliz dogmáticos que veían en algunos escritores. Cuando los españoles empezaban a superar la crisis de la guerra, se proclamaba otra nueva cruzada contra un nuevo enemigo doméstico.

Galicia, que había quedado libre de la ocupación desde mediados de 1809, fue otro de los focos donde la resistencia a las innovaciones se hizo más compacta, especialmente a raíz de la supresión de la Inquisición. El arzobispo de Santiago, Múzquiz, había dirigido a las Cortes, el 12 de julio de 1812, una representación en defensa de la Inquisición, suscrita por todos los obispos sufragáneos y el clero y cabildo de su diócesis [55]. Urgido por la Regencia a publicar el decreto de la Inquisición, el prelado compostelano prefirió ausentarse del reino. Las reticencias del clero gallego quedaron reforzadas por escritores como el P. Gayoso [56], que utilizaba, además, el púlpito con el P. José Freguerela para divulgar sus ideas.

[53] *Instrucción pastoral de los ilustrísimos señores obispos de Lérida, Tortosa, Barcelona, Urgel, Teruel y Pamplona al clero y pueblo de sus diócesis* (Mallorca 1813; reimpreso en Santiago 1814) 186-87.
[54] Ibid., p.169: condena a la soberanía nacional.
[55] A. LÓPEZ FERREIRO, *Historia de la Santa A. M. Iglesia de Santiago de Compostela* t.11 (Santiago 1909) 251ss. con el texto de la representación.
[56] *La filosofía sin máscara o espejo de los sofistas españoles* (Santiago 1812).

Por último, debe recordarse el foco reaccionario surgido en Madrid a raíz del traslado de las Cortes ordinarias. En la capital se organizó una campaña realista cada vez más audaz y agresiva, cuyos principales motores eran eclesiásticos. El jerónimo Fr. Agustín de Castro y el mercedario Fr. Manuel Martínez acometían a los liberales con violencia y gracejo en *La Atalaya de la Mancha;* los sacerdotes Molle y Senalde colaboraban en el *Procurador General de la Nación y del Rey* [57]; el cura Vinuesa reeditaba el *Preservativo* de Vélez y el cura de Carranque, Narciso Español, escribía *La Iglesia en triunfo* contra la nueva filosofía.

El soporte ideológico del absolutismo quedó, pues, firmemente asentado antes del retorno del rey, debido especialmente a la decidida aportación de los eclesiásticos, que supieron apuntalar la reacción política con el alarmante pretexto de la pureza de la religión amenazada, que encontraba fácil acogida en la gran masa popular.

[57] No todos los periódicos escritos por eclesiásticos eran absolutistas. Precisamente uno de los mayores adversarios de *El Procurador* fue *El Universal* (enero-mayo de 1814), en el que colaboraba el sabio agustino P. La Canal.

LA PRIMERA RESTAURACION RELIGIOSA DURANTE EL SEXENIO ABSOLUTISTA (1814-20)

1. EL RETORNO DEL REY Y LA ALIANZA DEL TRONO Y EL ALTAR

Por fin llegaba «el Deseado». ¡Qué distinta encontraba a la España que dejó hacía seis años! Fernando dejó en 1808 a un pueblo expectante y temeroso, y se encontró en 1814 a un pueblo renovado, a quien las experiencias de la guerra y de la revolución habían despertado de un letargo secular. España había vencido en la guerra a los extranjeros, pero no había podido encajar la revolución política hecha por sus propios hijos. Aparentemente parecía funcionar el sistema constitucional, pero por debajo de aquel sistema existía una España real: un pueblo pobre, unas masas incultas y unas minorías políticas tenazmente divididas: los liberales, autores de las reformas, y los serviles, partidarios del Antiguo Régimen, para quienes «el Deseado» era la última oportunidad.

El rey entró en España el 22 de marzo. Su viaje fue triunfal. El, que no había participado en la guerra, quedaba convertido en símbolo vivo de la victoria y en mito mesiánico de futuras prosperidades. A lo largo de su camino triunfal, entre el repique de campanas y los acordes del *Te Deum,* pudo experimentar el frenesí jubiloso de unas masas embriagadas de entusiasmo. Podía contar con el pueblo sencillo, que suplía con esperanzas, emociones y sentimientos el lastre de sus miserias y la falta de ilustración. Podía prometerse el apoyo del ejército de Elío, que le incitaba a recuperar el dominio absoluto. Y podía estar seguro del apoyo de la Iglesia, que le pedía medidas de restauración en pago a su colaboración en la guerra contra los franceses y en la resistencia a las reformas. Los cabecillas del partido realista sintieron que había llegado la hora del desquite. Sus periódicos —*El Restaurador, La Atalaya de la Mancha, El Lucindo*— lanzaban proclamas a un tiempo adulatorias y vengativas. Del seno mismo de las Cortes, un grupo de 69 diputados dirigía al rey el manifiesto de los «persas», que, al abogar por la restauración de las antiguas leyes fundamentales, atacaba en su raíz al sistema constitucional. Por fin, el 4 de mayo de 1814, el rey se definió. El famoso decreto de Valencia prometía tiempos felices, Cortes tradicionales y gobierno justo e ilustrado sobre la base del régimen existente en 1808. Pero no fueron estas promesas incumplidas lo que se impuso, sino, más bien, la repulsa a todas las innovaciones de las «mal llamadas Cortes» y la persecución a los prohombres de aquellas reformas, que quedaban convertidos en reos de lesa majestad divina y humana. Se daba así paso a una época sombría de la historia de España, a un fatal retroceso, a un encono de nuestras divisiones domésticas, a un camino sin salida, que volverá a desandarse en el trienio constitucional, para reemprenderse de nuevo. La Iglesia, profundamente incrustada en la sociedad española, se verá arrastrada por el torbellino político de las luchas civiles, para desdicha propia y sufrimiento del católico pueblo español.

2. LA SITUACIÓN RELIGIOSA DE LA POSGUERRA

Fernando VII recibía un país desolado por los desastres de la guerra. Frente a él, que se había empeñado en gobernar con un sistema absoluto y personalista, se erguían los terribles problemas de una posguerra con la que, además de los desastres causados por el conflicto internacional, se unían las tensiones ideológicas y sociales de una controversia política mal resuelta.

La Iglesia había padecido también profundas heridas en sus bienes, instituciones y cuerpos clericales. Los franceses habían destruido templos. La plata de las iglesias y catedrales se habían esfumado por las exacciones de los franceses o las entregas voluntarias o forzadas hechas al Gobierno patriótico. Los conventos habían quedado destruidos, saqueados o destrozados en gran parte de España. Los seis años de la guerra habían vaciado los seminarios y despoblado los claustros. Durante ese tiempo no había habido nombramientos episcopales. Al venir el rey existían 21 sedes vacantes, multitud de parroquias sin pastor y numerosas prebendas y cargos eclesiásticos en descubierto, pues los que habían sido nombrados por el intruso habían tenido que abandonarlos. Los religiosos eran los que más habían sufrido. Suprimidos por los afrancesados y repuestos sólo a medias por los liberales, eran pocos los que habían logrado restablecer la vida religiosa en conventos medio arruinados. En los países ocupados por los franceses, la mayor parte de los religiosos vagaban por pueblos y ciudades como grey dispersa, empleados unos como ecónomos de parroquias y capellanes militares y ocupados otros en oficios ajenos a su estado. Muchos se habían secularizado durante la dominación francesa y no pocos habían quedado tocados por la afición al mundo, y no tenían ganas ni fuerza para reanudar la austera vida religiosa.

Seis años de guerra habían hecho impacto también en la moralidad y en las ideas. La guerra había hecho desbordar odios y pasiones incontroladas. Los innovadores afrancesados y liberales habían vertido ideas políticas y religiosas hasta entonces vedadas en España. La Iglesia, por boca de sus dirigentes, se presentó ante el rey como la principal acreedora, alegando el carácter de cruzada que había dado al levantamiento y, al mismo tiempo, como la mayor víctima de los afrancesados y liberales. Como en el drama de Calderón, la religión, desmayada, tendía su mano al rey en busca de auxilio. El rey se lo prestó con resuelta generosidad. Corrían por Europa tiempos de restauración política y religiosa; nada tiene de extraño que el rey se acomodara a ellos. Al hacerlo cumplía una deuda de gratitud con la Iglesia, satisfacía su piedad personal y lograba un apoyo político de enorme entidad para su trono absoluto.

Los presupuestos ideológicos de la restauración se basaban en la estrecha alianza del Trono y el Altar. Esta colaboración de los dos poderes había sido normal en los siglos anteriores, en los que existía paz social e identidad general de criterios políticos. Pero desde que las Cortes de Cádiz habían dado un nuevo sentido al trono y habían iniciado una tímida reforma de la Iglesia, la nueva alianza del Trono y el Altar cobraba un sentido partidista a favor del absolutismo político y en contra de las nacientes doctrinas liberales. En el decreto del 4 de mayo, el rey hacía basar la felicidad de sus vasallos en la restauración de un trono y un altar, «estrechamente unidos en indisoluble lazo». Pero se trataba de un trono absoluto, basado en el legitimismo dinástico de origen divino, y de un altar concebido con todos los aderezos, privilegios e inmunidades de la Iglesia antigua.

La Iglesia oficial, fortalecida con los nuevos nombramientos de personas adictas al realismo, se identificó más de lo justo con el absolutismo restaurado. La colaboración no se limitó a una participación en la tarea de la reconstrucción nacional, sino que se extendió al campo de las ideas y de la propaganda realista mediante una sacralización del poder real y la correspondiente condena del sistema liberal. La teología política absolutista descansa en unos presupuestos tan simples y rotundos como carentes de solidez. Algunos predicadores, obispos y escritores realistas confunden el Trono y el Altar en una misma apologética. Partiendo de principios abstractos, olvidan las circunstancias históricas, las disculpas ambientales y las complejidades del ser humano, y aplican sus teorías —adobadas con los mitos antirrevolucionarios— a los protagonistas vivientes, a los que encuadran en una tajante división de buenos y malos, piadosos e impíos. El rey es exaltado con las más pastosas adulaciones, como portador de todas las virtudes, mientras los afrancesados y liberales, más los segundos que los primeros, reciben los mayores denuestos. El sistema liberal queda anatematizado como algo radicalmente perverso; es una «falsa filosofía» nacida del enciclopedismo, del jansenismo y del ateísmo. La doctrina de la soberanía popular es, además, una herejía, pues siendo un mismo Dios el autor de la soberanía temporal y de la espiritual, tanto le ofende el que ataca a la una como a la otra. «El Trono y el Altar —dirá el P. Vélez— gravitan sobre unas mismas bases. Poco importa que una mano quiera sostener aquél, si con la otra derriba el apoyo en que se sostienen los dos» [1]. La aplicación de este principio la expresa el arzobispo de Burgos condenando a los liberales, que han conspirado «contra la respetable soberanía de nuestro rey y señor, que nos ha sido dado por el mismo Dios para que reine y gobierne esta monarquía; extendiendo sacrílegamente sus manos, acciones y fuerzas contra Cristo el Señor». Y el obispo de Badajoz

[1] *Apología* I 1.

llegará a afirmar que «las opiniones que se dicen políticas relativas a la forma de gobierno, al reconocimiento y obediencia a nuestro rey, son expresamente contrarias a la doctrina revelada, que prescribe a los pueblos el respeto, la obediencia y amor a sus príncipes o soberanos; que los deben reverenciar, como puestos por Dios, y que no están las naciones en libertad para elegir otro rey ni otra forma de gobierno, aun cuando por desgracia fuesen díscolos o tiranos». Bajo tales presupuestos, los liberales son considerados como «cismático-políticos y herejes subversores del Estado» y «misioneros de Satanás». Establecida así la identificación del Trono y el Altar, deduce el obispo de Tarazona que «el que es reo en opiniones políticas, si no lo es, no está lejos de serlo en opiniones religiosas» [2]. Al fanatismo de los secuaces del «sagrado código» seguía otro nuevo fanatismo: el de los devotos del «idolatrado» Fernando. A un ídolo sucedía otro, y a unas promesas, otras. Para suavizar las acres censuras contra los promotores del régimen caído, se vertían nuevas promesas de felicidad. Dios había salvado a España; «por una especie de milagro», volvía ésta a ser una nación privilegiada, en la que un arco iris de paz cobija a los españoles, como una gran familia en torno a su soberano [3].

3. LOS AUXILIARES RELIGIOSOS DE LA RESTAURACIÓN POLÍTICA

El rey encontró en las jerarquías de la Iglesia magníficos auxiliares para su labor restauradora. Supuesta la estructura jerárquica de la Iglesia, la cooperación clerical quedaba asegurada si se conseguían unos mandos eclesiásticos adictos. El derecho de presentación a las sedes episcopales facilitaba extraordinariamente la cuestión, teniendo en cuenta que durante la guerra habían quedado muchas diócesis vacantes por fallecimiento de los titulares y que durante el sexenio habían de morir otros tantos [4]. La bula *Inter graviores* otorgaba al monarca, igualmente, el derecho de presentación para los cargos supremos de las órdenes religiosas [5].

Pocos eran los obispos que habían manifestado un decidido apoyo al rey José. Los más destacados entre ellos —Arce, Santander y Amat— aceptaron la renuncia que el papa les propuso a instancias del rey. El cardenal Borbón fue respetado, pose a sus aficiones liberales, y no causó problemas [6]. En general, los antiguos obispos se destacaban por

[2] P. A. PERLADO, *Los obispos españoles ante la amnistía de 1817* (Pamplona 1971). Los informes aludidos de los obispos de Burgos, Badajoz y Tarazona en p.209.183.526.
[3] VÉLEZ, *Apología* II 346.
[4] Una reseña de los obispos decimonónicos con abundante bibliografía en J. M. CUENCA, *Sociología de una élite de poder en España e Hispanoamérica contemporáneas. La jerarquía eclesiástica. 1789-1965* (Córdoba 1976).
[5] A. BARRADO MANZANO, *La bula «Inter graviores curas», de Pío VII, en la Orden franciscana y ulterior régimen general de la Orden en España*: Arch. Iberoam. 24 (1964) 353-96; B. RUBÍ, *Reforma de regulares en España a principios del siglo XIX. Estudio histórico jurídico de la bula «Inter graviores»* (Barcelona 1943).
[6] L. HIGUERUELA DEL PINO, *El clero de la diócesis de Toledo durante el pontificado del cardenal Borbón* (Madrid 1973). Extracto de la tesis doctoral, que está en vías de publicación.

sus aficiones realistas. Los que más se habían señalado por su oposición a la política liberal fueron ascendidos a mejores sedes, como Arias Teijeiro, Alvarez de la Palma, Dueña y Mon, que firmaron la pastoral de Mallorca.

A ellos no tardarían en añadirse los diputados de las Cortes de Cádiz que habían defendido los derechos del rey y la Inquisición, como Inguanzo, Ros, Lera, Cañedo, Esteban, Creus y López; o los que firmaron el manifiesto de los «persas», como Roda, Ceruelo y Castillón. Destacados escritores realistas como Rentería, Strauch y Vélez habían de reforzar las tintas absolutistas del equipo episcopal.

No puede negárseles celo religioso ni dotes pastorales e intelectuales, pero es cierto que en conjunto fueron instrumentos dóciles a las directrices de la política absolutista. Cabe distinguir, sin embargo, matices en el comportamiento de estos obispos con relación a los perseguidos liberales. Las respuestas que dieron a la consulta que se les hizo en 1817 sobre la oportunidad de conceder una amnistía general son muy significativas. Parece que, en conjunto, los obispos se mostraron más intransigentes que los capitanes generales. Pero sus respuestas nos revelan una notable independencia de juicio, una gran conciencia de su responsabilidad pastoral y, al mismo tiempo, una diversidad de criterios mayor de la que podía pensarse. Existe un bloque de 23 obispos que se inclinan por la negativa a la amnistía; algunos con gran dureza, entre los que se cuentan casi todos los que fueron diputados. Pero frente a ellos hay que situar a 15 que se inclinan por la amnistía. No es raro que figuren entre éstos el afrancesado obispo de Córdoba, Trevilla, y el liberal cardenal Borbón. Las razones que alegan para la amnistía general son, sin embargo, altamente evangélicas. También el cardenal Quevedo, obispo de Orense, aboga por la amnistía, lo que confirma, en su caso, su fama de virtud. Entre ambos bloques hay un grupo intermedio de 11 obispos que sugieren una amnistía con restricciones, distinguiendo dos clases de liberales o afrancesados. Aunque la mayoría de los obispos se inclinan por negar la amnistía a los liberales más convencidos, no puede ignorarse la existencia de un grupo dispuesto a correr un velo sobre el pasado y a patrocinar una reconciliación general de todos los españoles como base indispensable para la reconstrucción del país. Es probable que este porcentaje fuera, si cabe, más numeroso en el resto del clero[7].

Por debajo de los obispos existían puestos vacantes de prebendas, canonjías y beneficios, con los que el rey pudo premiar a eclesiásticos beneméritos de la causa patriótica o realista. Parece cierto que en estos cargos se filtraron personas poco recomendables, que darían pie a las acusaciones de nepotismo y favoritismo. El olor de las prebendas atrajo a la corte a una nube de eclesiásticos ambiciosos, que obligaron al rey a poner coto a sus importunaciones[8].

---

[7] P. A. PERLADO, *Los obispos españoles ante la amnistía de 1817* (Pamplona 1971) 19-157.
[8] Cf. el decreto de 26-9-1814 y la descripción que hace J. PRESAS, *Pintura de los males que ha causado a la España el gobierno absoluto de los últimos reinados* (Burdeos 1827) 38-39.

4. LA RESTAURACIÓN RELIGIOSA, DECRETADA DESDE EL TRONO

Así como el sistema constitucional pretendió acompañar la reforma política con una reforma religiosa, así también la restauración del absolutismo exigía la correspondiente restauración eclesiástica. También en la Europa restaurada se hicieron las adecuadas restauraciones religiosas. Pero en estas restauraciones no se hizo tabla rasa de todas las innovaciones revolucionarias precedentes, sino que —imitando en esto a Napoleón— cada nación estableció una nueva planta económica y administrativa para la Iglesia sobre la base de unos nuevos concordatos con Pío VII, que, siempre conciliador y transigente, supo renunciar a los bienes eclesiásticos usurpados y aceptar nuevas demarcaciones de diócesis y parroquias a cambio de asegurar la confirmación pontificia de los obispos. Surgieron así unas iglesias liberadas de lastres arcaicos; más pobres, pero más purificadas, más acomodadas a los nuevos tiempos y más unidas al romano pontífice. No se hizo así en España. No ya las profundas reformas de los afrancesados, pero ni siquiera las tímidas de los liberales fueron tenidas en cuenta. Seguía todavía hablándose de una reforma necesaria de la Iglesia, pero se entendía bajo el supuesto de una restauración de bienes, privilegios e inmunidades. Ni el rey ni la jerarquía sintieron, pues, la necesidad de hacer un nuevo concordato, ni escucharon las sugerencias de remediar los males de la Iglesia mediante la convocatoria de concilios provinciales o de un concilio nacional, del que, por otra parte, y dado el talante de la mayoría del episcopado, pocas innovaciones podían esperarse. La restauración de la Iglesia de España consistió, fundamentalmente, en derogar todas las innovaciones y reponer el estado eclesiástico a la situación en que se hallaba antes de la guerra.

Establecida la alianza entre el Trono y el Altar, todas las iniciativas de restauración de la Iglesia partieron del rey, secundado por sus ministros y consejeros, plegados siempre a sus deseos. La jerarquía eclesiástica actuó como dócil instrumento, acogiendo con entusiasmo las reformas que se ajustaban a sus deseos y cooperando generosamente con las que exigían sacrificios económicos. El contenido de los decretos restauradores obedece al esquema de otorgar favores a la Iglesia a cambio de pedirle su colaboración y servicios. Durante los dos primeros años, esos favores se traducen en una serie de disposiciones restauradoras que vuelven a poner en vigor las instituciones o establecimientos eclesiásticos que habían sido suprimidos o modificados por la revolución, a los que se añadió el restablecimiento de la Compañía de Jesús. La estrecha cooperación eclesiástica a la restauración política se reforzó en aquellos primeros años con la petición expresa de un apoyo moral y propagandístico. A partir de 1817, la petición de colaboración se extendió al terreno económico, en un intento de hacer participar a la Iglesia en las cargas del Estado.

La reducción de los conventos ordenada por las Cortes era uno de los problemas más candentes y estaba en plena efervescencia cuando el rey volvió a España. Los decretos restauradores no se hicieron esperar. El 20 de mayo de 1814 ordenó el rey la devolución a los regulares de «todos los conventos con sus propiedades y cuanto les corresponda», disposición que tres días más tarde se extendía también a las religiosas. Justificaba el rey esta decisión aludiendo a la miseria de los religiosos, al escándalo que padecía el pueblo viéndolos errantes, a las ventajas de la Iglesia y del Estado y a la «notoria injusticia» con que les trataron «los bárbaros opresores de la Patria, que conspiraron al exterminio de tan recomendables corporaciones, como opuestos a su religiosidad y a la ejecución de sus planes tiránicos».

El restablecimiento de los conventos se hizo sin problemas en lo relativo a la devolución de los edificios y propiedades; pero no sucedió lo mismo al intentar reducir al claustro a los religiosos errantes, secularizados o empleados en el clero secular. La dispersión de los religiosos ocasionada por la guerra y las ideas antimonásticas divulgadas por la prensa liberal habían agitado las conciencias de los religiosos de forma muy variable; unos se habían reafirmado en su vocación y otros la habían perdido. Para estos últimos, la vida libre de la dispersión o la vida independiente de sus cargos parroquiales les habían hecho perder la afición a la vida religiosa. Durante la guerra, algunos de estos religiosos habían obtenido en algunas diócesis una secularización despachada por los ordinarios. La Santa Sede declaró nula esta clase de secularizaciones. En vista de ello, algunos secularizados intentaron legalizar su situación; pero a ello se opusieron algunos prelados, especialmente el de Valencia, donde se habían despachado numerosas secularizaciones ilegales cuando la diócesis estaba en sede vacante. No pocos exclaustrados se resistían a volver al convento hasta haber obtenido una secularización en regla; pero a ello se opusieron tenazmente el Gobierno y los superiores. Para frenar la desbandada de los frailes, el rey ordenó el retorno al convento de todos los exclaustrados y mandó retener las bulas de secularización que habían sido gestionadas en Roma por los interesados al margen de la Agencia de Preces (circular de 29-9-1814). Este retorno forzado al convento al que fueron sometidos muchos religiosos descontentos había de traer necesariamente fatales resultados. La paz de los claustros quedaba seriamente comprometida. Las divisiones domésticas y políticas sólo pudieron quedar disimuladas en las épocas absolutistas, pero no en las liberales.

La bula *Inter graviores,* que estipulaba la autonomía en el gobierno supremo de las órdenes religiosas en los dominios españoles, se convirtió en un magnífico instrumento en manos del rey para controlar y dirigir a los religiosos en beneficio de su política. El rey nombró como generales o vicarios a hombres destacados por su celo reformador y su fervor monárquico. Estos se esforzaron en reconstruir a sus religiones colocando en los puestos claves de la jerarquía y de la docencia a hombres de probada confianza. La pirámide de mandos quedaba así férreamente controlada; pero bajo aquella uniformidad exterior aparecían problemas y divisiones internas.

A pesar de la protección del Estado y de la reapertura de los noviciados, las órdenes religiosas no lograron recuperar el esplendor que tuvieron antes de la guerra. Había entonces 49.365 religiosos en 2.051 conventos. En 1820 estas cifras habían descendido a 33.546 y 2.012 respectivamente [9]. Los conventos seguían siendo casi los mismos; pero

---

[9] Cf. las estadísticas de religiosos y conventos que ofrecemos en nuestro libro *La exclaustración (1830-1840)* (Madrid 1976) 13-24.

los religiosos habían descendido considerablemente. Uno de los servicios que el rey les pidió fue el establecimiento de «escuelas caritativas de primera educación para instruir en la doctrina cristiana, en las buenas costumbres y en las primeras letras a los hijos de los pobres hasta la edad de diez o doce años, procurándoles el alimento y vestuario correspondientes a su pobreza» (19-11-1815). El rey justificó esta laudable iniciativa en los apuros del erario, en la base caritativa de los institutos religiosos y en la justa correspondencia de éstos a las limosnas de los pueblos y a los favores regios. La respuesta de los religiosos debió de ser satisfactoria, pues al año siguiente, cuando el rey pidió a las monjas que establecieran parecidas escuelas para las niñas (8-7-1816), afirmó que los religiosos «correspondieron inmediatamente a mis deseos con un celo y una actividad que prometen los mejores efectos».

El restablecimiento de la Compañía de Jesús merece especial atención y encierra un profundo significado [10]. En la mente de los clásicos de la restauración europea se había extendido la idea de que los últimos desastres revolucionarios y el triunfo de la impiedad se debían al injusto exterminio que la Compañía había sufrido en el siglo XVIII. Pío VII, apenas libre de su exilio, restableció la Orden el 7 de agosto de 1814 por la bula *Sollicitudo omnium ecclesiarum* e invitó a los monarcas católicos a establecerla en sus países. El restablecimiento de la Compañía se presentaba como la reparación de una injusticia, al mismo tiempo que se cifraban en ella excesivas esperanzas como el medio imprescindible y suficiente para detener el avance de la «falsa filosofía» y para implantar la educación cristiana de la juventud. También en España cundieron las apologías de los jesuitas en la prensa realista. Numerosos ayuntamientos, cabildos y obispos elevaron solicitudes al rey, a quien el papa, por su parte, animaba a dar este paso. A estas solicitudes y razonamientos se unieron las favorables insinuaciones del confesor del rey, Cristóbal Bencomo. El restablecimiento de la Compañía se presentó, además, como un refuerzo político de gran eficacia para asegurar el respeto hacia el trono absoluto. Todas estas ideas de orden religioso y político pesaron en el ánimo de Fernando VII más que el respeto reverencial hacia Carlos III.

El rey, sin esperar el dictamen del Consejo, se adelantó a restablecer parcialmente la Compañía en España, en los pueblos que la hubieran pedido (29-5-1815). En el mes de agosto, y a petición del Consejo de Indias, la restablecía en los dominios de Ultramar. Ambos decretos contienen un amplio preámbulo, que bien puede considerarse como una ardiente apología de la Compañía y una vindicación de la misma frente a las falsas imputaciones de sus antiguos detractores, en los que veía el rey a unos enemigos del Trono y el Altar, «porque si la Compañía acabó con el triunfo de la impiedad, del mismo modo y por el mismo impulso se ha visto en la misma época desaparecer muchos tronos». El

[10] L. Frías, *Historia de la Compañía de Jesús en su Asistencia moderna de España* t.1 (Madrid 1923).

29 de octubre creó el rey una junta de ministros con autoridad y juris-dicción para realizar con prontitud el restablecimiento. El respeto a la memoria de Carlos III y la importancia del asunto hicieron que el rey, antes de decretar el restablecimiento total de la Orden, pidiera el pare-cer del Consejo Real. El rey tenía positivo interés en acelerar este trá-mite, cuyo resultado estaba, por otra parte, condicionado a sus deseos. El Consejo, sin embargo, tardó bastante en evacuar la consulta, en la que se aconsejaba el restablecimiento de la Compañía, pero con una serie de limitaciones y cortapisas de rancio sabor regalista [11]. El rey no las tuvo en cuenta, y el 3 de mayo de 1816 extendió el restablecimiento de la Orden, de forma general y sin limitaciones, a todos sus dominios.

El restablecimiento fue, ante todo, obra de la iniciativa personal de Fernando VII, que fue desde entonces venerado por los jesuitas como un segundo padre. Los fines que él se prometía eran espirituales y polí-ticos. El decreto de restauración para América afirma que los viejos jesuitas «pueden ser, para la tranquilidad de sus países, el remedio más pronto y poderoso de cuantos se han empleado al logro de este intento y el más eficaz para recuperar, por medio de su enseñanza y predica-ción, los bienes espirituales, que con su falta han disminuido». También en España se pensaba que la Compañía había de ser un firme puntal para el trono, tambaleante ante las arremetidas de las revoluciones y pronunciamientos. Así pensaban los grandes protectores de la Compa-ñía restaurada. Los antiguos jesuistas que formaron la renacida Provin-cia de España eran, sin embargo, un grupito de poco más de cien an-cianos octogenarios, cuyo único afán era dotar a la Orden de una base de pervivencia y poner en marcha los colegios que les encomendaban. Es lógico que aceptaran entusiasmados la generosa oferta del rey, como habrían aceptado la de las Cortes, a las que algunos habían apelado en 1812; pero no tenían ambiciones políticas. Sin embargo, la nueva Com-pañía, a pesar de su pequeñez, en nada comparable a la grandeza de la antigua, arrastrará siempre, a los ojos de los liberales, el estigma, para ellos insoportable, de haber sido restablecida por un poder absoluto. En la óptica liberal, este vicio de origen de los jesuitas será la causa de las persecuciones sistemáticas que el liberalismo desencadenará contra la Orden a lo largo del siglo XIX.

Los ancianos jesuitas, al mando del comisario, P. Zúñiga, derrocha-ron una actividad y un entusiasmo impropios de su edad y de sus acha-ques. Les era imposible atender a las numerosas solicitudes de los pue-blos, y, por otra parte, el intervencionismo de la Junta de restableci-miento, que administraba las reliquias de las antiguas temporalidades, les restaba independencia económica. Así y todo, lograron poner en marcha durante el sexenio 16 casas en España y 3 en Méjico, dedicadas fundamentalmente a la enseñanza. Los novicios entraban a mansalva,

---

[11] La consulta está fechada el 22-1-1816. El fiscal había redactado previamente una excelente defensa de la Compañía: *Dictamen del fiscal don Francisco Gutiérrez de la Huerta, presentado y leído en el Consejo de Castilla sobre el restablecimiento de la Compañía* (Madrid 1845).

de modo que en 1820 había 400 jesuitas, de los que sólo 50 eɪan de los antiguos.

Entre los decretos restauradores no podía faltar el que volvía a dar vida a la Inquisición, tan combatida por los reformistas. El 21 de julio de 1814 quedó restablecido el Consejo del Santo Oficio con todos sus tribunales, conforme a las ordenanzas con que se gobernaban en 1808; el 15 de agosto se ordenaba a los intendentes la devolución de todos los bienes de la Inquisición que detentaba el Crédito Público; y el 31 de julio de 1815 se urgía a las autoridades de América la protección a los tribunales de la Inquisición en aquellos países donde su ejercicio había quedado entorpecido. Estos decretos, como de costumbre, aparecen penetrados de ideología político-religiosa. La Inquisición se presenta como un poderoso instrumento para lograr la unión de los ánimos, «como el medio más a propósito para preservar a mis súbditos de disensiones intestinas y mantenerlos en sosiego y tranquilidad». Subayace en el fondo la concepción de que el disidente religioso de la iglesia oficial es, al mismo tiempo y por el mismo hecho, reo de Estado. Indirectamente y como contrapartida, se asienta el criterio de que el disidente de la política estatal o el promotor de «opiniones perniciosas» es también un sectario de la herejía, y queda, por consiguiente, sujeto a la vigilancia del Santo Oficio. Y de hecho así fue. El cometido primordial de la caduca Inquisición durante el sexenio fue la desarticulación de las sociedades secretas, a las que, por otra parte, se adhirieron con fervor de neófito los acosados liberales, no tanto por afición a las doctrinas heterodoxas cuanto, más bien, como cenáculos de agitación política. Las sociedades secretas, especialmente la masonería, ofrecían a los disidentes unas organizaciones en las que el secretismo, la vinculación jurada de los miembros y las conexiones internacionales se convertían en magnífico instrumento para llevar adelante sus planes subversivos.

Además de la persecución de las sociedades secretas, y, en concreto, de la masonería [12], cumplió el Santo Oficio un segundo objetivo, íntimamente relacionado con el anterior: la condena de los escritos contrarios a la religión y al Estado producidos por «el desenfreno de escribir, autorizado por la libertad de imprenta» (edicto de 22-7-1815). La lista de obras prohibidas entre las publicadas en los últimos años, no deja de ser impresionante. Aparecen allí 189 títulos, desde colecciones enteras de periódicos hasta hojas sueltas. Estaba claro el afán de erradicar no ya los escritos contra la Inquisición o a favor de determinadas reformas eclesiásticas, pero aun los puramente políticos, como los catecismos constitucionales o la *Teoría de las Cortes,* de Martínez Marina. Poco pueden extrañarnos estas prohibiciones, cuando previamente, y al margen de la Inquisición, el rey había prohibido todos los periódicos para evitar «desahogos y contestaciones personales», a excepción de la *Gaceta* y el

---

[12] El decreto del 2-1-1815 publicó el edicto de Pío VII del 15-8-1814 contra los masones. Sobre la masonería cf. J. A. FERRER BENIMELLI, *Bibliografía de la masonería. Introducción histórico-crítica* (Caracas 1974); *La masonería española del siglo XVIII* (Madrid 1974); *Masonería, Iglesia e Ilustración,* 4 vols. (Madrid 1976-77).

Diario de Madrid, y había impuesto duras condiciones para la edición y circulación de libros (25-4 y 17-5-1815). A los abusos de escribir se quería poner remedio con el abuso opuesto de coartar la nefasta manía de pensar. El cándido deseo del rey de que en adelante no hubiera más serviles ni liberales, no respondía a la realidad, como lo demostraban los sonados y crónicos pronunciamientos, las sordas maquinaciones de las sociedades secretas y la difusión subterránea de los escritos subversivos. Para contener estas maquinaciones no bastaron ni el aparato del Santo Oficio, cuyos inquisidores se pavoneaban con ostentosas cruces y veneras como cruzados de una orden militar, ni sus excomuniones, ni sus ofertas de una misericordiosa indulgencia (5-6-1815).

La supresión de todas las innovaciones de las Cortes corrió pareja con la reposición de todos los organismos administrativos y judiciales antiguos: rentas provinciales, señoríos y consejos. Entre éstos no podía faltar el de las órdenes militares, con sus dos salas de gobierno y de justicia, y la protectoría de las iglesias de sus territorios con los pingües recursos territoriales y señoriales de sus encomiendas (8-9-1814). Eran una antigualla medieval que sólo se sostenía por los intereses que reportaba a la Corona (el rey era maestre de las órdenes españolas y los grandes prioratos de San Juan estaban anejos a vástagos de la familia real) y por la vanidad y el lucro que producían a los miembros de la nobleza a los que se destinaban. De militar sólo tenían el nombre aquellas órdenes; y de religioso, el origen papal de su fundación y la jurisdicción eclesiástica privativa sobre determinados territorios, a menudo muy dispersos, y sobre los conventos de freires y comendadoras. La reposición de las órdenes militares a su prístino estado es más bien un restablecimiento nobiliar que religioso. El ruidoso pleito promovido entre los infantes D. Carlos y D. Sebastián en torno a los derechos sobre el gran priorato de Castilla de la Orden de San Juan es sólo uno de los muchos lances suscitados a consecuencia de los señoríos eclesiásticos [13], donde los intereses temporales prevalecían sobre la cobertura espiritual de que estaban revestidos.

5. COOPERACIÓN DE LA IGLESIA EN EL RESTABLECIMIENTO DE LA UNIÓN DE LOS ÁNIMOS, LA MORALIDAD Y LA BENEFICENCIA

A las medidas restauradoras que hemos estudiado debía acompañar, lógicamente, una cooperación de la Iglesia en las más variadas necesidades del Estado. La unión del Trono y el Altar presupone la confluencia de unos servicios y ayudas mutuas. La concepción ilustrada de una Iglesia útil a la sociedad era por entonces un sentir común, que se veía reforzado por las necesidades de la Patria y por la obligación de corres-

---

[13] V. DE LA FUENTE, *Historia eclesiástica de España* t.6 (²1875) 192; M. REVUELTA, *La Bailía de Población de la Orden de San Juan de Jerusalén:* Public. de la Inst. Tello T. de Meneses 32 (Palencia 1971) 203-237.

ponder a los favores recibidos del Estado absolutista. El rey pidió, pues, la colaboración de la Iglesia con frecuencia, espontaneidad y amplitud. La colaboración exigida no se redujo a los campos peculiares de la actividad pastoral, como la vigilancia de la ortodoxia, la corrección de costumbres o los servicios caritativos de la educación y la beneficencia, sino que se extendió también a la prestación de auxilios económicos que apuntalaran la quebrantada hacienda pública.

La cooperación doctrinal suponía una ayuda formidable para el afianzamiento del trono restaurado. Ya antes de la venida del rey, eclesiásticos como el P. Agustín de Castro o el P. Manuel Martínez habían contribuido a ello en la prensa. Pero todavía más eficaz resultaba en aquellos tiempos el uso del púlpito, que seguía siendo el único lugar de aprendizaje para muchos españoles, donde las ideas quedaban reforzadas por la autoridad religiosa del orador sagrado. Consciente el rey Fernando del servicio que le podía prestar en este campo el estamento clerical, se apresuró a solicitar la colaboración de los obispos para que pusieran todo su celo en lograr «que sus respectivos súbditos guarden y observen en sus acciones, opiniones y escritos la verdadera y sana doctrina» (24-5-1814). Por el contexto del decreto, se ve que el rey pretende superar la escisión política, que ha cundido por obra de «algunos seducidos de opiniones perjudiciales a la religión y el Estado». Los obispos deben, por tanto, prohibir toda clase de asociaciones perjudiciales a la Iglesia y al Estado y elegir para maestros de los seminarios y para los cargos eclesiásticos a personas no imbuidas de ideas peligrosas. De esta manera se ponía un dique a las doctrinas liberales, eliminando a sus simpatizantes y propagandistas. Quedó, pues, el púlpito convertido en monopolio de los predicadores absolutistas; a veces tan exaltados e intemperantes, que suscitaban efectos contrarios entre sus oyentes. Pero el rey tampoco quería este tipo de propaganda apasionada, que enconaba todavía más la división de los españoles, y mandó que los oradores se limitaran a exponer las doctrinas evangélicas y a corregir los vicios (12-4-1815).

Grande era la labor que tenían que hacer los eclesiásticos en la corrección de las costumbres. Los contemporáneos nos han dejado numerosos testimonios de la mudanza sufrida en este punto por la sociedad española. Externamente había quedado restablecida la piedad tradicional. El reinado de Fernando se abrió con una rogativa nacional. Los aniversarios de su retorno o las victorias más sonadas sobre los insurgentes americanos se celebraron con solemnes *Te Deum*. Las novenas, los triduos, las cofradías, procesiones y cuarenta horas entretenían los ocios de los españoles, a quienes, además de los periódicos, se había prohibido las máscaras y los teatros de comedias (22-2-1815). La religiosidad tradicional había recobrado el ritmo fastuoso de antaño [14]. Y, sin embargo, las autoridades civiles y religiosas lamentaban una corrupción casi general de costumbres [15]. Los remedios señalados para atajar estos males los había señalado ya el rey en un decreto de 1814: los obispos debían escribir pastorales, los párrocos debían predicar en la misa la doctrina cristiana tres veces por semana, los religiosos debían contribuir con su celo al

---

[14] A. FLORES, *Ayer, hoy, mañana* t.1 (Madrid 1863).
[15] El obispo de Tarazona asegura en 1817 que «la irreligión en España es en el día mayor que parece, y la corrupción de costumbres, espantosa »(en PERLADO, o.c., 526). Lo mismo opinaba el misionero J. DE ARESO, *Cartas cristianas* (Bayona ² 1839) 214-216.

mismo fin y todos los prelados debían enviar misiones a todos los pueblos de sus diócesis, incluso a la Corte, «con la prontitud que exige la gravedad del mal y la urgencia del remedio» (9-10-1814). Todos eran, indudablemente, medios muy conformes con la tarea pastoral del clero y apuntaban a las soluciones más eficaces: la diligencia y edificación del clero, la instrucción religiosa y la purificación de las conciencias por medio de las misiones populares. Pero estos esfuerzos no dieron el fruto deseado, pues persistía el relajamiento moral, consistente, según un decreto real, en «voluntarias separaciones de matrimonios y vida licenciosa de los cónyuges de algunos de ellos; por amancebamientos, también públicos, de personas solteras y por la inobservancia de las fiestas eclesiásticas; y, asimismo, las palabras obscenas, las injurias hechas a los ministros de la religión, y el desprecio con que se habla de ellos, y las irreverencias en el templo» (22-2-1815). La infidelidad matrimonial y la pérdida de respeto a lo sagrado son los primeros síntomas del resquebrajamiento de la moral tradicional y de la concepción religiosa de la vida. El libertinaje y la irreligiosidad, los dos vicios capitales que tanto escandalizarán a los devotos del siglo XIX, son constatados ya en plena época de unión del Trono y el Altar. Las autoridades realistas ponen la causa de estos desenfrenos en el desorden de la guerra y en el trastorno de ideas producido por los innovadores. El Estado católico absolutista no puede quedar indiferente ante la conducta moral de sus súbditos; por eso urge a las autoridades eclesiásticas a refrenar los vicios, y, ante la persistencia de éstos, manda a los jueces reales que cooperen con los sacerdotes a realizar el arreglo de costumbres y a evitar los escándalos públicos (10-3-1818). Síntoma muy claro de la relajación de las costumbres, y al mismo tiempo de la crisis económica y social, era la proliferación del bandidaje, verdadero cáncer de la España romántica, que, aunque había aparecido ya en el reinado de Carlos IV, cobraba ahora un inusitado vigor.

También se pidió la colaboración de la Iglesia en funciones caritativas de carácter social. Aparte de los tradicionales centros de educación y enseñanza sostenidos con el personal y los bienes eclesiásticos, se pidió a los religiosos, como sabemos, que abrieran escuelas de primeras letras; y se invitó a las autoridades eclesiásticas a colaborar en la dirección y el sostenimiento de varios establecimientos de beneficencia, pues los buenos deseos del rey se veían, como siempre, obstaculizados por la falta de recursos. El Gobierno absolutista nunca disimuló las calamidades que sufría el país. Le dolía al rey especialmente la destrucción y miseria de las casas de misericordia, y para sostenerlas restableció el fondo pío beneficial, formado con la décima parte de los frutos anuales de las prebendas de nombramiento real (15-11-1814), y encargó a los obispos que velaran sobre su régimen gubernativo y económico (septiembre de 1816). Los establecimientos caritativos de Madrid fueron objeto de especiales desvelos: el hospital general, la casa de expósitos, el hospicio, la inclusa, el colegio de los desamparados y el hospital de mujeres fueron dotados con fondos procedentes del fondo pío beneficial y con las rentas o pensiones de algunas mitras.

También se organizó la hospitalidad domiciliaria (asistencia médica gratuita) en los barrios más pobres de la capital con los fondos del indulto cuadragesimal. La Iglesia contribuyó con gusto a estas empresas, que siempre consideró como propias, y no faltaron las iniciativas generosas de prelados que se destacaron por su espíritu de caridad, como el obispo de Orense, D. Pedro Quevedo, o el de Pamplona, D. Joaquín Uriz [16].

Las estructuras económicas podían ser viciosas y anticuadas, pero es indudable que gran parte de las rentas eclesiásticas venían a revertir, por uno u otro conducto, en el alivio de las clases necesitadas y en la atención a servicios de utilidad social. La penuria común azotaba también a las rentas eclesiásticas. El valor de las rentas anuales de 58 obispados, que en 1802 remontaba, en números redondos, a 52 millones de reales, había descendido en 1820 a 34 millones [17]. El colapso de la agricultura ocasionó la ruina de la economía monástica y eclesiástica, que se sostenía preferentemente sobre fondos rústicos.

Ni es cierto la existencia de un clero opulento, en contraste con la miseria general; ni que el estamento eclesiástico se desentendiese de los problemas del país. Cuando el rey pedía la colaboración a la Iglesia para el resurgimiento material del pueblo, no lo hacía para vencer resistencias del clero, sino para potenciar la inclinación caritativa de éste. Así, le vemos acudir, una vez más, a los prelados para que contribuyan a fomentar la felicidad del reino, a extender la confianza general y a promover la riqueza en aquella circular del 26 de diciembre de 1815, que es como una convocatoria a un tiempo desesperada y optimista, en la que el deseo de una España fecunda, rica y feliz se nos antoja un puro sueño cuando se tiene en cuenta la incapacidad del Antiguo Régimen para resolver los problemas económicos.

6. La participación eclesiástica en las cargas de la Hacienda Pública

A partir de 1816, el interés primordial del Estado absolutista se polariza en torno a los asuntos económicos y hacendísticos. La situación económica del país es desastrosa, y la Hacienda Pública, privada de los recursos de América, se siente incapaz de atender a las urgencias del Estado y de amortizar la deuda pública. La ordenación de la Hacienda choca con dos serias dificultades: el colapso económico general y el mantenimiento de los privilegios del clero y la nobleza. La ruina del ensayo absolutista ha de buscarse no tanto en la camarilla del rey y en la revolución de Riego cuanto, más bien, en la incapacidad intrínseca del sistema del Antiguo Régimen para solucionar con métodos arcaicos

---

[16] J. Goñi Gaztambide, *Joaquín de Uriz, el obispo de la caridad (1815-1829):* Príncipe de Viana 28 (1967) 353-440; F. Díaz de Cerio, *Para la biografía de J. X. de Uriz y Lasaga:* ibid., n.144-45 (1976) 507-41.
[17] AHN Est. leg.75 n.27.

e inadecuados los problemas económicos y hacendísticos [18]. Los gobernantes absolutistas realizaron denodados esfuerzos por superar el marasmo económico. En su desesperada búsqueda de recursos, es lógico que los buscaran donde los había y que impusieran nuevas presiones fiscales sobre los bienes eclesiásticos, siguiendo una vieja tradición española, que había culminado en tiempo de Carlos IV. Para compaginar las exacciones eclesiásticas con las inmunidades del clero, los gobernantes absolutistas adoptarían el sistema del «donativo», cubriendo con la concesión de bulas pontificias la cobranza de nuevas contribuciones eclesiásticas, que adquieren así, teóricamente, el carácter de entregas voluntarias.

El aprovechamiento de los recursos eclesiásticos por la Hacienda Pública ofrece dos modalidades: en primer lugar, mantenimiento de todos los recursos eclesiásticos tradicionales percibidos por el Estado antes de 1808; en segundo lugar, la imposición de nuevos servicios y contribuciones, especialmente a partir del nuevo sistema de Hacienda de Garay desde 1817.

Los recursos tradicionales consisten en la participación en los diezmos, tercias, excusado, noveno, novales, de riego [19], que en un conjunto ponían en manos de la Hacienda aproximadamente la mitad de la recaudación decimal. A esto hay que añadir el producto de las anualidades y vacantes, el fondo pío beneficial [20], el subsidio y los fondos de la bula de cruzada. Las disposiciones encaminadas a asegurar la cobranza de estos complejos recursos fueron abundantísimas, y ellas nos revelan, indirectamente, la resistencia y las defraudaciones con que los pueblos pagaban las rentas decimales y la irregularidad y diversidad con que algunas de ellas eran administradas. En los primeros años de la restauración, el respeto a las inmunidades eclesiásticas es tan grande, que el rey se limita a pedir como un favor algunas ayudas económicas. Así, le vemos pedir a los cabildos el anticipo de una suma competente en calidad de reintegro (24-6-1814), exhortar a los superiores de las órdenes religiosas a que le entreguen durante un año la décima parte del producto anual de los bienes y rentas de los conventos (julio 1815) o adoptar medios de suavidad para corregir los abusos con que los cabildos administraban el excusado y el noveno, en perjuicio de la Real Hacienda [21]. Los recursos de origen eclesiástico entraban, pues, en las arcas de la Real Hacienda, unos con destino a la Tesorería General, encar-

---

[18] J. FONTANA, *La quiebra de la monarquía absoluta. 1814-1820. La crisis del Antiguo Régimen en España* (Barcelona 1971).

[19] Las tercias consistían en la tercera parte del acervo común de los diezmos, la cual se ponía directamente bajo la administración de la Hacienda. Excusado era el diezmo de la mayor casa diezmera de cada pueblo. El noveno era la novena parte de los diezmos que quedaban después de haber sido sustraídas las tercias; fue concedido por Pío VII en 1800 y era administrado, lo mismo que el excusado, por los cabildos. Diezmos novales o de riego eran los procedentes de terrenos roturados o puestos en regadío. Sobre el origen y valores de estas y parecidas contribuciones cf. J. CANGA ARGÜELLES, *Diccionario de Hacienda.*

[20] Participación del Estado en rentas de beneficios eclesiásticos, concedida a Carlos III. Fernando VII mantuvo como cuota la décima parte de los beneficios (dec. de 15-11-1814). La Hacienda cobraba una anualidad en las piezas vacantes; pero, pasado el año, se mantenía la vacante, pasando entonces su producto al Crédito Público (circular de 7-6-1815).

[21] Sobre las contratas del excusado y noveno cf. las circulares a los cabildos de la col. de decretos de 18-2, 30-6 y 12-7-1815; 11-5 y 14-8-1816.

gada de cubrir los servicios del Estado, y otros, con destino al Crédito Público, con objeto de saldar la enorme deuda pública. Entre los arbitrios consignados al pago de la deuda en el decreto del 13 de octubre de 1815, la mitad eran de origen eclesiástico. Consistían en la aplicación de parte de los productos decimales, o de algunas vacantes y pensiones eclesiásticas, y del producto en renta o venta de algunas fincas consignadas. La actividad del Crédito Público quedaba, sin embargo, atascada en un callejón sin salida por la insuficiencia de los recursos, la sustracción a su dominio de las fincas de las temporalidades y conventos y la resistencia a implantar una desamortización decidida. El fondo más consistente era el de las fincas procedentes de obras pías y de la séptima parte de los bienes eclesiásticos secularizados, cuya venta había sido concedida por Pío VII a Carlos IV; pero las ventas de estos bienes fueron mínimas [22]. La familia real y la nobleza, por su parte, habrían de oponer gran resistencia a que se vendieran las fincas de maestrazgos y encomiendas vacantes.

La situación de la Hacienda era tan caótica y desesperada, que a principios de 1816 se creó una Junta de Hacienda, presidida por Ibarra, con el fin de planear nuevos recursos. A finales de aquel año, las ansias renovadoras del nuevo ministro de Hacienda, Martín de Garay, vinieron a reforzar las directrices de otros ministros moderados, como Vázquez Figueroa, León y Pizarro y Campo Sagrado. Garay modificó el proyecto de la Junta con un nuevo y ambicioso plan, que cuajó en el decreto de 30 de mayo de 1817. El sistema de Garay contiene un presupuesto de gastos e ingresos y estriba en tres innovaciones fundamentales: rebaja de gastos en los ministerios, sustitución de las rentas provinciales por un sistema mixto, consistente en una contribución directa a la España rural y una imposición de derechos de puertas a las capitales y puertos, e implantación de una contribución extraordinaria al clero deducida de los diezmos que disfrutaban. No es nuestro objetivo estudiar las dificultades que padeció aquel sistema híbrido, lleno de imprecisiones y vaguedades. Por lo que toca a la participación eclesiástica, el nuevo sistema fiscal representa la última frontera que el absolutismo podía alcanzar en su intento de aprovechar los recursos del clero. Para salvar los principios de la inmunidad clerical, se acudió al recurso fácil y expedito de pedir bulas al papa. Pío VII otorgó sin dificultad las cuatro bulas de 15, 16, 17 y 18 de abril de 1817, en las que concedía que todos los bienes territoriales del estado eclesiástico secular y regular, a excepción de los diezmos no secularizados y los derechos de estola y pie de altar, quedaran sujetos a la contribución territorial en igualdad con los seglares; que se otorgara durante seis años un donativo o subsidio extraordinario de 30 millones, repartido por tres eclesiásticos; que se aplicaran los fondos de espolios y vacantes mayores a obligaciones piadosas, y que pudieran ingresar los frutos y rentas de los beneficios vacantes, el noveno y otras gracias eclesiásticas bien a la Hacienda, bien al Crédito Público [23].

---

[22] El reglamento de 5-11-1815 anuncia las ventas de algunas capellanías en las provincias de Granada, Almería, Málaga, Murcia, Madrid y Valladolid, así como de tres encomiendas.
[23] El texto de las bulas y su traducción se halla incluido en el decreto de 30-5-1817.

Las dos primeras bulas facultaban al rey para imponer nuevas contribuciones al clero. En consecuencia, quedaba gravado el clero en sus dos recursos fundamentales: sus fincas y sus diezmos. Las fincas quedaban sujetas a la contribución territorial en igual proporción que los seglares, y los diezmos que les quedaban, deducidas las participaciones usuales del Estado en ellos, sufrían la deducción de los 30 millones, que eran repartidos y colectados, sin intervención del Gobierno, por una junta de eclesiásticos compuesta por el colector de espolios, el comisario de Cruzada y otro eclesiástico. Entre los prolijos razonamientos que preceden al decreto, se señala como causa principal para estas exacciones las exigencias de la justicia distributiva y «la imperiosa necesidad de hacer llevaderas, suaves y menos sensibles las cargas del Estado a mis pueblos y vasallos». Quedaron, pues, los eclesiásticos incluidos en los cuadernos que calculaban las partes alícuotas sobre el producto líquido de la riqueza y en el reparto confeccionado por la Junta Apostólica del donativo. La precipitación e inexactitud de ambas estadísticas fue general, y las dudas surgidas fueron tan numerosas, que dieron lugar a una abundante legislación complementaria [24].

La alianza del Trono y el Altar no se limitó, por tanto, a la fácil colaboración ideológica y moral, pues tuvo la contrapartida de un sacrificio material considerable, que el clero pagó religiosamente, aunque no faltaron las reticencias propias de todo sacrificio exigido. Las resistencias de los estamentos privilegiados fueron mayores ante el intento de solucionar la deuda pública mediante la venta de fincas de maestrazgos y encomiendas y de aquellas fincas de regulares que determinase una visita. Cuando se deliberó sobre esta propuesta en el Consejo Real, el canónigo Hualde la rechazó por su analogía con «las máximas destructoras del Trono y Altar que se promovieron en las Cortes» [25]. El nuevo decreto sobre los medios para satisfacer la deuda pública, de 5 de agosto de 1818, quedaba convertido en una quimera. Los principios políticos del absolutismo vedaban la venta las fincas propuestas por Garay; y aunque se aplicaron nuevos recursos eclesiásticos, como los productos de dos anualidades desde su primera vacante de las dignidades y prebendas, el conjunto de los arbitrios era insignificante para enjugar la enorme deuda.

La pintura que harán los liberales de un clero opulento, en contraste con la penuria general del sexenio, no es exacta. El clero, en general, sufrió las consecuencias de la depresión económica, y, bajo unas exenciones teóricamente respetadas, no quedó eximido de la presión fiscal. Puede incluso afirmarse que las últimas exacciones le afectaban especialmente, pues su principal soporte económico se basaba en la riqueza agrícola, que padecía aguda decadencia. Algunos monasterios se vieron obligados a hipotecar sus tierras para cubrir los nuevos impuestos. El clero se sentía agobiado al tener que afrontar la nueva situación económica. A la

---

[24] Para resolver las dudas suscitadas sobre si tales o cuales bienes eclesiásticos estaban sujetos a la contribución o al subsidio, se dieron las reales órdenes de 8 y 12-9, 10, 12 y 16-10 y 23-11-1817; 3-1, 8 y 16-3 y 25-8-1818. El subsidio fue rebajado a 25 millones en 1819.

[25] Cit. por Fontana, o.c., 402.

larga, los absolutistas habrían acabado con las riquezas de la Iglesia, lo mismo que los liberales. Con distintos principios políticos y religiosos, ambos partidos pretendieron servirse de los recursos eclesiásticos. La única diferencia estaba en que unos hacían despacio y con bulas lo que otros harán en un instante sin ellas [26].

---

[26] Un análisis comparativo de ambas políticas en nuestro artículo *Discrepancias de liberales y absolutistas en la configuración de la Iglesia,* publicado en *Aproximación a la historia social de la Iglesia española contemporánea:* II Semana de H.ª Eclesiástica (El Escorial 1978) p.11-44.

CAPÍTULO V

EL TRIENIO CONSTITUCIONAL (1820-23)

El 7 de marzo de 1820, Fernando VII invitaba a todos los españoles a caminar con él por la senda constitucional [1]. Parecía que el sistema liberal había de implantarse definitivamente en España. No quedaba sino continuar la obra comenzada en las Cortes de Cádiz. La misma Constitución, los mismos dirigentes liberales, que volvían del presidio o del exilio cubiertos de gloria, y casi las mismas Cortes, donde volvieron a aparecer los antiguos doceañistas, reforzados por nuevos elementos y sin la oposición de los partidarios del realismo, todo, en fin, parecía garantizar una era de paz y de progreso. Toda la máquina del Antiguo Régimen se desplomó sin violencia, pues era el mismo rey quien la derribaba.

Era fácil prever que para la Iglesia comenzaba también un nuevo período de reorganización al dictado de la protección constitucional. Los eclesiásticos mostraron, como la mayoría de los españoles, variadas actitudes ante el cambio de régimen. La mayoría se mantuvo al principio a la expectativa, flanqueada por dos minorías opuestas: la de los ardientes partidarios del liberalismo y la de los opuestos radicalmente a todo género de novedades. El cambio de régimen trajo consigo un cambio radical en las apreciaciones oficiales: los que durante seis años habían sido tildados de herejes, eran ahora exaltados como sabios y beneméritos padres de la Patria, mientras que los que entonces habían estado en el candelero sufrían toda clase de desconfianzas y desprecios.

Los primeros meses transcurrieron entre el temor y la esperanza. El nuncio declaraba solemnemente, en nombre de la Santa Sede, la indiferencia de la Iglesia en materias de régimen político y exhortaba la obediencia al nuevo Gobierno. La jura de la Constitución se hizo sin especiales incidentes en todas las iglesias del reino, y no faltaron sermones ni pastorales en los que se justificaba con razones religiosas la aceptación del sagrado código constitucional. No pocos predicadores y prelados lo aceptaban como a remolque del rey, basando en la voluntad de éste la aceptación del cambio político; pero tampoco faltaron quienes

---

[1] Sobre la Iglesia durante el trienio: M. REVUELTA GONZÁLEZ, *Política religiosa de los liberales en el siglo XIX. Trienio constitucional* (Madrid 1973); J. M. CUENCA, *La Iglesia en el trienio constitucional (1820-1823):* Hisp. Sacra 18 (1965) 333-62; F. X. TAPIA, *Las relaciones Iglesia-Estado durante el primer experimento liberal en España (1820-1823):* Rev. de Est. Políticos (1970) 69-89; G. FELÍU MONFORT, *La clerecía catalana durant el Trienni liberal* (Barcelona 1972); R. VIOLA GONZÁLEZ, *Incidencias religiosas durante el período constitucional (1820-1823) en la diócesis de Lérida:* Anthologia annua 20 (1973) 753-820; J. DEL MORAL RUIZ, *Hacienda y sociedad en el trienio constitucional 1820-1823* (Madrid 1977).

explicaban a los fieles las excelencias intrínsecas del nuevo sistema y su fundamento en las doctrinas sociales del Evangelio. En general, la Iglesia aceptaba la Constitución y parecía dispuesta a colaborar con los nuevos gobernantes, aunque no manifestaba aquella explosiva alegría que mostró en la restauración de 1814. Pero no tardarían en aparecer los primeros nubarrones sobre aquella aurora constitucional, que muy pronto había de empañarse con formidables tempestades.

1. La propaganda anticlerical y las ideas reformistas

Uno de los factores más llamativos del trienio fue su potente contenido doctrinal. Los liberales tenían prisa por enlazar con la obra interrumpida de las Cortes de Cádiz. Sabían que para reformar era preciso convencer, y como el pueblo, en general, estaba ayuno de ideas liberales, sintieron la urgente necesidad de ilustrar a las masas en los nuevos principios. Hasta tal punto sentían esta urgencia, que, a insinuación de la Junta Consultiva, presidida por el cardenal Borbón, el Gobierno tomó la peregrina decisión de mandar que los párrocos añadieran la explicación de un artículo de la Constitución en la homilía de los domingos y días festivos. Era una manera de doblegar al clero y de someterle a una prueba de fidelidad, pero también era el único medio de difundir con rapidez el conocimiento de la Constitución en los ambientes rurales y entre las personas analfabetas.

Para divulgar en las masas las ideas reformistas, los liberales emplearon dos medios de propaganda de excepcional importancia: la prensa y las sociedades patrióticas [2]. Los periódicos y panfletos proliferaron con inusitada fecundidad al amparo de la libertad de imprenta, a la que la supresión de la Inquisición (9-3-1820) dejaba el campo libre para la ilustración de los espíritus. Las sociedades patrióticas, más o menos secretas, estaban formadas por correligionarios exaltados en torno a un club o a un café. Sus actividades eran varias: constituían un poder subterráneo que minaba los organismos gubernativos legales de la España oficial y al mismo tiempo organizaban y difundían, personal y visiblemente, la propaganda de sus ideas con el pretexto de dirigir el espíritu público.

El contenido de la prensa era fundamentalmente político, pero bajo este concepto se incluían muchos aspectos económicos y religiosos. La Iglesia ofrecía demasiados defectos y arcaísmos susceptibles de corrección, aparecía como soporte del régimen absoluto que se quería erradicar y cobijaba a muchos enemigos de los liberales, sobre los que éstos anhelaban cebar sus ansias de venganza. Además era preciso preparar los ánimos para que las reformas eclesiásticas de las Cortes no cayeran en el vacío. El momento era propicio para criticar defectos y planear

---

[2] A. Gil Novales, *Las sociedades patrióticas (1820-23). Las libertades de expresión y de reunión en el origen de los partidos políticos* (Madrid 1973); I. M. Zavala, *Masones, comuneros y carbonarios* (Madrid 1971). El ambiente de las sociedades secretas ha sido perfectamente descrito por Pérez Galdós en sus novelas *La Fontana de Oro* y *El Grande Oriente*.

reformas. Y no faltaron periodistas sin escrúpulos ni periódicos reformadores que repitieron la experiencia publicística de Cádiz, sólo que ahora extendida a todas las ciudades de España.

Los periódicos y panfletos pertenecen a varias familias y talantes dentro del liberalismo. Los había sesudos y moderados, como *El Censor*, redactado por afrancesados, y exaltados y cínicos, como *El Diario Gaditano*, que dirigía el exfraile Clara Rosa. Pero por lo que toca a las críticas a la Iglesia, aparte del tono, no existe gran diferencia en su contenido. Podrían distinguirse dos géneros literarios: el de la sátira despiadada y el de la crítica culta, reforzada esta última por los grandes nombres de los escritores regalistas de más prestigio, como Amat, Villanueva y Llorente.

En el terreno de la sátira, nadie superó en gracejo y popularidad al sacerdote Sebastián Miñano [3], que inició el género con sus famosos *Lamentos políticos del pobrecito Holgazán*. Le siguieron otros periodistas todavía menos escrupulosos [4], de tal manera que, a poco de comenzar el trienio, era poco lo que quedaba por fustigar contra los abusos reales o fingidos del clero, especialmente si se trataba de beneficiados o de frailes o contra las riquezas e instituciones eclesiásticas o las rancias costumbres piadosas de los españoles. Los autores decían que sólo pretendían corregir abusos, pero el desenfado de su lenguaje, la pintura grotesca que hacían de las personas e instituciones eclesiásticas y la proclividad a generalizar los defectos contribuían poderosamente a minar el respeto tradicional del pueblo a los sacerdotes y las costumbres religiosas. Las chanzas anticlericales se irán trocando poco a poco en invectivas a medida que avanzaba el peligro de la reacción realista desde mediados de 1822.

Carácter muy distinto tienen los escritos de los doctrinarios regalistas, dirigidos a un público más culto y empeñados en demostrar la competencia del poder civil en la reforma de la disciplina externa de la Iglesia. En el trienio reaparecen las tres grandes figuras del regalismo español: Amat, Villanueva y Llorente, representantes, respectivamente, de tres actitudes dentro del reformismo religioso español. Amat se muestra irenista, conciliador y moderado en sus *Observaciones pacíficas*, aconsejando, por bien de la paz y pese a sus convicciones, la solución práctica de un concordato con el papa para arreglar las reformas eclesiásticas [5]. Villanueva aparece endurecido en las doctrinas clásicas del regalismo en las *Cartas de don Roque Leal*, escritas contra el arzobispo de

---

[3] J. Castañón, *Personalidad y estilo de Sebastián Miñano:* Public. de la Instit. T. T. de Meneses (Palencia) 28 (1969) 51-91; I. Aguilera Santiago, *Don Sebastián de Miñano y Bedoya. Bosquejo biográfico:* Bol. de la Bibl. de Menéndez Pelayo 12 (1930) 173ss n.359ss; 13 (1931) 46ss.207ss.236ss.

[4] Los *Lamentos políticos* han sido reeditados en *Epistolario español* (BAE, Madrid 1870) y por V. Bozal en 1968. Entre los epígonos de Miñano merecen recordarse las *Cartas del Compadre del Holgazán* (Madrid 1822).

[5] *Observaciones pacíficas sobre la potestad eclesiástica dadas a luz por D. Macario Padua Melato*, 3 partes (Barcelona 1817-19-22); V. Conejero, *Dos eclesiásticos catalanes acusados de jansenistas: Josep Climent y Félix Amat:* Anales Valentinos 4 (1978) 149ss.

Valencia [6]. Llorente representa la corriente más radical, pues remedaba en su *Constitución religiosa* las doctrinas cismáticas de los constitucionalistas franceses, propugnando una iglesia nacional [7]. Si exceptuamos las doctrinas disolventes de Llorente, observamos laudables ideas renovadoras en las doctrinas de los escritores liberales, así como el afán por retornar a la pureza de la Iglesia primitiva, la búsqueda de inspiración en las fuentes evangélicas y en la tradición, la difusión de una religiosidad más interior y sincera y el esfuerzo por acomodar la organización externa de la Iglesia a las exigencias de la sociedad. Todas estas aspiraciones apuntaban a una desamortización eclesiástica y a una reorganización del clero. Los fines eran, en parte, justificables; pero el modo de conseguirlos venía, en la práctica, a potenciar el intervencionismo del Estado, con menoscabo de la jurisdicción eclesiástica, y a sacrificar, en definitiva, la independencia de la Iglesia.

Mucho más alarmantes eran la multitud de escritos irreligiosos que corrían con total impunidad. Los obispos, para evitar su difusión pretendían, a falta de la Inquisición, aprovechar la posibilidad de los tribunales de censura o lanzar excomuniones y listas de libros prohibidos. Estas actitudes condenatorias no surtieron el efecto deseado y, desde luego, resultaron totalmente ineficaces contra los diarios anticlericales. Para contener o refutar las doctrinas regalistas y las aplicaciones que de ellas hacían las Cortes, el nuncio Giustiniani y los obispos enviaron numerosas y valientes exposiciones al rey, al Gobierno o al Congreso [8]. Pocas veces el episcopado español se ha mostrado tan compacto como entonces en defensa de los derechos de la Iglesia. Pero aquellas apologías, que a menudo demuestran una ciencia teológica nada vulgar, quedaban archivadas y no encontraban la deseada difusión. Las autoridades, tan tolerantes con los escritos regalistas y anticlericales, se mostraron intransigentes frente a toda publicación que censurase las medidas de las Cortes. Estas decretaron la expulsión del arzobispo de Valencia, Arias Teijeiro, y la del general de los capuchinos, P. Solchaga, por haber publicado sus representaciones.

La respuesta más adecuada a los ataques de la prensa habría estado en un periodismo incisivo y popular, como lo había hecho el P. Alvarado durante la guerra de la Independencia. Pero ahora faltaban continuadores hábiles, y si alguno despuntaba, como el P. Josef Ventura Martínez [9], era pronto condenado al silencio por las autoridades. Lo

[6] Son 16 cartas escritas del 1.º de diciembre de 1820 al 28 de febrero de 1821. También atacó Villanueva a Vélez en *Observaciones del C. Vern. sobre la Apología del Altar y el Trono* Valencia 1820). Cf. además nt.45 del c.3.

[7] *Discursos sobre una constitución religiosa, considerada como parte de la civil nacional* (París 1820). Al ser atacada su obra en Barcelona, publica la *Apología católica del proyecto de Constitución religiosa.*

[8] V. CÁRCEL ORTÍ, *El archivo del nuncio en España Giacomo Giustiniani (1817-1827).* Escritos del Vedat 6 (1976) 265-300. Las respuestas de los eclesiásticos a las reformas religiosas del trienio se hallan recogidas en la *Colección Eclesiástica Española,* 14 tomos (Madrid 1823). Merece destacarse por su sano revisionismo el obispo de Astorga, del que se ha ocupado recientemente F. DÍAZ DE CERIO, *Obispos reformadores y catolicismo liberal. El obispo de Astorga Guillermo Martínez Riaguas (1785-1824):* III Semana de H.ª Ecc. Cont. (El Escorial 1978).

[9] Autor del periódico *Defensa cristiana católica de la Constitución novísima de España* (Valladolid, 8 de julio 1820-21 abril 1821).

mismo podemos decir de los escritos más extensos, que se reducían a reeditar obras anteriores, como la de Inguanzo sobre la confirmación de los obispos. Herrezuelo y Colmenares escribieron obras en defensa de los diezmos y de las órdenes religiosas. Más categoría tenía la obra de Inguanzo en defensa de los bienes eclesiásticos [10]; pero la edición quedó secuestrada y no pudo difundirse.

El contenido de los escritos ortodoxos consiste en la defensa del dogma contra las doctrinas irreligiosas y en el empeño por conservar la disciplina vigente y los bienes eclesiásticos. La defensa que hace Inguanzo es brillante y aguda, pero los argumentos le resbalan cuando quiere fundarlos en razones económicas. Su pronóstico sobre el nefasto resultado de la desamortización no deja de ser certero, pero la obsesión por mantener los derechos y privilegios eclesiásticos le hace insensible a unas situaciones concretas y a unos cambios reales de la sociedad española que estaban exigiendo una reforma externa de la Iglesia. Las concepciones de renovadores y conservadores discurrían por caminos opuestos: los unos partían de los abusos reales para hacer correcciones de forma regalista; los otros se aferraban a la doctrina y a las prácticas tradicionales de la Iglesia para defender el inmovilismo eclesiástico. Eran dos tácticas y dos lenguajes diferentes que, por desgracia, no llegaron a entenderse. La coyuntura política favoreció las doctrinas regalistas. Los eclesiásticos conservadores no supieron emplear el lenguaje periodístico adecuado, y esto, unido a las cortapisas gubernamentales, les hizo sufrir una clara derrota en el campo de la prensa. Sin embargo, conservaban todavía, sobre todo en las zonas rurales, el influjo pastoral de sus sermones, sus palabras y sus actitudes.

2. LAS REFORMAS Y PLANES ECLESIÁSTICOS DE LAS CORTES DEL TRIENIO

Las primeras Cortes del trienio (1820-21)

Las primeras Cortes del trienio acometieron profundas reformas eclesiásticas sin las contradicciones ni escrúpulos de las Cortes de Cádiz. Comenzaron por la reorganización y el expurgo del clero regular y la consiguiente desamortización de sus bienes.

La Compañía de Jesús quedó suprimida el 15 de agosto de 1820. Esta supresión tenía un alto sentido simbólico. Para los diputados liberales, el restablecimiento de la Compañía en 1815 había sido ilegal por tener su origen en la iniciativa personal del rey. Al sacrificar a la Orden realizaban, por tanto, una repulsa a los métodos de gobierno del absolutismo. Para los diputados liberales, la correcta situación legal de los jesuitas era, por tanto, la que les señalaban los dos decretos de expulsión y extinción dados por Carlos III. Las Cortes, sin embargo, sólo pusieron en vigor la extinción, no la expulsión. En consecuencia ordenaron la disolución de las comunidades jesuíticas, el pago de una pensión a los

---

[10] *El dominio sagrado de la Iglesia en sus bienes temporales* (Salamanca 1820,1823).

padres antiguos y la devolución de los nuevos jesuitas a sus obispos o a sus familias, según fueran o no sacerdotes [11].

El rey sancionó, desconsolado, la destrucción de aquella obra de sus manos que era la Compañía, pensando que así salvaría a las demás órdenes. Se equivocaba. Tras una discusión en la que se vertieron toda clase de denuestos contra los frailes, las Cortes aprobaron el decreto de disolución y reforma de las órdenes religiosas (1-10-1820, sancionado el 25). Quedaban totalmente suprimidas las órdenes monacales, los canónigos regulares, los hospitalarios y los freires de las órdenes militares. Sus miembros recibían una pensión según sus edades y sus bienes pasaban al Estado. Las demás órdenes quedaban reformadas, es decir, reducidas en sus conventos y bienes y modificadas en sus institutos. Quedaban cerrados los conventos que no tuvieran 12 religiosos, si eran los únicos del pueblo; y los que no llegaban a 24, si había más de uno. Los bienes de los conventos suprimidos y los sobrantes de los subsistentes pasaban al Estado. El Estado no reconocía otra jurisdicción sobre los religiosos que la de los prelados ordinarios, se prohibía la admisión de novicios y se facilitaban las secularizaciones. Sólo a los escolapios se permitió conservar sus colegios. El rey quiso negar la sanción a esta ley, pero las presiones de los ministros y la amenaza de una revolución le hicieron ceder.

La ley de regulares se cumplió con desconocida exactitud. En diciembre habían quedado desalojados e incautados los 324 conventos y monasterios de las órdenes suprimidas. A mediados de 1821 se había ejecutado el trasiego de los religiosos «reformados». A principios de 1822 éstos estaban reunidos en 860 conventos y habían abandonado 801. Pero la cifra de los conventos suprimidos aumentaba sin cesar, pues las muertes o las secularizaciones hacían bajar a las comunidades por debajo de la tasa permitida; y en 1822 se ordenó, además, el cierre de conventos en descampado. El Gobierno consiguió que la Santa Sede otorgara facultades al nuncio para despachar secularizaciones. En 1820 había 33.546 religiosos, y de ellos se secularizaron, en sólo dos años, 7.244, más 867 monjas [12].

La desamortización de los bienes de los conventos quedó regulada, junto con la de otros bienes eclesiásticos de menor cuantía, por el decreto del 9 de agosto de 1820, que ordenaba la venta en pública subasta de todos los bienes asignados al Crédito Público. Según Toreno, durante el trienio se vendieron 25.177 fincas de conventos [13]; aproxima-

---

[11] Frías, o.c., 332ss; M. Revuelta González, *La supresión de la Compañía de Jesús en España en 1820:* Razón y Fe 182 (1970) 103-20.

[12] M. Revuelta, *Política religiosa* 213-333.294-474; J. M. Castells, *Las asociaciones religiosas en la España contemporánea* (Madrid 1973) 86ss; L. Higueruela, *Incidencias de la ley de monacales de 1820 en la diócesis de Toledo:* La Ciudad de Dios 188 (1975) 46-70; V. Conejero Martínez, *El clero liberal y secularizado de Bacelona (1820-1823):* Revista Intern. de Sociología 34 (1976) 7-47.

[13] Ofreció Toreno estos y otros datos en la sesión del Estamento de Procuradores de 9 de abril de 1835. Algunos aspectos de esta desamortización: J. M. Antequera, *La desamortización eclesiástica considerada en sus diferentes aspectos y relaciones* (Madrid 1885); F. Tomás y Valiente, *El marco político de la desamortización en España* (Barcelona 1971); J. Po-

damente, la mitad del total. La venta de aquellos bienes presentó ya los defectos de ulteriores desamortizaciones, pues las mejores fincas pasaron a manos de gentes acomodadas o de agiotistas, que aumentaron las rentas de los colonos y dejaron sin efecto las promesas de repartos de tierra a los campesinos.

Otra importante medida de las primeras Cortes del trienio fue la implantación del medio diezmo por el decreto de 29 de junio de 1821, que organizaba la Hacienda Pública mediante el establecimiento de una contribución territorial, industrial y de consumos [14]. Teóricamente, la Iglesia no debía sufrir ningún perjuicio, pues el Estado renunciaba a las participaciones tradicionales sobre los diezmos, que eran aproximadamente la mitad, dejando íntegra la otra mitad para la dotación de culto y clero. Sin embargo, la campaña promovida contra los diezmos hizo que los campesinos se resistieran a pagarlos. Muchos sacerdotes quedaron condenados a la miseria. La clase campesina tampoco ganó nada con la rebaja del diezmo, pues tuvo que pagar en metálico la nueva contribución territorial en plazos fijos. La precipitada imposición de un sistema de Hacienda que en sí era más razonable y moderno que el antiguo, se volvió contra sus mismos creadores, con especial disgusto de la clase clerical y campesina.

El decreto sobre el medio diezmo se concibió como la primera etapa para una modificación profunda de los recursos eclesiásticos. Con el pretexto de indemnizar a los partícipes legos de los diezmos, el Estado se aplicaba «todos los bienes rústicos y urbanos, censos, foros, rentas y derechos que poseen el clero y las fábricas de las Iglesias», los cuales pasaban a disposición de la Junta del Crédito Público. El despojo del clero secular no llegó a efectuarse, pero la orientación desamortizadora estaba clara. En cambio, quedó en vigor el donativo de 30 millones impuesto al clero en 1817, así como la suspensión indeterminada de prebendas y el derecho a dos anualidades de beneficios simples, concedidos en 1818.

Las Cortes se ocuparon también de controlar y limitar el número de beneficios eclesiásticos, con los que vegetaba una multitud de clérigos inútiles. Prohibieron la pluridad de beneficios (2-9-1820); derogaron las capellanías de sangre (decreto de 27-9-1820 sobre la supresión de vinculaciones, capellanías y mayorazgos), aplicaron al Crédito Público los bienes de capellanías y beneficios simples vacantes (9-11-1820) y suspendieron la provisión de beneficios y capellanías sin cura de almas y las ordenaciones a título de beneficio (8-4-1821).

También decretaron aquellas Cortes la modificación del fuero ecle-

---

RRES Martín-Cleto, *La desamortización del siglo XIX en Toledo* (Toledo 1965); J. M. Mutiloa, *La desamortización eclesiástica en Navarra* (Pamplona 1972); E. Fort Cogul, *Las desamortizaciones del siglo XIX y su repercusión en Santes Creus:* Studia Monastica 12 (1970) 291-310; C. Barraquer, *Las casas de religiosos en Cataluña durante el primer tercio del siglo XIX* (Barcelona 1906).

[14] D. Mateo del Peral, *Los antecedentes de la abolición del diezmo. El debate de las Cortes del trienio liberal,* en *La cuestión agraria en la España contemporánea,* por Tuñón de Lara y otros (Madrid 1976).

siástico en algunos delitos (26-9-1820) y la restricción del envío de dinero a Roma por gracias y dispensas (17-4-1821).

Las Cortes hicieron todas estas reformas, que tan profundamente modificaban el personal y los bienes eclesiásticos, sin contar para nada con la jerarquía. Ni el papa ni los obispos fueron consultados. Es evidente que los religiosos, los beneficiados y los diezmos necesitaban reformas; pero fue lástima que éstas se hicieran de forma unilateral, precipitada y con un regalismo lleno de orgullo y autosuficiencia. Las reformas de las Cortes del trienio quedaron a medio camino entre las timideces de las Cortes de Cádiz y las medidas radicales disolventes de los ministros progresistas de María Cristina de Borbón. Pese a su regalismo visceral, los diputados del trienio se contentaron con soluciones moderadas, no sin disgusto de algunos elementos radicales, como Istúriz, a quienes les parecía un error la medida de «medios diezmos y medios frailes».

Las segundas Cortes (1822-23)

Las segundas Cortes del trienio no tuvieron el impulso legislador de las primeras en materias eclesiásticas, obligadas como estaban a enfrentarse con gravísimos problemas de orden interno y de invasión exterior.

Las Cortes intentaron paliar el fracaso del medio diezmo implantado el año anterior. El ministro de Gracia y Justicia, Gareli, expuso la miseria de los curas, pero sólo consiguió que las Cortes fijaran como «decente congrua» de los párrocos la exigua cantidad de 300 ducados y que redujeran el subsidio eclesiástico a 20 millones (22-5-1822). Con ello, el clero parroquial no salía de la miseria, mientras el no parroquial ni siquiera era tenido en cuenta. Meses más tarde, las Cortes decretaron un cuadro de pensiones para el clero secular, que puede considerarse como el primer esbozo de un presupuesto eclesiástico español. Se señalaban los máximos y mínimos de las dotaciones que debían recibir las distintas clases del clero, desde el arzobispo de Toledo, al que se asignaba una dotación entre 500.000 y 800.000 reales, hasta el curato de tercera, que recibiría entre 4.000 y 6.000 reales. El reparto quedaba encomendado a las juntas diocesanas y debía satisfacerse con el medio diezmo, aumentado, si no bastase, con las rentas de los predios rústicos o urbanos (29-6-1822).

Pero lo que distinguió, sobre todo, a aquellas Cortes fueron las medidas represivas contra el clero. El 26 de abril de 1822 se prohibieron las ordenaciones sacerdotales hasta que se hiciera el plan del clero. El 6 de mayo se autorizaba al Gobierno a extrañar del reino y ocupar las temporalidades de los obispos cuando éstos se desviaran de los deberes de su ministerio y el 29 de junio se mandaba tratar con rigor a los prelados desobedientes, hacerles publicar pastorales en que manifestaran la conformidad de la Constitución con la religión y destituir y quitar las licencias a los eclesiásticos peligrosos.

A raíz del frustrado golpe realista del 7 de julio, que hizo caer al Ministerio moderado de Martínez de la Rosa, al que sustituyó el exaltado de Evaristo San Miguel, las Cortes aumentaron sus rigores contra los eclesiásticos desafectos, a quienes el nuevo ministro de la Gobernación, Fernández Gasco, pintaba «devorados de sed de venganza y aparentando celo por los intereses del cielo para asegurar para sí los derechos de la tierra». Entre los medios para remediar los males de la Patria (1-11-1822) figura el de declarar vacantes las sedes de los obispos extrañados del reino o que lo fueran en adelante: gravísima usurpación de la jurisdicción eclesiástica, que escandalizó a los fieles y provocó una valiente y, como siempre, inútil protesta del nuncio [15].

Los dos planes de reforma eclesiástica

Hasta aquí lo que las dos Cortes del trienio hicieron. Pero no es menos interesante lo que planearon, aunque no llegaran a decretarlo. Nos referimos a los dos ambiciosos proyectos de un plan general del clero con el que nuestras Cortes, siguiendo la inspiración de la Asamblea francesa de 1790, intentaron remodelar desde sus cimientos a la Iglesia española, determinando los grados de la jerarquía, la demarcación de diócesis y parroquias, la reorganización de cabildos, la extinción de colegiatas, los cuadros de pensiones del clero, el reglamento de los seminarios y la administración de las rentas eclesiásticas. Aunque la inspiración de estas reformas no era otra que la doctrina regalista, existe una gran diferencia entre el plan de las primeras Cortes y el de las segundas [16]. El primer plan, inspirado por Villanueva, contiene positivos aciertos y no le falta solidez doctrinal ni celo pastoral. Además, siguiendo las insinuaciones conciliadoras de Amat, facultaba al Gobierno para llegar a un acuerdo con el papa y los obispos cuando lo juzgara conveniente, lo que era abrir una vía a un posible concordato. Pero este plan parecíales a los más exaltados demasiado generoso, y lograron diferir la discusión.

Las segundas Cortes volvieron a ocuparse del plan; pero, en vez de aceptar el antiguo, redactaron otro nuevo en el momento menos propicio: cuando la Santa Sede había rechazado a Villanueva como embajador y arreciaba el peligro de la insurrección e invasión. El nuevo plan, presentado a las Cortes en febrero de 1823, se inspiraba en las doctrinas de Llorente, se desataba en denuestos contra la curia romana, ignoraba de hecho la primacía del papa, suprimía las reservas pontificias y disponía que la confirmación de los obispos nombrados por el rey debía ser hecha por el primado o los metropolitanos. Afortunadamente, tampoco este proyecto llegó a admitirse. Los diputados eclesiásticos Falcó y Prado demostraron que un plan que se oponía a la doctrina de la Iglesia aumentaría las desdichas del país con los horrores del cisma. Ello era tan cierto, que los diputados lo rechazaron; más que por cismático,

[15] La nota del nuncio (20-11-1822) en *Col. Ecl. Esp.* t.2 p.46-47. Fue replicada en el folleto *Examen de la nota pasada por el Emo. Sr. Nuncio al ministro de Estado*, por un nieto de D. Roque Leal (Madrid 1822).
[16] M. REVUELTA GONZÁLEZ, *Los planes de reforma eclesiástica durante el trienio constitucional:* Miscelánea Comillas 30 (1972) 93-123.329-48.

por «impolítico». Los dos planes abortados sirvieron de precedente para inspirar la política religiosa de los moderados y progresistas después de la muerte de Fernando VII. Las directrices del primer plan de las Cortes serán, en parte, reasumidas por la Junta Eclesiástica de 1834 y por el concordato de 1851. Las del segundo plan volverán a aparecer en el plan de arreglo del clero aprobado por las Cortes de 1837, que no será sancionado por María Cristina.

3. EL IMPACTO DE LAS REFORMAS ECLESIÁSTICAS

A las causas económicas, políticas y sociales que habían de determinar la ruina del régimen liberal debe añadirse, como un factor primordial, la honda crisis religiosa que las reformas del trienio produjeron en el seno de la Iglesia y de la sociedad española.

El primer síntoma de esta crisis se manifiesta en el diverso enfoque religioso que los fieles y clérigos daban al sistema constitucional. Los clérigos liberales hacían apologías del «sagrado código», mientras los absolutistas lo censuraban como si fuera un engendro de Satanás. Había incluso clérigos masones y comuneros [17]. Aun dentro de los religiosos, no eran sólo los secularizados los que por interés seguían las doctrinas liberales, pues éstas penetraron en los conventos, creando tensiones entre viejos y jóvenes, superiores y súbditos, sacerdotes y legos. El episcopado mismo mostraba posiciones variables. Los había partidarios del nuevo régimen, como el cardenal Borbón; el obispo de Sigüenza, Fraile; el auxiliar de Madrid, Castrillo, y los nuevos obispos de Cartagena, Mallorca y Segorbe, Posada González Vallejo y Ramos García respectivamente. Pero había también decididos absolutistas. El resto alternaba las exhortaciones a la paz y a la obediencia con repulsas y condenas a las innovaciones. Estas discrepancias cundieron en el pueblo y produjeron una enorme confusión, de tal manera que cada partido podía encontrar razones religiosas y corifeos eclesiásticos que favorecieran su propio partido.

Esta división político-religiosa se enconó con las enojosas alteraciones surgidas en el gobierno de algunas diócesis por la intromisión del poder civil. Era lógico que los liberales procuraran crear un episcopado adicto, como lo había hecho Fernando VII para reforzar el absolutismo durante el sexenio. Pero los obispos electos que presentaban eran casi siempre personas que habían manifestado doctrinas poco seguras, y la Santa Sede se resistía a confirmarlos. Sólo cuatro obtuvieron las bulas, mientras se les negaba a los demás electos, especialmente a Espiga y Muñoz Torrero, con gran enojo de los liberales. La persecución se cebó pronto en los obispos absolutistas más señalados. Los de León, Oviedo y Tarazona fueron alejados de sus diócesis por haber firmado el manifiesto de los «persas». Los de Valencia y Orihuela fueron expulsados

---

[17] Arch. de Palacio, Papeles de Fernando VII, t.66; V. CÁRCEL ORTÍ, *Masones eclesiásticos españoles durante el trienio liberal:* Arch. Hist. Pontificiae 9 (1971) 249-77.

por su oposición a las órdenes del Gobierno, y no tardarían en seguirlos los de Cádiz, Ceuta y Málaga. Los de Pamplona, Urgel y Solsona se verán obligados a huir y los de Lérida y Vich fueron sometidos a prisión. El ultimo —Fr. Raimundo Strauch— fue asesinado en 1823.

No menos enojosa fue la situación de cisma que padecieron algunas diócesis con motivo de los gobernadores eclesiásticos intrusos impuestos por el Gobierno o la intrusión de los obispos electos y no confirmados en algunas sedes vacantes. Las diócesis de Valencia, Orihuela, Oviedo, Valladolid, Málaga y Solsona sufrieron estos dolorosos cismas, con gran escándalo de los fieles. La expulsión del nuncio en enero de 1823 como réplica al rechazo que la Santa Sede hizo del nuevo embajador Villanueva, consumó una política de provocaciones crecientes contra el papa.

El balance que ofrecía el trienio en sus últimos meses no podía ser más desolador: quince sedes vacantes por defunción, once obispos exiliados o huidos, seis diócesis en cisma, numerosos sacerdotes deportados, presos o proscritos, un obispo y varios sacerdotes asesinados. Es cierto que la guerra civil había fomentado algunos de estos excesos como réplica a la participación clerical en la insurrección realista; pero ya antes de la guerra se habían sentido heridos en su sentimiento religiosos muchos españoles. Añádase la indotación de los curas por el fracaso del medio diezmo, el peligro de cisma del segundo plan general del clero, el despilfarro de una desamortización que había dejado chasqueados a los campesinos, la opresión fiscal que éstos padecían con la nueva contribución y las molestias producidas por el retraso de las dispensas matrimoniales procedentes de Roma. Todo el edificio político del trienio, comenzado con tanta ilusión, se derrumbaba estrepitosamente. Podrá decirse que ello se debe a la resistencia sistemática de los sectores tradicionales privilegiados, entre los que figuraban en primer lugar los eclesiásticos. Pero tampoco puede olvidarse la culpa que en su propia ruina tuvieron los liberales, internamente divididos y subterráneamente minados por sociedades secretas y grupos de presión, que con sus maquinaciones y exigencias convirtieron las tentativas de la España oficial, representada por las Cortes y el Gobierno, en una gran ficción. Por lo que toca a la política religiosa, los dirigentes liberales mostraron un regalismo anticuado, una precipitación impolítica y unos modales intolerables. La intervención extranjera consumó la ruina del segundo ensayo liberal. El hecho de que aquella segunda francesada no encontrara la oposición popular de la primera, confirma hasta qué punto aquellos gobernantes se habían hecho impopulares a grandes sectores de la nación.

4. El fermento religioso de la guerra civil

La oposición al liberalismo pasó pronto de la polémica a la subversión. Ya en el otoño de 1820 y en primavera y verano de 1821 aparecieron algunas partidas realistas, que fueron dispersadas con facilidad.

La insurrección cobró mayor amplitud desde la primavera de 1822. Cuadrillas de mozos de pueblo, reclutados en la España campesina, hicieron su aparición en Navarra, Vascongadas, Cataluña y Alto Aragón, e incluso en ambas Castillas, Valencia y Murcia. La Regencia realista de Urgel cubría la insurrección con apariencias de legalidad. El Congreso de Verona, al encomendar a Francia la intervención en España, alentaba a los insurrectos con el respaldo internacional de las potencias de la Santa Alianza. El fracaso del golpe realista del 7 de julio fue el toque de rebato para una verdadera guerra civil. El ejército liberal logró repeler el ataque de las partidas a finales de aquel año; pero los 100.000 hijos de San Luis, apoyados por los insurrectos realistas, derribaron a su paso el edificio de la España constitucional, que concluyó en Cádiz con la capitulación del Gobierno liberal y la libertad de Fernando VII a fines de septiembre de 1823. Así concluía, gracias a la intervención extranjera, la que fue considerada como la primera guerra civil de España[18]. Aquella guerra canalizaba los agravios, disgustos y desengaños producidos por la política liberal y se nutría con las reivindicaciones sociales de los campesinos, defraudados por una desamortización ejecutada con planteamientos burgueses y descontentos con las premuras de la nueva contribución territorial[19]. Pero a estos ingredientes políticos, económicos y sociales se añadía, como factor preponderante la alarma producida por las innovaciones religiosas. La primera guerra civil de España será, por tanto, una guerra religiosa, conducida con hábil oportunismo por los dirigentes realistas y alentada con fanatismo por los sectores clericales más reaccionarios. No fue una guerra entre católicos y herejes, sino entre dos sectores católicos: los que sostenían la religión bajo la pauta reformista de la protección constitucional y los que la defendían bajo los postulados conservadores de la unión del Trono y el Altar. La religión, que por su naturaleza debería haber servido de puente de comprensión o que, al menos, debería haber quedado apartada de la contienda como un valor neutral en las disputas políticas, fue lastimosamente utilizada como un pretexto de lucha y como parte integrante del programa de los partidos. El confusionismo religioso que de aquí había de surgir era la triste secuela de aquella guerra.

Ambos bandos, en su intento por utilizar la religión, revisten sus proclamas con las correspondientes motivaciones religiosas. Los liberales se hacen apóstoles de la paz, la obediencia y la pureza. El espectáculo de unos batallones realistas conducidos por clérigos fanáticos les causa terrible escándalo, pues ven en ellos a unos «falsos ministros del Dios de la paz» y a unos falsos profetas que se rebelan contra aquella obediencia a las autoridades temporales legítimas, tan recomendada por Cristo y los apóstoles. Las exigencias morales de una purificación de la Iglesia, tan divulgadas por los escritores reformistas, se utilizan como argu-

[18] R. GAMBA, La primera guerra civil en España (1821-23) (Madrid 1950); M. C. LABORIE ERROZ, Navarra ante el constitucionalismo gaditano: Príncipe de Viana 112-13 (1968) 273-326; 114-15 (1969) 53-107.
[19] J. TORRAS ELÍAS, Liberalismo y rebelión campesina. 1820-1823 (Barcelona 1976).

mento religioso. Los liberales afirman luchar por un cristianismo purificado de riquezas ostentosas, clérigos inútiles y obispos teocráticos.

En el otro bando, las motivaciones religiosas cobran mayor fuerza y brío, pues las reformas, agravios y humillaciones padecidos por la Iglesia y el clero a lo largo de tres años les proporcionan abundantes y efectivos motivos de enojo. Las motivaciones de las proclamas y manifiestos de los realistas guardan extraordinaria semejanza con los de la guerra de la Independencia, con la única diferencia de que los franceses, que entonces fueron motejados de herejes, eran ahora aclamados como restauradores de la religión. Se lucha, ahora como entonces, por la defensa de la Patria, la libertad del rey cautivo y la prosperidad de la nación. Pero se pone especial acento en el motivo religioso: la defensa de la Iglesia ultrajada, la restauración de la religión de los padres en todo su esplendor, la confianza providencialista en la victoria, el carácter salvífico de la lucha y la extirpación de la inmoralidad y la herejía. Se trataba, en suma, de otra guerra santa, de otra cruzada contra unos herejes domésticos, los liberales, a los que se hace sumideros de todas las sectas impías [20]. Las partidas de los insurrectos se apropiaron un nombre propagandístico capaz de producir efectos mágicos y sentimientos ardientes: el ejército de la fe. Una fe, naturalmente, concebida como aglutinante del ideario realista y como antídoto y rechazo de la ideología liberal. En la defensa de aquella fe no cabían matices ni componendas. La fe y la Constitución son presentadas como dos valores monolíticos, antagónicos y mutuamente excluyentes, como lo eran el bien y el mal. Un cura de Gerona concluyó el sermón con el que excitó a sus mozos a seguirle a la guerrilla con estas palabras: «¿Y qué cristiano católico dudará ni un momento del partido que debe abrazar? ¿Quién de vosotros no conocerá al instante la verdadera causa pública? Ea, pues, vosotros mismos lo habéis de decir: ¿cuál queréis más, la fe o la *liberté*? ¿La religión o el ateísmo? ¿A Cristo o a la Constitución?» Este dilema maniqueo, en el que se mezclaba tan rudamente la religión y la política, explica el grito de guerra de los voluntarios realistas: «¡Viva la religión; muera la Constitución!»

La intervención del clero en la dirección de aquella guerra religiosa fue muy llamativa [21]. El obispo de Osma, Cavia, fue uno de los regentes de la Regencia realista de Madrid. Rara era la junta insurrecta en la que no hubiera curas, frailes o canónigos, y no pocos clérigos figuraban entre los cabecillas de las partidas. Antón Coll, en Cataluña; Gorostidi y Eceiza, en Vascongadas; Merino y Salazar, en Castilla, son ejemplo de ello. Aunque ninguno se hizo entonces tan famoso como Fr. Antonio Marañón, «el Trapense», cuya figura mística y guerrera, penitente y cruel, adquirió relieves legendarios. Las proclamas que de él se conservan reflejan la simbiosis del fraile y del soldado; la terminología ascética

---

[20] J. M. RODRÍGUEZ GORDILLO, *Las proclamas realistas de 1822* (Sevilla 1969); J. L. COMELLAS, *Los realistas en el trienio constitucional* (Pamplona 1958); A. RODRÍGUEZ EIRAS, *La Junta Apostólica y la restauración realista en Galicia:* Cuad. Est. Gallegos 22 (1967) 198-220.
[21] P. DE MONTOYA, *La intervención del clero vasco en las contiendas civiles (1820-1823)* (San Sebastián 1971).

y bíblica aprendida en el monasterio le sirve para encauzar la venganza y la violencia de la guerra.

Del lado liberal no es extraño que la guerra degenerara, en algunos lugares, en escenas de vandalismo anticlerical, especialmente en Cataluña y Levante. En la provincia de Barcelona fueron asesinados 54 eclesiásticos; el obispo de Vich, Strauch, fue fusilado en la carretera. Buen número de religiosos y sacerdotes fueron encarcelados, y algunos deportados desde Barcelona, Valencia o Murcia. Algunos conventos fueron allanados o destruidos. El monasterio de Poblet sufrió terribles destrozos y los panteones reales quedaron profanados y destruidos. Las pasiones políticas se desbordaron a porfía en un entretejido de violencias simultáneas. Los excesos liberales del trienio, explicables como desquite contra el Gobierno absolutista precedente, habían provocado las sublevaciones realistas y la guerra civil, con su secuela de excesos y venganzas. Después de la guerra vino la paz. Era la paz de los vencedores, acompañada de una reacción inmisericorde.

CAPÍTULO VI

LA IGLESIA DURANTE LA DECADA REALISTA (1823-33)

1. LA GRAN REACCIÓN DE 1823 Y LA SEGUNDA RESTAURACIÓN RELIGIOSA

La reacción de 1823 fue mucho más intransigente que la de 1814. La Junta de Oyarzun, primero, y la Regencia de Madrid, después arrasaron las innovaciones del sistema constitucional y todas las reformas eclesiásticas de las Cortes del trienio. El rey asumió personalmente el poder en octubre. Hasta diciembre mantuvo en la dirección del Ministerio al canónigo Víctor Sáez y amplió la reacción en marcha y la persecución contra los liberales. Menéndez Pelayo afirma que «la reacción política, con todo su fúnebre y obligado cortejo de venganzas y furores, comisiones militares, delaciones y purificaciones, suplicios y palizas, predominó en mucho sobre la reacción religiosa, por más que las dos parecieran en un principio darse estrechamente la mano» [1]. Ambas reacciones aparecen plenamente identificadas hasta principios de 1824.

Las disposiciones relativas a la restauración de la Iglesia estaban ya ultimadas antes de la liberación del rey. La Junta de Oyarzun ordenó a los prelados la destitución de todos los secularizados que servían curatos o capellanías y la retirada de licencias de predicar y confesar (circular de 28-4-1823, confirmada por la Regencia el 31 de mayo). La Regencia reconstruía el viejo edificio eclesiástico anterior a la revolución: restablecimiento del diezmo entero (6-6-1823), anulación general de todas las disposiciones decretadas por los liberales contra los regulares (11-6-1823), implantación del método tradicional en la petición de gracias y dispensas a Roma (30-6-1823), entrega a los religiosos de todos sus bienes, sin devolución a los compradores de bienes nacionales de las cantidades que habían abonado por ellos (12-8-1823), y devolución a la Iglesia de los bienes de capellanías y cofradías detentadas por el Crédito Público (2-9-1823).

Más que la reposición de la Iglesia a su antiguo estado, lo que sobre todo confunde es el cerrado espíritu reaccionario de aquella segunda restauración, tal como se refleja en la ideología vertida en los mismos decretos y en la prensa y sermones realistas.

La reacción se engarza de nuevo con los criterios de la alianza del Trono y el Altar [2]. Reaparece el triunfalismo fanatizado y se explica la

---

[1] *Heterodoxos* l.7 c.3,III.

[2] Entre los muchos escritos contrarios a la ideología liberal se destaca *El liberal arrepentido, o confesión general práctica. en la que se tratan casi todas las materias en que puede haber delinquido un liberal revolucionario* (Tortosa 1824). Siguen varias cartas fingidas; la primera se titula

victoria sobre los liberales con falaces alusiones teológicas al triunfo de la justicia divina. Todas las personas que habían sido tocadas por la sombra de la Constitución, incluso los secularizados, que a veces nada tenían de liberal, fueron tratados como herejes, y sufrieron destierros, destituciones o purificaciones. Pero aún era más alarmante la instrumentalización que se hizo de la religión para convertirla en palanca de la reacción política. El decreto del 6 de octubre es una buena muestra de ello. Se pinta allí la restauración política como obra de la «misericordia del Altísimo», y el único balance que se hace del trienio es el del «horroroso recuerdo de los sacrílegos crímenes y desacatos que la impiedad osó cometer contra el supremo Hacedor del universo». En el mismo decreto se quiere dar a la reacción un disfraz reparador y religioso, y por eso se ordena a los obispos que organicen misiones en toda España, con ánimo de lograr una especie de conversión nacional al monarquismo absoluto y a la religión incontaminada.

Los portavoces de la Iglesia parecían insensibles a las vergonzosas injusticias y venganzas locales. Nadie protestó, que sepamos, ante la injusticia que se cometía contra los compradores de los bienes eclesiásticos, a quienes el Estado arrebataba las fincas sin devolverles los valores que había cobrado por ellas. Y ¿dónde quedaba la valiente defensa de la libertad de la Iglesia que los obispos y superiores religiosos habían hecho durante el trienio? Porque no faltaban ribetes regalistas en aquellas disposiciones de los nuevos gobernantes, que se sentían capacitados para urgir la destitución de los eclesiásticos constitucionales. La heroica jerarquía del trienio se amoldaba sumisa a la férula del legitimismo, y parecía hacerlo con gusto y sin escrúpulos; incluso con entusiasmo. La pasión por la ortodoxia hacía olvidar otros deberes no menos propios del ministerio pastoral. Hubiera sido deseable que la lucha sostenida durante tres años en defensa de la pureza de la fe y de los derechos de la Iglesia se hubiera completado ahora con una campaña a favor de la concordia y el perdón de las injurias, tan urgente en aquella España desgarrada por el odio. Pero nada de eso se hizo, o al menos no de manera suficiente. En buena parte de aquellos eclesiásticos dominaba la idea pesimista de que los liberales eran irrecuperables e incorregibles, y de ahí que buscaran solamente remedios punitivos y expurgatorios como la Inquisición. Una vez más la represión política venía acompañada de la intolerancia religiosa. Una vez más volvía el rey absoluto a reforzar la tendencia absolutista del cuadro episcopal. Poca dificultad encontró el rey en que el nuevo papa, el «celante» León XII, aceptara la renuncia impuesta a los obispos liberales Posada, González Vallejo y Ramos García. El obispo de Tuy, García Benito, hubo de renunciar también a la sede compostelana. El obispo de Astorga, D. Guillermo Martínez, que se había esforzado en acomodar su celo pastoral a las circunstancias del trienio, sufrió calumnias y amenazas. En cambio, eran premiados con notables ascensos los obispos que más se habían señalado

El monstruo más deforme, más feroz y venenoso que han visto jamás los siglos. Carta del liberal arrepentido a su confesor.

en la oposición al régimen caído: Francés Caballero pasa a Zaragoza; Simón López, a Valencia; Rentería, a Santiago; Cienfuegos, a Sevilla; Inguanzo, a Toledo; Vélez, a Burgos y, poco después, a Santiago. El canónigo Herrero, que había sido perseguido siendo gobernador eclesiástico de Orihuela, es preconizado obispo de esta ciudad; Fr. Manuel Martínez, portavoz de la reacción en la prensa, es nombrado obispo de Málaga, y Víctor Sáez es removido del ministerio para ocupar la sede de Tortosa.

Da la sensación de que, al menos durante los primeros años de la década, la Iglesia vuelve a caer en la trampa que le tiende el Gobierno realista. Los agravios sufridos en la época liberal habían sido grandes, es cierto; pero los halagos de la restauración no eran menos peligrosos. Fascinados por el apoyo que les daba un Gobierno que, al proteger a la Iglesia, se protegía a sí mismo, los eclesiásticos no se contentaron con una colaboración razonable, sino que adoptaron una actitud de cómodo silencio y complacencia.

2. LA POLÍTICA DEL REY Y SU REPERCUSIÓN EN EL GOBIERNO DE LA IGLESIA

Trayectoria política del absolutismo

La política de Fernando VII durante la década tiende a sortear los dos escollos del realismo exaltado y del liberalismo insurrecto, pues tanto el uno como el otro representaban una amenaza para su dominio autocrático.

En los tres primeros meses desde su liberación (octubre-diciembre de 1823), el rey conserva el Ministerio reaccionario del canónigo Sáez, que representaba la continuidad de la política de rigor de la Regencia. Los consejos de moderación de la Santa Alianza, y especialmente de Francia, cuyos soldados permanecían aún en el suelo español, movieron al rey en diciembre de 1823 a inclinarse al partido realista moderado, compuesto por hombres que profesaban ideas templadas afines al despotismo ilustrado. Los Ministerios de Irujo y Ofalia (diciembre de 1823-junio de 1824) ponen fin a la reacción antiliberal intransigente y suscitan los primeros recelos de los apostólicos, a quienes disgusta la vigilancia de la policía, el decreto de amnistía y la dilación en el restablecimiento de la Inquisición. El Ministerio de Cea Bermúdez (julio 1824-octubre 1825) tendía también a contener las exigencias de los intransigentes, pero carecía de homogeneidad, pues la templanza de Cea, Ballesteros y Salazar quedaba contrapesada con la dureza de Calomarde y de Aymerich y con el rigorismo del Consejo de Castilla.

Un Ministerio tan neutralizado suscitó el descontento de los apostólicos, que no cesaban de urdir planes conspiratorios en sus sociedades secretas. La rebelión de Besières (agosto 1825), a pesar de su fracaso, era un aviso demasiado serio que el rey hubo de tener en cuenta. Para acallar el clamor del partido reaccionario, el rey buscó nuevos colaboradores entre los realistas más seguros. Hizo al duque del Infantado presidente del Consejo de Ministros (octubre 1825-agosto 1826) y reorganizó el Consejo de Estado (diciembre de 1825) con personas de arraigadas convicciones realistas, entre las que figuraban los obispos Inguanzo y Abarca y el P. Cirilo [3]. Pero ni las sugerencias del Consejo de Estado ni las pequeñas amenazas de los liberales sobre Tarifa y Alicante en verano de 1826 lograron que el rey se plegara a las aspiraciones de los apostólicos. En agosto de 1826, el duque del Infantado es sustituido por González Salmón, satélite de Calomarde y, como él, celoso de la autoridad omnímoda del rey, y hostil, por tanto, a las presiones clericales y a las injerencias de los apostólicos. La influencia atemperante de Ballesteros se hace sentir cada vez más en el Ministerio, y la policía, dirigida por Regato, husmea los conciliábulos de la reacción. La impaciencia de los realistas se expresó entonces en la guerra de los agraviados [4], una insurrección de base campesina y clerical promovida con el pretexto de que el rey estaba cautivo por los masones y liberales. El rey tuvo que viajar a Cataluña para demostrar que obraba con libertad y reprimió con mano dura la insurrección. A partir de entonces, cesan los miramientos del monarca con los sectores reaccionarios, que van poniendo sus esperanzas en el infante D. Carlos.

El acercamiento decidido del rey a los realistas moderados y la adopción de medidas favorables a la burguesía mercantil no supuso, sin embargo, un cambio de conducta respecto a los liberales, que desde la emigración organizaron audaces y desafortunadas intervenciones con ánimo de propagar un pronunciamiento general. La respuesta a las tentativas de Miláns del Bosch, en la frontera de Cataluña (1829); de Mina, Valdés y de Pablos, en la frontera vasconavarra (1830), y de Torrijos, en Algeciras y Málaga (1830-31), obtuvieron severa réplica con la formación de comisiones militares y la clausura de las universidades durante dos años. El planteamiento de la cuestión sucesoria determinó, sin embargo, el acercamiento definitivo del rey a los liberales, que, junto con los realistas moderados, habían de servir de apoyo a la princesa Isabel. La derogación de la ley sálica por la pragmática de 31 de marzo de 1830 agudizó la polarización de los dos bloques políticos irreconciliables. Las intrigas en torno al rey enfermo en La Granja (agosto de 1832), se volvieron contra sus promotores tan pronto aquél salió del peligro [5]. En el último año del reinado se produce el desmantelamiento sistemático de los presuntos apoyos procarlistas. Se confirma solemnemente la sucesión a favor de la princesa Isabel. Cae Calomarde, y se nombra un Ministerio presidido por Cea Bermúdez, que ha de servir de puente entre el régimen absolutista y el liberal. María Cristina, gobernadora durante la enfermedad del rey, concede una amplia amnistía, que permite el retorno de los liberales exiliados (octubre de 1832). Se disuelven los cuerpos de voluntarios realistas y se impone un relevo general en los puestos claves de la Administración y del ejército. El 27 de septiembre de 1833 moría Fernando VII. Diez años antes había recuperado el trono absoluto gracias a los realistas; al morir dejaba abiertas las puertas de España a aquellos liberales que tanto había odiado. Los dos partidos se agrupaban ya en torno a D. Carlos y a la reina Isabel para defender tras ellos sus opuestas ideologías en una implacable guerra civil.

Legislación sobre materias religiosas

La legislación eclesiástica del Gobierno de la década se acomoda, en cierto modo, a su ritmo político. Hasta diciembre de 1823, esa legisla-

---

[3] A. ARCE, *Cirilo Alameda y Brea, O.F.M. (1781-1872), ministro general arzobispo y cardenal:* Hispania Sacra 24 (1971) 257-345.
[4] *Los agraviados de Cataluña. Estudio preliminar y notas por* F. SUÁREZ, 3 vols. (Pamplona 1972); J. TORRAS ELÍAS, *La guerra de los agraviados* (Barcelona 1967).
[5] F. SUÁREZ, *Los sucesos de La Granja* (Madrid 1953); J. GORRICHO, *Los sucesos de la Granja y el Cuerpo Diplomático* (Roma 1967).

ción es, como vimos, especialmente densa y viene señalada por los criterios de restauración absoluta y de instrumentalización de la Iglesia como soporte del legitimismo restaurado. A fines de 1823, la máquina eclesiástica funcionaba con todas las piezas de 1820, a excepción de la Inquisición. En 1824 sólo se precisa una legislación complementaria. Una vez más, se pide la colaboración moral de los obispos, que tan pronto son llamados a fomentar con sus exhortaciones la templanza del rey, manifestada en la mezquina amnistía del 1.º de mayo, como a reforzar la dureza del decreto del 1.º de agosto contra las sociedades secretas.

En materia de enseñanza, el Estado pide y ofrece a la Iglesia una colaboración que le era necesaria por motivos doctrinales, políticos y económicos. Se reitera a los religiosos la petición de que abran escuelas (25 de marzo), se devuelven las temporalidades a los jesuitas (11 de febrero) y se elabora un plan general de estudios universitarios, redactado por una comisión en la que actuaba de secretario el P. Manuel Martínez, y que había de sujetarse al dictamen de obispos realistas tan significados como Inguanzo, Cavia, Castillón y Pérez de Celis (18 de febrero). Salió un plan sólido y meticuloso, pero excesivamente especulativo y limitado a los tradicionales estudios de humanidades, filosofía, teología, leyes, cánones y medicina. Los estudios universitarios pretendían modelar a los alumnos con todas las garantías de ortodoxia religiosa y realismo político [6]. Pero, a pesar de las prácticas y enseñanzas religiosas y del juramento requerido de enseñar y defender la soberanía del rey y los derechos de la Corona, no había de pasar un lustro sin que aquellos fanales universitarios se convirtieran en centros de conspiración y reclutamiento de las sociedades secretas. Por lo que toca a la colaboración económica, la Iglesia siguió contribuyendo con los recursos tradicionales que completaban el cuadro del antiguo sistema de Hacienda, remozado por el diligente Ballesteros, y de nuevo se insiste en la entrega de los diezmos. A partir de 1825, los decretos de carácter eclesiástico van desapareciendo paulatinamente. Algunos son reiteraciones de disposiciones anteriores, que en conjunto presentan la conocida táctica del contrapeso: nuevas prohibiciones de libros (11-5-1826) y nueva condenación de toda clase de sociedad secreta (13-2-1827); y, frente a esto, nuevas y cada vez mayores amnistías (25-5-1828, 20-10-1830, 7 y 20-10-1832). Las pequeñas muestras de favor a los eclesiásticos, como la autorización a los religiosos para pedir limosna (10-6-1826), se equilibran con otras de control y desconfianza, como la orden de que abandonen la Corte los eclesiásticos desocupados y sospechosos (10-11-1825). El Estado mantiene la táctica de aprovechar al máximo los recursos de la Iglesia, y consigue del papa una prórroga de seis años para aplicar las vacantes de los beneficios eclesiásticos (8-2-1829) y al mismo tiempo manifiesta un celo obsesivo por corregir la licencia de costumbres y las irreverencias en los templos (15-3 y 7-4-1829). El decreto del 6 de febrero de 1830, que encauza hacia la Nunciatura las apelaciones en las causas de fe, es el golpe definitivo contra el Santo Oficio. A partir de entonces, el rey cesa de legislar en materias eclesiásticas. Sólo se preocupa de pedir la adhesión y fidelidad a obispos, eclesiásticos y religiosos a favor de la princesa de Asturias y de urgir a que se la incluya como tal en la colecta *et famulos*.

---

[6] M. y J. L. Peset, *La Universidad española (siglos XVIII y XIX)* (Madrid 1974); E. Silva, *El plan de estudios y arreglo general de las universidades españolas, redactado en 1824 por el P. Manuel Martínez, mercedario:* Bol. de la O. de la Merced (1826) 74-79.137-39.

La sucesión de Isabel II fue, en general, aceptada por los obispos y el clero; más, tal vez, que por convicción, por un último acto de acatamiento a los deseos de un rey, al que se sentían tan obligados. Pero no faltan excepciones significativas, precisamente entre los tres prelados que habían formado parte del Consejo de Estado y habían sido alejados de la Corte en 1827. Inguanzo alegó enfermedad para excusarse del juramento a Isabel en abril de 1833; Abarca se escapa de León, y desde su refugio en las montañas de Galicia escribe una pastoral a favor de D. Carlos; Fr. Cirilo no tardará en abandonar su sede cubana para ponerse al servicio del pretendiente. Fuera de estos casos, las respuestas de los prelados al último acto de colaboración pedido por el rey fue satisfactorio. Acaso por ello o tal vez porque la encíclica pedida a Gregorio XVI con el mismo objeto no fuera tan explícita como se deseaba, no llegó a ser publicada por el Gobierno [7].

El conjunto de estas disposiciones sigue el ritmo pendular de la política general del rey, empeñado en hacer concesiones a las tendencias opuestas de los realistas moderados e intransigentes y en contener alternativamente a unos y otros. Sin embargo, durante la década persiste claramente el estilo regalista característico del despotismo ilustrado, del que eran herederos los ministros y los miembros del Consejo de Castilla. El intervencionismo regalista se cebó especialmente sobre las órdenes religiosas. El Consejo de Castilla dictó las normas por las que debía regirse la readmisión de los secularizados y, lo que es peor, intervino abusivamente en el nombramiento de los superiores generales [8]. El nuncio Giustiniani quería nombrar superiores generales con la delegación que para ello tenía de la Santa Sede; pero el Consejo, interpretando abusivamente la bula *Inter graviores,* fomentaba la reunión de unos capítulos de dudosa legalidad, que sembraron la división en algunas órdenes; especialmente en los agustinos calzados, cuya crisis de gobierno no se arregló hasta 1830. Giustiniani, aunque realista de corazón, no tuvo reparo en avisar con tiempo al rey sobre su incompetencia para alterar las leyes canónicas; «y así, por más que dé facultades para celebrar capítulo a quien no las tiene, no puede ni podrán nunca revalidar lo que en sí es nulo y se quedará siempre nulo». La firmeza de Giustiniani acabará haciéndole malquisto a la corte regalista de España, que le pondrá el veto en el cónclave de 1830 por considerarlo excesivamente curialista y ultramontano [9]. Su sucesor, Tiberi, aunque más comedido, no dejará de acusar las máximas perniciosas sostenidas por el Consejo de Castilla con el pretexto de guardar las regalías [10].

[7] Sobre la actividad de Tiberi y la encíclica del 12 de febrero de 1833, cf. V. CÁRCEL ORTÍ, *Correspondencia diplomática del nuncio Tiberi. 1827-1834* (Pamplona 1977) p.XLVI y texto en p.727-28.   [8] REVUELTA, *La exclaustración* 30-45.

[9] V. CÁRCEL ORTÍ, *Política eclesial de los gobiernos liberales españoles (1830-1840)* (Pamplona 1975); *Gregorio XVI y España:* Arch. Hist. Pontificiae 12 (1974) 235-85. *La Iglesia española durante el pontificado de Gregorio XVI (1831-1846),* en *Hist. de la Iglesia,* dir. por Fliche-Martin, vol.23 (Valencia 1975) 573-99. J. M. MARCH, *La exclusiva dada por España contra el cardenal Giustiniani en el cónclave de 1830-31 según los despachos diplomáticos:* Razón y Fe 98 (1932) 50-64.337-48; 99 (1932) 43-61.

[10] En su despacho a Bernetti de 6-1-1828, lamentando la división de los agustinos,

La acción pastoral de los obispos estaba muy mediatizada por la intervención estatal. Los prelados parecían funcionarios de un Gobierno que les exigía escribir pastorales a favor de tal o cual medida, organizar misiones con fines políticos o corregir determinados pecados. A veces, la tutela estatal imponía límites a las iniciativas episcopales, como cuando se les exigió entregar al Consejo Real, para su aprobación, diez ejemplares de todos sus edictos y pastorales (26-8-1825) o cuando se les prohibió publicar edictos de la Sagrada Congregación del Indice sin el correspondiente pase (1-7-1829). Esta última disposición, a pesar de su entraña regalista, no dejaba de tener sentido, pues parece que fue motivada por el excesivo rigor de Vélez, que acababa de condenar una larga lista de libros, entre los que había incluido obras de Campomanes y Jovellanos; y de Simón López, que había lanzado su anatema sobre infinitos escritos y novelas, y hasta sobre comedias que se representaban en Madrid y en otras provincias sin el menor escándalo. El nuncio Tiberi, a quien debemos esta noticia, parece lamentar tanto el regalismo del Consejo como el rigorismo de algunos obispos y la falta de unidad entre ellos [11]. El rey en este caso revocó la orden ante las protestas de los obispos. No era la primera vez que templaba la conducta regalista del Consejo, confirmando con ello la buena fama que gozaba de monarca respetuoso y deferente hacia la Santa Sede. Fama inmerecida como se verá, pues el pretendido fervor pontificio de Fernando VII brilló por su ausencia cuando imaginaba que se lesionaban sus derechos de patronato en América.

Evolución en las actitudes pastorales

Es difícil establecer periodizaciones claras en las actitudes pastorales durante esta época, pero existe un ambiente general de inseguridad y una zozobra constante ante los repetidos amagos subversivos de uno u otro signo. Hay una sensación de miedo, sospecha y falta de confianza. Los obispos estaban alarmados por la pertinaz propagación de los libros inmorales e impíos y por la corrupción general de costumbres especialmente entre la juventud. Sentían que se les resquebrajaba el horizonte ideal de una España moralmente incontaminada. Su consternación crecía al notar que aquella disociación espiritual tenía lugar bajo el signo de la restauración oficial del Trono y el Altar, y se mostraban disgustados con unos gobernantes a los que consideraban tibios y condescendientes. Las elegías sobre la malicia de los tiempos se convierten en un tópico obligado en todos los responsables de la Iglesia. El obispo de Tuy, por ejemplo, lamenta en 1826 los «tiempos calamitosos, en que las virtudes cristianas gimen bajo la opresión de los más vergonzosos delitos», y re-

---

atribuye al Consejo de Castilla máximas erróneas: «che la nomina dei capi degli ordini religiosi spetti al re, che da questo ricevano la giurisdizione spirituale e la disciplinare interna, contro le costituzioni e contro la littera, lo spiritto della bolla *Inter graviores*, che tanto si decanta e della quale se ne domanda la più stretta osservanza. Sembra incredibile in uno regno cattolico sentire massime tanto erronee, scandalose e fatali» (CÁRCEL, *Corrispondencia... de Tiberi* 85).

[11] Ibid., 344-45, despacho a Albani de 4-8-1829.

cuerda la irreligión sin máscaras ni barreras, el lujo desastroso, en contraste con las más espantosas miserias; el olvido de los deberes más sagrados, el frenesí de las opiniones, la ferocidad de los odios y los furores de la venganza [12].

Este ambiente produce en algunos pastores de la Iglesia alarma y pesimismo. Puestos a buscar solución a los males que presenciaban, los prelados (y, tras ellos, varios sectores del clero y de los fieles) se esfuerzan en aplicar remedios diferentes, que podemos esquematizar en dos tendencias: la coactiva y la pastoral.

La tendencia coactiva parte de un pesimismo radical respecto a la recuperabilidad de los liberales y desconfía de los medios ordinarios de persuasión, como los sermones, las pastorales, las misiones o las amnistías. La solución está sólo en el restablecimiento de la Inquisición, es decir, en el exterminio radical de la cizaña con el apoyo coactivo del brazo secular [13]. Y como aquella restauración no llegaba, procuran sustituirla con el sucedáneo de las juntas diocesanas de fe o, al menos, con anatemas fulminantes contra los escritos irreligiosos [14].

La tendencia pastoral consiste en buscar el remedio dentro del campo genuino de la actividad sacerdotal, que, lógicamente, nunca dejó de practicarse. La novedad de esta tendencia no está en su contenido ni en sus formas de expresión, que siguen siendo las clásicas, sino en la intensidad con que se quiere promover, en la convicción de su valor permanente e insustituible para la salvación de las almas, y, sobre todo, en la independencia de su acción, al margen del apoyo estatal. A medida que el poder civil abandona su apoyo coactivo a favor de la religión, puede percibirse cómo muchos eclesiásticos, unas veces por convicción y otras por necesidad ante la soledad en que le dejan las autoridades, van orientándose, cada vez más claramente, hacia posturas y soluciones estrictamente pastorales mucho más creíbles y evangélicas. A partir de 1827, y a medida que el rey abandona el clericalismo obsesivo de los primeros tiempos de la restauración, se afianza esta tendencia. En 1827, el rey prescinde del obispo Abarca y del P. Cirilo. A éste le sustituye en la dirección de la Orden franciscana el bondadoso P. Iglesias. La sustitución de un fraile activo, político y palaciego por un fraile bondadoso y provinciano no deja de ser significativa. Como lo es también la amargura de Inguanzo en sus últimos años, que expresa su desengaño ante un Gobierno que ha usado la religión para su conveniencia y que actúa, respecto a ella, con oportunismo y regalismo. Este desvío definitivo del rey hacia los eclesiásticos intransigentes e inquisitoriales favoreció, indirectamente, el apoliticismo del clero y la tendencia

---

[12] *Carta pastoral del Ilmo. Sr. D. Francisco Casarrubios y Melgar, obispo de Tuy* (Salamanca 1826) 9-11.

[13] *Informe sobre el estado de España (1825)*, estudio preliminar y notas por F. SUÁREZ (Pamplona 1966). Entre los 24 obispos consultados en 1825, apoyan expresamente la Inquisición los de Badajoz, Orense, Granada, León, Santiago, Orihuela, Pamplona, Tarazona y Valencia.

[14] Cf. la apocalíptica pastoral de Simón López de 16 de octubre de 1825 y la de Inguanzo de 4 de abril de 1827, escrita con más ponderación, pero con no menos dureza, contra los «horribles designios» de los filósofos, jansenistas y sociedades secretas.

—tan alabada por Balmes— a separar la causa eterna de la temporal. Aunque no faltarán ardientes clérigos carlistas y liberales a partir de 1833, la tónica general de la masa clerical durante la regencia de María Cristina fue la de desconectarse lo más posible del partidismo político. Pero ya desde los comienzos de la década aparece, en contraste con los clamores o maquinaciones de los incondicionales de la Inquisición, una línea de renovación pastoral que busca la restauración de la fe y de la piedad por los caminos de una renovación espiritual interna. No faltan figuras ni cambios de actitud significativos. El P. Vélez une a sus furores antiliberales el desvelo por la creación del seminario de Santiago [15]. El cardenal Cienfuegos fomenta con motivo del jubileo de 1826, al igual que otros prelados, la piedad y el fervor cristianos [16]. El patriarca de las Indias, Allué, invita a sus capellanes castrenses a conseguir una santidad sacerdotal muy evangélica, basada en la humildad, la pobreza, la castidad y la caridad [17]. El obispo de Tuy, aun pagando el obligado tributo de alabanzas al rey, insiste en el perdón de las injurias y en la reconciliación sincera con los enemigos [18]. El arzobispo de Granada, Alvarez de la Palma, pone el origen de todos los males en la ignorancia religiosa y planea una conveniente instrucción de la doctrina cristiana [19]. Los jesuitas, tan perseguidos por los liberales, se cierran en una espiritualidad rigurosa y dedican todas sus energías a la educación de la juventud, especialmente en el Colegio Imperial [20]. Las misiones populares, que en 1823 y en 1824 habían sido promovidas por el Gobierno con el encargo de afianzar la fidelidad al rey, acaban centrándose, cada vez más, en su objetivo específico de lograr la conversión de los pecadores y la renovación de la vida cristiana. El P. José Areso no se dedica a fustigar a los liberales, sino a los vicios comunes de sus oyentes; según él, no era la revolución o las sociedades secretas el origen de la decadencia religiosa, sino que era ésta la que había traído de tiempo atrás aquellos sistemas destructores [21]. El panorama de las órdenes religiosas se prestaba también a serios exámenes de conciencia. El sistema de rigor y puritanismo, el autoritarismo de los superiores, la protección, en fin, del Estado, no habían logrado la superación de la decadencia espiritual, sino que, por el contrario, habían favorecido las divisiones internas y la exasperación de los díscolos. No faltaron voces que dieran la primacía a las leyes fundamentales sobre las minucias de la observancia; a

[15] J. COUSELO BOUZAS, *Fr. Rafael Vélez y el seminario de Santiago* (Santiago 1927).
[16] J. M. CUENCA, *El cardenal Cienfuegos y el jubileo de 1826:* Arch. Hispalense 55 (1966) 9-20; *Algunos aspectos de la restauración fernandina en Sevilla (1823-1825):* Arch. Hispalense 42 (1965) 203-27.
[17] *Nos D. Antonio Allué y Sesé... al venerable clero... de nuestra jurisdicción territorial y castrense* (Madrid, 5 agosto de 1824).
[18] Cf. nt.12 (pastoral de 8 de noviembre de 1826) 61-68.
[19] *Carta pastoral.., sobre la obligación que todos tienen de saber la doctrina cristiana...* (Granada 1828).
[20] J. SIMÓN DÍAZ, *Historia del Colegio Imperial de Madrid* t.2 (Madrid 1959); L. FERNÁNDEZ, S.I., *Zorrilla y el Real Seminario de Nobles 1827-1833* (Valladolid 1945).
[21] J. ARESO, *Cartas cristianas* (Barcelona ² 1839). Un interesante directorio de las misiones populares de la época es el libro *Amorosas veus ab que los PP. Missionistas franciscanos de S. Miquel de Escornalbou... convidan als pecadors y a tots los fieles christians a deixar sos vicis y abrassar las santas virtuts* (Reus 1830).

la caridad, sobre la autoridad; a la atención al mundo, sobre el aislamiento conventual; a la selección de vocaciones, sobre el número de religiosos y conventos. Aquellos aires renovadores llegaban demasiado tarde, y las órdenes religiosas, a pesar de su sumisión casi general al Gobierno de la reina, no se librarán de la persecución tan pronto como se implante el cambio político [22].

3. Aspiraciones y actividades de los reaccionarios

El deseo frustrado del restablecimiento de la Inquisición

La aceptación o el rechazo de la Inquisición especifica las actitudes político-religiosas de los apostólicos y los moderados respectivamente y constituyen, por tanto, la mejor guía para poder orientarse en la confusa política de la época [23]. La actitud de la Iglesia ante el problema de la Inquisición es altamente significativa, pues revela en qué medida sigue empeñada en mantener la fe con el apoyo del brazo temporal.

La reacción realista de 1823 estuvo coreada por una campaña sistemática a favor de la Inquisición, en la que se ve el remedio de todos los males y el instrumento insustituible para conservar la monolítica unidad religiosa y monárquica. Quería hacerse de la Inquisición una policía político-religiosa para acabar con los «negros», en la convicción de que el Estado absoluto y la religión eran inseparables [24]. Convicción que no dimana exclusivamente del clero, puesto que la mayor parte del pueblo se siente dominado por el frenesí reaccionario. El periódico *El Restaurador,* dirigido por el P. Martínez, fue hasta su supresión, en enero de 1824, el órgano de la propaganda inquisitorial. En cada número aparecían varias exposiciones a favor del Santo Oficio enviadas por pueblos, corporaciones y obispos. Para dar la sensación de que se trataba de un voto popular, se publicó un catálogo con 276 peticiones.

Pero la restauración del Santo Oficio chocaba con grandes dificultades. El rey prefería los servicios de la policía, que orientaba sus pesquisas sobre liberales y apostólicos. Las potencias de la Santa Alianza se oponían decididamente al restablecimiento. La Santa Sede callaba, y León XII llegó a escribir en agosto de 1825 una encíclica —cuya publicación fue impedida por el duque del Infantado— en la que incitaba al clero a corregir sus defectos y a predicar la concordia, sin mencionar para nada a la Inquisición. El nuncio Giustiniani se inhibe, pues aunque quiere la Inquisición, no la desea en la forma de una policía política e incontrolada. En cambio, el Consejo de Castilla elevó repetidas consul-

[22] Revuelta, *La exclaustración* 13-95.
[23] L. Alonso Tejada, *El ocaso de la Inquisición en los últimos años del reinado de Fernando VII. Juntas de Fe. Juntas Apostólicas. Conspiraciones realistas* (Madrid 1969).
[24] *El Procurador* (n.22) publica una letanía en la que, entre otras cosas, se reza «para que a nuestra respetable Inquisición, muerta y enterrada ignominiosamente en Cádiz, la resucite gloriosa en toda España para persecución y castigo de los enemigos de la fe. Te rogamos oídnos».

tas a favor de la Inquisición, al mismo tiempo que aconsejaba la extinción de la policía y el aumento de los voluntarios realistas (consultas de 5 y 15-12-1823, 10-1-1826 y en diciembre de 1827).

Como el rey, lejos de ceñirse a las consultas del Consejo, se inclinaba, cada vez en forma más resuelta, al partido moderado, algunos fanáticos del Santo Oficio se lanzaron por los caminos de la subversión y la sublevación. Aparecen entonces las juntas secretas realistas, que no son una invención de la historiografía liberal, pues aparecen mencionadas en los despachos de la policía. La llamada Junta Apostólica de Madrid no debió de ser una agrupación tan terrorífica como decían los periódicos extranjeros. Pero esto no quiere decir que no existieran conciliábulos y confabulaciones locales de marcado carácter inquisitorial y teocrático, que excitaban el descontento contra el Gobierno y creaban, al menos, un clima propicio para la sublevación, si es que no llegaban a instigarla positivamente. La policía pasó aviso, entre otras, de juntas tenidas en Valencia, Murcia, Tortosa, Asturias, Santander y Extremadura. Aunque a veces las sospechas eran exageradas, no puede negarse la existencia de un fenómeno universal. Los policías nombran siempre entre sus secuaces a destacados eclesiásticos y llegan a designar los conventos en que se tenían algunas de estas reuniones. La conexión de estas juntas con la rebelión de Bessières y la guerra de los agraviados parece indudable. Respecto a esta última, F. Suárez matiza con buenas razones la intervención clerical; niega que el clero como estamento participara en la sublevación y que los obispos tuvieran parte en ella, pero no puede menos de reconocer la complicidad de bastantes elementos del clero bajo, que o se unieron a las partidas o formaron parte de las juntas directoras [25]. Las individualidades eran lo suficientemente numerosas para acentuar la nota clerical de aquella sublevación que había tomado la Inquisición como bandera. La derrota de los agraviados supuso un golpe decisivo para las sociedades secretas realistas. El intento de restaurar por la fuerza la Inquisición quedaba definitivamente sepultado.

Las juntas de fe

Paralelamente a las conspiraciones secretas o manifiestas, aparecen los intentos de buscar sustitutivos a una Inquisición que no llegaba a restablecerse. Tales son las juntas de fe, organizadas por algunos obispos en sus diócesis. Se basan tales juntas en el derecho nato de los obispos a vigilar la pureza de la doctrina y a juzgar sobre la moralidad de los libros. En la organización de tales tribunales no había unanimidad, pues unos obispos juzgaban por sí, mientras otros lo hacían por delegados. Unos actuaban con discreción, y otros con publicidad. Hubo quienes se limitaban a establecer censuras espirituales sin salirse de sus atribuciones canónicas, y hubo otros que, no contentos con esto, hicieron funcionar a sus tribunales con las mismas reglas y métodos de la

---

[25] *Los agraviados de Cataluña* vol.1 (Pamplona 1972) 114ss.

Inquisición, incluso con la relajación del reo al brazo secular. Estas últimas juntas fueron las más controvertidas, puesto que equivalían a una restauración del Santo Oficio a escala diocesana, que no podía ser indiferente al Gobierno. La más sonada de estas juntas fue la de Valencia, establecida en el verano de 1824 por el gobernador eclesiástico, Despujols y confirmada por el arzobispo, Simón López. La Junta valenciana, además de ejercer la potestad espiritual, impuso penas temporales como el encarcelamiento previo y la confiscación de bienes, para lo que contó con la colaboración de las autoridades locales. La Junta valenciana se hizo tristemente célebre por haber conducido a la muerte a la última víctima de la intolerancia religiosa; al deísta Cayetano Ripoll que se comportó con admirable dignidad y entereza. La Junta declaró al reo hereje contumaz, y la Sala del Crimen dictó y ejecutó la sentencia de muerte que las *Partidas* consignaban a aquel delito (29-7-1826). El arzobispo de Tarragona, Creus, estableció en su diócesis una junta de fe en abril de 1825, pero cometió la imprudencia de hacerlo público por un edicto que cayó en manos del Consejo Real, al igual que el del obispo de Orihuela. El Consejo declaró ilegales a las Juntas de Tarragona y Orihuela por actuar sin la autorización del rey, y Calomarde ordenó a ambos obispos que se ajustaran a los límites de los sagrados cánones (septiembre de 1825). Giustiniani soñaba entre tanto con la creación de una Inquisición despolitizada, con una Junta Superior que recibiera las apelaciones de las juntas diocesanas de fe, a las que pretendía dar reglas y métodos uniformes. Como ni se podía apelar a Roma ni al inexistente Consejo de la Suprema, los reos de los tribunales eclesiásticos eran muchas veces víctimas del espíritu de partido, y acudían a los tribunales civiles como último recurso, creando litigios entre ambas potestades. El nuncio Tiberi consiguió al fin encontrar la solución, y obtuvo que el nuevo papa Pío VIII concediera por el breve *Cogitationes nostras,* de 5 de octubre de 1829, autorización a la Rota para admitir apelaciones en las causas de fe. El Consejo de Castilla no negó el pase esta vez. El decreto de 6 de febrero de 1830 publicaba la bula, y con ella sepultaba definitivamente los denodados intentos de restablecer la Inquisición.

4. EL OCASO DEL PATRONATO REGIO SOBRE LAS IGLESIAS DE AMÉRICA

Si el ocaso de la Inquisición fue impulsado por la política del rey, no puede decirse lo mismo del cese del ejercicio del derecho del patronato. Fernando VII se aferró a sus derechos sobre las iglesias americanas con una terquedad que sólo pudo ser vencida por el imperativo de los hechos. La trayectoria de las iglesias americanas siguió las fases de la emancipación de aquellas naciones hermanas, que trataban de acercarse a Roma para obtener directamente del papa las gracias espirituales y los nombramientos episcopales que durante la dominación española habían recibido a través de la Corona. El problema religioso planteado en las nuevas repúblicas era gravísimo. La emancipación venía acompañada de las ideas filosóficas del enciclopedismo, del establecimiento de sociedades secretas y de la difusión de libros irreligiosos. La paulatina desaparición de los antiguos obispos coloniales iba dejando huérfanas a multitud de diócesis. El relevo de las órdenes religiosas, que tenían en la Península sus centros de reclutamiento, se vio impedido por la ruptura de las relaciones con la metrópoli. Por si fuera poco, no faltaban invitaciones al cisma, difundidas por De Pradt y Llorente, que exhortaban a los americanos a crear iglesias nacionales independientes de Roma sobre la base de unas constituciones religiosas establecidas por los poderes civiles. Algunas de estas autoridades, herederas del regalismo juridicista, actuaron con peligrosa autonomía. Bolívar, en cambio, consciente del espíritu católico de los pueblos americanos, comprendió con gran lucidez que el bien general de aquellos países exigía el establecimiento de unas relaciones normales y directas con el sumo pontífice. La clarividencia del Libertador, y, sobre todo, el arraigado espíritu católico de los jóvenes pueblos americanos, logró, al cabo de dos décadas, salvar la continuidad de la religión católica. Esta decisión católica y pontificia de los pueblos americanos es tanto más admirable cuanto que de parte de la madre Patria todo eran obstáculos. Fernando VII no pudo comprender, ni siquiera después de la batalla de Ayacucho en 1824, que el bien de ambas Españas exigía el reconocimiento de una independencia irreversible, o, al menos, la cesión de los caducos derechos del Patronato, que en aquellas circunstancias era una muralla entre el papa y las nuevas repúblicas que ponía en peligro el común patrimonio espiritual. El rey y sus consejeros se resistían a abandonar la única arma que les quedaba para doblegar a los rebeldes, y daba la impresión de que deseaban ver a las antiguas colonias privadas de obispos y sacerdotes para que sufrieran más la desgracia de la separación. El venerable Patronato, que había sido en manos de los reyes de España un instrumento eficaz para la evangelización de Hispanoamérica, corrió el peligro de convertirse, en manos de Fernando VII, en un instrumento incitador al cisma y a la ruina de la Iglesia.

Los avatares de la política religiosa de las repúblicas criollas, las actitudes de los gobiernos españoles y los titubeos de la Santa Sede entre sus obligaciones pastorales y sus respetos al rey de España han sido magníficamente estudiados por el insigne P. Leturia [26].

> Los primeros conatos de empalme con Roma hasta 1813 no dejan de ser ocasionales. De 1814 a 1820 hubo esperanzas serias de conseguir la reintegración de las colonias, favorecida por el clima general de la restauración europea y el apoyo diplomático de la Santa Alianza. Durante esos años, Pío VII publica la encíclica *Etsi longissimo* (30-1-1816), exhortando a la sumisión al soberano. Los criterios legitimistas de la encíclica se explican en el supuesto de que la revolución criolla era un apéndice de la gran revolución europea, de tan tristes recuerdos para la Iglesia, y en el hecho de la recuperación por España de todos sus dominios, excepto el del Río del

---

[26] P. DE LETURIA, *Relaciones entre la Santa Sede e Hispanoamérica* t.2 y 3 (Roma-Caracas 1957-60); E. D. DUSSEL, *Historia de la Iglesia en América latina* (Barcelona 1974); R. VARGAS UGARTE, *El episcopado en tiempos de la emancipación americana* (Buenos Aires 1965).

Plata. No había razón entonces para desechar la legitimidad del Patronato, bajo cuyo sistema se nombraron 28 obispos para América, que debían atender a las necesidades espirituales y favorecer la sumisión a la antigua legitimidad. En 1818 rebrotó la insurrección en Nueva Granada. La revolución de Riego y el trienio constitucional no podían menos de favorecer la emancipación, pues de España venían sólo proclamas y ejemplos de libertad. Los liberales españoles, incapaces de enviar ejércitos a América, no estaban dispuestos a conceder la independencia. El espectáculo que daban, por otra parte, de las humillaciones causadas a la Iglesia, suscitó en 1821 la revolución de Méjico, conducida por Iturbide, como una reacción católica y anticonstitucional. Algunos obispos que habían sido hasta entonces fieles a España, como el criollo Lasso de la Vega, se pasan a las filas de los independentistas, a los que consideran más católicos que los españoles. Bolívar supo sacar buen partido de la situación. En 1822 comentaba con gozo una carta del papa en la que éste se mostraba políticamente neutral: «Ahora no dirán nuestros enemigos que el papa nos tiene separados de la comunidad de los fieles; son ellos los que se han separado de la Iglesia romana.» El Gobierno de Chile lograba entre tanto que el papa enviara al legado Muzi con facultades para nombrar vicarios apostólicos no dependientes del Patronato, a lo que no opuso reparo el Gobierno liberal de Madrid. Esta iniciativa, obra de Consalvi, acabó en un fracaso, pero suponía una tentativa para remediar las necesidades de los fieles sin lesionar el Patronato.

El pontificado de León XII oscila entre los respetos al rey, celoso como nunca de sus derechos desde 1823, y los deberes de pastor supremo con los fieles americanos. El embajador Vargas arrancó al papa la encíclica legitimista *Etsi iam diu,* de 24 de septiembre de 1824, pero el enviado del Gobierno colombiano, Tejada, consigue el nombramiento de los primeros obispos *in partibus* de América al margen del Patronato en 1826, y poco después, la preconización de obispos titulares *motu proprio* (1827) para Bogotá, Caracas, Santa Marta, Antioquía, Quito, Cuenca y Charcas. La reacción de Fernando VII fue tan airada, que impidió al nuevo nuncio, Tiberi, la entrada en España, y envió a Roma al embajador Labrador para pedir explicaciones al pontífice. Este evitó en sus últimos años los nombramientos *motu proprio* y se contentó con dotar de vicarios apostólicos a Chile y Argentina. Todavía Pío VIII choca en 1830 con la tenaz oposición del rey al nombramiento de obispos titulares en Méjico. No sin amargura, comentaba el cardenal Albani que las instancias que venían de Méjico eran, a la vez, de religión y política, mientras las que venían de España no eran ni de una ni de otra. Gregorio XVI acabó al fin con tan absurdos miramientos. Conocía bien los problemas americanos, y comenzó a hacer nombramientos de obispos residenciales en todos los países desde 1831. Fernando VII siguió oponiéndose hasta su muerte a estos nombramientos, a pesar de que por aquellas fechas el mismo Consejo de Castilla y Labrador le hicieron ver que el papa tenía pleno derecho para hacerlos.

5.   PENSAMIENTO Y VIDA RELIGIOSA

Decadencia de la cultura católica

Al final del reinado de Fernando VII, la Iglesia aparece anquilosada y envejecida. No ha logrado empalmar dinámicamente con la pujante tradición religiosa del pasado ni ha conseguido encontrar respuestas adecuadas a los retos y exigencias de los nuevos tiempos. Este arcaísmo es propio tanto de los liberales como de los absolutistas. Los liberales, a pesar de su pretendida modernidad, no lograban desprenderse del regalismo dieciochesco y se mostraron incapaces de pensar en una Iglesia verdaderamente libre. Los emigrados de Londres, por ejemplo, que tanto se destacaron por sus producciones literarias, se limitaron, en materia religiosa, a las cuestiones político-eclesiásticas, repitiendo los mismos errores y los mismos tópicos anticlericales [27]. Los absolutistas, por su parte, mostraban en España escasa actividad intelectual. Eran esclavos de la tradición, y suplían su falta de originalidad con la reedición de las pastorales escritas en el trienio o con traducciones de los tradicionalistas franceses [28]. En vano buscamos obras originales de teología o de filosofía sistemática. Sólo se escriben obras de apologética o escritos alarmistas sobre los males de la época. El P. Atilano de Ajo y D. Félix Amat impugnan el *Contrato social,* de Rousseau, y de Spidalieri. El P. Muñoz Capillas refuta con buena erudición a Volney. Gómez Hermosilla escribe una obra acomodaticia contra el jacobinismo. El P. Josef Vidal opone su sólida teología tomista a los errores revolucionarios y hace la apología de las órdenes religiosas. Vélez vuelve a editar su *Apología.* Cortiñas defiende la espiritualidad del alma y refuta el materialismo. Torres Amat publica su famosa *Biblia.* Estos son casi los únicos nombres dignos de mención [29]. Cuando se compara este panorama con el brillante renacimiento religioso de Europa en esta época, la sensación de decadencia se hace todavía más aguda. El pensamiento católico bulle en Francia dirigido por Chateaubriand, De Bonald, Maistre y Lamennais, que aplican la fuerza del romanticismo al sentimiento religioso. En Alemania hierven de fervor los círculos universitarios, en los que hombres como Görres, Möhler y Sailer ensayan contactos con el mundo contemporáneo o trazan los fundamentos de una nueva y fecunda teología. En Inglaterra surgen las inquietudes espirituales del movimiento de Oxford. En Bélgica, los católicos, unidos a los liberales, colaboran en la independencia de la patria y aseguran la existencia de un catolicismo en libertad. En la misma Italia, fiel a las tradiciones tomistas, brillan buenos teólogos, como Taparelli y Sordi. Sólo España parece ausente en este renacimiento: ni renovación teológica, ni prensa católica, ni liberalismo católico, ni tradición revitalizada. Porque no hubo entre nuestros reformados liberales un auténtico catolicismo liberal, sino un mero juridicismo regalista, arcaico y resentido. Ni hubo entre nuestros conservadores cosa nueva digna de notarse, como no fuera el aferramiento a la Inquisición, la repetición de sobados argumentos apologéticos y la defensa a ultranza de unos privilegios que sólo servían para atenazar a la Iglesia.

[27] V. LLORÉNS, *Liberales y románticos. Una emigración española en Inglaterra. 1823-1834* (Madrid [2] 1968) 192-96. El resentimiento de los liberales rezuma en varios artículos de la revista *Ocios de Españoles Emigrados* I 47-51.172-73.198-203.257; III 242-46, etc.
[28] *La Colección eclesiástica española* fue recopilada en 14 tomos por J. A. DÍAZ MERINO y B. A. CARRASCO (Madrid 1823-24). También comenzó entonces a editarse la *Biblioteca de religión contra la incredulidad y errores de estos últimos tiempos,* en 25 tomos.
[29] Comentarios sobre estos y otros autores en MENÉNDEZ PELAYO, *Heterodoxos* l.7 c.3, donde lamenta la decadencia de la literatura católica de esos años y su esterilidad e ineficacia. A. HEREDIA SORIANO, *La filosofía «oficial» de España del siglo XIX (1800-1833):* La Ciudad de Dios 185 (1972) 225-82.496-542.

Pueblo y clero a la muerte de Fernando VII

La vida religiosa del país es descrita por Tiberi con precisa concisión: «La masa del pueblo conserva la religión. Muchos nobles no la han olvidado. Los religiosos muestran un espíritu excelente, el conjunto de los obispos es respetable por todos los títulos, pero en el clero bajo y en los curas rurales hay mucha ignorancia. Muchos causan escándalo por su conducta o por su embriaguez. Antes, las prebendas eclesiásticas se otorgaban al mérito y a la virtud, pero ahora prevalece la intriga de los canónigos. Entre los monjes y frailes hay personas dignísimas, pero no faltan ambiciosos, intrigantes, excitadores de discordias y propensos a recurrir al Consejo de Castilla. Los que abandonaron el hábito religioso son malos en su mayor parte y llevan un vestido indecente; lo peor es que éstos hallan protección y los obispos sufren y callan»[30]. El cuadro que describe el nuncio es bastante exacto. El clero cuenta con elementos dignos y celosos, que, sin embargo, no logran disimular el escándalo producido por las inmoralidades, intrigas e ignorancia de muchos. Los obispos, pese a la seguridad de sus ideas, se sienten rebasados e impotentes para cortar los abusos. Los secularizados que no han logrado reintegrarse en las órdenes religiosas y los clérigos de aficiones regalistas, que acuden al poder civil como árbitro de sus querellas o ambiciones, forman una peligrosa reserva de agitación, que mostrará su inconformismo tan pronto como cambien las circunstancias. Un rayo de esperanza ilumina este ambiente, más bien sombrío: la religión, hondamente arraigada en la masa del pueblo; pero no de manera tan universal como para que no aparezcan llamativas excepciones de incredulidad y libertinaje no sólo entre los nobles, sino entre otras personas de las clases burguesas e ilustradas y en buena parte de la juventud.

Ya antes de morir el rey se vislumbran los elementos conflictivos que han de poner en convulsión al catolicismo hispano tan pronto como estalle la revolución política y la guerra civil, que Fernando VII fue incapaz de aventar a pesar de sus esfuerzos por asegurar el trono de Isabel II. La situación de la Iglesia era, externamente, como a principios del siglo. Pero internamente estaba mucho más debilitada. Era una Iglesia arcaica, cansada, internamente dividida y políticamente comprometida con el absolutismo. Una Iglesia que se ofrece por tercera vez como objeto de reforma, crítica y venganza a los liberales, que muy pronto volverán a dirigir los destinos de España.

---

[30] Despacho a Della Somaglia, 24 de octubre de 1827. En CÁRCEL, *Correspondencia... de Tiberi* 59. Trata sobre el clero de la época R. SÁNCHEZ MONTERO, *El clero español en la segunda restauración fernandina según la memoria del diplomático francés Boislecompte.* M. REVUELTA GONZÁLEZ, *Clero viejo y clero nuevo en el siglo XIX:* III Semana de H.ª Ecles. de España Contemporánea (El Escorial 1978) (de próxima publicación con las demás ponencias del Congreso).

SEGUNDA PARTE

EL LIBERALISMO EN EL PODER (1833-68)[1]

Por VICENTE CÁRCEL ORTÍ

CAPÍTULO I

DEL ANTIGUO AL NUEVO REGIMEN

1. PANORAMA POLÍTICO

Las postrimerías del Antiguo Régimen coincidieron en España con el final del reinado de Fernando VII, fallecido en 1833, y el inicio del de su hija Isabel II, que durante su minoría de edad estuvo bajo las regencias de su madre María Cristina (1833-40) y del general Espartero (1840-43). Durante el decenio de las dos regencias se consolidó en Es-

---

[1] Sobre las relaciones entre la Iglesia y el Estado español durante el reinado de Isabel II, cf. E. M. G. BARBARANI, *Le caratteristiche dei rapporti tra Stato e Chiesa in Spagna nel loro sviluppo storico dal 1812 ai nostri giorni* (Milano 1966); J. BECKER, *Relaciones diplomáticas entre España y la Santa Sede durante el siglo XIX* (Madrid 1908); J. CANGA ARGÜELLES, *El Gobierno español en sus relaciones con la Santa Sede. Colección de documentos publicados antes y después del rompimiento de sus relaciones* (Madrid 1856); V. CÁRCEL ORTÍ, *Gregorio XVI y España*: Arch. Hist. Pontificiae 12 (1974) 235-85; ID., *Política eclesial de los gobiernos liberales españoles (1830-1840)* (Pamplona 1975); ID., *Correspondencia diplomática del nuncio Tiberi (1827-1834)* (Pamplona 1976); J. DEL CASTILLO Y AYENSA, *Historia crítica de las negociaciones con Roma desde la muerte del rey D. Fernando VII* (Madrid 1859), 2 vols.; J. M. CUENCA TORIBIO, *La Iglesia española ante la revolución liberal* (Madrid 1971); ID., *Estudios sobre la Iglesia española del siglo XIX* (Madrid 1973); ID., *Iglesia y poder político, 1834-1868* (Córdoba 1977); F. IZAGUIRRE IRURETA, *Las relaciones diplomáticas de la Santa Sede con el Gobierno español durante la primera guerra carlista*: Universidad (Zaragoza) 35 (1958) 569-93; A.C. JEMOLO, *I principii della guerra carlista e la Nunziatura di Madrid*: Rassegna storica del Risorgimento 34 (1947) 6-14; M. DE MIRAFLORES, *Impugnación... de la obra publicada por D. José del Castillo y Ayensa con el título de «Historia crítica de las negociaciones con Roma desde la muerte del rey D. Fernando VII»* (Madrid 1859); J. U. MARTÍNEZ CONTRERAS, *Relaciones entre España y la Santa Sede durante la minoría de Isabel II. 1833-1843:* Revista de la Universidad Complutense (Madrid) n.88 2 (1973) 137-38; E. DE LA PUENTE GARCÍA, *Relaciones diplomáticas entre España y la Santa Sede durante el reinado de Isabel II (1843-1851)* (Madrid 1970); N. A. ROSENBLATT, *Church and State in Spain. A Study of Moderate Liberal Politics in 1845:* The Catholic Historical Review (Wáshington) 62 (1976) 589-603; J. LONGARES ALONSO, *Política y religión en Barcelona (1833-1843)* (Madrid, Ed. Nacional, 1976).
Sobre la primera guerra carlista cf. J. DEL BURGO, *Fuentes de la historia de España. Bibliografía de las luchas políticas y guerras carlistas en el siglo XIX* (Pamplona 1953-55), 3 vols.; ID., *Antecedentes de la primera guerra carlista* (Pamplona, Dip. Foral, 1977); ID., *Primera guerra carlista* (ibid., 1977).

paña el sistema liberal, tras los conatos fallidos de 1812 y del trienio constitucional (1820-23).

La estrecha vinculación existente entre la Iglesia y el Estado en esos años cruciales, que marcaron el paso del viejo al nuevo régimen, obliga a prestar la debida atención tanto a la política religiosa de los gobiernos liberales españoles como a la actitud de la Santa Sede ante la nueva situación nacional cuando la pasada centuria iniciaba su segundo tercio.

En el complejo mundo de tales relaciones hay que destacar un primer problema, fundamental y decisivo, que acaparó la atención de los dos poderes —temporal y espiritual—, porque los intereses que en el mismo se ventilaban eran de capital importancia para ambos. Me refiero a la grave cuestión dinástico-política, aunque en realidad eran dos asuntos distintos, pero íntimamente relacionados, que turbaron la última enfermedad de Fernando VII y abrieron un expediente que en nuestros días sigue pendiente: la sucesión de Isabel II, hija del monarca difunto, y las pretensiones al trono de D. Carlos María Isidro de Borbón (1788-1855), hermano mayor del rey fallecido, y, por consiguiente, tío de la nueva reina, niña de apenas tres años.

Para comprender la actitud de la Santa Sede y la conducta de la Iglesia española ante esta compleja situación, es necesario remontarse hasta el año 1830, cuando ocurrieron los sucesos de La Granja [2]. Tras el fallecimiento de la tercera esposa de Fernando VII, María Josefa Amalia de Sajonia (¿1801?-29), el problema de la sucesión a la corona de España se planteó de forma inquietante, porque, si Fernando VII moría sin descendencia directa, su hermano D. Carlos heredaba legítimamente la corona, mientras que, si el monarca contraía nuevas nupcias y obtenía sucesión, D. Carlos quedaba excluido para siempre del trono.

Lo que preocupaba en aquellos momentos no era tanto la descendencia física de Fernando VII cuanto los intereses políticos que no ocultaban los dos grupos o tendencias identificados con los dos hermanos. Las «dos Españas», cuyas manifestaciones ideológicas irreconciliables habían quedado ampliamente demostradas durante las Cortes de Cádiz y en el trienio, contaban, al comenzar los años treinta, con los dos primeros personajes de la familia real como símbolos. El rey y su hermano no encabezaban sus reivindicaciones, pero sí las amparaban y justificaban.

La radiografía de los dos únicos partidos entonces existentes nos permite trazar, a grandes rasgos, el hilo conductor que les movía. Me refiero a los *moderados* y a los *realistas*. Es verdad que se trata de términos un tanto imprecisos, especialmente el primero, porque elementos moderados los hubo en todos los partidos políticos entonces y más tarde, es decir, en el constitucional, en el realista y después en el isabelino y en el carlista. Pero entendemos por *moderados* a cuantos defendían la soberanía real sin limitaciones institucionales y con un verdadero deseo de reforma administrativa y económica del país, que debería

---

[2] F. SUÁREZ, *Los sucesos de La Granja* (Madrid 1953); J. GORRICHO MORENO, *Los sucesos de La Granja y el Cuerpo Diplomático* (Roma 1967).

hacerse desde el vértice, siguiendo los cánones establecidos por el despotismo ilustrado o el sistema napoleónico. Lo formaban una minoría de intelectuales, militares y altos funcionarios, entre quienes abundaban los afrancesados. Era un grupo de «élite», sin base popular. Los *realistas*, llamados también entonces *apostólicos* o *carlistas*, tenían un arraigo popular mucho mayor, pero en sus filas militaba un conglomerado muy heterogéneo, cuyo elemento aglutinante era la defensa del monarca absoluto y de la religión católica, como fundamentos sólidos de la sociedad, si bien existían en su seno varias tendencias. Por una parte, los conservadores a ultranza, fieles a la estructura político-económica existente, y, por otra, os que simpatizaban con el despotismo ilustrado; y no faltaban incluso quienes soñaban con una reforma institucional, restaurando las antiguas Cortes estamentales. Entre los «realistas» había muchos eclesiásticos, enemigos del filosofismo, del jansenismo tardío y del regalismo, si bien en política religiosa estos elementos eran prácticamente comunes a los moderados y liberales. Aunque la corriente realista reformista se mostró muy pujante durante la guerra de la Independencia, sin embargo, tras la polémica anticonstitucionalista, quedó relegada a segundo plano, y en lo sucesivo dominó la corriente conservadora, enemiga de cualquier reforma [3].

A estas dos fuerzas políticas habría que añadir los «liberales», que actuaban solamente desde el extranjero, ya que tras la dura represión de 1824 vivían en el destierro [4].

Que el cuarto matrimonio de Fernando VII tenía repercusiones políticas decisivas, resultaba a todas luces evidente [5]. Por ello, aunque la esposa elegida, María Cristina de Borbón, hija del rey de Nápoles —contrajo nupcias con el rey el 11 de diciembre de 1829—, ofrecía todas las garantías que ambos grupos podían exigir, sin embargo, los partidarios de D. Carlos se preocuparon inmediatamente por la descendencia de la joven reina, que pondría en peligro la candidatura del infante. A esto hay que añadir la publicación de la *pragmática sanción* en 1830 (sucesos de La Granja).

En 1713, Felipe V había implantado en España la ley sálica, que excluía a las mujeres del trono, mientras hubiese descendencia masculina en la rama directa o colateral. Con ello derogó la ley secular de la monarquía española contenida en las *Partidas*, que no hacía distinción de sexos. Pero Carlos IV en 1789 dio la *pragmática sanción*, que dero-

---

[3] J. GORRICHO MORENO, *Los sucesos de La Granja...* p.28-29. F. Suárez ha descrito las características de las diferentes tendencias ideológicas españolas del Antiguo Régimen en *Conservadores, innovadores y renovadores en las postrimerías del Antiguo Régimen* (Pamplona 1955) y en *La crisis política del Antiguo Régimen en España (1800-1840)* (Madrid 1950).

[4] V. LLORÉNS, *Liberales y románticos. Una emigración española en Inglaterra. 1823-1834* 2.ª ed. (Madrid 1968); R. SÁNCHEZ MANTERO, *Liberales en el exilio (La emigración política en Francia en la crisis del Antiguo Régimen)* (Madrid 1975). Datos parciales sobre el destierro de un destacado liberal en J. CHAMIZO DE LA RUBIA, *Dificultades que frustraron la entrada del duque de Rivas en los Estados Pontificios (1824-1826):* Scriptorium Victoriense 24 (1977) 323-49.

[5] F. Suárez ha estudiado los intereses políticos del cuarto matrimonio de Fernando VII en *La pragmática sanción de 1830:* Simancas. Estudios de historia moderna 1 (1950) 187-253.

gaba la ley sálica de Felipe V, y restableció el antiguo orden de sucesión a la corona. Dicha pragmática, aprobada por las Cortes, nunca fue sancionada ni promulgada por el rey. Fernando VII en 1830 no hizo más que sancionar y promulgar lo que su padre no había hecho. Pocos meses después, el 10 de octubre de 1830, nació la primera hija de Fernando VII, que fue declarada heredera al trono y recibió el nombre de María Isabel Luisa. En adelante se le llamará Isabel II.

2. LA IGLESIA ANTE LA SUCESIÓN DE FERNANDO VII

El problema sucesorio se planteó inmediatamente, y las implicaciones eclesiásticas del mismo no tardaron en aparecer. Muchos sacerdotes dudaron de la obligatoriedad de mencionar a la heredera en la oración *Et famulos,* que por privilegio de los papas Pío V (1566-72) y Gregorio XIII (1572-85) se recitaba en las misas. Algún obispo fue acusado de negligencia, y el ministro de Gracia y Justicia, Calomarde (1773-1842), urgió el cumplimiento de dicha norma.

Al mismo tiempo comenzaron los primeros disturbios, que en las provincias del Norte se transformaron en violencias. La situación se agravó en 1832, tras el nacimiento de la infanta María Luisa Fernanda, segunda hija de Fernando VII, que acabó con las esperanzas de cuantos todavía confiaban en la descendencia masculina del monarca, enfermo de gravedad. La muerte inminente del rey podía complicar el ya confuso panorama político español; por ello María Cristina trató de comprometer a su cuñado D. Carlos a favor de su hija Isabel a cambio de su participación en el gobierno de la nación. D. Carlos no aceptó el compromiso, y por ello se restableció la ley sálica, derogando previamente la *pragmática sanción* de 1830. Pero dos años más tarde, el 31 de diciembre de 1832, Fernando VII firmó una declaración que anulaba cuanto había ocurrido en La Granja y restableció la *pragmática sanción.* De esta forma quedaron definitivamente consolidados los derechos de la sucesión femenina, que provocaron los primeros pronunciamientos carlistas.

Entre tanto habían comenzado a percibirse los síntomas de un inminente cambio político. La crisis ministerial de octubre de 1832 permitió la subida al poder de algunos liberales moderados. Durante la enfermedad del rey, su esposa María Cristina se hizo cargo del despacho de todos los asuntos, permitió la apertura de las universidades, dictó nuevas reformas económicas, introdujo rigor y vigilancia en la administración pública, concedió una amnistía general y autorizó el regreso de muchos liberales.

La enfermedad del rey creó un clima de inestabilidad política, y mientras el Antiguo Régimen consumía inútilmente sus últimas oportunidades, los nostálgicos del viejo sistema desencadenaban la primera guerra carlista, en la que algunos eclesiásticos tuvieron participación directa. Quejóse Fernando VII al papa Gregorio XVI de que muchos clérigos hubiesen adoptado actitudes abiertamente beligerantes durante su larga enfermedad, y pidió al pontífice que les exhortase a la obediencia y a la paz. Gregorio XVI dirigió el 7 de marzo de 1833 una carta encíclica a los obispos españoles, que no llegó a ser publicada porque el jefe del gobierno, Cea Bermúdez (1779-1850), temió las consecuencias negativas que podía provocar el documento pontificio entre el clero. En realidad, la encíclica iba dirigida a los obispos, y éstos en su mayoría se mantuvieron fieles al trono de Fernando VII y, salvo contadas excepciones, no mostraron veleidades carlistas [6].

3. El obispo de León, Joaquín Abarca

La excepción más significativa, aun antes de los sucesos de La Granja, fue la del obispo de León, Joaquín Abarca [7]. Aragonés, paisano y amigo de Calomarde, el funesto ministro de Justicia de Fernando VII, cuando fue presentado para la mitra leonesa, Abarca era canónigo doctoral de Tarazona. Siempre demostró ser un eclesiástico en el sentido más puro de la palabra —sanos principios, sólida doctrina, ejemplar conducta y firmeza de carácter—, por lo que mereció grandes elogios. Proverbiales fueron su vigor y energía al defender los derechos de la Iglesia y su fidelidad incondicional al rey católico. Ello explica que el mismo monarca apreciase las cualidades del prelado y le confiase cargos de alta responsabilidad política, como miembro del Consejo de Estado. Entró también en relación con el conde Solaro della Margarita [8] (1792-1869), embajador sardo en Madrid, por medio del cual trabó amistad con el nuncio Giustiniani (1769-1843), quien tenía del obispo de León un elevado concepto. Abarca, por su parte, nunca defraudó las esperanzas que la Santa Sede había puesto en su influjo político y la confianza que continuamente le demostraba. Cuando surgió el grave conflicto entre el Gobierno español y la corte pontificia por los nombramientos de obispos americanos, Abarca fue el único que defendió enérgicamente la decisión del papa, porque comprendía el alcance y las consecuencias del problema. Abarca completaba el cuadro de sus amistades con la relación personal, y también ideológica —en aquellos momentos—, que le unía al influyente franciscano Fr. Cirilo Alameda (1781-1872), quien treinta años después llegaría a ser cardenal-arzobispo de Toledo. Abarca, Solaro y Alameda simpatizaban abiertamente por D. Carlos cuando la cuestión carlista todavía no había explotado. La causa de D. Carlos era para ellos fundamental, porque el hermano del rey les parecía el único capaz de devolver a España la

---

[6] Dicha carta la he publicado en mi libro *Política eclesial...* p. 108-109 y en *Gregorio XVI y España:* Archivum Historiae Pontificiae 12 (1974) 284-85.
[7] J. Alonso, *Historia de la causa criminal contra el reverendo obispo de León D. Joaquín Abarca por delitos de sedición y alta traición contra el señor D. Fernando VII y su excelentísima hija, la princesa Isabel, y su nación* (Madrid 1841).
[8] A. C. Jemolo, *Il conte Solaro della Margarita ed il nunzio Tiberi:* Atti della R. Ac. delle Scienze di Torino 77 (1941-42) 119-43.

antigua grandeza y de mantener los principios católicos frente a los movimientos revolucionarios de inspiración liberal, que en España tuvieron gran repercusión no obstante la tremenda represión política.

Durante el verano de 1827, Abarca llegó a ser una figura clave de la jerarquía española, porque, al marchar en junio el nuncio Giustiniani, creado cardenal, e impedir el Gobierno de Madrid la entrada en territorio español al nuevo representante pontificio, el obispo de León quedó encargado de la tutela de los derechos de la Santa Sede y de otros asuntos eclesiásticos, a la vez que su amigo Solaro respondía de los súbditos pontificios y de la expedición de pasaportes. Cuando el nuncio Tiberi (1773-1839) entró en la plenitud de sus funciones en octubre de 1827, no ocultó su antipatía hacia Abarca, debido no tanto a la gestión interina del prelado cuanto a las pocas simpatías del nuevo nuncio por su predecesor y por el embajador sardo en Madrid [9].

Tras los sucesos de La Granja, la presencia de Abarca en la corte se hizo incómoda. La desaparición de su amigo y protector el ministro Calomarde y la subida al poder de algunos liberales moderados minaron la carrera política del obispo de León, que fue obligado a residir en su diócesis. A principios de 1833 escapó para esconderse en las montañas de Galicia, donde fue imposible localizarle, y nunca más regresó a su sede episcopal. Dejó de ser miembro del Consejo de Estado y se le quitó el sueldo que percibía y todos los privilegios que disfrutaba. En carta a su cabildo explicó los motivos de la fuga, fundamentalmente políticos.

Al mismo tiempo comenzó su actividad abiertamente favorable a D. Carlos. Cuando Fernando VII prescribió el juramento de fidelidad a Isabel II, Abarca escribió una carta pastoral exhortando a la rebeldía, defendiendo los derechos del infante y atacando la política del monarca. Fernando VII ordenó el arresto, proceso y secuestro de sus bienes, con el consiguiente conflicto diplomático, porque en virtud del concilio de Trento, que en España tenía fuerza de ley del Estado, sin el consentimiento de la Santa Sede no se podía procesar a un prelado.

No satisfecho de su primera intervención, dirigió Abarca a todos los obispos españoles un nuevo escrito contra el juramento de Isabel II. Muchos de ellos lo quemaron. Escribió también al rey, cuando faltaban cuatro meses escasos para su muerte, demostrándole con la historia y la legislación antigua que las mujeres no sucedían al trono en la corona de Aragón. Propuso una suspensión del juramento con el fin de examinar detenidamente la cuestión y que se le dispensase de prestarlo. Por último, escribió a su cabildo, recordándole que durante su voluntaria ausencia la mitra no estaba vacante, y que, por tanto, él conservaba la plenitud jurisdiccional, si bien delegaba en el mismo cabildo para que pudiese ejercer legítimamente los poderes en caso de muerte del vicario general o ante cualquier otra eventualidad, con el fin de evitar un cisma. El Gobierno de Madrid había presionado a los canónigos para que gobernasen la diócesis en ausencia del obispo, pero ellos se nega-

---

[9] Cf. mi libro, *Correspondencia diplomática del nuncio Tiberi...* p.78ss.

ron, y el cisma se evitó. El nuncio Tiberi observaba que estas disposiciones eran tomadas por ministros regalistas que se entrometían en asuntos eclesiásticos sin comunicarlas al monarca.

La actividad posterior del obispo Abarca estuvo estrechamente relacionada con el desarrollo de la guerra carlista y con las andanzas de D. Carlos, a quien desde el fallecimiento de Fernando VII mantuvo absoluta fidelidad. Nótese que, mientras vivió el rey, Abarca le reconoció como soberano y respetó siempre su monarquía. Al subir al trono Isabel II, la ruptura fue total y definitiva.

He querido insistir en la actitud de este prelado porque fue la única excepción de relieve en el episcopado y porque refleja la mentalidad de un buen sector del clero en el período de transición del viejo al nuevo régimen. En su momento veremos que otros eclesiásticos —obispos y sacerdotes— pasaron a las filas carlistas. Ahora basta decir que la fidelidad de la Iglesia a Fernando VII y a su hija Isabel II fue casi total.

Capítulo II

REGENCIA DE MARIA CRISTINA (1833-40)

1. La nueva situación político-religiosa

La situación comenzó a cambiar sensiblemente a medida que los gobiernos liberales de la regencia cristina intensificaron las medidas anticlericales. Se ha dicho anteriormente que la reina gobernadora adoptó una serie de disposiciones tendentes a ganarse las simpatías liberales para fortalecer el trono de su hija Isabel II durante la enfermedad de Fernando VII. Por su parte, los liberales podían llegar al poder amparados en la legalidad institucional que representaba Isabel II —pese a las contestaciones carlistas—, y por ello no debe sorprender que, apenas fallecido el monarca (29 de septiembre de 1833), el Gabinete presidido por Cea Bermúdez hiciese pública manifestación de fidelidad a «la religión y la monarquía, primeros elementos de vida para la España». Se prometió solemnemente que ambas instituciones serían respetadas y protegidas «en todo su vigor y pureza» y que la religión, su doctrina, sus templos y ministros serían el primero y más grato cuidado del Gobierno. La demagogia era evidente, pero quizá en aquellos momentos de transición no se podía decir otra cosa para —como decía el famoso manifiesto— «disipar la incertidumbre y precaver la inquietud y extravío que produce en los ánimos la expectación ante un nuevo reinado».

Muerto Fernando VII, las fuerzas políticas se bipolarizaron, y mientras Isabel II agrupaba a cuantos deseaban reformas, aun prescindiendo de las razones que justificaban su legítima sucesión, D. Carlos reunía a cuantos se oponían a cualquier cambio, sin cuidarse mucho de examinar la validez de los títulos que presentaba para aspirar al trono.

Con respecto a D. Carlos hay que decir que, mientras vivió su hermano, nunca conspiró contra él ni manifestó pretensión dinástica alguna, con el fin de evitar conflictos. Pero al morir Fernando VII no juró fidelidad a Isabel II, y su actitud desencadenó la guerra civil.

La evolución política española fue seguida atentamente en Roma desde el observatorio inteligente y sereno del nuncio Tiberi, quien mostró durante su permanencia en España una cierta indiferencia por los asuntos políticos. Tiberi estaba enfermo en Madrid durante los sucesos de La Granja, y mientras el Cuerpo Diplomático intrigaba a la cabecera del monarca moribundo, el representante pontificio mostraba, una vez más, su línea de conducta, ajena a intrigas y partidos, ya que los intereses de las cortes europeas por la sucesión española nada tenían que ver con los de la Iglesia. Sin embargo, no ocultó el nuncio que algunos eclesiásticos españoles comenzaban a crear problemas al comprometerse políticamente, puesto que, si criticable era la actitud del obispo de León, no podía aprobarse que el de Valladolid, Rivadeneira (1774-1856), publicase una inoportuna homilía en favor de Isabel II, quizá porque esperaba ocupar en el Consejo de Estado la vacante producida por el cese de Abarca.

Sin embargo, la preconizada independencia del nuncio tenía sus límites, ya que, antes o después, la Santa Sede debería definir política y diplomáticamente su postura.

El mismo día del fallecimiento de Fernando VII, Cea Bermúdez dirigió a los agentes diplomáticos españoles una nota que anunciaba la muerte del rey, la subida al trono de Isabel II, la regencia de la reina madre, María Cristina, durante la minoría de edad de la nueva reina y la confirmación del Gobierno, primer acto político de la reina gobernadora. Para comprender la actitud de la Santa Sede ante la nueva situación española, es necesario examinar detenidamente el impacto producido en las principales cortes europeas por los acontecimientos de España.

Mientras Francia e Inglaterra no sólo reconocieron inmediatamente a Isabel II, sino que se mostraron dispuestas a intervenir con las armas para consolidar el nuevo sistema —con lo cual ponían en evidencia el influjo de prestigiosos exiliados españoles que habían residido en ambos países durante la «década ominosa»—, Austria, Prusia y Rusia —las tres potencias del Norte— no se definieron. Si Francia desencadenaba una guerra en favor de la causa isabelina, las consecuencias para Europa serían gravísimas, ya que, si las potencias del Norte se le oponían, podía estallar un conflicto general, y si permanecían en actitud pasiva, Francia alcanzaría gran prestigio, con daño evidente de las potencias aliadas, que no tenían interés alguno por iniciar una guerra a nivel europeo.

El Gobierno español deseaba la amistad con todos los pueblos de Europa; pero, si las tres potencias del Norte no le prestaban ayuda, debería pedirla a Francia e Inglaterra, lo cual era mucho más peligroso para la estabilidad política del viejo continente.

Las tres cortes aliadas del Norte justificaron su actitud de espera con las consultas que mutuamente debían hacerse sobre la conveniencia y oportunidad de reconocer al nuevo Gobierno español.

Entre tanto, en Roma se observaba con atención la actividad de las cancillerías europeas, mientras el embajador español, Pedro Gómez Labrador (1755-1852), complicaba la situación con su conducta ambigua. En efecto, Labrador, en lugar de transmitir a la Santa Sede cuanto Cea Bermúdez le había dicho en la nota anteriormente citada, prefirió dividir su contenido en dos partes. El 13 de octubre de 1833 comunicó al secretario de Estado, Bernetti (1779-1852), la muerte de Fernando VII, sin más comentarios, y el día 14 le informó sobre los tres puntos restantes de la nota de Cea Bermúdez, es decir, la subida al trono de Isabel II, la regencia de María Cristina y la confirmación del Gabinete. Esta doble comunicación permitió al cardenal secretario una doble respuesta. El mismo 13 de octubre Bernetti expresó el pésame del papa por la muerte del rey, prometiendo oraciones por su alma y augurando que no ocurrieran desórdenes en España. Pero a la segunda comunicación no contestó hasta el 19 de octubre. Cinco días fueron suficientes para estudiar atentamente una respuesta que no comprometiera las futuras relaciones entre la Santa Sede y España, aunque de hecho las comprometió, pues sucedió precisamente lo que se quiso evitar. Bernetti dijo a Labrador que mientras el papa deseaba que las relaciones diplomáticas existentes entre los dos gobiernos continuasen indefinidamente en el estado en que se encontraban aun después de los últimos acontecimientos, se reservaba proceder a ulteriores declaraciones tras haber conocido mejor las decisiones que tomaran al respecto otras cortes europeas, de las cuales la Santa Sede no podía separarse, sin descubrir las razones que les impedían el reconocimiento del nuevo orden de sucesión introducido en la monarquía española.

En realidad, era una declaración con la que el papa se reservaba el derecho a ulteriores manifestaciones y demostraba que, aunque la actitud de las potencias del Norte le impedía de momento reconocer a Isabel II, no por eso se sometía a lo que ellas determinaran, sino que antes de tomar una decisión definitiva examinaría si dichas potencias tenían o no razón.

Por su parte, el embajador Labrador, al transmitir esta respuesta a Cea, le advirtió que antes de la muerte de Fernando VII había oído personalmente al papa Gregorio XVI que la sucesión al trono de España presentaba muchas dudas y que el pontífice estaba muy condicionado por las insinuaciones y sugerencias de los embajadores de las tres potencias del Norte.

Los tres documentos citados —nota de Labrador a Bernetti, respuesta de Bernetti a Labrador y despacho de Labrador a Cea— son la clave para comprender el inicio de las tensiones entre España y la Santa Sede en este período.

El papa se hallaba en una situación política extremamente delicada, ya que las insurrecciones en los Estados Pontificios y las presiones del liberalismo europeo le obligaban a depender de Austria, potencia que le garantizaba una cierta seguridad [10]. Por ello le resultó prácticamente imposible enfrentarse con Austria sobre el problema español. Y si bien

---

[10] La política internacional de la Santa Sede desde el congreso de Viena estuvo condicionada por el imperio austríaco. Durante el pontificado de Gregorio XVI (1831-46) se estrecharon los vínculos con Austria, ya que el papa necesitó la ayuda de Metternich para hacer frente a las constantes insurrecciones en los Estados Pontificios y porque el príncipe austríaco representaba el prototipo restaurador ante el liberalismo creciente. La correspondencia diplomática entre la Secretaría de Estado y los nuncios en Viena demuestra la dependencia del Gobierno pontificio del austríaco. Cf. E. MORELLI, *La politica estera di Tommaso Bernetti, segretario di Stato di Gregorio XVI* (Roma 1953); ID., *Lo Stato Pontificio e l'Europa nel 1831-1832* (Roma 1966); N. NADA, *Metternich e le riforme nello Stato Pontificio. La missione Sobregondi a Roma (1832-1836)* (Torino 1957); L. M. MANZINI, *Il cardinale Luigi Lambruschini* (Città del Vaticano 1960); F. ENGEL-JANOSI, *Die politische Korrespondenz der Päpste mit den österreichischen Kaisern. 1804-1919:* Zusammenarbeit mit R. Blaas u. E. Weinzierl (Wien 1964); L. PÁSZTOR, *I cardinali Albani e Bernetti e l'intervento austriaco nel 1831:* Rivista di storia della chiesa in Italia 8 (1954) 95-128.

teóricamente quiso separar los dos aspectos del pontificado —soberano temporal y espiritual—, en la práctica no lo consiguió, ya que la interdependencia de ambos y las implicaciones que las actitudes políticas del papado tenían en cuestiones religiosas eran tan graves y frecuentes, que obstaculizaban una acción pastoral limpia e independiente.

Limitándonos al aspecto político, comprendemos que hubiera sido imprudente, por parte del Gobierno pontificio, tomar una decisión precipitada, ya que la corte imperial de Austria veía la situación española de forma muy distinta a como la juzgaban Francia e Inglaterra, mientras Turín y Nápoles habían reconocido a D. Carlos sin titubeos. Gregorio XVI siguió una política de buena vecindad con esos Gobiernos, pues no tenía razón alguna para separarse de ellos en un problema que, como soberano temporal, le interesaba bien poco en esos momentos. Pero no llegó a tomar la decisión de las cortes piamontesa y napolitana, aunque consideraba a D. Carlos príncipe pío, religioso y fidelísimo de la Sede Apostólica, porque también de la reina gobernadora tenía excelentes informes y confiaba en el antiliberalismo del manifiesto hecho público por el Gabinete Cea Bermúdez. La situación cambió poco después, cuando el Gobierno de Madrid negó el reconocimiento al nuevo nuncio.

Quede, pues, claro que la Santa Sede adoptó una postura completamente neutral sobre el problema español durante los últimos meses de 1833 y evitó gestos o iniciativas que pudieran interpretarse en favor de una u otra parte.

2. Primeros conflictos entre la Iglesia y el Estado

Al conocer la nota dirigida por Bernetti al embajador Labrador el 19 de octubre, adquirió el Gobierno español conciencia de la gravedad de la situación, si bien confiaba que el papa no dudaría en reconocer a Isabel II. Sin embargo, surgieron nuevas complicaciones relacionadas con la llegada a Madrid, en septiembre de 1833, del nuevo nuncio, Luigi Amat (1796-1878), sucesor de Tiberi.

Según costumbre de la Santa Sede, los representantes pontificios llegaban a sus respectivos destinos con un nombramiento o breve que les acreditaba ante el respectivo monarca. Amat fue nombrado nuncio apostólico ante el «rey católico» Fernando VII y llegó a Madrid pocos días antes de su fallecimiento. Para que el nuncio pudiera entrar en el ejercicio de sus funciones, debía entregar el texto original del breve pontificio al Gobierno, quien concedía el *placet, exequatur* o pase regio [11].

---

[11] Con los términos *pase regio, placet* o *exequatur* se entiende la práctica por la que el poder civil pretendía arrogarse el derecho de examinar las decisiones y disposiciones de la Santa Sede antes de que fuesen publicadas y ejecutadas en los territorios sometidos a su soberanía. Floreció en todos los países católicos absolutistas de Europa, ya que los reyes lo consideraban un atributo inherente a la Corona. R. Olaechea ha estudiado la noción teórico-ambiental del mismo en *El concepto de «exequatur» en Campomanes:* Miscellanea Comillas 45 (1966) 119-87. Cf. también V. DE LA FUENTE, *La retención de bulas en España ante*

Se trataba de una norma burocrática que no presentaba dificultad alguna cuando las relaciones eran normales. Al morir Fernando VII, tanto al nuncio como a los restantes diplomáticos residentes en Madrid les exigió el Gobierno nuevas credenciales que les acreditasen ante Isabel II. Amat las pidió inmediatamente a Roma, pero insinuó la conveniencia de examinar las pretensiones de D. Carlos antes de comprometerse definitivamente con el nuevo régimen. Fue la primera manifestación pro carlista del nuevo nuncio, que a lo largo de su corta misión diplomática no ocultó sus simpatías por el pretendiente.

Durante el otoño de 1833 comenzaron las tensiones Roma-Madrid por la restitución del breve de Amat. El Gobierno español no lo devolvía con el *placet,* porque el papa no reconocía a Isabel II. Y el papa no reconocía a la nueva reina porque en el fondo deseaba que triunfase la candidatura de D. Carlos, mientras la guerra civil destrozaba las provincias del Norte. Las notas de protesta entre la Nunciatura y el Gobierno, por una parte, y la Embajada en Roma y la Secretaría de Estado, por otra, sólo sirvieron para fomentar la tensión y desencadenar una campaña anticlerical, que tuvo manifestaciones violentas.

Al no ser reconocido Amat, Tiberi retrasó su regreso a Roma y siguió al frente de la Nunciatura hasta la primavera de 1834. Entre tanto, el embajador Labrador fue cesado, y la representación española en Roma quedó confiada al encargado de Negocios, Aparici, quien sintetizó las cuatro razones por las que el papa se oponía al reconocimiento de Isabel II: primera, por la oposición decidida de Austria y Prusia; segunda, por el temor de que en las próximas reuniones de las Cortes españolas surgiesen protestas contra el papa; tercera, por la firmeza de D. Carlos en sostener sus derechos, queriendo hacer ver que eran dos los pretendientes y que la nación se hallaba dividida en dos bandos, y, por tanto, que era necesario esperar el resultado de la guerra civil; y cuarta, porque se simpatizaba por los carlistas, no sólo por intereses particulares de la Iglesia, sino también por falsas noticias y cartas, verdaderas o apócrifas, en que se atacaba injustamente al sistema liberal español.

3. Los nombramientos de obispos

Otra dificultad se unió a las ya existentes: los nombramientos episcopales. En las bulas pontificias se hacía referencia al patronato del rey de España con las fórmulas *ad nominationem regis catholici* o *iuris patronati regis catholici.* Con el fin de evitar cualquier acto que significase reconocimiento del legítimo derecho de alguna de las dos partes contendientes —Isabel II o D. Carlos— y deseando proveer a las necesidades espirituales de la Iglesia española, el papa no tuvo inconveniente en conferir

la historia y el derecho (Madrid 1865); G. DE DOMINICIS, *Il regio exequatur* (Napoli 1869); F. AUER, *Das Placet regium* (Augsburg 1871); G. TARQUINI, *De regio placet* (Roma 1875); T. VON HAUCK, *Studie über das Placet regium* (Regensburg 1889).

los beneficios de patronato regio a las personas presentadas por el Gobierno, siempre que reuniesen las condiciones exigidas por los sagrados cánones, pero sin mencionar tal patronato en los documentos pontificios, ya que se trataba de un derecho inherente al de soberanía de los reyes de España.

En principio, el Gobierno de Madrid no tuvo inconveniente en aceptar esta omisión, por no considerarla substancial, pero nuevas maniobras de D. Carlos agravaron la situación.

Presentó el Gobierno de Madrid para la diócesis de Puerto Rico al obispo Pedro de Alcántara Jiménez (1782-1843), y el papa se mostró dispuesto a preconizarlo en el primer consistorio, omitiendo en las bulas la fórmula citada anteriormente. Pero el representante personal que D. Carlos tenía en Roma, Ramírez de la Piscina —antiguo encargado de Negocios del Gobierno isabelino—, recordó al cardenal Bernetti una promesa verbal según la cual el papa no preconizaría en modo alguno obispos presentados por el Gobierno de Madrid, y declaró que, en virtud de instrucciones recibidas de D. Carlos, protestaría enérgicamente contra cualquier nombramiento de obispos españoles hecho en tales circunstancias. Alegaba el representante carlista que la preconización de obispos en esos momentos violaba el concordato vigente y perjudicaba gravemente a la causa de D. Carlos, rey legítimo, y a la Iglesia española. Añadió incluso que D. Carlos no solamente no aceptaría dichos nombramientos sin referencia al patronato, sino que desaprobaría igualmente que fuesen nombrados *motu proprio,* ya que de esta forma el papa violaría los derechos del monarca legítimo y las diócesis quedarían ilegalmente cubiertas.

La gravedad y complejidad de la situación movieron al papa a nombrar en diciembre de 1834 una comisión de cardenales que debía estudiar dos asuntos; primero, la conveniencia de nombrar obispos en España con las cautelas establecidas, y segundo, el camino a seguir después de las promesas hechas al Gobierno de Madrid y el caso del obispo Jiménez.

Mientras la comisión examinaba estas cuestiones, llegaban a Roma noticias sobre los progresos militares de los carlistas, que encontraban apoyo en los levantamientos populares del Norte y disponían de potente armada y elevado espíritu bélico. Por ello se juzgó imprudente cualquier paso precipitado que pudiera redundar en perjuicio de la Santa Sede, y se optó por esperar hasta que el Gobierno de Madrid redactase la nueva Constitución, que los obispos tendrían que jurar.

4. EL COMISARIO DE LA CRUZADA

Las dificultades para los nombramientos de obispos tuvieron también su reflejo en otros asuntos eclesiásticos de menor entidad, como el del comisario de la Cruzada [12]. Nos detenemos en estos particulares no

---

[12] J. GOÑI GAZTAMBIDE, *Historia de la bula de la cruzada en España* (Victoria 1958).

tanto por el interés objetivo que encierran cuanto para mostrar el clima de tensión creciente y de mutua desconfianza entre la Iglesia y el Estado a principios de 1835, es decir, cuando había transcurrido poco más de un año y medio de la muerte de Fernando VII. La ejecución del indulto llamado de la bula de la Cruzada corría a cargo de un comisario nombrado por el rey y aprobado por el papa. Dicho indulto solía concederse cada diez años. Sin embargo, tras la muerte de Fernando VII se limitó a un año, y se encargó su ejecución al cardenal Inguanzo, arzobispo de Toledo, en lugar del canónigo Liñán, comisario nombrado por el Gobierno. Lógicamente llovieron protestas por varias razones: primera, para salvar el derecho del Gobierno a designar el comisario, y después, porque la elección de Inguanzo no fue acertada, ya que, además de ser persona poco grata a la nueva situación política, era anciano y estaba enfermo, y difícilmente podría cumplir su tarea. La última concesión decenal de la bula de la Cruzada caducaba a finales de 1835; sin embargo, no faltaron quienes dijeron que el papa, al no reconocer a la nueva reina, había declarado inválido el uso de la misma. Se trató de evidente mala fe para crear confusión y malestar. Parece ser que el papa no confirmó a Liñán porque desconocía las cualidades del nuevo comisario y porque las autoridades civiles habían pedido algunas innovaciones en la administración de la Cruzada. Por ello, en espera de estudiar estos asuntos y para no interrumpir el uso del indulto, la Santa Sede se había limitado a prorrogarlo por un solo año y confiarlo interinamente al cardenal de Toledo. Lo mismo se había hecho, en circunstancias semejantes, en Portugal. Como la confirmación del comisario se hacía con bula pontificia y ésta presentaba las mismas dificultades que las de los obispos, se esperó durante algún tiempo antes de proceder al nombramiento definitivo.

5.   LEGISLACIÓN ANTICLERICAL

A la vez que iban surgiendo los problemas indicados y otros de menor entidad, el Gobierno comenzó a promulgar una serie de disposiciones que afectaban directamente a la Iglesia en sus personas e instituciones.

No obstante la aparente normalidad que caracterizó las relaciones Iglesia-Estado en la España del Antiguo-Régimen, no faltaron momentos de gran tensión, porque si bien los reyes dispensaron protección a la Iglesia y muchos eclesiásticos ejercieron notable influjo en el gobierno de la nación, sin embargo, fueron frecuentes las intromisiones del poder civil en asuntos religiosos, como puede verse a través de la correspondencia de los nuncios, y en concreto de la ya publicada de Tiberi. Este nuncio puso siempre de relieve que, bajo el pretexto de garantizar las prerrogativas reales, se buscaban todas las ocasiones propicias para limitar los derechos de la Santa Sede. Las interferencias aumentaron sensiblemente cuando evolucionó la situación política.

A los dos meses de la muerte de Fernando VII, ya sabían los dos nuncios —Tiberi y Amat— que se esperaban medidas anticlericales, porque algunos párrocos y canónigos que militaban en las bandas carlistas habían sido fusilados por el ejército isabelino, que mandaban los generales Valdés y Quesada.

Sabía también el Gobierno que un amplio sector del clero secular y regular simpatizaba con D. Carlos; por ello condenó el silencio de los obispos ante el compromiso político de muchos clérigos y por sus actividades hostiles a las autoridades de Madrid. Muchos prelados se justificaron diciendo que en momentos de tanta anarquía, impunidad de delitos y exaltación de pasiones debían limitarse a «llorar entre el atrio y el altar», sin lograr mucho más, y refutaban las acusaciones del Gobierno diciendo que si a eclesiásticos que habían tomado las armas en otras épocas en favor del rey se les había premiado con honores militares y canonicatos que no merecían, ¿por qué maravillarse si de nuevo olvidaban su pacífico ministerio? Por otra parte, el ejemplo de éstos movía a sacerdotes díscolos y frailes giróvagos a tentar fortuna con las armas. Y todos estos hechos no justificaban los ataques al clero. Era además absurdo pretender la colaboración política de los eclesiásticos cuando se permitía a la prensa que los ridiculizase y que por calles y plazas fuesen continuamente insultados sacerdotes y religiosos.

Nos faltan datos concretos sobre la presencia de eclesiásticos en las filas carlistas y en el ejército isabelino. La historia bélica de la España decimonónica está repleta de testimonios que demuestran la participación activa del clero en armas desde la guerra de la Independencia hasta las últimas carlistas. El «cura guerrillero» quedó mitificado en el sacerdote burgalés Jerónimo Merino (1769-1844). Sin embargo, una historia de la beligerancia clerical en los campos de batalla españoles está todavía por hacer.

En un principio, el Gobierno de Madrid no tomó medidas directas para impedir que los eclesiásticos pasasen a las filas carlistas. Trató de ganarse amigos, invitando secretamente a obispos y superiores religiosos a manifestar pública simpatía por la causa de Isabel II. Pero nada consiguió con esta táctica. A los tres meses de guerra civil podía suponerse con fundamento que los eclesiásticos pasados al bando carlista era bastante consistente, porque varios sacerdotes y religiosos habían sido fusilados por las tropas isabelinas. Se creó entre el clero un ambiente general favorable a la presencia de los clérigos en los campos de batalla, y se llegó incluso a decir que tomar las armas en favor de D. Carlos era un deber absoluto de conciencia. Mariano José de Larra ridiculizó la presencia de clérigos en las filas carlistas, porque, para el poeta romántico, el carlismo no era más que «un intento de retrogradar la historia» [13].

Aunque es cierto que la revolución política de los gobiernos liberales tropezó con una guerra de religión, también hay que decir que muchos clérigos empuñaron las armas no por motivos espirituales, sino para abandonar el ministerio sagrado y conocer otras experiencias. Fueron

[13] M. J. DE LARA, *Obras* (Madrid 1960) I p.293-96.

individuos que se mancharon con las violencias inevitables en tales convulsiones.

No es fácil estudiar las causas que llevaron a esta situación, porque tiene raíces muy antiguas. Para comprender la creciente animosidad contra el clero, y en particular contra los frailes, por parte de amplios sectores populares, hay que tener en cuenta «razones de encrespado resentimiento social en la actitud de los campesinos, durante siglos vasallos, no siempre felices, de abades y priores; y también razones económicas en el deseo de los burgueses de adueñarse de las tierras de los monasterios y de los solares de los conventos», a todo lo cual hay que unir, evidentemente, «la pérdida de prestigio de comunidades regulares ante los embates ideológicos del momento» [14]. Una lectura atenta de los despachos del nuncio Tiberi nos dan una buena panorámica de la situación real existente en muchas órdenes religiosas. Las intrigas y ambiciones de muchos frailes y los continuos problemas que agustinos, capuchinos, dominicos, franciscanos, clérigos regulares menores y mercedarios, en particular, crearon al representante pontificio por los motivos más fútiles, son una muestra elocuente del espíritu que reinaba en muchas casas religiosas.

Hay que tener también en cuenta que desde la guerra de la Independencia comenzó a sentirse en España una crisis de vocaciones, que se agudizó durante el trienio constitucional. En sus relaciones con el pueblo hay que distinguir al clero secular del regular. Mientras el primero mantuvo un contacto más directo y personal a través de parroquias rurales o urbanas, entre los religiosos y el pueblo hubo ruptura, hasta el punto que la misma burguesía, «que poseía el aparato represivo suficiente para evitar los desmanes de la masa, dejaba actuar a ésta con ojos, si no complacientes, por lo menos escépticos» [15]. La legislación eclesiástica de los gobiernos liberales y las manifestaciones populares violentas de estos años, dirigidas de modo especial contra los frailes y sus propiedades, pueden comprenderse partiendo de estos presupuestos. Prescindo de la copiosa bibliografía anticlerical que proliferó entonces, y que no merece ser citada, porque se trata en gran parte de libros y folletos de mal gusto. Con todo, es un elemento que hay que tener en cuenta para entender el ambiente que reinaba entre la población.

La política religiosa comenzaron a planteársela los liberales cuando subió a la jefatura del Gobierno Martínez de la Rosa (1787-1862), «el más moderado de todos los liberales» [16]. Cea Bermúdez apenas tuvo tiempo para ocuparse de la materia, si se exceptúa el *Reglamento de imprenta* (4 enero 1834), que levantó protestas de algunos obispos, como el de Orihuela, Herrero Valverde, quien atacó los artículos referentes a la censura de libros, y el de Tarragona, Echánove, que pidió fuesen revocadas algunas disposiciones que podían perjudicar a la religión, a las

[14] J. Vicéns Vives, *Historia social y económica de España y América...* IV-2 p.142-43.
[15] Ibid.
[16] M. Menéndez Pelayo, *Historia de los heterodoxos...* II p.949.

buenas costumbres, al episcopado, al orden público e incluso al trono de Isabel II.

El Gobierno que formó Martínez de la Rosa estaba compuesto por antiguos afrancesados, como Francisco Javier de Burgos (1778-1849) y el jurisconsulto valenciano Garelli (1777-1850), ministro de Gracia y Justicia. Este, a finales de enero de 1834, dirigió una circular a los obispos y superiores religiosos para que tomasen medidas enérgicas con el fin de que «ni en el púlpito ni en el confesonario se extravíe la opinión de los fieles, ni se enerve el sagrado precepto de la obediencia y cordial sumisión al legítimo gobierno de S. M., que tan encarecidamente recomiendan las leyes divinas y humanas» [17].

El Gobierno reconocía públicamente el pernicioso influjo del clero, principal obstáculo para el progreso de la causa isabelina, y, aprovechando la proximidad de la cuaresma, creyó que la intervención de los obispos podría ser eficaz. Sin embargo, se trató de una medida poco eficaz, porque quienes habían optado por D. Carlos ya no volverían y los restantes —apolíticos en su mayoría— seguirían fieles a la nueva reina. Pero el Gobierno quiso con esta primera toma de contacto con la jerarquía pulsar su opinión y ver las reacciones populares para organizar un amplio programa legislativo en materias eclesiásticas.

6. El cardenal primado y el patriarca de las Indias

Un nuevo capítulo en la historia de las tensiones Iglesia-Estado vendría con la actitud ambigua y confusa del cardenal Inguanzo, arzobispo primado de Toledo. Este prelado se había opuesto en 1833 al juramento de fidelidad a Isabel II usando una estratagema, que justificó su ausencia en la solemne ceremonia celebrada en Madrid el 20 de junio de 1833. Escudándose en su edad avanzada, estado de salud y enfermedad de la vista, consiguió pasar desapercibido; pero el Gobierno le instó para que jurase a principios de 1834. El cardenal alegó el anacronismo de tal acto, cuando la persona a quien debía jurar fidelidad era de hecho reina de España y él le tributaba obediencia como soberana. Envió un largo escrito a la Cámara de Castilla manifestando las razones políticas de su actitud. La negativa de Inguanzo se basaba en que el nuevo orden de sucesión establecido en España no contaba con el voto del pueblo, y, aunque este principio podía halagar a los liberales más avanzados del momento, el lenguaje usado por el purpurado no les satisfizo.

Se intentó arrancarle el juramento con la fuerza, a través del corregidor de Toledo. Pero no se consiguió. Consultóse a la Cámara de Castilla si era lícito, vista la obstinación del cardenal, secuestrarle los bienes y exiliarle. La respuesta fue unánimemente afirmativa; pero, cuando todo estaba dispuesto para que Inguanzo embarcase en Cartagena con destino a Roma, intervino el cardenal Tiberi ante la reina gobernadora

---

[17] Cf. mi libro *Política eclesial...* p.224.

y evitó la expulsión del primado alegando el estado de salud del anciano purpurado, que se agravaba cuando se le hablaba del juramento. Después de muchas presiones, el ministro Garelli, amigo personal del cardenal, consiguió sacarle el juramento. Inguanzo reconoció a Isabel II como reina de España de hecho y de derecho, sin perjuicio de quien tuviera *meliora et potiora iura*. Esto ocurría en marzo de 1834.

Otro conflicto se planteó con el patriarca de las Indias. Desde época remota, el arzobispo de Santiago de Compostela fue capellán mayor del rey de España y ejerció la más amplia jurisdicción eclesiástica sobre los monarcas, sus familiares y servidores, con autorización pontificia. Pero como este prelado no podía residir habitualmente en la corte, se nombró un vicecapellán. En 1762, la dignidad de patriarca de las Indias fue unida a la del vice o procapellán mayor de palacio, que también fue nombrado vicario castrense.

Durante los primeros meses de la regencia cristina, los gobiernos liberales eliminaron del palacio real a todos aquellos individuos que, siendo funcionarios del Estado, no simpatizaban con la nueva situación. Entre los capellanes de palacio abundaban los procarlistas. Se sospechó incluso del patriarca de las Indias, Antonio Allué, que fue depuesto de su cargo el 17 de marzo de 1834, justificando esta medida con la jubilación. En su lugar fue nombrado el obispo de Sigüenza, Manuel Fraile. Se dijo que el patriarca cesado era poco celoso con la tropa y con el personal de la corte. Parece ser que se opuso al matrimonio morganático de la reina María Cristina con el guardia Agustín Muñoz. Lo cierto es que su fulminante cese provocó nuevas tensiones con Roma, ya que el patriarcado de las Indias no era un simple título honorífico, sino una dignidad eclesiástica que el papa confería en consistorio. El nombramiento de Fraile no podía aceptarse, porque el patriarcado no estaba canónicamente vacante.

La cuestión pudo resolverse gracias a la buena voluntad del obispo de Sigüenza, quien aceptó que el patriarca Allué le delegase sus funciones. Allué mantuvo el patriarcado de las Indias hasta su muerte en 1842, y el obispo de Sigüenza primero y otros prelados después ejercieron en su nombre todas las facultades.

7.   OTRAS NOVEDADES. LA «JUNTA ECLESIÁSTICA»

La cautela por parte del Gobierno presidió la instauración de medidas eclesiásticas. Por ello, antes de iniciar la nueva política religiosa, el ministro Garelli, liberal moderado, espíritu religioso y hombre de recta intención, se entrevistó con el cardenal Tiberi, que ejercía de pronuncio, para comunicarle la necesidad que sentía el Gobierno de tomar algunas medidas sobre los bienes y conducta del clero. El representante pontificio manifestó que era inevitable la intervención de Roma, porque se trataba de cuestiones que excedían los límites impuestos a sus facultades. Mientras los Gobiernos español y pontificio discutían sobre dichas medidas, por parte española se comenzó a actuar unilateralmente. El 9 de marzo de 1834 se prohibió la provisión de prebendas eclesiásticas, exceptuando las que llevasen aneja cura de almas, las de oficio y las dignidades con presencia en los cabildos. Los motivos económicos de esta primera disposición eran evidentes, porque las rentas de dichas vacantes se aplicaron a la extinción de la deuda pública. El 24 de marzo se dieron seis reales decretos sobre arreglo de los tribunales supremos de la nación, que suprimieron los Consejos de Castilla e Indias, y en su lugar fue creado el Tribunal Supremo de España e Indias, con facultad para conocer los asuntos contenciosos del Real Patronato y los recursos de fuerza de la Nunciatura Apostólica.

A estas primeras medidas moderadas siguió el 26 de marzo un decreto sobre ocupación de temporalidades a los eclesiásticos que, abandonando sus iglesias, se unían a las filas de los carlistas o a sus juntas revolucionarias y emigraban del reino sin licencia de la autoridad civil.

Como puede verse, eran disposiciones que la nueva situación político-social permitía a los gobernantes aplicar sin graves dificultades, ya que era la ocasión más propicia en aquellos primeros momentos para intervenir en asuntos eclesiásticos no precisamente con espíritu cesaropapista, sino para contener el influjo del clero, nocivo, según la interpretación del Gobierno, a la causa isabelina.

Los regulares se vieron inmediatamente afectados por la política religiosa de los liberales, que en menos de quince días adoptaron tres «medidas correccionales». La primera suprimía los monasterios y conventos de donde hubiese escapado algún fraile para unirse a los carlistas (26 marzo 1834). La segunda obligaba a entrar en quintas a los novicios de las órdenes religiosas (3 abril 1834). Y la tercera regulaba los traslados de religiosos de los conventos suprimidos con la primera disposición (10 abril 1834).

Comenzaba el ataque organizado contra los regulares. Intervino Tiberi, quien reconoció la inutilidad de sus protestas, porque si bien entre el clero existían personas sensatas, no faltaban fanáticos e incautos que de palabra o por escrito, en público y en privado, instigaban a la subversión contra el Gobierno de Madrid. Pero era injusto que delitos de personas concretas perjudicasen a comunidades enteras de inocentes.

En abril de 1834 formó el Gobierno una *Junta Eclesiástica* para la reforma del clero secular y regular. Era un órgano consultivo que escondía los motivos políticos del momento. El Gobierno cuidó su composición con mucho esmero, buscando obispos de tendencias liberales o adictos a la causa isabelina. La presidió el arzobispo de México, Fonte, que residía en Madrid. Y la integraron los obispos de Sigüenza (Fraile), Lugo (Sánchez Rangel), Santander (González Abarca), Astorga (Torres Amat) y Huesca (Ramo de San Blas); los antiguos obispos de Cartagena (Posada) y Mallorca (González Vallejo) y los presentados para Almería (Ramos García) y Teruel (Liñán). Había, además, tres laicos: Pezuela, González Carvajal y San Miguel. De secretario actuó el canónigo José Alcántara Navarro, que lo era de la capilla real y del vicariato castrense.

Casi todos los prelados miembros de la *Junta* eran sospechosos o no gratos a la Santa Sede, y algunos considerados indignos del episcopado.

Torres Amat, quizá el obispo de mayor prestigio intelectual del momento, que mostró gran comprensión y tolerancia ante el cambio político, no merecía en Roma la mínima confianza, porque se le imputaba ser el instrumento del Gobierno para las novedades religiosas. De Posada, González Vallejo y Ramos García se tenían pésimos informes por su conducta durante el trienio constitucional al frente de las diócesis de Cartagena, Mallorca y Segorbe, que tuvieron que abandonar en 1824 porque el papa, de acuerdo con el rey, les obligó a dimitir. Fonte y Fraile eran sospechosos; el primero porque, sin ocupar cargos políticos de relieve, influía en el Gobierno y gozaba de la confianza de la reina, y el segundo porque se había prestado al juego de los liberales, intentando usurpar la jurisdicción al patriarca de las Indias, aunque nunca se llegó al cisma.

La *Junta* debía estudiar una nueva distribución geográfica de las diócesis españolas y todo lo relativo a la administración eclesiástica de las mismas. Algunos obispos protestaron inmediatamente, porque faltaba la aprobación pontificia; por consiguiente, no podía dicha *Junta* planear reformas. En realidad, su actividad fue casi nula, porque buena parte de sus miembros no asistió a las reuniones. Concluyó su trabajo en febrero de 1836 con un estéril dictamen, que la reina no aprobó.

En los ocho meses de su permanencia en el Ministerio de Gracia y Justicia, Garelli dio otras disposiciones de menor entidad en materias eclesiásticas.

Durante el Gobierno Martínez de la Rosa ocurrieron en Madrid, los días 15 al 17 de julio de 1834, las matanzas de frailes, con el fácil pretexto de haber envenenado las aguas potables y provocado una epidemia de cólera. El pueblo se amotinó e invadió el Colegio Imperial de los jesuitas, donde fueron asesinados cuatro religiosos. Después corrió la misma suerte el convento de San Francisco, y más tarde, los de carmelitas y dominicos. Las víctimas fueron cerca de un centenar. Martínez de la Rosa atribuyó la responsabilidad de estos sucesos a las sociedades secretas, cuyos miembros habían sido amnistiados el 26 de abril del mismo año. Pero el Gobierno fue responsable de hechos tan graves, no sólo por permitirlos, sino porque los dejó impunes.

8. Intensificación de las medidas antieclesiásticas

A Martínez de la Rosa sucedió en la jefatura del Gobierno el conde de Toreno (1786-1843), quien formó un Gabinete con elementos tan exaltados como Mendizábal, Alvarez Guerra y García Herreros, y otros más moderados, como el marqués de las Amarillas y Alava. Inició una legislación eclesiástica, que fue continuada de forma sistemática y organizada por sus sucesores inmediatos —Mendizábal y Calatrava—, sin precedentes en la historia eclesiástica española.

El 1.º de julio de 1835 fueron suprimidas las juntas de fe o tribunales especiales, que habían sustituido a la desaparecida Inquisición, y que en realidad eran una continuación de la misma, ya que los obispos se valían de ellas para juzgar, con métodos inquisitoriales, los delitos contra la fe y castigarlos con penas espirituales y corporales. Toreno estableció que las causas de fe fuesen juzgadas según el derecho común. El 22 de julio fue decretada la supresión de los jesuitas y la ocupación de sus temporalidades, que se aplicaron a la extinción de la deuda pública. Parece ser, según informaba el nuncio Amat, que la reina María Cristina no aceptó esta medida, pero tuvo que ceder a las presiones del Gobierno, que le dominaba por completo. El 25 de julio fueron suprimidos los conventos y monasterios con menos de doce religiosos profesos. Esta disposición fue justificada por el aumento progresivo e inconsiderado de los mismos y por el excesivo número de individuos que los ocupaban, la relajación de las órdenes religiosas y «los males que de aquí se seguían a la religión y al Estado». Se calcula que existían entonces más de 1.900 conventos. Solamente fueron exceptuados los colegios de misioneros para las provincias de Asia y las casas de escolapios.

La intensa actividad legislativa del Gabinete Toreno, en lugar de aplacar a los anticlericales, aumentó la excitación popular, y durante los meses de julio y agosto de 1835 ocurrieron gravísimos desórdenes y atentados en varias ciudades. En Zaragoza fueron asesinados algunos religiosos, quemados los conventos y saqueadas las iglesias. Las autoridades locales y la milicia urbana de esta ciudad aprovecharon los tumultos callejeros para pedir a la reina la supresión de todas las órdenes religiosas, la libertad de prensa, la reforma del clero secular y la separación de sus cargos de los eclesiásticos no comprometidos políticamente con el nuevo régimen. El periódico *La Abeja,* portavoz de los revoltosos, publicó una nota gubernativa declarando que la reina estaba dispuesta a conceder cuanto se le pedía.

A los sucesos de Zaragoza siguieron los de Reus y Barcelona. En la primera población fueron quemados dos conventos de franciscanos y carmelitas y asesinados 29 frailes. Las víctimas en la capital catalana ascendieron a cerca de 200, con 25 conventos destruidos e incendiados. Otros sucesos parecidos ocurrieron en Tarragona, Alicante y Soria.

· La primera repercusión de estos hechos, que el Gobierno o no podía reprimir o toleraba, afectó a las relaciones con la Santa Sede. A ellos hay que unir, por supuesto, el impacto producido en Roma por la legislación anticlerical, y, en concreto, la supresión de los jesuitas, que el papa interpretó como una declaración de guerra que se hacía a la Iglesia española. Al mismo tiempo, el nuncio Amat seguía en Madrid en posición muy incómoda, porque el Gobierno nunca le reconoció como tal en espera de recibir nuevas credenciales —que nunca se le enviaron desde Roma— para la reina Isabel II. Todas estas circunstancias influyeron en la decisión de retirar al representante pontificio, quien marchó de España a primeros de septiembre de 1835. Influyó también en la retirada del nuncio la gestión que el conde de Alcudia, representante de D. Carlos en Viena, hizo en favor del pretendiente a través del príncipe Metternich. Como se ve, a la hora de las decisiones importantes, la Santa Sede no actuaba con absoluta libertad, sino condicionada por la gran potencia protectora del momento, en este caso Austria, mientras el papa Gregorio XVI, enemigo de cualquier evolución política en sus Estados y de los movimientos liberales que agitaban Europa, aprovechaba la coyuntura para defender sus intereses temporales.

Un nuevo Gabinete, presidido por Juan Alvarez Mendizábal (1790-1853), llegó al poder el 14 de septiembre de 1935. Con él la revolución superó los límites impuestos por los más exaltados liberales. En materia religiosa siguió la política iniciada por Toreno, primero con medidas intranscendentes, pero luego con disposiciones más graves, hasta el punto de que mientras «Toreno se esforzó por podar el árbol de la Iglesia, Mendizábal le arrancará todos sus frutos» [18].

Prohibió a los obispos que confiriesen órdenes sagradas hasta que las Cortes aprobasen el plan de reformas eclesiásticas. Completó la legislación relativa a conventos y monasterios suprimiendo todos los de órdenes monacales, los de canónigos regulares de San Benito, de la Congregación claustral tarraconense y cesaraugustana; los de San Agustín y los premonstratenses, cualquiera que fuese el número de monjes o religiosos que lo compusieren. Posteriormente suprimió las órdenes religiosas masculinas y redujo sensiblemente el número de religiosas. Todos los bienes de los regulares se aplicaron a la extinción de la deuda pública. Se dieron también oportunas medidas para combatir la hostilidad de muchos clérigos a la causa isabelina en momentos en que las tropas carlistas habían obtenido algunos éxitos militares de relieve. A los gobernadores civiles se les ordenó que impidiesen el ejercicio de la confesión y predicación a los sacerdotes que dieran pruebas de infidelidad al régimen.

En sus relaciones con Roma, el Gobierno Mendizábal se limitó a pedir la renovación anual del indulto de la Cruzada, que fue concedida. Desde la salida de Amat, la Santa Sede no se había pronunciado sobre la situación española. Pero Gregorio XVI en el consistorio del 1.º de febrero de 1836 denunció públicamente la política anticlerical del Gobierno español, ya que un silencio más prolongado podía aumentar el escándalo provocado por una actitud de resignación.

Aprovechó D. Carlos esta circunstancia para felicitar al papa y al mismo tiempo para atacar duramente la política del Gobierno de Madrid, que no reaccionó oficialmente ante la alocución pontificia. El representante oficioso de D. Carlos en Roma hizo presente al cardenal Lambruschini, nuevo secretario de Estado, que las autoridades madrileñas deseaban la destrucción de la Iglesia española, empleando para ello medios tan aptos como la persecución y exilio de sacerdotes y obis-

---

[18] C. SECO SERRANO, *Martínez de la Rosa; el equilibrio en la crisis,* en F. MARTÍNEZ DE LA ROSA, *Obras* (Madrid 1962) I p.LXXXI.

pos, la supresión de órdenes religiosas, derribo de conventos, expolio de los bienes eclesiásticos y depravación de las costumbres [19].

La política gubernativa no cambió lo más mínimo; es más, se intensificó la legislación anticlerical, apoyándose en los excesos cometidos por curas y frailes, pues, «con más o menos fundamento, se suponía que no sólo con sus excitaciones ayudaban a robustecer las filas enemigas, sino que contribuían a mantenerlas con buena parte de sus rentas» [20].

9. LA DESAMORTIZACIÓN

Mendizábal no podía dejar inacabada la obra fundamentalmente supresora iniciada por Toreno; por ello planeó la desamortización [21], para

[19] J. GORRICHO MORENO, *El pretendiente Carlos V y el papa Gregorio XVI:* Anthologica annua 10 (1962) 731-41; ID., *Algunos documentos vaticanos referentes al pretendiente Carlos V (1834-42):* ibid., 11 (1963) 339-65.

[20] R. DE SANTILLÁN, *Memorias (1815-1856)* (Pamplona 1960) I p.160.

[21] La bibliografía sobre las desamortizaciones del XIX es inmensa; por ello no es posible reunirla en esta nota. Hay que distinguir la desamortización eclesiástica de la civil. Con respecto al período que nos ocupa, coincidieron ambas desamortizaciones con la desvinculación de patrimonios nobiliarios, si bien se trató de un nuevo intento de llevar a la práctica la obra desamortizadora iniciada por las Cortes de Cádiz en 1812 y continuada durante el trienio constitucional (1820-23). F. Tomás y Valiente *(Recientes investigaciones sobre la desamortización. Intento de síntesis:* Moneda y Crédito n.131 [dic. 1974] p.95-160) recoge la bibliografía más actual sobre el tema. En las I Jornadas de Metodología Aplicada de las Ciencias Históricas, celebradas en Santiago de Compostela en 1973, se presentaron varias comunicaciones relacionadas con las desamortizaciones, las transferencias de la propiedad y las transformaciones agrarias en la España contemporánea *(Actas... IV: Historia contemporánea* [Santiago de Compostela 1975] p.31-120). El valor de estos trabajos es muy desigual, ya que, junto a reconocidos especialistas como E. Giralt, F. Tomás y Valiente, J. Mercader y J. M. Mutiloa, aparecen investigaciones muy limitadas de incipientes. Siguen siendo útiles las obras clásicas de I. MIGUEL-J. REUS, *Manual de la desamortización civil y eclesiástica* (Madrid 1857) y J. M. ANTEQUERA, *La d. eclesiástica considerada en sus diferentes aspectos y relaciones* (Madrid 1885). El mejor estudio de conjunto es el de F. SIMÓN SEGURA, *La d. española del siglo XIX* (Madrid, Inst. de Est. Fiscales, 1973). Una buena recopilación de la legislación desamortizadora puede verse en *La desamortización. Textos político-jurídicos.* Estudio, notas y comentarios por T. Martín (Madrid, Narcea, 1973). Una breve síntesis de la política desamortizadora en F. TOMÁS Y VALIENTE, *El marco político de la d. en España* (Barcelona, Ariel, ³1972).

Numerosas son las monografías recientes que estudian fundamentalmente los aspectos económicos de la d. por regiones. Merecen citarse: F. SIMÓN SEGURA, *La d. de Mendizábal en la provincia de Barcelona:* Moneda y Crédito n.96 (1967); J. J. OJEDA QUINTANA, *La d. en Canarias* (Madrid 1977); T. MARTÍN MARTÍN, *La d. en la región de la Vera. Datos para un estudio de la historia económica de Extremadura:* Revista de Est. Extremeños 28 (1972) 371-98; J. P. MERINO NAVARRO, *La d. en Extremadura.* Bibliografía y legislación por G. Rueda Herranz (Madrid 1976); F. SIMÓN SEGURA, *Contribución al estudio de la d. en España. La d. de Mendizábal en la provincia de Gerona* (Madrid, Inst. Est. Fiscales, 1969); L. LÓPEZ PUERTA, *Las ventas de bienes eclesiásticos en la provincia de Guadalajara (1836-1851):* «Estudio sobre la España liberal 1808-1868». Anexos a Hispania n.4 (Madrid, C. S. I. C., 1973) p.381-418; R. M. LÁZARO TORRES, *La d. de Espartero en la provincia de Logroño (1840-1843)* (Logroño 1973); F. SIMÓN SEGURA, *Contribución al estudio de la d. en España. La d. de Mendizábal en la provincia de Madrid* (Madrid Inst. Est. Fiscales, 1869); *La d. en Navarra* (Pamplona, Dip. Foral, 1917); J. M. DONEZAR, *La d. de Mendizábal en Navarra. 1836-1851* (Madrid, C. S. I. C., 1975); R. GÓMEZ CHAPARRO, *La d. civil en Navarra* (Pamplona, Eunsa, 1967); J. M. MUTILOA GARCÍA, *La d. eclesiástica en Navarra* (Pamplona, Eunsa, 1972); A. LAZO DÍAZ, *La d. de las tierras de la Iglesia en la provincia de Sevilla (1835-1845)* (Sevilla, Dip. Prov., 1970); J. PORRES MARTÍN-CLETO, *La d. del siglo XIX en Toledo* (Toledo, Dip. Prov., 1966); M.ª D. CUEVES GRANERO, *Fondos de Hacienda, actualmente en el Archivo del Reino, relativos a la d.:* I Congreso de Historia del País Valenciano (Valencia, Universidad, 1971)

que la venta de los bienes eclesiásticos amortizase gran parte de la deuda pública, que había alcanzado niveles insoportables. Con esta medida creó nuevos intereses, y, por consiguiente, numerosos y decididos partidarios de las instituciones liberales, a la vez que asestaba un golpe definitivo a la potencia económica del clero, que había llegado a esta privilegiada situación gracias a la estructura estamental de la sociedad española del Antiguo Régimen. La Iglesia, como la nobleza y los municipios, poseía muchos bienes, que, al no poder enajenar ni vender, transmitía del mismo modo que los había recibido. Los bienes eclesiásticos, procedentes en su mayoría de donaciones diversas, transmitidos a lo largo de siglos, habían llegado a formar grandes haciendas, que sirvieron de sólida base económica para sostener al estamento clerical, uno de los más firmes del Antiguo Régimen.

En teoría, la desamortización tenía un planteamiento aceptable, ya que sus objetivos eran fundamentalmente tres: social, económico y político. Socialmente se privaría a los antiguos estamentos —clero, nobleza y municipios— de su fuerza económica propia, se prepararía el paso de la vieja sociedad estamental a la nueva sociedad clasista y se dotaría de tierra, mediante la oportuna intervención estatal, a la masa campesina que carecía de ella. La desamortización entrañaba económicamente la posibilidad de cultivar unas tierras que sus antiguos propietarios tenían prácticamente abandonadas. Y políticamente el Estado podría llevar adelante sus medidas revolucionarias, creando una nueva clase de pro-

vol.1 p.279-88; J. BRINES BLASCO, *La d. eclesiástica en el País Valenciano* (Valencia, Universidad, 1978); E. FERNÁNDEZ DE PINEDO, *La entrada de la tierra en el circuito comercial. La d. en Vascongadas: planteamientos y primeros resultados:* Agricultura, comercio colonial y crecimiento económico en la España contemporánea (Barcelona, Ariel, 1974) p.100-28; J. M. MUTILOA PLAZA, *La d. civil en Vizcaya y las provincias vascongadas:* Estudios Vizcaínos 1 (1970) 211-58; 2 (1971) 15-67.211-344.

Sobre aspectos más locales cf. E. FORT COGUL, *Las d. del siglo XIX y su repercusión en Santes Creus:* Studia Monastica 12 (1970) 29-310; 13 (1971) 105-28; 14 (1972) 183-236; J. M. MUTILOA, *Documentos inéditos de la d. en Logroño:* Letras de Deusto 3 (1972) 163-95; A. RUIZ, *La comunidad de Silos exclaustrada. III: El despojo del monasterio:* Yermo 9 (1971) 141-60.

La visión del tema debe completarse con otros estudios: G. ANES ALVAREZ, *La crítica de un programa de los ilustrados en vísperas de la d.:* Revista de Occidente 6, 2.ª época, 65 (1968) 189-98; M. GONZÁLEZ RUIZ, *Vicisitudes de la propiedad eclesiástica en España durante el siglo XIX:* Revista Española de Derecho Canónico 1 (1946) 383-424; M. FRAILE HIJOSA, *Tentativas contra el patrimonio eclesiástico en España hasta el siglo XVIII:* ibid., 16 (1961) 605-15; J. M.ª DE PRADA, *¿Se hallan vigentes aún las leyes desamortizadoras?:* ibid., 13 (1958) 233-36; L. PORTERO, *Hacia el fin de la d.:* ibid., 17 (1962) 153-61.

Sobre la política desamortizadora de Mendizábal cf. P. JANKE, *Mendizábal y la instauración de la monarquía constitucional en España (1790-1853)* (Madrid, Siglo XXI, 1974) p.238-54; M. BALDO LACOMBA, *Mendizábal y la disolución del feudalismo:* VII Coloquio de Pau. «Crisis del Antiguo Régimen e industrialización en la España del siglo XIX» (Madrid 1977) p.93-114; J. M. CASTELLS, *Las asociaciones religiosas en la España contemporánea. Un estudio jurídico-administrativo (1767-1965)* (Madrid, Taurus, 1973) p.118ss; V. CÁRCEL ORTÍ, *Política eclesial de los gobiernos liberales...* p.304ss; M. RODRÍGUEZ ALONSO, *La intervención británica en España durante el gobierno progresista de Mendizábal:* Hispania 35 (1975) 343-90.

Estrechamente vinculada con la legislación desamortizadora, aunque no debe confundirse con ella, es la legislación desvinculadora y la relacionada con mayorazgos. Remito a J. SEMPERE Y GUARINOS, *Historia de los vínculos y mayorazgos* (Madrid ² 1847); J. F. PACHECO, *Comentario a las leyes de desvinculación* (Madrid ³ 1847); R. GIBERT, *La disolución de los mayorazgos* (Granada 1958); S. DE MOXO, *La disolución del régimen señorial en España* (Madrid, C. S. I. C., 1965).

pietarios, interesados en mantener el régimen, porque a su suerte iría unida la de su fortuna personal.

La obra desamortizadora, iniciada por las Cortes de Cádiz en 1812 y continuada durante el trienio, recibió con Mendizábal un impulso decisivo. En efecto, con decreto de 19 de febrero de 1836 fueron declarados en venta todos los bienes pertenecientes a las suprimidas corporaciones religiosas. Este texto legal es quizá el más famoso de los emitidos por la Administración española en la pasada centuria.

Sin embargo, la desamortización se ejecutó mal. Si técnicamente tenía su razón de ser y socialmente podía justificarse, prácticamente fue llevada de modo injusto y discriminatorio, llegando a convertirse en una dilapidación de bienes, sin provecho alguno para el Estado. Autores antiguos y recientes de ideologías opuestas atacan unánimemente la ejecución del programa desamortizador, porque, en lugar de ser una verdadera reforma agraria, se convirtió en una transferencia de bienes de la Iglesia a las clases económicamente fuertes. Es decir, que fue una especie de reforma agraria, pero al revés, pues vino a hacer más mísera la situación del campesinado meridional, creando, en cambio, una nueva oligarquía, —la de los «nuevos ricos», con su castillo roquero en los registros de la propiedad—, llamada a detentar por muchas décadas el poder político en España [22].

A la desamortización siguió la exclaustración. Con decreto del 8 de marzo de 1836 fueron suprimidos «todos los monasterios, conventos, colegios, congregaciones y demás casas de comunidad o de instituciones religiosas de varones, incluso las de clérigos regulares y las de las cuatro órdenes militares y San Juan de Jerusalén, existentes en la Península, islas adyacentes y posesiones de España en Africa». Los conventos de varones en España existentes en 1835 eran 1.940, cifra sensiblemente inferior a las de años anteriores, como resulta de este cuadro esquemático.

Número de conventos de religiosos

	1787	1797	1820	1835
Monjes				
Benedictinos	63	68	67	60
Cistercienses	62	63	62	53
Jerónimos	45	50	45	43
Cartujos	16	16	16	17
Basilios	14	19	17	14
Medicantes				
Dominicos	227	229	220	221
Franciscanos:				
Observantes	459	452	454	
Alcantarinos	140	132	172	651
Recoletos o antoninos	20	38	—	
Terceros	27	28	24	

---

[22] A. UBIETO-J. REGLÁ-J. M. JOVER-C. SECO, *Introducción a la historia de España* (Barcelona 1970) p.556.

	1787	1797	1820	1835
Capuchinos	116	113	114	117
Agustinos calzados	129	129	131	121
Agustinos descalzos	29	26	30	32
Carmelitas calzados	76	78	82	78
Carmelitas descalzos	115	115	114	118
Mercedarios calzados	82	79	80	80
Mercedarios descalzos	29	29	30	28
Trinitarios calzados	65	68	67	58
Trinitarios descalzos	29	29	30	29
Mínimos	80	79	80	80
Servitas	10	9	10	10
San Juan de Dios	58	58	58	57
Canónigos regulares				
San Benito	—	5	—	—
San Agustín	6	9	6	—
San Antonio Abad	32	—	—	—
Premonstratenses	17	22	17	16
Clérigos regulares				
Teatinos	5	5	4	—
Clérigos menores	14	14	13	11
Agonizantes	5	6	6	6
Escolapios	25	24	27	30
Compañía de Jesús	—	—	16	10
Paúles	4	4	—	—
Freires militares				
Malta	6	4	2	—
Santiago	5	6	6	—
Calatrava	2	2	2	—
Alcántara	2	1	2	—
Montesa	1	3	—	—
Sancti Spiritus	5	4	1	—
Santo Sepulcro	—	—	1	—
Congregaciones				
San Felipe Neri	20	19	—	—
Misioneros	2	4	—	—
Hospitalarios	15	7	6	—
Ermitaños	11	3	—	—
TOTAL	2.056	2.051	2.012	1.940

El número de religiosos, profesos, novicios y legos ascendía a 30.906, cifra inferior a las de años anteriores, pero «muy satisfactoria si tenemos en cuenta el golpe del trienio», según afirma Revuelta, quien ha publicado estos datos:

Número de religiosos (profesos, novicios y legos)

	1787	1797	1808	1820	1835
Benedictinos	1.520	1.583	2.014	1.515	1.656
Bernardos	1.733	1.601	1.648	1.239	1.109
Jerónimos	1.579	1.582	1.380	1.037	990
Cartujos	378	440	486	378	410
Basilios	302	393	267	200	176
Dominicos	4.271	4.393	4.523	3.397	3.118
Franciscanos	12.810	13.571	18.514	12.658	11.232
Alcantarinos	3.631	3.639	—	—	—
Recoletos	520	966	—	—	—

	1787	1797	1808	1820	1835
Terceros	726	679	—	—	—
Capuchinos	3.046	3.156	3.454	2.386	2.329
Agustinos calzados	2.536	2.410	2.015	1.204	1.206
Agustinos descalzos	893	907	799	545	388
Carmelitas calzados	1.672	1.792	1.689	1.415	1.078
Carmelitas descalzos	3.059	3.237	2.504	2.222	2.124
Trinitarios calzados	1.336	1.377	1.161	809	689
Trinitarios descalzos	790	816	669	500	444
Mercedarios calzados	2.139	1.982	1.849	1.080	1.070
Mercedarios descalzos	682	674	573	384	260
Mínimos	1.242	1.256	1.074	806	757
Servitas	298	288	315	240	315
San Juan de Dios	596	599	520	328	335
Canónigos San Benito	—	47	—	—	—
Cans. San Agustín	91	86	—	—	—
Cans. San Ant. Abad.	166	—	—	—	—
Premonstratenses	259	326	304	164	161
Teatinos	88	89	—	—	—
Clérigos menores	273	239	217	152	103
Agonizantes	101	96	95	54	84
Escolapios	455	439	498	430	487
San Vicente Paúl	75	85	—	—	—
Jesuitas	—	—	—	401	363
Freires Malta	49	59	—	—	—
Santiago	90	89	—	—	—
Calatrava	49	46	—	—	—
Alcántara	28	13	—	—	—
Montesa	19	32	—	—	—
Sancti Spiritus	11	10	—	—	—
San Felipe Neri	200	200	—	—	—
Misioneros	14	82	—	—	—
Hospitalarios	266	44	—	—	—
Ermitaños	72	42	—	—	—
TOTAL	48.067	49.365	46.568	33.546	30.906

La distribución del personal religioso de los conventos de varones en 1835, según los datos reunidos por la Real Junta Eclesiástica, es la siguiente (faltan los datos correspondientes a la Congregación de la Misión, que no fueron enviados a la Junta):

ORDENES RELIGIOSAS	Sacerdotes	Ordenados «in sacris»	Coristas	Legos	Novicios	Total
Benedictinos, Congregación claustral	132	5	7	2	—	146
Benedictinos, Observantes de Valladolid	1.147	72	187	91	13	1.510
Bernardos cistercienses	242	31	53	70	—	396
Bernardos cisterc. Castilla y León	531	50	196	28	8	813
Cartujos y trapenses	210	13	19	161	7	410
San Jerónimo	687	92	156	32	23	990
San Basilio	112	14	24	26	—	176
Dominicos	1.773	260	510	523	52	3.118
San Francisco	5.730	741	2.244	2.043	274	11.232
Capuchinos	1.209	218	268	584	50	2.329
Agustinos calzados	724	58	200	207	17	1.206
Agustinos recoletos	202	39	58	81	8	388
Carmelitas calzados	614	53	193	209	9	1.078
Carmelitas descalzos	1.071	142	342	478	91	2.124
Trinitarios calzados	380	29	137	130	13	689
Trinitarios descalzos	198	38	85	100	23	444
Mercedarios calzados	592	54	200	213	11	1.070

ORDENES RELIGIOSAS	Sacerdotes	Ordenados «in sacris»	Coristas	Legos	Novicios	Total
Mercedarios descalzos	130	30	56	44	—	260
Mínimos de San Francisco de Paula	400	39	159	146	13	757
San Juan de Dios	22	—	—	288	25	335
Canónigos Premonstratenses	115	8	29	4	5	161
Compañía de Jesús	89	—	113	109	52	363
Clérigos Menores	48	—	39	11	5	103
Agonizantes	53	11	11	4	5	84
Escuelas Pías	253	—	129	105	—	487
Servitas	121	16	26	74	—	237
Congreg. de la Misión	—	—	—	—	—	—
TOTALES	16.785	2.013	5.641	5.763	704	30.906

La exclaustración planteó serios problemas a los religiosos. El Gobierno trató de paliar de algún modo esta situación permitiéndoles seguir estudios civiles y convalidar los cursos que tenían aprobados en sus respectivos colegios, aunque no se ajustasen al plan de estudios de las universidades del reino. Se ordenó a los obispos que diesen preferentemente los curatos a los exclaustrados, ya que su manutención constituyó una pesada carga para el Estado. Sin embargo, no fue posible insertir en la pastoral parroquial a miles de exclaustrados; por ello la gran mayoría pudo subsistir gracias a las ayudas estatales, que, según datos de 1837, arrojan un total de 23.935 exclaustrados. En el siguiente cuadro, los jesuitas figuran aparte, porque fueron exclaustrados con anterioridad al decreto del 8 de marzo de 1836. De estos datos se deduce que aproximadamente unos 7.000 exclaustrados encontraron colocación en cargos diocesanos o parroquiales.

Exclaustrados en 1837 e importe de sus haberes

PROVINCIA	Individuos de misa	Legos	Total	Total haberes anuales (reales de vellón)
Aragón	1.273	825	2.098	3.226.600
Asturias	225	93	318	512.460
Avila	170	92	262	410.990
Burgos	680	279	959	1.546.505
Cádiz	684	341	1.025	1.621.695
Canarias	79	13	92	158.410
Cantabria	78	28	106	173.010
Cataluña	715	364	1.099	1.727.545
— (jesuitas)	3	17		
Córdoba	647	367	1.014	1.582.640
Cuenca	140	76	216	338.720
Extremadura	519	289	808	1.263.630
Galicia	1.327	393	1.720	2.852.110
Granada	545	377	922	1.407.440
Guadalajara	274	153	427	667.585
Jaén	313	194	507	783.655
León	270	98	368	600.060
Madrid	663	388	1.231	1.884.495
— (jesuitas)	72	108		
Málaga	386	259	645	988.055
Mallorca	645	292	956	1.524.240
— (jesuitas)	9	10		

PROVINCIA	Individuos de misa	Legos	Total	Total haberes anuales (reales de vellón)
Mancha	215	210	425	622.325
Murcia	431	279	710	1.092.080
Navarra	22	8	30	48.910
Palencia	287	88	375	620.135
Salamanca	362	158	520	833.660
Santander	38	13	51	83.585
Segovia	245	105	350	562.100
Sevilla	1.185	539	1.748	2.787.870
— (jesuitas)	12	12		
Soria	152	60	212	343.100
Toledo	400	217	617	967.615
Valencia	2.036	939	3.015	4.801.575
— (jesuitas)	19	21		
Valladolid	693	126	819	1.402.695
Zamora	217	73	290	475.960
TOTALES	16.031	7.904	23.935	37.911.455

La exclaustración afectó también a las religiosas, pero sólo en parte, porque fueron suprimidos los beaterios no dedicados a hospitalidad o a enseñanza primaria, mientras que los restantes conventos podían seguir abiertos si contaban con un mínimo de 20 religiosas. En 1836 se calcula que existían 15.130 monjas, pero no poseemos datos exactos sobre el número de conventos, que, según cálculos aproximados, debía ser superior a los 700 [23].

10. RUPTURA DE RELACIONES DIPLOMÁTICAS POR PARTE DE LA SANTA SEDE

La política revolucionaria de Mendizábal provocó la reacción de sus antiguos compañeros exaltados, que le obligaron a dimitir. El poder pasó en mayo de 1836 a Francisco Javier de Istúriz (1790-1871), antiguo amigo de Mendizábal y conspirador con él en 1820, pero ahora su principal enemigo. Istúriz llegó a la jefatura del Gobierno con una carga de moderación, que se advirtió en sus relaciones con la Iglesia. La legislación eclesiástica de los tres meses que duró su gobierno se limitó a medidas de tipo administrativo, relacionadas con el pago de pensiones a los exclaustrados y a otras disposiciones previas al arreglo general del clero.

El 14 de agosto de 1836 le sucedió José María Calatrava (1781-1847), profundamente revolucionario, a quien Alcalá Galiano llamó «hombre violento y no muy instruido». Calatrava había tomado parte en el encarcelamiento de Fernando VII en Cádiz y en todos los acontecimientos políticos posteriores.

[23] Los datos reproducidos en estos cuadros han sido tomados de M. REVUELTA, *La exclaustración (1833-1840)* (Madrid 1976) p.14-17, y de J. SÁEZ MARÍN, *Datos sobre la Iglesia española contemporánea 1768-1868* (Madrid 1975) p. 200 y 452. Con respecto a la situación material de los religiosos en vísperas de la exclaustración, afirma Revuelta que «no era tan óptima como pensaban con recelo muchos liberales, pero tampoco eran tan catastrófica y decadente como lamentaban algunos religiosos que añoraban la exuberancia de los tiempos viejos» (p.18).

La grave situación militar del momento y la restauración de la Constitución de Cádiz favorecieron el ascenso de Calatrava al poder. Pero fue este segundo hecho el que decidió la ruptura de relaciones diplomáticas con el Gobierno español por parte de la Santa Sede. Fue un gesto —iniciativa personal del papa Gregorio XVI, ciertamente influido por su secretario de Estado, el intransigente cardenal Lambruschini—, que no puede comprenderse sin tener en cuenta, una vez más, la problemática interna de los Estados Pontificios y la debilidad del pontífice, condicionado por las potencias europeas del Norte. Por esas fechas, además, los despachos de los nuncios en París y Viena presentaban un cuadro cada vez más negativo de la situación española. La prensa antiliberal engrandecía y deformaba los hechos y la correspondencia privada que cardenales, obispos y funcionarios del Gobierno pontificio recibían en Roma, procedente en buena parte de sectores carlistas, era extremadamente crítica contra el Gabinete madrileño. También se puso de relieve el influjo adquirido por las sociedades secretas, que gobernaban prácticamente en España e influían directamente sobre la reina gobernadora, María Cristina, y sobre cuantos en la corte cuidaban de la educación de Isabel II.

Sin embargo, el golpe decisivo lo dio la restauración de la Constitución liberal de Cádiz. Al comunicar la ruptura de relaciones al encargado español en Roma el 27 de octubre de 1836, el cardenal Lambruschini escribía: «Visto que con la publicación de la Constitución de 1812 ha cambiado nuevamente la situación española, Su Santidad no puede abstenerse de declarar que no podría reconocer por más tiempo ante sí un representante diplomático del actual Gobierno de España». Cesó cualquier comunicación oficial, pero al encargado Aparici se le permitió residir en la Embajada española en Roma para llevar la Agencia de Preces, que no fue suprimida por el Gobierno de Madrid hasta el 7 de junio de 1837.

El Gabinete Calatrava fue el de mayor actividad legislativa durante la regencia cristina, restaurando, tras el breve paréntesis moderado de Istúriz, la línea anticlerical de Toreno y Mendizábal. Sin embargo, la legislación fue poco original, ya que se limitó a sacar consecuencias de las disposiciones precedentes y trató de reprimir la obstinada resistencia del clero, cuya situación fue empeorando sensiblemente al ocuparse las temporalidades a cuantos habían abandonado su ministerio sin autorización del poder civil. Impidió a los obispos que confiriesen órdenes sagradas y que diesen letras dimisorias a los aspirantes, porque muchos jóvenes de diócesis limítrofes con Francia, protegidos por sus respectivos prelados, recibían órdenes de los obispos franceses de Bayona, Tarbes, Pamiers y Perpignan. Otros marchaban directamente a Roma y allí las conseguían. Se castigó con penas severas a cuantos conspiraban contra el Gobierno de Madrid o colaboraban con los carlistas y se intensificó la vigilancia gubernativa para que los párrocos hablasen en favor del nuevo régimen.

El 27 de julio de 1837 dio una disposición fatal para el clero regular, porque extinguió en la Península, islas adyacentes y posesiones de Africa todos los monasterios, conventos, colegios, congregaciones y demás casas religiosas de ambos sexos, a excepción de los colegios de misioneros de Asia existentes en Valladolid, Ocaña y Monteagudo; algunas casas de escolapios, varios conventos de hospitalarios y de monjas de la Caridad de San Vicente de Paúl.

No toda la legislación del Gabinete Calatrava fue negativa, ya que procuró salvar el inmenso patrimonio artístico y cultural de los suprimidos conventos y monasterios, que pasaron a enriquecer el patrimonio nacional.

La Constitución de 1837 fue mal recibida por la Iglesia, porque abrió las puertas a la tolerancia religiosa.

Durante los tres últimos años de la regencia cristina desfilaron por el Gobierno varios ministerios de breve duración, presididos por políticos de escaso relieve, como Bardají, el conde de Ofalia, el duque de Frías y Pérez de Castro, que en materia religiosa se limitaron a ejecutar y completar la legislación precedente. Solamente Pérez de Castro, que había sido nombrado embajador ante la Santa Sede en 1834 al cesar Labrador, pero no llegó a marchar a Roma, trató de suavizar en lo posible las relaciones con la Iglesia, apoyado por su ministro de Gracia y Justicia, el moderado Arrazola. Quiso acercarse lentamente a la Santa Sede ganándose la confianza del episcopado y del clero con una nueva ley de dotación del culto y clero, que fue publicada el 16 de julio de 1840.

Sin embargo, la buena voluntad demostrada por el último Gabinete de la regencia cristina no consiguió alterar el estado de las relaciones diplomáticas.

La revolución de Barcelona, consumada en Madrid en el verano de 1840, puso fin a la regencia de María Cristina, que dimitió el 12 de octubre. Comenzó entonces, bajo la regencia del general Espartero, un período más agitado y convulso para la Iglesia española, pues en muy pocos días se decretó la supresión del Tribunal de la Rota, el destierro del obispo de Canarias y la deposición de muchos párrocos en Granada, La Coruña y Ciudad Real. La Nunciatura fue cerrada por orden gubernativa del 29 de diciembre de 1840 y el vicegerente de la misma, Ramírez de Arellano, expulsado de España.

CAPÍTULO III

REGENCIA DE ESPARTERO (1840-43)

1. CONATO DE CISMA

La tensión entre la Iglesia y el Estado había llegado a tal extremo, especialmente después del cierre de la Nunciatura y de la expulsión del vicegerente, que Gregorio XVI se vio obligado a intervenir solemnemente para denunciar los últimos atropellos del Gobierno. Durante la alocución pronunciada en el consistorio secreto del 1.º de marzo de 1841 condenó la «violación manifiesta de la jurisdicción sagrada y apostólica, ejercida sin contradicción en España desde los primeros siglos». El Gobierno replicó el 29 de junio con una exposición violenta, redactada por el ministro de Gracia y Justicia, José Alonso, que mostraba, una vez más, el antagonismo existente entre ambos poderes y la imposibilidad de reconciliación. Se llegó incluso, por parte del Estado español, a un intento de ruptura con Roma para formar una Iglesia española cismática *more anglicano,* y esto porque la influencia inglesa fue notable durante la regencia esparterista; pero «todo fue humo de pajas» [24] y el cisma no se consumó. El Gobierno siguió las grandes líneas de la política religiosa anterior. El estado de los obispos y de las diócesis se fue agravando, porque aumentaban las sedes vacantes y la situación del clero se hacía insostenible, ya que el Gobierno no satisfacía sus haberes.

No obstante el clima de tensión que siguió a la ruptura de relaciones, los gabinetes madrileños no ocultaron su deseo de reanudar el diálogo con la Santa Sede, con la esperanza de normalizar un día las relaciones. Este fue el caballo de batalla de los últimos gobiernos de la regencia cristina y de los del trienio esparterista. Y realmente éste era el nudo de la cuestión, ya que los políticos españoles comprendieron que un acercamiento moderado hacia la Iglesia podía favorecer la distensión. Sin embargo, se encontró la negativa total del papa Gregorio XVI y de su secretario de Estado, Lambruschini, que no permitieron la mínima apertura. En momentos en que el pontífice condenaba los errores del liberalismo teórico y práctico, porque minaba los fundamentos histórico-jurídicos de los Estados Pontificios, y mantenía conflictos abiertos con los Gobiernos inglés y alemán por cuestiones relacionadas con la independencia de la Iglesia, resultaba muy difícil iniciar contactos con Madrid, si se tiene en cuenta además que las heridas eran muy recientes y que la intransigencia del papa había alcanzado tonos verbales sin precedentes en sus últimas intervenciones públicas.

<hr>

[24] M. MENÉNDEZ PELAYO, *Historia de los heterodoxos...* II p.987.

Sin embargo, no hay que silenciar las pruebas de buena voluntad dadas por el Gobierno de Madrid para acercarse a Roma. Se ha dicho anteriormente que, al producirse la ruptura de relaciones diplomáticas, en Roma quedó el encargado de Negocios español, Aparisi, que vivió como ciudadano privado, hasta que en la primavera de 1839 recibió instrucciones del Gobierno presidido por Pérez de Castro para que explorase las disposiciones de la corte pontificia con respecto a España. Estas gestiones deben situarse en el cuadro de las iniciativas tomadas por el último Gabinete de la regencia cristina para conseguir el reconocimiento de Isabel II por parte de las potencias del Norte, y, por consiguiente, debe quedar bien claro que la finalidad que movía a los liberales a conectar con Roma era esencialmente política, aunque el aspecto religioso estuviese íntimamente unido al político. El ministro Arrazola dispuso por su parte que una comisión indicase los puntos principales que debían tratarse en eventuales negociaciones con la Santa Sede. Miembros de la misma fueron varios personajes apreciados por su historial político y eclesiástico y por sus conocimientos en dicha materia: Garelli, Ofalia, Martínez de la Rosa, Calatrava, el obispo Torres Amat y el auditor de la Rota, Tariego.

El Gobierno era consciente de la imposibilidad de conseguir a corto plazo la reanudación de relaciones diplomáticas, pero sí podía intentarse un acercamiento con el fin de cubrir las necesidades espirituales más urgentes. El dictamen emitido por esta comisión descubrió el espíritu que inspiraba a sus miembros y demostró cuán lejos se estaba de la solución, pues volvieron a aparecer las habituales acusaciones contra la curia romana por las ofensas inferidas a la Corona española. Es decir, se repitió el coro de protestas contra Roma, que la prensa, las Cortes y las reuniones ministeriales habían pronunciado hasta la saciedad desde 1834. Pero se acordó hacer presente al papa tres hechos fundamentales: la injusticia cometida por su Gobierno al no reconocer a Isabel II, su notoria parcialidad a favor de D. Carlos y su decidida hostilidad contra el Gobierno de Madrid a pesar de las declaraciones de neutralidad. Con respecto a los nombramientos de obispos, se pidió que antes de iniciar cualquier negociación quedasen bien claros dos puntos: primero, no tolerar que las bulas se expidiesen *motu proprio* o *ex benignitate Sedis Apostolicae*, o con otras cláusulas semejantes, ni que se omitiese en ellas la presentación real, en virtud del patronato, aunque se podría silenciar el nombre de la reina; segundo, que mientras no hubiese nuncio en España se encargase a los obispos la formación de los procesos canónicos para los electos. Pero esta iniciativa quedó sin efecto, así como las gestiones del encargado Aparici en Roma, ya que la posibilidad de una victoria carlista, gracias a la protección de las tres potencias del Norte sobre D. Carlos, y el deseo del papa de ver dicha victoria para que el clero recobrara su antiguo influjo impidieron que la Santa Sede se comprometiera. Además, la presión del emperador austríaco sobre el pontífice fue cada vez más insistente. Desde Viena se controlaban los Estados Pontificios, en momentos críticos en que el gobierno papal era incapaz de contener con sus propias fuerzas los movimientos revolucionarios que surgían en diversos lugares de sus dominios. La solución del conflicto español dependía solamente de las armas y no de negociaciones diplomáticas.

2. Primeros intentos de reconciliación Iglesia-Estado

Tras el pacto de Vergara, el Gobierno de Madrid intensificó sus iniciativas, ya que las nuevas victorias de las fuerzas isabelinas y la huida de D. Carlos a Francia alteraron sensiblemente el equilibrio anterior. En Roma, a la vez que Aparici reiteraba sus instancias, la Embajada española en París —con el marqués de Miraflores al frente— establecía contactos con el nuncio Garibaldi. Como la situación político-militar había cambiado, pareció conveniente remover a Aparici de su cargo, y fue sustituido por Julián Villalba, antiguo subsecretario de Asuntos Exteriores, que en Roma fue mal recibido, ya que los informes sobre su persona procedían de ambientes carlistas; pero se le aceptó como negociador en misión exploratoria. Villalba pudo entrevistarse con Lambruschini y con Gregorio XVI, y sacó la impresión de que no se reconocería a Isabel II hasta que no lo hiciera el emperador de Austria. Las negociaciones se interrumpieron otra vez.

El 20 de julio de 1841, el político moderado Joaquín Francisco Pacheco (1808-65) pidió en las Cortes la inmediata apertura de negociaciones con Roma; pero Espartero, con ley del 2 de septiembre, declaró sujetos a venta los bienes nacionales consistentes en propiedades del clero secular, mientras el 14 de agosto se había dado una ley sobre la dotación del culto y clero, que debía seguir la línea trazada por la de 29 de julio de 1837. La posición rígida del Gobierno se mostraba con estos textos legales frente a la alternativa de los moderados. Ni que decir tiene que la política religiosa de Espartero se ganó los odios del clero y de la población católica. Solamente un cambio de régimen podía salvar la situación, y esto ocurrió tras el pronunciamiento popular de 1843 y la subida de los moderados, presididos por Narváez (1800-68), en mayo de 1844 [25].

En diciembre de 1843 había fallecido en Roma Villalba. Para sucederle fue designado un antiguo secretario y confidente de la Reina María Cristina, José del Castillo y Ayensa [26], que tuvo un peso casi decisivo en las negociaciones preconcordatarias. Pero antes de su llegada a Roma fue encargado interinamente de sustituir al fallecido Villalba el subsecretario de Estado, Hipólito de Hoyos, a quien las autoridades pontificias acogieron con frialdad. Ni el papa ni su secretario de Estado le recibieron en audiencia. Pudo hablar solamente con el secretario del cardenal y trató de «rectificar la opinión respecto a las cosas de España,

---

[25] J. L. Comellas, *Los moderados en el poder. 1844-1854* (Madrid 1970).
[26] B. Romero, *José del Castillo y Ayensa, humanista y diplomático (1795-1861)* (Pamplona 1977).

opinión que no es de extrañar se halle extraviada en un país donde no se permite ningún periódico nacional ni extranjero, más que los puramente oficiales y científicos, y donde viven tantos españoles carlistas, que, obcecados todavía con la esperanza de que su partido ha de llegar a prevalecer algún día, se ocupan en propalar las noticias que reciben de sus corresponsales de ahí, comentándolas a su gusto e inventado a veces lo que les place» [27].

[27] E. DE LA PUENTE GARCÍA, *Relaciones diplomáticas entre España y la Santa Sede durante el reinado de Isabel II (1843-1851)* (Madrid 1970) p.17.

LA DECADA MODERADA (1844-54)

1. EL CONVENIO DE 1845

La política religiosa comenzó a cambiar sensiblemente en sentido favorable a la Iglesia desde la subida de los moderados al poder. El Gabinete presidido por González Bravo (1811-71) autorizó el regreso de los obispos exiliados o huidos y la reapertura del Tribunal de la Rota. Sin embargo, estos gestos no bastaron para que la Santa Sede variase su línea de conducta, y los últimos años del pontificado de Gregorio XVI estuvieron caracterizados por una mayor intransigencia con los regímenes liberales, incluidos los más moderados, como era por aquellas fechas el de España. Desde Roma se exigió que el Gobierno español suspendiera la venta de los bienes eclesiásticos y el juramento de la Constitución de 1837 por parte del clero. Pero se trataba de dos cuestiones que un ministerio débil e inestable, como el de entonces, no podía resolver. La situación evolucionó con la llegada al poder del general Narváez, que inauguró un largo período de estabilidad política, llamado la «década moderada», desde 1844 hasta 1854.

En junio de 1844, Castillo y Ayensa, instalado ya en Roma, inició sus contactos con la corte pontificia. El 18 de agosto logró entrevistarse personalmente con Gregorio XVI, quien «no mencionó ni una sola vez el nombre de España ni nada que pudiera relacionarse con ella», según escribe el diplomático español. Pocos días antes de la audiencia pontificia a Castillo, el Gobierno había suspendido la venta de bienes del clero secular y de las monjas (decreto de 26 de julio de 1844). Era una primera prueba de buena voluntad del nuevo equipo ministerial moderado, que en Roma no podía pasar desapercibida; pero el cardenal Lambruschini mostró su extrañeza porque nada se decía en dicho decreto de los bienes del clero regular. La omisión había sido hecha intencionadamente por el Gobierno madrileño para provocar una discusión sobre este asunto e iniciar negociaciones bilaterales. Sin embargo, Lambruschini no accedió a esta insinuación.

Entre tanto, Martínez de la Rosa, embajador de España en París, cometió una grave imprudencia, que paralizó las gestiones apenas iniciadas en Roma. En nota entregada al nuncio Garibaldi, Martínez de la Rosa puntualizó la postura del Gobierno español, que deseaba pactar con la Santa Sede, pero que ante el servilismo de la corte pontificia hacia las potencias del Norte y las actividades de los carlistas residentes en Roma no se podía llegar a un acuerdo. Sin embargo, la Santa Sede no reaccionó polémicamente a la nota del embajador español en París. Se limitó a formular unas *Observaciones* que llegaron a manos de Martínez de la Rosa cuando acababa de hacerse público su nombramiento como nuevo ministro de Estado de Isabel II. Su llegada al Ministerio hizo pensar «que el dualismo ideológico aparecido en el partido moderado permanecería, aunque con diferentes matices, ya que, al representar el embajador en París la tendencia contraria a la reforma de la Constitución de 1837, se colocaba en una posición más liberal que la sostenida por Narváez. Pero éste poseía la capacidad necesaria para que el pretendido dualismo no crease ningún problema en las tareas del Gobierno. Por lo tanto, tal vez en contra de sus íntimas convicciones, Martínez de la Rosa tuvo que reconocer que el acoplamiento realizado por Narváez era, al menos por el momento, el único sistema viable en España» [28].

La oposición parlamentaria quedó desconcertada cuando Martínez de la Rosa esquivó el tema de la venta de los bienes del clero en su discurso sobre las relaciones hispano-romanas. Cuando se examinó el proyecto de reforma de la Constitución de 1837, se intentó resolver el conflicto creado con motivo de la redacción de los artículos 4 y 11 de la misma. El primero se refería a la unidad de fueros y códigos y el segundo había definido la posición de la Iglesia en España. El problema quedó resuelto con el nuevo texto de la Constitución de 1845, que en su artículo 11 decía: «La religión católica, apostólica y romana es la de la nación española. El Estado se obliga a mantener el culto y sus ministros». El segundo párrafo encerraba el problema pendiente con Roma sobre la dotación económica de la Iglesia.

Castillo y Ayensa, en su *Historia crítica de las negociaciones con Roma desde la muerte del rey D. Fernando VII*, narra con abundantes pormenores sus gestiones encaminadas a conseguir un acuerdo con la Santa Sede, gestiones que llevaron al «concordato de 1845». Las bases previas exigidas por la Santa Sede se referían al juramento de la Constitución, a los nombramientos de administradores apostólicos para las sedes vacantes y al derecho de propiedad de la Iglesia. La aceptación de estos tres puntos era fundamental para seguir negociando. Otras cuatro peticiones se referían a la sustentación del culto y clero, a los nombramientos de obispos, a la libertad de los mismos en el ejercicio de su jurisdicción y a la completa restauración de las órdenes religiosas.

La venta de los bienes eclesiásticos planteaba serios problemas, porque resultaba prácticamente imposible devolver al clero fincas que estaban ya en manos de nuevos propietarios al amparo de una complicada legislación del Ministerio de Hacienda. Si el papa hubiese sanado los bienes vendidos, buena parte de las dificultades habrían quedado superadas.

Las gestiones de Castillo en Roma coincidieron con la discusión parlamentaria del proyecto de ley sobre dotación del culto y clero. En realidad, no preocupaba tanto la cantidad —que en el texto del proyecto ascendía a 159 millones de reales— cuanto su significado, es decir, si

---

[28] E. DE LA PUENTE GARCÍA, *Relaciones diplomáticas...* p.18.

debía ser considerada como retribución de los eclesiásticos por el servicio religioso que prestaban o como indemnización que el Estado debía hacer a la Iglesia. La primera hipótesis vinculaba la Iglesia al Estado y convertía a sus ministros en funcionarios del poder civil. La segunda permitía independencia y autonomía a la Iglesia. El 1.º de junio de 1845 se aprobó la cantidad indicada en el proyecto para dotación del culto y clero, con cargo al capítulo de obligaciones del presupuesto general del Estado de dicho año.

Entre tanto había autorizado el Gobierno que volviesen a propiedad del clero secular los bienes no enajenados, cuya venta había sido suspendida por el decreto del 26 de julio de 1844. También se suspendió la venta de los conventos y monasterios. Estos gestos de buena voluntad hicieron cambiar la actitud de la Santa Sede, que el 27 de abril de 1845 había firmado un convenio con España por el que se restablecían las relaciones diplomáticas, se reconocía a Isabel II y se renovaban todos los acuerdos anteriores a la muerte de Fernando VII.

Sin embargo, este convenio o concordato no fue ratificado por el Gobierno de Madrid. A Castillo y Ayensa se le felicitó por haber llegado a este acuerdo, que él había negociado y firmado, pero se le hizo ver que la situación política no permitía cumplir cuanto en Roma se había acordado. En efecto, los partidos y grupos de la oposición atacaron duramente la nueva línea del Gabinete Narváez y desencadenaron una intensa campaña de prensa para desacreditar el nuevo concordato. Narváez, además, iba perdiendo prestigio y poder a medida que aumentaba el influjo de personajes que frecuentaban la corte e influían en el ánimo de la joven reina y de su madre.

2. Pontificado de Pío IX

El cese de Narváez y la sucesión de otros fugaces gabinetes coincidieron con la muerte del Gregorio XVI (1.º junio 1846) y la elección de Pío IX (16 junio 1846). En España fue recibido con general satisfacción el nuevo papa, porque eran conocidas sus tendencias pro liberales. Algunos obispos, como el célebre Torres Amat, entonces anciano, cantaron la llegada del joven pontífice con tono muy elocuente [29]. Se esperaba que Pío IX, a sus cincuenta y cuatro años de edad, cambiara radicalmente la línea política de su predecesor con respecto a España, y así

---

[29] En su saludo al nuevo papa, el obispo de Astorga decía que por fin veía lo que nunca «había creído ver y lo que concebía fuera de toda esperanza: la idea de un pontífice romano que gobierna con el mismo espíritu de Jesucristo... que hace esperar reformas saludables y medidas justas y de buen gobierno en la Iglesia de Dios... digo que es un consuelo demasiado fuerte para un alma tan sensible y trabajada como la mía. Así es que viene a costarme este placer muchos ratos de lágrimas. No parece sino que vuelvo a la edad de las ilusiones, Beatísimo Padre. Leo una y muchas veces con extraordinario júbilo las noticias de Roma, y la memoria de las cosas que ha hecho Vuestra Santidad excita en mí suaves efectos» (citado en mi artículo *El primer documento colectivo del episcopado español. Carta al papa en 1839 sobre la situación nacional:* Scriptorium Victoriense 21 [1974] 152-99 n.42).

fue. Al papa de la intransigencia sucedía el de la comprensión y tolerancia. Una época nueva comenzaba para España tras el matrimonio de Isabel II con su primo Francisco de Asís [30] y con la amplia amnistía, que permitió el regreso de liberales exaltados.

Aunque el concordato de 1845 quedó sin ratificar, el nuevo papa se mostró dispuesto a resolver las cuestiones religiosas pendientes. En marzo de 1847 llegó a Madrid el delegado apostólico Giovanni Brunelli, primer representante pontificio en España desde la salida de Amat en 1835. Sus primeros meses de estancia en la capital de la nación fueron difíciles, porque no siempre los ministros —y en particular los del Gabinete de García Goyena— mostraron comprensión por los asuntos de la Iglesia. Castillo y Ayensa fue destituido de su cargo en Roma, se ordenó de nuevo la venta de bienes eclesiásticos, que los gobiernos anteriores se habían reservado para poder cubrir el presupuesto de ayuda al culto y clero —se trataba de bienes pertenecientes a hermandades, ermitas, santuarios y cofradías— y fue nombrado embajador ante la Santa Sede Joaquín Francisco Pacheco. La vuelta de Narváez al poder a finales de 1847 facilitó la reanudación de las negociaciones. En el consistorio del 7 de diciembre de dicho año lamentó Pío IX que los asuntos de España procediesen tan lentamente.

El año 1848, caracterizado por los movimientos revolucionarios europeos, fue decisivo no sólo para la consolidación en el poder de los moderados españoles, sino también de los grandes partidos conservadores de otras naciones. En el campo de las relaciones Iglesia-Estado quedaba mucho todavía por hacer, y Narváez estaba dispuesto a ganarse el apoyo incondicional de los eclesiásticos restaurando su antigua posición económica y social en la España que entraba ya en la segunda mitad del siglo XIX. Para garantizar el orden público se preparó en 1848 un nuevo Código penal, que especificaba una serie de «delitos contra la religión». Quiso conseguir Narváez la benevolencia del nuevo papa, y ya que las negociaciones diplomáticas no daban buen resultado, por lo menos la represión policial podía producir algún efecto. Pero estas medidas escondían una realidad más trágica, que era el panorama económico español, agravado por la corrupción que reinaba en todos los ámbitos de la Administración pública. La situación político-económica creada por el régimen liberal había favorecido la acumulación de enormes capitales en manos de un reducido número de propietarios, quienes, evitando los riesgos de fluctuaciones, acaparaban dos tercios del capital productivo a expensas de la población nacional. La enajenación de los bienes raíces y derechos que habían pertenecido a las órdenes militares, así como los censos, rentas y derechos procedentes de ermitas, santuarios, hermandades y cofradías pertenecientes al Estado, podía resolver en parte esta situación. Pero las repercusiones fueron muy negativas en el campo eclesiástico, ya que las protestas de la Santa Sede y del clero no se hicieron esperar.

---

[30] M. T. PUGA, *El matrimonio de Isabel II* (Pamplona 1964).

El 27 de mayo de 1848 fue constituida una Junta mixta, presidida por el obispo de Córdoba, Tarancón Morón, cuya finalidad era estudiar la situación del culto y clero y buscar soluciones. Durante el verano de 1848, las relaciones diplomáticas entre España y la Santa Sede se normalizaron completamente. Monseñor Brunelli, primer nuncio apostólico ante la reina Isabel II, presentó sus credenciales el 22 de julio, mientras el embajador Martínez de la Rosa llegaba el 3 de agosto al Vaticano en calidad de primer representante del Gobierno español. Entre tanto, varias naciones europeas, y en concreto Austria, Prusia y Nápoles, habían reconocido a Isabel II.

La situación de los Estados Pontificios tras la huida del papa a Gaeta en 1848 (24 noviembre) provocó una reacción de los gobiernos europeos en favor del pontífice con el fin de restaurarle en su trono. España mostró un singular empeño en esta empresa bélica, y se puso al frente de las naciones católicas, seguida con menor entusiasmo por Francia, Austria, Turín, Florencia, Nápoles y Munich. La expedición española, al mando del general Fernando Fernández de Córdoba, compuesta por 4.000 hombres, salió del puerto de Barcelona el 23 de mayo de 1849. Después siguieron las expediciones de otros países.

3.   EL CONCORDATO DE 1851 [31]

La lenta negociación del concordato de 1851 ha sido estudiada con mucha detención por F. Suárez, mientras que un buen trabajo de conjunto sobre el mismo sigue siendo el de Pérez Alhama. Las *Observaciones* del nuncio Brunelli al proyecto de concordato, dadas a conocer recientemente, descubren aspectos inéditos de la problemática preconcordataria y de las pretensiones de la Santa Sede al tratar con el Gobierno

[31] El texto castellano del concordato está en el apéndice de este tomo p.719ss. El texto latino, en *Pii IX Pont. Max. Acta, pars prima* I p.311-38, y la edición bilingüe, en *Raccolta di concordati*, a cura di A. Mercati (Roma 1919) p.770-79. La negociación del concordato debe seguirse a través de la correspondencia del nuncio Brunelli, en V. CÁRCEL ORTÍ, *Los despachos de la Nunciatura de Madrid (1847-1857):* Archivum Historiae Pontificiae 13 (1975) 311-400; 14 (1976) 265-356, y las observaciones críticas de Brunelli a todo el proyecto, en *El nuncio Brunelli y el concordato de 1851:* Anales Valentinos 1 (1975) 79-198. 309-77. Los dos mejores estudios son de F. SUÁREZ, *Génesis del concordato de 1851:* Ius Canonicum 3 (1963) 65-249, y J. PÉREZ ALHAMA, *La Iglesia y el Estado español. Estudio histórico-jurídico a través del concordato de 1851* (Madrid, Ins. Est. Políticos, 1967). La legislación que siguió al concordato puede verse en varios recopiladores y comentaristas: L. CUCALÓN Y ESCOLANO, *Exposición del concordato de 1851* (Madrid 1853); J. TEJADA Y RAMIRO, *Colección completa de concordatos españoles* t.7 (Madrid 1862) p.IV-XII; J. SÁNCHEZ RUBIO, *Juicio imparcial y comentarios sobre el concordato de 1851...* (Madrid 1853); J. TRONCOSO, *El concordato, o sea breves reflexiones político-religiosas sobre este importante documento* (Madrid 1851); VIZCONDE DE GRACIA REAL, *Comentarios al concordato entre el sumo pontífice Pío IX y Su Majestad Católica D.ª Isabel de Borbón* (Madrid 1851); E. PIÑUELA-F. MEANA-M. PARDO-J. SOTO, *El concordato de 1851 y disposiciones complementarias vigentes* (Manuales de Derecho: 36) (Madrid, Ed. Reus, 1921); J. de SALAZAR ABRISQUIETA ha editado la *Storia del concordato di Spagna, conchiuso il 16 marzo 1851, e della convenzione al medesimo concordato, stipolata il 25 agosto 1859, di Vincenzo Nussi,* prelado vaticano que siguió de cerca la negociación de los dos acuerdos: Anthologica annua 20 (1973) 823-1116. De la historia del concordato se han ocupado también historiadores generales, como Modesto Lafuente, Pirala, V. de la Fuente, Menéndez Pelayo, Jerónimo Bécker y, por supuesto, J. del Castillo y Ayensa.

español. Por ello no es necesario detenerse en aspectos parciales, que pueden consultarse tanto en estas obras actuales como en otras anteriores.

El concordato se firmó el 16 de marzo de 1851, cuando acababa de subir a la jefatura del Gobierno el moderado Bravo Murillo, que representaba la extrema derecha del partido monárquico conservador. Pero no fue él quien negoció el texto concordado, como se ha visto anteriormente, sino quien recogió el fruto de las lentas gestiones llevadas a cabo durante el mandato de Narváez, debidas en buena parte a la intervención personal de ministros católicos practicantes como Pidal y Arrazola. Sin embargo, no debe sorprender que la historiografía liberal haya tildado «a aquellos ministros de *beatos,* tecnócratas y papistas; no porque tales términos resulten ni remotamente adecuados al caso, sino porque una actitud como la de Bravo Murillo y sus colaboradores podía resultar llamativa en su época» [32].

Al concordato de 1851 puede decirse que se llegó fatalmente ante la imposibilidad, constatada por las dos altas partes, de conseguir una reconciliación total y sincera. Y aunque «ninguna de ambas potestades cedió en lo que consideraba su obligación mantener a toda costa», sin embargo, «cedieron al concederse recíprocamente lo que cada una de ellas pedía. Dentro de lo humanamente posible, se habían reparado daños inmensos y restañado heridas profundas. Hicieron falta siete años de gobiernos moderados para sacar adelante algo que, en tono mucho menor, no fue posible conseguir en 1845; pero fue también necesario que los gobiernos moderados no dejaran de ser por ello liberales para que se tardara siete años —con hartas vicisitudes— en lograr lo que se pudo haber conseguido en mucho menos tiempo» [33].

Por ello, el concordato no puede considerarse una obra perfecta, si bien pudo acabar con casi veinte años de tensiones entre la Iglesia y el Estado en España. Y éste es quizás su mayor mérito. Aunque ahora no es posible hacer un análisis detallado de sus 46 artículos, sí podemos detenernos en los que han sido más significativos y transcendentales para la organización eclesiástica española hasta 1931, salvado el sexenio revolucionario (1868-74).

La unidad católica de España quedó solemnemente afirmada en el artículo 1.º, con gran escándalo de los liberales progresistas, de los nacientes demócratas y de los fautores de la separación Iglesia-Estado, si bien la enunciación de dicho primer artículo no era más que la simple constatación de un hecho. La primera consecuencia de este principio era, lógicamente, la enseñanza de la doctrina católica, que debería impartirse en todas las universidades, colegios, seminarios y escuelas de cualquier clase, bajo la vigilancia de los obispos, «encargados por su ministerio de velar sobre la pureza de la doctrina de la fe y de las costumbres y sobre la educación religiosa de la juventud (art.2.º). El Estado

---

[32] J. L. COMELLAS, *Los moderados en el poder...* p.297.
[33] F. SUÁREZ, *Génesis del concordato de 1851...* p.209.

garantizó su protección a la Iglesia (art.3.º) y reconoció la plena libertad de los obispos en el ejercicio de la jurisdicción eclesiástica (art.4.º).

Se estableció una nueva circunscripción de las diócesis, con la desaparición de ocho sedes sufragáneas —Albarracín, unida a Teruel; Barbastro, a Huesca; Ceuta, a Cádiz; Ciudad Rodrigo, a Salamanca; Ibiza, a Mallorca; Solsona, a Vich; Tenerife, a Canarias, y Tudela, a Pamplona— y la creación de tres nuevos obispados: Ciudad Real, Madrid y Vitoria (art.5.º).

La nueva geografía eclesiástica quedó de la siguiente forma:

Iglesia metropolitana de *Burgos,* con seis sufragáneas: Calahorra o Logroño, León, Osma, Palencia, Santander y Vitoria.

Iglesia metropolitana de *Granada,* con cinco sufragáneas: Almería, Cartagena o Murcia, Guadix, Jaén y Málaga.

Iglesia metropolitana de *Santiago de Compostela,* con cinco sufragáneas: Lugo, Mondoñedo, Orense, Oviedo y Tuy.

Iglesia metropolitana de *Sevilla,* con cuatro sufragáneas: Badajoz, Cádiz, Córdoba e Islas Canarias.

Iglesia metropolitana de *Tarragona,* con seis sufragáneas: Barcelona, Gerona, Lérida, Tortosa, Urgel y Vich.

Iglesia metropolitana de *Toledo,* con seis sufragáneas: Ciudad Real, Coria, Cuenca, Madrid, Plasencia y Sigüenza.

Iglesia metropolitana de *Valencia,* con cuatro sufragáneas: Mallorca, Menorca, Orihuela o Alicante y Segorbe o Castellón de la Plana.

Iglesia metropolitana de *Valladolid,* con cinco sufragáneas: Astorga, Avila, Salamanca, Segovia y Zamora.

Iglesia metropolitana de *Zaragoza,* con cinco sufragáneas: Huesca, Jaca, Pamplona, Tarazona y Teruel (art.6.º).

Fueron suprimidos los territorios exentos de los obispados de Oviedo y León (art.8.º). Y los territorios diseminados de las cuatro órdenes militares —Santiago, Calatrava, Alcántara y Montesa— quedaron agrupados en un priorato, con sede en Ciudad Real, cuyo prior tendría carácter episcopal (art.9.º).

Los obispos extendieron su jurisdicción a todas sus diócesis (art.10) y fueron suprimidas todas las jurisdicciones privilegiadas y exentas (art.11), así como la Colectoría General de Espolios, Vacantes y Anualidades, que fue unida a la Comisaría de la Cruzada (art.12).

Fueron reestructurados los cabildos catedralicios, bajo la presidencia del deán, primera silla *post pontificalem,* y se dio una nueva normativa para la provisión de beneficios (art.13 a 23). Se urgió la redacción de un nuevo arreglo parroquial en todas las diócesis y se reguló la provisión de curatos (art.24 a 27).

Se reformó profundamente la organización de los seminarios (art.28) y se autorizó el establecimiento de casas y congregaciones religiosas de San Vicente de Paúl, San Felipe Neri y «otra orden de las aprobadas por la Santa Sede» (art.29). Se conservó el Instituto de las Hijas de la Caridad y las casas de religiosas dedicadas a la educación y enseñanza de niñas u otras obras de caridad (art.30).

A la Iglesia se le reconoció el derecho de adquirir por cualquier título legítimo y su propiedad en todo lo que poseía y adquiriese en lo sucesivo (art.41) y el papa levantó la condena pendiente sobre los compradores de los bienes eclesiásticos procedentes de la desamortización, si bien los no vendidos volverían a sus antiguos propietarios (art.42). Era una forma de solucionar un grave problema de conciencia que había turbado de algún modo a gobernantes y propietarios, que se enriquecieron gracias a la legislación relativa a la compra de los bienes desamortizados, que favorecía a los económicamente más poderosos.

El concordato de 1851 fue, ante todo, un acto político tanto por parte del Estado español como de la Santa Sede. Por parte de ésta se hicieron al primero dos grandes concesiones: la renovación del patronato regio en condiciones semejantes a las del concordato de 1753, que permitía la intervención directa de la Corona en los nombramientos de obispos y en la provisión de canonjías y parroquias, y el reconocimiento de la desamortización como hecho irreversible y consumado. Esto hizo que se volviera al regalismo del siglo XVIII y que todos los gobiernos de la monarquía española hasta 1931 manifestaran excesivamente sus injerencias en asuntos eclesiásticos, al amparo de la legalidad concordada, sobre todo en materia económica y patrimonial. Frente al poder político, la Iglesia intentó defenderse, buscando una independencia y autonomía que nunca consiguió plenamente. Para ello trató de salvar el ejercicio libre de la jurisdicción eclesiástica, que fue garantizado por el Estado, si bien tuvo que pedir una dotación para el culto y clero que entonces sólo podía venir del Estado. Por ello, la característica quizá más relevante de este concordato fue la económica. El propio nuncio reconoció las grandes implicaciones que llevaba consigo el problema económico.

No faltaron críticas al concordato, algunas exageradas, como la de Valera, para quien se firmó en la época «de la mayor reacción política en España y por un Gobierno despótico y sumamente piadoso» [34].

El concordato fue promulgado con ley del 17 de octubre de 1851, y desde entonces comenzó su ejecución, que fue muy lenta y compleja, porque el Gobierno moderado multiplicó las disposiciones legales tendentes a cumplir los acuerdos con la Santa Sede hasta la revolución de 1854. El 21 de octubre fue suprimida la Colecturía General de Espolios, Vacantes y Anualidades y el tribunal de la gracia del excusado. El 21 de noviembre se ordenó el arreglo del personal de las catedrales y colegiatas y la organización de las parroquias. El 29 de noviembre se afrontó la dotación del culto y clero. El 8 de diciembre se adoptaron disposiciones para la entrega al clero de sus bienes, a la vez que se dictaban normas sobre la enajenación de los bienes eclesiásticos. El 8 de enero de 1852 se reguló la administración de los fondos de la Cruzada tras la supresión del comisario general de la misma. El 10 de abril se crearon comisiones investigadoras de memorias, aniversarios y obras pías. Y el 21 del mismo mes se dieron normas sobre edificación y reparación de los tem-

---

[34] J. L. COMELLAS, *Los moderados en el poder...* p.300.

plos parroquiales. El 21 de mayo se decretaron varias disposiciones relativas al régimen y enseñanza de los seminarios conciliares y fueron suprimidas las facultades de teología de las universidades. El 28 de septiembre se publicó el nuevo plan de estudios para los seminarios conciliares [35].

El 23 de julio de 1852 fue restablecida la Congregación de San Vicente de Paúl, y el 3 de diciembre, la de San Felipe Neri.

El 15 de noviembre de 1852 se ordenó a los clérigos el uso del traje eclesiástico, consistente en hábito talar y alzacuello.

Más lenta fue la ejecución del concordato con respecto a la erección de las nuevas diócesis. La primera fue Vitoria, pero no se consiguió hasta el 26 de septiembre de 1861. Le siguió la prelatura *nullius* de Ciudad Real, formada con el llamado «coto redondo» de las órdenes militares, el 18 de noviembre de 1875, y Madrid, el 7 de marzo de 1884, a la que se unió el título de Compluto o Alcalá de Henares, el 7 de marzo de 1885.

---

[35] Sobre este plan de estudios cf. mi opúsculo *Segunda época del Seminario Conciliar de Valencia* (Castellón de la Plana, Soc. Cast. de Cultura, 1969), p.22-29, y el artículo de J. M. Cuenca Toribio, *Notas para el estudio de los seminarios españoles en el pontificado de Pío IX:* Saitabi 23 (1973) 51-87.

CAPÍTULO V

EL BIENIO PROGRESISTA (1854-56)

1. NUEVOS CONFLICTOS CON LA IGLESIA

Con sensible retraso con respecto al movimiento revolucionario europeo de 1848, estalló en España, en junio de 1854, una revuelta militar llamada «la Vicalvarada», que ha querido compararse con otras sublevaciones de su tiempo, cuando en realidad no fue más que un pronunciamiento de generales conservadores y moderados, apoyados por algunos políticos y por manifestaciones populares que muy poco o nada tenía de revolución nacional, aunque el impacto que entonces produjo y el sentido que le dio la historiografía decimonónica ha hecho que pasara hasta nuestros días con el pretencioso título de «revolución de 1854» [36]. El general O'Donnell, que encabezó el alzamiento contra el Gobierno del conde de San Luis, inició una nueva gestión política ciertamente más avanzada que la de su predecesor. De ahí que el nuevo sistema que implantó este general con la ayuda de Espartero se haya llamado «bienio progresista» (28 junio 1854-14 julio 1856). Ya en 1852 había proyectado Bravo Murillo una Constitución de tipo autoritario, que no pudo prosperar debido a la fuerte oposición parlamentaria, que encabezó el general Narváez, quien se opuso a cualquier intento de política antiliberal. La situación interna fue muy inestable, y por el Gobierno pasaron rápidamente Roncali, Lersundi y el conde de San Luis. En marzo de 1854 se produjo en España la primera huelga general, y tres meses más tarde, O'Donnell dio el golpe militar para cortar los abusos del conde de San Luis, que habían llevado el país al desastre. La carestía aumentó el descontento del campesinado, especialmente en Andalucía, a la vez que la naciente industria, en concreto la catalana, comenzaba a organizarse corporativamente, y pronto surgieron las primeras asociaciones de trabajadores. El movimiento obrero, que en 1841 había hecho tímidamente su aparición en España, pudo organizarse libremente durante el bienio progresista. La guerra de Crimea favoreció las inversiones industriales y ferroviarias y la explotación minera. La política del bienio fue esencialmente burguesa, y su representante más genuino, el ministro de Hacienda, Pascual Madoz, autor de las leyes de ferrocarriles, minas, bancaria y de la nueva desamortización.

La vuelta al Gobierno de algunos ministros que lo habían sido durante la regencia de Espartero (1840-43) hizo presagiar nuevos conflic-

[36] D. SEVILLA ANDRÉS, *La revolución de 1854* (Valencia 1960); V. G. KIERNAN, *La revolución de 1854 en España* (Madrid 1970).

tos con la Iglesia. En concreto, el de Gracia y Justicia, José Alonso, recordaba los intentos de cisma en 1841, uno de los momentos más oscuros de la Iglesia española decimonónica. Apenas instalado en su dicasterio, comenzaron a llover sobre los obispos disposiciones emanadas por este ministro con el fin de contener el influjo de la Iglesia y limitar su campo de acción. En este sentido hay que entender una real orden del 19 de agosto de 1854 por la que se impedía a los prelados la condenación y prohibición de obras sin haber oído las explicaciones de su autor y obtenido el consentimiento de la reina. El Gobierno quería garantizar «la libertad que tienen los españoles de emitir sus ideas por medio de la imprenta», y ésta contrastaba con la praxis episcopal de condenar autores sin oírles y de calificar el sentido de sus escritos sin escuchar sus explicaciones, causándoles con este proceder daños materiales y morales. Otra real orden del mismo día pedía a los obispos que velasen sobre los predicadores para que no descendiesen a temas políticos y sociales, porque creaban confusión entre el pueblo y provocaban desobediencia a las autoridades constituidas. El ministro Alonso urgió la residencia de los eclesiásticos y mandó que salieran de Madrid en el plazo de quince días cuantos no justificasen un título legítimo para residir en la capital (R.O. 23 agosto 1854); autorizó el restablecimiento de las Facultades de Teología en las Universidades de Madrid, Santiago, Sevilla y Zaragoza (R.D. 25 agosto 1854); prohibió el alumnado externo de los seminarios conciliares, que podrían admitir solamente alumnos internos de gracia y pensionistas, mientras los externos podrían frecuentar los estudios eclesiásticos en las universidades civiles (R.O. 25 agosto 1854); dictó varias disposiciones para activar la formación y conclusión de los expedientes de arreglos parroquiales y suspendió la provisión de los curatos vacantes (R.O. 3 septiembre 1854); derogó el decreto de 3 de mayo de 1854 por el que se había establecido la comunidad de monjes jerónimos en el monasterio de El Escorial (11 septiembre 1854); suprimió la *Cámara Eclesiástica*, que fue reemplazada por un consejo llamado *Cámara del Real Patronato*. El organismo suprimido había sido creado el 2 de mayo de 1851 y tenía las atribuciones consultivas relacionadas con el ejercicio del patronato real, que antiguamente habían sido del Consejo de Castilla, exceptuadas las judiciales, asignadas al Tribunal Supremo de Justicia (R.D. 17 octubre 1854).

Su sucesor en el Ministerio, Joaquín Aguirre (1807-69), aprobó el reglamento orgánico para la administración de los efectos vacantes y bienes procedentes del ramo de Espolios (R.D. 19 enero 1855); declaró en su fuerza y vigor la ley de 19 de agosto de 1841 sobre capellanías de sangre, derogada por real decreto de 30 de abril de 1852 (R.D. 6 febrero 1855); dictó disposiciones para que los vicarios capitulares de las sedes vacantes, los provisores y vicarios generales mostrasen su adhesión a las instituciones del país como condición indispensable para su elección o nombramiento (R.O. 15 febrero 1855); insistió a los obispos para que recordasen las órdenes dadas por su predecesor Alonso en el sentido de que los predicadores no debían tratar temas políticos y sociales y autorizó a los gobernadores civiles y jueces que aplicasen severamente las leyes para reprimir y castigar los excesos cometidos por los eclesiásticos en esta materia (R.O. 21 febrero 1855); prohibió el conferimiento de órdenes sagradas (R.D. 1 abril 1855); urgió a los prelados la terminación de arreglo parroquial, previsto en el artículo 24 del concordato (R.O. 12 abril 1855); suspendió la admisión de novicias en todos los conventos y monasterios (R.O. 7 mayo 1855) y dispuso el cese de los ecónomos que habían luchado con los carlistas y que durante la guerra civil habían sido ordenados en el extranjero (R.O. 27 mayo de 1855).

Otro ministro de Gracia y Justicia, Fuente Andrés suprimió los conventos que no tuvieran doce religiosas profesas (R.O. 31 julio 1855) y ordenó a los gobernadores civiles que remitiesen relaciones completas de los eclesiásticos adictos al régimen, así como de los que se declaraban en abierta rebeldía y de los que dificultaban la acción de las autoridades civiles (R.O. 17 agosto 1855); prohibió a los obispos y al clero en general que imprimiesen o divulgasen escritos individuales o colectivos dirigidos a la reina o a las Cortes (R.O. 20 septiembre 1855); suprimió la segunda enseñanza en todos los seminarios (R.D. 29 septiembre 1855).

El 6 de febrero de 1856, otro titular de Gracia y Justicia, Arias Uría indicó a los obispos la línea de conducta que debía observar el clero en sus relaciones con el Estado, con el fin de evitar conflictos por motivos políticos. Y pocos días antes de la caída del último Gobierno revolucionario aprobó la instrucción para el cumplimiento de la ley de 27 de mayo de 1856 sobre redención de cargas espirituales y temporales (R.O. 8 julio 1856).

2. OTRA DESAMORTIZACIÓN

He querido indicar de forma sumaria algunas de las disposiciones más significativas que se adoptaron en materia eclesiástica durante el bienio. Ciertamente, la legislación fue mucho más amplia y ocupó también a otros ministerios, especialmente al de Hacienda, por lo que se refiere a la desamortización de bienes eclesiásticos. El 7 de febrero de 1855, la *Gaceta de Madrid* publicó un real decreto del titular de este departamento que autorizaba a someter a discusión en las Cortes un proyecto de ley que declaraba en estado de venta todos los predios rústicos y urbanos, censos y foros pertenecientes al Estado, a los pueblos, al clero y a los establecimientos y corporaciones de beneficencia e instrucción pública. El ministro Madoz defendió que dicho proyecto no violaba el concordato, y, aunque lo hubiese violado, las Cortes de la nación tenían suficiente autoridad para dar a las propiedades eclesiásticas el destino que estimasen conveniente. La protesta de los obispos fue inmediata, y el de Osma, en concreto, elevó un escrito que detuvo la discusión parlamentaria, porque las Cortes tuvieron que estudiar las razones expuestas por el prelado, quien exigió la intervención de la Santa

Sede antes de legislar sobre esta materia, ya que no podía tolerarse una desamortización eclesiástica impuesta unilateralmente por el Estado sin contar con la Iglesia. El prelado oxomense amenazó con severas penas canónicas a los autores de la ley y a los compradores de dichos bienes. Por este motivo fue desterrado a Canarias, lo mismo que sus colegas de Urgel, José Caixal, conocido por sus abiertas simpatías carlistas, y de Barcelona, José Domingo Costa y Borrás, una de las figuras más preclaras del episcopado en aquellos momentos.

A finales de abril de 1855, la ley de desamortización eclesiástica y civil estaba aprobada por las Cortes, y cuando los generales Espartero y O'Donnell fueron el día 25 a pedir la aprobación de la reina, ésta se negó. Había intervenido Mons. Franchi, encargado de Negocios de la Santa Sede, quien, sin embargo, no pudo impedir que días más tarde Isabel II firmara la nueva ley. El Gobierno adoptó medidas persecutorias y restrictivas contra los obispos y eclesiásticos que mayor oposición mostraban al régimen y desterró a la célebre sor Patrocinio, la «monja de las llagas», acusada de intrigas palaciegas y de supersticiones y engaños, en los que caía la misma joven reina, cuya ignorancia en materia religiosa era de todos conocida.

Las repercusiones de la nueva ley para la Iglesia fueron enormes. De nada sirvieron las enérgicas protestas del episcopado y de la Santa Sede, que ordenó el retiro de su representante, Mons. Franchi, quien desde la salida del cardenal Brunelli en octubre de 1853 había estado al frente de la Nunciatura. Franchi salió de Madrid a mediados de julio de 1855 y la Nunciatura quedó cerrada hasta la llegada de Mons. Simeoni, nuevo encargado de Negocios, en mayo de 1857. Al mismo tiempo, el embajador Pacheco abandonó Roma, y las relaciones diplomáticas entre España y la Santa Sede quedaron interrumpidas. La ley desamortizadora afectó a todos los bienes del clero, a los de las cuatro órdenes militares, a los de cofradías, obras pías y santuarios. A diferencia de la de Mendizábal, la desamortización de Madoz careció de la virulencia que caracterizó aquélla, quizá porque encontró una resistencia mayor de la Iglesia. El Ministerio de Hacienda multiplicó las disposiciones legales con el fin de asegurar las incautaciones de bienes eclesiásticos. Las ventas comenzaron inmediatamente, de forma que en el mes de mayo de 1855 se vendieron cerca de 7.800 fincas por un valor de 90 millones de reales, mientras en agosto se llegaron a vender 11.140 fincas, por un total de 152.812.667 reales. Las cifras totales de esta desamortización fueron las siguientes:

	Fincas rústicas	Fincas urbanas	Total	Valor en tasación	Valor en venta	Cotización
Fincas del clero regular ...	2.494	629	3.123	23.892.555	49.878.417	208,7
Fincas del clero secular ...	22.351	4.576	26.927	135.330.007	273.941.004	202,4

Estos datos se refieren a las ventas, ya que Hacienda por su parte se incautó de 12.711 fincas del clero regular y otras 129.372 del secular. Nótese que existía una gran diferencia entre las propiedades de ambos cleros, porque mientras el regular había sido más castigado por la desamortización de Mendizábal, el secular había podido salvarse en buena parte. Se repitieron, además, los índices de intensidad registrados en la década de los treinta, es decir, las ventas mayores se produjeron en Sevilla, Cádiz, Valencia, Avila y Burgos.

En materia constitucional, durante el bienio se intentó aprobar, sin éxito, una Constitución que en su artículo 14 toleraba las creencias religiosas privadas y los cultos. Pero por 103 votos contra 99 no se aprobó la libertad religiosa, mientras Ríos Rosas y Nocedal consiguieron, tras brillantes discursos, que fuese ampliamente reafirmada la unidad católica de España. Era, una vez más, «el tributo pagado a cambio de la desamortización eclesiástica, fiel demostración del pragmatismo de los progresistas, anticlericales en el terreno económico, ortodoxos en el campo estricto de la política religiosa» [37].

[37] J. M. CASTELLS, *Las asociaciones religiosas...* p.205.

CAPÍTULO VI

ULTIMOS AÑOS DEL REINADO DE ISABEL II (1856-68)

1. EL «SYLLABUS» EN ESPAÑA

El mayor conflicto entre la Iglesia y el Estado tras el bienio progresista fue provocado por la publicación en España del *Syllabus* cuando el reinado de Isabel II tocaba su final. El tema es tan amplio y complejo, que merece un detenido examen, ya que la documentación inédita es abundante. Aubert ha sabido dar una apretada síntesis del problema a la luz solamente de documentos franceses y belgas [38].

La situación política española a finales del 1864 era la más inestable que había conocido el reinado de Isabel II, hasta el punto que estaba ya en el aire el profundo cambio político, que llegaría apenas tres años después con la revolución «Gloriosa» de septiembre de 1868. Narváez, con tendencias cada vez más conservadoras y reaccionarias, enemigo abierto del liberalismo, había formado su enésimo Gobierno en septiembre de dicho año, mientras la oposición liberal, encabezada por O'Donnell, sacaba fuerza y prestigio de los fracasos de sus adversarios políticos. El nuevo Gabinete, presidido por Narváez, se ganó inmediatamente las antipatías del país por su política represiva, en particular contra la prensa.

El 8 de diciembre de 1864, Pío IX publicó la encíclica *Quanta cura* y el *Syllabus,* que condenaba las principales libertades modernas. Es el documento más discutido del papa Mastai Ferretti y el que mejor ha contribuido a dar una impronta negativa a su largo y fecundo pontificado. En principio, la actitud de Pío IX no podía desagradar al Gobierno español, ya que el contenido de ambos documentos y el tono duro y contundente de su redacción estaban en la línea de la política antiliberal del último Narváez. Sin embargo, su publicación planteó serios problemas, porque algunas de las proposiciones condenadas afectaban directamente al regalismo de la Corona española, heredado del siglo XVIII, y al derecho público español. Al mismo tiempo, el papa insistía excesivamente sobre su poder temporal, hasta el punto de poner de nuevo en tela de juicio la famosa «cuestión romana», que España había resuelto reconociendo al reino de Italia. Y aunque las relaciones amistosas entre el papa y la reina no habían sufrido menoscabo, una exhuma-

[38] R. AUBERT ha publicado *Quelques documents rélatifs aux réactions espagnoles au Syllabus:* Gesammelte Aufsäsize zur Kulturgeschichte Spaniens Bd.17 u. 19 (Münster 1961-62) p.291-304. Pero la documentación sobre la publicación del *Syllabus* en España está en el Archivo Secreto Vaticano *AN Madrid 364, 365, 366.*

ción de reivindicaciones relativas a los Estados Pontificios era, cuando menos, inoportuna.

El nuncio en Madrid, Barili, recibió del cardenal Antonelli ejemplares de ambos documentos pontificios para que fuesen distribuidos a todos los obispos. Esto ocurría el 22 de diciembre de 1864. Hasta ese momento nadie conocía su contenido. Los periódicos franceses fueron los primeros en publicarlos el día de Navidad, mientras en Bruselas salieron el día 26. Barili cumplió inmediatamente las instrucciones de Roma, y a principios del nuevo año 1865 todos los obispos tenían los documentos en cuestión. Entre tanto, la prensa de Madrid recogió las noticias provenientes de otros países, y de esta forma la opinión pública tuvo conocimiento del *Syllabus,* aunque ignoraba con precisión su contenido. Periódicos progresistas como *La Iberia* y *Las Novedades* lamentaron las condenaciones del papa, mientras *La Democracia,* más radical en sus juicios, llegó a decir que la encíclica era un atentado y una blasfemia contra los sentimientos más nobles y hermosos de los pueblos libres, y en concreto contra el progreso intelectual y social de la humanidad. Según este periódico, Pío IX pretendía volver a las tinieblas y a la esclavitud del Medioevo, olvidando la existencia de Lutero y de la Revolución francesa. El órgano liberal *El Reino* también censuró la encíclica, porque atacaba el desarrollo de la sociedad moderna, y la prensa vinculada al poder, como *El Contemporáneo* (liberal moderado), *El Gobierno* y *La Época,* se limitaron a informar, sin manifestar opinión, aunque explicaron el significado de algunas condenaciones relativas a las relaciones Iglesia-Estado. El impacto, pues, que ambos documentos pontificios produjeron en la opinión pública general, representada por los periódicos laicos, fue tremendo, y la actitud hostil de los mismos o el estudiado silencio lo demuestran. En cambio, la prensa católica —*El Pensamiento Español, La Esperanza* y *La Regeneración*— los recibió con entusiasmo y alabó abiertamente la energía del pontífice, que se oponía valientemente con textos tan solemnes a los errores del liberalismo y del socialismo.

Sin embargo, la gran incógnita fue la actitud del Gobierno, que guardó silencio hasta pasadas las fiestas navideñas. Ciertamente no debían agradarle las condenas relativas al *exequatur* regio y a los recursos de fuerza. La primera indicación vino de las Cortes, que al abrir sus sesiones el 7 de enero interpelaron al Gobierno por medio del diputado Lasala, de la Unión Liberal. Preguntó dicho diputado si había sido prohibida, como en otros tiempos habían hecho monarcas católicos de la talla de Felipe II y Carlos III, la difusión de las cláusulas contrarias a la independencia del Estado; pero el ministro de Estado, Antonio Benavides, salió por la tangente, diciendo que como el Gobierno pontificio no había comunicado oficialmente el texto de los dos documentos, era conveniente esperar antes de tomar una decisión. En realidad se trataba de una respuesta evasiva, porque la documentación vaticana demuestra que, en sus contactos con el nuncio Barili, los miembros del Gabinete madrileño no ocultaron su preocupación por las consecuencias que podía tener la difusión de un documento pontificio sin autorización real, e incluso hubieran preferido dar largas al asunto con el fin de calmar los ánimos de la oposición política, pasado el furor de los primeros días. Pero éste era precisamente el problema: que los obispos estaban dispuestos a difundir los documentos y a publicar el jubileo anunciado por Pío IX, porque su finalidad principal era denunciar y condenar muchos abusos del poder civil en sus relaciones con la Iglesia, y en particular algunas interferencias concretas del Estado español que la Santa Sede no estaba dispuesta a tolerar por más tiempo. Los políticos moderados se encontraron en un callejón sin salida, porque el nuncio Barili llegó a amenazar al ministro de Gracia y Justicia, Arrazola, con un retiro total del apoyo que la Iglesia prestaba a su partido. La tesis del nuncio era que el Gobierno no sólo no debía impedir, sino favorecer la difusión de un documento, que era esencialmente político, ya que el papa buscaba la condena de todas las revoluciones para salvar a las naciones de sus excesos. Por otra parte, era evidente que el Gobierno deseaba mantener a toda costa las regalías y derechos de la Corona, entre los cuales figuraba el *exequatur,* tan reprobado por la Santa Sede. El conflicto además podía agravarse si los obispos difundían el documento sin autorización real, porque el Gobierno se vería obligado a aplicarles las penas previstas en el Código penal contra los que ejecutaban, difundían o publicaban documentos pontificios sin el pase o *exequatur.* En el fondo persistían los prejuicios regalistas que habían enrarecido la atmósfera de las relaciones con la Iglesia.

Con respecto a los obispos, Barili trató de conseguir inmediatamente la unidad de acción, evitando división de pareceres, omisiones lamentables o reticencias peligrosas. Casi todas las diócesis disponían ya por aquellas fechas de boletines eclesiásticos, con periodicidad semanal, aunque podían salir cuando el obispo lo desease. Se trataba de publicaciones que comenzaron a aparecer tímidamente pocos años antes del concordato, si bien alcanzaron mayor desarrollo entre 1852 y 1865. Desde 1862 tuvieron carácter oficial, reconocido por el Gobierno, y por ello estaban exentos de las formalidades previstas en la ley de 13 de julio de 1857, que imponía la obligatoriedad de presentar un editor responsable de cada publicación. Sin embargo, el Gobierno había advertido explícitamente que dichos boletines debían limitarse estrictamente a los actos del obispo, «no dando cabida a polémica ni a inserción de artículos que directa o indirectamente versen sobre política u otros objetos distintos de su especialidad, por los conflictos y dificultades que el hacer lo contrario puede engendrar, con detrimento de los verdaderos intereses de la Iglesia y el menoscabo del prestigio del episcopado, que tanto interesa conservar en una esfera superior al campo de las agitaciones de partido». Por consiguiente, el carácter oficial de los boletines se reducía al ámbito de los documentos del obispo respectivo. Sin embargo, todos los boletines solían publicar una segunda parte, no oficial, que generalmente trataba argumentos varios sobre la Iglesia y el clero [39].

[39] V. Cárcel Ortí, *Los boletines oficiales eclesiásticos de España. Notas históricas:* Hispania Sacra 19 (1966) 45-85.

Visto que la prensa diaria había difundido la encíclica y el *Syllabus* sin que el Gobierno lo hubiese impedido y ante la posibilidad que les ofrecía su órgano oficial diocesano, los obispos decidieron dar a conocer el texto íntegro de ambos documentos sin solicitar autorización del ministro de la Gobernación, competente para estos asuntos. El nuncio aprobó este sistema, y a lo largo del mes de enero de 1865 el clero y los fieles de casi todas las diócesis pudieron disponer de los discutidos documentos pontificios. La mayoría de los prelados los introdujo en la segunda parte de los boletines, la no oficial, sin comentarios. El obispo de Cuenca, Miguel Payá, advirtió expresamente que dicha publicación era oficial. Algunos obispos dieron a conocer sólo la encíclica *Quanta cura* y ocultaron de momento el *Syllabus*. Sin embargo, el arzobispo de Valladolid, Juan Ignacio Moreno, y el obispo de Córdoba, Juan Alfonso de Alburquerque, publicaron sendas cartas pastorales, que sirvieron de presentación a los documentos pontificios. La del prelado vallisoletano tuvo mucha resonancia, porque fue el primero que se lanzó a una iniciativa que mereció la aprobación unánime de los católicos y desencadenó las iras del Gobierno por su imprudencia y provocación. El escrito de Moreno estaba bien construido y era una defensa rigurosa de los derechos de la Iglesia. Justificó su gesto diciendo que prefería tener disgustos en lugar de remordimientos por no haber cumplido su deber. Al nuncio y a la Santa Sede les sorprendió la acción de Moreno, pero la aprobaron inmediatamente, porque era una prueba más de la talla moral e intelectual del prelado, uno de los más prestigiosos del momento, que sería elevado pocos años después a la púrpura cardenalicia y tras la primera república se convertiría en primado de la Restauración al ser nombrado arzobispo de Toledo.

Entre tanto, el Gobierno, a la vez que en las Cortes recibía furibundos ataques de la oposición liberal porque no sabía defender al Estado de las injerencias del papa, calificadas de «usurpación de la teocracia», negociaba con el nuncio la solución del conflicto. Se pasó el expediente al Consejo de Estado para que emitiese su parecer. Barili habló personalmente con varios miembros del mismo, y sacó la conclusión de que las dificultades mayores estaban en varias proposiciones del *Syllabus*, ya que a la encíclica se le daría el pase sin gran dificultad. Por su parte, el ministro Arrazola, buen católico, pero profundamente regalista, quería evitar nuevas tensiones, porque deseaba la concordia con la Iglesia y porque estaba en buenas relaciones con muchos obispos; por eso trataba de hacer comprender a sus interlocutores eclesiásticos, y en concreto al nuncio, su situación política, ya que los adversarios de partido instrumentalizaban el problema y le acusaban abiertamente de consentir la impunidad de obispos que violaban abiertamente las leyes del reino.

La discusión parlamentaria coincidió con el estudio del Consejo de Estado. La Santa Sede no transmitió oficialmente el texto de los documentos; por eso el embajador en Roma, Pacheco, tuvo que localizar dos ejemplares impresos, que fueron remitidos a Madrid. El primero era una edición auténtica de la encíclica *Quanta cura*. El segundo no estaba autorizado ni firmado y se titulaba simplemente *Syllabus.* Ambos documentos circulaban unidos. La no transmisión oficial de dichos documentos al Gobierno estaba justificada, porque se trataba de textos dirigidos a todos los obispos de la cristiandad y no sólo a los de España. Por ello, los obispos actuaron con mayor libertad, ya que para la difusión de otro tipo de documentos pontificios habrían esperado ciertamente el pase de las autoridades civiles.

El Consejo de Estado, como el nuncio había podido constatar, concedió el *exequatur* a la encíclica, poniendo alguna reserva a las cláusulas que limitaban la intervención del poder civil en asuntos eclesiásticos, al derecho de la Iglesia a reprimir con penas temporales a los transgresores de las leyes y a la obligación de observarlas, aunque hubiesen sido promulgadas sin consentimiento del soberano. Sin embargo, con respecto al *Syllabus,* se trató de impedir o retener la publicación de cuatro condenas y admitir con reservas otras nueve.

2. Polémica regalista

La proposición 20 —«El poder eclesiástico no debe ejercer su autoridad sin permiso y consentimiento del gobierno civil»— formaba parte del grupo de errores condenados que afectaban a los derechos de la Iglesia, lo mismo que la 28 —«No es lícito a los obispos, sin permiso del Gobierno, promulgar ni aun las mismas letras apostólicas»— y la 29 —«Las gracias que concede el romano pontífice deben reputarse como nulas si no se han pedido por medio del Gobierno»—. En cambio, la proposición 41 condenaba un error acerca de la sociedad civil, tanto considerada en sí misma como en sus relaciones con la Iglesia, que decía textualmente: «Al poder civil, aun cuando lo ejerza un príncipe infiel, compete una potestad indirecta negativa sobre las cosas sagradas; compete, por tanto, no sólo el derecho que llaman de *exequatur,* sino también el derecho denominado de apelación *por abuso».* Estas eran las cuatro proposiciones que ni el Consejo de Estado ni el Gobierno querían aceptar.

Las nueve restantes se referían, en parte, a los dos grupos de condenas indicados y además a los errores de ética natural y cristiana y al liberalismo. Sin embargo, no hubo dificultad en aprobar, y parece lógico que así fuera, las condenas de errores relativos al panteísmo, naturalismo, racionalismo absoluto y moderado, indiferentismo, latitudinarismo, socialismo, comunismo; sociedades secretas, bíblicas y clérico-liberales; otros derechos de la Iglesia; ni tampoco los relacionados con el matrimonio cristiano y con el principado temporal del papa.

Nuevas gestiones del nuncio con el Gobierno consiguieron salvar estos obstáculos, y el 6 de marzo de 1865 Isabel II firmó el real decreto que concedía el pase a la encíclica *Quanta cura* y al *Syllabus,* si bien en su breve articulado se dispuso la adopción de medidas legislativas conducentes a armonizar el derecho del *placitum regium* con la libertad de prensa y preconizó un acuerdo con la Santa Sede, que regulase la concesión del pase con el fin de evitar conflictos y tensiones. Por ello, a la concesión del pase se añadió la cláusula: «sin perjuicio de las regalías de la Corona y de los derechos y prerrogativas de la nación».

Puede decirse que fue una victoria para ambas potestades. La Iglesia vio con satisfacción que un documento tan comprometedor había obtenido la sanción real, mientras el Estado español ratificaba solemnemente su regalismo a pesar de la reciente condenación del mismo por parte del papa. Sin embargo, este gesto provocó nuevas polémicas, pues mientras los que alardeando de progresismo y preconizando una total separación entre la Iglesia y el Estado no perdían ocasión para someter a la primera al segundo, quienes eran tachados de ultramontanismo, integrismo o conservadurismo en el campo político buscaban el espacio vital que la Iglesia necesitaba, libre de las ataduras y vínculos que en tiempos pasados había tenido con el Estado. Por eso resultaba anacrónico que dirigentes liberales pretendiesen mantener los antiguos privilegios y regalías de la Corona. En el caso del *Syllabus,* se ha visto claramente que los motivos fueron esencialmente políticos, con el fin de derribar a los moderados de Narváez, y la ambigua conducta que éstos mostraron durante la gestión de este asunto puede comprenderse por su necesidad de supervivencia política y porque no disponían de otros medios para hacer frente a la oposición parlamentaria en una nación donde faltaba educación política, donde las crisis ministeriales estaban a la orden del día y el temor de un golpe militar era siempre creciente, como demostraron los sucesos posteriores.

En esta polémica entró de lleno Vicente de la Fuente (1817-89), profesor de disciplina eclesiástica en la Universidad de Madrid, laico, doctor en teología y derecho canónico, que siempre había mostrado la pureza de su doctrina en numerosos escritos y su adhesión incondicional a la Santa Sede, y por eso había sido clasificado como uno de los neocatólicos más íntegros. La Fuente redactó en pocos días un folleto titulado *La retención de bulas en España ante la historia y el derecho* (Madrid 1865), que refutaba los pretendidos derechos de los gobiernos que impedían la circulación de documentos pontificios con el *exequatur,* cuando en realidad se trataba de un abuso que los gobiernos católicos habían introducido lentamente y la Santa Sede había tolerado hasta que llegó la condena oficial de Pío IX. Sin entrar en el caso concreto de la encíclica del 8 de diciembre de 1864, La Fuente propugnó una total reforma de la legislación sobre esta materia, porque era contraria a la justicia y a la autoridad de la Iglesia, a la vez que impracticable en las condiciones políticas y sociales de España. El opúsculo fue bien recibido en Roma, porque precisamente era España una de las naciones donde los católicos tenían ideas falsas sobre los derechos atribuidos al poder civil en materias eclesiásticas.

La cuestión del *Syllabus* quedó, por tanto, resuelta al comenzar la primavera de 1865, cuando ya todos los obispos lo habían difundido ampliamente con escritos pastorales, con la sola excepción del de

Orihuela, Cubero —una de las figuras más negativas del episcopado decimonónico—, por razones que desconozco, ya que el silencio del obispo Jaume, de Menorca, quedó justificado por su enfermedad. León Carbonero recogió en *La Cruz* el magisterio episcopal sobre el *Syllabus* y el nuncio alabó la labor de la jerarquía unida, que en poco tiempo, de una u otra forma, había hecho llegar al clero y al pueblo la enseñanza del papa.

Implicaciones religiosas tuvieron también por entonces los sucesos ocurridos en Madrid en abril de 1865. Me refiero a los incidentes de la llamada «noche de San Daniel», originados por una real orden del ministro de Fomento, Alcalá Galiano, que prohibió a los catedráticos, tanto en la cátedra como fuera de ella, expresar ideas contrarias a la religión y a la monarquía. La inmediata reacción del catedrático de historia de la Universidad Central, Emilio Castelar, que desde su periódico *La Democracia* combatía constantemente las instituciones de la Iglesia y del Estado, desencadenó el aparato represivo del Gobierno. Castelar fue destituido y el rector de la Universidad suspendido del cargo [40]. La situación política precipitó. Cayó el Gobierno moderado de Narváez, a quien sucedió el centrista de la Unión liberal, O'Donnell, quien dio el paso decisivo para el reconocimiento del reino de Italia.

3. LA «CUESTIÓN ROMANA»

Este tema, más que a la historia estrictamente eclesiástica, pertenece al de la política exterior de España en sus relaciones con los Estados Pontificios; sin embargo, no debe silenciarse en el conjunto de una historia general de la Iglesia por las implicaciones que el peso del poder temporal tuvo en la acción espiritual del papado. La bibliografía es amplísima, y la documentación, inagotable; por ello hay que ir en busca de síntesis. Por lo que a España se refiere, debemos a Pabón la obra más conseguida, modelo de claridad y método.

La «cuestión romana» coleaba desde principios del XIX, pero se planteó de forma evidente a partir de 1848-49. Desde España se vivió en tres tiempos; el primero fue el reconocimiento del reino de Italia en 1865, durante el gobierno del general O'Donnell; el segundo, bajo el mandato de Narváez, con la ratificación de dicho reconocimiento; y el tercero, la anexión de Roma al nuevo reino en 1870, durante la presidencia del general Prim. Nótese que los tres generales capitaneaban los tres grupos políticos más poderosos de ese tiempo. Narváez, la derecha liberal moderada; O'Donnell, el centro liberal, y Prim, la izquierda progresista. La «cuestión romana» fue vivida y debatida en España «como algo que la afectaba muy especialmente, en tanto se tenía por nación esencial y excepcionalmente católica. La cuestión de Roma —o, mejor

---

[40] P. RUPÉREZ, *La cuestión universitaria y la noche San Daniel* (Madrid 1975); V. CÁRCEL ORTÍ, *La Santa Sede ante las revueltas universitarias de 1865:* Hispania 34 (1974) 199-222.

dicho, la unidad de Italia— concentró, durante un cierto tiempo, todo el debate religioso-político español del siglo XIX» [41].

Este debate o polémica fue abierto en 1857 por el político moderado y jurisconsulto andaluz Joaquín Francisco Pacheco (1808-65), ministro de Estado, jefe de gobierno y dos veces embajador en Roma, que se planteó el problema de la capitalidad de Roma en su libro *Italia. Ensayo descriptivo, artístico y político* (Madrid 1857). Le siguió Víctor Balaguer (1842-1901), entonces joven político y escritor catalán, progresista, que mostró su entusiasmo por la unidad italiana en la historia que de la misma escribió bajo el título *La guerra de la independencia*. Los años sesenta ven aparecer una gran proliferación de escritos a favor y en contra del poder temporal del papa. Cánovas del Castillo, que llegará a ser el mayor estadista del XIX, al ingresar en la Real Academia de la Historia pronunció un discurso sobre *Observaciones acerca de la dominación de los españoles en Italia* (Madrid 1860), en defensa de la unidad del nuevo reino, que es «el ensueño común de las imaginaciones italianas desde hace medio siglo». Cánovas pertenecía a los liberales centristas, y su tío, Serafín Estébanez Calderón (1799-1867), «el Solitario», moderado de Narváez, l contestarle en la Real Academia, auguró felicidad y prosperidad «a la Italia en su nueva navegación». El periodista madrileño y diputado progresista Fernando Corradi (1808-85) atacó desde *El Clamor Público* el poder temporal, «origen en todo tiempo, para los papas, de terribles conflictos y, más de una vez, de sacrílegos atentados», mientras el abogado tradicionalista valenciano Aparisi y Guijarro (1815-72), católico antiliberal y antiparlamentario, defendió, en su opúsculo *El papa y Napoleón,* los intereses de Pío IX. Sus tesis fueron las más exaltadas: «Nosotros podemos llamarnos ciudadanos romanos. El papa es nuestro rey espiritual, y Roma, la Roma que los siglos cristianos han levantado para que fuera la morada del Padre común de los fieles, está en Italia, pero pertenece al mundo católico». Aparisi y Guijarro acabó siendo el director espiritual del carlismo.

En la polémica intervinieron también poetas y escritores como Juan Valera (1827-1905), Patricio de la Escosura (1807-78) y Ramón de Campoamor (1817-1901). El primero respetó y defendió al papa, el segundo mostró admiración a Víctor Manuel y a Cavour y el tercero descubrió las incidencias religiosas en una cuestión que no era puramente política ni exclusiva de Italia. Por fin entró un eclesiástico, Miguel Sánchez, teólogo y moralista, que insistió en las relaciones de España con el catolicismo y del poder temporal con el espiritual del pontificado. Su obra *El papa y los gobiernos populares* (Madrid 1862), dedicada al clero español, iba dirigida a los que «creen romper el cetro del rey sin derribar la tiara».

El reconocimiento del reino de Italia por parte de España se produjo en 1865, con un cierto retraso con respecto a otras naciones europeas. Los progresistas lo habían propugnado constantemente, y Narváez a principios de 1865 estaba dispuesto a dar el paso, pues de lo contrario

---

[41] J. PABÓN, *España y la «cuestión romana»* (Madrid 1972).

lo habría hecho su adversario político O'Donnell, como así fue. Las intensas relaciones epistolares entre Pío IX e Isabel II no pudieron impedir el reconocimiento. Pesaron más en el ánimo de la joven reina los intereses políticos de la nación defendidos por los generales que las razones opuestas del nuncio Barili, del arzobispo Claret, confesor de la soberana, y de todo el episcopado. España vivía un régimen militar, mientras en el Gobierno y en los grupos dirigentes de los partidos predominaban los civiles. Sin embargo, las jefaturas de dichos partidos y la presidencia del Gabinete estuvo prácticamente en manos de generales desde 1839 hasta la I República. Y fue un general centrista, O'Donnell, quien al reconocer el reino de Italia en agosto de 1865 intentó separar formalmente este acto de la actitud ante la Santa Sede. Se trató, pues, de abrir un doble expediente, deslindando la cuestión política de la religiosa; pero por parte de la jerarquía no se aceptó esta conducta, y los obispos, dirigidos por Barili, que a su vez recibía instrucciones del cardenal Antonelli, desencadenaron una tremenda campaña antigubernativa, que tuvo honda repercusión en las Cortes. Notables fueron las intervenciones parlamentarias de Seijas Lozano, Miraflores, Arrazola, Mon y Cándido Nocedal, que replicaron desde la oposición al discurso de la Corona. Los senadores católicos Manuel Bertrán de Lis y José María Huet tuvieron constantemente informado al nuncio Barili, quien recibió también noticias de los arzobispos senadores de Valladolid (Moreno), Santiago (García Cuesta), Burgos (La Puente), Granada (Monzón) y Valencia (Barrio) y del obispo de Salamanca (Rodrigo Yusto). La intervención más brillante fue del diputado tradicionalista Aparisi y Guijarro, que apostrofó a Isabel II con las dolorosas palabras de Shakespeare: «¡Reina de los tristes destinos!», viendo que la soberana perdía su autoridad ante las maniobras de los partidos.

La reacción católica fue unánime e inmediata. Los obispos llenaron sus boletines de pastorales protestando contra el reconocimiento y en los despachos de la presidencia del Gobierno se recibieron millares de escritos de la jerarquía, del clero y del laicado católico en el mismo sentido. Incluso desde las colonias ultramarinas de Cuba, Puerto Rico y Filipinas, obispos, sacerdotes y religiosos dejaron oír su voz de protesta.

Cuando Narváez sucedió a O'Donnell y se ratificó el reconocimiento, surgieron divisiones entre los moderados. Los más exaltados de la derecha, como Nocedal y otros, se separaron del partido y del régimen. Nació entonces *La Constancia*, periódico católico y antiliberal, que siguió instrumentalizando la «cuestión romana» para fines políticos nacionales. El arzobispo Claret abandonó palacio, marchando primero a Cataluña y después a Roma. Pío IX fue más comprensivo, porque conocía la gravedad de la situación y la inestabilidad política que caracterizó los últimos años de Isabel II. El nuncio Barili tuvo que asistir al desmoronamiento de los Estados Pontificios, que mantenían en España numerosos consulados encargados de las relaciones comerciales [42]. Al mismo

---

[42] Los consulados pontificios en España comienzan a ser estudiados. Cf. la bibliografía citada por M. MOLI I FRIGOLA, *El viceconsulat pontifici de Palamós-Sant Feliu de Guixols*

tiempo sostuvo viva la llama de la adhesión incondicional al papa ultrajado a través de su intensa correspondencia con los obispos. Cuando Pío IX pronunció su alocución del 29 de octubre de 1866 sobre la situación italiana, la jerarquía, el clero y el laicado mostró, una vez más, su afecto al pontífice, y en la diócesis de Orihuela se llegaron a recoger millares de firmas en una campaña promovida por el periódico *El Poder Temporal* para ofrecer hospitalidad al papa en España.

La evolución posterior de la «cuestión romana» en España estuvo condicionada por los acontecimientos políticos que caracterizaron el sexenio revolucionario (1868-74). La candidatura de Amadeo de Saboya al trono español y su breve e infeliz monarquía desencadenaron nuevas oleadas de protestas contra el hijo del monarca usurpador de los Estados Pontificios.

(1830-1870): Anales del Instituto de Estudios Gerundenses 23 (1976-77) 139-60, y el breve artículo de F. Díaz de Cerio, *Petición de un consulado pontificio para Bilbao en 1866:* Estudios vizcaínos 4 (1973) 215-17.

CAPÍTULO VII

UN EPISCOPADO ENTRE DOS EPOCAS HISTORICAS

1. OBISPOS Y POLÍTICA

Resulta extremadamente difícil ofrecer un panorama aproximado de la actuación pastoral de la jerarquía eclesiástica, porque los obispos españoles del siglo XIX siguen siendo en gran parte desconocidos, aunque crecen por días las aportaciones parciales que ayudarán a descubrir la verdadera figura del prelado decimonónico español y su presencia en la sociedad. La documentación inédita es inmensa. Tanto en el Archivo Secreto Vaticano como en el Histórico Nacional de Madrid y en los archivos diocesanos y catedralicios se espera al investigador paciente, cuya tarea es imprescindible para poder, en un segundo tiempo, hacer la historia del episcopado español. Entre tanto, por desgracia, se vive de generalidades, de estudios superficiales, que ignoran los archivos, y de apresuradas síntesis carentes de base documental sólida[43].

Algunos historiadores prefieren detenerse en la función puramente

[43] La investigación histórica sobre los obispos españoles del XIX avanza lentamente. Los viejos episcopologios han quedado superados, aunque ofrecen siempre datos importantes. Carecemos de estudios de conjunto, ya que la obra de J. M. CUENCA TORIBIO, *Sociología de una élite de poder de España e Hispanoamérica contemporáneas: La jerarquía eclesiástica (1789-1965)* (Córdoba 1976), no es fruto de rigurosa búsqueda en archivos, sino resultado de análisis sociológico. Con todo, el planteamiento es original y estimulante.

Sobre algunos obispos del período que nos ocupa cf. las aportaciones más recientes: F. CANDEL CRESPO, *Semblanza biográfica de un riojano ilustre: D. José Antonio de Azpeitia y Sáenz de Santa María, obispo de Cartagena (1825-1840):* Berceo n.80 (1968) 294-318; V. BERRIO-CHOA, *Un arzobispo vasco en la sede metropolitana de Tarragona: Mons. Echánove:* Boletín de la Real Soc. Vasc. de los Amigos del País 20 (1964) 165-68; J. GOÑI GAZTAMBIDE, *Severo Andriani, obispo de Pamplona (1830-1861):* Hispania Sacra 21 (1968) 179-213; A. ARCE, *Cirilo Alameda y Brea, O.F.M. (1781-1872):* ibid., 24 (1971) 257-356; M. MARTÍNEZ, D. *Tomás Iglesias y Barcones, un patriarca de Indias (1851-1874):* ibid., 25 (1972) 109-30; J. M. CUENCA TORIBIO, *El pontificado pamplonés de Pedro Cirilo Uriz y Labayru (1862-1870):* ibid., 22 (1969) 129-286; ID., *La actuación del prelado cordobés D. Juan Alfonso de Alburquerque durante la última fase de la monarquía isabelina (1858-1867):* Anuario de Est. Americanos 23 (1966) 757-92; V. CÁRCEL ORTÍ, *Documentación vaticana sobre el pontificado en Valencia del arzobispo García Abella (1848-1860):* I Congreso de Historia del País Valenciano I (Valencia 1973) p.211-17; J. R. BARREIRO FERNÁNDEZ, *El pontificado compostelano del cardenal García Cuesta (1852-1873):* Compostelanum 17 (1972) 189-60; J. J. B. MERINO URRUTIA, *El riojano Fr. Domingo de Silos Moreno, obispo de Cádiz:* Berceo n.84 (1973) 121-26; J. RODRÍGUEZ FERNÁNDEZ, *Aportación al estudio de la historia del occidente asturiano. El prelado D. Fernando Argüelles Miranda:* Bol. del Ins. de Est. Asturianos 19 (1965) 129-46; V. T. GÓMEZ, *Tensiones espirituales en la España decimonónica. Estudio de las cartas pastorales de Mons. Benito Vilamitjana Vila, obispo de Tortosa y arzobispo de Tarragona (1812-1888):* Escritos del Vedat 4 (1974) 647-65; M. C. ESPAÑA TALÓN, *El obispo D. Francisco Landeira. Su vida y su tiempo* (Murcia 1961); A. PÉREZ RAMOS, *El obispo Salvá. Un capítulo en la historia de Mallorca del siglo XIX* (Palma de Mallorca 1968); J. BARRIO BARRIO, *Félix Torres Amat (1772-1847). Un obispo reformador* (Burgos 1978).

política desempeñada en España por los jerarcas supremos de la Iglesia, considerados como estrato superior de la sociedad, como estamento privilegiado o como *élite* de poder. Se trata de un planteamiento discutible, ya que la figura del obispo en la Iglesia encierra un contenido teológico profundo, que escapa a quienes parten de tales presupuestos, y su actuación pastoral, e incluso política, en la sociedad es mucho más compleja de cuanto a primera vista pueda parecer.

Con todo, hay que aceptar como dato objetivo que la jerarquía católica ha tenido hasta nuestros días un peso y un influjo relevantes y a veces decisivos en la historia de España. Con respecto al período que nos ocupa, tanto los obispos procedentes de Fernando VII como la generación posterior —los llamados obispos de Isabel II— no ejercieron en el ánimo de los monarcas una incidencia tan eficaz como la de otros grupos influyentes del momento, por ejemplo, los políticos, los generales y los nobles. No quiere esto decir que para Isabel II la voz del episcopado no tuviera su importancia. Pero más que de jerarquía o de obispos en conjunto, habría que referirse a figuras concretas, y en el reinado de Isabel II la primera alusión cae sobre su confesor, el arzobispo Claret, y sobre algunos cardenales y obispos frecuentadores asiduos de los ambientes palaciegos y cortesanos.

Desde el punto de vista formal se han querido ver en la Iglesia española del segundo tercio del XIX algunos rasgos comunes con el ejército: una jerarquización rígida y disciplinada de sus efectivos, sólido elemento de cohesión; una movilidad interior, no escalonada, como en el caso de los militares, porque diversa era la extracción de los obispos; una autonomía jurisdiccional, «más o menos rotunda y contestada, pero evidente, que hará de la Iglesia, como del ejército, sendos organismos 'privilegiados', en el sentido clásico del vocablo». Indica estos rasgos Jover, quien enfoca «a la Iglesia y al ejército estrictamente como viveros de sendos grupos dirigentes a integrar en el estrato superior; no es necesario insistir en la diferencia radical que existe entre las respectivas posiciones ante el Estado de una y otra institución». El mismo autor advierte que mientras el ejército forma parte del Estado y se integra en el mismo con funciones que le son específicas, ya que dependen inmediatamente del poder soberano, la Iglesia se desliga lentamente del poder civil en busca de mayor autenticidad y autonomía, aunque a lo largo del XIX haya estado tremendamente condicionada por el regalismo [44].

La presencia de eclesiásticos en organismos políticos ha sido una tradición española hasta 1977, con orígenes muy remotos [45]. Con respecto al período que nos ocupa, bastará decir que el Estatuto Real de Martínez de la Rosa (1834) restauró el «estamento de próceres del

---

[44] J. M. JOVER, *Política, diplomacia y humanismo popular. Estudios sobre la vida española en el siglo XIX* (Madrid 1976) p.326-27.

[45] I. MARTÍN MARTÍNEZ, *Eclesiásticos en organismos políticos españoles* (Madrid 1973). Cf. la colección de estudios publicada por el Instituto de Estudios Políticos, *El fenómeno religioso en España. Aspectos jurídico-políticos* (Madrid 1972).

reino», del cual formaron parte, en primer lugar, los arzobispos y obispos, elegidos con carácter vitalicio por el monarca. La Constitución de 1837, compendio de la gaditana de 1812, no admitió la representación estamental ni dio cabida a los obispos. Sin embargo, algunos prelados fueron nombrados senadores del reino, como representantes de varias provincias, tras haber jurado la mencionada Constitución. Alguno llegó a ocupar la vicepresidencia del Senado y otros ejercieron notable influjo, por su prestigio personal, historial político y dotes intelectuales, en las discusiones y votaciones sobre temas eclesiásticos, tratando de impedir con su equilibrio que prosperasen proyectos e iniciativas de los más exaltados liberales [46].

La Constitución moderada de 1845 volvió a admitir obispos senadores, «por el sagrado carácter de que se hallan revestidos». Varios arzobispos y obispos fueron nombrados senadores por la reina, ya que para ser diputado se exigía el estado seglar. En 1857 se introdujo una reforma en el Senado que trató de unir la dignidad senatorial a los cargos más altos de la Iglesia y del Estado, de modo que el acceder a éstos llevase inherente la condición de senador. Según dicha reforma, los primeros puestos después de los hijos del rey y los del inmediato sucesor de la Corona eran los de los arzobispos y el del patriarca de las Indias, cargo que por vez primera aparecía en la Constitución. Pero además de éstos, que fueron senadores por derecho propio, Isabel II nombró un número ilimitado de obispos senadores.

Otros eclesiásticos estuvieron presentes en el Consejo de Estado, importante organismo encargado de asesorar al rey en las decisiones más transcendentales, que la Constitución revolucionaria de Cádiz mantuvo. Las Cortes gaditanas, representación de la nación en un cuerpo unitario, reconocieron la existencia de dicho Consejo, formado por cuarenta miembros, cuatro de los cuales debían ser eclesiásticos, y dos de ellos necesariamente obispos. Esta tradición, con variantes y modificaciones, ha seguido hasta nuestros días.

Tras estas alusiones generales a la actividad política de la jerarquía española, pasemos a indicar algunos hitos fundamentales de su gestión pastoral.

2. LA JERARQUÍA DEL ANTIGUO RÉGIMEN

Los obispos que al fallecer Fernando VII gobernaban sus respectivas diócesis, fueron durante casi tres lustros testigos excepcionales del de-

[46] Los obispos senadores nombrados en octubre-diciembre de 1837 fueron: Antonio Posada, arzobispo electo de Valencia, por la provincia de Oviedo; Pedro José Fonte, arzobispo de Méjico, por Castellón de la Plana; Pedro González Vallejo, arzobispo electo de Toledo, por Logroño; Vicente Ramos García, obispo electo de Almería, por Sevilla; Manuel Joaquín Tarancón Morón, obispo electo de Zamora, por Soria; Félix Torres Amat, obispo de Astorga, por Barcelona; Miguel Laborda Galindo, obispo electo de Puerto Rico, por Zaragoza; Agustín Lorenzo Varela, obispo de Salamanca, por Lugo; Juan José Bonel y Orbe, obispo de Córdoba, por Almería, y José Pérez Necoechea, obispo electo de Oviedo, por Navarra (cf. mi libro *Política eclesial...* p.419-20).

rrumbamiento del Antiguo Régimen y de la agonía de las ancestrales estructuras eclesiásticas españolas. Por espacio de catorce años no hubo nombramientos episcopales en España, ya que el papa ni designó obispos *motu proprio* ni confirmó los presentados por la reina Isabel II, en virtud del concordato vigente de 1753.

Dos eran las diócesis vacantes cuando murió Fernando VII: Osma y Almería. Las últimas cubiertas durante el Antiguo Régimen fueron Astorga y Canarias, porque sus respectivos prelados —Torres Amat y Romo—, presentados por el monarca difunto en el verano de 1833, recibieron la confirmación canónica a principios de 1834.

La cuarta parte de los obispos procedía de órdenes religiosas: dominicos, benedictinos, mercedarios, capuchinos, cistercienses, premonstratenses, terciarios franciscanos, oratorianos y escolapios. Con respecto a la antigüedad en el episcopado, sólo un pequeño grupo de nueve prelados pertenecía a generaciones anteriores a 1820, ya que la inmensa mayoría surgió tras la restauración absolutista que siguió al trienio.

La documentación que poseemos permite trazar un cuadro aproximado del episcopado fernandino, si bien faltan estudios completos en este sentido. A través de la correspondencia del nuncio Tiberi, podemos descubrir algunos rasgos parciales de dichos obispos. Se procuró siempre que fuesen adictos al rey y devotos de la Sede Apostólica, cuidando de modo particular que mostrasen una conducta irreprensible. Los nombrados después de 1824 fueron, por lo general, personajes grises, enemigos de reformas y novedades en el campo político y en el eclesiástico. Reflejaban perfectamente la época en que fueron nombrados —la «década ominosa»—, porque fueron el fruto de la misma; por eso perdieron por completo el control de la nueva situación política y no comprendieron, ni quizá estaban en condiciones de hacerlo, el sentido profundo de la revolución liberal burguesa.

En esta línea hay que situar al arzobispo Echánove, de Tarragona [47], párroco ejemplar, enemigo de novedades peligrosas; al de Cuenca, Rodríguez Rico; al de Urgel, Guardiola, y al de Coria, Montero.

Las últimas presentaciones episcopales hechas por Fernando VII, cuando los liberales moderados volvieron al poder con Cea Bermúdez, recayeron en eclesiásticos que pocos años antes no habrían pasado, porque el nuncio Giustiniani, integrista en el terreno eclesiástico y absolutista en el político, nunca les habría concedido el beneplácito. En cambio, su sucesor, Tiberi, mucho más abierto a las nuevas exigencias políticas y sociales de la nación, aunque sin las cualidades políticas y diplomáticas de su predecesor, no tuvo inconveniente en recomendar vivamente las presentaciones de los nuevos obispos de Astorga (Torres Amat), Canarias (Romo), Córdoba (Bonel y Orbe), Huesca (Ramo de San Blas), Barcelona (Martínez San Martín) y Almería (Ramos García) —este último no fue aceptado en Roma—, que habían estado comprometidos, de algún modo y a niveles distintos, con los revolucionarios del

---

[47] Cf. mi artículo *Cartas del arzobispo Echánove, de Tarragona:* Analecta Sacra Tarraconensia 47 (1974) 129-48.

trienio. Estos mismos obispos colaboraron de forma más o menos explícita con el nuevo régimen, y, desde luego, simpatizaron abiertamente con la ideología liberal menos radicalizada.

No sabemos hasta qué punto fue consciente el nuncio Tiberi del significado que encerraban estas presentaciones y de la transcendencia que hubieran tenido para España de haber seguido otras más. El fallido intento de episcopado liberal que el trienio no consiguió formar, pudo haber sido realidad durante la regencia cristina de no haberse agravado la tensión entre la Iglesia y el Estado. Es cierto que el sucesor de Giustiniani no conoció las agitaciones del trienio y encontró en España una problemática político-social diversa; pero también es verdad que por antipatía o enemistad personal hacia su predecesor, o quizá también por su confianza en que los aires renovadores y la política moderada y sensiblemente más abierta de los liberales podía mejorar la situación social española, lo cierto es que Tiberi inició en 1833 una serie de nombramientos episcopales que, de haber continuado varios años en la misma línea, habría proporcionado a la jerarquía española un plantel de obispos con mentalidad nueva y probablemente se habrían evitado muchos de los excesos cometidos en este período por parte del Gobierno, llegando a un entendimiento satisfactorio para la Iglesia y el Estado. Cerróse cualquier posibilidad de diálogo porque el Estado provocó insolentemente, y la Iglesia reaccionó con su proverbial intransigencia y hostilidad a los aires nuevos que traía el liberalismo.

Algunos de estos últimos obispos —Torres Amat, Bonel, Romo— podrían haber sido buenos intermediarios entre las cortes pontificia y española, pero eran minoría, y sus propuestas no fueron escuchadas por el resto del episcopado. Además, tampoco jugaron limpio, porque, tras su aparente pureza de principios y rectitud de intención, se escondía el monstruo del regalismo más furibundo, que les movía a atacar duramente la conducta del papa para defender las prerrogativas de la Corona española.

3. La carta colectiva de 1839

Las relaciones o informes que los obispos enviaron a Roma sobre el estado de sus respectivas diócesis con sólo dos excepciones, coinciden en presentar una situación deplorable de la Iglesia española. La carta colectiva que 25 obispos dirigieron al papa el 1.º de octubre de 1839 [48] ofrece, igualmente, un cuadro desolador cuando faltaba un año para que terminase la regencia cristina.

Había sido abolida por completo la inmunidad eclesiástica personal y real, perdidos los diezmos y primicias, reducido el número de los eclesiásticos, suprimidas las órdenes religiosas y cerrados todos los conventos y monasterios, secularizados 30.000 frailes y monjas, ocupados los

---

[48] Cf. mi artículo *El primer documento colectivo del episcopado español. Carta al papa en 1839 sobre la situación nacional:* Scriptorium Victoriense 21 (1974) 152-99.

bienes de las religiosas, impedida la administración de órdenes sagradas a los aspirantes a las mismas, decretado el expolio de todos los bienes del clero y de las religiosas, usurpadas las obras de arte y objetos preciosos que poseían las iglesias y los bienes de las fundaciones pías, autorizada la propaganda protestante y la impresión de libros impíos, obscenos e inmorales; castigados y perseguidos los obispos que se opusieron a estas novedades.

«Poco pueden hacer los obispos en las actuales circunstancias —decía el de Plasencia, Sánchez Varela, deportado a Cádiz—, pues unos están ausentes, otros encarcelados, otros exiliados y, lo que es peor, algunos que permanecen en sus sedes doblan la cabeza ante las disposiciones del Gobierno». El obispo de Cádiz, Domingo de Silos Moreno, que nunca salió de su diócesis, declaró que, a pesar de haber reclamado muchas veces contra los atropellos del poder civil, había encontrado siempre dificultades para el ejercicio de su ministerio pastoral.

Dieciocho obispos fueron perseguidos por el Gobierno, y tuvieron que ausentarse de sus respectivas diócesis. El cardenal Cienfuegos, arzobispo de Sevilla, estuvo desterrado en Alicante, donde pasó todo este período hasta su muerte en 1847. El obispo de Albarracín, José Talayero, vivió desterrado en Madrid. El de Barbastro, Jaime Fort, expulsado de la diócesis, marchó a Francia y se estableció en Pau. El de Calahorra, García Abella, fue confinado primero en Segovia y posteriormente desterrado a Mallorca hasta 1844. El de Cartagena, José Antonio de Azpeitia, consiguió escapar al asalto de su palacio episcopal, pero los revolucionarios no le permitieron regresar a la capital de la diócesis y tuvo que vivir hasta su muerte en Hellín. El de Coria, Raimundo Montero, estuvo encarcelado en Badajoz. El de León, Abarca, siguió a D. Carlos desde el comienzo de la guerra carlista. El de Lérida, Julián Alonso, fue expulsado de su diócesis, pasó a Francia y más tarde al Piamonte, donde murió. El de Menorca, Juan Antonio Díaz Merino, fue desterrado a Cádiz y expulsado posteriormente a Francia, murió en Marsella. El de Mondoñedo, López Borricón, pudo escapar de su diócesis, como el de León, para unirse al ejército carlista. La misma suerte siguió el de Orihuela, Herrero Valverde, que estuvo algún tiempo arrestado en Madrid y después se le expulsó a Francia. También estuvo encarcelado en Madrid el de Palencia, Carlos Laborda, y más tarde desterrado a Ibiza [49]. El de Pamplona, Andriani, estuvo confinado en el domicilio de su hermana, en Ariza de Aragón [50]. El de Plasencia, Sánchez Varela, desterrado a Cádiz, como se ha dicho anteriormente. El de Santiago de Compostela, Rafael de Vélez, procesado y deportado a Mahón. El de Tarragona, Echánove, pudo huir a Mahón y después se le expulsó a Francia. El de Urgel, Guardiola, fue perseguido en su diócesis, pero consiguió esconderse en Andorra y después huyó a Francia.

[49] J. GORRICHO, *Relación de la fuga, prisión y destierro del obispo de Palencia (1835-1837):* Scriptorium Victoriense 18 (1971) 326-44.
[50] J. GOÑI GAZTAMBIDE, *Severo Andriani, obispo de Pamplona (1830-1861):* Hispania Sacra 21 (1968) 179-312.

El de Zaragoza, Francés Caballero, expulsado a Francia, murió en Burdeos.

Otros siete obispos permanecieron siempre en sus diócesis, y, aunque no sufrieron violencias por parte del Gobierno, sí vieron limitadas sus actividades por disposición gubernativa. Estos fueron: el arzobispo de Burgos (Ignacio Rives), que renunció al cargo de prócer del reino, y los obispos de Cádiz (Moreno), Ceuta (Barragán), Cuenca (Rodríguez Rico), Ibiza (Carrasco), Mallorca (Pérez de Hirias) y Valladolid (Rivadeneira) [51].

Este grupo de veinticinco obispos firmó la carta colectiva dirigida a Gregorio XVI en 1839. Documento que no fue signado por otros quince prelados, seis de los cuales pueden llamarse «colaboracionistas» o adictos al Gobierno liberal. Fueron los de Astorga (Torres Amat), Barcelona (Martínez San Martín), Córdoba (Bonel), Huesca (Ramo), Salamanca (Varela) y Santander (González Abarca). Parece ser que otros cinco no firmaron por motivos de salud y edad avanzada, pues fallecieron al poco tiempo —Adurriaga, de Avila; Delgado, de Badajoz; Vraga, de Guadix; Iglesias Lago, de Orense, y Azpeitia, de Tudela. Otros cuatro de los no firmantes fueron los de Jaca (Gómez Rivas) y Tuy (García Casarrubios), figuras grises y de escaso relieve, y los de Canarias (Romo) y Tenerife (Folgueras), que quizá no lo pudieron hacer por razón de su lejanía geográfica. Estos dos obispos residieron siempre en sus diócesis insulares y no consta que tuviesen actuaciones políticas de relieve, ni siquiera que visitaran la Península. Mantuvieron su adhesión a la Santa Sede y manifestaron decidida oposición a las novedades religiosas introducidas por el Gobierno. Romo publicó una obra sobre la *Independencia constante de la Iglesia hispana y necesidad de un nuevo concordato,* que provocó una vivaz polémica con el P. Magín Ferrer [52].

He dicho que hubo dos excepciones al presentar el estado deplorable de las diócesis españolas; fueron el obispo de Astorga, Torres Amat, y su colega de Barcelona, Pedro Martínez de San Martín. Torres Amat manifestó a Gregorio XVI su modo de pensar sobre «el remedio o alivio de los males de nuestra Iglesia de España, poco o quizá mal conocidos por causa de la exaltación de las pasiones dominantes, que ofuscan la razón aun de personas bien intencionadas». Este obispo declaró que nunca se le había impedido el ejercicio de su jurisdicción, y propuso algunas reformas, convenientes no sólo en su diócesis, sino también en todas las españolas, como las de los cabildos catedralicios, la supresión de exención a los regulares para someterlos a los obispos y la eliminación de varios impedimentos matrimoniales. Denunció el fanatismo, superstición e ignorancia de los españoles, causa y origen de los males que sufría la nación.

El de Barcelona hizo algo parecido, presentando una visión defor-

---

[51] Sobre las vicisitudes personales de cada uno de estos obispos y el estado de sus respectivas diócesis, cf. mi libro *Política eclesiál...* p.455-509.

[52] J. M. CUENCA TORIBIO, *Apertura e integrismo en la Iglesia española decimonónica. En torno a una polémica de los inicios del reinado de Isabel II* (Sevilla 1970).

mada de la realidad de su diócesis. En Roma se le llamó ignorante, débil, áulico, pupilo del Gobierno, indigno del episcopado, que había alcanzado por influencias y recomendaciones políticas, y se le echó en cara su amistad con Torres Amat, acusado de ser el principal jansenista del episcopado español.

Desde 1833 hasta 1847, numerosas diócesis fueron quedando vacantes por la muerte de sus prelados. En 1840, el número de obispos fallecidos ascendía a 25, cifra que se elevó a 40 en 1847, cuando llegó a Madrid el nuncio Brunelli.

4. Obispos intrusos. Polémica González Vallejo-Andriani

Pero, sin duda alguna, el mayor atropello cometido por el Gobierno fue imponer a los cabildos catedralicios de las diócesis vacantes la elección de vicarios capitulares o gobernadores *in spiritualibus* en las personas que la reina había presentado para obispos de dichas diócesis y el papa no había confirmado. Fue una injerencia intolerable, si se considera que los vicarios capitulares elegidos legítimamente fueron obligados a dimitir por la violencia y tuvieron que ceder su jurisdicción canónica a los intrusos nombrados por el Gobierno.

De otros excesos gubernamentales fueron víctimas las diócesis cuyos obispos habían sido expulsados o desterrados, exigiendo que la administración eclesiástica fuese encomendada a personas adictas a la causa isabelina y no a quienes habían sido designados canónicamente por los obispos ausentes antes de su salida o desde el exilio. Algunos cabildos fueron obligados a considerar civilmente muertos a sus obispos, y, por tanto, coaccionados para que eligiesen vicarios capitulares o gobernadores de la mitra que administrasen la diócesis en nombre del propio cabildo, sin usar sellos de los prelados legítimos ni cláusulas o fórmulas que directa o indirectamente pudiesen dar a entender que ejercían la jurisdicción eclesiástica en su nombre.

A todos éstos se les llamó intrusos, porque nunca obtuvieron libremente los votos de los canónigos ni fueron aceptados por el clero y el pueblo. Los casos más escandalosos ocurrieron en Toledo, Zaragoza, Málaga, Oviedo y Tarazona. Puede imaginarse la confusión y el desconcierto que crearon los intrusos.

El problema de los gobernadores eclesiásticos ilegítimos, vicarios capitulares anticanónicos, obispos intrusos o como se les quiera llamar, se había planteado ya otras veces en España, tanto durante las Cortes de Cádiz como en el trienio. Pero fue durante las regencias cristina y esparterista cuando saltó a la opinión pública con mayor apasionamiento, porque en periódicos, revistas y folletos se discutió, con una amplitud e interés sin precedentes, el derecho de la reina para efectuar tales nombramientos e imponerlos a los cabildos sin consultar con la Santa Sede.

Publicóse entonces la segunda edición del célebre *Discurso sobre la confirmación de los obispos* (Madrid 1836), que el cardenal Inguanzo había editado en Cádiz en 1813 cuando era diputado en aquellas Cortes, porque —se decía en la presentación de la obra— «ha sido tan doloroso leer en algunos periódicos la invitación que se hace al Gobierno para que tome medidas eficaces a fin de que sean ocupadas las sillas episcopales vacantes por los obispos electos, siendo éstos confirmados por los metropolitanos, que ha parecido conveniente y necesario dar publicidad a la citada disertación para fijar y poner en claro la doctrina de la Iglesia católica y evitar los funestos resultados que de la contraria se seguirían».

La polémica alcanzó su punto álgido, comprometiendo en ella el prestigio del Gobierno madrileño y la autoridad de la Santa Sede, cuando dos obispos de ideologías radicalmente opuestas —González Vallejo, intruso de Toledo, y Andriani, legítimo de Pamplona, protegido gubernamental el primero, perseguido el segundo— trataron la cuestión a nivel científico, con argumentos teológicos, canónicos e históricos.

En 1839, el antiguo obispo de Mallorca, Pedro González Vallejo, depuesto de su sede por liberal y después electo de Toledo, pero nunca reconocido por Roma, dio a la imprenta su *Discurso canónico-legal sobre los nombramientos de gobernadores hechos por los cabildos en los presentados por S. M. para obispos de sus iglesias,* para demostrar su misión legítima en la sede toledana, «y, aunque para mí está muy lejos de haberlo conseguido —escribía al cardenal Lambruschini el vicegerente de la Nunciatura, Ramírez de Arellano—, no dudo que tendrá secuaces, que también será impugnado, y se sostendrá probablemente una polémica cuyas consecuencias serán turbarse y agitarse más y más las conciencias de los fieles».

Defendía González Vallejo una tesis absurda, formulada substancialmente en estos términos: supuesta la suspensión indefinida del reconocimiento de Isabel II y de su patronato por el papa, y, por consiguiente, la confirmación de los obispos presentados por la reina, el único medio canónico y conveniente para cubrir las iglesias vacantes es que los cabildos nombren vicarios capitulares a los obispos electos y que éstos ejerzan como tales su jurisdicción capitular en las sedes vacantes.

Se trataba, según el autor, de una cuestión puramente disciplinar, que no afectaba a la esencia del dogma ni de la moral, ignorando, o, mejor dicho, silenciando, que la intrusión de la autoridad civil y su violenta usurpación de la potestad eclesiástica no es una cuestión indiferente, ya que la disciplina eclesiástica relativa a la jurisdicción legítima de los obispos está íntimamente vinculada con la concepción teológica de la Iglesia.

Iniciaba su escrito aludiendo a tres consultas del Consejo de Estado durante el trienio, precisamente cuando el Gobierno liberal intentó las mismas usurpaciones, imponiendo a los cabildos que nombrasen vicarios capitulares a los entonces electos, y a las vigorosas respuestas del nuncio Giustiniani rebatiendo las pretensiones del Gobierno.

Tras esta introducción alusiva al inmediato precedente español, entraba González Vallejo en materia, sosteniendo el derecho del Gobierno para nombrar vicarios capitulares de las sedes vacantes a los obispos designados por la reina, pues si bien la prudencia del Gobierno durante el trienio se limitó a defender teóricamente este derecho, sin insistir en el ejercicio del mismo, en las nuevas circunstancias políticas de la nación podía y debía servirse del mismo, ya que la invitación de la reina no coartaba la libertad de los cabildos. Era ésta una afirmación insolente, porque todos conocían las violencias y presiones ejercidas por las autoridades civiles y militares contra los obispos y sacerdotes que se oponían a los planes gubernamentales.

Seguía estudiando la posibilidad de los cabildos para revocar, por justos motivos, los nombramientos de vicarios capitulares hechos por ellos mismos y la capacidad de los electos para gobernar las diócesis antes de recibir la confirmación canónica de la Santa Sede. Y concluía apelando a la concordia, habida cuenta de la nueva situación política y de la materia disputada «y no dando ocasión a que, alterándose, sobrevengan tempestades de las que todos podríamos ser inocentes víctimas».

La obra de González Vallejo fue enviada al cardenal secretario de Estado, Lambruschini, por el vicegerente de la Nunciatura de Madrid. Se encomendó el estudio a los jesuitas, que pusieron de relieve la hipocresía y falsa devoción a la Sede Apostólica manifestadas por su autor. «Todo el libro —escribió el general de la Compañía de Jesús, P. Roothaan— es un modelo de hipocresía auténticamente jansenista, digna del autor, demasiado conocido desde hace años».

La réplica, como era de esperar, fue inmediata. A los pocos meses de la aparición del *Discurso canónico-legal,* el obispo de Pamplona, Andriani, publicó su *Juicio analítico sobre el «Discurso canónico-legal»* de González Vallejo, para demostrar que si bien la doctrina expuesta por el arzobispo electo de Toledo no podía contestarse en su conjunto, sin embargo, debía hacerse un examen analítico, con el fin de «suministrar luces y auxilios a los flacos y débiles ingenios que están a pique de ser seducidos». Andriani no quiso demostrar que su doctrina era cierta y la de González Vallejo falsa, sino fijar claramente los principios teológicos y canónicos en virtud de los cuales «es dudosa la jurisdicción que hoy ejercen los obispos nombrados con el título de vicarios capitulares por delegación del cabildo», para concluir que, siguiendo una doctrina insegura, «nacen males grandes y positivos, que reclaman eficazmente un remedio poderoso».

Andriani envió un ejemplar de su obra al papa con intención de someterla al juicio de la Santa Sede. Gregorio XVI no la leyó, porque desconocía el castellano, pero apreció la labor del prelado pamplonés. Gran parte de la jerarquía española se adhirió al obispo de Pamplona, porque había sabido refutar los argumentos falaces, las equivocaciones y las citas mal aplicadas contenidas en el *Discurso canónico-legal.* Sin embargo, esta réplica no produjo efecto alguno, ya que el regente Espartero siguió la misma política religiosa de los gobiernos precedentes y los nombramientos de vicarios capitulares y gobernadores eclesiásticos intrusos continuaron hasta el año 1843.

5. El clero

Se habla frecuentemente de la potencia del clero español en la sociedad estamental del Antiguo Régimen. Potencia cuantitativa y económica, pero esencialmente moral por el profundo y decisivo influjo que los eclesiásticos ejercían en la nación, tanto intelectualmente, desde las cátedras universitarias y la enseñanza en colegios y escuelas, como pastoralmente, por medio de contacto personal a través de las parroquias y de las misiones populares. Aunque la gran masa de la población clerical siguió anclada a las tradicionales estructuras eclesiásticas, que el regalismo borbónico había conseguido mantener inmutables gracias a los concordatos del siglo XVIII, existían pequeños grupos, llamados comúnmente jansenistas, cuyas pretensiones eran la reforma substancial de la Iglesia, insistiendo especialmente en su organización externa, con un deseo de auténtico espíritu evangélico, estricta observancia de la disciplina canónica y mayor interés por las nuevas realidades sociales y políticas, tímidamente insinuadas en la segunda mitad del setecientos y violentamente impuestas por la Revolución francesa.

Coincidió este fenómeno con la explosión de un anticlericalismo [53], en cuyas filas militaron muchos eclesiásticos distinguidos que, al desear una Iglesia más pobre e independiente frente a las realidades temporales, hicieron oposición a cuanto significase clero o estructura eclesiástica. Esta actitud, cada vez más intensa y vivida, fue provocada unas veces por una oposición radical a la Iglesia, y otras, por el comportamiento individual de algunos eclesiásticos.

Por cuanto se refiere a la cuestión política de la época que nos ocupa, puede afirmarse que el clero español no se encontró preparado para afrontar los dos graves problemas que simultáneamente se le presentaron: la sucesión de Fernando VII y el nuevo régimen liberal. El Gobierno fue excesivamente duro con el clero, pues le consideró el principal enemigo de la causa isabelina y le hizo responsable del retraso en la actualización de reformas. Esta imputación alcanzó grados diversos de intensidad según la visión política de los grupos o tendencias que tuvieron el poder durante las dos regencias.

No podía pretenderse que el clero aceptase unánimemente cuanto se le proponía, habida cuenta de las discrepancias existentes a distintos niveles en la sociedad española. Con respecto al problema dinástico, es cierto que muy pocos eclesiásticos se opusieron al reconocimiento de Isabel II. Aceptóse el hecho sin más, salvo casos muy contados, que en un primer momento no tuvieron gran transcendencia y hubieran quedado olvidados, o al menos aislados, de no haberse desencadenado la

---

[53] Sobre este primer anticlericalismo cf. J. Mercader Riba, *Orígenes del anticlericalismo español:* Hispania 33 (1973) 101-23, y algunas observaciones de J. M. Díaz Mozaz, *Apuntes para una sociología del anticlericalismo* (Barcelona, Ariel, 1977).

Quizá sea interesante consultar, por las afinidades que con el fenómeno anticlerical español ofrece el francés, dos obras importantes del vecino país: A. Mellor, *Histoire de l'anticléricalisme français* (Tours 1966) y R. Rémond, *L'anticléricalisme en France de 1815 à nos jours* (París 1976).

guerra civil. Diversa fue la reacción ante las novedades eclesiásticas introducidas desde 1834, porque éstas en su casi totalidad remitían a los precedentes inmediatos del trienio. Entonces, la ignorancia, la falta de preparación, los recursos a épocas pasadas, al terror inspirado por funestos acontecimientos como la guerra, que coincidió fatalmente con su anuncio, exaltaron a unos, entibiaron a otros y llenó de desconfianza a la inmensa mayoría de los clérigos, precipitando a algunos en indiscreciones, compromisos e incluso auténticas defecciones, que fueron motivo de escándalo, porque reconocían en ello un punible extravío y porque no podían dejar de presagiar tristes consecuencias para la tranquilidad pública general y la del clero en particular.

Al extenderse el conflicto, principalmente en las provincias del Norte, estas actitudes se multiplicaron, derivando en imprudencias, temores, desgraciadas combinaciones y resoluciones inconsideradas, siendo muchas veces los eclesiásticos promotores, incitadores e incluso autores materiales de muchos atentados y desórdenes.

Con todo, habida cuenta del número de eclesiásticos —se calcula de 150 a 200.000, es decir, aproximadamente un 14 por 100 de la población nacional—, de los sucesos que en gran parte afectaron a su seguridad personal y a los intereses de sus instituciones, no fueron realmente muchos los comprometidos que dieron pruebas evidentes de desafección a la causa isabelina o que obstaculizaron las reformas constitucionales exigidas por el bien de la comunidad nacional. Pero no debe ocultarse que el grupo, inicialmente minoritario, que se adhirió incondicionalmente a D. Carlos y opuso tenaz resistencia al sistema político liberal fue aumentando a medida que las reformas gubernativas se fueron radicalizando. Influyó también en este fenómeno la incierta actitud de la Santa Sede, oficialmente neutral, pero a todas luces simpatizante con los carlistas, ya que su victoria era la única garantía para el mantenimiento de las viejas estructuras políticas, sociales y económicas, y, lógicamente, del secular influjo que la Iglesia había ejercido ininterrumpidamente en España desde tiempos remotos.

En la mayoría de las diócesis, el clero secular, pese al menosprecio, privaciones y peligros a que se vio expuesto, siguió ejerciendo el ministerio pastoral en la medida en que las circunstancias del país lo permitieron. Al iniciarse la guerra civil, algunos sacerdotes huyeron a Francia o se escondieron en diversos lugares de España por miedo a represalias, otros fueron encarcelados y otros varios fueron fusilados por colaborar con los carlistas.

Como los obispos no pudieron conferir órdenes sagradas ni celebrar conferencias morales, disminuyó sensiblemente el número de sacerdotes, se empobreció su formación y se relajaron sus costumbres. La mayoría no usaba hábitos talares para evitar burlas e insultos. Ocupadas las temporalidades y abolidos los medios que por tantos siglos le sostuvieron económicamente, el clero quedó en situación tan apurada, que las exiguas rentas autorizadas no bastaron para cubrir las más elementales necesidades, porque el Gobierno retrasaba los pagos prometidos.

También los centros de formación sacerdotal sufrieron las consecuencias de esta situación. Por una parte, se filtraron en los seminarios las ideas político-sociales del momento, y, por otra, se relajó la disciplina. Las autoridades civiles se entrometieron también a nivel local, modificando demarcaciones parroquiales, reduciendo parroquias y destinando a usos profanos iglesias abiertas al culto.

El estado de los religiosos exclaustrados puede verse más ampliamente en la obra de Revuelta [54]. Muchos marcharon con sus familias, otros se integraron en las diócesis, y buena parte consiguió pasar a la zona carlista, principalmente a Navarra, donde los conventos estaban abiertos.

La situación de las religiosas fue igualmente poco lisonjera, aunque no fueron víctimas de los excesos que hemos visto tanto en el clero secular como en el regular.

Muchos eclesiásticos emigrados a Francia se establecieron en las diócesis limítrofes con España, y, aunque en general fueron bien acogidos por los respectivos obispos franceses, no faltaron quejas contra algunos prelados. Protestas llegaron a Roma contra el de Perpignan, Mons. De Saunhac-Belcastel, porque despreciaba a los clérigos españoles refugiados en su diócesis, les negaba las licencias ministeriales y pedía a las autoridades civiles que los trasladasen a otros lugares. Parece ser que el obispo francés temía que la laxitud doctrinal de los españoles produjese estragos en su diócesis, y, no obstante la intervención de la Santa Sede, no se consiguió que el prelado elnense cambiase su actitud con respecto a los sacerdotes españoles huidos por motivos políticos.

6.　El pueblo

La situación del pueblo cristiano, a falta de otros estudios más completos, puede conocerse aproximadamente a través de varios informes de los obispos.

«En mis visitas por la diócesis —escribía el de Solsona— nada encontré digno de corrección, sino, más bien, cosas que alabar, especialmente en los lugares más apartados y montañosos. Pero con la guerra civil, el pueblo ha sufrido malos ejemplos al verse obligado a recibir en sus casas hombres impíos, que desprecian las cosas más santas, blasfeman, persiguen a los sacerdotes, incendian las iglesias, destruyen las imágenes sagradas y se burlan de la religión. El obispo de Mallorca comentaba: «Las costumbres del pueblo van cada día peor, aunque se conserva cierta piedad. En general, los pueblos de mi diócesis se mantienen bien, pero en la ciudad de Palma es cada vez mayor la corrupción, originada

---

[54] La obra fundamental de Revuelta *(La exclaustración [1833-1840]*, Madrid 1976) debe completarse con su documentado trabajo sobre *Los pagos de pensiones a los exclaustrados y a las monjas (1835-1850)*: Estudios Eclesiásticos 53 (1978) 47-76. Ambos estudios nos dan el cuadro real de la triste situación en que se encontró este amplio sector de la clerecía española.

por los muchos libros y revistas que se difunden, a pesar de estar prohibidos por la autoridad eclesiástica; por las sociedades secretas, que atacan la religión, sembrando errores, fomentando la lujuria y toda clase de vicios. Los sacerdotes, que, confesando y predicando, animaban a los buenos y combatían a los malos, han sido expulsados u obligados a esconderse; por ello falta el pasto a las ovejas, expuestas a la rapacidad de los lobos».

En Mahón, ciudad portuaria, abundaban las meretrices, los concubinos y alcahuetes, siendo abundantes toda clase de escándalos y comercios ilícitos. En toda la isla reinaba la usura. Para remediar tantos males envió el obispo misioneros apostólicos, dirigió amonestaciones privadas y pidió ayuda a las autoridades civiles para hacer cumplir algunas medidas correccionales. Encargó al párroco de Mahón que vigilase para evitar escándalos, y si los autores no se corregían, después de paternales amonestaciones, los denunciasen a la autoridad civil para que fuesen castigados. Pero el obispo confesaba que con todas estas disposiciones no había conseguido los frutos deseados.

El pueblo humilde, obediente e inclinado a la piedad, encontraba muchos obstáculos por culpa de los militares residentes en Ceuta —decía el obispo de aquella diócesis—, cuya vida licenciosa corrompía las costumbres. El mal ejemplo venía también de muchos delincuentes exiliados en dicha ciudad y del trato con los moros. Algunos obispos, como los de Mondoñedo y Santander, llegaron a pedir la restauración de la Inquisición, porque atribuían la decadencia moral a la falta de dicho tribunal, que en épocas pasadas había conservado la pureza de la fe y de las costumbres.

Si hubiera que hacer una síntesis apretada sobre la conducta del pueblo en este período tan agitado y convulso de la historia de la Iglesia en España, habría que decir que la adhesión a la fe y a las tradiciones de los antepasados se mantuvieron por lo general y la unión constante a los obispos legítimos fue, quizá, la característica más saliente. Nótese que durante estos años se intensificó la propaganda protestante. El obispo de Valladolid atacó duramente a los heterodoxos, que desprestigiaban el dogma, las buenas costumbres y el sacerdocio; pero sus campañas no llegaron a penetrar en el pueblo sencillo, como se demostró cuando la situación religiosa de la nación volvió a su normalidad [55].

7. Situación religiosa en los territorios carlistas [56]

Pocos días después del fallecimiento de Fernando VII estalló la primera guerra carlista. A principios de octubre de 1833, Bilbao se sublevó en defensa de los fueros y privilegios, a la vez que proclamaba rey al infante D. Carlos, hermano del monarca fallecido. En Talavera de la

[55] Los textos citados pueden verse en mi libro, *Política eclesial...* p.429-41.
[56] S. INSAUSTI, *Jurisdicción eclesiástica delegada en territorio carlista (1836-1839):* Scriptorium Victoriense 12 (1965) 212-30. Sobre los personajes indicados en el texto cf. también los artículos de J. GORRICHO citados en la nota 19 de esta parte.

Reina tenía lugar el primer levantamiento carlista. La guerra civil se extendería un año más tarde —durante el último trimestre de 1834— por el Maestrazgo, Cataluña y la Mancha, y no conocería su final hasta el tratado de Vergara (31 agosto 1839).

Don Carlos tuvo representantes no oficiales en Roma desde el comienzo de la guerra. A través de ellos, la Santa Sede conocía, parcialmente, la marcha del conflicto y las actividades de los gobiernos liberales de Madrid. A los enviados de D. Carlos se unieron otros personajes, eclesiásticos y laicos, adictos incondicionales a la causa del pretendiente, acogidos favorablemente en la corte pontificia.

Dos fueron los agentes de D. Carlos que llegaron a tener influjo decisivo en la conducta observada por la Santa Sede durante estos años con respecto a la situación española. El primero fue el antiguo secretario de la Embajada española, Paulino Ramírez de la Piscina, quien, al cesar el embajador Labrador, no quiso encargarse de los negocios pendientes y quedó en Roma como ciudadano privado, aunque la documentación existente en el Archivo Vaticano demuestra que estuvo en estrecho contacto con los secretarios de Estado de Gregorio XVI, los cardenales Bernetti y Lambruschini, y que defendió los intereses de D. Carlos.

El segundo agente carlista de relieve fue el capuchino Fermín de Alcaraz, en el siglo Fermín Sánchez Artesero (1784-1855). Es un personaje que ha pasado inadvertido, y, sin embargo, se trata de una figura clave para comprender la actitud de la Santa Sede en favor de D. Carlos, ya que influyó directamente sobre el papa, sobre el cardenal Lambruschini, y sobre sus más directos colaboradores en la Secretaría de Estado: Capaccini, Brunelli y Vizzardelli. La documentación vaticana muestra la intensa actividad de este fraile, más intrigante que inteligente. Sus numerosas cartas, informes, noticias, escritos, etc., revelan gran capacidad de trabajo y descubren la red de información de que disponía, a la vez que ponen en evidencia su constante parcialidad y tendenciosidad al enjuiciar la situación española y las actuaciones del Gobierno de Madrid. Exageraba la importancia de las efímeras victorias carlistas con el fin de mantener el prestigio de D. Carlos. Muchos obispos exiliados dirigieron sus cartas personales al papa a través del P. Fermín, quien contestaba, en algunos casos, por mandato expreso del pontífice. La Congregación de Asuntos Extraordinarios le encargó varios estudios sobre las diócesis españolas y la del Concilio le confió la revisión de algunos informes presentados por los obispos con motivo de la visita *ad limina*. Particular interés encierran sus votos sobre las de Astorga y Barcelona, donde el capuchino descubrió su total aversión a las novedades eclesiásticas introducidas por los liberales de Madrid y atacó duramente a los dos obispos —Torres Amat y Martínez San Martín respectivamente—, que condividían en gran parte la política religiosa del Gobierno. Llegado a Roma en 1835 para asistir, como delegado de las provincias capuchinas de España, al capítulo de su Orden, el P. Fermín recibió de D. Carlos facultades extraordinarias para «tratar de importantes y delicados asuntos relativos a nuestra santa religión y al Estado». En la correspondencia personal entre D. Carlos y Gregorio XVI se confirma que el capuchino contaba con el apoyo incondicional del pretendiente y con la confianza del papa.

He querido insistir en la personalidad de este capuchino y en su estancia en Roma porque explican la política religiosa de D. Carlos y las concesiones pontificias para su territorio, donde otros obispos —Abarca, de León; Herrero Valverde, de Orihuela, y López Borricón, de Mondoñedo— desempeñaban el ejercicio legítimo de la jurisdicción eclesiástica. Nótese que en las zonas ocupadas por las tropas carlistas no existía sede episcopal alguna; por ello, la primera misión de los agentes de D. Carlos en Roma consistió en normalizar este asunto. Se explotó para ello el deplorable estado en que se hallaban las diócesis controladas por el Gobierno liberal de Madrid y el buen espíritu que reinaba en el territorio carlista gracias a la protección que el pretendiente dispensaba a la Iglesia. Ramírez de la Piscina no dudaba en declarar en 1835 que «las inauditas atrocidades cometidas hasta ahora por la revolución española contra la religión y sus ministros han amargado profundamente el ánimo del rey, mi augusto señor, el cual es más sensible a los daños que los revolucionarios españoles preparan contra nuestra sagrada religión que a la guerra desencadenada contra sus legítimos derechos al trono. El cuadro que hoy presenta España, desolada por el ciego furor de la irreligiosidad y el obstinado espíritu ateo, tortura el religioso corazón de S. M., que no puede consentir que la Iglesia española, tan floreciente hasta hace poco, se vea hoy destruida por los enemigos de Dios».

El obispo Abarca, por su parte, insistía por escrito al papa para que atendiera las peticiones de D. Carlos. Gregorio XVI accedió verbalmente —no consta documento escrito— y concedió al pretendiente todas las facultades necesarias para que pudiese conferir el ejercicio de la jurisdicción eclesiástica en sus territorios a persona de su confianza. Dicha concesión verbal del pontífice llegó a D. Carlos a través del P. Altemir, franciscano, a quien el nuncio Amat calificó de ambicioso e intrigante. Pero D. Carlos exigía más, y a raíz de la alocución pontificia del 1.º de febrero de 1836 comunicó a Gregorio XVI que había hecho propia la causa de la religión católica, declarando nulas todas las reformas introducidas por los liberales, nombrando protectora de sus ejércitos a la Virgen de los Dolores y permitiendo que se refugiasen en sus territorios todos los eclesiásticos huidos de la zona isabelina. Con el fin de evitar intromisiones en los asuntos estrictamente eclesiásticos, D. Carlos llegó a pedir el nombramiento de un representante pontificio, con facultades solamente espirituales.

Es cierto que existía un problema de vacío de jurisdicción eclesiástica, ya que muchos de los clérigos huidos desde la zona isabelina habían perdido toda comunicación con sus legítimos superiores. La Santa Sede se mostró favorable a la petición de D. Carlos, y el 10 de agosto de 1836 concedió al obispo Abarca todas las facultades ordinarias y extraordinarias para el ejercicio de la jurisdicción eclesiástica sobre los sacerdotes y religiosos que no pudieran mantener comunicación son sus ordinarios. Sin embargo, el obispo de León no aceptó el encargo, porque era primer ministro de D. Carlos, y propuso en su lugar a los canónigos Velarde, de Santiago, y Estevan, magistral de Osma. La Santa Sede no accedió, y Abarca quedó como delegado espiritual.

Don Carlos planeó entre tanto un ambicioso proyecto de restauración religiosa que nunca llegó a realizar, pues la victoria de las armas no le fue favorable.

Las facultades concedidas al obispo Abarca se dividieron después con el de Mondoñedo, López Borricón, nombrado vicario castrense del ejército carlista. Durante la guerra, en territorio carlista se celebraron misiones populares y el pueblo pudo usar la bula de la Cruzada, con renovación anual del indulto. El Gobierno de Madrid reaccionó ante ciertos abusos cometidos por los subdelegados del obispo Abarca, que llegaban a entrometerse en territorios de la zona isabelina, creando confusión y desconcierto entre la población católica, donde no eran válidas las facultades concedidas por el papa para la zona carlista.

Don Carlos contrajo matrimonio en 1838 con la primogénita del rey de Portugal, María Teresa de Braganza, princesa de Beira. Por entonces escribió al papa proponiéndole la fundación de un instituto religioso para desagraviar al Santísimo Sacramento, ya que se consideraba sucesor de reyes católicos como San Fernando y San Luis. En Roma se advirtió que éstas no eran iniciativas del monarca, sino de sus más exaltados colaboradores; por ello Gregorio XVI le aconsejó personalmente la máxima prudencia y moderación, con el fin de evitar desviaciones peligrosas. Tras la firma del convenio de Vergara y la huida de D. Carlos a Francia, la Santa Sede siguió de cerca el destino del pretendiente, cuya causa perdió todo el interés y la simpatía que había despertado en la corte pontificia, si bien «la derrota y el alejamiento del poder le valieron recuperar su prestigio de incontaminado símbolo, hecho puro esquema platónico, solución inédita frente a los errores y excesos del campo contrario» [57].

8. EL EPISCOPADO ISABELINO

De la nueva generación de obispos que surgió a partir de 1847 salió buena parte de los protagonistas españoles del Vaticano I y de la revolución del 68. Martín Tejedor, que ha estudiado concienzudamente la documentación vaticana, nos ofrece los rasgos quizá más acertados sobre estos obispos, que él divide en dos generaciones: la desamortizada y la africana, pues la revolución desamortizadora y la guerra de Africa

[57] C. SECO SERRANO, *Tríptico carlista. Estudios sobre historia del carlismo* (Barcelona, Ariel, 1973) p.60. En el Archivo Secreto Vaticano, *SS (1847) 4*, está la correspondencia de la Nunciatura de Viena, a través de la cual la Santa Sede siguió las vicisitudes personales de D. Carlos desde 1840.

son dos puntos de referencia generacional para los obispos españoles del segundo tercio del XIX [58].

A raíz de la legislación desamortizadora y de la política religiosa de los gobiernos liberales de los años 30 y 40, nació en la Iglesia española un neorromanismo, caracterizado por una ostensible ortodoxia doctrinal y por un ultramontanismo cada vez más acentuado. Perdido el apoyo del Estado, la Iglesia española buscó el respaldo moral de la Santa Sede, que defendió los intereses económicos del clero español en las gestiones que precedieron al concordato de 1851 y en la legislación posterior. El pontificado se mitificó, y la persona del papa se convirtió en el centro de atención de los obispos españoles por devoción y por gratitud. Por eso, la jerarquía postrevolucionaria vio en el primado del pontífice un apoyo seguro frente a la hostilidad de un sistema liberal laico. La legislación desamortizadora hirió profundamente a la jerarquía y a toda la Iglesia española; de ahí que la actitud general de los obispos durante la segunda mitad del XIX fuera defensiva y cerrada a cualquier novedad o progreso que pudiera alterar el equilibrio existente en la sociedad eclesiástica y civil.

El concordato de 1851 permitió a la Iglesia reorganizar sus cuadros y actualizar actividades suspendidas durante muchos años. La política moderada que siguió al bienio progresista facilitó un nuevo acercamiento entre la Iglesia y el Estado, hasta el punto de que la primera se convirtió en un elemento indispensable de estabilización social ante la grave situación política del país. La guerra de Africa, afirma Martín Tejedor, «marca el punto culminante de esta simbiosis entre la Iglesia y el régimen político. La acción contra un enemigo exterior produjo una entusiasta unanimidad nacional; la cruz de los eclesiásticos se erguía junto a la espada de O'Donnell, jefe de la Unión liberal; las batallas fueron cantadas por sus cronistas (Pedro Antonio de Alarcón) como triunfo de Cristo sobre la Media Luna y en términos de cruzada. Las pastorales de los obispos con motivo de esta guerra abundan en síntesis históricas en las que el ser de España queda definido por la unión entre la cruz y la bandera; unión que desde Recaredo ha sido la causa de todas las glorias patrias, las cuales han quedado truncadas por el mal sueño de la Ilustración y el liberalismo. Tales consideraciones muestran hasta qué punto se añoraba en las aspiraciones de la jerarquía española la España tradicional y hasta qué punto se consideraba a las nuevas ideas como algo de todo punto inasimilable».

El mismo autor describe a la generación episcopal «desamortizada» como más esencialista y gruesa en sus apreciaciones, pronta a reaccionar con decisión ante los graves problemas que ponían en juego la existencia de alguna realidad fundamental de la Iglesia. Exceptuando sus relaciones con el liberalismo, los obispos de esta generación tenían «un tono

---

[58] Cf. los artículos citados en la nt.24 de la tercera parte. El tremendo impacto de la guerra africana en la sociedad española queda reflejado en la obra de M. C. LECUYER-C. SERRANO, *La guerre d'Afrique et ses repercussions en Espagne. Idéologies et colonialisme en Espagne. 1859-1904* (París, PUF, 1976), con abundante bibliografía.

patriarcal y lleno de bonhomía conciliadora». Por el contrario, los de la generación «africana» eran mucho más puntillosos y sutiles. Insistieron en el cumplimiento fiel del concordato de 1851, sin darse cuenta de las dificultades del país, que impedían al Gobierno cumplir cuanto se había concordado con la Santa Sede. Su característica fundamental fue el integrismo dogmático, que se puso de manifiesto en el largo decenio que corre desde el bienio progresista (1854-56) hasta la revolución de 1868, con un compromiso total e incondicionado con el trono de Isabel II. En este largo decenio, el arzobispo Claret fue una figura clave, porque desde su puesto de confesor de la reina ejerció gran influjo para la selección de candidatos al episcopado, hecha con tanta habilidad, que el nuncio Barili los aceptó sin dificultades en la mayoría de los casos. Pero hay que tener en cuenta que Claret actuó siempre de acuerdo con el nuncio, quien le transmitía fielmente las instrucciones recibidas de Roma. De esta forma se llegó a la deseada restauración de la unión Altar-Trono, muy semejante a la del Antiguo Régimen. La revolución del 68 rompió esta armonía, que no todos los prelados, en particular los de la generación «desamortizada», condividían.

Hay que reconocer que la estabilidad política de esos doce largos años y la presencia ininterrumpida de Claret en la corte y de Barili en la Nunciatura permitieron a la Santa Sede la formación de un cuadro episcopal al servicio de un pontífice empeñado en una estéril batalla contra el liberalismo y en defensa del poder temporal. La publicación del _Syllabus_ en España y la participación de los obispos en el concilio Vaticano I mostraron el alto grado de fidelidad y total adhesión de la jerarquía española a la cátedra de Pedro.

Aunque las clasificaciones nunca son exactas, y en el presente caso pueden ser corregidas a medida que los estudios monográficos sobre los obispos del XIX vayan progresando, sin embargo, estimo que como orientación puede servir la división que Martín Tejedor hace entre las generaciones «desamortizada» y «africana». En la primera incluye a los obispos López Crespo (Santander), García Antón (Tuy), Carrión (Puerto Rico), Argüelles Miranda (Astorga), Uriz Labayru (Pamplona), Pérez Fernández (Málaga), García Gil (Zaragoza), Ríos Lamadrid (Lugo), Marrodán (Tarazona), García Cuesta (Santiago), Caixal Estradé (Urgel), Iglesias Barcones (patriarca de las Indias), Landeira (Cartagena), Puigllat (Lérida), Felix (Tarragona), Lastra (Sevilla), Brezmes (Guadix), Barrio (Valencia), Cuesta (Orense), Monserrat (Barcelona), Rosales (Almería), Ramírez (Badajoz), Bonet (Gerona), Claret (titular de Trajanópolis), Benavides (Sigüenza), Núñez (Coria) y Cubero (Orihuela). En esta generación se dan algunas inserciones de elementos ajenos a la misma. Este es el caso de los carlistas Caixal y Marrodán y del obispo de Orihuela, Cubero, cuya ausencia de actitud eclesial fue evidente durante esos años y tras la Restauración. Las figuras más destacadas de este grupo fueron García Gil y Monserrat, competentes intelectualmente, cuya prudencia, madurez y discreción se pusieron de manifiesto durante el sexenio revolucionario.

En la generación «africana» se pueden incluir los obispos Gil Bueno (Huesca), Jaume (Menorca), Monescillo (Jaén), Payá (Cuenca), Crespo Bautista (auxiliar de Toledo), Blanco Lorenzo (Avila), Martínez Sáez (La Habana), Vilamitjana (Tortosa), Arenzana (Calahorra), Urquinaona (Canarias), Rodrigo Yusto (Burgos), Conde Corral (Zamora), Lozano (Palencia), Martínez Santa Cruz (Manila) Lluch (Salamanca), Moreno (Valladolid), Monzón (Granada), Jordá (Vich) y Sanz y Forés (Oviedo). Los más destacados fueron Monescillo y Moreno; ambos llegaron a ser, años más tarde, cardenales de Toledo. El primero brilló como escritor y orador. Payá se manifestó en el Vaticano I romanista exaltado y defensor de la infalibilidad, aunque con buena base doctrinal gracias a su formación sólida. Otro devoto del pontificado fue Vilamitjana, mientras Blanco Lorenzo trató de acercar la figura de Pío IX al pueblo. El carlista Martínez Sáez, obispo de La Habana, escritor fecundo y orador fogoso, cantó las glorias del Medioevo como ideal cristiano. Gran figura fue, igualmente, el obispo Sanz y Forés, cuya preparación intelectual y humana le convirtieron en uno de los protagonistas más destacados de la Iglesia española tras la Restauración.

9. INICIATIVAS DE CARÁCTER ECONÓMICO

Me detengo en esta materia porque su importancia y transcendencia superan los límites estrictamente económicos. Gran parte de la actividad pastoral de los obispos españoles del XIX, a partir de la normalización de las relaciones con la Santa Sede en 1848, estuvo centrada en la recuperación del poder económico perdido con las medidas desamortizadoras. Esto nunca pudo conseguirse, aunque el concordato del 51 garantizó la ayuda estatal a la Iglesia. Por eso prosperaron las iniciativas entre el pueblo, que fue tomando conciencia de la necesidad de sostener al clero. Nos faltan estudios sobre la entidad de las aportaciones económicas de los católicos españoles a la Iglesia cuando la naciente sociedad industrial sentaba las bases del capitalismo moderno. Podemos indicar solamente algunos jalones, los más representativos, los que la jerarquía organizó y fomentó en dirección a Roma, porque descubren el grado de adhesión del episcopado al pontífice.

Las ayudas económicas masivas al papa comenzaron a organizarse durante el pontificado de Pío IX, ya que no consta que existiese en épocas precedentes iniciativa alguna en este sentido [59]. Al papa se le ayudó desde España con donativos en metálico y con regalos. El hito más significativo en esta larga historia que dura hasta nuestros días lo puso el episcopado en 1850 al ofrecer al pontífice la cantidad de 600.000 reales tras las insistencias del nuncio Brunelli, quien, siguiendo

---

[59] Quizá el único precedente de cierto relieve en el primer tercio del XIX fue la campaña promovida en Roma y organizada en España por el nuncio Giustiniani para recoger fondos con destino a la reconstrucción de la basílica de San Pablo Extramuros, que se incendió en 1823. Dicha documentación está en el ASV *AN Madrid 271*.

las sugerencias recibidas del cardenal Antonelli, consiguió reunir la suma indicada en momentos económicamente poco felices para la Iglesia española. Los arzobispos de Toledo (Bonel), Tarragona (Echánove) y Sevilla (Romo) entregaron 35.000 reales cada uno. Los cuatro restantes de Santiago (Vélez), Valencia (García Abella), Zaragoza (Gómez de las Rivas) y Granada (Folgueras) dieron 25.000. Las aportaciones individuales de los obispos fueron desde 20.000 hasta 6.000 reales, según las posibilidades de cada uno de ellos. El arzobispo de Burgos, Alameda, antes de salir de su antigua sede de Santiago de Cuba había entregado 10.000, y el de Orihuela, Herrero Valverde, parece ser que no colaboró en esta empresa, aunque se justificó diciendo que había hecho personalmente un donativo al papa.

A esto hay que añadir, durante la nunciatura de Brunelli (1847-53), el frecuente intercambio de objetos artísticos y preciosos entre Pío IX e Isabel II, tanto de carácter sagrado como de valor profano. Tras la firma del concordato de 1851 se intensificó este capítulo, y después del bienio progresista (1854-56), siendo nuncio Barili, las ayudas económicas de la Iglesia española no se limitaron a la persona del papa o a las necesidades de los Estados Pontificios, sino que se atendieron otras exigencias de la Iglesia universal por medio de colectas organizadas en todas las diócesis, cuyas recaudaciones eran enviadas a través de los dicasterios de la curia romana. Este fue el caso de las aportaciones para la misión católica de Trípoli en 1864, para la diócesis de Ginebra y para el clero de Polonia en 1865 y para la catedral de Londres en 1866 [60]. En estas iniciativas, el nuncio y los obispos contaron con la valiosa colaboración de la revista La Cruz y de su director, León Carbonero y Sol, que las fomentaba y difundía.

La situación económica de los Estados Pontificios se agravó sensiblemente tras el bienio 1859-60, cuando las regiones sublevadas de Emilia, Romagna, Toscana y Umbría quedaron anexionadas definitivamente al reino de Italia. Vino después, en mayo de 1860, la derrota de Castelfidardo, y al papa le quedó solamente Roma y una parte del Lazio situada entre Viterbo y Frosinone. Lógicamente disminuyeron los ingresos del Estado pontificio, y para resolver el apuro de Pío IX, se promovió entre las naciones católicas un Empréstito Pontificio al 5 por 100, si bien anteriormente se había intentado el mismo sistema sin conseguirlo. En Francia y Bélgica se obtuvieron buenos resultados, pero parece ser que el éxito mayor lo dio España, donde se llegaron a recaudar 4.253.700 francos franceses, equivalentes, aproximadamente, a 16 millones de reales. La banca A. Miranda Hermanos aseguró el pago de las rentas a los accionistas que cedieron sus acciones en beneficio del papa, y desde el primero de enero de 1867 la banca Rotschild se encargó de este asunto. El sistema era muy simple, ya que, tras la publicación del Empréstito por el papa, el nuncio lo circulaba a los obispos, quienes lo daban a conocer en sus boletines diocesanos. Contribuyeron

---

[60] Véase la documentación conservada en el archivo del nuncio Barili (ASV AN Madrid 390).

notablemente a esta empresa periódicos y revistas católicos como *El Pensamiento Español* y *La Cruz*. Juntas diocesanas y parroquiales recaudaban los fondos. El dinero se transmitía a la Nunciatura, que remitía los títulos provisionales a las diócesis, las cuales los distribuían a los suscriptores. Pagados cuatro plazos, se canjeaban por títulos definitivos, tras lo cual las juntas hacían un nuevo llamamiento para que los suscriptores cediesen sus acciones o las rentas de las mismas en favor del papa; y esto ocasionó problemas en algunas ocasiones, ya que hubo accionistas que exigieron justamente los intereses [61].

Si el *Empréstito Pontificio* fue una iniciativa que partió de Roma, otras nacieron en España con el fin de ayudar al papa en su grave situación económica; y entre éstas hay que destacar la asociación del *Dinero de San Pedro*, que no debe confundirse con el óbolo de San Pedro. Desde su llegada a España, el nuncio Barili promovió la recaudación de fondos para ayudar a Pío IX. Su correspondencia epistolar con los obispos sobre este particular fue muy intensa, y estuvo encaminada, por una parte, a conseguir dinero para paliar los efectos de la desastrosa situación financiera de los Estados Pontificios, y, por otra, intensificar el ultramontanismo, ya floreciente en otros países, mitificando la figura del papa ultrajado, vilipendiado y abandonado, de forma que las adhesiones de veneración y afecto que el nuncio transmitía constantemente a la Secretaría de Estado constituían una inyección moral en el ánimo del pontífice. Desde 1860 comenzó la recaudación, y ya en 1861 fue aprobada la asociación del *Dinero de San Pedro* de Barcelona. En 1866, el 22 de noviembre, Barili reunió en el palacio de la Nunciatura a un grupo de católicos comprometidos, pertenecientes a la aristocracia, alta burguesía y exponentes políticos ultramoderados, que dieron vida a una asociación a escala nacional. Intervinieron en dicha reunión institucional algunos fundadores de la futura Asociación de Católicos, como el marqués de Viluma, Cándido Nocedal y Antonio Aparisi y Guijarro, y además los marqueses de Villafranca, de Baamonde, de Santa Cruz y de Albranja, los conde de Sástago y Superunda, el escritor y académico Santiago de Tejada, Manuel Beltrán de Lis y José Huet. Desde el comienzo se acordó que la asociación —que entonces comenzó a llamarse *Obra Católica del Dinero de San Pedro*— sería exclusivamente religiosa, caritativa y espontánea, estaría bajo la protección de los obispos y tendría una junta diocesana, encargada de controlar las actividades de las juntas parroquiales. En las gestiones fundacionales tuvieron también parte activa Ramón Vinader, que en 1868, sería secretario de la Asociación de Católicos, y el abogado valenciano Ramón de Ezenarro, después sacerdote, que fue provisor y vicario general del obispo Costa y Borrás en Lérida, Barcelona y Tarragona y más tarde editó sus escritos. Ezenarro fue desde 1869 abreviador de la Nunciatura.

La *Obra del Dinero de San Pedro* sufrió las consecuencias de la revolución del 68, ya que prácticamente quedó paralizada desde octubre de dicho año, a la vez que la situación económica del papa era cada vez

---

[61] Ibid., 391-97.

más precaria. Por otra parte, cuando el clero sufría en España las restricciones impuestas por el Gobierno revolucionario y el culto no conseguía la mínima dotación estatal, parecía absurdo promover colectas entre los fieles para ayudar al pontífice. Por ello, cuando en 1871 la Asociación de Católicos intentó organizar de nuevo el *Dinero de San Pedro*, no lo hizo tanto para recaudar fondos cuanto para «excitar pacífica, legal y espontáneamente el espíritu católico». Sin embargo, el restablecimiento de las actividades que dicha obra comportaba encontró dificultades por parte de varios obispos, que, aunque en principio aprobaron la iniciativa y se mostraron favorables a la difusión de la obra, prefirieron que se trabajase en silencio y en espera del cambio político. En esta línea se situaron los cardenales De la Lastra y García Cuesta, de Sevilla y Santiago, y los arzobispos de Valencia, Barrio, y Granada, Monzón. En cambio, el arzobispo de Zaragoza, García Gil, se mostró abiertamente favorable a una inmediata restauración de la obra, porque decía: «Aunque no debemos, en verdad, prometernos esas grandes colectas que vienen realizándose en Alemania, Bélgica, Inglaterra, Estados Unidos, etc., ni tenemos las riquezas ni la libertad de esos países para obrar, pero llenaremos nuestros deberes filiales para con el mejor de los padres y haremos ver que el pueblo español, en su inmensa mayoría, no ha degenerado aún de su antigua fe ni de su acrisolada piedad»[62]. Pero fue solamente tras la Restauración cuando las colectas y ayudas al papa volvieron a su antiguo esplendor, e incluso se superaron con creces anualmente los cálculos más optimistas, debido, por una parte, a la pérdida total del poder temporal, y, por otra, a la edad avanzada del pontífice, que despertaba el entusiasmo y admiración de los católicos, porque Pío IX había sobrepasado los años de Pedro al frente de la Iglesia.

10. DESARROLLO DEL PROTESTANTISMO[63]

En una *Historia de la Iglesia en la España contemporánea* es oportuno detenerse, aunque brevemente, en la reaparición y desarrollo del pro-

---

[62] Ibid., 398-406.
[63] Sobre el desarrollo del protestantismo en la España del XIX sigue siendo fundamental la *Historia de los heterodoxos españoles,* de Menéndez y Pelayo (Madrid, Libr. Católica de San José, 1880-81), 3 vols. Cf. también la edición preparada por D. Enrique Sánchez Reyes (Santander 1946-48) para la «Edición nacional de las obras de Menéndez Pelayo» vol.40, y la edición más reciente de la BAC (Madrid 1978). Sobre el protestantismo en España cf. además: E. G. LEONARD, *Historia general del protestantismo* (Madrid, Península, 1967), 4 vols.; J. ESTRUCH, *Los protestantes españoles* (Barcelona, Nova Terra, 1967); D. VIDAL, *Nosotros los protestantes españoles* (Madrid, Marova, 1968); J. GONZÁLEZ I PASTOR, *El protestantisme a Catalunya* (Barcelona, Bruguera, 1969); C. GUTIÉRREZ MARÍN, *Historia de la Reforma en España* (México 1942); J. D. HUGHEY, *Historia de los bautistas en España* (Barcelona, UEBE, 1964); ID., *Religious Freedom in Spain* (Nashville, Broadman Press, 1955); J. DESUMBILA, *El ecumenismo en España* (Barcelona, Estela, 1964); R. SALADRIGAS, *Las confesiones no-católicas de España* (Barcelona, Península, 1971); M. LÓPEZ RODRÍGUEZ, *La España protestante* (Madrid, Sedmay, 1976); A. DE CASTRO, *Historia de los protestantes españoles* (Cádiz, Imp., Libr. y Lit. de la Revista Médica, 1851); G. BORROW, *The Bible in Spain* (Londres 1947), tr. de M. Azaña (Madrid 1967); G. GREENE, *Vida y muerte de D. Manuel Matamoros* 2.ª ed. (Madrid 1897); *Récit des persécutions et des souffrances subies par Manuel*

testantismo, que tuvo como punto de partida el año 1835, cuando el pastor metodista inglés Rule inició sus actividades en nuestra Península. La política religiosa de los gobiernos liberales que se alternaron en el poder durante la minoría de edad de Isabel II favorecieron la infiltración protestante en España. Las sociedades bíblicas intensificaron sus esfuerzos para difundir ediciones de la Biblia sin notas ni comentarios. La sociedad londinense financió al cuáquero Jorge Borrow, propagandista prestigioso, autor de un famoso libro, *La Biblia en España*, que tuvo gran difusión entre los años 1837 y 1840. El mismo Borrow distribuyó entre los gitanos el evangelio de San Lucas en romaní y después en vascuence.

En 1849 apareció en Londres la primera revista protestante española, titulada *El Catolicismo Neto*, y en 1855 se fundó en Escocia la primera sociedad misionera, llamada *Spanish Evangelization Society*.

El catedrático de la Universidad de Valladolid Luis de Usoz y Río († 1865) publicó una importante colección de clásicos protestantes del siglo XVI, bajo el título general de *Biblioteca de los Reformistas Antiguos Españoles*.

La propaganda protestante comenzó a difundirse por Andalucía desde Málaga, Cádiz y Sevilla, adonde llegaba a través de Gibraltar. Rápidamente se formaron Comunidades protestantes en dichas ciudades, y también en Barcelona y Mahón. Pero los progresos de las mismas fueron escasos, debido en parte a las medidas represivas de los gobiernos liberales moderados. En 1856 fue desterrado el evangélico catalán Ruet, condenado por apostasía de la religión católica. Su discípulo Matamoros fue encarcelado en Barcelona años más tarde, mientras otros dirigentes de las nacientes comunidades sufrían persecución en varias ciudades. El proceso celebrado en Granada, en 1863, tuvo repercusiones internacionales tan fuertes, que Isabel II conmutó las penas impuestas —oscilaban entre los siete y nueve años— por el destierro. Los ecos de este escandaloso proceso llegaron hasta la Santa Sede en momentos en que la unidad católica era fundamental para el mantenimiento del poder temporal de la Iglesia. La documentación conservada en el archivo del nuncio Barili ayudará a descubrir aspectos inéditos de este singular proceso de fe.

Tras la revolución del 68 pudieron regresar a España los protestantes desterrados y la libertad de cultos sancionada en la Constitución de 1869 permitió la reapertura de templos y la libre reorganización de varias comunidades. El primer sínodo de la Iglesia Reformada Española comenzó en Sevilla el 15 de julio de 1869. Buena parte de las actividades de los protestantes durante esos años se orientaron hacia la educación y enseñanza en las escuelas primarias. Siguió en 1873 la creación del Seminario Teológico en el Puerto de Santa María. A esto se unió la intensa propaganda en libros, folletos y revistas.

Matamoros et les autres protestants espagnols. Tr. del inglés (Gibraltar 1863); A. BONIFAS, *Matamoros, a l'aube de la seconde Réforme en Espagne* (Pau 1967); R. M. K. VAN DER GRIJP, *Geschichte des Spanischen Protestantismus im 19. Jahrhundert* (Wageningen 1971); D. G. VOUCHT, *Protestants in modern Spain* (South Pasadena, William Carey Lib., 1973).

Con la Restauración monárquica de Alfonso XII, la actividad de las comunidades protestantes disminuyó sensiblemente. La Santa Sede insistió al Gobierno de Madrid para que se prohibiese a las sectas disidentes y a los hebreos el ejercicio público de sus cultos, porque el «sentimiento exclusivamente católico, conexo con la historia y con las tradiciones de la nación», se había mantenido durante el período revolucionario, a pesar «de que en numerosos puntos de la Península se habían erigido capillas protestantes y sinagogas israelíticas y se publicaban periódicos y revistas anticatólicos» [64].

En 1875, la situación de los protestantes españoles era la siguiente: en Madrid tenían ocho capillas y escuelas evangélicas en los territorios de las parroquias de San Sebastián, San Ildefonso, San Martín, San Andrés, Chamberí, San José, San Millán y San Marcos. En Barcelona había tres capillas evangélicas y una metodista, con las respectivas escuelas. Dos escuelas metodistas había también en San Martín de Provensals o Poble Nou y una capilla-escuela evangélica en Hostalfranchs. Una capilla existía en Santander, otra en Huelva, otra en Jerez de la Frontera, Cádiz, San Fernando, Algeciras, Córdoba y Granada, mientras que en Sevilla eran tres las abiertas al culto. En Mahón había cuatro escuelas evangélicas y metodistas, y dos en San Carlos [65].

La Constitución de 1876 admitió la libertad religiosa, pero excluyó cualquier manifestación pública de los cultos acatólicos.

11. DATOS SOBRE LA IGLESIA ESPAÑOLA

En las páginas siguientes presento algunos datos estadísticos, que sintetizan la organización de la Iglesia española antes y después del concordato de 1851, así como su movimiento y evolución posterior hasta la revolución del 68. Las fuentes utilizadas son los informes de la Real Junta Eclesiástica de 1835, las guías del estado eclesiástico y el diccionario de Madoz. De estas mismas fuentes se ha servido J. Sáez para su obra *Datos sobre la Iglesia española contemporánea*, donde amplía y comenta estos cuadros estadísticos.

Habida cuenta de la lentitud con que fue ejecutado el concordato, no debe sorprender que sigan figurando las diócesis en vías de supresión. En algunos cuadros se incluye como diócesis la colegiata de Alcalá

[64] Cf. mi artículo *Instrucciones a Simeoni, primer nuncio de la Restauración:* Rev. Esp. de Derecho Canónico 33 (1977) p.157.

[65] Datos tomados de la *Relazione sullo stato attuale del protestantesimo in Ispagna*, hecha el 6 de agosto de 1875 por Mons. Rampolla, consejero de la Nunciatura de Madrid (ASV *SS 249* [1876] fasc. 4 ff. 15-22v). Sobre los protestantes y judíos en las plazas y provincias españolas en Africa cf. J. B. VILAR, *Incidente anglo-español en torno a la misión metodista de Fernando Póo (1872-1875):* Scriptorium Victoriense 23 (1976) 343-47; ID., *Misiones católicas y protestantes en Guinea Ecuatorial (1829-1900):* ibid., 24 (1977) 101-11; ID., *La Judería de Tetuán (1489-1860) y otros ensayos* (Murcia 1969); ID., *La religiosidad de los sefardíes de Marruecos según los cronistas españoles de la «Guerra de Africa» (1829-1860)*, en «Homenaje a David Gonzalo Maeso» (Granada 1977); ID., *Emancipación de los judíos de Marruecos (Tetuán, 1860-1862). Resurgimiento de una minoría en un país islámico:* Cuadernos de la Biblioteca Española de Tetuán n.13-14 (1976) p.73-97.

la Real, que era jurisdicción exenta importante. Generalmente, los datos figuran por diócesis, pero los reunidos por Madoz han sido distribuidos por provincias civiles. Existen numerosas lagunas, porque no siempre fue posible completar la información que se pedía. Las cifras quizá no son exactas, sino aproximadas. Con todo, son datos suficientes para tener una idea de la entidad cuantitativa de la Iglesia española en pleno siglo XIX.

Comenzamos con un esquema sobre la evolución de las sedes metropolitanas y sufragáneas (cuadro I) y con la subdivisión de las jurisdicciones diocesanas en 1833 (cuadro II) y en 1859 (cuadro III).

Sigue la estadística general del clero catedral en 1834-35 (cuadro IV), en 1840-43 (cuadro V), el establecido por el concordato en 1851 (cuadro VI) y su evolución posterior hasta la revolución de 1868 (cuadro VII).

Las colegiatas tuvieron gran importancia antes del concordato, como lo demuestra el cuadro VIII. La situación en que quedaron después está ilustrada en el cuadro IX. También el sistema beneficial tuvo su peso en la antigua organización de la Iglesia española (cuadros X y XI).

Sobre el clero parroquial véanse los cuadros XII y XIII.

Los datos sobre la cura de almas (cuadros XIV y XV) y las relaciones parroquias-población (cuadros XVI y XVII) quedan ampliamente ilustrados.

La situación de los exclaustrados después del concordato está en el cuadro XVIII, y la de los seminarios diocesanos, en el XIX.

Los cuadros XX, XXI, XXII y XXIII resumen el estado de los religiosos y sus conventos. Por último, el cuadro XXIV ofrece datos totales sobre el personal eclesiástico en el último decenio del reinado de Isabel II.

CUADRO I

Evolución de las sedes episcopales metropolitanas y sufragáneas en los dos últimos siglos según la «Guía de la Iglesia en España» (1956) p.27ss

METROPOLITANAS		SUFRAGANEAS	
	Hasta 1851	*Según el concordato de 1851*	*División actual*
TOLEDO	Cartagena		
	Córdoba		
	Cuenca	Cuenca	Cuenca
	Jaén		
	Osma		
	Segovia		
	Sigüenza	Sigüenza	Sigüenza-Guadalajara
	Valladolid		
		Coria	Coria-Cáceres
		Madrid	Madrid (arzob.)
		Plasencia	Plasencia

METROPOLITANAS	Hasta 1851	SUFRAGANEAS Según el concordato de 1851	División actual
BURGOS	Calahorra	Calahorra	
	Palencia	Palencia	Palencia
	Pamplona		
	Santander	Santander	
	Tudela		
		León	
		Osma	Osma-Soria
		Vitoria	Vitoria
			Bilbao
GRANADA	Almería	Almería	Almería
	Guadix	Guadix	Guadix
		Cartagena	Cartagena
		Jaén	Jaén
		Málaga	Málaga
SANTIAGO	Astorga		
	Avila		
	Badajoz		
	Ciudad Rodrigo		
	Coria		
	Lugo	Lugo	Lugo
	Mondoñedo	Mondoñedo	Mondoñedo-El Ferrol
	Orense	Orense	Orense
	Plasencia		
	Salamanca		
	Tuy	Tuy	Tuy-Vigo
	Zamora		
		Oviedo	
SEVILLA	Cádiz	Cádiz-Ceuta	Cádiz-Ceuta
	Canarias	Canarias ʹ	Canarias
	Ceuta		
	Málaga		
	Tenerife	....	Tenerife
		Córdoba	Córdoba
		Badajoz	Badajoz
			Huelva
TARRAGONA	Barcelona	Barcelona	Barcelona (arzob.)
	Gerona	Gerona	Gerona
	Ibiza		
	Lérida	Lérida.............	Lérida
	Solsona	....	Solsona
	Tortosa	Tortosa	Tortosa
	Urgel	Urgel	Urgel
	Vich	Vich	Vich
VALENCIA	Mallorca	Mallorca	Mallorca
	Menorca	Menorca	Menorca
	Orihuela	Orihuela	Orihuela-Alicante
	Segorbe	Segorbe	Segorbe-Castellón de la ﹚
			Albacete
			Ibiza
ZARAGOZA	Albarracín		
	Barbastro	Barbastro (administración apostólica)	
	Huesca	Huesca	Huesca
	Jaca	Jaca	

METROPOLITANAS	SUFRAGANEAS		
	Hasta 1851	*Según el concordato de 1851*	*División actual*
	Tarazona	Tarazona-Tudela	Tarazona
	Teruel	Teruel	Teruel-Albarracín
		Pamplona	
VALLADOLID		Astorga	
		Avila	Avila
		Salamanca	Salamanca
		Segovia	Segovia
		Zamora	Zamora
		Ciudad Rodrigo	Ciudad Rodrigo
		(admón. apost.) ..	(diócesis)
OVIEDO			Astorga
			León
			Santander
PAMPLONA			Calahorra y La Calzada-
			Logroño
			Jaca
			San Sebastián
			Tudela
Obispado-priorato («nullius») de las Ordenes Militares			Ciudad Real

CUADRO II

Subdivisión de las jurisdicciones diocesanas en 1833 según datos de la Real Junta Eclesiástica

DIOCESIS	Vicarías	Parroquias	Anejos
Albarracín	—	34	2
Almería	6	70	25
Astorga	25	648	265
Avila	11	332	75
Badajoz	8	57	—
Barbastro	4	133	33
Barcelona	4	282	—
Burgos	54	1.180	96
Cádiz	14	24	—
Calahorra	39	964	—
Canarias	—	35	—
Ceuta	—	1	1
Ciudad Rodrigo	5	86	3
Córdoba	—	81	26
Coria	9	85	—
Cuenca	8	268	119
Gerona	4	361	59
Granada	22	170	57
Guadix	6	53	2
Huesca	—	157	40
Ibiza	6	20	2
Jaca	1	165	93
Jaén	8	92	7
León	47	832	63
Lérida	6	—	—
Lugo	39	1.011	—
Málaga	7	115	12

DIOCESIS	Vicarías	Parroquias	Anejos
Mallorca	—	38	30
Menorca	—	8	4
Mondoñedo	22	375	—
Murcia (Cartagena)	12	112	38
Orense	9	513	129
Orihuela	4	48	—
Osma	14	322	86
Oviedo	—	—	—
Palencia	23	364	—
Pamplona	16	730	40
Plasencia	—	152	—
Salamanca	11	285	140
Santander	31	460	3
Santiago	36	848	295
Segorbe	—	42	26
Segovia	17	307	56
Sevilla	48	247	15
Sigüenza	10	367	115
Solsona	7	135	100
Tarazona	5	140	11
Tarragona	—	112	39
Tenerife	8	60	3
Teruel	—	89	—
Toledo	10	689	125
Tortosa	—	161	47
Tudela	—	10	—
Tuy	13	261	—
Urgel	17	390	
Valencia	—	315	—
Valladolid	6	92	4
Vich	6	207	48
Zamora	10	196	22
Zaragoza	—	369	9

TERRITORIOS EXENTOS

	Vicarías	Parroquias	Anejos
Priorato de San Marcos de León	12	112	34
Priorato de Uclés		21	3
Abadía de Alcalá la Real	—	6	6
Abadía de Monte Aragón	—	3	1
Abadía de Villafranca del Bierzo	—	69	—
Abadía de Benevivere	—	6	—
Abadía de San Ildefonso	—	6	—
Abadía de Olivares	—	9	—
Abadía de Lerma	—	11	—
Arciprestazgo de Ager	—	38	15
TOTALES		15.981	2.424

CUADRO III

Subdivisión de las jurisdicciones diocesanas en 1859 según datos del Ministerio de Gracia y Justicia

DIOCESIS	PUEBLOS	PARROQUIAS			POBLACION
		Ordinar.	*Exentas*	*Total*	
Albarracín	33	33	—	33	16.740
Alcalá la Real	6	7	—	7	42.495
Almería	66	65	—	65	208.487
Astorga	876	893	94	987	283.919
Avila	494	344	—	344	215.792
Badajoz	49	61	—	61	135.236
Barbastro	169	173	31	204	47.749
Barcelona	241	242	—	242	523.356
Burgos	1.321	1.209	9	1.218	313.125
Cádiz	15	23	2	25	187.404
Calahorra	944	935	28	963	408.841
Canarias	37	42	—	42	95.004
Cartagena	140	197	20	217	534.925
Ceuta	1	2	—	2	3.948
Ciudad Rodrigo	93	94	3	97	64.914
Córdoba	102	105	—	105	324.460
Coria	116	96	21	117	144.596
Cuenca	375	386	9	395	229.959
Gerona	429	360	—	360	269.255
Granada	191	231	—	231	264.725
Guadix	48	52	—	52	98.112
Huesca	200	164	7	171	76.117
Ibiza	17	22	—	22	23.797
Jaca	243	179	—	179	69.766
Jaén	88	85	25	110	298.398
León	844	896	23	919	277.183
Lérida	205	204	—	204	157.300
Lugo	1.096	10.63	36	1.099	365.583
Málaga	113	124	—	124	454.793
Mallorca	68	72	1	73	203.983
Menorca	10	8	—	8	35.109
Mondoñedo	372	373	13	386	230.995
Orense	640	521	23	544	381.212
Orihuela	47	68	—	68	197.948
Osma	434	415	19	434	127.915
Oviedo	6.371	1.115	2	1.117	512.048
Palencia	332	365	11	376	183.270
Pamplona	865	880	1	881	401.959
Plasencia	160	167	—	167	177.552
Salamanca	401	309	27	336	164.228
Santander	528	529	14	543	217.362
Santiago	1.133	1.040	—	1.040	643.072
Segorbe	67	65	—	65	71.897
Segovia	342	299	14	313	147.691
Sevilla	195	245	15	260	674.689
Sigüenza	466	474	5	479	153.023
Solsona	206	137	7	144	80.989
Tarazona	130	146	2	148	123.958
Tarragona	159	140	1	141	190.784
Tenerife	52	60	—	60	189.042
Teruel	81	83	6	89	68.857
Toledo	732	612	105	717	1.164.037
Tortosa	156	174	—	174	327.911
Tudela	9	10	—	10	13.195
Tuy	275	240	6	246	138.704
Urgel	740	369	17	386	156.185
Valencia	388	390	—	390	456.364
Valladolid	88	98	14	112	118.202
Vich	236	214	9	223	178.099
Zamora	190	210	26	236	142.701
Zaragoza	352	356	16	372	401.321
Ayudas, anejos y filiales a incluir sobre las anteriores	—	623	—	263	—
TOTALES	24.777	19.094	662	19.756	14.410.281

C U A D R O   I V

Estado general del clero catedral en 1834-35 según encuesta realizada por la Real Junta Eclesiástica

DIOCESIS	Dignidades	Canónigos	Racioneros Enteros	Medios	Presbíteros sirvientes	Total	Población de las ciudades
Albarracín	4	9	—	—	18	31	1.951
Almería	7	6	6	—	6	25	21.683
Astorga	13	22	10	—	17	62	3.972
Avila	7	20	15	—	20	62	4.976
Badajoz	7	16	4	6	17	50	12.688
Barbastro	3	12	—	5	11	31	7.173
Barcelona	11	24	—	—	50	85	130.750
BURGOS	15	26	25	—	45	111	12.007
Cádiz	6	10	4	8	11	39	53.025
Calahorra	8	24	6	11	9	58	6.667
Canarias o Cdad. de L. Palmas.	3	4	4	4	—	15	9.500
Ceuta	4	7	4	—	10	25	9.257
Ciudad Rodrigo	7	18	3	4	16	48	6.097
Córdoba	8	20	10	20	—	58	56.957
Coria	11	9	6	4	11	41	2.536
Cuenca	13	23	10	12	8	66	8.672
Gerona	8	36	—	—	140	184	6.383
GRANADA	8	12	7	9	24	60	80.000
Guadix	7	6	6	—	6	25	9.110
Huesca	7	18	22	—	—	47	9.200
Ibiza	2	6	9	—	12	29	5.720
Jaca	6	11	10	—	10	37	3.012
Jaén	8	21	24	—	162	215	18.702
León	12	28	4	—	24	68	5.500
Lérida	6	24	15	—	50	95	12.610
Lugo	11	22	3	—	21	57	7.209
Málaga	8	12	12	11	—	43	51.883
Mallorca o Palma	5	23	4	—	131	163	34.346
Menorca o La Ciudadela	2	10	4	—	25	41	7.764
Mondoñedo	11	24	6	—	12	53	6.074
Murcia o Cartagena	10	15	12	12	36	85	35.390
Orense	10	21	12	—	5	48	4.063
Orihuela	5	6	12	12	—	35	25.551
Osma	10	15	12	—	21	58	3.116
Oviedo	14	33	—	—	14	61	10.476
Palencia	13	37	21	—	20	91	10.813
Pamplona	13	14	6	—	32	64	15.000
Plasencia	8	16	8	—	33	65	6.787
Salamanca	10	22	9	10	18	69	13.910
Santander	5	11	11	—	14	41	18.715
SANTIAGO	13	31	9	—	20	73	28.043
Segorbe	4	10	—	—	24	38	6.259
Segovia	8	22	4	15	11	60	12.879
SEVILLA	11	40	20	20	41	132	100.000
Sigüenza	9	24	8	8	7	56	4.868
Solsona	4	12	12	—	24	52	2.117
Tarazona	6	20	8	8	8	50	10.044
TARRAGONA	7	22	—	—	—	29	11.074
Tenerife o San Cristóbal de la Laguna	6	10	8	8	—	32	9.672
Teruel	6	10	5	2	—	23	7.543
TOLEDO	14	40	50	—	33	137	14.950
Tortosa	12	20	20	—	30	82	10.697
Tudela	3	16	5	—	7	31	8.150
Tuy	9	21	8	—	29	67	6.094
Urgel	7	13	—	—	32	52	2.630
VALENCIA	6	34	—	—	80	120	65.840
Valladolid	7	19	5	6	9	46	20.960
Vich	4	21	4	—	71	100	12.500
Zamora	9	24	12	—	26	71	9.898
ZARAGOZA	13	30	97	—	44	184	43.433

Obispados-Prioratos de la Orden de Santiago

San Marcos de León .... Carecen de catedrales
Uclés ....

| TOTALES | 483 | 1.132 | 611 | 195 | 1.555 | 3.976 | — |

CUADRO V

Estado del clero catedral y colegial (excluidos beneficiados) en 1840-43 según datos del «Diccionario» de Madoz

PROVINCIAS	Dignidades y canónigos	Racicneros Enteros	Racicneros Medios	Total
Alava	9	3	—	12
Albacete	—	—	—	—
Alicante	16	4	2	22
Almería	9	—	—	9
Avila	15	8	—	23
Badajoz	9	2	4	15
Barcelona	52	15	3	70
Burgos	63	37	—	100
Cáceres	19	8	—	27
Cádiz	17	8	5	30
Canarias	13	5	3	21
Castellón de la Plana	8	4	—	12
Ciudad Real	1	—	—	1
Córdoba	25	6	6	37
Coruña	45	17	—	62
Cuenca	19	8	4	31
Gerona	40	4	—	44
Granada	28	6	2	36
Guadalajara	24	3	5	32
Guipúzcoa	—	—	—	—
Huelva	—	—	—	—
Huesca	56	48	3	107
Jaén	17	8	—	25
León	53	13	—	66
Lérida	38	21	12	71
Logroño	24	5	9	38
Lugo	31	8	—	39
Madrid	11	5	—	16
Málaga	22	9	14	45
Mallorca	27	9	5	41
Murcia	22	8	6	36
Navarra	28	6	6	400
Orense	16	5	—	21
Oviedo	24	—	—	24
Palencia	42	18	—	60
Pontevedra	16	13	—	29
Salamanca	22	6	11	39
Santander	10	5	—	15
Segovia	24	7	8	39
Sevilla	48	23	12	83
Soria	45	15	2	62
Tarragona	22	34	—	56
Teruel	24	13	—	37
Toledo	42	28	—	70
Valencia	43	—	—	43
Valladolid	16	3	2	21
Vizcaya	4	—	—	4
Zamora	26	7	—	33
Zaragoza	62	43	5	110
TOTALES	1.205	492	118	1.815

CUADRO VI

Estado comparativo de las distintas clases del clero catedral según su antigua planta y del que debe haber según el concordato de 1851, hasta efectuar el arreglo de las diócesis

DIOCESIS	Arzobispos y obispos		Dignidades		Canónigos		Racioneros y medios		Beneficiados		Total	
	Había	Debe haber	Había	Debe haber	Había	Debe haber	Había	Debe haber	Había	Debe haber	Había	Debe haber
Albarracín (Suprimida)	1	—	4	1	9	10	—	—	26	6	40	17
Almería	1	1	7	5	6	11	6	—	6	12	26	29
Astorga	1	1	13	5	22	11	10	—	17	12	63	29
Avila	1	1	7	5	20	11	20	—	20	12	68	29
Badajoz	1	1	7	5	16	13	10	—	8	14	42	33
Barbastro (Sup.)	1	—	3	1	13	10	22	—	10	6	49	17
Barcelona	1	1	11	5	24	15	—	—	50	16	86	37
Burgos	1	1	14	6	26	18	25	—	45	20	111	45
Cádiz	1	1	6	5	18	15	12	—	11	16	48	37
Calahorra	1	1	12	5	34	13	26	—	—	14	73	33
Canarias	1	1	6	5	14	11	18	—	—	12	29	29
Cartagena	1	1	10	5	15	13	24	—	14	14	64	33
Ceuta (Sup.)	1	1	4	1	7	10	4	—	—	6	16	18
Ciudad Rodrigo (Sup.)	1	—	7	1	18	10	7	—	14	6	47	17
Córdoba	1	1	8	5	20	15	30	—	31	16	90	37
Coria	1	1	10	5	10	11	12	—	10	12	43	29
Cuenca	1	1	13	5	26	13	22	—	8	14	70	33
Gerona	1	1	8	5	36	11	—	—	140	12	185	29
Granada	1	1	8	7	12	17	17	—	24	20	62	45
Guadix	1	1	7	5	6	11	6	—	6	12	26	29
Huesca	1	1	7	5	18	11	30	—	2	12	58	29
Ibiza (Sup.)	1	—	2	1	6	10	9	—	12	6	30	17
Jaca	1	1	6	5	11	11	10	—	10	12	38	29
Jaén	1	1	8	5	21	13	24	—	30	18	84	37
León	1	1	12	5	28	15	16	—	52	16	109	37
Lérida	1	1	6	5	24	11	14	—	54	12	99	29
Lugo	1	1	11	5	22	13	7	—	11	14	52	33
Málaga	1	1	8	5	12	15	21	—	—	16	45	37
Mallorca	1	1	5	5	22	11	4	—	151	12	183	29
Menorca	1	1	2	5	10	7	4	—	22	10	39	23
Mondoñedo	1	1	11	5	24	11	6	—	6	12	48	29
Orense	1	1	11	5	26	11	12	—	90	12	140	29
Orihuela	1	1	5	5	17	11	26	—	13	12	62	29
Osma	1	1	10	5	15	11	12	—	21	12	59	29
Oviedo	1	1	14	6	33	14	—	—	16	16	64	37
Palencia	1	1	13	5	45	13	21	—	20	14	100	33
Pamplona	1	1	12	5	14	13	34	—	32	14	93	33
Plasencia	1	1	8	5	16	11	8	—	9	12	42	29
Salamanca	1	1	10	5	26	13	19	—	35	14	91	33
Santander	1	1	5	5	11	13	11	—	14	14	42	33
Santiago	1	1	20	6	46	20	15	—	85	20	167	47
Segorbe	1	1	4	5	10	11	—	—	57	12	72	29
Segovia	1	1	8	5	22	11	19	—	11	12	61	29
Sevilla	1	1	11	7	40	21	40	—	41	22	132	51
Sigüenza	1	1	9	5	24	11	16	—	9	12	59	29
Solsona (Sup.)	1	—	4	1	12	10	12	—	24	6	53	17
Tarazona	1	1	6	5	20	11	16	—	8	12	51	29
Tarragona	1	1	7	6	22	20	23	—	40	20	93	47
Tenerife (Sup.)	1	1	6	1	10	10	16	—	—	6	33	18
Teruel	1	1	6	5	13	11	10	—	20	12	50	29
Toledo	1	1	14	8	40	20	50	—	33	24	138	53
Tortosa	1	1	12	5	20	11	20	—	27	12	80	29
Tudela (Sup.)	1	—	3	1	16	10	5	—	7	6	32	17
Tuy	1	1	9	5	21	11	8	—	38	12	77	29
Valencia	1	1	7	6	24	20	19	—	80	20	131	47
Valladolid	1	1	6	6	19	18	11	—	20	20	57	45
Vich	1	1	4	5	21	11	3	—	71	12	100	29
Urgel	1	1	7	5	13	11	—	—	27	12	48	29
Zamora	1	1	9	5	24	11	12	—	27	12	73	29
Zaragoza	1	1	13	7	30	25	106	—	—	28	150	61
TOTALES	60	54	496	283	1.200	771	963	—	1.665	804	4.384	1.912

CUADRO VII

Situación y movimiento del clero catedral al fin de los años 1859, 1864 y 1867 según datos de las «Guías del estado eclesiástico» de 1860, 1865 y 1868

DIOCESIS	Prelados			Dignidades			Canónigos			Beneficiados			Capellanes y sacerdotes		
	1859	1864	1867	1859	1864	1867	1859	1864	1867	1859	1864	1867	1859	1864	1867
Albarracín	—	—	—	1	1	1	10	10	10	7	6	6	2	1	3
Alcalá la Real	—	—	—	1	—	—	8	—	—	6	—	—	6	—	—
Almería	1	1	1	5	5	5	11	11	11	12	11	12	3	3	3
Astorga	1	1	1	4	5	5	10	11	11	11	11	12	7	7	7
Avila	1	1	1	5	5	5	11	11	11	11	11	10	—	6	3
Badajoz	1	1	1	5	5	5	13	13	13	14	14	14	3	3	5
Barbastro	1	—	—	1	1	1	10	10	10	6	6	6	5	4	4
Barcelona	1	1	1	5	5	6	15	15	14	15	16	16	8	4	4
Burgos	1	1	1	8	7	6	16	17	18	20	17	20	3	5	5
Cádiz	1	1	1	5	5	5	15	15	14	15	16	16	2	4	8
Calahorra	—	1	1	6	5	5	23	13	13	20	14	14	6	4	4
Canarias	1	1	1	5	5	5	11	11	11	9	12	12	2	1	1
Cartagena	1	1	1	5	5	5	12	13	13	14	14	14	3	3	3
Ceuta	—	—	—	1	1	1	10	10	8	5	6	5	6	5	6
Ciudad Rodrigo .	—	—	—	1	1	1	10	10	10	5	6	6	—	—	6
Córdoba	1	1	1	5	5	5	15	15	15	16	16	16	8	7	7
Coria	1	—	1	5	5	5	11	10	11	12	12	12	7	5	4
Cuenca	1	1	1	5	5	5	13	13	13	14	14	14	—	2	2
Gerona	1	1	1	5	5	5	11	11	10	21	16	15	2	3	2
Granada	1	1	1	7	7	7	17	17	17	20	20	20	5	6	6
Guadix	1	1	1	5	5	5	11	11	11	13	12	12	—	1	1
Huesca	1	1	1	5	4	5	10	10	11	12	12	12	4	2	2
Ibiza	—	—	—	1	1	—	10	10	—	7	6	—	2	3	—
Jaca	1	1	1	5	5	5	11	11	11	12	12	11	2	5	5
Jaén	1	—	1	5	5	5	13	13	13	18	18	18	10	6	10
León	1	1	1	5	5	6	15	14	14	15	16	16	—	3	3
Lérida	1	1	1	5	5	5	11	11	11	35	12	36	4	8	7
Lugo	1	1	1	5	5	5	13	13	13	14	14	14	8	14	18
Málaga	1	1	1	5	5	5	15	16	15	16	15	15	8	20	20
Mallorca	1	1	1	5	5	5	11	11	11	19	16	16	—	33	34
Menorca	1	1	1	5	5	5	6	7	7	10	10	10	1	2	2
Mondoñedo	1	1	1	5	5	5	11	11	11	11	11	11	4	8	7
Orense	1	1	1	5	5	5	11	11	11	12	12	12	12	12	6
Orihuela	1	1	1	5	5	5	11	11	11	10	12	12	9	3	4
Osma	1	1	1	5	5	5	11	11	11	12	12	12	3	2	1
Oviedo	1	1	1	6	5	6	15	14	15	16	14	16	6	1	1
Palencia	1	1	1	5	5	5	13	13	13	14	14	14	2	3	3
Pamplona	1	1	1	2	5	5	3	14	13	—	14	14	20	13	13
Plasencia	1	1	1	5	5	5	11	11	11	12	12	12	2	4	4
Salamanca	1	1	1	5	5	5	13	13	13	14	14	14	4	4	4
Santander	2	1	1	5	5	5	15	11	13	14	14	14	—	2	5
Santiago	1	1	1	5	6	6	20	19	20	19	20	20	6	20	20
Segorbe	1	1	—	5	5	5	11	11	11	18	13	12	4	6	7
Segovia	1	1	1	5	5	5	11	11	12	12	12	12	6	6	4
Sevilla	1	1	1	6	7	7	21	21	21	22	22	22	12	8	4
Sigüenza	1	1	1	5	5	5	11	11	11	12	12	12	1	2	3
Solsona	—	—	—	1	1	—	9	10	—	19	20	—	3	4	—
Tarazona	1	1	1	5	5	5	11	11	11	12	12	12	6	4	3
Tarragona	1	1	1	6	6	6	20	20	20	23	20	20	—	6	4
Tenerife	—	—	—	1	1	1	10	10	10	4	6	6	2	—	—
Teruel	1	1	1	5	5	5	10	10	10	10	11	12	4	6	7
Toledo	1	2	1	8	8	8	20	20	20	24	24	24	3	2	1
Tortosa	1	1	1	5	5	5	11	11	11	24	22	13	9	10	9
Tudela	—	1	—	1	1	1	10	10	10	6	5	5	4	5	5
Tuy	1	—	1	5	5	5	11	11	10	12	12	12	8	16	12
Urgel	1	1	1	4	5	5	10	11	11	12	12	12	9	7	6
Valencia	1	1	1	6	6	6	20	20	20	23	19	20	6	5	4
Valladolid	1	1	1	6	6	6	17	18	18	18	20	20	8	8	7
Vich	1	1	1	5	5	5	11	11	11	23	17	13	6	6	5
Vitoria	—	1	1	—	5	5	—	11	11	—	12	12	—	6	6
Zamora	1	1	1	5	5	5	11	11	11	12	12	12	4	4	4
Zaragoza	1	1	1	7	7	7	24	25	25	46	48	47	26	30	19
TOTALES ...	53	52	52	280	287	288	769	776	756	889	861	849	306	383	363

CUADRO VIII

Personal existente en colegiatas y capillas célebres suprimidas por el concordato de 1851

(dignidades, canónigos, racioneros, medios y capellanes)

IGLESIAS	PERSONAL	IGLESIAS	PERSONAL
Ager	94	Mora	40
Aguilar de Campóo	19	Motril	11
Alabanza	9	Monzón	31
Albelda	12	Olivares	24
Alcañiz	43	Orgañá	14
Alfaro	27	Osuna	36
Alquezar	23	Pastrana	30
Ampudia	34	Peñaranda	19
Antequera	28	Pons	12
Arvas del Puerto	14	Puigcerdá	16
Arenas de San Pedro	94	Ribadeo	11
Baeza (Santa María)	18	Roa	15
Bayona	13	Ronda	24
Balaguer	35	Rubielos	12
Baza	17	Salvador (Granada)	15
Belmonte	24	Salvador (Sevilla)	23
Benevivere	31	Santa Ana (Barcelona)	37
Berlanga	26	Santa Fe	13
Besalú	15	San Feliú	23
Borja	17	Santillana	21
Briviesca	20	San Hipólito (Córdoba)	13
Calaf	15	San Juan de las Abadesas	24
Cantamuda	13	San Pedro el Viejo (Huesca)	15
Cardona	9	San Quirce (Burgos)	11
Castelbó	18	San Segundo (Avila)	15
Castrojeriz	29	Sancti Spiritus (Santiago)	12
Calatayud (Sta. María)	33	Sar	15
Calatayud (Sto. Sepulcro)	16	Sariñena	25
Cenarruza	5	Talavera	29
Covarrubias	22	Tamarite	20
Creciente	6	Tarrasa	21
Daroca	25	Teverga	11
Gandía	28	Toro	29
Guisona	42	Tremp	34
Iria Flavia (Padrón)	19	Ubeda	22
Játiva	42	Uguijar	17
Junquera de Ambía	18	Ullá (Sta. María de Gerona)	15
Lerma	33	Valpuesta	18
Lorca	43	Vigo	19
Lladó	16	Vilabertrán	28
Llerena (Cap. de San Juan)	9	Villafranca del Bierzo	44
Manresa	80	Vitoria	20
Medinaceli	31	Zafra	24
Medina del Campo	30	TOTAL	1.945

CUADRO IX

Situación y movimiento del clero colegial al fin de los años 1859, 1864 y 1867

DIOCESIS	Abades y canónigos			Beneficiados			Capellanes		
	1859	1864	1867	1859	1864	1867	1859	1864	1867
Alcalá la Real	—	—	—	—	4	—	—	—	—
Astorga	1	1	1	—	—	—	13	9	8
Avila	—	—	—	—	—	—	—	—	4
Badajoz	—	—	—	2	2	2	—	—	—
Barbastro	—	—	—	14	—	—	—	—	—
Barcelona	—	1	1	—	6	6	—	—	—
Burgos	8	8	3	5	10	10	—	—	3
Calahorra	16	22	21	6	12	11	4	3	3
Cartagena	—	—	—	—	—	—	7	7	7
Cuenca	—	—	—	—	3	4	—	—	—
Gerona	4	2	1	13	21	19	—	—	—
Granada	14	9	14	24	—	—	10	4	4
Guadix	1	—	—	—	—	—	—	—	—
Huesca	—	—	—	11	14	—	—	—	—
Ibiza	—	—	11	—	—	6	—	—	2
Jaén	2	—	—	21	10	10	7	—	3
León	2	10	10	—	5	5	—	1	1
Lérida	7	2	1	13	26	23	—	—	—
Lugo	—	—	—	7	7	—	—	—	—
Málaga	—	—	—	8	1	4	9	13	—
Orense	—	—	—	—	—	2	—	—	—
Orihuela	11	11	10	6	6	6	—	3	—
Osma	15	11	10	8	6	6	2	—	—
Oviedo	10	11	11	1	5	5	2	1	1
Palencia	3	—	—	4	3	3	2	1	2
Pamplona	—	—	9	—	4	6	7	2	2
Santander	—	2	—	—	—	6	—	—	—
Santiago	13	11	11	3	5	5	14	6	4
Segovia	10	10	11	5	6	6	2	2	2
Sevilla	11	11	19	6	6	6	4	6	11
Solsona	—	—	10	—	—	17	—	—	6
Tarazona	6	—	—	10	—	—	3	—	—
Teruel	—	—	—	13	12	11	—	2	2
Toledo	11	12	12	7	6	6	35	37	39
Tuy	—	—	—	—	—	2	—	—	—
Urgel	4	7	6	69	24	21	3	18	3
Valencia	1	1	—	—	—	—	—	—	—
Valladolid	—	—	—	6	6	6	—	—	—
Vich	5	2	1	6	5	13	2	2	—
Vitoria	—	—	1	—	—	—	—	—	—
Zamora	1	—	—	2	6	6	—	—	—
Zaragoza	4	1	1	7	2	4	—	6	7
TOTALES	160	146	175	277	223	237	126	123	114

CUADRO X

Estado general de los beneficios de todas las diócesis de España, según la encuesta realizada por la Real Junta Eclesiástica (1834-35)

DIOCESIS	Beneficios	DIOCESIS	Beneficios
Albarracín	—	Orense	4
Almería	47	Orihuela	—
Astorga	68	Osma	124
Avila	532	Oviedo	—
Badajoz	54	Palencia	638
Barbastro	10	Pamplona	728
Barcelona	—	Plasencia	—
Burgos	1.641	Salamanca	177
Cádiz	21	Santander	667
Calahorra	1.318	Santiago	130
Canarias	—	Segorbe	85
Ceuta	—	Segovia	81
Ciudad Rodrigo	40	Sevilla	151
Córdoba	318	Sigüenza	239
Coria	4	Solsona	153
Cuenca	464	Tarazona	48
Gerona	580	Tarragona	224
Granada	75	Tenerife	—
Guadix	37	Teruel	373
Huesca	36	Toledo	636
Ibiza	3	Tortosa	523
Jaca	111	Tudela	15
Jaén	186	Tuy	14
León	386	Urgel	—
Lérida	—	Valencia	575
Lugo	42	Valladolid	68
Málaga	129	Vich	382
Mallorca	330	Zamora	149
Menorca	47	Zaragoza	1.113
Mondoñedo	—		
Murcia	151	TOTAL	13.927

CUADRO XI

Estado del clero beneficial en 1840-43 según datos del «Diccionario» de Madoz

PROVINCIA	*Beneficiados en parroquias*	*Beneficiados y asistentes al culto cated. y coleg.*	*Total*
Alava	203	—	203
Albacete	20	—	20
Alicante	202	23	225
Almería	75	—	75
Avila	80	20	100
Badajoz	55	7	62
Barcelona	42	64	106
Burgos	563	10	573
Cáceres	24	7	31
Cádiz	26	—	26
Canarias	—	6	6
Castellón de la Plana	254	25	279
Ciudad Real	4	—	4
Córdoba	52	2	54
Coruña	41	38	79
Cuenca	52	7	59
Gerona	113	80	193
Granada	—	11	11
Guadalajara	77	9	86
Guipúzcoa	330	—	330
Huelva	14	—	14
Huesca	176	22	198
Jaén	18	10	28
León	67	10	77
Lérida	—	49	49
Logroño	356	4	360
Lugo	55	14	69
Madrid	42	12	54
Málaga	81	18	99
Mallorca	8	20	28
Murcia	8	13	21
Navarra	481	19	500
Orense	2	—	2
Oviedo	85	5	90
Palencia	—	19	19
Pontevedra	24	—	24
Salamanca		no constan	
Santander	195	14	209
Segovia	23	4	27
Sevilla	45	39	84
Soria	37	17	54
Tarragona	77	38	115
Teruel	50	28	78
Toledo	37	26	63
Valencia	342	94	436
Valladolid	241	7	248
Vizcaya	190	—	190
Zamora	82	7	89
Zaragoza	229	37	266
TOTALES	5.178	835	6.013

CUADRO XII

Estado del clero parroquial en 1840-43 según datos extraídos del «Diccionario geográfico», de Pascual Madoz

PROVINCIA	Párrocos y ecónomos	Coadjutores y tenientes	Núm. de parroquias	Total clero con cura de almas
Alava	414	34	416	448
Albacete	128	—	97	128
Alicante	148	86	207	234
Almería	96	77	133	173
Avila	251	3	331	254
Badajoz	172	86	197	258
Barcelona	444	192	578	636
Burgos	1.148	10	1.500	1.158
Cáceres	263	29	144	292
Cádiz	78	33	78	111
Canarias	261	4	80	265
Castellón de la Plana	133	43	154	176
Ciudad Real	87	115	113	202
Córdoba	179	21	120	200
Coruña	682	20	932	702
Cuenca	251	125	338	376
Gerona	450	86	438	536
Granada	93	151	233	244
Guadalajara	411	33	476	444
Guipúzcoa	154	8	162	162
Huelva	112	10	112	122
Huesca	598	16	835	614
Jaén	122	120	156	242
León	1.047	87	1.444	1.134
Lérida	534	42	913	576
Logroño	239	26	285	265
Lugo	789	88	1.244	877
Madrid	187	31	254	218
Málaga	124	45	133	169
Mallorca	68	113	115	181
Murcia	73	88	125	161
Navarra	869	3	854	872
Orense	640	226	850	866
Oviedo	726	—	845	726
Palencia	489	13	496	502
Pontevedra	521	7	666	528
Salamanca	s/n	s/n	s/n	s/n
Santander	540	—	621	540
Segovia	265	8	595	273
Sevilla	183	21	172	204
Soria	427	22	530	449
Tarragona	202	34	246	236
Teruel	195	41	295	236
Toledo	228	49	269	277
Valencia	246	124	323	370
Valladolid	341	8	280	349
Vizcaya	181	70	201	251
Zamora	490	49	527	539
Zaragoza	382	57	386	439
TOTALES	16.652	2.554	20.499	19.206

CUADRO XIII

Situación y movimiento del clero parroquial al fin de los años 1859, 1864 y 1867 según datos de las «Guías eclesiásticas» de 1860, 1865 y 1868

DIÓCESIS	Párrocos y Económos			Tenientes y Coadjutores			Clérigos seculares y regulares adsc. a parroquias			Total Clero parroquial		
	1859	1864	1867	1859	1864	1867	1859	1864	1867	1859	1864	1867
Albarracín	32	33	33	3	6	7	3	2	4	38	41	44
Alcalá la Real	6	6	s/n	14	22	s/n	51	40	s/n	71	68	s/n
Almería	65	65	65	108	87	92	84	90	53	257	242	210
Astorga	649	650	650	188	214	199	39	172	184	876	1.036	1.033
Avila	344	329	327	9	23	36	48	25	33	401	377	396
Badajoz	61	61	61	38	42	58	79	72	40	178	175	159
Barbastro	165	154	154	9	18	23	29	51	14	203	223	191
Barcelona	226	243	261	133	145	235	580	516	268	939	904	764
Burgos	1.285	1.152	1.175	15	191	69	130	94	172	1.430	1.437	1.416
Cádiz	24	30	30	47	31	30	28	150	120	99	211	180
Calahorra	938	391	384	660	200	75	372	219	190	1.970	810	649
Canarias	43	43	42	2	6	6	92	35	27	137	84	75
Cartagena	112	132	132	169	206	208	251	409	431	532	747	771
Ceuta	2	2	2	—	—	—	2	2	2	444	4	4
Ciudad Rodrigo	83	83	82	3	18	26	18	13	24	104	114	132
Córdoba	177	177	174	43	43	59	315	483	413	535	703	646
Coria	97	118	117	16	47	69	59	71	65	172	236	251
Cuenca	276	264	271	158	206	168	80	110	147	514	580	586
Gerona	363	359	364	138	155	177	75	143	416	576	657	957
Granada	162	164	165	166	176	180	170	322	371	498	662	716
Guadix	52	52	52	52	48	50	29	9	21	133	109	123
Huesca	162	167	171	1	18	18	51	57	7	214	242	196
Ibiza	22	22	22	4	15	17	14	1	5	40	38	44
Jaca	163	170	170	34	21	21	—	26	22	197	217	213
Jaén	85	84	87	111	124	146	165	179	150	361	387	383
León	838	838	806	10	26	54	138	148	196	986	1.012	1.056
Lérida	195	247	248	28	38	41	146	144	44	369	429	333
Lugo	648	648	648	14	94	92	—	—	—	662	742	740
Málaga	119	131	147	113	223	160	245	323	677	477	677	984
Mallorca	38	38	38	100	105	107	395	310	272	533	453	417
Menorca	8	9	9	21	20	19	49	57	57	78	86	85
Mondoñedo	280	281	281	6	41	57	220	140	152	506	462	490
Orense	521	521	544	137	135	135	317	221	280	975	877	959
Orihuela	53	69	72	121	55	77	43	68	139	217	192	288
Osma	336	342	336	32	32	54	—	5	14	368	369	404
Oviedo	969	969	959	151	226	240	207	175	120	1.327	1.370	1.319
Palencia	369	369	369	228	25	25	23	215	232	620	609	626
Pamplona	564	937	695	290	29	56	21	471	446	875	1.437	1.197
Plasencia	160	161	166	50	40	53	50	6	48	260	207	267
Salamanca	283	285	309	24	43	33	29	35	38	336	363	380
Santander	415	468	435	174	16	20	97	66	38	686	550	493
Santiago	795	794	794	5	79	133	849	1.059	2.125	1.649	1.932	3.052
Segorbe	62	62	63	12	40	33	7	25	—	81	127	96
Segovia	302	300	276	23	25	64	50	51	105	375	376	445
Sevilla	329	336	380	150	43	49	910	613	598	1.398	992	1.027
Sigüenza	360	378	393	45	27	31	84	31	69	489	436	493
Solsona	143	144	144	54	39	45	112	183	309	309	366	498
Tarazona	155	122	153	37	68	61	277	120	95	469	410	309

DIOCESIS	Párrocos y Ecónomos			Tenientes y Coadjutores			Clérigos seculares y regulares adsc. a parroquias			Total Clero parroquial		
	1859	1864	1867	1859	1864	1867	1859	1864	1867	1859	1864	1867
Tarragona	113	116	142	68	57	61	215	188	80	396	361	283
Tenerife	69	58	58	2	27	19	39	17	49	110	102	126
Teruel	89	91	91	11	33	34	79	74	66	179	198	191
Toledo	722	761	803	123	351	370	110	510	360	955	1.622	1.533
Tortosa	205	158	158	27	148	154	275	237	204	507	543	516
Tudela	11	11	11	2	13	10	17	34	17	30	58	38
Tuy	239	247	240	30	61	68	493	533	548	762	841	856
Urgel	389	386	388	46	120	95	87	118	176	522	624	659
Valencia	317	315	315	179	329	337	379	343	645	875	987	1.297
Valladolid	102	87	92	64	73	66	62	63	89	228	223	247
Vich	226	225	225	158	160	160	138	144	143	522	529	528
Vitoria	—	s/n	754	—	s/n	691	—	s/n	228	—	s/n	1.673
Zamora	189	204	204	45	48	24	102	40	97	336	292	325
Zaragoza	373	372	371	74	128	140	410	286	280	857	786	791

Ordenes Militares

	1859	1864	1867	1859	1864	1867	1859	1864	1867	1859	1864	1867
S. Juan, L. de Castilla	133	159	159	67	50	50	10	86	86	210	295	295
S. Juan, L. de Aragón		89	52		23	23		53	52		165	127
Calatrava	35	37	37	68	80	81	197	123	147	300	240	265
Santiago	162	198	196	168	205	235	348	409	380	678	812	811
Alcántara	46	48	48	34	48	45	172	95	95	252	191	188
Montesa	32	2	27	21	1	41	2	—	57	55	3	125
TOTALES	16.988	16.964	17.627	5.133	5.476	6.312	10.168	11.110	13.032	32.289	33.550	36.971

CUADRO XIV

Estado de la cura de almas en 1840-43 según datos del «Diccionario» de Madoz

PROVINCIA	Núm. total de eclesiásticos	Núm. de almas por eclesiástico
Alava	663	105,8
Albacete	148	1.221,5
Alicante	481	660,4
Almería	257	981,0
Avila	377	304,2
Badajoz	335	883,3
Barcelona	812	561,3
Burgos	1.830	96,5
Cáceres	350	942,9
Cádiz	167	1.714,4
Canarias	292	855,5
Castellón	467	434,8
Ciudad Real	207	1.166,4
Córdoba	291	1.054,1
Coruña	843	480,7
Cuenca	470	499,1
Gerona	773	251,0
Granada	291	1.270,0
Guadalajara	563	277,3
Guipúzcoa	292	228,9
Huelva	136	981,3
Huesca	920	198,8
Jaén	295	836,0
León	1.277	174,8
Lérida	696	219,4
Logroño	687	215,0
Lugo	985	328,0
Madrid	288	983,0
Málaga	313	1.081,2
Mallorca	249	921,9
Murcia	218	1.683,8
Navarra	1.412	167,0
Orense	889	358,8
Oviedo	840	357,6
Palencia	581	325,5
Pontevedra	581	521,7
Salamanca	—	—
Santander	764	218,2
Segovia	339	305,8
Sevilla	371	990,0
Soria	565	205,4
Tarragona	408	607,2
Teruel	351	516,9
Toledo	411	599,9
Valencia	849	507,6
Valladolid	618	252,1
Vizcaya	445	217,4
Zamora	661	224,9
Zaragoza	815	284,1

CUADRO XV

Estado de la cura de almas a fines de 1859; según datos de la «Guía del estado eclesiástico» de 1860

DIOCESIS	*Núm. de almas / sacerdote*	DIOCESIS	*Núm. de almas / sacerdote*
Albarracín	288	Mondoñedo	283
Alcalá la Real	393	Orense	345
Almería	695	Orihuela	607
Astorga	305	Osma	298
Avila	489	Oviedo	350
Badajoz	208	Palencia	275
Barbastro	198	Pamplona	360
Burgos	270	Plasencia	605
Cádiz	901	Salamanca	434
Calahorra	188	Santander	299
Canarias	557	Santiago	372
Cartagena	768	Segorbe	584
Ceuta	140	Segovia	340
Ciudad Rodrigo	527	Sevilla	428
Córdoba	359	Sigüenza	292
Coria	668	Solsona	235
Cuenca	389	Tarazona	237
Gerona	353	Tarragona	389
Granada	350	Tenerife	1.079
Guadix	587	Teruel	294
Huesca	291	Toledo	1.094
Ibiza	383	Tortosa	488
Jaca	306	Tudela	220
Jaén	627	Tuy	161
León	219	Urgel	235
Lérida	353	Valencia	296
Lugo	507	Valladolid	381
Málaga	680	Vich	272
Mallorca	261	Zamora	340
Menorca	244	Zaragoza	409

CUADRO XVI

Relación parroquias/población según datos del «Diccionario» de Madoz (hacia 1842)

POVINCIAS	Pueblos	Parroquias	Habitantes	Almas / parroquia
Alava	436	416	70.164	168,6
Albacete	93	97	180.723	1.864,0
Alicante	168	207	317.669	1.534,6
Almería	108	133	252.292	1.901,8
Avila	399	331	114.684	344,3
Badajoz	172	197	295.923	1.502,0
Barcelona	564	578	455.785	788,9
Burgos	—	1.500	176.732	117,8
Cáceres	288	144	330.000	2.291,6
Cádiz	41	78	286.316	3.670.7
Canarias	—	80	241.266	3.015,8
Castellón	154	154	203.069	1.318,6
Ciudad Real	125	113	241.460	1.959,8
Córdoba	125	120	306.760	2.556,3
Coruña	100	932	405.265	434,8
Cuenca	333	338	234.582	694,0
Gerona	532	438	194.072	443,0
Granada	212	233	369.570	1.586,1
Guadalajara	489	476	156.123	327,9
Guipúzcoa	120	162	112.650	695,3
Huelva	78,	112	133.470	1.191,6
Huesca	576	835	182,996	219,1
Jaén	97	156	246.639	1.581,0
León	1.307	1.444	223.308	154,6
Lérida	911	913	152.746	167,3
Logroño	291	285	147.718	518,3
Lugo	6	1.244	323.158	259,7
Madrid	225	254	284.121	1.118,5
Málaga	113	133	338.442	2544,6
Mallorca (archipiélago)	—	115	229.540	1.995,1
Murcia	48	125	367.070	2.936,5
Navarra	771	854	235.874	276,1
Orense	—	850	319.060	375,3
Oviedo	—	845	451.610	534,4
Palencia	448	496	189.162	381,3
Pontevedra	—	666	303.138	451,1
Salamanca	—	—	—	—
Santander	626	621	166.730	268,4
Segovia	396	595	103.700	174,3
Sevilla	136	172	367.303	2.135,4
Soria	531	530	116.099	219,0
Tarragona	—	246	247.755	1.007,1
Teruel	385	295	181.433	615,0
Toledo	231	269	246.599	916,7
Valencia	303	323	430.985	1.334,3
Valladolid	273	280	156.430	558,6
Vizcaya	126	201	96.755	481,3
Zamora	498	527	148.880	282,5
Zaragoza	346	386	231.577	599,9
CIFRAS NACIONALES	—	20.499	11.567.403	564,2

CUADRO XVII

Número de almas por parroquia según datos estadísticos del Ministerio de Gracia y Justicia correspondientes al año 1859

DIOCESIS	Núm. de almas / parroq.	DIOCESIS	Núm. de almas / parroq.
Albarracín	507	Orihuela	2.911
Alcalá la Real	6.070	Osma	294
Almería	3.207	Oviedo	458
Astorga	287	Palencia	487
Avila	627	Pamplona	456
Badajoz	2.216	Plasencia	1.063
Barbastro	234	Salamanca	488
Barcelona	2.162	Santander	400
Burgos	257	Santiago	618
Cádiz	7.493	Segorbe	1.106
Calahorra	424	Segovia	471
Canarias	2.262	Sevilla	2.594
Cartagena	2.465	Sigüenza	319
Ceuta	1.974	Solsona	562
Ciudad Rodrigo	669	Tarazona	837
Córdoba	3.090	Tarragona	1.353
Coria	1.235	Tenerife	3.150
Cuenca	582	Teruel	773
Gerona	747	Toledo	1.623
Granada	1.145	Tortosa	1.884
Guadix	1.886	Tudela	1.319
Huesca	445	Tuy	563
Ibiza	1.081	Urgel	404
Jaca	389	Valencia	1.170
Jaén	2.712	Valladolid	1.055
León	301	Vich	798
Lérida	771	Zamora	604
Lugo	332	Zaragoza	1.347
Málaga	3.667		
Mallorca	2.794		
Menorca	4.388	CIFRAS NACIONALES (incluidas	
Mondoñedo	498	las 623 no computadas por	
Orense	700	diócesis)	729

CUADRO XVIII

Número de exclaustrados por provincias entre los años 1853 y 1870 según datos de los presupuestos generales del Estado

(Clases Pasivas)

PROVINCIA	1853	1854	1855	1856	1857	1858	1859	1860
Alava	98	269	324	107	86	83	83	83
Albacete	76	70	61	57	54	52	56	56
Alicante	307	296	281	262	233	230	216	216
Almería	22	24	20	21	17	17	14	14
Avila	26	26	27	26	22	22	20	20
Badajoz	277	262	259	238	211	205	191	191
Barcelona	432	440	453	425	408	420	420	420
Burgos	108	103	115	117	90	92	94	94
Cáceres	86	83	80	76	66	63	56	56
Cádiz	325	311	295	266	236	227	214	214
Castellón	124	120	125	119	87	89	94	94
Ciudad Real	118	108	111	109	78	81	81	81
Córdoba	539	509	490	400	417	401	368	368
Coruña	200	181	180	166	168	162	146	146
Cuenca	67	68	66	64	40	38	33	33
Gerona	202	193	192	184	172	168	160	160
Granada	196	183	202	202	184	176	163	163
Guadalajara	57	48	47	44	26	27	32	32
Guipúzcoa	46	—	—	54	49	46	51	51
Huelva	87	81	79	68	60	58	54	54
Huesca	51	51	51	48	35	36	36	36
Jaén	170	154	143	133	105	104	102	102
León	132	68	68	61	40	37	39	39
Lérida	71	71	77	69	62	61	62	62
Logroño	116	104	97	90	68	67	77	77
Lugo	72	66	64	57	48	48	37	37
Madrid	540	417	458	450	506	510	434	434
Málaga	227	217	215	209	186	181	173	173
Murcia	208	195	191	180	160	155	158	158
Navarra	169	137	146	147	116	118	125	125
Orense	218	226	245	216	183	184	168	168
Oviedo	131	119	118	115	102	101	97	97
Palencia	53	52	57	53	39	37	38	38
Pontevedra	275	268	260	257	219	201	183	183
Salamanca	83	81	88	82	49	46	50	50
Santander	77	71	70	66	63	63	63	63
Segovia	14	15	21	20	13	13	18	18
Sevilla	610	570	541	500	452	384	383	383
Soria	10	10	13	12	9	8	11	11
Tarragona	205	170	185	177	164	155	150	150
Teruel	213	219	203	197	136	133	143	143
Toledo	152	140	147	133	117	108	115	115
Valencia	626	600	562	500	477	491	443	443
Valladolid	79	75	77	79	69	62	58	58
Vizcaya	107	—	—	152	127	123	168	168
Zamora	96	86	83	75	57	52	56	56
Zaragoza	280	254	279	266	206	203	205	205
Baleares	447	440	480	442	422	413	380	380
Canarias	97	90	88	86	74	70	65	65
TOTALES	8.922	8.341	8.404	7.877	7.008	6.822	6.583	6.583

CUADRO XVIII *(Continuación)*

PROVINCIA	1861	1862	1863-64	1864-65	1865-66	1866-67	1867-68	1868-69	1869-70
Alava	84	84	83	86	84	70	70	69	50
Albacete	56	56	54	62	62	57	57	50	29
Alicante	195	195	224	233	211	200	200	175	98
Almería	16	16	14	15	13	13	10	6	
Avila	18	18	25	30	31	32	32	23	14
Badajoz	185	185	168	182	183	178	178	155	97
Barcelona	384	384	483	500	487	460	460	426	264
Burgos	92	92	101	107	114	113	113	97	57
Cáceres	53	53	51	72	76	69	69	66	48
Cadiz	202	202	207	218	211	200	200	178	115
Castellón	90	90	70	129	129	124	124	108	60
Ciudad Real	78	78	86	89	99	103	103	82	42
Córdoba	348	348	362	444	409	393	393	355	252
Coruña	149	149	124	127	119	112	112	91	61
Cuenca	26	26	26	34	35	31	31	31	16
Gerona	158	158	174	173	165	164	164	149	82
Granada	159	159	163	168	160	151	151	152	88
Guadalajara	29	29	27	38	38	41	41	38	16
Guipúzcoa	45	45	49	52	53	50	50	50	28
Huelva	47	47	44	46	37	34	34	28	13
Huesca	31	31	44	44	39	38	38	34	17
Jaén	97	97	110	116	114	101	101	98	52
León	41	41	49	48	41	37	37	35	19
Lérida	60	60	62	69	64	55	55	49	31
Logroño	75	75	93	105	105	98	98	90	56
Lugo	35	35	35	36	33	33	33	29	18
Madrid	423	430	471	513	527	520	520	468	233
Málaga	166	166	161	167	166	161	161	136	87
Murcia	156	156	187	180	177	174	174	155	86
Navarra	127	127	133	143	142	146	146	131	79
Orense	161	161	152	151	141	137	137	126	72
Oviedo	94	94	90	94	90	88	88	76	47
Palencia	38	38	31	37	38	37	37	34	30
Pontevedra	176	176	154	153	139	131	131	115	69
Salamanca	47	47	51	56	48	43	43	43	40
Santander	61	61	61	64	63	58	58	49	24
Segovia	14	14	21	21	20	17	17	14	8
Sevilla	364	364	341	389	384	367	367	333	205
Soria	11	11	8	13	10	15	15	14	11
Tarragona	145	145	171	187	189	188	188	179	125
Teruel	132	132	119	151	140	138	138	133	75
Toledo	113	113	119	130	125	117	117	109	58
Valencia	434	434	516	436	504	478	478	423	211
Valladolid	57	57	76	90	91	89	89	89	62
Vizcaya	179	179	152	157	152	152	154	154	136
Zamora	50	50	64	72	69	64	64	62	42
Zaragoza	205	205	258	279	281	266	266	244	160
Baleares	357	357	365	355	336	320	320	271	133
Canarias	61	61	55	57	57	52	52	49	27
	6.323	6.330	6.682	7.217	7.003	6.717	6.717	6.054	3.567

CUADRO XIX

Datos totales de alumnos en los seminarios conciliares a partir del curso 1853-54, según datos de las «Guías del estado eclesiástico»

DIOCESIS	Advocación de los Seminarios	1853	1854	1858	1859	1862	1864	1867
Albarracín	—	—	—	—	—	—	—	—
Almería	San Indalecio	156	214	232	282	332	303	200
Astorga	La Purís. Concep. y Sto. Toribio	465	542	508	615	720	800	718
Avila	San Millán	158	202	127	168	193	243	254
Badajoz	San Atón	160	210	205	272	317	275	405
Barbastro	Santo Tomás de Aquino	90	205	192	228	271	259	164
Barcelona	Santo Tomás	646	603	603	746	568	532	648
Burgos	San Jerónimo	464	628	518	310	658	576	504
Cádiz	San Bartolomé	134	157	75	76	111	224	238
Canarias	Purísima Concepción	85	124	90	131	149	130	184
Calahorra	El Salvador	488	539	316	263	1.089	501	600
Cartagena	San Fulgencio	492	570	621	708	852	646	583
Ceuta	—	—	—	—	—	—	16	16
Ciudad Rodrigo	San Cayetano	112	136	—	177	180	249	240
Córdoba	San Pelagio	224	224	180	222	274	322	358
Coria	San Pedro Apóstol	175	175	124	124	182	213	323
Cuenca	San Julián	250	267	364	436	509	540	434
Gerona	—	649	590	508	601	620	555	171
Granada	San Cecilio y el de Sacromonte	185	362	403	465	624	722	470
Guadix	San Torcuato	72	96	98	177	178	191	188
Huesca	Santa Cruz	155	214	204	263	250	213	166
Ibiza	Purísima Concepción y San Juan Nepomuceno	61	56	63	85	101	81	85
Jaca	Purísima Concepción	44	44	151	192	245	191	160
Jaén	San Felipe Neri	166	290	146	260	356	220	321
León	San Froilán y el de San Mateo de Valderas	447	611	722	784	844	873	702
Lérida	Nuestra Señora de la Asunción	440	501	363	384	399	252	252
Lugo	San Lorenzo	432	416	424	556	508	596	539
Málaga	San Sebastián	262	339	468	370	418	434	559
Mallorca	—	179	217	215	198	235	289	351
Menorca	San Ildefonso	18	70	77	76	62	56	95
Mondoñedo	Santa Catalina	306	287	292	363	448	403	505
Orense	San Fernando	382	446	511	554	630	557	498
Orihuela	Purísima Concepción	207	253	176	182	272	213	223
Osma	Santo Domingo	259	334	336	294	320	307	280
Oviedo	Purísima Concepción (Conciliar) y Sucursal de Valdediós	216	275	353	482	477	513	108
Palencia	San José	372	515	288	277	294	252	406
Pamplona	San Miguel Arcángel	738	852	786	877	936	729	729
Plasencia	Purísima Concepción	77	188	171	242	293	341	715
Salamanca	San Carlos	249	262	372	594	594	611	565
Santander	Santa Catalina	55	60	194	156	168	173	238
Santiago	Ntra. Sra. de os Dolores	498	558	398	608	700	784	742
Segorbe	Ssma. Trinidad y S. Pedro	116	164	149	236	240	260	251
Segovia	San Frutos y San Ildefonso	248	303	258	353	380	414	381
Sevilla	San Isidoro	287	301	239	340	362	433	569
Sigüenza	San Bartolomé	237	245	258	258	406	426	455
Solsona	Inmaculada y S. Ramón	291	371	252	243	248	267	303
Tarazona	San Gaudosio	323	395	283	276	327	299	244
Tarragona	—	250	365	324	380	332	304	379
Tenerife	—	—	—	—	—	—	—	—
Teruel	Purísima Concepción	263	355	274	337	293	262	331
Toledo	San Ildefonso	255	328	205	307	507	749	660
Tortosa	Santiago y San Matías	99	129	370	380	370	468	418
Tudela	Santa Ana	88	95	195	105	105	106	78
Tuy	San Francisco de Asís	222	222	307	410	464	387	502

DIOCESIS	Advocación de los Seminarios	1853	1854	1858	1859	1862	1864	1867
Valencia	Inmaculada y Sto. Tomás de Villa-nueva	693	1.019	—	1.025	1.160	1.086	1.260
Valladolid	Inmaculada	211	310	240	350	391	384	252
Vich	San Joaquín	1.000	1.147	1.041	1.151	1.129	1.085	1.125
Urgel	Ntra. Sra. de la Concepción	375	479	452	556	474	541	574
Zamora	San Atilano	250	290	309	309	425	410	484
Zaragoza	San Valero	301	335	311	356	386	348	435
TOTALES		16.077	19.485	17.341	21.170	24.376	23.814	23.638

CUADRO XX

Casas religiosas de varones entre 1859 y 1867 según las «Guías del estado eclesiástico»

ORDEN O CONGREGACION	CASAS		
	1859	1864	1867
Escuelas Pías	29	34	34
San Vicente de Paúl	2	4	6
San Felipe Neri	3	3	7
Agustinos Calzados	1	1	2
Agustinos Recoletos	1	1	2
Predicadores	1	2	2
Franciscanos Descalzos	1	1	3
Compañía de Jesús	3	4	5
San Alfonso María de Ligorio	—	—	1

CUADRO XXI

Estado expresivo del número de religiosos en clausura que existían en los conventos de la Península e islas adyacentes en fin de 1867

ORDENES RELIGIOSAS	Número de casas	Número de religiosos
Escuelas Pías	31	548
San Vicente de Paúl	6	83
San Felipe Neri	7	50
Agustinos Calzados	2	156
Agustinos Recoletos	2	166
Predicadores	2	162
Franciscanos Descalzos	3	113
Compañía de Jesús	5	221
Congregación de Sacerdotes misioneros de San Alfonso Ligorio	1	7
TOTALES	62	1.506

CUADRO XXII

Número de religiosas, y pensiones que les corresponden, según los presupuestos generales del Estado (1855-1870)

Ejercicio	Religiosas en clausura	Asignación		
1855	7.219	10.539.740	reales	vellón
1856	7.085	10.337.832	»	»
1857	7.036	10.272.560	»	»
1858	6.793	9.877.770	»	»
1859	6.449	9.415.540	»	»
1860	—	9.055.036	»	»
1861	5.849	8.549.800	»	»
1862	5.639	8.243.200	»	»
1863-64	5.356	7.830.020	»	»
1864-65	5.154	7.535.100	»	»
1865-66	4.818	704.454	escud.	10 reales
1866-67	4.566	667.662	»	»
1867-68	4.253	622.720	»	»
1868-69	4.104	600.184	»	»
1869-70	3.817	558.305	»	»

CUADRO XXIII

Conventos de religiosas en 1854 y 1859 según las «Guías eclesiásticas»

DIOCESIS	Conventos 1854	1859	DIOCESIS	Conventos 1854	1859
Albarracín	2	2	Ordenes Militares	29	29
Alcalá la Real	3	3	Orense	1	1
Almería	1	2	Orihuela	8	8
Astorga	9	9	Osma	5	5
Avila	18	18	Oviedo	10	10
Badajoz	13	13	Palencia	13	13
Barbastro	2	2	Pamplona	30	30
Barcelona	20	23	Plasencia	9	9
Burgos	26	25	Salamanca	18	18
Cádiz	8	8	Santander	10	11
Calahorra	49	49	Santiago	11	11
Canarias	1	1	Segorbe	2	2
Cartagena	17	17	Segovia	12	13
Ciudad Rodrigo	3	3	Sevilla	76	71
Córdoba	28	28	Sigüenza	12	12
Coria	6	6	Solsona	1	1
Cuenca	16	16	Tarazona	20	20
Gerona	7	7	Tarragona	9	9
Granada	21	21	Tenerife	—	—
Guadix	3	3	Teruel	2	3
Huesca	9	9	Toledo	115	115
Ibiza	1	1	Tortosa	10	10
Jaca	1	1	Tudela	4	4
Jaén	25	25	Tuy	4	4
León	14	14	Urgel	1	3
Lérida	6	6	Valencia	33	33
Lugo	3	3	Valladolid	26	26
Málaga	20	20	Vich	7	7
Mallorca	9	9	Zamora	12	12
Menorca	2	2	Zaragoza	27	26
Mondoñedo	4	4	TOTALES	864	866

CUADRO XXIV

Número total de eclesiásticos a fines de 1859, 1864 y 1867 según datos de las «Guías del Estado eclesiástico»

DIOCESIS	1859	1864	1867
Albarracín	60	59	66
Alcalá la Real	108	90	s/n
Almería	300	283	250
Astorga	930	1.096	1.091
Avila	441	419	437
Badajoz	229	222	204
Barbastro	241	247	214
Barcelona	983	1.208	1.040
Burgos	1.531	1.521	1.512
Cádiz	208	262	246
Calahorra	2.228	904	731
Canarias	174	127	111
Cartagena	696	963	975
Ceuta	28	28	26
Ciudad Rodrigo	123	132	156
Córdoba	903	747	690
Coria	216	288	298
Cuenca	591	624	638
Gerona	763	803	1.010
Granada	756	848	855
Guadix	168	144	158
Huesca	261	290	231
Ibiza	62	58	63
Jaca	228	251	246
Jaén	476	474	493
León	1.039	1.079	1.112
Lérida	445	494	442
Lugo	720	804	797
Málaga	668	840	1.150
Mallorca	777	661	600
Menorca	144	132	128
Mondoñedo	564	512	539
Orense	1.102	998	1.056
Orihuela	326	257	373
Osma	429	417	456
Oviedo	1.489	1.505	1.452
Palencia	667	661	687
Pamplona	1.031	1.579	1.391
Plasencia	293	246	320
Salamanca	378	415	431
Santander	727	636	573
Santiago	1.730	2.020	3.196
Segorbe	123	163	131
Segovia	435	433	508
Sevilla	1.741	1.272	1.268
Sigüenza	526	471	533

DIOCESIS	*1859*	*1864*	*1867*
Solsona	344	409	533
Tarazona	523	383	341
Tarragona	446	414	391
Tenerife	130	122	147
Teruel	234	252	245
Toledo	1.064	1.854	1.853
Tortosa	672	708	660
Tudela	60	87	67
Tuy	863	968	971
Urgel	652	721	732
Valencia	1.537	1.435	1.850
Valladolid	310	292	313
Vich	654	650	646
Vitoria	—	s/n	1.929
Zamora	420	349	396
Zaragoza	982	910	914

Ordenes Militares

	1859	*1864*	*1867*
San Juan (L. Castilla)	223	329	329
San Juan (L. Aragón)		166	141
Calatrava	313	266	295
Santiago	728	901	929
Alcántara	295	227	224
Montesa	55	3	158
TOTALES	38.563	39.122	42.948

TERCERA PARTE

LA REVOLUCION BURGUESA (1868-74) [1]

Por VICENTE CÁRCEL ORTÍ

CAPÍTULO I

LA «GLORIOSA» DE 1868

1. LA SANTA SEDE Y LA REVOLUCIÓN

La revolución de 1868 sometió a la Iglesia española a una dura prueba, ya que por vez primera tuvo que enfrentarse con movimientos nuevos como el socialismo y el republicanismo, que pudieron organi-

[1] Las revistas *Atlántida* y *Revista de Occidente* celebraron en 1968 el centenario de la revolución de 1868 con dos interesantes números monográficos (36 y 67 respectivamente), que recogen varios trabajos, parciales e incompletos. Algo parecido se hizo con el volumen *La revolución de 1868. Historia, pensamiento, literatura.* Selección de C. E. Lida e I. M. Zabala (New York 1970). Algunos aspectos del sexenio fueron abordados en los III Coloquios de Pau (cf. *Sociedad, política y cultura en la España de los siglos XIX y XX*, Madrid 1973). Dígase lo mismo de buena parte de las comunicaciones —muchas son de carácter local y, en algunos casos, de principiantes— presentadas al *I Congreso de Historia del País Valenciano*, de 1971, vol.4 (Valencia 1973), y a las *I Jornadas de metodología aplicada de las ciencias históricas*, de Santiago de Compostela (1973); vol. IV: *Historia contemporánea* (Santiago de Compostela 1975). Véanse también otros estudios concretos: M. V. ALBEROLA FIORAVANTI, *La revolución de 1868 y la prensa francesa* (Madrid 1973); V. BOZAL FERNÁNDEZ, *Juntas revolucionarias. Manifiestos y proclamas de 1868* (Madrid 1968); F. L. CARDONA CASTRO, *El Ayuntamiento de Barcelona en la revolución de 1868:* Cuadernos de Historia Económica de Cataluña 9 (1973) 107-49; V. GASCÓN PELEGRÍ, *La revolución de 1868 en Valencia y su reino:* Bol. de la Soc. Castell. de Cultura 51 (1975) 47-86-89-120; N. GONZÁLEZ, *Análisis, concepción y alcance de la revolución de 1868:* Razón y Fe 178 (1968) 335-56.443-62; J. MARTÍN NIÑO, *La Hacienda española y la revolución de 1868* (Madrid 1972); J. NADAL FARRERAS, *La revolución de 1868 en Gerona. La actuación de la Junta revolucionaria provincial* (Gerona 1971); M. V. LÓPEZ CORDÓN, *La revolución de 1868 y la I República* (Madrid 1976); L. ALVAREZ GUTIÉRREZ, *La revolución de 1868 ante la opinión pública alemana* (Madrid, Fragua, 1976); M. RUIZ LAGOS, *Ensayos de la revolución. Andalucía en llamas. 1868-1875* (Madrid, Ed. Nacional, 1978).

Sobre aspectos de historia estrictamente eclesiástica cf. V. M. ARBELOA y A. MARTÍNEZ DE MENDÍBIL, *Documentos diplomáticos sobre las relaciones Iglesia-Estado tras la revolución de septiembre de 1868:* Scriptorium Victoriense 20 (1973) 198-232; ID. e ID., *La prensa ante la Iglesia en la revolución de septiembre (septiembre de 1868-febrero de 1869). Una visión anticipadora de la Iglesia en España*, en *Miscelánea José Zunzunegui (1911-1974). II:* «Estudios históricos» (Vitoria 1975) p.265-323; V. CÁRCEL ORTÍ, *El nuncio Franchi en la España prerrevolucionaria de 1868:* Scriptorium Victoriense 20 (1973) 330-57; ID., *La Santa Sede y la revolución de 1868:* Anales Valentinos 3 (1977) 55-113; ID., *El clero durante la revolución de 1868 y la*

zarse y consolidarse gracias a la estabilidad del sistema liberal burgués. La revolución era deseada por unos y temida por otros. Los últimos años del reinado de Isabel II mostraron la incapacidad del régimen para mantener una política que resolviera las crecientes exigencias de la nueva sociedad española, que seguía con sensible retraso los esquemas socio-económicos de los países europeos más avanzados. La funesta conducta de los últimos gabinetes isabelinos contribuyó a precipitar la situación, que se había agravado desde 1865 con motivo de los sucesos madrileños de la noche de San Daniel. Los tumultos ocurridos en Granada y Barcelona durante la primavera de 1868 y el malestar general que reinaba en el país indican el clima social en las postrimerías de Isabel II [2]. A estos sucesos hay que añadir la desaparición de los dos políticos más eminentes del momento. O'Donnell falleció el 5 de noviembre de 1867 en su destierro voluntario de Biarritz, Narváez murió en Madrid el 23 de abril de 1868. En Roma fue particularmente sentida la muerte del general moderado, porque había sido uno de los defensores de la «buena causa». La presencia de Barili en los funerales de Narváez fue el postrer homenaje que la Iglesia rindió al hombre que había sentado las bases para su reconciliación con el Estado. Pero el nombramiento de González Bravo para la jefatura del Gobierno fue desacertado, y el mismo nuncio Barili, cuyas tendencias conservadoras y simpatías por actitudes inmovilistas habían quedado ampliamente demostradas en numerosas ocasiones, trazó perfectamente las características del nuevo equipo ministerial.

«Será —decía el nuncio— un Gobierno de fuerza y de justa represión contra los conatos revolucionarios, será defensor constante y enérgico de los grandes intereses que constituyen la esencia de la nacionalidad española; tratará de unir a cuantos manifiesten sinceramente su adhesión al trono, a las tradiciones religiosas y a las instituciones fundamentales del Estado. Sin embargo —concluía Barili—, los hechos demostrarán hasta qué punto pueden cumplirse estas promesas, porque todos dudan de la estabi-

I República Española: Analecta Sacra Tarraconensia 48 (1975) 149-91; *Los obispos españoles ante la revolución de 1868 y la primera República:* Hispania sacra 28 (1975) 339-422. ID., *1874. comienzo de un siglo de relaciones Iglesia-Estado en España:* Rev. Esp. de Derecho Canónico 3C (1974) 265-311; J. M. CUENCA TORIBIO, *El episcopado catalán ante la revolución de 1868:* Analecta Sacra Tarrac. 40 (1967) 159-86.371-77; ID., *La revolución de 1868 y el episcopado de la Baja Andalucía:* Anales de la Univ. Hispalense 27 (1967) 93.129; J. FERNÁNDEZ CONDE, *La diócesis de Oviedo durante la revolución liberal (1868-1874);* Studium Ovetense 1 (1973) 89-133; F. RODRÍGUEZ DE CORO, *El obispado de Vitoria durante el sexenio revolucionario* (Vitoria 1976); ID., *El primer obispo de Vitoria y las concepcionistas de Azpeitia durante el sexenio revolucionario:* Scriptorium Victoriense 22 (1975) 187-229; ID., *Intolerancia religiosa en Vascongadas en torno al sexenio revolucionario:* Lumen 24 (1975) 439-51; ID, *El primer obispo de Vitoria y la villa de Zumaya en torno a la revolución de 1868:* Real Soc. Basc. de los Amigos del País 32 (1976) 121-55; ID., *Reacciones vascongadas ante un nuevo comportamiento religioso en España (1868-1869):* Scriptorium Victoriense 24 (1977) 65-100; J. ANDRÉS GALLEGO, *Aproximación cartográfica a la libertad religiosa peninsular: los españoles ante la libertad religiosa del sexenio revolucionario:* Actas de las I Jornadas de Metodología aplicada de las Ciencias Históricas. IV: «Historia contemporánea» (Santiago de Compostela, Universidad, 1975) p.265-75; R. M. SANZ DE DIEGO, *La legislación eclesiástica del sexenio revolucionario:* Revista de Estudios Políticos 200-201 (1975) 195-223; J. B. VILAR, *El obispado de Cartagena durante el sexenio revolucionario (1868-1874)* (Murcia 1973).

[2] J. TERMES, *Anarquismo y sindicalismo en España. La I Internacional (1864-1881)* (Barcelona, Ariel, 1972) p.26-28.

lidad de este Gabinete, que tiene minada su base por el grave problema económico»[3].

Los historiadores reconocen unánimemente que la designación de González Bravo fue un error. Sus métodos policíacos, el recrudecimiento de la censura y de la represión a todos los niveles, crearon entre el pueblo y el ejército una antipatía general hacia el Gobierno. En estas circunstancias llegó a Madrid, en mayo de 1868, el nuevo nuncio Alessandro Franchi (1819-78)[4], que sucedía a Barili, creado cardenal dos meses antes. Las relaciones de la Iglesia con el Estado español eran en ese momento tan normales, que al nuevo representante pontificio no se le dieron instrucciones particulares. Se le encomendó sencillamente, usando una fórmula vaga, que «sostuviese y promoviese con habilidad y con celo los intereses de la Iglesia», ya que tras el bienio progresista (1854-56) no había habido conflictos de relieve gracias a la moderación de los gobiernos liberales presididos por Narváez y por O'Donnell. El incidente del *Syllabus* no llegó a turbar la armonía existente entre la corte de Madrid y la curia romana. El concordato de 1851 seguía aplicándose con gran lentitud, y aunque el nuevo nuncio debía conseguir su ejecución completa, sin embargo, la complejidad de la situación política y la inminencia de un cambio radical no dejaron espacio para negociaciones de otro tipo. Franchi pudo constatar en sus primeros contactos con los ministros de González Bravo la buena voluntad que les animaba a varios de ellos, y en concreto a Carlos María Coronado, titular de Gracia y Justicia, quien se mostró totalmente dispuesto a resolver las cuestiones religiosas pendientes. Pero el nuncio se dio cuenta de la inutilidad de las gestiones, porque el Gobierno tenía los días contados. Esta impresión se deduce de una atenta lectura de los despachos que el nuncio envió a Roma durante el verano de 1868.

Nadie podía esperar que la revolución triunfara en tan pocos días, y cuando el general Concha tuvo que hacer frente a los insurrectos de la «Gloriosa» en septiembre de 1868, se llegó incluso a creer que la moderación se impondría a la exaltación. Pero, cuando la victoria de los revolucionarios se había consolidado y la salida de Isabel II había dejado el poder en manos del Gobierno provisional, Franchi lloró en tonos dramáticos «la funesta catástrofe ocurrida a esta desgraciada nación». Quizá el nuncio exageró ante los nuevos acontecimientos —«vivimos momentos de luto y de dolor», decía— y es posible que no le faltaran motivos de preocupación ante los desmanes cometidos por algunas juntas revolucionarias. También fue significativo el cambio de actitud por parte de la Santa Sede ante el nuevo régimen. La tremenda impresión producida por la caída de Isabel II quedó reflejada en un despacho del

---

[3] Cf. mi artículo *La Santa Sede y la revolución de 1868*... p.64 nt.24.

[4] V. M. ARBELOA, *El nuncio Franchi ante la revolución de 1868:* Scriptorium Victoriense 22 (1975) 5-77; V. CÁRCEL ORTÍ, *El nuncio Franchi en la España prerrevolucionaria de 1868:* ibid., 20 (1973) 330-57; ID., *Los despachos de la Nunciatura de Madrid (1847-1857):* Arch. Hist. Pont. 13 (1975) 311-400; 14 (1976) 265-356; ID., *El archivo de la Nunciatura de Madrid desde 1868 hasta 1875:* ibid., 15 (1977) 363-76.

cardenal Antonelli, secretario de Estado de Pío IX, que no llegó a ser transmitido al nuncio Franchi por miedo a represalias. En él se decía textualmente: «Hago votos para que los extraviados vuelvan a su deber y sean vencidos» [5]. Este despacho es del 30 de septiembre de 1868. Los extraviados eran ya en ese momento los dueños de la nueva situación. Un año antes, con motivo de los movimientos revolucionarios ocurridos en varias provincias catalanas, el cardenal Antonelli había celebrado el triunfo de la represión y pedido a Dios que «confundiera a los malvados e impidiera que la católica España pudiera sufrir cambios». En nombre del papa, Barili felicitó personalmente a Isabel II por el éxito de sus tropas, «que valerosamente vencieron a las hordas», y por «la visible protección con que el Señor defiende su reino de los peligros». Apenas un año después, quien había escrito estas palabras no se atrevía a repetir que el reino de Isabel II gozaba de la «divina asistencia» ni, por supuesto, bendecía a nadie.

El silencio de Roma fue total cuando se tuvo conciencia del triunfo rotundo de la revolución. En los despachos de la Secretaría de Estado, brevísimos todos ellos y muy lacónicos, se evitó cualquier frase o comentario que pudiera llevar implícitos juicios sobre la nueva situación política. Se alabó la prudente actitud del nuncio, quien fue discretísimo desde el primer momento, y se le recomendó que evitara cualquier comunicación escrita con el nuevo Gobierno, para no prejuzgar las decisiones que el papa pudiera adoptar con respecto al nuevo régimen ante otros acontecimientos. Franchi permaneció en Madrid hasta el verano de 1869 como persona privada, limitándose a comunicaciones verbales con los dirigentes políticos y militares, si bien pudo ejercer libremente las facultades espirituales que le correspondían como delegado de la Santa Sede, con el título de nuncio apostólico.

2. LOS OBISPOS Y LAS JUNTAS REVOLUCIONARIAS

Las primeras semanas de la revolución estuvieron caracterizadas por la actividad incontrolada de las juntas revolucionarias, que se establecieron rápidamente en las capitales de provincia y en casi todas las poblaciones importantes, lanzando manifiestos y proclamas en favor de libertades tan fundamentales como las de reunión y asociación, cultos, enseñanza, prensa, etc., algunas de las cuales eran completamente desconocidas en España. Sin embargo, los programas de estas juntas, que en teoría eran altamente positivos, tuvieron una realización muy negativa porque su gestión del poder estuvo tan impregnada de fanatismo, virulencia e incluso violencia física, que el Gobierno central de la nación

---

[5] Esta frase aparece en el despacho n.52045 de Antonelli a Barili, de 30 septiembre 1868, cuya minuta he visto en el ASV *SS 249* [1873] 1.º ff.42-42v. En una nota unida a este documento se lee: «Sospeso in seguito delle notizie giunte da Spagna coi 2 telegrammi del 27-9-1868». Se refiere a los telegramas enviados por el nuncio Franchi que confirmaban el triunfo de la revolución.

decidió disolverlas a finales de octubre de 1868 con el fin de evitar las graves consecuencias que su autonomía provocaba, y, por consiguiente, no sólo para evitar duplicidad de funciones en la Administración pública.

No se puede hacer un juicio global sobre la actitud de estas juntas con respecto a la Iglesia, porque en algunas diócesis no ocurrieron los incidentes lamentables que se verificaron en otras. El nuncio Franchi las juzgó negativamente por los atropellos cometidos especialmente en Andalucía, donde desencadenaron auténticas persecuciones. En Sevilla, tras haber proclamado la libertad de cultos, de enseñanza y de prensa, la Junta expulsó a los jesuitas y a los oratorianos, que fueron exiliados a Gibraltar y se les confiscaron los bienes. Fueron suprimidos nueve conventos de religiosas, once parroquias quedaron cerradas y 49 iglesias destruidas. Esta situación era la consecuencia lógica del contraste existente entre las autoridades centrales y los miembros de las juntas, que con su ideología anarcodemocrática intentaban destruir todas las instituciones religiosas, perseguir al clero y cometer toda clase de excesos. Algunas juntas llegaron a violar los más elementales derechos de la jurisdicción e inmunidad eclesiásticas, suprimiendo territorios exentos, decretando divisiones parroquiales, destruyendo templos, privando a párrocos y obispos de su jurisdicción, obligando a los prelados a dispensar todos los impedimentos matrimoniales, destituyendo canónigos y nombrando eclesiásticos gratos al movimiento revolucionario para puestos de gobierno. El obispo de Huesca, Gil Bueno, fue expulsado de su diócesis el 6 de octubre de 1868 por decreto de la Junta local. El de Barcelona, Monserrat, tuvo que enfrentarse no sólo con la Junta de la capital catalana, sino también con otras de poblaciones menores. En Cuenca fueron más moderadas, y en algunos pueblos llegaron incluso a ponerse decididamente a favor de la Iglesia, según testimonio del obispo Payá. En Lérida destruyeron el templo de San Juan y cerraron el seminario. Lo mismo hicieron en Málaga.

Problemas con los revolucionarios por las usurpaciones de las juntas ocurrieron en Valladolid, Salamanca y Tortosa. El prelado salmantino, Lluch Garriga, consiguió salvar el colegio de Calatrava gracias a sus gestiones amistosas con el jefe de la Junta local. Pero en Tortosa, el obispo Vilamitjana no consiguió impedir la ocupación de los seminarios. Quizá el obispo de Astorga, Argüelles, fue uno de los pocos que se mostró satisfecho de la Junta de aquella ciudad, porque fue «juiciosa y pacífica, sin hacer alteración alguna, no siendo en algún desatinillo civil». Con todo, el balance de la actividad desplegada por muchas juntas en materia eclesiástica fue bastante negativo. La revista La Cruz publicó una «Crónica de los sacrilegios, profanaciones y atentados cometidos en España contra la religión y las inmunidades eclesiásticas desde septiembre de 1868», que recogía en buena parte las actuaciones violentas de numerosas juntas revolucionarias.

3. MANIFIESTOS A LA NACIÓN

Desde su exilio de Pau (Francia) Isabel II dirigió a los españoles, el 30 de septiembre de 1868, un manifiesto, que tuvo escasa repercusión, porque muy pocos lloraban a la reina desaparecida. Un ejemplar del mismo fue enviado por Isabel II a Pío IX y otras copias fueron transmitidas por el nuncio a la Secretaría de Estado. El papa manifestó a la soberana que haría lo posible para que recuperase el trono; pero era una promesa huera en aquellos momentos, ya que el anciano pontífice estaba a punto de perder sus ya reducidos Estados. Fue un modo de guardar las formas ante la llegada a Roma de Severo Catalina, representante oficioso de Isabel II, cuando nadie en la corte pontificia confiaba en un regreso de la reina a Madrid.

El Gobierno revolucionario se planteó la cuestión religiosa en una circular que el ministro de Estado, Lorenzana (1818-83), dirigió el 19 de octubre de 1868 a los diplomáticos españoles. Se trata de un texto apologético de la revolución, redentora de pasadas humillaciones, donde se reconocía que España «ha sido y es una nación esencial y eminentemente católica» [6]. Pero esta afirmación no desvaneció el recelo del epis-

---

[6] La cuestión religiosa fue tratada en dicha circular con tal amplitud, que merece ser leída detenidamente:

«El Gobierno provisional no puede menos de tocar con toda la circunspección y delicadeza que la materia exige, una cuestión de transcendencia suma; la cuestión de la libertad religiosa. Nadie hay que ignore, y el Gobierno tiene una verdadera satisfacción en proclamarlo así, que España ha sido y es una nación esencial y eminentemente católica. Su historia nos lo enseña; las sangrientas y dilatadas guerras religiosas que sostuvo y el Tribunal de la Inquisición o Santo Oficio, a cuyo brazo poderoso y temible confió durante algunos siglos el sagrado depósito de sus arraigadas creencias, demuestran claramente que el celo exagerado y el ardor de la fe que no razona salvan sin dificultad los límites que dividen la verdadera religión del fanatismo. Las constituciones de la España moderna, aún las más liberales, rindieron todas escrupulosamente el homenaje de su respeto a esta viva y constante preocupación de nuestra Patria; y si alguna vez, como en 1856, se intentó arriesgar tímidamente un paso en dirección opuesta, el efecto causado en los corazones sencillos por el grito que, con una sinceridad más que dudosa, dieron ciertos partidos, vino a probar que la opinión no estaba madura todavía y que era indispensable aguardar más propicia ocasión para reformar el estado legal de las cosas en asunto tan grave.

Afortunadamente, desde entonces han experimentado modificación profunda las ideas, y lo que no hace mucho era considerado como una eventualidad lisonjera, pero sólo realizable a largo plazo, vemos hoy que se anuncia como un hecho inmediato, sin que las conciencias se alarmen y sin que una voz discordante venga a turbar el general concierto. Mucho ha contribuido, en verdad, a este importante resultado el grandioso espectáculo de los insignes triunfos que en todas partes va reportando el espíritu moderno, ante cuya pujanza arrolladora desaparecen los diques más robustos y no hay resistencia tan fuerte que no ceda; pero relativamente a España, media, además, una circunstancia que es triste, pero necesario recordar. Si por aquiescencia o tolerancia de quienes pudieran evitarlo, lo ignoramos; pero ello es que el nombre de la religión ha venido, de algún tiempo a esta parte, constantemente unido, en extraño y poco digno maridaje, a los actos más depresivos y arbitrarios, en que tan rico ha sido el régimen que acaba de sucumbir con uniforme y entusiasta aplauso.

En la errónea creencia de que un manto sagrado podría servir para ocultar la desapacible desnudez de ciertas profanidades, se hizo intervenir en las ardientes luchas de la política lo que jamás debe exponerse al contacto peligroso y con frecuencia impuro de las pasiones mundanales. De aquí, no la tibieza del sentimiento católico, que por dicha se mantiene siempre vivo entre nosotros, sino la opinión universalmente difundida de que la concurrencia en la esfera religiosa, suscitada por una prudente libertad, es necesaria para suministrar a la ilustrada actividad del clero un pasto digno de ella y proporcionarle te-

copado y de la Santa Sede, ya que —decía Franchi— «es cierto que en la circular el Gobierno proclama abiertamente que España fue siempre, y lo es todavía, una nación eminentemente católica; pero se hacen algunas consideraciones sobre este espiritu católico de España que ofenden no sólo a la misma religión, sino también al sentimiento pío y noble de esta generosa nación»[7].

Un tercer documento nos interesa todavía conocer. Es el manifiesto que el Gobierno provisional dirigió a la nación el 25 de octubre para exponer los objetivos fundamentales de la revolución. Visto a un siglo largo de distancia, resulta extremadamente abierto, pero substancialmente moderado y equilibrado. Los principios que defendía —libertad religiosa, enseñanza, imprenta, reunión y asociación— resumían los programas lanzados durante las primeras semanas de octubre por las juntas revolucionarias. Reconocía que la libertad religiosa era la manifestación del espíritu público más importante que se introducía en la secular organización del Estado español[8]. Esta afirmación, junto con otros párrafos dedicados a la exclusión del trono de la dinastía caída, llamaron la atención del nuncio, que se apresuró a transmitirlos a Roma. El manifiesto, aunque revolucionario, mantenía la monarquía como institución y excluía la alternativa republicana, si bien cerraba cualquier posibilidad de retorno a Isabel II y a sus descendientes. Para el nuncio, la libertad religiosa era una violación del primer artículo del concordato, ya que alteraba sensiblemente el sistema de exclusión de otros cultos existentes en España, desde antiguo.

4. ANTICLERICALISMO POPULAR

La primera reacción popular al consolidarse la revolución fue marcadamente anticlerical. Parece además lógico que así fuera, porque si el objetivo fundamental de la sublevación había sido acabar definitivamente con la dinastía borbónica, responsable de los males que el pueblo español había sufrido durante casi dos siglos, igual suerte debía tocar a una de las instituciones que con mayor fidelidad, constancia y energía había apoyado a la desacreditada monarquía y predicado al pueblo sumisión y acatamiento sin reservas a los soberanos; es decir, la Iglesia. Conviene, sin embargo, matizar algunos conceptos para comprender los ataques anticlericales. Mientras el vértice político del Estado declaraba, por la voz autorizadísima de sus más altas instancias, «que España ha sido y es una nación esencial y eminentemente católica», la masa popular desencadenaba un torbellino de violencias desde sus más ínfimos estratos, que en realidad eran nuevas ediciones —sensiblemente aumen-

mas de discusión en armonía con lo elevado de su sólida ciencia y con la sagrada respetabilidad de su carácter. *Colección legislativa...*, segundo semestre de 1868, tomo C, p.334-41).

[7] Cf. mi artículo *La Santa Sede y la revolución de 1868...* p.79 nt.82.

[8] *Colección legislativa de España...*, segundo semestre de 1868, tomo C (Madrid 1868) p.444-50.

tadas en unos casos, levemente corregidas en otros— de sucesos muy lamentables, que, por una compleja serie de factores políticos sociales, económicos y culturales, había conocido generaciones pasadas y verían generaciones futuras —piénsese en 1931-36—, con un frente común que atacar y, posiblemente, destruir por completo —aunque esto nunca se ha conseguido—, es decir, el clero con sus templos, monasterios y conventos. Y es que gran parte de los habitantes de la «católica» España sabía demostrar, una vez más —como habían hecho sus antepasados y harían sus descendientes—, la compatibilidad entre un extraño espíritu religioso, mezcla de fanatismo, superstición y paganismo, con el más desenfrenado anticlericalismo. Se atacaba, por consiguiente, no al objeto de «fe» o de «creencia» del pueblo simple e ignorante, sino a los representantes de las estructuras clericales, e incluso a éstas mismas, porque durante años habían sostenido incondicionalmente el sistema político derrumbado y gracias al mismo habían conseguido restaurar, en parte, antiguas situaciones de privilegio.

Se comprende que la Iglesia pagara seculares errores y omisiones colectivas derivadas de su excesiva compenetración con los poderes civiles. En España, nunca ha desaparecido por completo el fenómeno de la unión Trono-Altar, si bien ha tenido mil variantes y tonos más o menos velados, porque aun los regímenes más radicales, excluida la II República, han comprendido las dificultades de un ataque frontal a la Iglesia, y por ello no ha sido difícil llegar a un compromiso que colmara las ambiciones de ambas partes. Resulta significativo observar que la Iglesia, enemiga del liberalismo que gobernó durante la minoría de edad de Isabel II en los años treinta y cuarenta, se convirtiera en el apoyo más decidido de la monarquía isabelina y de los gobiernos liberales —pero moderados— en las décadas de los cincuenta y sesenta, hasta el punto de comprometerse históricamente con la firma de un concordato que fue un quebradero continuo de cabezas y una fuente inagotable de conflictos y tensiones a lo largo de la segunda mitad del XIX y de los primeros treinta años del XX.

Por ello se explica la desorientación de Franchi cuando en los primeros días de la revolución vio llegar a las puertas de su palacio, en la madrileña calle del Nuncio, una impresionante manifestación popular con las más descabelladas pretensiones. Se pedía la libertad de cultos y la del pueblo romano, sometido al yugo del papa. Se pedía el concordato de 1851 para quemarlo y que el representante pontificio fuese expulsado de España.

Cabe preguntarse qué sentido tenía en esos momentos un concordato firmado con la soberana destronada, cuyo primer artículo había sido elegantemente superado con la declaración de principios que el Gobierno había hecho en favor de la libertad religiosa. El pueblo manifestado veía en el nuncio el representante y el garante de ese concordato, que ya no tenía razón de ser en una España diversa. Por ello no debe sorprender que el pueblo protestara con insistencia y que la prensa colaborase con gusto, aireando e instrumentalizando noticias relativas a las dificultades que el nuevo embajador ante la Santa Sede, Posada Herrera, encontraba para su reconocimiento. La correspondencia entre el nuncio y la Secretaría de Estado confirma que si en los primeros momentos de la revolución no se llegó a una ruptura total con el Gobierno español, fue precisamente porque éste trató de impedirlo asegurando la incolumidad personal del representante pontificio en Madrid. Sin embargo, la permanencia de Franchi en España quedó muy comprometida tras las manifestaciones populares, y su salida sería cuestión de pocos meses, en espera de una ocasión propicia que la justificara plenamente.

5. POLÍTICA RELIGIOSA DEL GOBIERNO PROVISIONAL

La política religiosa del Gobierno revolucionario provisional quedó sintetizada en las medidas adoptadas por el ministro de Gracia y Justicia, el abogado gallego Antonio Romero Ortiz (1822-84), quien a los cuatro días de su llegada al Ministerio suprimió la Compañía de Jesús por decreto del 12 de octubre de 1868. No era la primera vez que esto ocurría en la historia de España, ni sería la última. Desconocemos las razones de esta decisión, digna de otro ministro de Gracia y Justicia —García Herreros— en un fugaz Gabinete, presidido por el conde de Toreno, durante la regencia cristina, porque el laconismo del texto no permite descubrir los motivos del decreto. Los jesuitas tuvieron que cerrar sus colegios e institutos en el plazo de tres días, mientras el Estado ocupó sus temporalidades, es decir, todos los bienes de la orden, así muebles como raíces, edificios y rentas, que pasaron a engrosar el caudal nacional. A estos religiosos se les prohibió igualmente reunirse en comunidad, en contra de los principios revolucionarios, que habían proclamado la libertad de reunión y de asociación pacífica. No consta que las reuniones de los jesuitas fuesen violentas; de lo contrario, el Gobierno habría adoptado otras medidas contra ellos. También se les impidió vestir el traje talar y se les sometió a la autoridad de los ordinarios diocesanos, mientras los no ordenados *in sacris* quedaron sujetos a los poderes civiles.

El 15 de octubre fue derogado el decreto de 25 de junio de 1868, que autorizaba a las comunidades religiosas a poseer y adquirir bienes. Y el 18 de octubre fueron extinguidos todos los monasterios, conventos, colegios, congregaciones y demás casas de religiosos de ambos sexos fundados en la Península e islas adyacentes desde el 29 de julio de 1837. Pasaron a propiedad del Estado todos los edificios, bienes, rentas, derechos y acciones de las casas suprimidas, cuyos moradores —frailes y monjas— quedaron sujetos a la autoridad de los ordinarios diocesanos y sin derecho alguno a percibir la pensión concedida a cuantos habían ingresado en los conventos antes del 29 de julio de 1837. A las religiosas de los conventos suprimidos se les dio dos posibilidades: o ingresar en otras casas religiosas de su misma orden de las subsistentes, o pedir la exclaustración, pudiendo reclamar para ello la dote que llevaron al entrar en religión. Todos los conventos abiertos en virtud de la ley de 29 de julio de 1837 deberían reducirse a la mitad.

Este fue un verdadero golpe de gracia contra los regulares, ya que sólo se salvaron de la supresión las Hermanas de la Caridad, las de San Vicente de Paúl, Santa Isabel, la Doctrina Cristiana y todas las dedicadas a enseñanza o beneficencia. También fueron suprimidas las Congregaciones de San Vicente de Paúl y San Felipe Neri, que el concordato de 1851 había restablecido; los redentoristas y los misioneros fundados por el arzobispo Claret. Con decreto del 19 de octubre fueron suprimidas también las Conferencias de San Vicente de Paúl, que entonces desarrollaban en España intensa actividad caritativa y propagandística. A los seminarios se les quitó la dotación estatal, que ascendía a 5.990.000 reales. Fue suprimida la Comisión de Arreglo Parroquial y fueron sustituidas las frases del juramento que los obispos preconizados pronunciaban antes de su consagración, *Erga catholicam nostram Hispaniarum Reginam Elisabeth* por *Erga rectores Hispaniae curiasque generales*.

Todas estas disposiciones las dio el Gobierno provisional bajo la presión y las amenazas de las juntas revolucionarias, que dominaron la situación hasta el 20 de octubre de 1868, en que fueron suprimidas. Los ministros del Gabinete no andaban muy de acuerdo sobre política eclesiástica, pues mientras el de Gracia y Justicia trataba de podar el árbol de la Iglesia a golpes de decretos, el de Estado, Lorenzana, confesaba al nuncio Franchi, cándidamente y con la mayor reserva que el propio Romero Ortiz se mostraba arrepentido de las disposiciones tomadas, en particular contra los seminarios y las religiosas, y que restauraría la Asociación de San Vicente de Paúl, como efectivamente hizo al poco tiempo. El ministro de Justicia ordenó a los gobernadores civiles que no fuesen rigurosos al ejecutar las disposiciones gubernativas sobre supresión de conventos femeninos y a los jesuitas se les permitió regresar a sus colegios, pero sin usar el hábito talar. Ciertamente, las numerosas protestas del episcopado y del laicado católico debieron de influir en esta marcha atrás del ministro, cuyos contrastes personales con el general Serrano, presidente del Gobierno, eran conocidos públicamente. Por eso, aunque no se dieron por parte de otros ministerios disposiciones contrarias a las emanadas por el de Gracia y Justicia, sin embargo, se procuró moderarlas con varias medidas que suavizaron la política del Gobierno provisional tras la supresión de las juntas. En este marco hay que situar el decreto del ministro de la Gobernación, Sagasta (1827-1903) sancionando el derecho de asociación, como consecuencia lógica de otro precedente que había reconocido el de reunión pacífica para objetos no reprobados por las leyes.

Con respecto a la enseñanza, desapareció de los planes de estudio la obligatoriedad de la religión como asignatura, tanto en los institutos como en las facultades universitarias, y quedó suprimida la facultad de teología en las universidades. Sin embargo, esta última decisión no puede considerarse medida antieclesiástica, como dieron a entender La Fuente y Menéndez Pelayo, porque los obispos habían pedido ya en tiempos de Isabel II, siendo ministro de Fomento Severo Catalina, dicha supresión, pues el régimen académico y las continuas interferencias del Estado en la enseñanza fundamental de la Iglesia no satisfacían al episcopado [9].

Ruiz Zorrilla (1833-95), ministro de Fomento, dio otro decreto relativo a la incautación por el Estado de todos los archivos, bibliotecas, gabinetes y demás colecciones de objetos de ciencia, arte o literatura que poseían los monasterios, conventos, catedrales y órdenes militares, con excepción de las bibliotecas de los seminarios. Esta decisión encajó perfectamente en el plan general de desamortizaciones y quedó justificada por el estado de abandono, descuido y hasta peligro en que se hallaban muchas obras de arte, «ocultas, cubiertas de polvo, envueltas en telarañas y comidas por el tiempo». También fue suprimido el tribunal de las órdenes militares y el fuero eclesiástico [10].

Entre tanto, las relaciones con la Santa Sede se fueron enfriando, y mientras el nuncio Franchi trataba por todos los medios de frenar la política revolucionaria del Gobierno provisional e impedir la promulgación de nuevas disposiciones antieclesiásticas, en Roma se prohibía el acceso al embajador de la revolución, José Posada Herrera (1815-85), que no era un revolucionario, sino un político hábil, liberal moderado, a quien la Santa Sede no podía rechazar en principio. Vivía retirado de la política cuando el ministro Lorenzana le llamó para confiarle la Embajada en Roma. El cardenal Antonelli estaba dispuesto a mantener relaciones oficiosas con Posada Herrera, pero no a reconocerle como embajador. Sin embargo, la baza de la Embajada era decisiva para el Gobierno de Madrid, ya que implicaba el reconocimiento del nuevo sistema político, cosa que nunca se consiguió. Influyó también en esta decisión la presencia en Roma del enviado personal de Isabel II, Severo Catalina, quien hacía ver a los prelados vaticanos las enormes ventajas que comportaría a la Iglesia un retorno de la reina [11]. Por ello, lo más prudente era no comprometerse con la revolución. Posada estuvo en Roma pocas semanas. Al no ser reconocido como embajador y dado que fue elegido diputado de las Constituyentes de 1869, regresó a España en febrero de dicho año para asistir a las Cortes. La Embajada en Roma quedó vacante hasta la Restauración, mientras que Franchi mantuvo siempre el título de nuncio, aunque se ausentó definitivamente de España en junio de 1869 y dejó los negocios de la Nunciatura en manos de su secretario, Mons. Bianchi.

[9] M. Andrés Martín, *La supresión de las facultades de teología en las universidades españolas (1845-1855)* (Burgos 1976); V. de la Fuente, *Historia eclesiástica de España...* 2.ª ed. VI p.269-70; M. Menéndez Pelayo, *Historia de los heterodoxos españoles* II (Madrid 1956) p.1123.

[10] V. M. de Arbeloa y Muru, *Los obispos ante la ley de unificación de fueros (notas históricas al decreto de 6 de diciembre de 1868):* Rev. Esp. de Derecho Canónico 29 (1973) 431-60.

[11] M. Espadas Burgos ha dado a conocer algunos fragmentos de la correspondencia de Catalina con Isabel II, que descubren sus intrigas con el cardenal Antonelli para que la Iglesia combatiera la «embriaguez revolucionaria» española (*Alfonso XII y los orígenes de la Restauración...* p.407-409).

6. Los obispos y el Gobierno provisional

La primera impresión que produce la actitud de los obispos ante los sucesos políticos de finales de septiembre y primeros de octubre de 1868 es de gran desconcierto ante un cambio que, si bien muchos de ellos esperaban y temían, sin embargo, no lo imaginaron tan radical. La desaparición de la monarquía reinante y la explosión de libertad, que en muchos lugares llegó a convertirse en auténtico libertinaje por el desenfreno de las juntas revolucionarias y la inercia del poder central y del ejército, desorientaron a los obispos, que pasaron del miedo al terror. «La tormenta de las circunstancias —decía el arzobispo de Valencia, Mariano Barrio— crece y arrecia de una manera horripilante, y no sé humanamente a dónde iremos a parar. Me parece que no hay cabezas que sepan y puedan contener el torrente desbordado».

Varios prelados advirtieron la necesidad de organizarse para hacer frente con serenidad a las provocaciones de los nuevos dirigentes políticos. Por esas fechas al episcopado le faltaba una cabeza moral, ya que el anciano cardenal primado, Cirilo Alameda, permaneció totalmente inactivo. Los arzobispos de Granada y Zaragoza promovieron las reuniones de metropolitanos con el fin de estudiar la nueva situación y adoptar medidas ante la política religiosa del Gobierno. El cardenal García Cuesta, de Santiago, era partidario de elevar escritos al poder supremo de la nación firmados por todos los arzobispos, previo el acuerdo de los obispos sufragáneos, de forma que se tratase de auténticos escritos colectivos de todo el episcopado español.

No obstante los titubeos iniciales y la desorientación lógica, los obispos observaron una línea de conducta que fue aprobada por el nuncio, a quien pidieron constantemente instrucciones.

La acción del episcopado coincidió con la ofensiva general lanzada por los periódicos católicos y conservadores frente a las violencias de la revolución. Al Gobierno provisional llegaron numerosas protestas de hombres y mujeres católicos contra la legislación anticlerical anteriormente reseñada. El episcopado se unió a estos escritos con «santo coraje y pastoral solicitud, unidos a una firmeza y constancia tales, que espero —decía el nuncio Franchi— consigan detener los excesos de la revolución, contribuyendo a calmar las pasiones populares y ahorrar a la Iglesia nuevas heridas».

El mismo nuncio sugirió a varios obispos los puntos fundamentales que debían tratarse en los escritos colectivos, ya que no bastaba la simple protesta, sino que era necesario condenar con energía los principios proclamados por la revolución, rebatir las calumnias proferidas contra el clero por la prensa impía, exigir la observancia del concordato, advertir a los fieles de los peligros que corrían en aquellos momentos e invitar a las autoridades civiles para que salvasen y protegiesen a la Iglesia, base fundamental de la sociedad humana. La actitud del nuncio estaba en la línea de la doctrina pontificia, manifestada por Pío IX en numerosos documentos y alocuciones. Pero aunque algunos obispos escribieron personalmente al general Serrano, presidente del Gobierno, y al ministro de Gracia y Justicia, prevaleció la idea de los documentos colectivos, que comenzaron a hacerse por provincias eclesiásticas, habida cuenta de las dificultades técnicas que suponía en tales circunstancias la redacción de un documento de todo el episcopado, ya que ni los obispos podrían reunirse en asamblea plenaria ni era posible transmitirles un proyecto de texto para su estudio.

Empezaron los obispos de la provincia eclesiástica de Burgos (29 octubre 1868), y les siguieron pocos días más tarde los de Zaragoza, Santiago de Compostela, Granada y Valladolid.

Se trató, por lo general, de documentos preparados por el respectivo metropolitano y firmados por todos los sufragáneos. Las protestas iban dirigidas contra la supresión del fuero eclesiástico y contra la incautación de los archivos, bibliotecas, gabinetes y demás colecciones de objetos de ciencia, arte y literatura que estaban a cargo de los cabildos catedralicios, monasterios u órdenes militares, ya que éstas fueron las disposiciones más importantes adoptadas por el Gobierno provisional en materias eclesiásticas antes de las Cortes Constituyentes. A mediados de enero de 1869, cuando prácticamente todo el episcopado había dejado oír su voz contra los abusos de la revolución, solamente el cardenal primado guardaba silencio. La documentación conservada en el archivo de la Nunciatura de Madrid nos dice que el cardenal Alameda escribió en varias ocasiones al ministro Romero Ortiz, pero nunca se supo el contenido de estas cartas. También consta que el cardenal Alameda se opuso a los documentos colectivos, porque consideraba inútil cualquier tipo de protesta dirigida al Gobierno provisional. El primado era partidario de dirigirse a las Cortes Constituyentes cuando comenzase la discusión de la cuestión religiosa.

En el capítulo de las relaciones entre los obispos y el Gobierno provisional hay que reseñar también algunos asuntos relativos al juramento, consagración y toma de posesión de los últimos obispos presentados en tiempos de Isabel II y preconizados por Pío IX antes de la revolución. En el consistorio del 22 de junio de 1868, el obispo Montagut, de Oviedo, fue trasladado a Segorbe, y a la sede ovetense fue destinado el sacerdote valenciano Benito Sanz y Forés, abreviador de la Nunciatura. A Málaga fue trasladado el obispo de Coria, Pérez Fernández, mientras el canónigo arcipreste de Cádiz, José María Urquinaona, fue nombrado obispo de Canarias. En el consistorio del 24 de septiembre del mismo año, la vacante de Coria quedó cubierta con el nombramiento del arcediano de Toledo, Pedro Núñez Pernía. La única sede vacante al estallar la revolución era Mondoñedo, cuyo obispo, Ponciano de Arciniega, había fallecido el 9 de septiembre de 1868, es decir, quince días antes del último consistorio celebrado por Pío IX durante la monarquía de Isabel II. Otros obispados seguían vacantes, pero eran los que el concordato de 1851 había decidido suprimir: Albarracín, Barbastro, Ceuta, Ciudad Rodrigo, Ibiza, Solsona, Tenerife y Tudela. El nuevo obispo de Málaga, Pérez Fernández, consultó al nuncio cómo debía comportarse al tomar posesión de su diócesis, habida cuenta de la caótica situación que reinaba en ella por las violencias de la Junta revolucionaria. Franchi le aconsejó que se pusiese de acuerdo con las autoridades nacionales para evitar conflictos. Con respecto al juramento impuesto por el Gobierno, no hubo dificultad alguna, ya que la Santa Sede había aceptado la nueva fórmula, que no afectaba a la substancia y salvaba los principios mantenidos secularmente por la Iglesia. El obispo Pérez Fernández entró en Málaga tras la disolución de las juntas revolucionarias y a principios de 1869 informó al papa sobre el estado de su diócesis.

Más complejo fue el caso del obispo Urquinaona, de Canarias, porque no se trataba de un simple traslado, sino de un nombramiento que requería la consagración del candidato antes de su entrada en la diócesis. Urquinaona no quería ser obispo. Renunció tres veces a la presentación de Isabel II, pero el nuncio Barili le obligó a aceptar la mitra de Canarias, y, aunque fue preconizado en el consistorio del 22 de junio de 1868, retrasó su consagración, porque consideraba el episcopado una carga superior a sus fuerzas. Llegó la revolución, y, ante la gravedad de la nueva situación, escribió personalmente al papa presentando su renuncia, que no fue aceptada. Pío IX le llamó a Roma para que participase en los trabajos preparatorios del concilio Vaticano I. Tampoco quiso Urquinaona este cargo, y, tras vencer mil dificultades, aceptó el episcopado a principios de 1869. Surgieron entonces complicaciones por parte del Gobierno, que le obligó a jurar antes de recibir las bulas pontificias con el *exequatur,* mientras que el nuevo obispo las exigía para recibir la consagración, durante la cual emitiría el juramento.

Por su parte, el nuncio hizo las gestiones necesarias para conocer la verdadera actitud del Gobierno sobre el caso Urquinaona. Se llegó incluso a confrontar el texto del juramento preparado para el nuevo obispo de Canarias con otro usado anteriormente, y se llegó a la conclusión de que eran iguales en la substancia.

Urquinaona fue consagrado en la catedral de Cádiz el 7 de marzo de 1869 por el obispo Arriete. Inmediatamente dirigió a Pío IX una extensa carta, que era una auténtica profesión de fe católica y un testimonio de veneración al pontífice. Después marchó a su diócesis y puso fin a los escándalos provocados por la pésima conducta del vicario capitular que había administrado la sede vacante.

El nuevo obispo de Coria, Núñez Pernía, fue consagrado por el nuncio Franchi en la iglesia parroquial de San Martín, de Madrid, el 28 de febrero de 1869, mientras en las Cortes se debatía la nueva Constitución. Después tomó posesión de su diócesis con toda normalidad, lo mismo que el obispo Montagut en Segorbe y Sanz y Forés en Oviedo, que tampoco encontraron obstáculo alguno para iniciar su misión pastoral.

7. LOS OBISPOS EN LAS CORTES CONSTITUYENTES [12]

La presencia de eclesiásticos en las Cortes Constituyentes de 1869 no creó serios problemas al episcopado ni a la Santa Sede. Dos obispos fueron diputados por sus provincias de origen: Antolín Monescillo, obispo de Jaén, elegido por Ciudad Real, y el cardenal García Cuesta, arzobispo de Santiago, elegido por Salamanca. También fueron diputados otros dos sacerdotes, elegidos uno por el grupo tradicionalista católico (Vicente Manterola), y otro, por el progresista (Luis Alcalá Zamora). Este último fue presentado para el obispado de Cebú durante la monarquía de Amadeo de Saboya, pero la Santa Sede no lo aceptó [13].

A los dos obispos diputados se les dejó entera libertad para ocupar su escaño en las Cortes, ya que por parte de Roma no se quiso interferir en este asunto, con el fin de que los interesados adoptasen la decisión que creyesen más conveniente, habida cuenta de las circunstancias excepcionales del momento. Sin embargo, el nuncio Franchi les indicó que su presencia en la asamblea constituyente podía redundar en beneficio de la unidad católica de España y en contra de la libertad religiosa. Tanto Monescillo como García Cuesta se trasladaron a Madrid y siguieron muy de cerca los trabajos preparatorios de la Constitución. Mantuvieron contactos con algunos miembros del Gobierno provisional y con varios componentes de la comisión encargada de redactar la nueva carta de la nación; pero resultaron infructuosos, ya que la mayoría parlamentaria era abiertamente favorable a la libertad de cultos. Los dos prelados y el canónigo Manterola tuvieron intervenciones públicas muy brillantes, que despertaron la conciencia de los católicos en momentos en que, al perderse la unidad religiosa, se creía perder la esencia de España. Es evidente que la prensa católica y los partidos conservadores difundieron e instrumentalizaron para fines estrictamente políticos los discursos de estos eclesiásticos, pero al mismo tiempo no puede negarse que fueron auténticas piezas de la ampulosa oratoria decimonónica, digna de otros exponentes políticos del momento. Para hacer frente al anticlericalismo desbordado en dichas Cortes y a los furibundos ataques de algunos diputados como Castelar, Suñer Capdevila y otros, la Iglesia española contó con figuras tan prestigiosas e intelectualmente preparadas como el obispo de Jaén, el cardenal de Santiago de Compostela y el canónigo Manterola. Sin embargo, sus palabras cayeron por completo

---

[12] Sobre las constituyentes de 1869 y la cuestión religiosa cf. P. A. PERLADO, *La libertad religiosa en las Constituyentes del 69* (Pamplona, Eunsa, 1970); S. PETSCHEN, *Posición transaccionista del partido demócrata en las Constituyentes de 1869 respecto a las relaciones de la Iglesia y el Estado:* Rev. de Est. Políticos 193 (1974) 117-43; ID., *La cuestión religiosa en las Cortes Constituyentes de 1869:* Miscell. Comillas 32 (1974) 127-53; ID., *Iglesia-Estado. Un cambio político. Las Constituyentes de 1869* (Madrid, Taurus, 1975); V. CÁRCEL ORTÍ, *El nuncio Alessandro Franchi y las Constituyentes de 1869:* Hispania 37 (1977) 623-670.

[13] Sobre Manterola, cf. M. BAUTISTA, *Biografía de D. V. Manterola, diputado a las Cortes Constituyentes por la circunscripción de Guipúzcoa* (Madrid 1869), y V. GARMENDÍA, *Vicente Manterola. Canónigo, diputado y conspirador carlista* (Vitoria 1975). Sobre Alcalá Zamora cf. N. ALCALÁ ZAMORA, *Memorias (segundo texto de mis Memorias)* (Barcelona, Planeta, 1977) p.19-20.496.

en el vacío. Y, ante el fracaso total, los dos prelados regresaron a sus respectivas diócesis, mientras Manterola siguió los debates junto al grupo tradicionalista católico, que siempre defendió con energía los intereses de la Iglesia. En cambio, el sacerdote Alcalá Zamora, que militaba en las filas progresistas, votó en favor de la libertad de cultos y en contra de la unidad católica de España.

Me he referido a los eclesiásticos presentes en las Cortes como beligerantes porque éste fue el espíritu que les animó desde el primer momento y porque la situación parlamentaria, tal como la habían planteado los partidos de la revolución, exigía una respuesta de la Iglesia a tono con dichas circunstancias. Hablar de negociación, comprensión o diálogo en dichas Cortes era pura utopía. El anticlericalismo de los políticos alcanzó niveles nunca conocidos en España. Petschen ha escrito que «el punto culminante de las manifestaciones anticlericales lo marcó la discusión de los artículos 20 y 21 del proyecto de Constitución. Con ellos se quiso quitar al clero el amplio poder de jurisdicción que tenía en el régimen anterior» [14]. Es cierto que dicho anticlericalismo era una respuesta lógica al excesivo clericalismo de la época anterior, pero hay que reconocer que hubo exageraciones, ya que la revolución, que había proclamado todas las libertades imaginables, oprimía a la Iglesia no sólo con duros ataques y críticas a las más elementales formas de expresión religiosa, sino también impidiendo o limitando libertades que estaban en contradicción abierta con el espíritu liberal que había inspirado la revuelta burguesa. Por tanto, si una explicación encuentra el anticlericalismo como reacción a la situación anterior, comprensión encuentra igualmente la actitud enérgica y cerrada del clero y de los católicos españoles ante una revolución que todavía estaba en sus comienzos y ya había puesto fin a seculares tradiciones religiosas y a principios fundamentales de respeto y convivencia entre la Iglesia y el Estado.

8. ASOCIACIONISMO CATÓLICO [15]

En este marco hay que situar el origen de las Asociaciones de Católicos y comprender las razones de su rotundo éxito y de su amplia y rápida difusión por toda la geografía nacional. El nacimiento de dichas asociaciones fue legal, ya que surgieron amparadas por los decretos del ministro de la Gobernación, Sagasta (1827-1903), de 1.º y 20 de noviembre de 1868, que sancionaban el derecho de reunión pacífica para

---

[14] S. PETSCHEN, *El anticlericalismo en las Cortes Constituyentes de 1869-1871:* Miscelánea Comillas 34 (1976) 67-96.
[15] Sobre los orígenes del asociacionismo católico en España pueden verse algunas referencias en A. AYALA, *Obras completas* (Madrid 1947); A. HERRERA ORIA, *Obras selectas* (Madrid 1964); O. ALZAGA VILLAAMIL, *La primera democracia cristiana en España* (Barcelona 1973); J. TUSELL GÓMEZ, *Historia de la democracia cristiana en España. T.1: Antecedentes y C. E. D.A.* (Madrid 1974); J. ANDRÉS GALLEGO, *Génesis de la Acción Católica Española 1868-1926:* Ius Canonicum 26 (1973) 369-402; este artículo lo reproduce el autor, con algunas adiciones y correcciones, en el c.1 «Hacia una organización política de la Iglesia» de su libro *La política religiosa en España 1889-1913* (Madrid 1975) p.9-54.

objetos no reprobados por las leyes y el de asociación. Este último carecía de precedentes en España y nació como «una de las necesidades más profundas de nuestro país y una de las reclamaciones más claras, justas y enérgicas de nuestra gloriosa revolución», según decía el propio ministro en el preámbulo del decreto.

El derecho de asociación benefició a la Iglesia, pues mientras en otros campos vio reducidas, controladas y suprimidas muchas de sus actividades, en éste encontró enormes posibilidades para organizarse, ya que —son palabras de Sagasta—, «si el Estado tiene siempre grandes fines que llenar, a la Iglesia esperan todavía maravillosos destinos; pero ni el Estado ni la Iglesia pueden pretender ni les sería dado en todo caso alcanzar a mantenerse en su antigua situación, es decir, como las dos únicas formas sociales posibles y legales de la vida y de la historia» [16]. A principios de diciembre del año 68 aparecieron en la Gaceta de Madrid dos circulares del ministro Sagasta, dirigidas a los gobernadores civiles, por las que se les prohibía intervenir en las reuniones pacíficas y se les encomendaba la adopción de medidas oportunas con el fin de que fuera respetado el derecho de reunión y de asociación pacífica y de libre emisión de ideas.

En este clima de legalidad comenzó el marqués de Viluma, en noviembre de 1868, a organizar a los católicos españoles. Manuel de la Pezuela y Ceballos —éste era el nombre del marqués— había sido destacada figura política del liberalismo moderado. Exponente de primer orden de la nobleza «restaurada» en 1843, frecuentaba las fiestas cortesanas y era gran amigo de la condesa de Merlín. Conciliador con los carlistas, propuso, de acuerdo con Balmes, un gran pacto nacional que superara la división provocada por la primera guerra carlista. Fue ministro de Estado con Narváez en 1844 y presidente del Senado en 1848. Su acentuada moderación y su figura casi absolutista le impidieron seguir activamente en el primer plano de la política nacional [17]. Pero no por ello perdió su influjo a otros niveles, y cuando en los primeros meses de la revolución llamó a los católicos para organizarse, su convocatoria fue aceptada en muchos sectores, especialmente de la aristocracia y de la alta burguesía, que eran, junto al clero, quienes más podían temer de los desmanes revolucionarios.

Los primeros en acudir a la cita de Viluma fueron el conde de Orgaz (1834-94), adicto a la causa tradicionalista, que en 1870 figuraría en la minoría carlista y sería presidente del Centro Católico-Monárquico; el abogado catalán Ramón Vinader (1833-96), político carlista, que había sido diputado en 1867 y lo fue de nuevo en las Constituyentes de 1869, elegido por el distrito de Vich, su ciudad natal, y el catedrático de árabe de la Universidad de Sevilla, León Carbonero y Sol (1812-1902), fun-

---

[16] Colección legislativa... t.100 p.542-44.712-15.
[17] Viluma era hermano del conde de Cheste. El marqués de Rozalejo, en Cheste o todo un siglo (Madrid 1935), publicó una semblanza biográfica de los hermanos Pezuela y la correspondencia entre Balmes y Viluma. Cf. también J. L. COMELLAS, Los moderados en el poder..., que analiza la actuación política de Viluma en el Gobierno presidido por Narváez (p.178-83).

dador, director, redactor y propietario de *La Cruz,* la revista católica de mayor difusión, que por aquellas fechas se trasladó de Sevilla a Madrid. Completaban este primer grupo el célebre jurisconsulto valenciano, orador y poeta, Antonio Aparisi Guijarro (1815-72), que fundó la revista *La Restauración* y colaboró en *La Regeneración* desde 1862 hasta 1870; el también jurisconsulto y político catalán León Galindo y Vera (1819-89); los gallegos Cándido Nocedal (1821-85), eminente orador y polemista, y su hijo Ramón Nocedal y Romea († 1907), director de *El Siglo Futuro,* ambos destacadas figuras del carlismo y del integrismo, así como el periodista y político Luis Trelles Noguerol (1819-71), también gallego, colaborador de *El Oriente;* el abogado Manuel González Riaño (1844-79), director de *La Libertad Cristiana,* y otros personajes de la alta sociedad madrileña, como el conde de Vigo y los abogados Luis Echeverría, Manuel María Herreros, Francisco de Paula Lobo, Cruz Ochoa, Enrique Pérez Hernández, Nicolás María Serrano y Francisco José Garvia.

La estructura de la Asociación de Católicos comenzó a perfilarse a principios de diciembre de 1868. Cuando fue aprobado su programa y elegida la Junta directiva, puso inmediatamente en conocimiento de las autoridades civiles tanto las bases fundamentales como los objetivos de su institución, para actuar libremente desde la legalidad. Viluma se entrevistó con el nuncio Franchi para informarle de esta iniciativa, que había nacido de los católicos, sin influjo ni apoyo de la jerarquía nacional. Al representante pontificio le faltaron palabras para elogiar al marqués, «personaje superior a cualquier alabanza, que goza gran reputación e influjo por sus principios religiosos y morales», y a los componentes de la Junta directiva, «personas todas religiosas y respetables».

La primera Junta directiva de la Asociación de Católicos quedó integrada por el marqués de Viluma, presidente; el conde de Orgaz, tesorero; el conde de Vigo y León Carbonero, miembros, y Francisco José Garvia, Ramón Vinader y Enrique Pérez Hernández, secretarios. Sus objetivos quedaron sintetizados en el manifiesto fundacional, en el cual se decía que aunque la asociación se llamaba *católica,* «no solamente esquiva, sino que rechaza cuanto pueda dar ni aun sombra de pretexto para que se la confunda con ningún partido político; o lo que es igual, lo que se llama *política* en el sentido concreto y usual de la palabra, está formalmente excluido del espíritu y letra del objeto y del fin de la «asociación». Las bases quedaron fijadas en nueve puntos, e inmediatamente comenzó la propaganda y difusión de la naciente Asociación, que a finales de diciembre de 1868 se había extendido por casi todas las provincias, consiguiendo la adhesión de numerosas personas.

El 8 de diciembre de 1868, la Junta directiva envió una carta a Pío IX, que le fue entregada al nuncio para que la hiciera llegar al pontífice. Franchi transmitió este escrito al cardenal Antonelli, pidiéndole que el papa diese *una commovente risposta,* que podría publicarse en los periódicos antes de la apertura de las Cortes Constituyentes, ya que la voz del pontífice, dirigida de esta forma y en momentos tan angustiosos a los católicos españoles, infundiría nuevo vigor en los defensores de la unidad católica y frenaría los «inicuos proyectos de sus adversarios».

En otro despacho posterior insistió Franchi para que el papa respondiera a los católicos españoles con el fin de organizar adecuadamente y con la aprobación pontificia la reacción católica frente a los abusos de la revolución.

Antonelli entregó la carta a Pío IX, quien ordenó se preparara la respuesta en el sentido indicado por el nuncio. Hubo un pequeño retraso en el envío, ya que, aunque la carta de Pío IX está fechada el 7 de enero de 1869, Antonelli no la remitió a Franchi hasta el día 15. Pasaron las elecciones y comenzaron las Cortes Constituyentes sus debates sin que se diera a conocer el contenido de la carta pontificia, quizá porque se consideraba innecesario en aquellos momentos, habida cuenta de la presencia activa en las mismas de los diputados tradicionalistas y de las famosas intervenciones de Monescillo, García Cuesta y Manterola. Al finalizar el primer semestre de 1869, la carta de Pío IX a los católicos españoles apareció en *La Cruz* en su versión latina original y traducida al castellano [18]. Para entonces había sido ya aprobada la nueva Constitución, que introducía el principio de libertad religiosa. Se evitó al mismo tiempo una interferencia directa en asuntos políticos, que hubiera provocado la justa reacción de la oposición anticlerical. A la ingenuidad inicial del nuncio y a sus manifiestos deseos de inmiscuirse en asuntos internos del país, aunque de una forma que él consideraba indirecta, siguió un criterio de prudencia y moderación por parte de Roma primero, al retrasar el envío del escrito, y por parte de los católicos españoles después, al posponer su publicación.

El primer gran éxito de la Asociación de Católicos a nivel popular fue la campaña promovida en favor de la unidad católica con el apoyo de los párrocos, que organizaron centros de propaganda, mentalización y recogida de firmas. A los católicos españoles se les pidió que firmasen un escrito dirigido a las Constituyentes en los siguientes términos:

«Los que suscriben piden a las Cortes Constituyentes se sirvan decretar que la religión católica, apostólica, romana, única verdadera, continúa siendo y será perpetuamente la religión de la nación española, con exclusión de todo otro culto, y gozando de todos los derechos y prerrogativas de que debe gozar según la ley de Dios y lo dispuesto en los sagrados cánones».

La Asociación impartió normas concretas para garantizar la seriedad y rapidez en la recogida de las firmas. El nuncio alabó esta iniciativa, porque servía para manifestar las aspiraciones de la mayoría de los católicos españoles en favor de la unidad religiosa y daría al mundo «un sublime espectáculo de amor sincero y verdadero a la religión de sus padres».

---

[18] La correspondencia entre la Junta directiva de la Asociación de Católicos y Pío IX fue muy frecuente durante el sexenio, como resulta de mi art., *Cartas entre españoles y Pío IX durante el sexenio revolucionario (1868-1874):* Scriptorium Victoriense 24 (1977) 219-37.

Pese a la legalidad oficial existente en España en materia de asociaciones, no fue tarea fácil reunir las firmas, ya que no faltaron dificultades y amenazas por parte de las autoridades locales, así como campañas denigratorias de la prensa anticlerical y persecuciones desencadenadas por «turbas frenéticas, por autoridades indignas, por hombres sin fe y sin patriotismo», como la misma Asociación denunció. Con todo, se recogieron casi tres millones de firmas en 8.604 pueblos, que fueron entregadas en las Cortes el 6 de marzo de 1869. Este gesto provocó una vivaz polémica en la asamblea constituyente, ya que mientras el obispo de Jaén esgrimía como arma en favor de la unidad católica los casi tres millones de firmas, el diputado Montero Ríos, contestando al discurso de Monescillo, afirmó «que los 13 millones de españoles que no habían firmado la petición en defensa de la unidad católica, declaraban implícitamente que querían la libertad de cultos».

Otra de las iniciativas de la Asociación de Católicos fue la difusión de libros y folletos en defensa del catolicismo y en contra de los errores doctrinales y políticos del momento. La propaganda empezó con el *Catecismo sobre el protestantismo,* del cardenal García Cuesta, del que se tiraron en los primeros meses de 1869 cuarenta mil ejemplares, ya que se trataba del «libro mejor y más útil para contrarrestar la propaganda protestante y para pulverizar los errores de las sectas». Se vendía a precio de coste —medio real por ejemplar— con el fin de que pudiera llegar «a todos los buenos católicos». Mucha difusión tuvieron también las famosísimas *Respuestas breves y familiares a las objeciones contra la religión,* de Mons. Gastón de Ségur, el fecundísimo prelado francés, que no pudo llegar al episcopado por causa de la ceguera, y cuya obra, traducida en muchas lenguas, tuvo casi 200 ediciones en los últimos años del siglo XIX. Lo mismo se hizo con los escritos del integrista Martínez Sáez, obispo de La Habana, en particular los relacionados con el concilio Vaticano I.

Pero la obra de mayor envergadura que emprendió la Asociación de Católicos fue la creación en Madrid de los llamados Estudios Católicos. Se perseguía con ellos la integridad, la perfección y la pureza de la enseñanza. La primera de estas cualidades, según la Asociación, se echaba de menos en España, en especial con respecto a las humanidades y a la filosofía. Por ello se organizó un programa de estudios que seguía el de la segunda enseñanza oficial, si bien insistía en el latín y la religión «considerada en sí misma, o sea, en sus enseñanzas dogmáticas y en su moral y en las pruebas y fundamentos que hacen razonable el obsequio que prestamos a la fe».

La Asociación promovió también otras iniciativas de tipo económico para ayudar al papa y al clero español. En este sentido se intentó revitalizar la asociación llamada del *Dinero de San Pedro,* de la que ya he hablado precedentemente, y se organizaron colectas en todas las diócesis y parroquias.

A la Asociación de Católicos, extendida por toda España, se unieron, a principios de 1869, las asociaciones de jóvenes y las de mujeres católicos. Fueron un primer conato de lo que ya en pleno siglo XX sería la Acción Católica, con sus ramas de hombres, mujeres y jóvenes.

9. LA CUESTIÓN RELIGIOSA

Cuando se habla de cuestión religiosa en las Constituyentes de 1869, se alude directamente a la discusión parlamentaria sobre los artículos 20 y 21 del proyecto, que en el texto definitivo de la Constitución quedaron fundidos en el artículo 21:

«La nación se obliga a mantener el culto y los ministros de la religión católica. El ejercicio público o privado de cualquier otro culto queda garantizado a todos los extranjeros residentes en España, sin más limitaciones que las reglas universales de la moral y del derecho. Si algunos españoles profesaren otra religión que la católica, es aplicable a los mismos todo lo dispuesto en el párrafo anterior».

La nueva Constitución fue aprobada el 1.º de junio de 1869 por 214 votos favorables y 55 contrarios. En ella se plasmaba el programa revolucionario, se sancionaban las conquistas políticas y sociales conseguidas desde septiembre de 1868 y se sintetizaban las ideas del liberalismo democrático, ya que era obra de los intelectuales de la revolución, los llamados «demócratas de la cátedra» [19].

La promulgación solemne del nuevo texto constitucional debía celebrarse el domingo 6 de junio de 1869 durante una ceremonia grandiosa que tendría lugar en el palacio de las Cortes. Estaba previsto un acto religioso. La prensa anunció que el Gobierno invitaría a los obispos para que asistiesen al mismo y ratificasen con su presencia el apoyo de la Iglesia a la nueva orientación política del Estado. Sin embargo, ni la Santa Sede ni la jerarquía española aceptaron la invitación. El nuncio Franchi consiguió del ministro Lorenzana que no fuesen cursadas invitaciones a los obispos y que se suprimiese el previsto acto religioso, con el fin de evitar el escándalo de los católicos por la presencia de los obispos en el acto de promulgación de una Constitución contraria a los intereses de la Iglesia.

El Gobierno cedió en este punto, pero fue inflexible al exigir a los obispos y al clero el juramento de fidelidad a la nueva Constitución, que prestaron todos los funcionarios civiles del Estado. El juramento del clero planteó serios problemas, porque no podía decidirse con un simple decreto del Ministerio de Gracia y Justicia, sino que era necesario oír el parecer de la Santa Sede. Cuando el nuncio Franchi preparaba su regreso a Roma a finales de junio de 1869, tuvo que retrasar el viaje para llegar a un acuerdo con el Gobierno sobre el citado juramento. El ministro de la Guerra, general Prim, amenazó con el exilio y

[19] A. CARRO MARTÍNEZ, *La Constitución española de 1869* (Madrid 1952); J. OLTRA, *La influencia de la Constitución norteamericana en la española de 1869* (Madrid 1972); D. SEVILLA ANDRÉS, *Constituciones y otras leyes y proyectos políticos de España* t.1 (Madrid 1969) p.24-26.

la ocupación de temporalidades a los eclesiásticos que no jurasen, mientras el general Serrano era partidario de suspenderlo para estudiar detenidamente las implicaciones de un gesto que podía ser perjudicial no sólo para la Iglesia, sino también para el Estado. Franchi advirtió al ministro Lorenzana que todos los obispos y la inmensa mayoría del clero se negarían a prestar un juramento contrario a sus conciencias, a la vez que prohibido por la legislación eclesiástica.

Las gestiones del nuncio fueron infructuosas, y las tensiones entre la Iglesia y el Estado se agravaron. Franchi no había asistido a la promulgación de la nueva Constitución ni a la entronización del general Serrano como regente del reino. Tampoco estuvieron presentes en estos actos el personal de la Nunciatura y los funcionarios del Tribunal de la Rota. El 18 de junio hubo una reestructuración ministerial, con dos cambios importantes para el futuro desarrollo de las relaciones con la Iglesia, ya que cesaron los ministros Lorenzana (Estado) y Romero Ortiz (Gracia y Justicia), que fueron sustituidos por Silvela y Martín de Herrera. Sin embargo, el nuevo Gabinete insistió en el juramento de los obispos, advirtiendo que no se les exigiría nada contrario a las leyes de Dios y de la Iglesia. Pero el mismo Gobierno comprendió que era prudente esperar una respuesta de la Santa Sede, habida cuenta de las reticencias y escrúpulos de muchos obispos y sacerdotes ante el juramento.

Tras la salida del nuncio Franchi, el asunto fue encomendado al cardenal Moreno, arzobispo de Valladolid, que se convirtió desde ese momento en la cabeza moral del episcopado, ya que el primado, Alameda, se hallaba totalmente apartado de las actividades pastorales y políticas por su edad avanzada y estado de salud. El ministro de Gracia y Justicia, Martín de Herrera, mantuvo conversaciones con el cardenal Moreno para conseguir el juramento. Hizo un llamamiento al patriotismo del clero español, que en otros importantes momentos históricos —1812, 1837, 1845— había jurado sin dificultad las constituciones políticas del Estado. En Roma se abrió un doble expediente; por una parte, el aspecto canónico del juramento fue encomendado a la Penitenciaría Apostólica, y sus implicaciones políticas pasaron al estudio de la Congregación de Asuntos Eclesiásticos Extraordinarios. La Penitenciaría declaró que el juramento de la nueva Constitución era ilícito, pero que el clero podría jurar solamente si fuese obligado por el Gobierno por medidas violentas y con las reservas debidas. La respuesta del dicasterio romano no satisfizo al Gobierno, pero el ministro Silvela aplazó el asunto hasta el 20 de septiembre de 1869, y aprovechó sus vacaciones en Vichy (Francia) para mantener contactos con la Santa Sede a través del nuncio en París, con el fin de obtener la autorización definitiva para que el clero jurase, con la reserva de que no se le exigía nada contrario a las leyes de Dios ni de la Iglesia. En Madrid había quedado encargado interinamente del Ministerio de Estado Manuel Becerra, quien envió una nota al agente español en Roma, Jiménez Fernández, para que la entregase personalmente al cardenal Antonelli.

Vista la gravedad y la urgencia del asunto, el secretario de Estado trató personalmente la cuestión con Pío IX, y el 17 de septiembre comunicó a Mons. Bianchi, encargado de Negocios en Madrid, que por parte de la Santa Sede no había obstáculo alguno para que el clero jurara la nueva Constitución, habida cuenta de las promesas hechas por el Gobierno al poner las reservas ya conocidas. Parece ser que esta decisión la tomó el papa personalmente el 16 de septiembre de 1869, y fue una auténtica victoria para el Gobierno revolucionario, que había obtenido cuanto deseaba, ya que el juramento del clero era una valiosa arma política para hacer frente a los principales enemigos del momento —los carlistas—, promotores de una guerra civil, que contaban con la simpatía y el apoyo de amplios sectores del clero. En efecto, si el papa autorizaba el juramento, quedaba desarticulado uno de los argumentos que los carlistas aducían con mayor vigor contra el nuevo texto constitucional, es decir, su oposición a las leyes divinas y eclesiásticas.

Pese a esta aparente victoria, no todas las dificultades quedaron superadas, pues buena parte del episcopado, que no compartía la decisión tomada por el pontífice, aprovechó su presencia en Roma para asistir al concilio Vaticano I y consiguió con sus presiones que se revisara de nuevo todo el asunto a la luz de otros principios y observaciones que hasta ese momento habían pasado desapercibidos.

10. Los obispos, contra el juramento de la Constitución

Hemos aludido anteriormente al doble aspecto, pastoral y político, que presentaba el juramento de la Constitución por el clero. Si bien el político quedó superado con la resolución adoptada por Pío IX de autorizar el juramento con las reservas aceptadas por el Gobierno, el pastoral, que implicaba un grave problema de conciencia, nunca fue resuelto, ya que los obispos se opusieron tenazmente a cualquier tipo de compromiso con las autoridades civiles, y, no obstante el acuerdo político-diplomático entre los Gobiernos madrileño y pontificio, ni juraron ni permitieron que el clero jurase.

La actitud del episcopado comenzó a manifestarse a medida que avanzaban las discusiones parlamentarias sobre la cuestión religiosa aun antes de ser aprobada la Constitución. Cuando ésta quedó proclamada, no solamente los obispos, sino la casi totalidad del clero y grandes sectores de la población católica practicante, se opusieron a la nueva ley fundamental del Estado, porque el artículo 21 violaba los tradicionales principios de la unidad católica española y los privilegios reconocidos a la Iglesia en el concordato de 1851, con lesión evidente de otros derechos y prerrogativas de las personas e instituciones eclesiásticas. Deben tenerse en cuenta estas consideraciones para comprender la intransigencia del episcopado ante el juramento, incluso después de la autorización de la Santa Sede, porque, en realidad, el caballo de batalla fue el gravísimo problema de conciencia que el clero y los católicos plantearon al negarse a jurar, mientras en otros países europeos, concretamente en Francia y Bélgica, los católicos habían jurado constituciones tan liberales y tolerantes en materia religiosa como la española. La actitud de los obispos fue tan negativa, que llegaron a ser más papistas que el papa.

La batalla del episcopado contra el juramento se desarrolló en tres tiempos. El primero, durante el mes de junio de 1869. El segundo, en septiembre-octubre del mismo año, y la tercera, en marzo-mayo de 1870.

La correspondencia mantenida entre los obispos y el nuncio en junio de 1869 fue muy intensa, lo cual demuestra la importancia del argumento y la preocupación de la jerarquía. Franchi retrasó su viaje a Italia, pero no consiguió calmar a los obispos, que comenzaron a publicar en los boletines eclesiásticos notas pastorales prohibiendo el juramento en espera de la decisión pontificia. Pero mientras la respuesta de la Penitenciaría Apostólica fue para muchos obispos de una claridad meridiana, la nota que el cardenal Antonelli envió en septiembre a Mons. Bianchi fue interpretada como una interferencia política en un asunto de conciencia que había quedado ya resuelto por la primera. La nota del cardenal Antonelli, que el encargado de Negocios de la Santa Sede transmitió solícitamente a los obispos, llegó en un momento inoportuno, a finales de septiembre y principios de octubre, cuando la mayoría de los prelados preparaba el viaje para asistir en Roma al concilio Vaticano I. Algunos se limitaron a acusar recibo, sin más comentarios.

Cuando llegó la primavera de 1870, el Gobierno decidió aplicar los acuerdos adoptados con Roma, y publicó el 17 de marzo un decreto, firmado por el ministro de Gracia y Justicia, Montero Ríos, que obligaba a los eclesiásticos a jurar. La reacción de los obispos fue inmediata, y la negativa, total. Los gobernadores eclesiásticos y vicarios generales de los obispos ausentes tenían órdenes tajantes de impedir el juramento hasta que recibiesen instrucciones precisas de los respectivos prelados. Apenas publicado el decreto ministerial, el encargado pontificio Bianchi lo envió al nuncio Franchi, residente en Roma, advirtiéndole que en el preámbulo del mismo el ministro hablaba de los acuerdos con Roma en términos tan ambiguos, que podían crear confusión entre los católicos. Por ello sugería la publicación de cartas pastorales *ad vitanda scandala.*

Sin embargo, los obispos preparaban en Roma el ataque final y definitivo al juramento. Hubo presiones insistentes para que la Santa Sede retirara el acuerdo anterior, ya que las promesas del Gobierno no merecían crédito y lo que se quería conseguir con el juramento era la adhesión incondicional de la Iglesia a la nueva situación política. Las reservas pedidas por los obispos tenían una importancia relativa para el Gobierno, ya que, si el clero prestaba el juramento aun con restricciones, el impacto que produciría ante la opinión pública quedaba asegurado, y nadie podría dudar de la actitud favorable de la Iglesia al nuevo régimen. Y como la preocupación del Gobierno era eminentemente política, los obispos adoptaron una conducta en el mismo sentido, si bien cubierta con pretendidas razones de orden pastoral o espiritual. Los pre-

ados, que en principio pudieron estar divididos sobre la oportunidad y
conveniencia del juramento, tras varios meses de permanencia en
Roma, adoptaron el acuerdo unánime y definitivo de oponerse al juramento. Así lo demuestran las gestiones que realizaron durante el invierno de 1869-70 y el documento colectivo firmado por todos ellos,
con la sola excepción del obispo de Almería, Pérez Minayo.

Los obispos consiguieron que la cuestión del juramento, ya estudiada por la Penitenciaría, pasase al Santo Oficio, quien examinó todo
el problema a la luz del decreto ministerial de 17 de marzo de 1870,
donde se afirmaba que el Gobierno no exigía del clero nada contrario a
las leyes de Dios y de la Iglesia. El voto del Santo Oficio fue negativo.
El juramento no se podía prestar ni siquiera con las reservas aceptadas
por el Gobierno, ya que tendría repercusiones muy negativas para la vida
religiosa del pueblo católico.

Mientras en Roma se hacían estas gestiones, en España surgían protestas del clero y de los obispos que no habían podido asistir al concilio.
Los canónigos de Osma se negaron corporativamente a jurar, con el
apoyo del obispo Lagüera. El cardenal García Cuesta, otro de los ausentes del concilio, criticó duramente el acuerdo entre la Santa Sede y el
Gobierno español con respecto al juramento. Varios obispos se adhirieron al documento colectivo de Roma. Así los de Segorbe («No es digno
ni decoroso el juramento que se exige»), Cádiz («Mi primer propósito es
negarme abiertamente a jurar la nueva Constitución») y Córdoba («El
obispo no puede prestar el juramento de la Constitución, ni asentir a
que su clero lo preste en los términos que le precisa el mencionado
decreto»).

El 27 de abril de 1870, el cardenal Antonelli comunicó al nuncio
Franchi la decisión de la Santa Sede favorable al juramento para que la
transmitiera a los obispos residentes en Roma. Para entonces ya era
público el documento colectivo. Sin embargo, no hubo unanimidad entre los prelados a la hora de interpretar la última decisión de la Santa
Sede, ni mucho menos a la hora de ejecutarla. La mayoría se opuso,
pero el obispo de Almería prefirió «seguir las huellas expresamente tra-
zadas por Su Santidad», y autorizó el juramento, aunque en su diócesis
lo hicieron solamente una minoría: 11 canónigos sobre 38 y 24 sacerdotes sobre 189. También juraron el cardenal primado, Alameda, y el
auditor-asesor de la nunciatura, José María Ferrer, con el personal de
la Rota. La Fuente asegura que los juramentados fueron muy pocos.
Por parte de la Santa Sede no hubo otras intervenciones, y los obispos
tampoco volvieron a hablar, si bien el Gobierno mantuvo la obligatoriedad del juramento y privó al clero de ayuda económica. La polémica
sobre el juramento estuvo coleando durante el sexenio hasta los primeros años de la Restauración.

11. Clero y carlismo

Los estudios sobre la conducta política del clero español en el siglo XIX son tan escasos y someros, que resulta muy aventurado sacar conclusiones. Con respecto al sexenio revolucionario, la investigación es muy deficiente; por ello, cualquier afirmación o comentario puede ser susceptible de revisión. Desde 1868 hasta la Restauración no puede decirse que el clero en general fuese ni revolucionario ni antirrevolucionario. No mostró simpatías carlistas ni liberales. Fue simplemente clero, y se limitó a cumplir sus actividades pastorales en la medida en que las circunstancias político-militares del país lo permitieron. Esta primera impresión, muy sumaria, se deduce tras una lectura atenta de los numerosos informes presentados por los obispos a la Santa Sede con motivo de la visita *ad limina* así como de la intensa correspondencia mantenida por los mismos con el nuncio y con el ministro de Gracia y Justicia. Sin embargo, hubo excepciones, que ya han sido indicadas. En las Cortes Constituyentes, dos sacerdotes militaron por el grupo progresista (Alcalá Zamora) y por los tradicionalistas católicos (Manterola). Otros clérigos que no llegaron a los escaños parlamentarios tuvieron intervenciones destacadas en la guerra civil desde las filas carlistas, y al proclamarse la I República no faltaron eclesiásticos activísimos en las barricadas y revueltas cantonales. Pero se trató siempre de excepciones tan aisladas, que no justifican calificativos aplicados al clero en su conjunto.

Los sacerdotes que tenían cargos parroquiales permanecieron en sus puestos durante todo el sexenio, y, pese a las graves dificultades de tipo económico, no abandonaron el ministerio, siendo ayudados por los fieles en la medida de sus posibilidades. La tentación política no sedujo al clero, y aunque una gran mayoría defendió la monarquía borbónica, que le había asegurado una posición acomodada y tras el concordato de 1851 le había devuelto una serie de privilegios, ante la experiencia revolucionaria adoptó una actitud de observación y espera, ciertamente con el deseo de ver restaurada cuanto antes la situación perdida.

El Gobierno provisional temió desde un principio que el clero pasara a la oposición carlista. Cuando comenzó la campaña electoral para las Constituyentes, los obispos indicaron al clero que debía orientar a los fieles sobre la necesidad de concurrir al bien común por todos los medios posibles, pero sin aludir al partido concreto que debían votar. En algunas diócesis, en particular Toledo y Pamplona, algunos sacerdotes intervinieron en los colegios electorales. Cuando las Cortes discutieron la cuestión religiosa, el clero en masa, unido a los obispos, defendió la unidad católica de España, y, a raíz de las blasfemias proferidas por algunos diputados, los sacerdotes no dudaron en atacar y condenar públicamente a los blasfemos, aunque el Gobierno interpretó estas intervenciones como «altamente ofensivas y enteramente contrarias a las máximas sagradas del Evangelio». Las autoridades civiles no toleraron interferencias de los eclesiásticos, en particular de los párrocos rurales, contra la tarea legislativa de la asamblea constituyente. Con este motivo no faltaron frecuentes conflictos entre los obispos y los gobernadores civiles.

Cuando avanzaba el verano de 1869, y con él la insurrección carlista, algunos eclesiásticos —desconozco cifras exactas, pero debieron de ser muy pocos— tomaron las armas contra el Gobierno legítimo de Madrid, con la reacción consiguiente del ministro de Gracia y Justicia, Ruiz Zorrilla, que a principios de agosto lanzó un furibundo manifiesto contra el clero con el intento de mostrar la rebeldía de los eclesiásticos a las autoridades constituidas. Calumnias, ofensas y amenazas sirvieron al ministro para invadir la jurisdicción episcopal y ordenar a los obispos que predicasen a sus sacerdotes obediencia al Gobierno, obligándoles a retirar las licencias ministeriales a cuantos se declarasen enemigos del régimen.

Difícilmente pudo ocultar Ruiz Zorrilla su anticlericalismo integral y su fanatismo, digno de los políticos más regalistas del siglo XVIII. Mientras en España se hablaba de separación Iglesia-Estado y se concedían todas las libertades, un ministro del Gobierno revolucionario lanzaba un decreto que violaba la autonomía e independencia de la jerarquía eclesiástica. Dado el término perentorio impuesto por el ministro, la respuesta de los obispos fue inmediata. No tuvieron tiempo los prelados para consultar a la Nunciatura ni para ponerse de acuerdo entre sí; por ello no debe sorprender la multiplicidad de pareceres ante la iniciativa ministerial. Tras la lectura de las respuestas, salta a la vista un primer dato importantísimo: que los sacerdotes habían permanecido en sus parroquias desde el comienzo de la revolución, sin abandonar sus puestos —salvo casos muy raros y aislados—, sin participar en modo alguno en actividades políticas y, por supuesto, sin financiar a las tropas carlistas, como insolentemente insinuaba el ministro, entre otras cosas porque la situación económica del clero era tan grave y desesperada, que cualquier denuncia en este sentido resultaba a todas luces completamente falsa y además ridícula.

Las únicas ausencias registradas por los obispos fueron dos sacerdotes de Badajoz, «que están en ausencia injustificada hace algún tiempo, tienen instruidos expedientes canónicos y notificado mandato de residencia»; otros dos en Málaga, Enrique Romero y Esteban de Rivas, «que se han consagrado única y exclusivamente a hacer propaganda de la república federal, y que, por lo tanto, se hallan comprendidos en el artículo 3.º del cita do decreto» [20]; cinco de Menorca, ausentes por motivos legítimos; uno de Toledo y otro perteneciente a las órdenes militares, que se unieron a las partidas rebeldes de Castilla la Vieja. El obispo

---

[20] Dicho artículo dice: «Que siendo notorio que muchos clérigos excitan los ánimos sencillos de algunas gentes contra las leyes y decisiones votadas por las Cortes, así como contra las órdenes dirigidas por mí para su cumplimiento, circulen por sus diócesis los Muy Reverendos Arzobispos, Reverendos Obispos y Gobernadores eclesiásticos, en el preciso término de ocho días, un breve edicto pastoral en que exhorten a sus diocesanos obedezcan a las autoridades constituidas; remitiendo en seguida dichos prelados copia de él a la Secretaría de dicho Ministerio» (decreto del Ministerio de Gracia y Justicia de 5 agosto 1869, *Colección legislativa...* t.102 p.320-21).

de Jaén declaró que casi todos sus sacerdotes residían en la diócesis, sin precisar el número de ausentes, y el de León pidió indulto de la pena capital para el beneficiado de su catedral, Agustín Milla, no sabemos si condenado por delitos comunes o políticos. Por último, el obispo de Gerona comunicó al ministro que los párrocos de Figueras, Agullana, Rabós de Ampurdá, Cabanas y Santa Leocadia de Algama estaban ausentes de sus parroquias porque habían sido desterrados en octubre de 1868 por las juntas revolucionarias, sin autorización del prelado. Es decir, que el número de los sacerdotes rebeldes era insignificante, y aunque es muy probable que hubiese alguno más no señalado por los obispos, la cifra no era tan representativa como para provocar un decreto ministerial que comprometía la credibilidad de todo el clero español.

Las respuestas que los obispos y vicarios capitulares dieron al decreto del ministro Ruiz Zorrilla fueron divididas en tres categorías. En la primera estaban los que «habían contribuido al restablecimiento del orden público, cumpliendo con lo dispuesto en mi decreto», a los cuales se manifestó el agrado y la complaciencia del Gobierno. Fueron éstos los arzobispos de Toledo (Alameda), Burgos (Rodrigo Yusto), Granada (Monzón), Sevilla (Lastra), Valencia (Barrio) y Valladolid (Moreno), y los obispos y vicarios capitulares de Albarracín, Almería, Badajoz, Barbastro, Barcelona, Cádiz, Calahorra, Ceuta, Córdoba, Coria, Cuenca, Gerona, Huesca, Ibiza, Jaca, León, Lugo, Málaga, Menorca, Mondoñedo, Orense, Orihuela, Oviedo, Palencia, Pamplona, Plasencia, Salamanca, Segovia, Sigüenza, Solsona, Teruel, Tortosa, Tuy, Vich y Vitoria. Formaban la segunda categoría los prelados que no cumplieron las órdenes del ministro, cuyos escritos fueron remitidos al Consejo de Estado, por si, «dada la nueva situación de la Iglesia en España, por resultado de la Constitución promulgada por las Cortes Constituyentes, procede o no su denuncia criminal ante el Tribunal Supremo de Justicia». Estos eran los arzobispos de Tarragona (Fleix) y Zaragoza (García Gil), y los obispos de Astorga, Avila, Cartagena, Guadix, Jaén, Lérida, Mallorca, Santander, Segorbe, Tarazona y Zamora. Por último, las respuestas del cardenal García Cuesta, arzobispo de Santiago, y de los obispos de Osma (Lagüera) y Urgel (Caixal) fueron transmitidas al fiscal del Tribunal Supremo para que procediese de acuerdo con las leyes comunes y disposiciones vigentes. A estos tres obispos se les sometió a proceso regular, y por esta razón se les negó el pasaporte para asistir al concilio Vaticano I, si bien el de Urgel escapó por Andorra y estuvo presente en las sesiones conciliares.

El clero sufrió también las arbitrariedades cometidas por las autoridades locales y provinciales. Por simples sospechas, en la mayoría de los casos carentes de fundamento, fueron registrados domicilios de sacerdotes, muchos de los cuales padecieron arresto y encarcelamiento después de haber desfilado por las calles de sus pueblos o ciudades entre burlas e insultos. Escenas de este tipo ocurrieron en Madrid, Valladolid y otras capitales. La prensa madrileña anunció para el 15 de agosto de 1869 una gran manifestación anticlerical, con el apoyo de todos los partidos revolucionarios y con la anuencia del Gobierno. Pero tanto los republicanos como el alcalde de Madrid, Nicolás María Rivero, se opusieron enérgicamente, y la manifestación no se celebró. Entre tanto, el ministro Ruiz Zorrilla, irritado por las respuestas que los obispos habían dado a su decreto, provocó un grave conflicto en el Consejo de Ministros, ya que algunos de sus colegas —en concreto, Topete, Silvela y Ardanaz, que pertenecían a la Unión Liberal— amenazaron con dimitir si el titular de Gracia y Justicia adoptaba medidas severas contra los prelados. La crisis política quedó superada gracias a las intervenciones personales del general Serrano y del presidente de las Cortes, y se adoptó el sistema de dividir las respuestas de los obispos en tres categorías, como he dicho anteriormente.

La insurrección carlista fue dominada a finales de agosto, pero entonces la posición del clero había quedado definitivamente comprometida por el Gobierno, que le siguió acusando de colaboracionismo con los rebeldes. El obispo de Málaga pidió al Ministerio que se tomasen medidas no solamente contra los sacerdotes pro carlistas, sino también «contra todos aquellos que tratan de subvertir el orden y que, olvidándose de su ministerio, trafican con la política, pues a todos los creo igualmente responsables y dignos de severísimos castigos». No ocultaba este prelado que muchos clérigos se lanzaban por el camino de la política, adulando a las autoridades del momento para conseguir prebendas, beneficios e incluso el episcopado, como ocurrió con Luis Alcalá Zamora, presentado para Cebú, «cosa —concluía el obispo Pérez Fernández— que difícilmente podrían obtener con sus méritos, instrucción y virtudes». A propósito de los sacerdotes comprometidos con los liberales, el obispo de Cuenca había dicho que eran «sólo unos poquitos hacia la parte más próxima al arzobispado de Valencia (las zonas de Requena y Utiel, que entonces pertenecían a la diócesis conquense)... más bien por ignorancia que por malicia, pues los que se han señalado uniéndose a las juntas son de los más ignorantes y atrasados».

12. El matrimonio civil

Mientras los Gobiernos español y pontificio negociaban la cuestión del juramento de la Constitución, el ministro de Gracia y Justicia, Montero Ríos, presentó a las Cortes un proyecto de ley relativo al matrimonio civil, que fue aprobado por las Cortes el 18 de junio de 1870. Dicha ley establecía que el matrimonio civil era el único capaz de producir efectos jurídicos en el ámbito del Estado, lo reconocía como perpetuo e indisoluble y prescribía que se celebrara ante el juez municipal, no pudiendo oficiarlo quienes estuviesen ordenados *in sacris* o hubiesen profesado en una orden religiosa hasta tanto en uno u otro caso se obtuviesen las licencias canónicas necesarias.

La introducción del matrimonio civil fue una consecuencia lógica de la libertad religiosa aprobada en las Constituyentes, y en concreto del artículo 27 de la nueva Constitución, que había declarado que «la adquisición y el ejercicio de los derechos civiles y políticos son independientes de la religión que profesen los españoles». Un año antes, en la sesión del 20 de noviembre de 1869 celebrada en las Cortes, el entonce ministro de Gracia y Justicia, Ruiz Zorrilla, había manifestado el propó sito del Gobierno de presentar dicho proyecto de ley «como complemento del artículo que se refiere a la libertad de cultos».

El impacto de la opinión pública fue tremendo, porque el matrimonio civil rompía la tradición secular española en esta materia, y para la gran masa del pueblo fue una novedad difícil de aceptar. Por ello no debe sorprender que la mayoría de los españoles siguiesen casándose por la Iglesia. «Durante la vigencia de la ley del matrimonio civil —señala un autor— hubo personas que se casaron canónica y civilmente cumpliendo con su religión y con la ley; pero también es cierto que hubo otros, aunque pocos, que sólo se casaron civilmente; otros, en su mayor número, que sólo contrajeron matrimonio ante la Iglesia; y no faltó algún caso excepcional y lamentable de individuos que se casaron dos veces con diferentes mujeres, canónicamente con una y civilmente con otra» [21].

La Santa Sede y la jerarquía española condenaron esta ley, porque atacaba los principios del sacramento del matrimonio y porque la Iglesia reivindicaba el derecho único y exclusivo a regular jurídicamente el matrimonio entre los cristianos, dejando solamente al Estado la facultad de legislar sobre los efectos civiles del mismo. Llovieron pastorales y escritos de obispos contra la nueva normativa, que *La Cruz* publicó puntualmente Esta revista presentó el nuevo texto con el siguiente significativo título «Proyecto de ley de matrimonio civil *o de mancebía*, hablando en castellano».

En 1874, el Gobierno resolvió que no pudiesen contraer matrimonio civil quienes estuviesen ligados por uniones canónicas. Con esta disposición se le comenzó a quitar fuerza a una ley que nunca arraigó entre el pueblo. Ya en plena Restauración, el ministro Cárdenas mandó inscribir como legítimos los hijos nacidos de matrimonios canónicos celebrados a partir de 1870 y el 9 de febrero del mismo año quedó derogada la ley del matrimonio civil y establecida la nueva legislación, que preveía tanto la forma religiosa canónica como la civil. Influyeron en esta decisión las gestiones del nuevo nuncio, Simeoni, quien había recibido instrucciones precisas al respecto con el fin de evitar una de las «más funestas consecuencias de la libertad religiosa» [22].

---

[21] SÁNCHEZ ROMÁN, *Estudios de Derecho civil* t.5 vol.1 (Madrid 1898) p.432-33; cit. por L. SÁNCHEZ PORTERO, *Matrimonio civil en España. Pasado, presente y futuro:* Razón y Fe 188 (1973) 373.

[22] Cf. mi artículo, *Instrucciones a Simeoni, primer nuncio de la Restauración:* Revista Española de Derecho Canónico 33 (1977) 143-72.

13. El concilio Vaticano I

Me refiero a la participación española en la asamblea ecuménica de 1869-70, prescindiendo de la historia general de la misma [23]. La presencia de obispos en Roma fue numerosa, pero su actuación en el Vaticano I produce una cierta impresión de frustración. Nos faltan monografías sobre este aspecto de la historia eclesiástica española; pero siguiendo las investigaciones de Martín Tejedor, el único que se ha aproximado hasta ahora con acierto al tema, trataré de sintetizar las cuestiones fundamentales [24].

En las tareas preparatorias del concilio participaron varios teólogos españoles por invitación del cardenal Caterini, prefecto de la Congregación del Concilio; pero su aportación resulta muy difícil de precisar dado el estado sumario de los estudios. En la Comisión Teológico-Dogmática intervino el canónigo chantre de Cádiz, Esteban Moreno Labrador (1813-85); en la de Regulares, el jesuita Fermín Costa, rector del seminario de Barcelona, y el arcipreste de la catedral de Sevilla, Victoriano Guisasola Rodríguez, que murió en 1888 siendo arzobispo de Santiago de Compostela, y no debe confundirse con su sobrino, Victoriano Guisasola Menéndez († 1920), cardenal arzobispo de Valencia y Toledo. En la Comisión de Disciplina participó José de Torres Padilla, profesor de historia eclesiástica en el seminario de Sevilla, y en la Comisión Político-eclesiástica intervinieron otro profesor del seminario hispalense, Juan Campelo, y el sacerdote guatemalteco, de familia española, avecindado en Sevilla, Antonio Ortiz Orruela. Todos estos eclesiásticos fueron escogidos por el nuncio Barili. Faltó una representación más amplia de otros centros de estudios prestigiosos, como eran ya entonces los seminarios centrales de Granada, Salamanca, Toledo y Valencia.

Pío IX consultó a seis obispos —García Cuesta, Moreno Maisonave, Rodrigo Yusto, De la Puente, García Gil y Blanco Lorenzo— sobre los temas que deberían tratarse en el concilio. Los prelados españoles mostraron predilección por la amplia temática del *Syllabus,* y hubieran deseado un pronunciamiento solemne del concilio sobre algunas cuestiones vivas del momento, como las limitaciones impuestas por el poder civil a la autoridad eclesiástica.

Aunque la mayoría del episcopado pudo viajar a Roma sin dificultades, hubo algunos prelados que tuvieron que permanecer en España por motivos políticos. El cardenal García Cuesta y el obispo Lagüera, de Osma, no recibieron pasaporte del Gobierno por el procesamiento a que

---

[23] Excelente bibliografía sobre el concilio Vaticano I en R. Aubert, *Il pontificato di Pio IX (1846-1878),* 2.ª ed. italiana por G. Martina (Turín 1969) p.477-79, y en otra obra del mismo autor, *Vatican I* (París 1964) p.325-30. Véase también J. Goñi Gaztambide, *Un decenio de estudios sobre el Vaticano I:* Salmanticensis 19 (1972) 145-230.381-449; valiosa síntesis de la reciente bibliografía europea.

[24] J. Martín Tejedor, *España y el concilio Vaticano I:* Hispania Sacra 20 (1967) 99-175; Id., *El episcopalismo de Monserrat y Navarro en el concilio Vaticano I:* Estudios Eclesiásticos 45 (1970) 533-65; cf. también la voz *Concilio Vaticano I,* firmada por el mismo autor, en el *Dic. de hist. eclesiástica de España* I p.496-515.

se ha aludido en las páginas anteriores. Otros obispos no pudieron asistir por motivos de salud.

Apenas llegaron a Roma los prelados españoles, unidos en torno al cardenal Moreno, arzobispo de Valladolid, se mostraron favorables a la infalibilidad, y comenzaron las gestiones para que se definiese como dogma. «Esta adhesión de España al intento infalibilista —observa Martín Tejedor— es el coronamiento del romanismo nuevo que aparece en la Iglesia española tras la muerte de Fernando VII y como consecuencia de la revolución». En esta línea trabajaron abiertamente Moreno, Barrio, Monescillo, García Gil, Blanco Lorenzo y Lluch Garriga. Y en esta línea hay que situar el discurso del obispo Payá, de Cuenca, que registró «el momento culminante de la intervención española en el aula conciliar». El discurso de Payá no fue una síntesis teológica, sino una pieza oratoria que impresionó y convenció por la brillantez y amplitud. Payá regresó a España como el triunfador del concilio, entre el entusiasmo de los católicos, cuando en realidad su discurso, que fue improvisado, no hizo más que repetir cuanto otros Padres conciliares habían dicho en el aula vaticana. Se trató de una intervención discutida, pues mientras, para unos autores, el obispo de Cuenca dijo la última palabra sobre la infalibilidad, que fue definida a los pocos días, para otros pasó totalmente inadvertido.

Ciertamente, los obispos españoles no brillaron en el Vaticano I como sus hermanos del siglo XVI en el Tridentino. Quizá faltó la mayor figura del momento —el cardenal García Cuesta—, que podía haber tenido intervenciones memorables. También hay que tener en cuenta el impacto de la revolución española en el ánimo de los obispos a la hora de proponer o defender posturas avanzadas en el campo de las ideas. Martín Tejedor alude además al caudillaje del cardenal Moreno como uno de los factores que contribuyeron a crear una impresión negativa de la participación española. El arzobispo vallisoletano era «serio, competente, de gran precisión de juicio y notable sentido común, de mente más urbana que peyorativamente curial, y tuvo que sentirse muy extraño en aquella asamblea, cuya fracción más vistosa estaba dispuesta a eternizarse, disputando al papa unos derechos cuya proclamación era apremiante de cara a una Iglesia que ardía por los cuatro costados».

Con respecto a las repercusiones del Vaticano I en España, hay que decir que tanto el anuncio del concilio como su celebración fueron seguidos con atención por la prensa confesional. Periódicos como *El Pensamiento Español*, *La Esperanza* y el moderado *La Época* dieron a la asamblea ecuménica el relieve que se merecía. Desde la prensa liberal ocurrió en España lo que en otros países europeos: se atacó al concilio como instrumento político del pontífice para defender su poder temporal. El que luego sería ministro de Estado tras la revolución del 68, Alvarez de Lorenzana, publicó en la primavera de dicho año varios artículos, en los que interpretaba la celebración del Vaticano I desde un planteamiento político, sometiendo «la historia de la Iglesia a un ensayo de lo que hoy llamaríamos morfología y evolución de la sociedad, sin escandalizarnos de que tales esquemas mentales se aplicasen a la sociedad visible y humana y fundada por Cristo». La prensa católica reaccionó contra estas interpretaciones.

En las Cortes Constituyentes se afirmó el deseo de que la Iglesia no se inmiscuyera en los asuntos internos del Estado y el Gobierno advirtió que se tomarían medidas para impedir que surtieran efecto eventuales decisiones conciliares contrarias a la nueva política instaurada con la revolución. El diputado Suñer y Capdevila, tristemente célebre por las blasfemias que profirió en dichas Cortes, asistió al anticoncilio celebrado en Nápoles, organizado por el diputado italiano Ricciardi para tratar de la libertad religiosa, la separación Iglesia-Estado y adopción de una moral independiente.

CAPÍTULO II

LA MONARQUIA DE DON AMADEO

1. Pío IX y Amadeo de Saboya

La revolución de 1868 no fue republicana, sino monárquica. Pasados los primeros fervores de exaltación, la actividad política se centró en la búsqueda de un monarca que ciñera la corona española, ya que Isabel II y su dinastía habían quedado excluidas para siempre del trono. No fue tarea fácil encontrar un rey. Desde octubre de 1868 hasta diciembre de 1870, las gestiones y negociaciones en las cancillerías europeas fueron muy intensas, pues todas las naciones tenían intereses en la sucesión al trono de España. La Santa Sede no mostró inclinación especial hacia candidato alguno. Es evidente que no veía con simpatía a varios pretendientes y que Pío IX en concreto no ocultaba su predilección por el príncipe Alfonso, hijo de Isabel II, aunque en aquellos momentos no tenía posibilidades de ceñir la corona. El nuncio Franchi fue más explícito, y dejó constancia de su antipatía hacia el duque de Montpensier, cuñado de Isabel II, candidato que llegó a tener fundadas probabilidades de ser escogido.

La designación recayó sobre Amadeo de Saboya, hijo de Víctor Manuel II, rey de Italia. Para la Santa Sede se había elegido al peor, porque su padre había sido el usurpador de los Estados Pontificios, y aunque el Gobierno español trató de conseguir el reconocimiento del nuevo monarca, Pío IX nunca accedió. En diciembre de 1870, Amadeo comunicó al papa su elección, y el pontífice aprovechó esta circunstancia para advertirle que en España encontraría muchos peligros por culpa de los hombres de la revolución, «que prefieren la materia al espíritu, y para obtener el triunfo de aquélla tratan de vilipendiar la religión, oprimir a sus ministros y fomentar, especialmente entre los jóvenes, las pasiones más abominables, con el fin de borrarles la fe en Dios» [25].

Amadeo llegó a Madrid el 2 de enero de 1871. Comenzaba un nuevo reinado, a la vez que se instauraba una nueva dinastía. La preocupación principal del nuevo monarca fueron las relaciones con el papa, pues D. Amadeo era consciente de lo que significaba en una nación tradicionalmente católica la presencia de un rey perteneciente a la casa de Saboya y cuánto podía favorecer a sus adversarios políticos la ruptura con la Santa Sede. Por ello intentó demostrar a los católicos espa-

---

[25] P. PIRRI, *Pio IX e Vittorio Emanuele II dal loro carteggio privato* (Roma 1944-61) vol.3 p.2.ª p.307-308. Sobre las relaciones entre este monarca y el papa cf. también mi artículo *Pío IX y Amadeo de Saboya, rey de España*: Pío IX (Roma) 8 (1978) 457-481.

ñoles que él también era católico, como católicos eran igualmente los sentimientos de cuantos formaban su primer gobierno, presidido por el general Serrano. Sólo en este contexto pueden entenderse tres documentos políticos de principios de 1871: la carta del rey al papa, la circular del ministro de Estado a los agentes diplomáticos y el manifiesto del Gobierno a la nación.

Con respecto al primero de ellos, *La Civiltà Cattolica* insinuó que Don Amadeo había firmado con sumo gusto la carta dirigida al papa que el Gobierno español le había preparado, pues aunque se trataba de un texto inspirado en los principios liberales y contenía un verdadero programa de indiferencia religiosa, sin embargo, estaba redactado con tal habilidad, que podía satisfacer a la población católica. El hecho, además, de que antes de llegar a manos del papa fuese dada a conocer por la prensa, tanto española como extranjera, demostraba que se trataba más bien de un manifiesto político que de un acto de homenaje al pontífice. Amadeo hacía profesión de fe católica, pero declaraba que había sido elegido rey de una nación eminentemente católica, cuyos ciudadanos «son libres de practicar el culto que prefieren», y se manifestaba dispuesto a incrementar las cordiales relaciones con la Santa Sede, testimoniando «filial amor y profunda veneración» al papa [26].

El 20 de enero de 1871, Cristino Martos (1830-93), ministro de Estado, envió una circular a los agentes diplomáticos de España en el extranjero para manifestarles los propósitos y las aspiraciones del primer Gobierno de la nueva monarquía, después de haber concluido el período constituyente de la revolución española. Con respecto a la política exterior, y tras afirmar que «España deseaba vivir en paz con todas las naciones», el ministro afrontaba el tema de las relaciones con la Santa Sede, diciendo que esperaba llegasen a ser tan cordiales «como lo son las que el Santo Padre mantiene muchos años hace con naciones donde se han planteado las mismas reformas civiles que entre nosotros, sin menoscabo de los lazos religiosos que unen a todos los católicos con el jefe de la Iglesia» [27].

En el manifiesto dirigido a la nación el 16 de febrero, el Gobierno repitió substancialmente las mismas ideas. Estas manifestaciones políticas coincidieron con las gestiones que el encargado español en Roma hizo ante la Santa Sede; pero el papa mantuvo una intransigencia total frente al nuevo monarca, cuyo reconocimiento oficial no era posible en esos momentos para el Vaticano, si bien la situación española exigía un detenido análisis para decidir lo que fuese más conveniente al bien de la Iglesia [28].

El reconocimiento del nuevo monarca por parte de la Santa Sede presentaba dificultades de tipo político y religioso. La primera dificultad

---

[26] El texto original de la carta no se conserva en el Archivo Vaticano; hay una copia en *SS 249* (1871) ff.79-81 y una versión italiana en AAEESS S. *II Spagna 601* fasc.169 ff.107-108; otra en ibid., fasc.171 ff.5-6. *La Civiltà Cattolica* publicó la versión italiana con algunas variantes (año 22, serie VIII, vol.2 [1971] p.128).

[27] *Colección legislativa...* t.106. p.248-51.

[28] Ibid., p.365.

política se limitaba a la persona de Amadeo, hijo de Víctor Manuel II, ya que el pontífice sentía profundamente la ofensa provocada por la comunicación que el ministro de Estado, Sagasta, había dirigido en otros tiempos al Gobierno de Florencia sobre el reconocimiento del reino de Italia y la ocupación de Roma. Dicha comunicación había sido publicada en el libro verde editado por el Parlamento florentino. Desde el punto de vista religioso las dificultades eran mayores, porque la Santa Sede consideraba que el concordato de 1851 había sido violado en varios de sus artículos con la introducción de la libertad religiosa y otras innovaciones que la Iglesia consideraba ofensas graves.

2. LOS «AGRAVIOS» DE LA REVOLUCIÓN A LA IGLESIA

En el expediente previo al reconocimiento de Amadeo de Saboya, Pío IX dio prioridad al aspecto religioso, y, en lugar de entrar en consideraciones políticas, ordenó que se preparase una relación completa de las violaciones cometidas por la revolución —los «agravios»—, para presentarlas al Gobierno y exigir la reparación completa de las mismas. La lista fue redactada entre Mons. Bianchi, desde Madrid, y el nuncio Franchi, en Roma. El cardenal Antonelli entregó una nota al encargado español, Jiménez Fernández, para que fuese transmitida al Gobierno madrileño.

Los «agravios» eran 16: 1.º, libertad religiosa; 2.º, libertad de enseñanza; 3.º, matrimonio civil; 4.º, reducción de conventos; 5.º, supresión de las congregaciones de San Vicente de Paúl y San Felipe Neri; 6.º, supresión de las Conferencias de San Vicente de Paúl; 7.º, supresión del tribunal de las Ordenes Militares; 8.º, supresión del procapellán mayor de palacio; 9.º, violación de la jurisdicción del vicario general castrense; 10.º, supresión de la dotación económica de los seminarios; 11.º, retraso en el pago de los haberes del clero; 12.º, incautación de los archivos, bibliotecas y objetos de arte y estudios eclesiásticos; 13.º, supresión de los jesuitas; 14.º, expulsión del obispo de La Habana y cisma de dicha diócesis; 15.º, procesamiento del arzobispo de Santiago de Compostela y de los obispos de Osma y Urgel, y 16.º, supresión del fuero eclesiástico.

La Santa Sede expuso las razones concretas por las que se consideraba ofendida en cada uno de estos «agravios»; el Gobierno español contestó puntualmente, y desde Roma se replicó a dichas respuestas. La polémica fue muy dura, ya que ni el Gobierno estaba dispuesto a ceder lo más mínimo en las cuestiones fundamentales, ni la Santa Sede a aceptar con un reconocimiento oficial de la nueva monarquía los ultrajes cometidos contra la Iglesia desde el comienzo de la revolución. Además, algunos obispos que fueron interpelados al respecto ampliaron la lista de «agravios», exigiendo la reparación de otras violaciones de los derechos de la Iglesia, como la prohibición a las religiosas de admitir novicias y de recibir la profesión solemne de las ya existentes, la supre-

sión de la enseñanza religiosa en las escuelas primarias, la venta antica-
nónica de los bienes eclesiásticos, la profanación de algunos cementerios
por las autoridades municipales, la destrucción de varios templos, el
descuento del 10 por 100 impuesto arbitrariamente sobre las escasas
mensualidades pagadas al clero y la clausura y destino a usos profanos
de algunos seminarios viejos, de los que se habían apoderado las autoridades civiles y militares al comienzo de la revolución. La Santa Sede
no llegó a tomar en consideración esta relación preparada por los obispos, y por ello no fue pasada al Gobierno [29].

3. POLÍTICA ECONÓMICA

El primer Gobierno de la nueva monarquía, presidido por el general
Serrano, consiguió mantenerse, salvando mil dificultades, durante el
primer semestre de 1871. Uno de los hechos que quizá contribuyeron
a derribarlo fue la celebración del XXV aniversario de la elección de
Pío IX, si bien para entonces la crisis política era ya inevitable por otros
motivos. El 16 de junio, el diputado carlista Ramón Nocedal, hijo del
conocido D. Cándido, que había sido ministro de Isabel II, presentó a
las Cortes una propuesta en la que decía textualmente: «Pedimos al
Congreso se sirva declarar que, uniéndose al sentimiento general del
católico pueblo español y de toda la cristiandad, ve con indecible satisfacción y vivísima alegría que haya llegado al XXV aniversario de su
glorioso pontificado nuestro Santo Padre Pío IX, a pesar de la persecución inaudita que sufre, víctima inocente y propiciatoria de los extra-
víos, errores y crímenes que afligen en la época presente al género humano y pervierten al orden social, el cual solamente puede restaurarse
siguiendo la palabra infalible del augusto vicario de Jesucristo en la tierra.»
La imprudencia de los carlistas era evidente, pues dicha proposición
no podía ser aceptada por las Cortes, ya que suponía una condena de la
mayoría parlamentaria, cosa que no hubiera ocurrido si la propuesta
hubiese concluido con la palabra «Pío IX». El encargado pontificio en
Madrid denunció «la manía de los carlistas de mezclar siempre la política con la religión», que provocó violencias en las Cortes y en las calles
madrileñas, hasta el punto de tener que defender la fuerza pública el
palacio de la Nunciatura para impedir atentados. Los homenajes se desarrollaron con normalidad en las provincias, entre el entusiasmo general de la población, «y donde se ha conseguido impedir que la política se
mezclara con la religión —comentaba Mons. Bianchi—, se ha visto que
todos los partidos, incluido el republicano, han participado en las manifestaciones de adhesión al papa».
La crisis ministerial concluyó el 24 de julio con la formación de un
Gabinete presidido por el anticlerical Ruiz Zorrilla, con Montero Ríos
en Gracia y Justicia. Volvieron al Gobierno los ministros del juramento

[29] AAEESS *S. II Spagna 601* fasc. 169 ff.99-105.

de la Constitución y del matrimonio civil, que afrontaron inmediatamente el problema económico del país. Con decreto del 17 de septiembre de 1871, Montero Ríos redujo sensiblemente el presupuesto de gastos de su Ministerio, suprimiendo varias partidas por un total de 3.133.408 pesetas. Las economías afectaron a la dotación de culto y clero. Fueron suprimidas las asignaciones de los coadjutores amovibles *ad nutum* y las de las diócesis vacantes. Quedaron reducidas a la mitad las cantidades destinadas a la reparación de templos y palacios episcopales. Desaparecieron del presupuesto general las partidas relativas a las fábricas de San Pedro y San Juan de Letrán y la dotación del nuncio apostólico, las del instituto de las Hijas de la Caridad, del santuario de Montserrat y de la casa de Santa Teresa de Jesús en Avila, pero sus gastos fueron cargados a la Obra Pía de los Santos Lugares de Jerusalén, que disponía de cuantiosos fondos procedentes de limosnas, que no eran controladas por el Estado. Suspendió la provisión de piezas eclesiásticas sin cura de almas y pidió a los obispos que hiciesen lo mismo evitando cubrir las prebendas de gracia. Muchas de estas disposiciones eran razonables y justas en momentos de estrechez económica para el Estado; pero no sólo faltó el consentimiento de la Santa Sede, sino que se actuó unilateralmente sin informar a las autoridades eclesiásticas.

Por ello, el sucesor de Montero Ríos, Alonso Colmenares, mostró deseos de reconciliación con la Iglesia, y el 11 de diciembre de 1871 publicó un decreto que atenuaba las disposiciones emanadas de su predecesor y autorizó los nombramientos de deanes en las catedrales y de abades en las colegiatas, a la vez que restableció la suprimida dotación del nuncio. No se trataba, sin embargo, de medidas plenamente conciliadoras, ya que se adoptaron otras medidas, como la secularización de los cementerios, que ofendieron el sentimiento de los católicos, y la real orden de 11 de enero de 1872 por la que se prescribía que los hijos de matrimonio solamente canónico fuesen inscritos en el registro civil como hijos naturales.

Se comprende que el Gobierno incluyera la reducción del presupuesto eclesiástico en el paquete de reformas económicas que la revolución debía promover, habida cuenta además de que el proceso revolucionario había tenido en su origen, junto con la crisis política y social, razones de carácter económico, debido a la incapacidad mostrada por los españoles de seguir al ritmo necesario el desarrollo industrial y mercantil de una sociedad en vías de industrialización. La deuda pública fue el mayor problema que los gobiernos revolucionarios encontraron. Problema que se agravó a medida que fue creciendo la anarquía, el desorden y la guerra civil. Tortella lanza la hipótesis de que la incapacidad del régimen anterior para resolver estos problemas hizo que muchos políticos conservadores y centristas y mucha gente acaudalada oscilaran hacia la revolución y facilitaran su venida [30]. La situación económica era

---

[30] G. TORTELLA CASARES, *Los orígenes del capitalismo en España. Banca, industria y ferrocarriles en el siglo XIX* (Madrid 1973) p.295-96. Sobre aspectos económicos de la revolución también J. VICÉNS VIVES, *Historia social y económica de España y América* vol.5 (Barcelona

desastrosa desde 1867, porque ese año y el 68 las cosechas fueron pésimas. En Andalucía, por ejemplo, el pan subió a un índice de 166 con respecto a 1864. Se unieron depresión y carestía, que dieron como resultado una crisis espantosa, cuyas repercusiones más graves cayeron sobre los grupos de población más necesitados. El nuncio Barili, que seguía atentamente el desarrollo de la situación económica española, informó ampliamente a la Santa Sede sobre muchos de estos aspectos.

Al consolidarse la revolución, el presupuesto eclesiástico fue uno de los temas que ocupó la atención del Gobierno. El ministro Ruiz Zorrilla intentó en 1869 suprimir varios obispados y arzobispados, pero encontró la oposición de los ministros de la Unión Liberal, y esta iniciativa no prosperó. El primer Gobierno de la monarquía de D. Amadeo recortó 67 millones del presupuesto eclesiástico, de modo que los 169.956.000 reales que el clero había percibido hasta entonces quedaron limitados a 102.956.000. Esto se consiguió en teoría con las medidas adoptadas por el ministro Montero Ríos, anteriormente citadas. Digo sólo en teoría porque las Cortes no llegaron a aprobar esta reducción del presupuesto, al ser disueltas el 24 de enero de 1872. Montero Ríos, de nuevo en el Ministerio, presentó otro proyecto en junio de dicho año, en el que anunció la reducción del presupuesto eclesiástico a 31.147.065,65 pesetas, en lugar de las 41.611.676 que pagaba el Ministerio de Gracia y Justicia, más el de 1.827.962,50 que satisfacía el de Hacienda a los religiosos exclaustrados en concepto de alimentos.

Los altibajos políticos que caracterizaron los últimos meses de D. Amadeo en España y la proclamación de la I República en 1873 impidieron que la situación económica del clero encontrase una solución satisfactoria. La Iglesia siguió sometida al arbitrio de los políticos del momento, sin recibir las asignaciones establecidas para el culto y para el clero, porque los Gobiernos condicionaron la dotación económica al juramento de la Constitución. Pero ni siquiera los juramentados recibieron un tratamiento especial, sino que sufrieron las consecuencias de todos los demás, aunque no faltaron pequeñas excepciones, fruto de intereses particulares de tal o cual ministro y no de una política económica coherente.

4. LOS NOMBRAMIENTOS DE OBISPOS

Si algunos aspectos de la política religiosa seguida por los gobiernos de la monarquía de D. Amadeo, y en concreto los proyectos de reducción del presupuesto económico del clero, pueden explicarse con cierta benevolencia, sin embargo, hay otros que no admiten justificación, en particular los relativos a nombramientos de obispos, decididos unilateral-

1974) p.227ss; J. L.COMELLAS, *Génesis de la revolución del 68:* Atlántida 6 (1968) 544-47; N. SÁNCHEZ ALBORNOZ, *El trasfondo económico de la revolución:* Revista de Occidente 23 (1968) 39-63; J. FONTANA, *Cambio económico y actitudes políticas en España del siglo XIX* (Barcelona 1974).

mente sin consultar a la Santa Sede. En este punto, los políticos de la monarquía saboyana demostraron torpeza e ignorancia, porque se trataba de una cuestión fundamental, en la que la Iglesia nunca ha cedido a lo largo de su existencia. Además, la historia española más reciente había conocido situaciones semejantes durante el trienio constitucional (1820-23) y durante las regencias cristina (1833-40) y esparterista (1840-43). El poder civil nunca obtuvo la aprobación pontificia para los candidatos que propuso a sillas episcopales. La violación de la inmunidad eclesiástica en este asunto fue siempre tan evidente, que la Santa Sede no toleró injerencias externas.

Aunque existían en la Península varias diócesis vacantes, ya que desde octubre de 1868 no se habían hecho nombramientos episcopales en España, el Gobierno prefirió nombrar obispos para las colonias de Ultramar, donde faltaban tres obispos en Santiago de Cuba (sede metropolitana), Puerto Rico y Cebú. Quizá el Gobierno comenzó por estas lejanas circunscripciones eclesiásticas con el fin de pulsar la opinión de la jerarquía y proseguir con el mismo sistema en la Península.

Puerto Rico había quedado vacante a finales de 1871 por fallecimiento del obispo Pablo Benigno Carrión, que la había regido desde 1857. El franciscano mallorquín Juan Antonio Puig Montserrat, párroco de la catedral de Puerto Rico, fue designado por el Gobierno para ocupar dicha vacante. En Roma estaban a oscuras de todo cuando el encargado pontificio en Madrid comunicó la noticia. La Santa Sede se apresuró a impartir instrucciones al vicario capitular de la sede puertorriqueña, Bernardo Molera, para que defendiese el ejercicio legítimo de la jurisdicción eclesiástica hasta la llegada del nuevo obispo, nombrado canónicamente por el papa. El candidato Puig, hombre instruido, de buena conducta, no mostró el menor interés por la mitra; pero el Gobierno le presionó para que aceptara el nombramiento y marchase a su diócesis, pues por entonces se encontraba en Madrid. Puig retrasó el viaje de regreso a Puerto Rico, y en 1874 fue preconizado obispo de dicha sede por Pío IX, ya que reunía las condiciones canónicas.

Más compleja fue la situación de Cebú, vacante desde el 17 de marzo de 1872 por fallecimiento del obispo Romualdo Jimeno, que la había gobernado desde 1846. El candidato gubernamental era el sacerdote Luis Alcalá Zamora y Caracuel, que había nacido en Priego (Córdoba) el 3 de agosto de 1833. Era diputado progresista, elegido por el colegio de su pueblo natal, y en las Constituyentes del 69 había votado contra la unidad católica. En Cebú no había cabildo; por ello, muerto el obispo, la jurisdicción pasaba automáticamente al arzobispo de Manila, quien nombraba un delegado eclesiástico para el gobierno de la sede vacante. El obispo de Nueva Cáceres, sufragánea de Manila, Francisco Gaínza, se encontraba en Madrid cuando se produjo este nombramiento, y se entrevistó con el ministro de Ultramar, Mosquera (1823-90), para advertirle que la decisión del Gobierno era irregular y produciría consecuencias graves. El ministro hizo saber que el Gobierno estaba dispuesto a imponer con la fuerza el nombramiento de Alcalá Zamora, no obstante la oposición de la Santa Sede, y el 20 de agosto de 1872 se comunicó al arzobispo de Manila la designación del nuevo obispo de Cebú. Alcalá Zamora era un indeseable para la Santa Sede, porque se había prestado al juego del Gobierno; pero no llegó a su diócesis, porque falleció en 1873. Entre tanto hubo tensiones con este motivo entre el capitán general de Filipinas y el arzobispo de Manila, que defendió los derechos de la Iglesia frente a las pretensiones del Gobierno de Madrid.

La situación del arzobispado de Santiago de Cuba fue mucho más grave, porque la actitud absurda y obstinada del Gobierno provocó un cisma, que tuvo fatales consecuencias. Dicha sede estaba vacante desde 1869 por defunción del arzobispo, Calvo. Vicario capitular fue elegido el canónigo doctoral, José María Orberá, cuyo secretario fue, durante el largo período de sede vacante, el penitenciario, Ciriaco María Sancha [31]. Ambos sufrieron persecución, encarcelamiento y destierro por parte de las autoridades civiles y militares de la isla, al no reconocer como arzobispo al sacerdote Pedro Llorente y Miguel, nombrado por Amadeo, sin aprobación pontificia. Llorente tomó posesión de la sede metropolitana cubana, y provocó un cisma entre el clero y los fieles, que apasionó a la prensa católica y dio origen a numerosos escritos contra la jurisdicción eclesiástica ejercida por el cismático arzobispo. En 1874, el ministro Sagasta, de acuerdo con su colega de Ultramar, accedió a retirar a Llorente; pero la situación del arzobispado no se normalizó hasta la Restauración, cuando fue nombrado arzobispo el futuro cardenal José María Martín de Herrera y de la Iglesia.

Amadeo de Saboya renunció al trono el 11 de febrero de 1873, y ese mismo día fue proclamada la I República. Desde su retiro de Turín, D. Amadeo se reconcilió con la Iglesia. En carta dirigida a Pío IX, pidió la absolución de todas las faltas de las que se reconocía culpable tanto por «haber prometido con juramento la actual Constitución de España, que contiene no pocas ofensas a los derechos de nuestra santa religión, como por haber sancionado varias leyes y permitido que en mi nombre, como rey de España, se dieran disposiciones contrarias a la doctrina y a los derechos de la Iglesia» [32]. Este gesto del ex monarca provocó una intensa campaña de prensa contra su persona. Pío IX le concedió la absolución tras haberle exigido retractación formal y solemne de los errores cometidos. Se repetía en D. Amadeo la historia de María Cristina de Borbón, madre de Isabel II, reconciliada también con la Iglesia en 1840.

[31] Sobre la actuación de Orberá durante el cisma de Cuba cf. C. Nocedal, *Defensa del vicario capitular de Santiago de Cuba. D. José Orberá ante el Tribunal Supremo* (Madrid 1874); J. M.ª Solá, *El mártir de Cuba y obispo de Almería Ilmo. D. José Orberá y Carrión* (Madrid 1914).
[32] P. Pirri, *Pio IX e Vittorio Emanuele II...* III-II p.331ss. Abundante bibliografía sobre este monarca en A. de Sagrera, *Amadeo y María Victoria, reyes de España. 1870-1873* (Palma de Mallorca 1959).

CAPÍTULO III

LA I REPUBLICA [33]

1. POLÍTICA RELIGIOSA

El poder ejecutivo de la I República quedó constituido el 12 de febrero de 1873. Tanto el primer Gobierno como los que le siguieron durante su efímera existencia no inspiraron la menor confianza a la Iglesia. La política religiosa de la República se manifestó al intentar la separación Iglesia-Estado. Fue, sin duda alguna, la iniciativa de mayor envergadura que tomaron los gobiernos republicanos, y hubiera sido la de mayor transcendencia de haberse aprobado, pero quedó en simple proyecto. Desde la introducción de la libertad religiosa en las Constituyentes del 69, la legislación civil en materias eclesiásticas había avanzado por el camino lógico de las reformas. En el proyecto de Constitución Federal de la República Española estaba prevista la separación de las dos instituciones, Iglesia y Estado. Dicho proyecto, presentado en las Cortes republicanas el 17 de julio de 1873, aludía a los principios democráticos que la Constitución revolucionaria había negado: «La libertad de cultos —decía—, allí tímida y aún vergonzantemente apuntada, es aquí un principio claro y concreto. La Iglesia queda en nuestra Constitución definitivamente separada del Estado. Un artículo constitucional prohíbe a los poderes públicos en todos sus grados subvencionar ningún género de culto. Se exige que el nacimiento, el matrimonio y la muerte, sin perjuicio de las ceremonias religiosas con que la piedad de los individuos y de las familias quieran rodearlos, tengan siempre alguna sanción civil» [34].

Estos principios, expuestos en el preámbulo del proyecto, quedaron escuetamente formulados en los artículos 34-37, con satisfacción evidente de los progresistas y de los católicos liberales, que habían soñado la independencia total de ambas potestades. Pero la Santa Sede juzgó el proyecto como el más inicuo que se podía aprobar. A la vez que se discutía el texto constitucional, el ministro de Gracia y Justicia, Pedro Moreno Rodríguez presentó a las Cortes un proyecto de ley sobre sepa-

---

[33] Además de las referencias que pueden verse en las historias generales sobre la primera experiencia republicana española, cf. J. FERRANDO BADÍA, *Historia político-parlamentaria de la República de 1873* (Madrid 1973); J. L. CATALINAS y J. ECHENAGUSIA, *La I República. Reformismo y revolución social* (Madrid 1973); J. A. LACOMBA, *La I República. El trasfondo de una revolución fallida* (Madrid 1973); J. L. FERNÁNDEZ RUA, *1873: La I República española* (Madrid 1975); C. LLORCA VILAPLANA, *Cádiz y la I República* (Cádiz 1973); M. NIETO DE SANGENIS, *La I República en Barcelona* (Barcelona 1974).
[34] *Diario de sesiones de las Cortes Constituyentes. 1873* n.42 ap.2.

ración Iglesia-Estado, que reconocía, por parte de éste, el derecho de la Iglesia católica a regirse con plena independencia y a ejercer libremente su culto, con derecho a la asociación, manifestación y enseñanza, garantizados por la legislación republicana. También se le reconocía a la Iglesia el derecho de adquirir y poseer bienes. El Estado renunciaba al ejercicio del privilegio de presentación para los cargos eclesiásticos vacantes o que vacaren en lo sucesivo, pero sin perjuicio de los derechos de patronato laical; renunciaba igualmente a la jurisdicción y prerrogativas de toda clase relativas a las exenciones señaladas y reconocidas en el artículo 11 del concordato de 1851; al pase o *exequatur* de las bulas, breves, rescriptos pontificios, dispensas y otros documentos procedentes de la autoridad eclesiástica, correspondiendo al fuero común la persecución y castigo de los delitos que pudieran cometerse por parte de los clérigos; a las gracias de la Cruzada e indulto cuaresmal y a sus productos; a toda intervención en la publicación de libros litúrgicos y en las dispensas que se tramitaban por la Agencia de Preces; a todas las facultades, derechos, regalías, prerrogativas y concesiones pontificias, ya procedentes del antiguo Patronato Real, ya de cualquier otro origen, mediante las cuales el Estado intervenía en el régimen interior de la Iglesia, reservándose, sin embargo, el derecho adquirido por título oneroso, a percibir las resultantes de espolio anteriores al concordato del año 1851.

Por parte del Estado se reconocía el derecho de las religiosas de clausura a percibir las pensiones que disfrutaban según las disposiciones vigentes, cuya nómina pasaría al presupuesto del Ministerio de Hacienda, amortizándose las pensiones de las que fallecieran. Los miembros de la Iglesia católica quedarían sometidos al derecho común, como todos los ciudadanos.

Este proyecto de ley era una consecuencia lógica del artículo 35 del proyecto de Constitución Federal, cuya discusión parlamentaria comenzó a principios de agosto. Pero la situación política se agravó por aquellas fechas, y el día 13, Castelar, autor del proyecto, se vio obligado a pedir un aplazamiento del debate hasta después de «la victoria sobre los carlistas». Estallaron en seguida las insurrecciones cantonales, y las Cortes fueron disueltas por el general Pavía a principios de 1874. De esta forma, el proyecto de Constitución no llegó a ser votado.

Los gobiernos republicanos adoptaron varias disposiciones con respecto a la Iglesia, aunque de escaso relieve. Siendo Castelar ministro de Estado, fueron extinguidas las órdenes militares y las reales maestranzas de Sevilla, Granada, Ronda, Valencia y Zaragoza, y suprimida la Comisaría de los Santos Lugares. El ministro de la Guerra, Estévanez, suprimió las plazas de capellanes párrocos de los cuerpos armados, hospitales, fortalezas y demás dependencias de su Ministerio, así como el Vicariato Castrense y las subdelegaciones del mismo. El titular de la Gobernación, Pi y Margall, abolió las plazas de capellanes de los establecimientos penales, que fueron sustituidos por maestros de escuela, y el de Gracia y Justicia, Luis del Río, suspendió en todas las diócesis la ejecución de la ley de 24 de junio de 1867 y la instrucción del 25 del mismo mes y año sobre permutación de los bienes de capellanías.

En Roma fueron particularmente sensibles a las supresión de las órdenes militares, porque planteó problemas de jurisdicción eclesiástica en los territorios sometidos a dichas órdenes. También se alarmaron ante el proyecto del ministro de Estado, Muro, relativo a la supresión de la Legación española ante la Santa Sede, proyecto que no cuajó, porque el sucesor de Muro, Eleuterio Maisonnave (1840-90), no urgió la aprobación de dicho proyecto, y la representación española en Roma no llegó a suprimirse [35].

2. Nombramientos de obispos

No puede hablarse de relaciones entre la Santa Sede y la I República, ya que éstas fueron prácticamente inexistentes durante los primeros meses de 1873. La legislación republicana en materia religiosa no tuvo repercusión alguna sobre dichas relaciones ya que el nuevo sistema político español no fue aceptado por las potencias europeas, y, por tanto, la ausencia de relaciones normales con el papa no fue una excepción aislada, sino que respondía al esquema de la actitud política de las principales naciones de Europa con respecto a España.

El 21 de febrero de 1873 dimitió el encargado español ante la Santa Sede, José Fernández Jiménez, y los asuntos de la Embajada fueron confiados al secretario de la misma, Santiago Alonso Cordero. Tanto éste como los encargados interinos que le sucedieron, Silverio Baguer de Corsí y Luis de Llanos, mantuvieron relaciones protocolarias con las autoridades pontificias, sin provocar conflictos ni tensiones; hasta el punto de que entre el Vaticano y la nueva República no existió la tirantez de relaciones habida entre aquél y la monarquía de D. Amadeo. Sin embargo, no faltaron motivos de preocupación para la Iglesia, en particular cuando fue presentado el proyecto de supresión de la Legación española ante la Santa Sede, aunque nunca llegó a realizarse, porque hirió profundamente los sentimientos católicos de la mayoría de los españoles. Otro asunto que pudo haber turbado esta situación de mutua independencia y autonomía entre la Iglesia y el Estado fue el nombramiento de obispos, que el papa intentó hacer directamente, sin intervención del poder civil.

En efecto, apenas la Santa Sede tuvo seguridad de que el Gobierno republicano presentaría a las Cortes el proyecto de separación Iglesia-Estado, se iniciaron gestiones para cubrir las numerosas diócesis vacantes, algunas de las cuales estaban sin pastores desde los primeros meses de la revolución. Pío IX deseaba hacer cuanto antes los nombramientos

---

[35] M. Espadas Burgos publica fragmentos de un despacho del encargado español en Roma, Luis de Llanos, que demuestran la mala impresión producida en la curia romana por este proyecto, que fue una grave imprudencia política (*Alfonso XII y los orígenes de la Restauración* [Madrid 1975] p.153-54).

episcopales, pero era prudente esperar la aprobación del proyecto de separación Iglesia-Estado para actuar libremente. Por otra parte, se desconocía la reacción del Gobierno republicano ante una iniciativa unilateral del papa, ya que algunos ministros presionaban para que los futuros obispos fuesen adictos a la causa republicana. Pi y Margall tenía un candidato para Cebú, que era el sacerdote Benito Isbert y Cuyás, recomendado al nuncio Franchi por el ministro de Estado, Soler y Pla, como hombre de ciencia y virtud, ajeno a la política. El nuncio llegó a creer en las cualidades de este candidato, y su correspondencia nos descubre que hizo lo posible para que el nombramiento cuajase. Pero Mons. Bianchi desde Madrid deshizo los planes al enviar amplísimos informes que descubrían la verdadera identidad de Isbert, sujeto de pésima conducta, cuya promoción al episcopado hubiera sido funesta para la Iglesia. La Santa Sede rechazó al candidato; pero como Pío IX deseaba complacer al Gobierno y cubrir las diócesis vacantes, se aprovechó el cambio ministerial, que llevó a Castelar [36] a la presidencia de la República, y a Cárvajal, a la Cartera de Estado, para tratar confidencialmente sobre unas bases presentadas por este ministro y aceptadas por el Vaticano.

Las bases eran cinco: «1.ª, el Gobierno presentará confidencialmente a la aprobación preliminar de Su Santidad sacerdotes ilustrados y ajenos a toda pasión política para las diócesis de Tarragona, Toledo, Santiago de Compostela, Mondoñedo, León, Lérida, Huesca, Barcelona, Pamplona, Jaca, Vich, Murcia y Mallorca. Para las sedes arzobispales se propondrán obispos, y las vacantes se cubrirán, simultáneamente, por el mismo procedimiento; 2.ª, la Santa Sede dará confidencialmente su aceptación a las personas que reúnan dichas circunstancias; 3.ª el Gobierno español hará entonces los nombramientos con las reservas que considere necesarias; 4.ª, la Santa Sede preconizará también con las reservas que considere necesarias; 5.ª, los ministros de Estado y Ultramar se pondrán de acuerdo para retirar del arzobispado de Santiago de Cuba al señor Llorente» [37].

Estas bases fueron aceptadas por la Santa Sede como punto de partida para una negociación más amplia. Mientras el Gobierno iniciaba gestiones directas con los prelados que deseaba trasladar a las sedes metropolitanas, y en concreto con el obispo de Cuenca, candidato para Santiago, y con el de Málaga, para Tarragona, Pío IX quiso dar una muestra evidente de buena voluntad hacia la República Española, y en el consistorio del 22 de diciembre de 1873 creó cardenales al arzobispo de Valencia, Mariano Barrio, y al nuncio Franchi. Podía haber sido

[36] Sobre la figura de Castelar remito a las obras de G. ALBEROLA, *Emilio Castelar (Memorias de un secretario)* (Madrid 1950) y E. OLIVER SANZ DE BREMOND, *Castelar y el período revolucionario español. 1868-1874* (Madrid 1971). Sobre sus relaciones con la Iglesia cf. F. A. PICO, *Emilio Castelar and the Spanish Church:* The Catholic Historical Review 52 (1966-67) 534-48. El nuncio Barili, que lo había conocido durante su permanencia en Madrid, destacó los aspectos anticatólicos y antimonárquicos del entonces catedrático Castelar (cf. mi artículo *La Santa Sede y las revueltas universitarias de 1865:* Hispania 34 [1975] 199-222).

creado cardenal otro español, porque de los cuatro que España tenía tradicionalmente desde 1861, dos habían fallecido —Alameda (Toledo) y García Cuesta (Santiago)—, y quedaban, por consiguiente, otros dos: Lastra (Sevilla) y Moreno (Valladolid). Pero quizá Pío IX con este gesto quiso no solamente premiar con el cardenalato al miembro jerárquicamente más antiguo del episcopado español, sino también calmar la impaciencia del anciano arzobispo de Valencia, que antes de la revolución, cuando había sido creado cardenal el arzobispo de Valladolid (Moreno), había mostrado cierto disgusto porque se consideraba con méritos superiores para la púrpura.

Con respecto al nombramiento del nuncio Franchi, a la vez que se le premiaba una larga carrera al servicio de la Santa Sede tanto en la nunciatura de Madrid como en otros cargos de la curia romana, se conseguía dejar vacante la representación pontificia en España y se abría la posibilidad de comenzar un nuevo estilo en las relaciones diplomáticas con la designación de otro nuncio que no hubiera tenido relación con los sucesos de los últimos años; cosa que se consiguió en 1875 con el nombramiento del nuncio Simeoni. Cuando Franchi fue creado cardenal, conservaba todavía el título de nuncio en España, si bien residía en Roma desde julio de 1869.

Tanto la promoción de Barrio como la de Franchi fueron satisfactoriamente recibidas por las autoridades españolas, que en las postrimerías del primer año republicano vieron con optimismo que la Santa Sede había manifestado deseos sinceros de concluir la negociación sobre obispados vacantes, como primer paso para normalizar los asuntos religiosos pendientes. Las cinco bases anteriormente indicadas fueron revisadas en Roma y formuladas de nuevo con algunas variantes: 1.º, Gobierno español propondrá confidencialmente los candidatos; 2.º, papa dirá confidencialmente quiénes le convienen; 3.º, el Gobierno presentará oficialmente al papa directamente, por pliego abierto o cerrado, los nombres de los candidatos ya aceptados; 4.º el papa preconizará *motu proprio,* sin aludir al patronato, y contestará oficialmente a la presentación del Gobierno español.

El encargado Llanos transmitió estas bases, pero en Madrid se observó que existían diferencias importantes con respecto a los puntos fijados anteriormente. Sin embargo, esta segunda propuesta fue aceptada, quizá para responder con un gesto de buena voluntad a las manifestaciones de conciliación mostradas por el papa. Castelar prefirió quitar importancia a la cuestión del patronato, y por ello permitió que el papa nombrase los obispos *motu proprio.*

Entre tanto, la Santa Sede había comenzado a preparar listas de candidatos para las diócesis vacantes. Monseñor Bianchi, siguiendo las instrucciones recibidas de Roma, redactó en junio de 1873 un amplio informe sobre la situación religiosa de España y sobre el estado de las diócesis y transmitió una relación de candidatos al episcopado, con profusión de noticias y observaciones para asegurar la restauración de una jerarquía adicta a la Santa Sede y ajena a los partidos políticos fautores de la revolución.

Las vacantes en la Península eran 16, tres metropolitanas (Toledo, Santiago de Compostela y Tarragona) y 13 sufragáneas (Almería, Astorga, Barcelona, Huesca, Jaca, León, Lérida, Mondoñedo, Orense, Pamplona, Plasencia, Teruel y Vich). En Ultramar, las vacantes eran 4, el arzobispado de Santiago de Cuba y los obispados de Puerto Rico, Cebú y Nueva Segovia.

Bianchi propuso para *Toledo* al cardenal Moreno, arzobispo de Valladolid, cuya vacante podía ser cubierta por los obispos de Sigüenza, Benavides, o de Jaén, Monescillo. Las cualidades de este cardenal eran conocidas de sobra, y por eso su propuesta cuajó; como también la del obispo de Cuenca, Payá, para *Santiago de Compostela*. Para la vacante de Cuenca se propuso al vicario capitular de Toledo, Santos Arciniega; pero este candidato no pasó. En *Tarragona* se quiso colocar al obispo Martínez, de La Habana, que tenía dificultades para regresar a su diócesis; pero tampoco este traslado pudo realizarse.

Para los obispados, Bianchi presentó los siguientes candidatos: *Almería*, el chantre de Granada, Antonio Sánchez Arce y Peñuelos; *Astorga*, el P. Ceferino González, dominico, y el canónigo de Santander Saturnino Fernández de Castro; *Barcelona*, el obispo de Oviedo, Sanz y Forés (para la vacante de Oviedo propuso al tesorero de Valladolid, Cesáreo Rodrigo); *Huesca*, el vicario general de Zaragoza, Francisco Barta; *Jaca*, el abreviador de la Nunciatura, Raimundo de Ezenarro, y el vicario capitular de Huesca, Vicente Cardedera; *León*, el obispo auxiliar de Madrid, Crespo; *Lérida*, el vicario capitular de Tarragona, Juan Bautista Grau Vallespinós; *Mondoñedo*, el magistral de Burgos, Manuel González Peña; *Orense*, José de Torres Padilla, profesor del seminario de Sevilla; *Pamplona*, el deán de Vitoria, Pablo Yurre, y el vicario capitular de allí, Luis María Elío: *Plasencia*, el arcipreste de Sevilla, Victoriano Guisasola; *Teruel*, el lectoral de Valencia, Carlos Máximo Navarro Martínez; *Vich*, el canónigo de Pamplona Manuel Mercader Arroyo.

Para *Santiago de Cuba* propuso al P. Puig, que había sido designado obispo de Puerto Rico, y al obispo de Salamanca, Joaquín Lluch; *Puerto Rico*, al vicario capitular de Cuba, José Orberá Carrión, y al auditor de la Rota española, Dionisio González; *Cebú*, al P. Nicolás López, ex provincial de los agustinos; *Nueva Segovia*, al P. Mariano Cuartero, dominico, que era obispo de Jaro desde 1867.

Finalmente, para las vacantes de Sigüenza y La Habana, si se trasladaban los respectivos obispos a Valladolid y a Tarragona, propuso al canónigo de Cádiz, Vicente Calvo Valero, para la primera, y para la segunda, al arcipreste de Granada, Narciso Martínez Izquierdo, y al teólogo del concilio Vaticano, Antonio Ortiz Orruela.

El Gobierno, por su parte, presentó también candidatos dignos, como el P. Ceferino González, Payá, Monescillo, Oliver y Hurtado, Barrio y Martínez Izquierdo. Pero, cuando las negociaciones estaban llegando a puerto y la preconización de algunos obispos era inminente, cayó el Gobierno de Castelar, y mientras las Cortes se disponían a nombrar un Gabinete radical, presidido por Palanca, el general Pavía las disolvió y con un golpe de Estado puso prácticamente fin a la primera experiencia republicana española.

Sin embargo, estos acontecimientos no impidieron que la Santa Sede llevara adelante sus proyectos con respecto a las diócesis vacantes, y en el consistorio del 16 de enero de 1874, Pío IX preconizó los nuevos arzobispos de Santiago de Compostela (Miguel Payá, obispo de Cuenca) y Tarragona (Esteban José Pérez, obispo de Málaga) y los nuevos obispos de Barcelona (Joaquín Lluch, obispo de Salamanca), Salamanca (Narciso Martínez Izquierdo), Teruel (Victoriano Guisasola Rodríguez), Jaca (Ramón Fernández Lafita), Málaga (Ceferino González, O.P.), Nueva Segovia (Mariano Cuartero, O.P.) y Puerto Rico (Juan Antonio Puig Montserrat, O.F.M.) [38].

Estos nombramientos fueron contestados tanto por el Gobierno de Madrid, como se verá inmediatamente, como por el pretendiente D. Carlos, que pocos días antes del consistoria había enviado a Roma al canónigo Manterola para que protestara oficialmente «contra el acto de la presentación de obispos hecha por Castelar». Pío IX no contestó a la carta que le dirigió D. Carlos; se limitó a notar que los obispos habían sido preconizados *nomine Sanctae Sedis tantum*, y, por consiguiente, sin tener en cuenta la presentación hecha por el Gobierno republicano, a quien no se le reconocía tal derecho. «En España —añadió el papa—, el regalismo es una gran plaga» [39].

3. Intentos de restauración

El golpe de Estado del general Pavía abrió el paso a una serie de gobiernos reaccionarios, que a lo largo del año 1874 liquidaron los últimos residuos de la fracasada República y favorecieron la restauración monárquica en la persona de Alfonso XII, hijo de Isabel II, con gran satisfacción por parte de la Santa Sede [40]. Particular interés encierra, en el clima que caracterizó la política prerrestauradora de dicho año, el cambio de actitud recíproco entre la Iglesia y el Estado, que se manifestó durante las conversaciones mantenidas entre el encargado pontifi-

---

[38] Sobre estos nombramientos cf. M. F. Núñez Muñoz, *El episcopado español en los primeros años de la Restauración. Nombramientos de obispos:* Hispania Sacra 27 (1974) 285-363; Id., *La Iglesia y la Restauración. 1875-1881* (Santa Cruz de Tenerife 1976).

[39] El 5 de febrero de 1874, Pío IX anotó al dorso de esta carta «Non vi è risposta. I vescovi furono preconizzati nomine S. Sedis tantum. Del resto si può dire: Laudate... e aggiungere che in Spagna è una grande piaga il regalismo» (ASV, *Arch. Pio IX, Sovrani. Spagna* 217).

[40] La actitud del papa al respecto véase en varias cartas publicadas por J. Gorricho, *Epistolario de Pío IX con Isabel II de España:* Archivum Historiae Pontificiae 4 (1966) 281-348; M. Espadas Burgos, *Alfonso XII...* p.123-64, estudia detenidamente la política de la Santa Sede ante la Restauración y M. F. Núñez Muñoz ha extraído del Archivo Secreto Vaticano algunos *Documentos sobre el problema de la sucesión de Isabel II:* Estudios de historia contemporánea vol.1 (Madrid, Instituto J. Zurita, del C. S. I. C., 1976) p.355-407.

cio en España y el ministro de Gracia y Justicia. Durante doce meses —desde el 3 de enero de 1874, caída de la República, hasta el 29 de diciembre del mismo año, proclamación de Alfonso XII— se sucedieron tres gobiernos, presididos por los generales Serrano y Zavala y por el político Sagasta, que estuvieron en el poder cuatro meses cada uno. El interlocutor director de Mons. Bianchi fue el ministro Manuel Alonso Martínez (1827-91), titular de Gracia y Justicia en el Gabinete que el general Zavala formó el 13 de mayo de 1874.

Aunque Bianchi no podía negociar oficialmente, porque carecía de representación diplomática y de instrucciones precisas, escuchó al ministro en vía confidencial, y el cardenal Antonelli le autorizó a proseguir los contactos. La Santa Sede cambió de actitud, porque le inspiraba mayor confianza la composición de un Gobierno integrado en buena parte por elementos moderados que habían contribuido al golpe de Estado del general Pavía. Sin embargo, no faltaron obstáculos difíciles de superar, ya que el nuevo Gobierno no admitió el sistema de nombramientos episcopales adoptado por Pío IX en el consistorio del 16 de enero de 1874, porque violaba los derechos del patronato al haber sido hechos *motu proprio,* sin referencia en el acta de preconización a la presentación de las autoridades republicanas. En consecuencia, negó el *exequatur* a las bulas de los nuevos obispos, y las diócesis siguieron vacantes de hecho durante todo el año 1874. El nuevo arzobispo de Tarragona aprovechó esta circunstancia para renunciar a su traslado y siguió en Málaga. La Santa Sede aceptó esta renuncia no sólo por las razones objetivas expuestas por el interesado, sino también porque su traslado a la sede tarraconense había suscitado comentarios negativos por parte de la prensa y de amplios sectores de la opinión pública, que lanzaron acusaciones, no infundadas, contra el obispo Pérez Fernández.

La Santa Sede deseaba llegar a un acuerdo provisional con el nuevo Gobierno, sin tocar la cuestión del patronato hasta que se aclarase la situación política española y el nuevo régimen militar fuese reconocido por las potencias extranjeras, ya que no se podía admitir el ejercicio de un privilegio pontificio de tanta importancia, concedido a la Corona española, a un Gobierno sin definir, como era el de 1874, pues ni podía considerarse republicano, aunque en los papeles de la Administración pública figurase todavía el membrete «República Española», ni tampoco monárquico, ya que la proclamación de Alfonso XII aún estaba lejana y el desarrollo de la guerra carlista no dejaba ver con claridad el horizonte político. Siguió un intenso intercambio de proyectos entre el Gobierno español y la Santa Sede, pero sin llegar a conclusión alguna, aunque por ambas partes se mostró siempre buena voluntad y deseos de llegar a la total normalización de los asuntos eclesiásticos. El Gobierno Sagasta cayó pocos días antes de finalizar el año 1874, tras haber concedido el *exequatur* a las bulas de los obispos que las esperaban desde enero de dicho año [41].

---

[41] Las negociaciones entre la Santa Sede y el Gobierno en el año de transición entre la República y la Restauración pueden verse en mis artículos, *1874: comienzo de un siglo de*

La proclamación de Alfonso XII abrió un nuevo período en la historia de España. La Santa Sede siguió negociando con los gobiernos presididos por Cánovas del Castillo, bajo el signo de la moderación restauradora [42].

relaciones Iglesia-Estado en España: Revista Española de Derecho Canónico 30 (1974) 265-311 y *El Vaticano y la primera República española:* Saitabi 27 (Valencia 1977) 145-164.
En mi libro *Iglesia y Revolución en España. 1868-1874. Estudio histórico-jurídico desde la documentación vaticana* (Pamplona, Eunsa, próxima publicación) analizo con minuciosidad y amplitud los numerosos y complejos problemas que alteraron las relaciones Iglesia-Estado durante el sexenio revolucionario, recogiendo algunos de mis trabajos citados en esta tercera parte.
[42] Bajo el título *Aproximación a la historia de la Iglesia contemporánea en España* (Madrid, Rialp, 1978), J. M. Cuenca ha reunido varios de sus artículos aparecidos en diversas publicaciones, que tratan cuestiones fundamentales de la Iglesia española, desde la Restauración hasta la II República. En la cuarta parte de este volumen se reproducen íntegramente muchas páginas del citado libro. En concreto el capítulo I está tomado de las p.76-97; el II, de las p.275-310 y 167-172; el III, de las p.327-348 y 172-179; y el IV, de las p.379-398.

EL CATOLICISMO ESPAÑOL EN LA RESTAURACION (1875-1931)

Por JOSÉ MANUEL CUENCA TORIBIO

CAPÍTULO I

CLERICALISMO Y ANTICLERICALISMO

1. UN NUEVO «MODUS VIVENDI»: LA MONARQUÍA DE SAGUNTO

La restauración de la monarquía borbónica en la persona de Alfonso XII fue recibida por las masas católicas de la nación —salvo las que militaban en la causa carlista— con enorme júbilo y esperanza. Se deseaba que el joven rey volviese a poner en concordia el trono con la Iglesia, después de aquellos turbulentos años de la Interinidad en que España había conocido todas las formas de gobierno que figuran en los tratados de derecho político.

La circular en la que se trazaba el futuro programa religioso de la monarquía canovista, dirigida por el ministro de Gracia y Justicia en 2-I-1875 a los prelados y vicarios capitulares participándoles el advenimiento de Alfonso XII, reforzó la confianza y alegría despertadas en el clero y fieles por su instauración: «En las relaciones de los Estados católicos con la Iglesia —escribía aquél— lo que para aquéllos es próspero suceso, para ésta no puede menos de ser feliz augurio de bienandanza... La proclamación de nuestro Rey Don Alfonso XII, siendo el verdadero término de aquellos disturbios, será por lo mismo el principio de una nueva era, en la cual se verán restablecidas nuestras buenas relaciones con el Padre común de los fieles, desgraciadamente interrumpidas por los excesos de estos últimos tiempos; se procederá en todo lo que pueda afectar a estas recíprocas relaciones con el consejo de sabios prelados y de acuerdo con la Santa Sede, y se dará a la Iglesia y a sus miembros toda la protección que se les debe en una nación como la nuestra eminentemente católica...» [1]

---

[1] El reciente libro de ESPADAS BURGOS, M., *Alfonso XII y los orígenes de la Restauración*, estudia con gran sagacidad y rigor crítico los preparativos de la cuarta restauración religiosa que conociera la España contemporánea (Madrid 1975) 123ss. Para idéntico asunto,

Sin pérdida de tiempo, el espíritu y las promesas contenidas en el texto señalado se materializaron en la promulgación de diversas órdenes por las que, principalmente, se derogaban las medidas sancionadas por los regímenes anteriores que causaron mayor escándalo y repudio en la jerarquía, en especial, la libertad de cátedra y el matrimonio civil [2]. Por negarse a aceptar la supresión de la primera, varios renombrados profesores serían expulsados de la Universidad, con rigor lindante, en algunos casos, con la arbitrariedad.

Sin embargo, las esperanzas de que la monarquía alfonsina consagrase, a la manera de los moderados en 1845, la unidad religiosa de la nación, haciendo caso omiso de la tolerancia propugnada por algunas voces desde la tribuna y la prensa, quedaron defraudadas. Las leyes y fórmulas legales por las que se regirían las relaciones entre la Iglesia y el Estado durante la Restauración se inspirarían en el mismo clima espiritual que informaría toda la obra de Cánovas del Castillo: la ausencia de cualquier exclusivismo y la solución de la vía media para todos los problemas. El artículo —en el que se recogían y amalgamaban los términos de los textos constitucionales de 1854 y 1869, y que fue uno de los más discutidos de la Constitución dada al país en 1876— sancionaba de manera explícita la tolerancia.

Como los restantes del código constitucional canovista, estaba redactado con gran flexibilidad, facilitando así toda clase de interpretaciones y aplicaciones concretas [3]. Pese a ello, el papa Mastai, que ya había dirigido un breve a la jerarquía española (4-III-1876), al tener noticia del texto presentado a las Cortes como base de discusión, exponiendo su flagrante contradicción con el artículo 1.º del Concordato vigente, mostró una gran renuencia en aceptar su promulgación definitiva. Sólo la hábil y precisa puntualización del concepto católico de la tolerancia —imposición de un principio de equidad que el legislador-gobernante se limita a aplicar—, formulado, paradójicamente, por el ministro de Estado español, logró disipar algunos de los numerosos temores y escrúpulos del anciano Pontífice. Con todo, el Vaticano expresó su confianza en que las futuras interpretaciones del controvertido artículo no infringiesen la literalidad de sus cláusulas.

Emprendida por cuarta vez a lo largo del siglo una vasta obra restauradora por la jerarquía y clero —primordialmente, el regular y las congregaciones, que conocerían durante este período su mayor auge

resulta también interesante Núñez, M. F., *Documentos sobre el problema de la sucesión de Isabel II* (Estudios de Historia Contemporánea. Madrid, I, 1976), 355-407, en especial 362-5.

[2] Una breve glosa en Sanz de Diego, R. M., *La Iglesia española ante la restauración de los Borbones (1874). Al filo de un centenario:* Razón y Fe 936 (1976) 31-42.

[3] Sánchez Agesta, L., *Historia del constitucionalismo español* (Madrid 1964) 337-9. Fuenmayor, A., *Estado y religión (El artículo 6 del Fuero de los españoles.):* Revista de Estudios Políticos 152 (1967) 100-04. Cf. también Barberini, G., *El artículo 11 de la Constitución de 1876. La controversia diplomática entre España y la Santa Sede:* Anthologia Annua 9 (1961) 279-409. Véase también Sevilla Andrés, D., *El derecho de libertad religiosa en el constitucionalismo español hasta 1936* (Valencia 1972) 16-19, y más recientemente Sanz de Diego, R. M., *La actitud de Roma ante el artículo 11 de la Constitución de 1876:* Hispania Sacra (1975) 167-196, con importante aportación documental.

del ochocientos—, los años del reinado de Alfonso XII, el «Pacificador», y los de la regencia de su segunda mujer fueron, en líneas generales, de paz en las relaciones entre la Iglesia y la Corona [4]. Pequeños incidentes, causados de ordinario por la propia —y aguda— división de los católicos españoles y de su clero, no alteraron, sustancialmente, este panorama de concordia. León XIII expresó repetidas veces su afecto por España y su régimen, al que se esforzó por consolidar.

2. LA POLÉMICA ANTICLERICAL

No obstante, pese al afianzamiento de la obra canovista, al término del *quinquenio glorioso* comenzaron a amontonarse en el horizonte de las relaciones entre la Iglesia y el Estado algunas nubes, que ensombrecerían algún tiempo después su dinámica. Dentro de la gran labor legisladora llevada a cabo por el *Parlamento largo*, en 1887 se promulgaba la célebre ley de asociaciones, que disponía taxativamente: «... quedan sometidas a las disposiciones de la misma las asociaciones para fines religiosos, políticos, científicos, artísticos, benéficos y de recreo, o cualesquiera otros lícitos que no tengan por único y exclusivo objeto el lucro o la ganancia». Respecto a las asociaciones religiosas, el artículo segundo puntualizaba que quedaban exceptuadas «las asociaciones de la religión católica autorizadas en España por el Concordato. Las demás asociaciones religiosas se regirán por esta ley, aunque debiendo acomodarse en sus actos las no católicas a los límites señalados por el artículo 11 de la Constitución del Estado».

Aunque la concordia entonces existente entre ambas potestades hizo pasar desapercibido el profundo alcance de dicha ley para el ordenamiento y regulación de las numerosas congregaciones y órdenes establecidas en la España de la Restauración, en el marco de otra coyuntura socio-política podía convertirse, como el tiempo probó, en caballo de batalla y fuente de abundantes situaciones conflictivas.

Un año después, la derogación, a instancias de varios prelados senadores, en el Código Civil del canon del concilio de Trento que prohibía a los religiosos profesos la facultad de adquirir bienes para sí, se mostraría igualmente en el futuro grávida de importantes consecuencias. Un nuevo y fundamental elemento, el rebrote del anticlericalismo en la España finisecular, vendría a poner término al remanso por el que discurrieron las relaciones entre la Iglesia y el Estado durante la primera fase del sistema canovista.

El ancho caudal adquirido en aquella hora por un sentimiento y una actitud siempre reverdecidos en los cuadrantes hispánicos se debió a la confluencia en el cruce de uno y otro siglo de una serie de fenómenos presididos todos por la común nota del anticlericalismo. Dentro de las esferas dirigentes, su recrudecimiento fue, en amplia parte, artificial.

---

[4] Empero, en el primer ministerio Sagasta se debió pasar un cabo de las tormentas con el litigio entre ambas potestades planteado por la reposición de los catedráticos exonerados en 1876. Cf. CEPEDA ADAN, J., *Sagasta y la incorporación de la izquierda a la Restauración. El gobierno de 1881 a 1883*, en «Historia Social de España. Siglo XIX» (Madrid 1972) 311-35.

Clausurado el ciclo de las grandes reformas políticas durante el gabinete Sagasta de 1885-90, los años sucesivos destacaron una realidad que cada día se evidenciaba con más claridad: las escasa diferencia en el ideario de las fuerzas que entraban en la noria del turnismo. De aquí la necesidad sentida por los partidos gobernantes de establecer artificialmente fronteras y antagonismos entre sus programas [5].

Las diferencias respecto a la «cuestión religiosa» —meramente tácticas en el sentir de las grandes figuras de la Restauración, con la excepción de Canalejas— se erigieron así en uno de los principales límites de sus respectivos idearios. Junto con el fenómeno apuntado, la pujanza del positivismo en el mundo del pensamiento y en el de las realidades políticas, la del movimiento republicano, asimismo como las medidas adoptadas en Francia y Portugal en materia eclesiástica, vinieron, entre otros factores y corrientes, a colocar al anticlericalismo en el primer plano de la actualidad nacional en la España de los años iniciales del siglo XX [6].

Como ocurre a menudo en trances semejantes, la chispa que hizo estallar el polvorín fue el encadenamiento de una serie de sucesos —individualmente de escasa entidad— acaecidos en la bisagra de una centuria a otra. La actitud proclerical del ministro Silvela —explicitada, sobre todo, en la adopción por el ministro de Fomento, marqués de Pidal, de medidas tendentes al desarrollo de la enseñanza religiosa en los centros estatales—, estimuló la reacción de sus oponentes, que tacharían su política de «vaticanista».

No obstante, fue en el breve gabinete del general Azcárraga (23-XII-1900 a 25-II-1901) cuando eclosionó realmente la mayor y más grave crisis de las acontecidas en las relaciones Iglesia-Estado durante todo el régimen canovista. El estreno de la obra de Pérez Galdós, *Electra,* simultáneo con la difusión por los medios de información del caso de la señorita Ubao, muy semejante al tema que el gran novelista escenificaba, junto con las frecuentes alteraciones del orden público a que daban lugar las procesiones organizadas en cumplimiento del Jubileo en honor de Cristo Redentor, concedido por León XIII por la entrada del nuevo siglo, convirtió la «cuestión religiosa» en el más importante de los problemas (junto al matrimonio de la Princesa de Asturias) con que en aquellos momentos se enfrentaba el mundo gobernante [7].

---

[5] CUENCA TORIBIO, J. M., *Estudios de Historia moderna y contemporánea* (Madrid 1973).
[6] De manera defraudadora, el ambicioso libro de CONNELLY ULLMAN, J., *The Tragic Week. A study of anticlericalism in Spain. 1875-1912* (Harvard 1968). (Traducido al castellano, Barcelona 1972). De temática y conclusiones mucho más reducidas de lo que su título hace presuponer, aborda muy superficialmente el tema, 32-42. Aunque desde un ángulo estrictamente jurídico-legal, proporciona algunas noticias de interés la obra coetánea de BUITRAGO Y HERNÁNDEZ, J., *Las órdenes religiosas y los religiosos. Estudio jurídico sobre su existencia legal y capacidad civil en España* (Madrid 1901) 33ss. Poco después se publicaría una obra que todavía hoy puede considerarse como fuente bibliográfica esencial, no obstante los ribetes de parcialidad que la desconceptúan en ocasiones. MÁXIMO (seudónimo de Angel Salcedo Ruiz), *El anticlericalismo y las órdenes religiosas en España. (Historia-Crítica-Derecho)* (Madrid 1908) 283-485.
[7] Es muy novedoso el planteamiento del tema expuesto por GÓMEZ MOLLEDA, M. D., *Los reformadores de la España contemporánea* (Madrid 1966) 427ss.; FERNÁNDEZ ALMAGRO,

Conocedor de la gran fuerza que capitalizaría para su partido con el izamiento a tambor batiente de la bandera del anticlericalismo, Sagasta la enarbolaría ahora más alto que nunca. Sus primeras medidas al frente del último gabinete de la Regencia estuvieron dictadas por el propósito de satisfacer las reivindicaciones antieclesiásticas mediante unas leyes destinadas a la galería, que traducían su interna posición frente a tal tendencia, instrumentalizada como arma política de ocasión, pero sin vivenciarla con autenticidad ideológica personal [8].

Escasas semanas después de la llegada de su gabinete al poder, en medio de una gran tensión que algunas voces apocalípticas profetizaban que conduciría a un nuevo duelo fratricida, se celebraron elecciones parlamentarias (mayo de 1901), en las que las campañas preparatorias giraron, con casi exclusividad, en torno al tema religioso. Aunque pertrechado con una fuerte mayoría en las nuevas Cortes, Sagasta no mostró interés alguno en llevar más adelante su anticlericalismo. Sólo la presión de algunos grupos parlamentarios y de cierto sector de la prensa le obligaron a plantear en las cámaras la cuestión del estatuto jurídico de las órdenes y congregaciones religiosas, cuyos efectivos se engrosaban espectacularmente debido a la afluencia a tierras españolas de nutridos contingentes de clérigos y monjas franceses expulsados de su país por el ministerio de Waldeck-Rousseau [9].

En tanto que los diputados conservadores defendían la tesis de la legalidad de las múltiples órdenes e institutos religiosos establecidos en el territorio nacional por acomodarse su existencia al famoso y contro-

---

M., *Historia política de la España contemporánea (Regencia de Doña María Cristina durante la menor edad de su hijo don Alfonso XIII)*. (Madrid 1959) II, 680-1; CEPEDA ADAN, J., *La figura de Sagasta en la Restauración*: Hispania 92 (1963) 595, y las interesantes páginas dedicadas al análisis de la posición del autor por nuestro antiguo alumno y colaborador PÉREZ GARZÓN, J.S., *Luis Morote. La problemática de un republicano (1862-1923)* (Madrid 1976) 125-130.

[8] Un Real Decreto del ministerio de Industria de 22 de marzo legislaba que todos los establecimientos industriales dirigidos por religiosos debían darse de alta en las delegaciones provinciales de su departamento en orden, sobre todo, a hacer efectivos los correspondientes impuestos, hasta entonces, de ordinario, eludidos. Otro de 27 del mismo mes, a cargo ahora del ministerio de la Guerra, reducía drásticamente el número y el sueldo del clero castrense. Finalmente, el decreto dado por Romanones el 12 de abril exigiendo el título de doctor o licenciado a todos los religiosos incluidos en algún tribunal de examen levantaría una gran polvareda polémica, debido a los vitales intereses que lesionaba. Da una inexacta y tendenciosa noticia de esta legislación, MONTERO, A., *Historia de la persecución religiosa en España. 1936-1939* (Madrid 1961) 7. Acerca de uno de los puntos del famoso decreto, Romanones comentaría: «Establecí la diferencia de trato entre el alumno oficial y no oficial, a fin de fomentar la enseñanza del Estado, que arrastraba vida mísera e inútil competencia con la dada por las órdenes religiosas cuyos colegios estaban muy concurridos, mientras se hallaban desiertas las aulas de los Institutos.» *Notas de una vida (1869-1901)* (Madrid 1934) 195. En general para todo el problema, 162-4. Se halla incluida en *Obras Completas* (Madrid III, 1949).

[9] Entre la ingente bibliografía sobre un tema que aún no ha logrado traspasar por completo los estadios de la polémica, cabe destacar las obras de KAISER, J., *Les grands batailles du radicalisme des origines aux portes du pouvoir 1820-1901* (París 1962). Sobre el aspecto aquí aludido, cf. principalmente 271ss., y la ponderada y exhaustiva biografía de SORLIN, P., *Waldeck-Rousseau* (París 1966) 423ss. Así como la cómoda síntesis de DANSETTE, A., *Histoire religieuse de la France contemporaine. L'Église catholique dans la mêlée politique et sociale* (París 1965) 183ss. En fecha ultísima, como dicen los italianos, han sido aclarados ciertos extremos sobre la figura de Waldeck-Rousseau, desconocidos por sus críticos españoles, GUITARD, L., *Vie et mort de Waldeck-Rousseau*, en *Ecrits de París*, y diciembre (1977).

vertido artículo 29 del Concordato de Bravo Murillo [10], sus adversarios mantenían su inclusión dentro de la «Ley de Asociaciones» de 1887. Estas posiciones antitéticas (pese a que la argumentación de los diputados liberales mostró su espectro más amplio que la de los conservadores) suscitaron en el Parlamento un verdadero derroche de casuismo y habilidad dialéctica, al paso que algunos oradores, particularmente Canalejas, plantearon la cuestión de las relaciones Iglesia-Estado sobre los ejes que habrían de encauzarlas tiempo adelante [11]. Tras producirse una tan inútil como resonante intervención de ciertos prelados senadores en protesta del giro estatalista que proyectaba dar, en su opinión, el Gobierno Sagasta al tema en disputa, y escindido el partido liberal con el abandono por Canalejas del gabinete de coalición liberal-demócrata salido del reajuste ministerial de mediados de marzo de 1902, la Santa Sede y el Estado español lograron un *modus vivendi* —tan extendido en las prácticas y usos jurídicos de la época—. Hasta tanto se llegaba a una revisión del Concordato, se reconocería la legalidad de todas las asociaciones religiosas que se inscribieran en los gobiernos civiles, sin que las autoridades gubernativas pudieran negarle la inscripción. Conforme los acontecimientos posteriores demostrarían, la habilidad de Sagasta encontró así una ingeniosa, aunque inconsciente, solución a un problema que desazonaba sus últimos días.

3. EL FIN DE LA CONTROVERSIA ANTICLERICAL

A partir de este momento y hasta la fecha en que Canalejas sube al poder en 1910, la «cuestión religiosa» estuvo sujeta al pendularismo

[10] Su texto literal es el siguiente: «A fin de que en toda la Península haya el número suficiente de ministros y operarios evangélicos de quienes puedan valerse los prelados para hacer misiones en los pueblos de sus diócesis, auxiliar a los párrocos, asistir a los enfermos y para otras obras de caridad y utilidad pública, el gobierno de Su Majestad que se propone mejorar oportunamente los Colegios de misiones para Ultramar, tomará desde luego las disposiciones convenientes para que se establezcan donde sea necesario, oyendo previamente a los prelados diocesanos, casas y congregaciones religiosas de San Vicente de Paúl, San Felipe Neri y otra Orden de las aprobadas por la Santa Sede, las cuales servirán al propio tiempo de lugares de retiro para los eclesiásticos, para hacer ejercicios espirituales y para otros usos piadosos.» Según se habrá observado, el artículo no especifica a cargo de cuál potestad correrá la elección de la tercera orden, a cuyo establecimiento tampoco se fija un determinado plazo cronológico.

[11] José Andrés Gallego realizó bajo nuestra dirección en la Universidad de Navarra una tesis de licenciatura sobre «La política anticlerical del último gabinete Sagasta», que por la agudeza de sus análisis y la copiosidad de las fuentes merecería, sobradamente, los honores de la publicación. Particularmente destacan en dicho trabajo el estudio de los aspectos canónicos del tema. El libro de TURIN, I., *La educación y la escuela en España de 1874 a 1902* (Madrid 1967) ofrece una excelente visión de conjunto sólo desfigurada por la acusada tendenciosidad de algunos de sus abundantes juicios de valor, 103ss. En el momento de corregir galeradas ha aparecido un extracto de la mencionada tesis de ANDRÉS GALLEGO, J., *Planteamiento de la cuestión religiosa en España, 1899-1902*, en *Ius Canonicum*, XII (1972) 173-221, en particular 183-91. Ambos trabajos, así como otros en torno a la problemática del catolicismo finisecular, han sido ya recogidos por el autor en su libro *La política religiosa en España 1889-1913* (Madrid 1975). No será tampoco inútil la consulta del penetrante artículo de RUIZ MANJÓN, O., *La evolución programática del Partido Republicano Radical*, en *Revista de la Universidad de Madrid* (1978).

rónico de la vida parlamentaria española. Los repetidos intentos de
Maura para hacer extensivos a todas las congregaciones los privilegios
de las asociaciones religiosas reconocidas en el Concordato no alcanzaron nunca buen puerto; mientras que en los períodos en que el país era
dirigido por los liberales, el anticlericalismo reverdecía una y otra vez,
legando a trazar el gabinete general López Domínguez en 1906 un
programa de laicismo en el que se seguían dócilmente las directrices
puestas en práctica por los políticos radicales en la nación francesa. En
tanto que el Pontífice y Merry del Val alentaban sin reservas a la Solidaridad catalana y la adhesión a ella de los católicos del Principado con
el objeto de crear dificultades a los gobernantes madrileños.

El 9 de febrero de 1910 José Canalejas y Méndez fue encargado por
Alfonso XIII de formar un gabinete cuyas riendas detentaría brillante e
inteligentemente hasta su trágica muerte en noviembre de 1912. Punto
axial de su política era el problema religioso, de cuya favorable solución
sobre la base de la supremacía civil dependía en gran parte la duración
y viabilidad de su ministerio. En la persecución de tal objetivo, Canalejas llevó las negociaciones con el Vaticano —reanudadas e interrumpidas
al compás de los avatares de la política nacional desde comienzos de la
centuria— a un punto muerto, ante la irreductible defensa realizada
por Pío X y su secretario de Estado, el joven cardenal español Merry
del Val, de la soberanía total de la Santa Sede en punto a materia disci-
plinaria.

Poco después Canalejas decidía pasar de manera resuelta a la ofensiva por medio de un decreto (junio de 1910) en el que reconocía —o,
más exacto, se aplicaba el artículo 11 de la Constitución del Estado— a
las religiones desidentes el derecho a exhibir externamente los emble-
mas y signos de su culto. Medida complementada con la publicación
(24-XII-1910) de la famosa «Ley del Candado», por la que se prohibía
la residencia en el país de nuevas órdenes religiosas, por espacio de dos
años, sin autorización del ministerio de Gracia y Justicia, que, expresada
por real decreto, se publicaría forzosamente en la *Gaceta*. La denegación del permiso sería automática cuando más de un tercio de la orden
o congregación en cuestión estuviera compuesto de extranjeros.

El triunfo del Gobierno, como sabía y tal vez quiso el propio Canalejas —objeto de incalificables ataques desde las páginas de ciertas publicaciones católicas y en los mítines y manifestaciones organizadas como
protesta a su política por algunos prelados y entidades confesionales—,
fue más aparente que real, pues el número de institutos religiosos establecidos entonces en la nación era muy crecido (hasta el extremo de no
faltar en él ninguna de las órdenes o congregaciones reconocidas por la
Santa Sede) y bastaban para subvenir las necesidades docentes de los
católicos...

Una enmienda del senador barón del Sacro Lirio vino igualmente a
quitar mordiente a la disposición, al admitirse por el Gobierno que, si en
el transcurso de los dos próximos años no era aprobada otra ley de
Asociaciones distinta a la de 30-VI-1887, la del «Candado» quedaría

anulada. Dada la inestabilidad de la vida parlamentaria española, podían abrigarse fundadas esperanzas de que con dicha solución todo quedase en aguas de borrajas.

Rotas las relaciones con Roma, la reacción de las masas católicas fue, según quedó indicado, unánime y clamorosa, organizándose en numerosas poblaciones tumultuosas manifestaciones de protesta contra la política del Gobierno, respaldado en todo momento por el monarca [12] Merced, sin embargo, a las dotes políticas de Canalejas y a los buenos oficios del obispo de Madrid, J. M. Salvador y Barrera —gran amigo del presidente del Consejo de Ministros— y de Cambó, la reanudación de las relaciones estaba a punto de materializarse en realidad tangible cuando una de esas muertes que presiden con trágico ritmo la trayectoria de la España contemporánea segó una vida quemada en su servicio. En enero de 1913, el restablecimiento de dichas relaciones era un hecho, sobre la base de que en el plazo de dos años todo nuevo establecimiento debería hacerse previa solicitud de permiso de la Santa Sede en Madrid.

4. Un corto remanso de paz

Calmadas las pasiones con el estallido de la Gran Guerra y el advenimiento al solio romano de un Papa «diplomático», se relegó a un plano secundario, en el horizonte de las preocupaciones nacionales, la exacerbada, tiempo atrás, «cuestión religiosa». En el pontificado de Benedicto XV, el sector más prometedor de la cristiandad española atravesaría una hora decisiva en torno a la organización de las formaciones sindicales, en tanto que el sistema se enfrentaba con unos problemas a los que su momentánea guadianización durante ciertas fases de la contienda mundial había agravado sus perfiles.

Sin embargo, analizada de forma apresurada, esta polarización de parte de las fuerzas profundas del país en temas relativamente alejados de la arena religiosa puede inducir a falsear las perspectivas de las relaciones Iglesia-Estado en los años que precedieron a la dictadura primo-

---

[12] Un cuadro, en ocasiones superficial y arbitrario, aunque agudo en otras, acerca de toda la batalla diplomática entre la Santa Sede y el Estado español en torno a la «Ley de Candado», en Javierre, J. M., *Merry del Val* (Barcelona 1965) 403-27. Acertadamente Javierre impugna algunos extremos de la apresurada versión ofrecida por Aunos Pérez E., sobre el alcance y significado de la famosa ley: *Itinerario histórico de la España contemporánea (1808-1936)* (Barcelona 1940) 304-19. Acerca de las campañas anticanalejistas, Pabón, J., ha escrito: «Hoy podemos sonreír al recuerdo de la campaña contra Canalejas considerado como un típico y sectario anticatólico; y comprobar que, en la ruidosa polémica, sus discursos tienen una sincera unción religiosa; y pensar que en la inmensa protesta suscitada y en el clamor de sus manifestaciones, tuvo un religioso respeto para todas ellas.» *Cambó, 1876-1918* (Barcelona) I, 380. Y, por su parte, un concienzudo y brillante estudioso del reinado alfonsino, Seco, C., afirma taxativamente: «Hoy, en 1969, en pleno despliegue y vigencia de las doctrinas del concilio Vaticano II, hallamos toda la orientación canalejista mucho más acorde con la Iglesia renovada que las histéricas reacciones del *catolicismo de cruzada* alzado en 1912 contra un político tan sinceramente creyente que había obtenido del Pontífice el privilegio de tener capilla privada en su propio domicilio» *(Alfonso XIII y la crisis de la Restauración* [Barcelona 1969] 89).

rriverista. En realidad, al no operarse ninguna mutación en la composición y mentalidad de los principales factores en juego, el sereno diálogo entre ambas potestades seguía dependiendo de elementos contingentes. En otros términos: mientras los moldes jurídicos que encauzaban sus contactos, no habían sufrido variación respecto a los del reinado de Alfonso XII y de la Regencia, el espíritu difería en gran medida del vigente en la era canovista. Diversos eventos vendrían a subrayar, en el desarbolamiento final de la Restauración, el extremo apuntado.

A manera de prueba concluyente, baste la alusión a uno singularmente ejemplarizador. Los comentarios y glosas que en las capas mayoritarias del sentimiento ortodoxo y en las del anticlerical suscitara la consagración de España al Sagrado Corazón de Jesús —mayo de 1919—, patentizaron que los rescoldos de la controversia religiosa estaban prontos a encenderse y que las lecciones de una historia reciente no habían sido aprovechadas. Las posiciones extremistas continuaban imponiendo su estéril tiranía en la opinión pública [13].

Pese a la presencia de estas coordenadas generales pacificadoras de que se ha hecho mención, la madurez lograda por algunos fenómenos apuntados al filo de la guerra europea sometería a dura prueba el mortecino *statu quo* alcanzado tras las ruidosas polémicas de la «ley del Candado». Conforme a la nota isocrónica tan repetidamente ofrecida por el pasado español, la descomposición del régimen canovista coincidió con la entrada en el escenario nacional de dos sugestivos movimientos confesionales. De diverso caudal numérico e inspiración, su actuación simultánea en frentes neurálgicos de la realidad del país tuvo como más sobresaliente resultado el destacar con creciente vigor la necesidad de superar sin retraso las ambigüedades que envolvían las relaciones entre el poder civil y el espiritual.

La enorme cantidad de energía movilizada por la famosa «Gran Campaña Social» vino a demostrar, no obstante su fracaso final, la espesa muralla de recelos que separaba de las instituciones a los grupos mayoritarios de la jerarquía, clero y fieles del país. De forma en extremo sintomática, el mencionado episodio devolvió vigencia a la situación religiosa de los albores de la Restauración cuando Cánovas se enfrentó con éxito a las vacilaciones del sector pidalista [14].

Saldadas negativamente las tímidas aperturas a la izquierda proletaria y radical, un gesto de buena voluntad del sistema hacia las esferas de catolicismo tradicional se presentaba como ineludible para un régi-

---

[13] Indudablemente, el discurso leído por Alfonso XIII en dicha solemnidad no se caracterizó por la discreción necesaria en un país recorrido por numerosas tendencias aconfesionales. El moderado repudio que tal alocución provocó en dos renombrados diarios madrileños de la oposición en SOLDEVILA, F., *El año político (1919)* (Madrid 1920) 179-80. Tal vez sea un poco inmatizada la crítica a la actitud de «otros periódicos de izquierda "templada"» hecha por ORTEGA Y GASSET, M., *«El Imparcial». Biografía de un gran periódico español* (Zaragoza 1956) 235. En la página anterior se encuentra una breve descripción del acto de la consagración, entusiásticamente elogiada por GARCÍA VILLADA, ZACARÍAS, en *Razón y Fe* 54 (1919).

[14] Un pormenorizado análisis de la «Gran Campaña Social» es el llevado a cabo por REDONDO, G., *Las empresas políticas de José Ortega y Gasset. «El Sol», «Crisol», «Luz» (1917-1934)* (Madrid, I, 1970) 409-12.

men sacudido hasta las raíces por la crisis marroquí. El gesto no llegó a producirse por el desagrado con que el rey observaba la marcha de dicha campaña, precisamente en el momento en que cristalizaba «el bloque nacional» y uno de sus más conspicuos portavoces, Sánchez Guerra, era llamado al poder en medio de los aplausos de la prensa burguesa más distanciada de la Monarquía.

El naufragio de la «Gran Campaña» no disipó, sin embargo, los temores de algunos círculos ante un catolicismo anclado en posiciones de privilegio. Pero, como ya se ha dejado constancia, la aparición de una segunda fuerza en el haz de la cristiandad hispánica puso un momento de tregua en el sentir de tales sectores.

El entusiasmo suscitado entre ciertos intelectuales y políticos por la actitud de los *popolari* en la Italia de la posguerra, configuró una reducida pero animosa agrupación de católicos dispuestos a trasplantar a España el modelo creado por Luigi Sturzo, en una nación de características y problemas tan similares a los hispánicos como la de la Monarquía Unitaria [15]. De contornos imprecisos y fluctuantes, el partido social popular fue siempre fiel al deseo de revisar en profundidad el marco jurídico de la iglesia española. Muy relacionados con las figuras del bloque nacional, sus adeptos alentaron los propósitos manifestados por el ministro Manuel Pedregal de llevar adelante la modificación sustancial del artículo 11 de la Constitución de 1876 [16]. Empero, la omnipresencia de la cuestión marroquí en los trabajos del gabinete García Prieto arrumbó en dique seco dicho intento, severamente condenado por la jerarquía [17].

5. LA DICTADURA DE PRIMO DE RIVERA

Al igual que casi la totalidad del país, la Iglesia recibió a la dictadura con indisimulable zalagarda. Sus sectores tradicionales y otros igualmente poco palatinos, como los orientados por *El Debate,* depositaron todas sus esperanzas de una «resurrección nacional» en la figura del general jerezano, al que mantuvieron numantina lealtad [18].

[15] Acerca de la fundación de este grupo llamado también «Partido popular español», ofrece una versión bastante deslavazada y confusa el principal de sus creadores, OSSORIO GALLARDO, A., *Mis memorias* (Buenos Aires 1946) 143; reeditadas en Madrid (1975) 131-33. Datos más precisos, en GIL ROBLES, J. M., *No fue posible la paz* (Barcelona 1968) 29. El tema reclama un detenido análisis monográfico. Debe señalarse, sin embargo, que ya en el ministerio de Sánchez de Toca (verano 1919), algunos de sus miembros se autodefinían como «demócratas cristianos».

[16] Una somera alusión en GARCÍA VENERO, M., *Melquíades Alvarez. Historia de un liberal* (Madrid 1954) 321, y también en su otro libro, *Santiago Alba, monárquico de razón* (Madrid 1963) 173.

[17] Ibíd., 176-7. Previamente, algunos de los actos del gobierno García Prieto —como, por ejemplo, la supresión del juramento en la toma de posesión ministerial de Pedregal— habían escandalizado a un nutrido sector católico.

[18] Así, por ejemplo, el canónigo MONTAGUT, J., en su libro *El Dictador y la Dictadura* (Barcelona 1928) concluía la «ofrenda» con que lo encabezaba —«Al Salvador de España y servidor del Rey»— con la siguiente frase: «Sólo por esa piadosa unción con que mi pluma refleja en limpia transparencia la sublime integridad de un incorrupto patriotismo, espero,

La amorfa fisonomía que en su vertiente ideológica presentó la dictadura y las diferentes corrientes confesionales que se aquistó, explican la variedad de imágenes de la reconstrucción religiosa. Variedad que, lejos de infirmar al régimen primorriverista, redundó en su beneficio [19]. En todo momento, aquél dispuso de abundantes piezas, dóciles a ser utilizadas con discrecionalidad en el tablero de su interés. Así, en sus difíciles relaciones con gran parte de la clerecía catalana a propósito del empleo litúrgico de la lengua vernácula, en el Principado la dictadura encontró respaldada su posición por el coro unánime de los restantes sectores católicos; lo que le permitiría adoptar una posición de fuerza en sus contactos con Roma para resolver la espinosa cuestión [20].

En los postreros meses de la dictadura, un resonante suceso volvía a proyectar «la cuestión religiosa» a los primeros planos de la atención nacional.

Esperanzados tal vez en la imposibilidad de una movilización anticlerical comparable a la de los años 10, debido a la incorporación al sistema de las masas socialistas, algunos componentes de la Unión Patriótica pensaron reformar el estatuto universitario vigente en beneficio de los alumnos de las universidades eclesiásticas de María Cristina de El Escorial y de Deusto. En adelante, sus tribunales examinadores en los centros estatales estarían integrados por dos profesores de sus respectivas facultades y un catedrático. Sin tardanza, un viento de fronda recorrió claustros y aulas de la Universidad oficial. El volumen e intensidad de las protestas movieron a los agustinos a renunciar a las normas programadas por el Gobierno, quien, a su vez, acabaría también por enterrar el proyecto —marzo de 1929 [21].

ilustre Caudillo de la España nuestra, que aceptaréis gustoso el sentido ofrecimiento de unas líneas que tienden a glorificar vuestro nombre en las generaciones venideras para la exaltación suprema de la Patria y el robustecimiento de la cristiana monarquía y pidiendo al cielo que nos conceda el gozo durante muchos quinquenios de los beneficios de vuestra patriarcal y justísima dominación», 5.

Sin duda, esta adhesión incondicional debe verse a la luz de la permanente actitud de displicencia que el monarca tuvo frente a los sectores prevalentes del catolicismo español. No deja de ser significativo el cambio operado en dicha posición a raíz del advenimiento de la Dictadura, puesto pronto de relieve en el discurso pronunciado por el rey ante Pío XI, en noviembre de 1923. Hasta el final del reinado esta línea no se quebrará. Véase, por ejemplo, el telegrama enviado por el rey al mismo Pontífice con motivo de la firma de los acuerdos de Letrán.

[19] Un agudo y profético diagnóstico de las consecuencias que entrañaría para el catolicismo hispano tal postura, puede encontrarse en GARCÍA GALLEGO, J., *Miscelánea política y religiosa* (Madrid 1927) *passim*, pero en particular XCV-VIII. Merece destacarse que dicha crítica está realizada desde dentro, es decir, desde un observatorio muy favorable a la obra de la Dictadura.

[20] Con gran unilateralidad, aporta datos sobre la cuestión R. MUNTANYOLA, *Vidal y Barraquer, Cardenal de la Pau* (Barcelona 1970) 253 y ss., en especial 793-806. La versión castellana de la obra (Madrid 1971) ha atenuado algunas de las lagunas historiográficas del libro, a caballo entre la fantasía poética y la crónica, pero siempre admirablemente escrito. Sigue la misma pauta en cuanto a información LLORENS, P.-L., *El Obispo Mártir. Perfil biográfico de Monseñor Doctor Manuel Irurita y Almandoz, Apóstol del Corazón Eucarístico de Cristo* (Valencia 1972) 164ss.

[21] *Cum mica salis* y ciertos prejuicios, relata detalladamente el *affaire* G. MAURA GAMAZO, *Bosquejo histórico de la Dictadura. 1923-1930* (Madrid 1930) 322-33. Un caótico resumen del análisis del duque de Maura en LA CIERVA, R., *Historia de la Guerra Civil española* (Madrid, I, 1969) 115.

Aunque no faltan indicios para presumir de algún sector de la jerarquía en tal plano, no se conoce, sin embargo, el grado real de su participación, y de si ésta fue aceptada por la dictadura como contrapartida a su apoyo en otros cuadrantes. De ser cierta, descubriría la permanencia de arraigadas costumbres clericales, propensas a servirse de los recursos del poder, aun en perjuicio de la paz social y del recíproco respeto entre la Iglesia y el Estado.

Antes de que la separación de ambos se viese consagrada por la Constitución republicana de 1931, el último parlamento de la España alfonsina registraría una vez más la invocación de una armoniosa y fecunda independencia entre ambas potestades. La voz del profesor Pérez Bueno no encontró eco.

CAPÍTULO II

EL PONTIFICADO DE LEON XIII

1. UN CATOLICISMO RENOVADO

A grandes rasgos, el pontificado de León XIII coincide en la península Ibérica con el reflujo de la oleada anticlerical desatada desde las esferas rectoras, en los decenios precedentes. Más visible en España que en Portugal —donde la influencia de las sociedades secretas será siempre preponderante—, el fenómeno es común a ambos países. Tanto los años epilogales del reinado de Luis II de Portugal (1861-89) como los del de Alfonso XII (1875-85) y de la regencia de María Cristina (1885-1902), se caracterizaron en el plano religioso por el entendimiento entre la Iglesia y el Estado, cuyas relaciones se deslizaron por cauces de relativa concordia. En tierras lusitanas, la firma de un concordato —encaminado principalmente a resolver algunos problemas del litigioso *Padroado*—, la reorganización diocesana establecida a instancias de la Corona en 1881 o la cancelación por Carlos I (1889-1908) de la visita (1895) a su tío Humberto I de Italia para no contrariar al anciano Pontífice, pusieron de relieve el clima de armonía reinante entre ambas potestades. En tanto que en España la efusiva y cordial adhesión del «Pacificador» y de su segunda esposa «doña Virtudes» hacia el Vaticano se encontró correspondida con igual intensidad por la Santa Sede, León XIII expresaría en repetidas ocasiones —arbitraje en la fricción hispano-germana por el dominio de las Carolinas, concesión de la Rosa de Oro a la regente, apadrinamiento del futuro Alfonso XIII, etc.— su afecto por España y su régimen, al que se esforzó por consolidar a contrapelo del sentir de extensos e importantes sectores de la opinión católica.

Durante el período aludido, la Iglesia hispánica, instalada ya sólidamente en el marco institucional de la monarquía de Sagunto, pudo centrar sus esfuerzos en un amplio despliegue renovador, sin abdicar por ello de su posición antiliberal [22]. (Las indisimulables simpatías procarlistas de un extenso sector del episcopado y clero de la Regencia constituyen sólo un exponente llamativo de tal actitud. La defensa que de la

[22] El anecdotario a través del cual ésta se explicitó es, según se sabe, muy extenso. Entre la multitud de ejemplos reveladores que del antiliberalismo eclesiástico de la época canovista pudieran recordarse, mencionamos tan sólo uno, perteneciente a los últimos

Comunión Tradicionalista llevó a cabo desde la sede toledana A. Monescillo a las presiones de otro destacado prelado de fines del XIX, el ovetense Martínez Vigil, para implantar por la fuerza en el trono a Carlos VII, dibujan, sin duda, las posiciones más avanzadas de dicha postura). Bajo su impulso, las congregaciones y órdenes religiosas conocieron un desarrollo espectacular, que traducía la pujanza de las energías espirituales de anchos estratos sociales. Al mismo tiempo que el testimonio público de la fe experimentaba notables transformaciones, se innovaban, junto a directrices catequísticas y métodos apologéticos, sistemas para potenciar la prensa confesional y la enseñanza impartida en los seminarios, más porosos ahora a la cultura moderna [23]. En igual marco, algunos prelados colocaban como meta principal de su actividad la elevación del nivel científico de su clero, para cuya consecución no regatearían afanes [24]. Un estudio estadístico de las pastorales de la Iglesia canovista tal vez revelara la primacía otorgada por los prelados a dicho tema. Alentada por el ejemplo de un Papa intelectual y presionada por la madurez alcanzada por la pedagogía laica —Escuelas Normales de Magisterio, jardines de Infancia, «japonización» de la docencia en los centros de la Institución Libre de Enseñanza, etc.—, parte de los

---

años del pontificado de Pío IX. El cabildo capitular lucense exponía así las razones que le habían movido a no participar en la fiesta de la proclamación de Alfonso XII: «Poderosísimos son, y conocidos de todos, los motivos de aflicción que la Iglesia tiene por los rudos golpes que ha sufrido en las cosas y personas sagradas; añadiendo a esto el cautiverio de su Cabeza visible, el Romano Pontífice. Por estas razones, al menos ínterin no se verifique la justa y digna reparación de todos los ultrajes al catolicismo, no puede el cabildo tomar parte en cooperar a regocijos y demostraciones políticas, sin que por eso se entienda que se falta a la consideración a las autoridades constituidas.» TRAPERO PARDO, J., *Lugo: 100 años de vida local* (Lugo 1960) 100. En su último libro, SÁNCHEZ ALBORNOZ, C.: *De mi anecdotario político* (Buenos Aires 1972), relata un curioso y revelador episodio sucedido en Ávila a la muerte de la reina Mercedes, cuando todo el numeroso clero abulense se negó a oficiar en sus exequias. Al no haber llegado a España la mencionada obra nos vemos obligados a citar su relato por el florilegio impreso en *Indice*, 15-XI-1972. Posteriormente ha sido editada en nuestro país (Barcelona 1976) 45. En su muy valiosa tesis doctoral, últimamente, NUÑEZ MUÑOZ, M. F., ha analizado con detalle la política obstruccionista desplegada por los primeros nuncios de la Restauración. *La Iglesia y la Restauración. 1875-1881* (Santa Cruz de Tenerife 1976), y en especial, 51-77 y 204-17. Si se recuerdan las páginas que sobre su política religiosa de este momento escribiera el Galdós de los últimos de los *Episodios Nacionales,* (Madrid, IV, 1971), se observará que Cánovas tuvo el triste privilegio de ser blanco de los dardos disparados desde todos los flancos de la vertiente ideológica de entonces. La solución de compromiso representada en el terreno religioso por Cánovas y el aislamiento que ella le causó en una opinión pública deseosa, de un lado, de la implantación definitiva de la libertad religiosa y partidaria, de otro, del mantenimiento de la más estricta confesionalidad estatal, no ha sido captada por el último estudioso de la Restauración, VARELA ORTEGA, J., *Los amigos políticos. Partidos, elecciones y caciquismo en la Restauración (1875-1900)* (Madrid 1977).

[23] Véase AMENOS, J. M., *El fomento de las vocaciones eclesiásticas en España durante la segunda mitad del siglo XIX,* en *Seminarios,* 1 (1955) y, sobre todo, CÁRCEL ORTÍ, V., *Segunda época del Seminario conciliar de Valencia (1845-1856),* en *Sociedad Castellonense de Cultura* (1969) y también *Tercera época del Seminario conciliar de Valencia (1896-1936),* ibid., (1970).

[24] Arquetipos de estos prelados impulsores de la cultura fueron Fr. Zeferino González y Marcelo Spínola, sobre cuyas obras en dicho aspecto proporcionan abundantes datos sus últimos estudiosos. Cf. DÍAZ DE CERIO, F., *Un cardenal filósofo de la historia. Fr. Zeferino González, O. P. (1831-1894)* (Roma 1969) 38-40 y 58ss.; JAVIERRE, J. M., *D. Marcelo de Sevilla* (Barcelona 1963) 262-63. En Cataluña el tema ha merecido una simple mención en una obra tan ambiciosa como decepcionante. MASSOT I MUNTANER, J., *Aproximació a la historia religiosa de la Catalunya contemporània* (Barcelona 1973) 14.

círculos eclesiásticos tuvo conciencia de que en las aulas se librarían las batallas del porvenir [25]. Nunca como entonces fue tan intenso en los miembros del clero secular el deseo de cursar diversas licenciaturas. Mero afán coleccionista en ciertos casos o —con mayor frecuencia— huida de una existencia tediosa, la fiebre de «grados» que aquejó al sacerdocio leoniano reflejó múltiples veces la noble intención de perfeccionar el utillaje de su misión [26]. El apostolado cultural de este clero secular se ejerció de ordinario dentro de los ámbitos parroquiales, aunque ejemplos como las Escuelas del Ave María testimonian el eco nacional que hallaron algunas de las creaciones surgidas al calor de un más estrecho compromiso de los católicos con el mundo de la inteligencia [27].

A su vez, el clero regular participó del movimiento de renovación cultural, en cuya vanguardia cabe situar a jesuitas, dominicos y agustinos. A sus esfuerzos se debieron realizaciones tan sobresalientes como el Seminario Pontificio de Comillas —que en 1904 pasaría a convertirse en Universidad [28]—, la revitalización del tomismo —obra en particular del cardenal Zeferino González y otros teólogos de la Orden de Predicadores [29]—, la aparición de revistas llamadas a conocer una prolongada trayectoria —como «La Ciudad de Dios» (1891), editada por los Padres Agustinos [30]—, etc., etc.

[25] Por fortuna, existe una importante bibliografía sobre el tema. Cf. CACHO VIU, V., *La Institución Libre de Enseñanza. I. Orígenes y etapa universitaria (1860-1881)* (Madrid 1962) 435-40 y 456-79; GÓMEZ MOLLEDA, M. D., *Los reformadores de la España contemporánea* (Madrid 1966) 153-64 y 235ss. Otra excelente conocedora de la vida pedagógica de fines del siglo XIX y apasionada de los métodos de la Institución, limita, no obstante, la irradiación de su labor: «Pero la Institución, ¿consigue prácticamente imponer un estilo de educación adaptado a la sociedad española naciente y capaz de servir de modelo a una reforma general de la enseñanza? Sin injusticia se puede responder que no.» TURIN, I., *La educación y la escuela en España de 1874 a 1902. Liberalismo y tradición* (Madrid 1967) 218.

En su valiosa biografía sobre una de las figuras de proa del catolicismo finisecular, GONZÁLEZ, M., aporta múltiples juicios y datos de sumo interés acerca del tema, *Don Enrique de Ossó o la fuerza del sacerdocio* (Barcelona 1967) 190-198; 251-260 y passim. En fin, sobre las limitaciones que el impulso tuvo dentro de las propias filas jerárquicas, véase CUENCA TORIBIO, J. M., *Sociología de una élite de poder de España e Hispanoamérica contemporáneas. La jerarquía eclesiástica (1789-1965)* (Córdoba 1976).

[26] Naturalmente, las deficiencias culturales del clero hispano que hemos analizado en varios otros de nuestros trabajos, no desaparecieron de manera digna de reseñarse. Las minorías ganaron en estatura intelectual, pero la masa clerical siguió anclada en la ignorancia. Véase, entre otros muchos que no citamos *brevitatis causa*, el testimonio de la niñez de ABAD DE SANTILLÁN, D., *Memorias. 1897-1936* (Barcelona 1977) 13.

[27] Véase la documentada e importante obra de PRELLEZO GARCÍA, J. M., *Educación y familia en A. Manjón. Estudio histórico-crítico* (Zurich 1969). Cf. también del mismo: *Manjón y su ambiente cultural. Documentos inéditos*, en *Orientamenti Pedagogici* XVI (1949) 255-56. Es muy expresivo el interés de Unamuno por conocer a Manjón: «Y salude muy en especial al hombre, y al decir esto me refiero a Manjón, porque es el hombre, así, sin apelativo, en el sentido más noble de la palabra. Usted sabe bien que el deseo de ver por mí mismo su obra es acaso el más fuerte de los que a Granada me han de llevar. Ensancha el pecho del alma ver que, mientras los más no hacemos más que hablar y soltar a los cuatro vientos retórica regeneradora, hay quien calla y obra. Esto me recuerda lo que decía Carlyle, de que la palabra es del tiempo y el silencio de la eternidad. Y si ese hombre trabaja es porque le mueve un ideal más alto que la patria, que no es un fin en sí». SEGURA, F., en *Cuatro cartas inéditas de Unamuno*, en *Razón y Fe* 947 (1976) 435. Más tarde el Diario del canónigo burgalés nos hablará del mutuo desencanto.

[28] AZNAR, S., *La revolución española y las vocaciones eclesiásticas* (Madrid 1919) 255-56.

[29] DÍAZ DE CERIO, F., *Un cardenal...*, 48-55.

[30] GARCÍA VILLOSLADA, R., *Historia de la Iglesia Católica* (Madrid, IV, 1961) 643. Sobre

El pueblo fue también protagonista destacado de este capítulo de la historia del catolicismo hispánico decimonónico. Sus elementos nutrieron las filas de los institutos religiosos nacidos de la explosión fundacional del decenio (1875-1885); especialmente los consagrados al testimonio de la caridad cristiana más exigente, como las Hermanas de la Cruz, fundadas por una zapatera sevillana [31]. La religiosidad popular, vertida a través de los tradicionales moldes barrocos, fecundó igualmente otros campos de la práctica y sentimiento religiosos, en particular aquellos más concordes con su idiosincrasia —peregrinaciones, cultos sacramentales, procesiones, romerías... [32]

Finalmente, en el movimiento misionero desembocó una porción muy valiosa de las energías liberadas por la ebullición espiritual que conmovió las fibras más dinámicas del catolicismo español de la Restauración. Antes de emanciparse, los territorios ultramarinos de Filipinas, Antillas y, en menor escala, los africanos pertenecientes a la Corona hispana recibieron el aporte de numerosos eclesiásticos metropolitanos, que, en general, ejercieron sus deberes con abnegado sacrificio y entrega. Incluso en el archipiélago filipino, donde la «teocracia dominica» fuera objeto de toda clase de condenas, el concurso de la Orden de Predicadores a la obra civilizadora de aquellas regiones no puede negarse sin incurrir en la inexactitud o el sectarismo [33].

la actividad docente de las órdenes regulares existe un gran número de críticas adversas. Desde Azaña —bien que en su caso muy moderadas— hasta Arturo BAREA, la pedagogía eclesiástica se ve sometida a infinidad de reproches. Es muy gráfico el testimonio del gran novelista últimamente citado *La forja de un rebelde* (Buenos Aires 1966) 4.ª ed., 96-98.

[31] JAVIERRE, J. M., *Madre de los pobres. Sor Angela de la Cruz* (Madrid 1969) 145.

[32] Aunque CARO BAROJA, J., estudie algunas de estas prácticas populares en su manifestación actual, proporcionan abundante luz sobre su historia y su entraña más profunda sus trabajos de sociología religiosa recogidos en *Estudios sobre la vida tradicional española* (Barcelona 1968). Acerca de la devoción mariana en esta época, que registra una de sus horas cenitales, es muy parco en noticias el extenso libro de SÁNCHEZ PÉREZ, J. A., *El culto mariano en España* (Madrid 1943), así como también el artículo de LÓPEZ ORTIZ, J., en *Imágenes y tradiciones marianas* en *Nuestro Tiempo* 4 (1954) 3-13. Una información más rica se encontrará en PÉREZ, N., *La Inmaculada y España* (Santander 1954), en particular 357ss., e igualmente en el muy erudito y asistemático libro de BAYERRI BERTUMEU, E., *Viaje literario, bibliográfico mariano por las diócesis de España* (Comillas 1968), aunque los datos proporcionados no hacen referencia sino excepcionalmente a la etapa contemporánea y se concretan con particularidad a los territorios de la antigua Corona de Aragón.

[33] En carta a un amigo, Castelar decía en 1896: «No quiero decir nada que resulte favorable a los dos mayores enemigos de nuestra civilización: al negrero y al fraile filipino», y en un documento de las mismas fechas su juicio ganaba aún en profundidad: «Cuando con frecuencia le escucho la imputación de que nos ha perdido Cuba y Filipinas el elemento progresivo de nuestra sociedad, declaro habernos perdido el elemento reaccionario. Con sólo mirar a la oligarquía negrera en Occidente y a la oligarquía teocrática en Oriente basta persuadirse a creer la reacción, causa primera y exclusiva de nuestros desastres.» GALLEGO, ANDRÉS, J., *La última evolución política de Castelar*, en *Hispania* 115 (1970) 392-3. Un reciente estado de la cuestión sobre el controvertido tema en ACHUTEGUI, P., y NARD, M. A., *Religious revolution in the Philippines. The life and Church of Gregorio Aglipay. 1860-1960. I. From Aglipay's Birth to his death: 1840-1940* (Manila 1960). También puede consultarse la de RODRÍGUEZ, I., *Gregorio Aglipay y los orígenes de la Iglesia filipina independiente (1898-1917)* (Madrid 1960).

2. LAS SOMBRAS DEL CUADRO

El remozamiento de que dio muestras la Iglesia española del último tercio del ochocientos no debe conducir, sin embargo, a exagerar su densidad. Como las anteriores, la cuarta restauración, religiosa acometida por los cuadros dirigentes del catolicismo hispano a lo largo de dicha centuria se resintió, en gran medida, de un indudable desfase con alguna de las más agobiantes exigencias de la coyuntura histórica. La intervención del pueblo en la ola renovadora estuvo lastrada por la permanencia de los factores negativos de un gran legado. La trivialización y mundanización de lo sagrado distaron de hallarse ausentes de las prácticas religiosas de las masas, a menudo ribeteadas de superstición y paganismo. Por otra parte, su elevado índice de analfabetismo debía viciar de raíz la incorporación al programa de sus pastores. Cara a la catequesis, éstos se encontrarían, como en otros trances semejantes, frente al hecho desconsolador (pero evidente) de que aquélla debería ir precedida de una evangelización erizada de dificultades, entre las que ocupaba un lugar no secundario la intangibilidad de ciertos prejuicios de un catolicismo triunfalista, propenso a rasgarse las vestiduras ante cualquier problematización de estereotipos. Debido sobre todo a sus extensas ramificaciones populares en una comarca como Cataluña, de un alto e ilustrado índice de religiosidad, el turbio asunto de las relaciones satánicas de Jacinto Verdaguer —que tan grande escándalo levantara en su época— puede servir de símbolo de la espiritualidad prevalente en las capas mayoritarias de la opinión católica [34].

Por lo demás, las reservas tradicionales del catolicismo peninsular —las masas agrarias— se mostrarían menos unánimes y diligentes a la hora de ser movilizadas por el clero rural. Sin infravalorar el esfuerzo de gran parte de éste y de misioneros como el célebre P. Tarín, la población masculina del campo levantino y meridional basculó progresivamente hacia posturas marginadas de la fe. En la Andalucía finisecular, la presencia de pegujaleros y pastores en la Iglesia llegó a ser un espectáculo casi insólito en numerosas localidades. La religión se transformaba en barrera social [35].

En el piano a que se acaba de aludir con más énfasis líneas arriba

[34] Véase el estudio de PABÓN, J., *El drama de mosén Jacinto* (Barcelona 1954). Posteriormente, en unos recuerdos recogidos en *Días de ayer. Historias e historiadores contemporáneos* (Barcelona 1963) 438ss., el mismo autor amplía noticias acerca del ambiente que rodeó al eximio poeta y bondadoso sacerdote. Otro conocedor de la figura verdagueriana, el P. BONET BALTA, aporta información del tema en su epílogo a las *Obras Completas* de aquél.

[35] El famoso apóstol de los campos andaluces, el jesuita P. Tarín, escribía sobre Málaga a su hermana Ursula: «Ahora [1890] estamos empeñados en esta populosa y poco religiosa población...». AYALA, P. M.: *Vida documentada del Siervo de Dios P. Francisco de P. Tarín, de la Compañía de Jesús* (Sevilla 1951) 346. Por su parte, el prelado, por aquel entonces, de dicha sede, el Dr. Spínola, afirmaba en una pastoral: «Los obreros, con quien nadie contaba y que parecían dormidos, congréganse en numerosas asambleas, discuten con calor, y proclaman en voz alta y con fiereza los derechos de que se creen asistidos apréstandose a reivindicarlos, y al intentarlo vuelven los ojos irritados contra la Iglesia.» Testimonios de igual índole son muy abundantes en la obra. Véase también la excelente introducción al tema de JOVER ZAMORA, J. M., *Conciencia obrera y conciencia burguesa en la España contemporánea* (Madrid 1956) 44ss.

—el cultural—, las limitaciones de la labor acometida por clero y seglares se patentizan con nitidez. Aunque superior a la de los períodos precedentes, la formación impartida en las aulas de los seminarios fue casi exclusivamente humanística, sin sobrepasar, sino rara vez, la mediocridad característica hasta fechas muy cercanas [36]. Salvo muy aisladas excepciones, el episcopado no comprendió la necesidad de establecer un gran organismo docente que impidiese la esterilidad o la atomización de los esfuerzos de las diferentes diócesis. El magno proyecto del P. Cámara de un Centro Eclesiástico de Estudios Superiores —primer paso hacia una futura Universidad Católica— no encontró apoyo entre sus compañeros de episcopado y defraudó, al materializarse en una institución de medianos vuelos, las esperanzas que en un principio despertara en los círculos más progresivos del sacerdocio [37]. Debido también al predominio de una mentalidad corraleña en la jerarquía, el Colegio Romano, fundado por Manuel Domingo y Sol en la Ciudad Eterna como vivero de hornadas dirigentes del clero español, tardó largo tiempo en granjearse la confianza de considerables núcleos episcopales [38].

Asimismo, el catálogo de la producción bibliográfica de autores católicos de una discreta calidad intelectual se muestra sobremanera reducido. En sus obras resulta fácil percibir el eco de la inspiración extranjera, mayoritariamente francesa aún en la década 1875-85, para dejar paso, a partir de la última fecha, a los influjos venidos de los cuadrantes italianos [39]. Si bien algunos publicistas echaron su cuarto a espadas en la encendida polémica de las relaciones entre ciencia y fe, la cuestión modernista no levantó salpicadura alguna en el calmoso mar de la cultura católica de la España de la Regencia [40].

[36] Aunque, como tantos otros temas de la Iglesia hispana decimonónica, el estudio de los planes de enseñanza eclesiásticos no ha atraído hasta el presente el interés de los historiadores, los datos que pueden espigarse al respecto en los episcopologios y en las escasas monografías aparecidas sobre la materia —al modo de las ya citadas de Cárcel Ortí—, confirman plenamente lo señalado en el texto. Las inconexas memorias del P. F. Sopeña demuestran asimismo la larga pervivencia de tal situación: *Defensa de una generación* (Madrid 1970) 22 y passim.

[37] Vázquez García, A., *El Padre Cámara, figura preclara del episcopado español y fundador de los estudios eclesiásticos superiores de Calatrava*, en *Hispania Sacra* 14 (1954) 27-8. La necesidad de este centro de estudios había sido observada por diferentes laicos y sacerdotes. Véase un interesante testimonio en *Crónica del segundo Congreso Católico Nacional Español. Discursos pronunciados en las sesiones públicas y reseñas de las memorias y trabajos presentados en las sesiones de dicha Asamblea...* (Zaragoza 1891) 543-4.

[38] Torres Sánchez, A., *Vida del Siervo de Dios don Manuel Domingo y Sol, apóstol de las vocaciones, fundador de la Hermandad de Sacerdotes, Operarios, Diocesanos del Corazón de Jesús* (Tortosa 1934) 144.304-8.425 y passim. Cf. igualmente las biografías divulgadoras de Hernán Sanz, J. A., *Un hombre que supo darse, Manuel Domingo y Sol. 1836-1909* (Salamanca 1959) 189-90, y *Mosén Sol* (Barcelona 1970).

[39] En el análisis de la propia obra de los escritores católicos de la última generación decimonónica puede constatarse sin esfuerzo este cambio de influencia. El caso de Ortí Lara es particularmente ilustrativo. Ollero Tassara, A., *Juan Manuel Ortí Lara, filósofo y periodista,* en *Instituto de Estudios Giennenses* 49 (1966) 45-46. El influjo germano, casi siempre estrictamente científico, se dio sólo en algunas figuras aisladas como Z. González. No facilita ningún elemento de estudio de la importante cuestión. Kehrer, H., *Alemania en España. Influjos y contactos a través de los siglos* (Madrid 1966) 138-39.

[40] Ninguno de los estudiosos del modernismo alude a su difusión por España. Pese a este silencio, el tema bien merece una investigación «peninsular».

Las relaciones entre los componentes del *ordo clericalis* no rebasaron los niveles de tiempos anteriores. El trato de sacerdotes y obispos no sufrió modificaciones sensibles, siguiendo hormado bajo los protocolarios cuando no rígidos moldes de la etapa isabelina. La extremada politización de unos y otros con sus secuelas escisionistas paralizó parte de las mejores energías y repercutió negativamente en la acción pastoral [41]. Entrambos se resintieron también de la conducta privada de algunos eclesiásticos, cabezas de hogares a veces muy prolíficos. No obstante, pese a que ensayistas y novelistas hayan visto en el pernicioso ejemplo dado en pueblos y aldeas por los curas amancebados una de las causas fundamentales del proceso descristianizador de las esferas campesinas encuadradas en movimientos radicales, es éste un terreno todavía sin roturar por las necesarias investigaciones [42]. A pesar de ello, se puede conjeturar que la falta de principios éticos de ciertos sacerdotes fue un ingrediente esencial del anticlericalismo del proletariado urbano e industrial.

Por vía de excepción, la inserción en el texto de la presente monografía de un pasaje de las vívidas y nobles memorias de A. Pestaña nos pone en escalofriante contacto con dicha realidad: «Hombre práctico, quería "que su hijo no fuese un burro de trabajo como lo había sido él" —eran sus palabras—, y concibió la idea de hacerme estudiar para cura.

---

[41] Las breves «Memorias» del sacerdote e historiador navarro Mariano Arigita, dadas a conocer en fecha reciente por GOÑI GAZTAMBIDE, J., contienen una rica cantera de datos para el análisis del señalado tema. *Hispania Sacra*, 39 (1969). Un artículo aparecido igualmente en fecha última ofrece también algunos *elementos de conocimiento para tal cuestión:* DROCHON, P., *Un curé «liberal» sous la révolution de 1868: Don José García Mora,* en *Mélanges de la Casa de Velázquez* VI (1970) 417ss. Las fricciones derivadas de la oposición política presentan aún un campo más ancho. La controvertida obra del primado toledano, *Consejos del Cardenal Sancha al clero de su arzobispado* (1899) suscitó, entre las muchas respuestas a que dio lugar, un libro titulado *Los consejos del Cardenal Sancha o apología católica del carlismo,* por el Pbro. J. D. CORBATO (Barcelona 1899), al que pertenecen los siguientes párrafos: «Tal vez, Emmo. y Rvmo. Sr., me preguntara V. E. R.: ¿Y quién eres tú para subir tan alto, supuesto que alguno pueda subir? Soy un nadie, Sr. Eminentísimo, soy un nadie; tengo un mérito en sentir mucho, y por V. E. quisiera no tenerle; es haber sido víctima de don Ciriaco María Sancha... Sí, Eminentísimo Sr., soy un nadie, un perro que V. E. tiene; pero soy un perro que vive ladrando, al lado de muchos que son leones y viven como muertos. Entre un león muerto y un perro vivo, no sé por cuál se inclinará V. E.; el *Eclesiástico* se inclinaba por el perro... acabar de una vez para siempre con tanto escándalo es lo que me propongo, *poniendo lo que sea de mi parte y encomendando el éxito a Dios.* Utilizaré algunos pasajes de dos de mis temibles libros: no los tome V. E. por inmodestia, que me sobra la razón. El uno, inutilizado antes que naciera, fue anunciado varias veces, y no por mí; el otro es muy conocido de V. E., que, según me afirmó persona grave, trató de condenarlo y no pudo. No es lo que intento hacer una nueva impugnación de los errores que creo descubrir en el capítulo XIII de los *Consejos de V. E.:* intento dar a conocer *muy a fondo* quiénes son los católicos españoles llamados carlistas y cuán eminentemente católica es su programa, presentándolo bajo fases desconocidas de V. E. y de muchos», 6-11.

[42] De temática y conclusiones mucho más reducidas de lo que su título hace presuponer, apenas aborda la cuestión aludida el libro de CONNELLY ULLMAN, J., *The tragic Week. A study of anticlericalism in Spain* (Harvard 1968). La traducción castellana de dicha obra (Barcelona 1972) sigue sin abordar de forma mínimamente satisfactoria el fenómeno del anticlericalismo, no obstante la considerable ampliación que ha sufrido el volumen respecto a su edición original. Según nos informa el P. Batllori, en fecha próxima aparecerá bajo su dirección un amplio estudio sobre algunas de las manifestaciones más llamativas del anticlericalismo decimonónico.

Cierto que mi padre era deísta, naturalmente, como todo buen español de aquel tiempo; pero no creía en los curas, en la Iglesia, ni en los ritos que ésta imponía. Era un perfecto "volteriano". Y si me quería hacer estudiar, era porque, como él solía decir, el cura era un oficio como el ser minero, albañil o carpintero. Aunque bastante más lucrativo. "Yo trabajo doce o trece horas para ganar catorce reales —sentenciaba—, y un cura, echando una bendición y diciendo unas palabras que nadie entiende, gana cinco duros. Esto es todo"» [43].

Los numerosos eclesiásticos dedicados en las ciudades a actividades muy ajenas a su ministerio se convirtieron en inflamable recurso propagandístico, hábilmente explotado por demagogos [44], sin que la labor ejemplar de otros muchos acertara a contrarrestar esta crítica adversa [45].

Defectos semejantes a los citados se manifestarían los derivados de un fenómeno llamado a imprimir su huella sobre los destinos del catolicismo posterior. Las tormentas revolucionarias de la Interinidad introdujeron en la psicología colectiva del estamento eclesiástico un rasgo ya alumbrado tras la desamortización: la obsesión por el porvenir material. A lo largo del dilatado pontificado de León XIII, varias comunidades y órdenes desencadenaron una ofensiva en toda regla con el fin de asentar su existencia sobre firmes cimientos. Al tiempo que comercializaban preciadas confituras, refinados licores y acreditados fármacos y perfumes, producidos de tiempo inmemorial por ciertas congregaciones, diversas funciones desempeñadas en gran escala por el clero —como las docentes—, presentaban una notoria vertiente crematística. Sin duda, esta preocupación económica obedecía, en ancha medida, a un impulso de —a veces— comprensible defensa, surgido —no será ocioso repetir— del despojo de que los bienes eclesiásticos fueran víctima en el agitado sexenio 1868-1874. Empero, resulta también incuestionable que su frecuente hipertrofia desvirtuó el carácter más genuino de órdenes y comunidades y polarizó sobre ellas ásperas y lógicas críticas [46].

Guiados de un ostensible elitismo, los cuadros eclesiásticos se encaminaron, ante todo, a la reconquista espiritual de los núcleos dirigentes, cuya militancia católica devolvería al país el clima de otras épocas. Dicha

[43] *Trayectoria sindicalista* (Madrid 1974) 81.
[44] Muy brevemente plantea un aspecto de la cuestión HOBSBAWM, E. J., *Rebeldes primitivos. Estudio sobre las formas arcaicas de los movimientos sociales en los siglos XIX y XX* (Barcelona 1968) 106 y 111. Reproducido en LIDA, C. E. y ZABALA, I., *La revolución de 1868. Historia, pensamiento, literatura* (Nueva York 1970) 273-92.
[45] Es muy ilustrativa y aleccionadora al respecto la espléndida semblanza trazada por GIL ROBLES, J. M., sobre el párroco salmantino Antonio Rodríguez, *La fe a través de mi vida* (Bilbao 1975) 23-7; en general, toda la primera parte del libro es de sumo interés para la sociología del catolicismo español en la bisagra del XIX al XX.
[46] Los testimonios anticlericales procedentes de las más diversas posiciones sociopolíticas tuvieron como común denominador a principios de siglo su crítica a las riquezas del clero. Figuras como Romanones, Blasco Ibáñez o Baroja se encuentran unidos en tal encuadramiento. Una selección de algunos de estos ataques en BRENAM, G., *El laberinto español. Antecedentes sociales y políticos de la guerra civil* (s. l., 1962) 39. En idéntica actitud cabe alinear al autor de uno de los más encendidos y extensos alegatos anticlericales de la España contemporánea, GORDON ORDÁS, F., *Mi política en España* (Méjico 1963) III, passim, pero, sobre todo, 219ss.

táctica —cuya fácil crítica desde las perspectivas actuales adolecería en parte de evidente anacronismo— sustrajo a la Iglesia la adhesión de los incipientes sectores del obrerismo y del campesinado volcado a la acción revolucionaria.

Así, en el terreno de la pastoral urbana, el ejemplo de los suburbios es particularmente revelador de tal mentalidad. Obligada a enfrentarse con insuficientes efectivos a un campo misional engrandecido a compás del cuantioso aumento demográfico, la jerarquía optó por atender a las parroquias tradicionales o situadas en el centro de las ciudades, en lugar de construir otras nuevas en los barrios del extrarradio. Con ello la Iglesia abandonaba unas masas —las campesinas, que secularmente le habían sido fieles— en el instante mismo en que las campiñas expelían sin cesar contingentes emigratorios hacia los núcleos fabriles, en los que se necesitaba más que nunca la ayuda de sus consejeros habituales. Muy pocos prelados y sacerdotes se mostraron sensibles a la mutación que tal fenómeno operaba en las capas más profundas de la sociedad española, cuyos efectos incidirían con especial fuerza en su religiosidad [47].

Obsesionado con el fecundo proselitismo de las sociedades secretas y de las corrientes heterodoxas encarnadas en la Institución Libre de Enseñanza —cuya labor fue a todas luces magnificada por sus adversarios para ocultar sus propias limitaciones—, el catolicismo español se afanó sin tregua por contrarrestar su siembra [48]. Resulta indisputable que con ello atendía a una parcela de siempre prioritario interés en la vida contemporánea, al paso que sintonizaba con las más apremiantes llamadas del papa Pecci. Pero el balance de la empresa fue, con importantes salvedades, negativo.

Es cierto que la amplia constelación de institutos de perfección implantados en el suelo hispánico a socaire del nebuloso artículo 29 del Concordato de 1851 controló, casi en su integridad, la enseñanza primaria y secundaria —sobre todo femenina—, como lo es también que la cosmovisión de la gran mayoría de las clases dirigentes estuvo moldeada por principios cristianos [49]. Sin embargo, en los horizontes más críticos y trascendentes de la vida ideológica, la presencia de los católicos fue, en gran número de ocasiones, irrelevante y, en todo momento, despropor-

---

[47] Al detectar el hecho, BENEYTO parece, sin embargo, no reparar en su trascendencia: «Añádase otro dato: el campo español se ha mostrado más ligado a la Iglesia que la ciudad; el campesino se deja llevar del cura más fácilmente que el obrero industrial, por eso el sindicalismo católico, aunque no se presentase con pureza profesional, ponía el fiel en la balanza de las fuerzas sociales... Los estudiosos conceden primacía al problema social agrario, porque advierten más hacedor su encauzamiento y más extenso el grupo demográfico afectado. Se ve que con sindicatos agrícolas, a la manera de los católico-sociales de Francia y de Bélgica, cabe mirar el futuro con optimismo». *Historia social de España y de Hispanoamérica* (Madrid 1961) 473.

[48] Delineados con caracteres semiesperpénticos, los testimonios recopilados por JUTGLAR, A., son bien ilustrativos de la respuesta de los círculos más extremosos del catolicismo finisecular: *Ideologías y clases en la España contemporánea*. II (1874-1931) (Madrid 1969) 138ss.

[49] Cf. el testimonio indisputable de Romanones, *Notas de una vida (1869-1901)* (Madrid 1934) 162-64 y 195; está incluido en *Obras Completas* (Madrid, III, 1949).

cionada a la magnitud de los recursos a su alcance. Sólo entre muy escasos de los más importantes pensadores, artistas y escritores del primer tercio del siglo XX puede observarse una mentalidad operativamente cristiana. Incluso parte no insignificante de los formados en centros religiosos, como Ortega y Gasset o Pérez de Ayala, fulminaron, tiempo adelante, severas requisitorias contra sus educadores, indudablemente los de más esmerada y actualizada cultura en el mundo eclesiástico finisecular [50].

Pese a que no es propósito de estas páginas trazar el sucinto resumen de las lacras del catolicismo español decimonónico, parece obligada desde las cotas dibujadas por el concilio Vaticano II la alusión —siquiera sea muy breve y, por tanto, deformadora— a su cerrazón hacia toda corriente ecumenista. Mientras que la postura antiprotestante se erigió en común denominador de la conducta de los fieles de la época, grupos muy compactos y personalidades de primer orden no se resignaron a considerar como irreversible la tolerancia religiosa sancionada por la Constitución de 1876 [51]. Al término del IV Congreso Católico de Burgos (agosto-septiembre 1899), la solemne y meditada declaración de los prelados participantes —más de una treintena— afirmaba: «Una vez más que nuestra aspiración constante es el restablecimiento de la unidad católica, gloria antes de nuestra patria, y cuya ruptura es origen de muchos males; declaramos asimismo que deploramos todos los errores condenados por el Vicario de Jesucristo en sus constituciones, encíclicas y alocuciones, especialmente los comprendidos en el *Syllabus* y todas las *libertades de perdición* hijas del llamado *derecho nuevo* o *liberalismo,* cuya aplicación al gobierno en nuestra patria es ocasión de tantos pecados, y nos condujo al borde del abismo» [52].

Meses atrás, uno de los más cultivados miembros de la jerarquía, el prelado oriolense Juan Maura y Gelabert, pronunció en el Senado, con motivo de la ruptura de hostilidades entre Madrid y Washington, un vibrante y bíblico discurso al que pertenecen los siguientes párrafos: «Una nación de ayer, sin precedentes, sin historia ni abolengo, en cuyo improvisado escudo no campean otros timbres que los del vil metal y la fuerza bruta, faltando a todas las leyes de la dignidad y el decoro, y contra toda justicia y razón, ha declarado la guerra a la noble y valerosa España... España acepta el reto. España no teme ni vacila, porque va a

---

[50] Una opinión contraria es la sustentada por LA CIERVA, R., *Historia de la guerra civil española* (Madrid, I, 1969): «Los jesuitas, por ejemplo, daban a sus miembros jóvenes una formación basada en el estudio de las fuentes gratas al carlismo», 23. Aunque tal juicio, reiteramos, no se encuentra avalado por ninguna referencia en el mencionado libro, no ponemos en duda su parcial exactitud; sobre todo, antes de 1905, año en que se produjese un espectacular *tournant* en la orientación ideológica de algunas de las más sobresalientes personalidades de la Compañía. Con relación al vacío católico entre las fuerzas culturales prevalentes en la España del momento, véase CACHO VIU, V., *Las tres Españas de la España contemporánea* (Madrid 1962) 12-13.

[51] SEVILLA ANDRÉS, D., *El derecho de libertad religiosa en el constitucionalismo español hasta 1936* (Valencia 1972) 18.

[52] *Crónica del V Congreso Católico Español celebrado en Burgos el año 1889* (Burgos 1889) 638.

la guerra con armas que no se improvisan ni se compran. Va a la guerra con el valor heredado de cien generaciones de héroes que con proverbial hidalguía y su serenidad y arrojo legendario, escribieron las páginas más gloriosas de la historia. España va a combatir por la injusticia y el derecho villanamente escarnecidos y pisoteados; y, vencedora o vencida, probará una vez más que sabe defender su honor, y que no se deja ultrajar impunemente»[53].

3. LOS CATÓLICOS ANTE LA OBRA DE LA RESTAURACIÓN

En efecto, la extremada politización fue el elemento esencial de la *facies* de la Iglesia española en el cruce de una a otra centuria, la causa de que sus energías no se canalizaran hacia objetivos enclavados en la más candente problemática nacional. El proceso disgregador atravesado por la conciencia española a lo largo del ochocientos halló en las luchas internas de los católicos un nuevo y capital jalón.

Erigido sobre el triunfo en una guerra civil y como solución de compromiso entre el sentir tradicional y las corrientes que en la anterior etapa pugnaron por la democratización del país, el régimen canovista se debatió siempre en el plano eclesiástico entre contradictorios impulsos. De un lado, la herencia de la «Gloriosa» era irrenunciable, mientras que de otro el sentimiento religioso vivenciado por el pueblo carlista, así como por gran mayoría de las masas en que se sustentaba la monarquía alfonsina, no podía ser desechado por sus gobernantes. Dentro de la más pura línea canovista, éstos desplegaron durante largo tiempo titánicos esfuerzos para que no se produjera un violento desequilibrio entre ambas tendencias[54].

Tal actitud enajenó a la Restauración, en sus inicios, el concurso de importantes sectores conservadores no englobados por la disciplina carlista. Su portavoz en la política madrileña, Alejandro Pidal y Mon, condenó en resonantes intervenciones parlamentarias el atentado que suponía contra el legado espiritual del pasado la tolerancia explicitada en el texto constitucional de 1876. Influido, no obstante, por las ideas colaboracionistas difundidas por su coterráneo Zeferino González, dentro de un minoritario pero influyente círculo de personalidades, la intransigencia de Pidal y Mon dio paso, con el transcurso del tiempo, a una postura menos beligerante hacia la obra religiosa de la monarquía de Sagunto, aspirando a su modificación mediante el nacimiento de una poderosa asociación de fieles, destinada a la acción pública[55]. Así surgió

---

[53] VIDAL TUR, G., *Un obispado español: el de Orihuela-Alicante* (Alicante 1961) 477-78. Véase otro testimonio semejante del obispo madrileño en DÍAZ PLAJA, F., *Otra historia de España* (Barcelona 1972) 324.

[54] SÁNCHEZ AGESTA, L., *Historia del constitucionalismo español* (Madrid 1964) 33.

[55] Véase el artículo, algo hostil a la figura del político asturiano, de RUIZ GONZÁLEZ, D., *Alejandro Pidal o el posibilismo católico de la Restauración. Posiciones doctrinales y práctica política*, en *Boletín del Instituto de Estudios Asturianos*, XXIII (1969), en especial, 204-214. Este meritorio trabajo adolece de ciertas lagunas bibliográficas.

en 1881 la Unión Católica, en la que militaron diversas figuras de la aristocracia y de las letras. Aunque auspiciada en su primera singladura por un considerable número de prelados, tuvo que hacer frente a la ruda hostilidad que la prensa y los medios ultra le declararon sin vacilación. Con el fin de dar a su asociación un alcance comparable al de los partidos católicos de los Países Bajos y de Alemania proyectándola decididamente en el terreno de la actuación política, Pidal y Mon buscó en las altas esferas vaticanas un apoyo que, prodigado verbalmente, se le regateó en la práctica [56]. Hecho que, unido al desgaste derivado de la participación de su líder en el tercer gabinete de Cánovas, hirió de muerte al movimiento, imantador en otros días de grandes esperanzas de la intelectualidad católica [57].

Como es lógico, el carlismo representó otra de las banderas izadas desde el campo católico contra el ordenamiento religioso del sistema canovista [58]. De un cisma en sus huestes surgiría, en 1888, la última de las tres grandes ramas en que se encuadra el catolicismo español de la época: el integrismo, cuyos adeptos aspiran al «gobierno de Cristo», buscado a través de la «absoluta intransigencia con el error» [59]. En cualquier caso, su aparición en el horizonte nacional presagió el enconamiento de la ya enrarecida convivencia religiosa y la polarización del catolicismo hispano en cuestiones políticas [60]. Las vicisitudes ulteriores patentizaron la exactitud de tales pronósticos. El dicterio y la incomprensión se convirtieron en la única moneda circulante en las relaciones

---

[56] PÉREZ EMBID, F., *Los católicos españoles ante la política de la Restauración liberal*, en *Nuestro Tiempo* 48 (1958) 649-65. También del mismo: *Los católicos y los partidos políticos españoles a mediados del siglo XIX:* Ibid., 46 (1958).

[57] CUENCA TORIBIO, J. M., *Partidos católicos*, en «Diccionario de H.ª Eclesiástica» (Madrid 1972). El enfrentamiento político de los católicos españoles llegó a proyectarse al plano de la teoría económica, caballo de batalla de los planteamientos ministeriales del momento. Cf. OLLERO TASSARA, A., *Universidad y política. Tradición y secularización en el siglo XIX español* (Madrid 1972) 58-60.

[58] Cf. los importantes trabajos de BERNARDO ARES, J. M., «Catolicismo y democracia. El *Centro Republicano Católico* de Valencia (1866)». *Escritos del Vedat* V (1975); «Concepción doctrinal y opción política del carlismo. Religión y política (1890-1900)»: Ibid., VI (1976) 359-70 y *Organización civil del carlismo (1890-1900)* (Universidad de Córdoba 1977).

[59] SCHUMACHER, J. N., *Integrism a study in nineteenth century Spanish politico-religious thought*, en *The catholic historical review* XLVIII (1962) 343ss. Entre las muchas impugnaciones que desde su aparición hasta nuestros días ha tenido en el plano doctrinal el integrismo, elegimos —y nos solidarizamos— con la siguiente, salvo la única prevención de que tal vez su autor se haya cerrado en exceso a lo que de noble rechazo de una práctica impura puede haber en el origen de las posiciones integristas. «La concepción integrista desconoce la suprema dignidad humana. Al pretender dirigir al hombre hacia el bien, desconoce un hecho elemental: que el hombre sólo puede alcanzar el bien cuando lo elige por sí mismo. Un bien forzado, impuesto al hombre, es un bien mecanizado, degradado, no es un auténtico bien. Además, habría que añadir que, en la práctica, los intentos de rígida dirección de la vida humana terminan frustrándose en la esterilidad, al renunciar a esa importantísima fuerza de reacción y progreso que es la libertad». GARCÍA SAN MIGUEL, *Concepciones de la libertad (en la filosofía jurídica y política*, en *Revista de Occidente* 27 (1965) 371.

[60] La táctica y estrategia del integrismo están bien precisadas por ARTOLA, M., aunque nos parece menos logrado su intento de caracterización ideológica: *Programas y partidos políticos (1808-1936)* I, *Los partidos políticos* (Madrid 1974) 544-50. Véase también TUSSELL, J., *Historia de la democracia cristiana en España. II. Los nacionalismos vascos y catalán. Los solitarios* (Madrid 1974) 79. En fin, el recurso a la conocida *Historia del carlismo* de OYARZU, R. (Madrid 1969) 476-81, no será por completo desaconsejable.

entre los diversos ambientes católicos, hasta el extremo de que desde algunos púlpitos se predicaron cruzadas de exterminio... [61] Las fuerzas de choque de los bandos enfrentados tuvieron en algunas de las más relevantes órdenes religiosas excelentes y afanados estrategas [62]. Las frecuentes y angustiadas intervenciones pontificias, la periódica celebración de Congresos católicos —«maniobras de otoño del ejército de la fe» (A. Pidal)—, las apelaciones a la moderación por parte de aisladas voces, así como otros medios dirigidos a la coexistencia, no dieron fruto destacable hasta los comienzos del siglo XX [63].

Igual resultado halló en las postrimerías del XIX la más clara e importante prefiguración de la democracia cristiana fundada algún tiempo después por don Angel Herrera. El tenaz empeño del arzobispo vallisoletano, cardenal Cascajares, por superar la división de los católicos mediante la reagrupación de sus fuerzas en una ilusionada empresa colectiva, concluyó en el más estrepitoso de los fracasos. Proyectado en dos fases el acceso al poder de las hasta entonces neutras o marginadas masas católicas, la operación se saldó negativamente. La primera etapa, cifrada en la adhesión del carlismo, no se vio favorecida por el éxito, al rechazar aquél el integrarse en un movimiento cuyos últimos fines dinásticos no quedaban suficientemente delineados. La segunda tentativa, basada en la creación de un potente partido católico en torno al general Polavieja, desembocó también en el fracaso, al carecer de la masa de maniobras requerida por un sistema en el que la ley del número ocupaba un lugar esencial [64].

4. UNA NUEVA OCASIÓN PERDIDA: LA COYUNTURA CANOVISTA

En efecto, las ideas que inspiraron al sistema canovista facilitaban —cuando menos en el terreno de los principios— la formación de una fuerza política movida por las tendencias del catolicismo liberal [65]. No

---

[61] En fecha última SANZ DE DIEGO, R. M., rompe lanzas en pro del pluralismo de los jesuitas en aquellas fechas: *La Santa Sede amonesta a la Compañía de Jesús. Notas sobre el integrismo de los jesuitas españoles hacia 1890*, en *Miscelánea Comillas* 65 (1976) 237-65. Es también de interés su otro trabajo *Una aclaración sobre los orígenes del integrismo: La peregrinación de 1882*, en *Estudios Eclesiásticos* 200 (1977) 91-122, con una de cuyas afirmaciones coincidimos plenamente: «Hoy por hoy, siguen existiendo muchas lagunas historiográficas sobre el significado de alcance de la corriente integrista española». Citaremos por último un nuevo artículo del mencionado jesuita destinado al gran público: *El integrismo: un no a la libertad del católico ante el pluralismo político*, en *Razón y Fe* (1976) 443-57.
[62] FERNÁNDEZ ALMAGRO, M., *Historia política de la España contemporánea (Regencia de María Cristina durante la menor edad de su hijo don Alfonso XIII)* (Madrid 1959) II.
[63] CUENCA TORIBIO, J. M., *Integrismo*, en «Diccionario de Historia Eclesiástica», (Madrid 1972). Muy destacable al respecto es la correspondencia de Menéndez Pelayo. Por vía de ejemplo, véase LÓPEZ ESTRADA, F., *Epistolario de Menéndez Pelayo: sus cartas a don Servando Arbolí*, en *Anales de la Universidad Hispalense* XVIII-XIX (1954-58) 7. También PEREDA Y TORRES QUEVEDO, M. F., y SÁNCHEZ REYES, E., *Epistolario de Pereda y Menéndez Pelayo*, en *Bol. de la Biblioteca de Menéndez Pelayo* XXIX (1953) 337-8.
[64] Tal vez con excesiva injusticia GARCÍA ESCUDERO, J. M., responsabiliza a la falta de talante político del «general cristiano» del naufragio de la empresa. Cf. su estimulante y generosa *Historia política de las dos Españas* (Madrid 1976), 2.ª ed., I, 263.
[65] CUENCA TORIBIO, J. M., *Saturnino López Novoa, fundador de las HH. de los Ancianos Desamparados* (Madrid 1978).

obstante, la virulencia que desde el primer momento rodeó al ordena-miento religioso establecido por la Constitución de los notables, frustró tan sugestiva posibilidad. Incluso los sectores de la opinión católica que militaban en zonas alejadas del campo integrista no alcanzaron a com-prender el paso de gigante que, cara a una más justa convivencia nacio-nal, representaba el artículo 11 del texto de 1876 [66].

Sólo cuando el estado alfonsino hubo enraizado en la vida nacional, el grupo aglutinado por Pidal en torno a la Unión Católica aspiró a establecer un diálogo con el «espíritu del siglo», si bien tímidamente y con recelo. Hostilizados acremente desde las filas del maximalismo cató-lico, los pidalistas no llegaron nunca a deponer por completo sus armas frente al «nefasto liberalismo», motor de la obra canovista. Su ideal fue siempre el trasplante a los cuadrantes hispánicos del *Zentrum,* aunque este partido alemán había nacido como respuesta a una situación abis-malmente alejada de la existente en España durante la primera época de la Restauración [67].

Por lo demás, los «mestizos» —como fueron llamados los pidalistas— se mostraron siempre más propensos al empleo táctico y al usufructo oportunista de la libertad que a la realización de su inmenso potencial cristiano. No debe tampoco olvidarse otro poderoso factor que concu-rrió igualmente a la débil impregnación del catolicismo alfonsino por el grupo pidalista. El elitismo de sus cuadros y el escaso eco que despert-tara su ideario en la jerarquía, le impidieron conectar con los sectores mesocráticos y convertirse en un movimiento de masas [68].

Las diversas tentativas, surgidas en los ambientes católicos a socaire de las instigaciones de León XIII, de crear asociaciones y partidos den-tro de la legalidad vigente, no cristalizaron de igual modo en empresas

---

[66] Tal fue el caso, por ejemplo, de uno de los representantes del ala aperturista del episcopado de la Restauración, Martínez Izquierdo, aunque no se deba en modo alguno exagerar las dimensiones de tal permeabilidad, según lo prueba hasta la saciedad la diti-rámbica, *Vida del Excmo. e Ilmo, Sr. Dr. D. Narciso Martínez Izquierdo, obispo de Salamanca y primer obispo de Madrid-Alcalá, terciario dominico* (Madrid 1960). Algunas esclarecedoras pre-cisiones sobre su interesante figura en SAILLARD, S., *Louvain, Salamanque, Lyon, Rome: iti-néraire européen d'une controverse à propos de Sainte Thérèse (1882).* Ponencia al Coloquio citado en nota 1. Importante es también el artículo de DROCHON, P., *Juan Valera et la liberté religieuse (1868),* en *Mélânges de la Casa de Velázquez* 8 (1972) 409-440.
[67] Contiene información del mayor interés acerca de tema el apéndice que con el título «Los católicos españoles» insertó G. VILLOTA a la traducción de la obra de KANNEN-GIESER, A., *Los católicos alemanes* (Madrid 1894). En el libro de ROVAN, J., *El catolicismo político en Alemania. Historia de la democracia cristiana* se perfilan bien las muy distintas coordenadas en que tenían que desenvolverse los católicos españoles y los ger-manos (Madrid 1964) 143-83. Igual ocurre con PAOLUZI, A., *Dal Centro Germanico all'unione Cristiano-democratica tedesca* (Roma 1969) 19-28, y, finalmente, RITTER, E., *Il mo-vimento catolico-sociale in Germania nel XIX secolo e il volksverein* (Roma 1967) 252ss.
[68] La excepción quizá más destacada del escaso concurso prestado por la jerarquía a la Unión Católica fue la del cardenal primado Moreno Maisonave. Pero su tornadizo carác-ter y su posición alfonsina impidieron la irradiación de su ejemplo. Apologético y evasivo es el perfil de CASTRO ALONSO, M., *Episcopología vallisoletana* (Valladolid) 414-23. Panegí-rica, pero igualmente inconcreta con referencia al punto que nos atañe, es la extensa semblanza trazada por su hermano M., *Biografía del Emmo. Sr. Cardenal Moreno, arzobispo de Toledo* (Madrid 1879), redactada, por tanto, un poco antes de que en la lucha entre los católicos adquiriese su punto álgido.

de envergadura alentadas por el ideario del catolicismo liberal [69]. En la mente de sus propugnadores —los cardenales Cascajares, Sancha, Spínola—, tales agrupaciones no pasaron de ser meros instrumentos con los que desarticular desde dentro la maquinaria estatal, vista en gran medida como intrínseca enemiga de la fe [70]. Con amargo acento, la jerarquía se lamentó en múltiples ocasiones del «sectarismo» del parlamentarismo canovista al impedir la elección de los obispos como diputados [71].

La onda integrista aparecida en el catolicismo hispano en los días de Pío IX se prolongó en la clerecía y fieles hasta las postrimerías del XIX,

[69] El sabroso texto inserto a continuación da una idea de lo irremontable que era en el suelo hispánico ensanchar las bases de un movimiento católico liberal, transformándolo de una agrupación de cuadros en una fuerza popular, que aprovechara, al precio quizá de su manipulación, la potencia social de la religión tradicional en España. «La grandeza del clero español no ha quedado jamás oscurecida en los siglos que caen a este lado de la Cruz, según la frase bella del vizconde de Chateaubriand. Se podía fácilmente presentar un resumen de las herejías que han ido surgiendo, por desgracia, en el campo de la Iglesia, para convencer de que casi nunca contaminaron a los ministros del Señor que abrieron sus ojos a la luz en este suelo ennoblecido por héroes y santos innumerables. Viniendo a los últimos siglos, recuérdese que apenas lograron los protestantes hacer prosélitos en la península Ibérica; que los jansenistas no consiguieron mejor fortuna; que la planta del galicanismo fue sin cesar exótica en el jardín hispano; que la Revolución encontró sólo sentimientos de horror en el clero español, y, en fin, que hallar un sacerdote liberal en nuestro país es, por decirlo así, obra de romanos. Aun con la venia del Papa prefirieron hace poco morir de hambre días y más días, semanas y más semanas, meses y más meses, a prestar un juramento que oscurecer hubiera podido su inmaculada historia. Los españoles en general, y particularmente los ministros del Señor, digan lo que quieran los que han perdido la fe y abandonado la santa vía, que, cual los ictéricos, todo lo ven del color de su cara, pueden repetir con toda verdad: 'Aún somos lo que fuimos'». CARULLA, J. M., *Biografía del Excmo. e Ilmo. Señor D. Fr. Joaquín Lluch y Garriga, arzobispo de Sevilla* (Madrid 1880) 21.

[70] El siguiente de un caracterizado prelado restauracionista, se leerá también con provecho: «Y nada de extraño contiene afirmación tan absoluta, pues que en principio, virtualmente al menos, el *liberalismo* contiene dentro de sí todos los errores, tanto antiguos como modernos, así especulativos o prácticos, así religiosos como jurídicos, políticos y sociales. Al proclamar el liberalismo el derecho al error, ha legitimado la existencia de éste; al enseñar la integridad y soberanía de la razón humana, pasando más adelante, le ha canonizado como verdadero; y una vez elevado el error a la categoría de derecho y de verdad, ¿qué inconveniente habría en adoptar un error singular por absurdo que sea? y aún más: ¿por qué no habrían de profesarse todos, a pesar de los absurdos que encerraran en su seno, y a pesar de las contradicciones que existieran entre los mismos? Y, en efecto, los hechos han venido a confirmar cuán lógico sea este procedimiento: no ha habido error conocido en la historia que no haya sido reproducido, defendido, apadrinado por el *liberalismo*, en tal manera, que bien podría aplicarse a sus adeptos lo que de los filósofos paganos escribía Cicerón: «Nada hay tan absurdo que no haya sido afirmado y sostenido por algún filósofo». *Carta pastoral del venerable obispo de Cartagena acerca del liberalismo,* (Tomás BRYAN Y LIVERMORE. Madrid 1889), 3. Cf. CUENCA TORIBIO, J. M., *Sociología del episcopado canario contemporáneo,* en *Anuario de Estudios Atlánticos* (1978).

[71] Con gran cuidado y finura ha estudiado los puntos esenciales de esta temática ANDRÉS GALLEGO, J., en una importante serie de trabajos en curso de publicación cuando estas líneas se escriben (septiembre de 1971). En el momento de dar nuestras páginas a la imprenta ha aparecido ya «*Regeneracionismo y Política Confesional en España (1889-1899)*», en *Archivo Hispalense* 166 (1971). Es revelador comprobar cómo el clero sólo vio refrendada su capacidad de poder formar parte del cuerpo legislativo por las «constituciones progresistas» —1812, 1879 y 1931—, mientras que los restantes únicamente preveían su acceso al Senado a través de la designación regia. De sumo interés al respecto es la espléndida tesis defendida en la Universidad de Valencia (1972) por MARTÍNEZ SOSPEDRAS, M.: *Incompatibilidades parlamentarias en España (1810-1936),* publicada en Valencia (1974). Una condena total de la influencia vencedora en BERGAMÍN, J., *El pensamiento perdido. Páginas de la guerra y el destierro* (Madrid 1976) 45-46.

sin que el pontificado de León XIII supusiera realmente una solución de continuidad. Cuando se vislumbraban los primeros frutos de la ampliación de horizontes que, pese a todo, entrañó para la Iglesia española el gobierno del papa Pecci, la muerte de éste volvió a condenar al ostracismo a las actitudes aperturistas. El penoso desenlace de las negociaciones que en torno a la «ley del Candado» acometieron algunos católicos de tal significación, refrendó de forma espectacular la inviabilidad de sus posiciones en el catolicismo español de la Restauración [72].

El paralelismo con el fin del movimiento del «Le Sillon» se impone obligadamente [73]. Pero en tanto la corriente encabezada por Marc Sangnier conocería un breve eclipse, si no como agrupación —desaparecida definitivamente—, sí como tendencia, los núcleos aislados que podían atisbarse en la España del primer decenio del siglo XX, afanosos de arrojar la simiente evangélica en el torrente de la vida de su tiempo, no dejaron descendencia inmediata, conociendo una franca ruptura en su progreso. La evolución de su sucedáneo iba pronto a evidenciarlo [74].

[72] PABÓN, J., *El provincial y el Presidente (Apuntillo histórico)*, en *Bol. la Real Academia de la Historia*. CLXVIII.

[73] Véase el polémico trabajo basado en abundante material inédito de LAUNAY, M.: *La crise du «Sillon» dans l'été 1905*, en *Revue Historique* CCXLV, 2, 393-426.

[74] CARON, J., *Le Sillon et la démocratie chrétienne* (París 1967), con cuya autora el historiador del artículo anterior discrepa en algún punto esencial. Muy hostil al movimiento de Sangnier, DE LA MONTAGNE, H., *Historia de la democracia cristiana. De Lammenais a Georges Bidault* (Madrid 1950) 185ss., en particular 191. Un plagio literal de muchos pasajes de la obra citada, en IGLESIAS RAMÍREZ, M., *La moderna democracia social* (Barcelona 1953) 153-163.

CAPÍTULO III

LA IGLESIA HISPANICA EN EL PONTIFICADO DE PIO X

1.   LA IMPRONTA AUTORITARIA

No obstante lo aventurado que resulta expresar afirmaciones generales en un terreno no roturado por las indispensables investigaciones monográficas, cabe señalar que, pese a su brevedad, el pontificado de Pío X fue decisivo en los destinos del catolicismo español contemporáneo. En efecto: cuando se vislumbraban los primeros frutos de la ampliación de horizontes que entrañó para la Iglesia hispánica el gobierno del papa Pecci, la muerte de éste volvió a condenar al ostracismo a las actitudes aperturistas. La onda integrista aparecida en los días de Pío IX volvería a aflorar, a comienzos del siglo XX, con renovada pujanza en los meridianos españoles.

A pesar, según creemos, de su validez global para caracterizar las líneas maestras de la Iglesia hispana en el primer decenio del novecientos, los anteriores juicios obligan a establecer ciertos matices y salvedades, si se aspira a tocar fondo en el subsuelo más profundo del catolicismo de la época.

Ante todo, conviene reparar en que, como en el resto de la Iglesia, el influjo de las tendencias autoritarias se dejó sentir en la española de manera más preponderante en los años finales del pontificado del papa Sarto. Hecho al que la propia evolución de los acontecimientos peninsulares, en particular los lusitanos, no fue ajena.

Por otra parte, merece igualmente subrayarse la circunstancia de que las mencionadas corrientes se transparentasen de manera especial en los fenómenos ideológicos y políticos, sin que otros planos de la actividad de los católicos se viesen afectados de modo determinante por su curso.

Por último, y aunque sin pretender enumerar todos los factores que contribuirían a abocetar con algún viso de exhaustividad el marco integrista que encuadró predominantemente la acción del catolicismo español a comienzos de la actual centuria, tal vez no deba olvidarse la peculiar personalidad de Pío X. Menos intelectualizado y elitista que el catolicismo francés, el hispano no se había sentido particularmente atraído por la obra y la figura aristocrática de León XIII. La fronda episcopal que obstaculizó las exhortaciones prorrestauracionistas del Pontífice, sintetiza reveladoramente tal estado de ánimo, sin necesidad de recurrir a otros muchos testimonios —algunos de ellos pintorescos—, refrendadores de la afirmación explicitada. Junto con su carácter, los orígenes familiares, formación y carrera de su sucesor, el antiguo Patriarca de Venecia, le crearon, espontánea y masivamente, en anchos estratos del clero y fieles españoles un cálido sentimiento de simpatía. (La simple lectura de los artículos aparecidos en las revistas eclesiásticas españolas con motivo de su canonización pantetiza la supervivencia de tal sentimiento en la cristiandad hispánica, media centuria después.) Lógicamente, el Vaticano no dejó de capitalizar la referida admiración en provecho de la centripetación de las fuerzas eclesiales a que aspiraba.

El robustecimiento de la autoridad pontificia operado a socaire de la progresiva centralización romana, se acrecentó en el caso hispano por la reagrupación de las fuerzas confesionales, impuesta en los albores del reinado de Alfonso XIII por los acuciantes problemas que, al margen de sus posiciones políticas, solicitaban la atención de los católicos españoles: libertad de enseñanza, *status* jurídico de las congregaciones religiosas, etc.

Tal conjunto de elementos explica en considerable medida que el autoritarismo informase el despliegue de múltiples facetas del catolicismo hispánico a lo largo del tan debatido actualmente pontificado de Pío X [1]. No obstante, algunos de los escasos autores que se han ocupado tangencialmente del tema apuntan todavía otra influencia que incidió en el mencionado proceso. Sin la necesaria apoyatura documental, sostienen que la hipertrofia del principio de jerarquización se debió, en gran parte, al redoblamiento de la campaña anticlerical desencadenada al despuntar la centuria. Empero, como en otros episodios anteriores y posteriores del catolicismo español contemporáneo —nacimiento del polaviejismo, persecución antirreligiosa en los orígenes de la segunda República—, se presenta arriesgado, hoy por hoy, delimitar con exactitud la relación causa-efecto entre ambos fenómenos. Acaso «la reconquista espiritual», ambicionada por algunas esferas eclesiales, de parcelas de soberanía cada día más controvertida pudo excitar el proselitismo de unos sectores prestos al radicalismo.

A contrarrestar los objetivos de estos últimos se dedicaron los esfuerzos de Pío X y de su secretario de Estado en sus negociaciones con la Corona española [2]. Ya en las primeras horas del pontificado, la que-

---

[1] Una elocuente muestra de los extremos alcanzados por la exaltación del principio jerárquico en la Iglesia española de aquellas fechas se encuentra en el hecho de que los fundadores de la Editorial Católica otorgasen a los prelados «la facultad de destituir al director o a cualquiera de los redactores de ella, así como de llegar hasta la suspensión de su diario». [«El Debate»]. GONZÁLEZ RUIZ, N., y MARTÍN MARTÍNEZ, I., *Seglares en la historia del catolicismo español* (Madrid 1968) 54.

[2] Un relato pormenorizado, aunque de muy desigual valor historiográfico, de dichas negociaciones, en JAVIERRE, J. M., *Merry del Val* (Barcelona 1965) 390ss. El libro encierra el mérito de haber iluminado la labor diplomática de Merry del Val desde ángulos opuestos a los utilizados habitualmente. Las últimas investigaciones acerca de la actitud del secretario de Estado en el famoso *affaire de la Salpinière* confirman la penetración de los puntos de vista de su biógrafo antecitado. Cf. especialmente, POULAT, E., *Intégrisme et catholicisme intégral. Un reseau secret international antimoderniste: La «Salpinière»* (1909-1921) (Tournai 1969) 76 y 150. Sin pronunciarse abiertamente sobre la ajeneidad del secretario en los trabajos del clan integrista, el polémico y agudo autor parece descartar su adhesión a él.

bradiza solución dada por Sagasta a la enconada cuestión del asociacionismo religioso quedó amenazada por la muerte del «Viejo Pastor» y la fogosa subida de Antonio Maura al poder [3]. Los vectores eclesiásticos de la gestión del político mallorquín tendieron prioritariamente a llevar a buen puerto los azarosos contactos emprendidos desde 1901 en orden a la firma de un convenio concordatario entre Roma y Madrid, que diese solución a sus principales puntos de fricción. Firmado en junio de 1904, la caída de Maura, un semestre más tarde, impediría su consagración como ley del Estado [4].

El abandono del poder por el líder conservador no arrió la bandera anticlerical en extensos núcleos del partido liberal y de las fuerzas no integradas en la maquinaria de la Restauración [5]. Frente a ello, recelosos ante los violentos derroteros por los que discurrían los antagonismos sociales, la mayoría de los católicos cerró filas, postergando las viejas querellas de sabor escolástico de las tesis y las hipótesis.

En torno a las elecciones municipales del otoño de 1905 tuvieron lugar las últimas escaramuzas de la empeñada contienda entre «liberales e integristas». La intervención personal del Papa, en febrero de 1906, zanjaría definitivamente el largo pleito a favor de los primeros [6].

Aquel mismo año, el movimiento de la Solidaridad catalana vino a reforzar esta nueva posición, al agrupar en un solo haz a la casi totalidad de los sectores políticos del Principado, sin distinción de convicciones religiosas [7]. Desprovista de sólidas bases ha sido expuesta alguna vez la sugestiva hipótesis de que la adhesión de los católicos a la Solidaridad obedeció al deseo del Vaticano de crear dificultades al partido liberal, entonces en el poder, a fin de inducirle a una atenuación de sus exigencias respecto al porvenir de las comunidades religiosas [8]. Aun sin

---

[3] Según es sabido, entre el abandono del poder por Sagasta, poco antes de su fallecimiento, y la formación del primer gabinete maurista (5-XII-1903) se sucedieron dos gobiernos, presididos, respectivamente, por Silvela y Villaverde.

[4] Cf. el documentado trabajo de ANDRÉS GALLEGO, J., *El Convenio concordatario de 1904 entre la Santa Sede y el Estado español*, en *Hispania Sacra*. Recogido en la actualidad en *La política religiosa en España. 1891-1913* (Madrid 1975).

[5] *In crescendo* desde 1901, el anticlericalismo dibujaría uno de sus vértices durante la primera estadía gobernante de Maura con la ruidosa polémica levantada por la preconización para la diócesis valenciana del arzobispo dimisionario de Manila, Mons. Nozaleda. (En su *Antonio Maura. La revolución desde el poder* [Barcelona 1954] 230-44, SEVILLA ANDRÉS, D., hace un detenido análisis de la polémica parlamentaria en torno al asunto.) Un interesante y poco conocido «regeneracionista», el valenciano L. Morote, dio a luz en pleno clímax de la controversia religiosa el libro quizá más valioso alumbrado por la vasta publicística anticlerical del momento: *Los frailes en España* (Madrid 1904). Incluso la musa popular participaría en la batalla religiosa a través de coplas de ciego y cuplés, algunos de los cuales alcanzarían gran audiencia.

[6] Con escasas variantes, toda la historiografía actual reproduce la apretada síntesis realizada por ECHALAR, B., en sus anotaciones a la *Historia general de la Iglesia*, de MOURRET (Madrid, IX, 1927, vol. II) 669-70.

[7] Como se sabe, el lerrouxismo mostró en términos de gran violencia su repudio hacia ella. Véase GARCÍA VENERO, M., *Historia del nacionalismo catalán* (Madrid, II, 1967) 63. Igualmente el blazquismo arremetió duramente contra él. CUCÓ, A., *El valencianisme polític. 1874-1936* (Valencia 1971) 58-59.

[8] En un estudio que prepara en la actualidad, el P. Bonet Balta abriga el propósito de probar irrefragable y concluyentemente tal versión. A su espera, algún testimonio conocido podría servir de abono a la interpretación señalada. Así, PABÓN, J., *Cambó* (Barcelona,

desechar tal interpretación, no ofrece duda que la señalada experiencia catalana supuso —al menos en sus inicios— la apertura de un eficaz cauce para que, con olvido de la encendida «cuestión clerical», la actividad de los fieles se encaminase hacia la potencialización de una labor genuinamente evangélica. Sin embargo, el pronto desmoronamiento de la Solidaridad, así como la nueva politización de extensos círculos confesionales que sintieron la tentación del poder durante el «gobierno largo» de Maura, añadirían otra página más al amplio capítulo de las grandes ocasiones perdidas por la Iglesia española en su pasado más reciente.

2.　Una experiencia sugestiva: las Ligas católicas

En los grandes jalones de la evolución de la cristiandad hispana de principios del siglo xx, tuvo una destacada participación un organismo cuyo nacimiento despertó numerosas esperanzas en los medios más receptivos de la clerecía y el laicado: las Juntas Católicas más comúnmente denominadas Ligas.

Inspirador en buena medida de su pensamiento fue el cardenal Sancha, piedra de escándalo de no pocos sacerdotes y fieles por haberse convertido en el más avisado y diligente ejecutor de las directrices leonianas cara a España. En la mente de su creador, el ya citado primado Sancha, las Ligas respondían, tras el fracaso del polaviejismo, al deseo de encontrar con urgencia un instrumento para llevar a cabo «la unión de los católicos». Ello explica el entusiasmo con que, poco antes de morir, León XIII aplaudiera la iniciativa del cardenal de Toledo, fraguada en los primeros meses de 1903 [9]. Alentadas repetidamente por Pío X, que las consideraba como el instrumento más idóneo para asegurar la presencia de los fieles en la vida pública [10], las Juntas tuvieron un

I, 1952) 275-6, inserta unos párrafos de la correspondencia de Osorio Gallardo muy significativos sobre la postura del clero acerca de su apoyo —explícito o tácito— a la empresa de la Solidaridad. El último historiador de ésta resalta también idéntico comportamiento en las filas del sacerdocio catalán, con alguna rara aunque importante excepción: Camps, I., Arboix, J., *Historia de la Solidaritat catalana* (Barcelona 1970) 61-2. No aporta, sin embargo, ningún dato sobre la trama eclesiástica del movimiento Lerroux, A., en sus decepcionantes *Mis Memorias* (Madrid 1963), en especial 611-26. Igualmente es muy avaro en noticias sobre la participación eclesiástica Pérez de Olaguer, A., *El canónigo Colell* (Barcelona 1933) 145-7 y 157. Los apasionantes recuerdos de Hurtado, A., arrojan de igual modo escasa luz sobre el tema, *Quaranta anys d'advocat. Història del meu temps* (Barcelona, I, 1969) 106ss. Interesante para el conocimiento de las repercusiones de la crisis Larkin, M., *The Vatican, french catholics, and the associations cultuelles*, en *The Journal of Modern History* XXXVI (1964), en especial 315-6.

[9] La convergencia final de los católicos en este movimiento fue rica en lances y malentendidos. Cf. el interesante trabajo de Andrés Gallego, J., *La Iglesia de Sevilla y las polémicas sobre la acción política de los católicos españoles 1900-1906*, en *Archivo Hispalense* 171-73 (1973) 55-74, y en especial 61-64 y 73-74. Es elocuente observar que esta movilización ciudadana de los católicos se dio no sólo por las mismas fechas en el ámbito mediterráneo. Cf. Miller, D., *Church, State and Nation in Ireland 1898-1921* (Dublín 1973) 96-97.

[10] La formación de un «bloque católico», tan cara a Pío X, se acomodaba a las directrices que señalara a los fieles italianos después del naufragio de la «Obra de los Congresos». Véase, en este punto, el extenso análisis de Dal-Gal, J., *San Pío X* (Barcelona 1954)

brioso inicio. Su prometedora singladura se frenó, no obstante, algo más tarde, a causa fundamentalmente de la imprecisión de sus principios.

Orilladas sus diferencias políticas, las miras de sus afiliados deberían converger en la defensa de la Iglesia, atacada corporativamente por una sistemática campaña de descrédito, orquestada a veces desde las más encumbradas esferas oficiales. Prescindiendo del hecho, nada despreciable, de la actitud en general amistosa del Estado alfonsino frente a la potestad espiritual [11], es difícil descartar la sospecha de que una concepción tan vigorosa de su esencia comprometiera más que ayudase a la Iglesia a la hora concreta de tomar posiciones [12].

Con todo, resulta indudable que las Ligas revolucionaron en estimable proporción el horizonte de la cristiandad española, a la que remozaron con fecunda savia. Múltiples iniciativas dinamizaron su cuerpo, sacudido en casi todas sus fibras [13]. Mas sin demérito para sus afanes, hay que reconocer que éstos carecieron con frecuencia de verdadero aliento creador. Como en otros momentos de la Iglesia española moderna, la defensiva fue también en éste la táctica preferentemente empleada por los estrategas de la batalla contra «el nefasto laicismo», principal bestia negra de, sus ataques.

Un ejemplo paradigmático de la actitud señalada se encuentra en el talante con que los grupos más vanguardistas de las Juntas se enfrentaron con el «apostolado de la prensa». En la densa atmósfera que singularizó el testimonio público del catolicismo español durante el pontificado del papa Sarto, el campo de la prensa no fue descuidado. Tras el primer Congreso de la «Buena Prensa», celebrado en Sevilla en 1904, la llamada del infatigable prelado López Peláez acabó por fructificar en

229-36. Una de las primeras experiencias españolas de esta actitud se dio en Vizcaya, al confluir en una sola corriente todos los sectores católicos —carlistas, integristas y nacionalistas— opuestos a las miras religiosas de los gabinetes liberales que usufructuaron el poder en el bienio 1905-7. Véase GARCÍA VENERO, M., *Historia del nacionalismo vasco* (Madrid 2 1968) 332-4. (Más sintética, pero tal vez también más clara, es la exposición del autor en la primera edición de la obra [Madrid 1945] 276.)

[11] Sin duda, en las relaciones Iglesia-Estado a lo largo de la Restauración, se observa con particular claridad el carácter paradójico de la historia española contemporánea. En tanto los fieles y la jerarquía no deponían sus armas ante un sistema opuesto a los intereses eclesiásticos, los elementos anticlericales prodigaban sus dardos contra un *establishment* clericalizado... A este respecto, las afirmaciones apodícticas de un autor actual son en extremo iluminadoras: GRANADOS, M., *La cuestión religiosa en España* (Méjico 1959) 19.

[12] Con referencia a la postura recomendada por el Vaticano a unas instituciones francesas muy semejantes a las Ligas católicas —las Uniones diocesanas—, MAYEUR, J. M., ha definido con precisión los términos del problema: «Il [Merry del Val] ne faisait donc plus obligation de l'acceptation du «terrain constitutionnel» et suggérait un regroupement des catholiques dont on voyait mal —et ce fut toute l'équivoque des Unions diocésaines— s'il était purement religieux ou devait conduire à une intervention, et de quel ordre, dans le domaine politique.» *Un prêtre démocrate: l'abbé Lemire, 1853-1928* (Tournai 1968) 394. En su libro *La situación socio-religiosa de Santander y el Obispo Sánchez de Castro (1884-1920)*, DÍEZ LLAMA, S., transcribe un pasaje de la pastoral del citado prelado en que se patentiza elocuentemente la idea general de la jerarquía sobre las Ligas, 240-1.

[13] De forma imprecisa, ECHALAR, B., enumera algunas de las manifestaciones más destacadas del catolicismo español del primer decenio del novecientos, impulsadas casi siempre por las Ligas, en sus anotaciones a la *Historia general de la Iglesia*, 689-90.

una serie de instituciones consagradas al fomento de la confesional [14]. Tanto el citado obispo de Jaca como el primado Mons. Aguirre, así como la plana mayor de los miembros de las Ligas, se plantearon, al filo de los años 10, la necesidad de unos órganos informativos animados de espíritu de empresa y afán competitivo. La realidad, empero, no se acomodó a sus ideales. Ni técnica ni temáticamente, los diarios confesionales admitieron comparación con los periódicos rectores de la opinión nacional. La prensa oficialmente católica no llegó a convertirse nunca en instrumento de presión ni influyó de manera decisiva en la marcha de las grandes formaciones políticas [15].

Por lo demás, sin negar la permeabilidad que ciertos estratos mesocráticos pudieran haber ofrecido al influjo de sus páginas, tal vez no sea temerario suponer que las ideas motoras de los rotativos católicos no encontraron ningún eco en los sectores marginados de la religión tradicional. La proliferación de la prensa anticlerical en los principales núcleos proletarios parece así atestiguarlo [16].

[14] En la II Asamblea Nacional de la «Buena Prensa», reunida en Zaragoza en 1908, se acordó crear un instrumento capital para la mayoría de edad del periodismo confesional: la Agencia Católica de Información. Acerca de sus orígenes, véase el folleto de su máximo impulsor, LÓPEZ PELÁEZ, A., *La Agencia Católica de Información*. Y sobre sus vicisitudes posteriores —más bien lánguidas—, el breve artículo de NABOT Y TOMÁS, F.: *La Agencia de Información «Prensa Asociada» y los católicos* (Barcelona, imprenta de Angel Ortega, 1928) 8-14. Este último escritor fue quizá el que más empeño puso en encarecer a través de múltiples trabajos la importancia de la prensa en la sociedad moderna.

[15] Incluso en aquellos lugares como Sevilla, donde concurrieron años más tarde dos diarios de orientación y criterio católicos *El Correo de Andalucía*, órgano del arzobispado, y el *«A B C»*, el público burgués se inclinó a favor del último, no estrictamente confesional. El mismo fenómeno se produjo en Barcelona con el *Correo Catalán* y el *Diario de Barcelona*, de un lado, y la *Veu de Catalunya* y *La Vanguardia*, de otro. Véase TORRENT, J., y TASSIS, R., *Historia de la prensa catalana* (Barcelona, I, 1966) 105ss., y el decepcionante libro de MOLISTPOL, E., *El «Diario de Barcelona», 1792-1963. Su historia, sus nombres y su proyección pública* (Madrid 1964) 127-8. Véase de igual modo AZIEL, G., *Historia de la Vanguardia. 1884-1936* (París 1971), donde sólo existen referencias tangenciales. Como revelan numerosas evocaciones de PRIETO, I., en Bilbao la lucha entre la *Gaceta del Norte* y *El Liberal* fue más reñida.

En Valencia la situación fue distinta, ya que el órgano de las clases conservadoras, *Las Provincias*, se enfrentó solitariamente con los rotativos blazquista y sorianista *El Pueblo* y *El Radical*. Véase ALTABELLA, J., *Las Provincias. Eje histórico del periodismo valenciano, 1866-1969* (Madrid 1970) 134-5. Contra tal estado de cosas pretendió reaccionar *El Debate*, afanoso por lograr con su esfuerzo la mayoría de edad del periodismo confesional. En ocasión señalada, Angel Herrera declararía: «Desde el primer día, procuramos nosotros que en ninguno de los tres aspectos *El Debate*, primer periódico de la Editorial Católica, desmereciera de los mejores diarios que entonces se publicaban en Madrid.» *Obras Selectas de Mons. Angel Herrera Oria* (Madrid 1963) 231.

[16] Aunque la historiografía española carece de una elemental aproximación al análisis científico de la prensa católica, la simple estadística de los rotativos aparecidos en los pródromos de la primera guerra mundial certifica la lánguida existencia arrastrada por sus órganos. Cf. GARCÍA VENERO, M., *Torcuato Luca de Tena y Alvarez Ossorio. Una vida al servicio de España* (Madrid 1961) 233. El meritorio esfuerzo de ARBELOA, V. M., por reconstruir con caracteres de exhaustividad el catálogo de la prensa obrera tendría que ser secundado en el campo de la religiosa. Véase del citado autor *Sobre la prensa obrera en España. I (1869-1899)*, en *Revista del Trabajo* 30 (1970) 117-95; *La prensa obrera en España II (1900-1923)*: ibid., 31 (1970) 67-111; *La prensa obrera en España (I)*, en *Revista de Fomento Social* 102 (1971) 165-83; *La prensa obrera en Barcelona (1882-1923)*, en *Cuadernos de Historia económica de Cataluña* VIII (1972) 119-47, y *La prensa obrera en España*: Ibid., 104 (1971) 415-36. En todos ellos, como su propio autor reconoce noblemente, las consideraciones acerca del entorno socio-político deberán acogerse, con suma cautela, dada su ca-

«Es dolorosísimo —confesaba el profesor barcelonés NABOT Y TOMÁS, tal vez el seglar más concienzado en su época de la trascendencia apostólica del vehículo hemerográfico— que nuestros periódicos no puedan hacer más que ir pasando, siempre con pocos lectores y con modestísima información, y constantemente tengan que luchar con la falta de dinero, que no permite ni ediciones de propaganda, ni recompensar en lo más justo a los redactores y colaboradores, los más de los cuales apenas pueden vivir con el trabajo de su producto intelectual». El mismo publicista expresaba en otro lugar: «Decía muy elocuentemente el insigne polígrafo doctor López Peláez, obispo de Jaca, en una carta abierta a una merítisima revista, por desgracia desaparecida hace ya tiempo del estadio de la publicidad, que la prensa no ha de escribirse para sacerdotes, y el docto publicista Sr. Arboleya Martínez, presbítero, en su bien pensado libro *El Clero y la Prensa,* manifiesta que la prensa católica parece escrita sólo para el clero. A la prensa católica le falta el aspecto social, esto es, necesita ser eminentemente social para así popularizarse, y de esto son causa los escritores unas veces por no reunir las adecuadas condiciones que requiere el cargo de periodista... y otras por no querer amoldarse a las instrucciones y normas pontificias y episcopales, que incesantemente nos están marcando el camino que debemos seguir para adelantar en la acción católica, mostrándonos nosotros siempre reacios a sus exhortaciones y, naturalmente, resultando con tal proceder que nuestra acción jamás consigue extender su radio más allá del círculo de unos pocos millares de sacerdotes y gentes piadosas... «Aquí nos bastará consignar que no hace muchos meses un redactor de *El Imparcial,* de Madrid, nos decía que dicho periódico tiene una tirada de 70 a 80.000 ejemplares; *El Liberal,* de 90.000, y *El Heraldo,* de más de 100.000. Dichos números ciertamente son inferiores a las tiradas que alcanzan periódicos de la misma índole de los citados en el extranjero; pero, comparados con el número de ejemplares de los periódicos católicos españoles, dichas cifras son para confundirnos, *El Correo Español* de la corte imprime unos 21.000 ejemplares, y algunos miles menos imprimen los restantes periódicos católicos de la capital del reino. No hay que decir que los periódicos netamente católicos de las principales capitales de provincia no exceden mucho en sus ejemplares de 8 ó 10.000. Ahora bien, ¡qué de daños, qué de perjuicios morales no producen los centenares de miles de ejemplares de la prensa enemiga, e indiferente en materias religiosas, que diariamente, como la sangre del corazón, afluyen a los pueblos y a los hogares de España! También producen sus óptimos correspondientes efectos los buenos periódicos, pero cuán cierto es que el número de almas, el número de hogares que los recibe es muy inferior al de almas y al de hogares que dan paso a los primeros. Los buenos periódicos tienen campo más limi-

rencia a menudo de acribia. Con relación a las principales causas del anticlericalismo periodístico, CONARD, P., ha expuesto una sugestiva e ingeniosa teoría, que abre prometedores horizontes a la investigación, *Sexualité et anticlericalisme. (Madrid 1910),* en *Hispania* 117 (1971), en especial 115ss y 129-30.

tado que los que posee la impiedad. Los periódicos indiferentes, los periódicos impíos son más astutos, tienen más medios, son más atrevidos,
y por esto han plantado su bandera en pueblos y ciudades, por esto
apenas hay risco que no hayan dominado, ni valle, ni monte, ni río que
no hayan traspasado. En tanto, los nuestros sin recursos, con pocos
apóstoles, con pocos soldados de combate, tienen que hacer esfuerzos
inauditos para conquistar un palmo de tierra y tienen que desarrollar
cruentos trabajos y sacrificios para defender las posiciones alcanzadas.
¡Cuánto debieran hacernos meditar las consideraciones escritas anteriormente! Meditemos serenamente sobre el poder de la prensa y apre-
ciando la obra destructora de la mala, aprestémonos con decisión a desarrollar la netamente católica, para que con ella consigamos devolver a
nuestra patria los laureles perdidos, y a las almas la fe decaída, impidiendo de paso que tan excelsa joya se arranque del corazón de cuantos
aún la conservan intacta por la divina misericordia» [17].

Cita inusual por su dimensión antipreceptiva, pero que transparenta
meridianamente el escaso y desmañado empleo por los católicos del novecientos del instrumental de los *mass media*. Su fuera de juego en esta y
en otras parcelas decisivas del tejido más vivo de su tiempo ahorran
comentarios sobre su reducida efectividad a la hora de poner en marcha decisiones socialmente creadoras.

Aunque el ejemplo sea más limitado que el expuesto anteriormente,
la Semana Trágica barcelonesa mostró, de igual modo, la estrechez de
radio de gran parte del apostolado de las Juntas y comunidades religiosas. En la Ciudad Condal, su esfuerzo en pro de la elevación cultural de
las clases obreras consiguió en la primera fase del reinado de Alfonso XIII un considerable nivel [18]. No obstante, fue precisamente en los barrios populares en que dicha docencia era más pujante, donde las ráfa-
gas de la revuelta adquirieron mayores proporciones [19].

Evidentemente, los lamentables eventos estuvieron lejos de simboli-
zar un «juicio de Dios», como alguna prensa anticlerical manifestó. En

---

[17] *El apostolado de la prensa católica.* Imprenta editorial barcelonesa (Barcelona 1912) 14.
El remedio de la prensa católica. Imprenta editorial barcelonesa (Barcelona 1912) 13. *Los periódicos en la sociedad* (Librería de la Hormiga de Oro, Barcelona 1913) 20-1, respectivamente.

[18] No por azar, salvo algunas excepciones madrileñas como *El Motín*, las más conocidas de las publicaciones anticlericales —herederas de una robusta veta decimonónica,
iniciada en el Cádiz de las Cortes— aparecían principalmente en Barcelona: *El Diluvio*
(refugio de clérigos secularizados), *La Campaña de Gracia*, *L'Esquella de la Tottatxa*. El
día en que se emprenda la sociología religioso-cultural de la Restauración, dichas fuentes,
junto con sus semejantes madrileñas y de algunos otros grandes núcleos urbanos, consti-
tuirían uno de sus filones capitales. Acerca de *El Diluvio* resultan en extremo interesantes los recuerdos de HURTADO, A., *Quaranta anys...*, 97-9.

[19] En sus agudas reflexiones acerca de la Semana Trágica, BENET, J., discrepa de la
opinión, un tanto triunfalista, que parte de las autoridades eclesiásticas barcelonesas re-
tenían sobre la señalada irradiación cultural: *Maragall y la Semana Trágica* (Barcelona 1966)
196-7. Sin duda, el citado ensayista está en lo cierto; sin embargo, la pronta publicación
de un estudio de uno de nuestros colaboradores acerca del pontificado barcelonés del
cardenal Casañas mostrará los considerables avances de la enseñanza católica a comienzos
de siglo en la capital del Principado. La óptica paternalista y discriminatoria que los presi-
diera resulta incuestionable; mas no debe olvidarse lo que en ello había de tributo casi
insoslayable a la mentalidad de las clases dirigentes del momento.

ésta, como en otras ocasiones parecidas, la *vox populi* no fue *vox Dei;* ni siquiera fue representativa de un sentir unánime. Pero tan claro como ello, resulta, sin duda, lo mucho que de acusación desgarradora tuvo el acontecimiento para la conciencia cristiana del país y, sobre todo, para sus cuadros dirigentes. Su catequesis, sus métodos de apostolado, los canales de transmisión de sus energías y afanes, su visión de la sociedad que le circundaba, todo quedaba sometido a un severo entredicho. Tan clamorosa como la reacción primera, fue luego la debilidad de la respuesta posterior.

3. LA «LEY DEL CANDADO»

Los sucesos barceloneses del verano de 1909, al tiempo que obligaban a los católicos más alertados a un hondo examen de conciencia sobre sus responsabilidades sociales [20], prestaron nuevas alas al prolongado litigio concordatario entre la Santa Sede y la Corona española. La más resuelta virulencia imperaba, al comenzar 1910, en la cuestión religiosa, a causa, sobre todo, de una opinión pública hiperestésica por los acontecimientos del otoño anterior.

En febrero del citado año, Canalejas se hacía cargo del poder. El problema religioso constituía el punto axial de su política, de cuya favorable solución, sobre la base de la supremacía civil, dependía en gran parte la duración y viabilidad de su ministerio [21]. En la prosecución de tal objetivo acometió sin tardanza unas prometedoras negociaciones con el Vaticano, que desembocarían poco después en un punto muerto, ante la irreductible defensa por Roma de su soberanía total en materia disciplinar [22].

Ante ello, el estadista ferrolano decidía pasar de manera resuelta a la ofensiva, con la publicación, entre otras, de la famosa «Ley del Candado» (24-XII-1910). En virtud de su articulado se prohibía la residencia en el país de nuevas órdenes religiosas por espacio de dos años sin autorización del Ministerio de Gracia y Justicia. La denegación del

---

[20] Véase el excelente *status quaestionis* del célebre episodio en ANDRÉS GALLEGO, J., *Problemas en torno a la Semana Trágica*, en *Atlántida* 49 (1971) 70-9. Será también provechosa la lectura de VALENTI y FIOL, E., *El programa antimodernista de Torras i Bagés*, en *Boletín de la Real Academia de Barcelona* XXXIV (1971-72), en particular 25-32. Igualmente de interés LIDA, C., *Educación anarquista en la España del Ochocientos*, en *Revista de Occidente* 97 (1971). Un cuadro de época, interesante sobre todo por lo desconocido de la obra, en GALLAT FOCH, J., *Mis memorias* (Barcelona 1971).

[21] Sobre este punto, poseen un alto interés las páginas consagradas a las motivaciones y secuelas de la Semana Trágica por un personaje tan representativo de la clerecía barcelona 1940) 304-19. Resulta sintomático observar cómo el astro rey de la joven intelectualidad del momento, Ortega, albergaba serias dudas acerca de la esencialidad del anticlericalismo como motor de una política a la altura del tiempo. CONARD, P., *Ortega y Gasset, écrits politiques (1910-1913)*, en *Mélanges de la Casa de Velázquez* III (1967) 417-75, en particular 424, 428 y 446-51.

[22] AUNÓS PÉREZ, E., *Itinerario histórico de la España contemporánea (1808-1936)* (Barcelona 1940) 304-19. Resulta sintomático observar cómo el astro rey de la joven intelectualidad del momento, Ortega, albergaba serias dudas acerca de la esencialidad del anticlericalismo como motor de una política a la altura del tiempo. CONARD, P., *Ortega y Gasset, écrits politiques (1910-1913)*, en *Mélanges de la Casa de Velázquez* III (1967) 417-75, en particular 424, 428 y 446-51.

permiso sería automática cuando más de un tercio de la orden o congregación en cuestión estuviera compuesto de extranjeros [23].

El triunfo del gobierno, como sabía y tal vez quiso el propio Canalejas, fue más aparente que real, pues el número de institutos religiosos establecidos en la nación era muy crecido y bastaba para subvenir las necesidades docentes de los fieles. Pese a todo, el primer ministro fue objeto de incalificables ataques desde las páginas de ciertas publicaciones católicas, así como en los mítines y manifestaciones organizados como protesta a su política por algunos prelados y entidades confesionales [24].

Rotas las relaciones con Roma, su restablecimiento era un hecho al iniciarse 1913, sobre la base de que en el plazo de dos años toda nueva fundación debería hacerse previa solicitud de permiso a Madrid por la Santa Sede.

La aspereza de la controversia religiosa levantada en torno a la «Ley del Candado» dejó ver las débiles bases culturales sobre las que descansaba la cristiandad hispánica. Anclada en unos parámetros ideológicos superados por las corrientes dominantes en la Europa de la «belle époque», sus esfuerzos por ser fiel a su tiempo fueron, en conjunto, dispersos y esporádicos.

Quizá, como a fines del XIX, la raíz más honda de tal desfasamiento deba buscarse en la mediocridad de la formación del clero [25]. A despecho de ciertas modificaciones en el plan de estudio de algunos seminarios, ni su bagaje doctrinal ni su extracción social variaron respecto a los del pontificado precedente [26]. Un solo ejemplo, aunque significativo, acaso ahorre un detallado catálogo de pruebas. La batahola provocada por la condenación del modernismo apenas si despertó comentario alguno en las publicaciones eclesiásticas españolas [27]. La ostensible expan-

---

[23] Dada la índole de la presente obra, no podemos abordar un análisis circunstanciado de la materia. Un perspicaz planteamiento del polémico tema en SEVILLA ANDRÉS, D., *Canalejas* (Barcelona 1956) 354-72. De forma más sintética véase de el mismo *Historia política de España (1800-1967)* (Madrid 1968) 344-7.

[24] Acerca de la virulencia de las campañas anticanalejistas, véase PABÓN, J., *Cambó* (Barcelona, I, 1952) 380.

[25] De una de las figuras de mayor predicamento intelectual en los ambientes eclesiásticos del primer tercio de la centuria actual escribe su último biógrafo: «Las ciencias físico-naturales en sus más diversas y variadas ramas, la Fonología, la Optica, el Magnetismo, la Electrología, la Meteorología, e Historia Natural, la Biología, la Química y Astronomía, la Medicina, las Ciencias Exactas, el Arte... abriéronle sus arcanos y brindáronle sus secretos para que mejor pudiese hablar, como hablar puede, del Dogma Católico un teólogo de nuestros días.» BLANCO CASTRO, M., *Una gran figura gallega. El P. Plácido-Angel Rey Lemos* (Lugo 1971) 27.

[26] Para el estudio del género de vida de los seminarios españoles en vísperas de la Gran Guerra encierra noticias inapreciables el relato de KODASVER (seudónimo): *Medio siglo de vida diocesana matritense, 1913-1963. Memorias, recuerdos, evocaciones* (Madrid 1967) 17-39. Véase también CÁRCEL ORTÍ, V., *Tercera época del Seminario Conciliar de Valencia (1896-1936)* (Castellón de la Plana 1970) 13-7.

[27] Conforme observábamos en nuestro estudio sobre el pontificado de León XIII, el reflejo de la cuestión modernista en España es una de tantas parcelas de su religiosidad aún sin desbrozar. A pesar de su escaso impacto en el clero y el laicado hispánicos, puede recogerse algún eco de las controversias de la cristiandad europea en ciertos escritos, debidos sobre todo a miembros del episcopado, resueltamente adversos, como es lógico, a

sión cuantitativa de estas últimas careció en términos sumarios, de la necesaria adaptación de su temática, tipografía y lenguaje para difundir, con fidelidad a su época, el mensaje de Cristo. Los índices de las revistas más prestigiosas siguieron, de ordinario, conservando el aire intemporal y abstractizante que las ha distinguido hasta fechas muy cercanas [28]. A su vez, las necesidades y gustos del hombre moderno tampoco lograban romper en los órganos informativos destinados al gran público la costra de una retórica empedrada de adjetivos nostálgicos o denigratorios.

No faltaron, también en este área, afanes por desatascar la cultura eclesiástica del empantanamiento en que, en no pocos aspectos, se hallaba sumida [29]. Pero tardarían en imprimir su ritmo renovador sobre algunas dimensiones del pensamiento católico, alejado en su proyección estrictamente clerical de brisas renovadoras.

En una España en la que, en contraste con su retraso socioeconómico, las letras conocían momentos cenitales —el «siglo de plata» de que hablaba Gregorio Marañón—, los tonos grisáceos de la cultura católica resaltaban aún más la brillantez de la labor de los hombres del 98 y de la generación de 1913.

4. LOS ÚLTIMOS ECOS: LA DEMOCRACIA CRISTIANA

Desprendida en parte del tronco del catolicismo liberal, la democracia cristiana en su encarnación hispana presentó en su itinerario inicial

las ideas condenadas en la *Pascendi*. Las obras expositivas sobre el fenómeno modernista de mayor impacto en el público español fueron las de RUIZ AMADO, R., *El modernismo religioso* (Madrid 1908), y SANTALLUCÍA CLAVEROL, R., *¿Qué es el modernismo? Apuntes sobre la extensión histórico-doctrinal de este error* (Barcelona 1908). Muy desiguales son los dos volúmenes de la obra *Ensayo de comentario del decreto «Lamentabile» por los alumnos de Teología y Derecho Canónico (curso 1906-1907) del Pontificio Colegio Español de San José de Roma* (Roma 1908). Recientemente BORRAS I FELIU, A., ha registrado la ausencia de nombres españoles en la controversia modernista *Filosofía-Teología en el planteig modernista*, en *Analecta Sacra Terraconensia* XLIV (1971) 151-94. Los estudiosos de la gran figura del canónigo pontevedrés Angel Amor Ruibal subrayan que gran parte de su obra sólo puede ser interpretada a la luz de una respuesta a los problemas reales del modernismo. «Entre el absolutismo ahistórico de la una [la Escolástica] y el relativismo historicista del otro [Modernismo] discurre en busca de un nuevo espacio teológico la intención de Amor Ruibal». TORRES QUEIRUGA, A., *La intención teológica de Amor Ruibal, hoy*, en *Diálogos sobre Amor Ruibal*. Jornadas de Estudio en Poyo (Madrid 1970) 113.

[28] De una prestigiosa revista surgida entonces (1910) escriben recientemente sus redactores: «*La Ciencia Tomista* nació como obra de pensamiento y cultura, en un sentido amplio, y era órgano de difusión de los religiosos dominicos en España. Por aquellas fechas eran muy limitadas las expresiones de la Iglesia española de alto nivel cultural y científico y la *Ciencia Tomista* adquirió rápidamente un puesto relevante en el mundo intelectual. Como, además, los cultivadores de las ciencias eclesiásticas eran reducidos en número, estos instrumentos de difusión del pensamiento católico tenían que ampliar su contenido, hasta el punto de que las materias más dispares tenían acogida en sus páginas. No debe, pues, extrañarnos hoy que en esta revista aparecieran trabajos de tipo literario, de carácter histórico, de teología mística o de sociología». 314-5 (1971) 3.

[29] El deslavazado, aunque en extremo interesante, libro de MARRERO, V., *Santiago Ramírez, O. P. Su vida y su obra* (Madrid 1971) es muy elocuente a este respecto, sobre todo 24-30. Como lo es también el enjundioso esquema de las andanzas intelectuales del incansable P. Corbató trazado por CÁRCEL ORTÍ, V., *La Biblioteca del Padre Corbató legada*

escasas huellas de su primitiva filiación [30]. La apelación a la protección de la autoridad civil para el ejercicio del credo y culto católicos, la clericalización más o menos velada del apostolado laical, la añoranza del tiempo ido, predominaron de una forma u otra en su teoría y en su praxis [31].

Es decir, su hipoteca conservadora y su reducida ambición le impidieron remover a fondo las aguas estancadas del catolicismo de la época. Sus líderes tuvieron en todo momento un santo horror a los excesos, plausible en sí, pero tal vez desacertado en un movimiento naciente y urgido con cierto aire mesiánico. Sin encontrar su ubicación exacta en el conglomerado de las fuerzas confesionales, sin insuflar a los sectores adormecidos una «mística» como la que pretendiera Sangnier en Francia y sin una teoría política agresiva y con mordiente a la manera de los «popolari» italianos, la versión hispana de la democracia cristiana no pasó de ser en su primera navegación una ejemplar cruzada de ciudadanía cristiana, alejada de los característicos extremismos ibéricos, y a merced muchas veces de inconfesables manipulaciones oligárquicas, como lo fuera también su homónima belga [32]. Sin duda, su in-

al Colegio del Patriarca (Castellón de la Plana 1963) en particular 11-13. Con todo, salvo la errática figura de A. Ruibal, el detallado recuento de FRAILE, G., sobre los más destacados escolásticos de la época refrenda tajantemente las bajas cotas del pensamiento eclesiástico del primer tercio del novecientos, *Historia de la Filosofía española. Desde la Ilustración* (Madrid 1972) 272-7. Empero, en una parcela muy definida —la etnológica—, CARO BAROJA, J., ha señalado el meritorio quehacer de una pléyade de sacerdotes, *Semblanzas ideales* (Madrid 1972) 173.

[30] No compartimos la, a nuestro entender, artificiosa tesis de MAYEUR, J. M., sobre la triple división del movimiento católico a fines del XIX a partir de un tronco común. *Catholicisme intransigeant, catholicisme social, démocratie chretienne*, en *Annales* XXVIII (1972), 1-3 y 483-99.

[31] Acerca de la caracterización doctrinal de la democracia cristiana española al filo de los años 20, conviene consultar el valioso libro de REDONDO, G., *Las empresas políticas de José Ortega y Gasset. «El Sol», «Crisol», «Luz» (1917-1934)* (Madrid 1970) I, 397ss. Desde una posición tangencial y en tono polémico se ha ocupado recientemente del tema FERNÁNDEZ AREAL, M.: *La política católica en España* (Barcelona 1970). La cuestión exige, sin duda, un estudio más pormenorizado, para el que se halla abundante material en las *Obras Selectas* de HERRERA ORIA, A., (Madrid 1963). Entre los múltiples textos que ofrecen sus páginas para delinear con precisión el mencionado ideario, citamos sólo el siguiente, sin que ello implique identificación con su exactitud práctica, en el mejor de los casos, no siempre clara: «Fue también actitud nueva en la política nacional el fiel acatamiento a los poderes constituidos de hecho. Sin prejuzgar, por supuesto, cuestiones de legitimidad ni cuestiones de gobierno. Convertimos en realidad fecunda en España el pensamiento de León XIII... Siempre fuimos fieles tradicionalistas. Y procuramos, por otra parte, vivir abiertos a toda cultura moderna y servir a toda reforma social que suponga una perfección en la vida nacional, enmienda de vicios históricos y progreso de la civilización cristiana», 227-31. Estas palabras, exactas y justas en su núcleo esencial, pronunciadas en junio de 1963 con motivo de las bodas de oro de la Editorial Católica, quizás empalidezcan un tanto el influjo de los diversos avatares históricos sobre la mentalidad que definen. Acerca del conglomerado de tendencias que se daban cita durante la segunda República en el pensamiento y en la acción de los demócratas cristianos, véase GIL ROBLES, J. M., *No fue posible la paz* (Barcelona 1968), singularmente 77 y 11. En su esporádica alusión a la CEDA, FOGARTY, M., subraya su credo democrático, *Historia e ideología de la democracia cristiana en la Europa occidental (1820-1953)* (Madrid 1964) 29. En algún punto puede ser de interés el cotejo con el movimiento demócrata cristiano ítalo-francés en EINAUDI, M. y COGUEL, F.: *Christian democracy in Italy and France* (1969), poco atento, sin embargo, a los orígenes históricos del movimiento.

[32] Como el lector comprobará en páginas más avanzadas de este libro, procuramos distinguir las diferentes fases y diversas familias de la democracia cristiana española, así

definición doctrinal y la angostura de horizontes de sus disciplinados cuadros contribuyeron a ello en amplia, pero no exclusiva medida. El alanceamiento de su etapa inaugural frisaría, empero, en la injusticia si no se recordara las múltiples limitaciones de la materia prima sobre la que se depositó su siembra, siempre ilusionada. Factor que debió coadyugar decisivamente a que sus militantes cultivasen con preferencia el campo social no exento de peligros y escándalo para algunos estamentos, pero, a fin de cuentas, menos comprometido que el ideológico [33]. Sólo clarificando definitivamente la postura del catolicismo hispano ante la cultura vivificadora de la contemporaneidad, la acción de sus miembros podía alcanzar auténtica virtualidad operativa. Tema planteado desde las primeras tentativas por aclimatar en España el catolicismo liberal, y al que la democracia cristiana siguió sin dar respuesta válida.

En tiempos de la segunda República, la democracia cristiana se revistió de formas más en sintonía con las necesidades de la hora histórica. El yunque de un zafio y energuménico anticlericalismo obligó a subrayar en su acción aspectos hasta entonces larvados de su doctrina, y ahora fundamentales para el encauzamiento de la convivencia nacional y el dinamismo de su fe. Merced en parte al influjo de Maritain [34], la accidentalidad de las formas de gobierno, la aceptación sin reservas de

como las distintas orientaciones de sus grupos. Ello, sin embargo, no difumina los rasgos generales de su corriente, que, a los efectos de la opinión pública —especialmente la no confesional—, presentó perfiles inconfundibles. Esta es la principal aporía que por nuestra parte nos permitimos expresar de la importante obra de Tussell ya citada, muy afanosa en establecer gradaciones y *limes*, empeño encomiable de un historiador honesto y consciente de que sin matices no puede existir una ciencia histórica digna de tal nombre, pero que en el caso que nos ocupa puede desembocar en un nominalismo. El ejemplo de la CEDA no puede al respecto ser más significativo. Aunque la participación en ella de los verdaderos demócratas no fuera nunca muy considerable y hegemónica, lo cierto es que al atribuirle una inspiración y dirección de dicho sector, el español medio no andaba muy descaminado.

Respecto al ejemplo belga aducido en el texto, véase SCHOLL, S. H., *Historia del movimiento obrero cristiano* (Barcelona 1964).

[33] Una cata muy penetrante en lo expuesto, GARCÍA ESCUDERO, J. M., *Historia política de las dos Españas* (Madrid 1976) I, 429-31. El mismo autor volvió sobre ello con una excelente conferencia pronunciada en la Universidad María Cristina de El Escorial, el 24-VII-1977, dentro del II Curso de Historia religiosa Española Contemporánea, conferencia en curso de publicación en un volumen colectivo que agrupará todas las dictadas en el mencionado curso.

[34] En cierta medida, el ascendente mariteniano reforzó el ideal del grupo de intelectuales aglutinados en torno a la revista «Cruz y Raya». Tema que espera un urgente estudio. Sería también interesante analizar si la obra del pensador francés influyó sobre un movimiento de vanguardia del catolicismo de aquel momento: *La federació de joves cristians de Catalunya*. El reciente libro sobre éste no aporta, incomprensiblemente, ninguna noticia acerca de tal punto (Barcelona 1971). No aborda tampoco el tema de la influencia mariteniana en España uno de los más agudos comentaristas del filósofo galo: PECES BARBA, G., *Persona, sociedad, Estado. Pensamiento social y político de Maritain* (Madrid 1972). En fecha última, TUSELL, J., ha desmesurado quizá el peso específico que en este despertar tuvo el minoritario grupo de «El Matí». Véase su breve, pero penetrante, fresco, *La democracia cristiana catalana (1931-1939)*, en *Cuadernos para el Diálogo* 108 (1972), 587-90, y posteriormente igual acento superlativo creemos hallar en su tajante afirmación sobre el grupo al que aquel periódico sirviera un día de portavoz: «Una conclusión evidente de estas páginas es, desde luego, que la "Unió Democratica de Catalunya" fue el único partido demócrata cristiano existente en la segunda República española. No fue, en efecto, como el Partido Nacionalista Vasco un grupo político "democristianizado", ni, como la CEDA, una agrupación defensiva de todos los sectores católicos, sino que nació

la tolerancia religiosa, así como del sindicalismo único, se abrieron paso entre un no muy extenso, pero sí activo sector de los católicos españoles [35].

Pese a ello, el lastre de indisimulables prevenciones hacia «el mundo moderno» que acompañara al movimiento desde su gestación, su inclinación a la teoría del «mal menor», la ganga regresiva acumulada por sus contactos y alianzas con sectores de clara filiación ultra, maniató sus mejores energías y obstruyó el fermento de su levadura en las masas confesionales. Su decidida —y destacada— participación política en el bienio gilrroblista acumuló mayor peso muerto en su andadura, sin que ni por un instante quepa aceptar las tesis desprovistas de fundamento que sobre la CEDA mantienen los apresurados historiadores que la sitúan en la cima más profunda del reaccionarismo, no puede ocultarse que jugó a todo trapo la carta del más craso posibilismo; distanciándose así, por ejemplo, de su espejo y modelo italiano, sometido entonces al catacumbismo por preservar las esencias genuinas de su credo [36]. Todo lo cual matiza —a veces incluso hasta la delicuescencia— la consideración de la democracia cristiana española como un epígono del catolicismo liberal o una fuerza análoga o equiparable.

Poco después, la guerra civil trazó nuevas rutas a los destinos del catolicismo nacional [37]. Por ellas discurrirían hasta el pontificado de Juan XXIII afanes llenos de empuje e ilusión, pero en general anacró-

desde el principio con una expresa afirmación de su adhesión a los principios de la democracia cristiana». TUSELL, J., *Historia de la democracia cristiana en España II. Nacionalismos vasco y catalán, los solitarios. La guerra civil* (Madrid 1974) 203.

[35] Tal postura les valió acerbas críticas de otros medios católicos. En este sentido merecen leerse las páginas, eruditas y hondas como suyas, de LAÍN ENTRALGO, P.: *Los valores morales del nacional-sindicalismo* (Madrid 1941) 61 y 74, en las que se perfila un retrato inmisericorde de las agrupaciones democristianas de los inicios de la postguerra. Sin embargo, el propio Laín había mantenido algún tiempo atrás una actitud diferente, como se ve en el magnífico libro de CARPINTERO, H.: *Cinco aventuras españolas (Ayala, Laín, Aranguren, Ferrater, Marías)* (Madrid 1967) 93-4. El gran ensayista y eximio historiador de la Medicina no se ha referido a este punto concreto de la evolución de su itinerario ideológico en sus desmemoriados y apasionantes recuerdos, *Descargo de conciencia (1930-1960)* (Barcelona 1976). Acerca de la inexactitud del término «democracia cristiana» para caracterizar una determinada orientación del catolicismo español contemporáneo, rompía lanzas en ocasión reciente el ex ministro de Obras Públicas, Federico Silva Muñoz, destacado prohombre de los «propagandistas católicos». Véase sus declaraciones a A. PASO insertas en la revista «Gaceta Ilustrada» núm.739 (6-XII-1970) 75. En idéntico sentido GIL ROBLES, J. M., *Un final de Jornada* (Madrid 1977) 534.

[36] DE ROSA, G., *Il partito popolare italiano*, dentro de un vol. misceláneo, *La participacione dei cattolici alla vita dello stato italiano* (Roma 1958). También VALERI, N., *La lotta politica in Italia dall'unità al 1925 idee de documenti* (Florencia 1973) 616-18. Y de manera más pormenorizada y actual IGNESTI, G., *Momenti del popularismo in esilio*, en la obra colectiva *I Cattolici tra fascismo e democrazia* (Bolonia 1975) 75-183, en especial 76-88. Finalmente, una escueta pero inteligente exposición en JEMOLO, A., *Chiesa e stato in Italia dalla unificazione a Giovanni XXIII* (Turín 1974).

[37] Véase, para los momentos iniciales de la postguerra, los reveladores planes de «reconstrucción religiosa» bosquejados en la obra de SARABIA, R., *España... ¿es católica?* (Madrid 1939) 21.452-3 y passim. Igualmente son muy iluminados sobre la mentalidad de la época los pergeñados en una pastoral de la primavera de 1939 del infatigable prelado OLAECHEA, M., recogida más tarde en *Pasó haciendo el bien. Selección de escritos del Excmo. y Rmo. Sr. Arzobispo de Valencia Dr. D. Marcelino Olaechea Loizaga* (Valencia, II, 1964) 588-99. Resulta también esclarecedor el libro de MARTÍN-SÁNCHEZ JULIÁ, F., *Ideas claras. Reflexiones de un español actual* (Madrid 1959) passim, pero en especial 217-97.

ıicos en sus planteamientos pastorales. El pasado despertó en ellos más ɔreocupación que el fortalecimiento de las semillas del futuro [38].

Tras este apresurado y asaz incompleto recorrido por la trayectoria ɟe la religiosidad hispana contemporánea, una constatación se impone ‚in esfuerzo: la hora del catolicismo liberal no llegó a sonar nunca con ɔlenitud en el reloj de la Iglesia española.

[38] En plena crecida de la hipercrítica sobre la religiosidad de la postguerra, recomen-ɟamos para un análisis lúcido y no azemado de valentía y autenticidad el realizado por la ɔluma de GARCÍA ESCUDERO, J. M., *El escándalo del cristianismo* (Madrid 1976) 15-28. Den-ɟro de unas perspectivas más generales, no malgastará su tiempo el lector de algunas ɔáginas de la obra colectiva, dirigida por MARTÍ, C., *Iglesia y sociedad en España. 1939-1975* Madrid 1977).

CAPÍTULO IV

PANORAMICA DE LA IGLESIA ESPAÑOLA DESDE 1914 HASTA 1931

1. EL ADVENIMIENTO DE BENEDICTO XV: SIMPATÍA Y ESPERANZA

Comparado con los anteriores, el breve pontificado de Benedicto XV se singulariza en la historia del catolicismo español contemporáneo por dos notas: la acusada distensión en las relaciones Iglesia-Estado y la proyección de la temática social a un plano destacado en las preocupaciones de considerables sectores del clero y fieles. Sin duda, estos rasgos —de manera especial el último— acusan un perfil de modernidad que, por desdicha, no llegó a consolidarse.

«... En esta disposición de ánimo siguió viviendo la Iglesia española los años que van de 1914 al advenimiento de la segunda República. Ni en su actuación pastoral ni en la reflexión doctrinal sobre sí misma aparecen cambios con suficiente calado nacional como para decir que la Iglesia evolucionaba. Hoy era una huelga general revolucionaria y mañana se consagraba el país al Sagrado Corazón de Jesús en el Cerro de los Angeles. Ahora se tributa un homenaje popular fervoroso al prelado de la diócesis y a continuación se lanzaban contra él los más graves insultos desde las páginas de la prensa enemiga, o incluso se le hacía víctima de un atentado criminal, como sucedió en Zaragoza» [1].

No obstante la extremada popularidad de su predecesor, el advenimiento del papa Della Chiesa fue saludado con aplausos por círculos cualificados de la jerarquía y el laicado. Tanto los políticos, afanados en

---

[1] GONZÁLEZ MARTÍN, M., *Creo en la Iglesia. Renovación y fidelidad* (BAC, Madrid 1973). Dada la autoridad que emite el juicio y el compromiso personal contraído por su autor con el tema, así como por otros diversos y numerosos testimonios que militan en idéntico sentido, no puede por menos de desecharse la opinión defendida por un sobresaliente historiador del pasado hispano —VICENS VIVES, J., quien no duda en sostener: que, «si la piedad y el culto, si las ciencias eclesiásticas en general, realizaron evidentes progresos, en cambio, la tentativa de crear un poderoso movimiento católico obrerista se disiparon en los críticos días de 1917 a 1919». Mas a la vista, entre otros muchos extremos de igual índole, de la discrepancia que el cotejo de ambas aseveraciones revela, no existe mayor obstáculo para admitir la exactitud de la denuncia del mismo profesor gerundense al resaltar, con relación a la época aquí analizada, «que acerca de la historia de la Iglesia española durante los dos primeros decenios del siglo XX sabemos bien poca cosa: las principales efemérides de su intervención en la vida del país (1901, «Ley Romanones»; 1912, «Ley del Candado») y la ingente masa de literatura polémica que suscitó el desencadenamiento de la oleada radical e irreligiosa. Pero desconocemos lo más importante; la extensión del movimiento de renovación espiritual —iniciado en la periferia a comienzos del siglo—. «La Iglesia también tiene su generación del 98», hemos escrito en algún libro—; la correcta interpretación de sus anhelos políticos (carlismo de Vázquez de Mella, integrismo católico, conservadurismo maurista) y el peso de sus intereses en la vida económica nacional; desorientado, pero prometedor cristianismo social». *Historia social y económica de España y América* (Barcelona, V, 1972) 127 y 347.

la búsqueda de cauces de armónica convivencia entre las dos potestades, como los prelados y seglares, atraídos por el afianzamiento de los atisbos sociales despuntados en los años anteriores en esferas reducidas, encontraron robustecidas sus opciones con dicho acontecimiento. También la masa de los fieles se sintió halagada en sus sentimientos con la elección del primer y único pontífice de la Edad Contemporánea con parte de su carrera transcurrida en España, por la que sentía fuerte simpatía.

Pronto los raviones de la Gran Guerra pondrían a prueba esta actitud de la opinión pública católica hacia el Papa. En pleno clímax de la contienda, cuando Italia adoptaba la beligerancia en contra de sus antiguos aliados, el episcopado hispano, con respaldo de sus fieles, ofrecería su cordial hospitalidad a Benedicto XV en caso de que los eventos le obligasen a abandonar Roma: «... La católica España se consideraría feliz con poderes proporcionar un asilo, modesto si se quiere, pero hidalgo y generoso. Si vuestros ojos se volviesen a la patria de Recaredo y San Fernando, aceptando estos ofrecimientos, España recibiría de rodillas al Padre amadísimo y venerado y en la devoción y alegría de vuestros hijos, al prestaros sus obsequios, hallaría por ventura algún consuelo el pecho atribulado de Vuestra Santidad» [2].

2.   LAS INSUFICIENCIAS DEL CATOLICISMO MILITANTE

El texto citado ofrece un testimonio revelador de los obstáculos que debía superar el catolicismo hispano cara a un programa de actualización en mentalidades y posturas. Bajo el patrocinio y, seguramente, la inspiración directa del prelado más avanzado e innovador de todo el cuerpo episcopal, el primado Guisasola, el desfase de su contenido corre parejo con el anacronismo de su lenguaje. Al presentarse sobremanera fácil una antología de igual índole, no cabe atribuir su valor testimonial a mero azar.

En efecto, hombres, instituciones y conductas no podían transmutarse por arte de encantamiento. El poder real, los auténticos centros de decisión del catolicismo español estuvieron ocupados a lo largo de 1914-1922 por idénticas fuerzas que a comienzos de siglo. Los seminarios conservaron sus directrices pedagógicas; las órdenes y congregaciones prevalentes al inaugurarse la centuria mantuvieron su prestigio; el escaso sostén financiero de sus actividades —sería más exacto decir que el único: el del marqués de Comillas y, en menor medida, el del núcleo alto burgués bilbaíno [3]— no experimentó tampoco variación, y, en fin,

---

[2] IRIBARREN, J., *Documentos colectivos del episcopado español, 1870-1974*. Edición completa, preparada por... (Madrid 1974) 101.
[3] Entre el último destacó José M.ª de Urquijo: «Aristócrata y autoritario por temperamento, integrista por su manera de pensar, gran burgués por su posición social, jansenista por la rigurosa austeridad de su vida y celosísimo de su independencia frente a toda formación política, tuvo Urquijo una influencia enorme en la sociedad de su tiempo, y no es exagerado decir que, en algunos momentos delicados del primer tercio de nuestro

los medios de expresión con que se operaba su presencia en la sociedad civil continuaron anclados en actitudes no diferenciadas sustancialmente a las de años atrás [4]. He aquí, verbi gracia, lo que escribe respecto a una región clave en la marcha del catolicismo hispano del novecientos: «Junto a estas fuerzas, etiquetables con facilidad por hallarse encuadradas en organizaciones políticas bien definidas o por simpatizar abiertamente con ellas, apoyándolas con más o menos constancia, surge otra, cada vez más importante, nacida del integrismo pero que no tarda en seguir rumbos propios sin atenerse a disciplina política alguna, y dispensando sus favores a uno u otro partido, a uno u otro candidato, según la coyuntura. Llamar a esta fuerza «los católicos independientes», quizá sea poco exacto, pero servirá al menos para entendernos, lector, y para identificarnos. Su peso, importantísimo en Vasconia, se debe a diversos factores, entre los cuales citaré: la fuerza de la tradición carlista en ciudadanos que, negándose a optar por una tendencia política de las que se repartían la herencia del carlismo, seguían dando prioridad a los principios básicos del ideario tradicionalista (entendido este adjetivo en su más amplia acepción, de modo que venía en la práctica a ser un tradicionalismo en revisión incesante); el prestigio y el ascendiente del clero, muy grande en la burguesía pequeña y media, y —por supuesto— en los ambientes rurales; el extraordinario florecimiento de la enseñanza católica, que constituye una de las características más llamativas de la España de la Restauración, y gracias al cual el viejo catolicismo se robusteció al dejar de ser rutinario, formalista y supersticioso y al ceder el puesto a una religiosidad más ilustrada, más consciente y mejor preparada para enfrentarse con la sociedad moderna. El papel desempeñado en este punto por los jesuitas, grande en todos los países, fue enorme en la Vasconia española, a través de las universidades de Deusto, los colegios secundarios de Bilbao, San Sebastián, Orduña, Tudela; los conventos y las casas de ejercicios de Bilbao, San Sebastián, Pamplona, Vitoria, Durango, Javier y, sobre todo, Loyola [5]...»

---

siglo, fue él quien, desde la sombra, con la energía que lo caracterizaba, dictó las orientaciones que oficialmente adoptaría la Iglesia en el país vasco». La jerarquía eclesiástica no perdió la oportunidad para agradecer su cuantiosa ayuda pecuniaria a diversas actividades religiosas: «Y nuestro común amigo, el Sr. Urquijo, con la indomable energía de su patriotismo acreditado, continúa poniendo su fortuna y su talento al servicio de los cada vez más numerosos españoles que arden en deseos de visitar la Ciudad Santa, siempre amada de nuestro pueblo, que será deudor a este hombre incomparable de que no haya quedado violentamente roto este capítulo de nuestras glorias tradicionales». AZAOLA, J. M., *Vasconia y su destino. II. Los vascos ayer y hoy* (Madrid, I, 1976) 374. EIJAN, S., *Relaciones mutuas de España y Tierra Santa a través de los siglos. Conferencia histórica dirigida a bordo del «Ile de France» a la Sexta Peregrinación Española a los Santos Lugares (mayo-junio, 1971) precedidas de una carta de D. José M.ª de Urquijo, presidente de la Junta Directiva y de una carta-prólogo del Ilmo. y Rmo. Sr. Obispo de Lugo, Presidente honorario de la Peregrinación* (Santiago 1912) 15. (El texto pertenece a la pluma del prelado.)

    [4] Así, con relación a la prensa, podía manifestarse desde una óptica confesional: «...Cotejad aquellos «*Estos liberales... la pérfida Masonería...*» y demás frases de cajón de nuestros periódicos católicos con la plenitud doctrinal de *l'Echo, La Croix*, o *L'Osservatore Romano*, y podréis medir en toda su extensión la anemia espiritual de nuestra prensa.» BARDINA, J., *Orígenes de la Tradición y del Régimen Liberal* (Barcelona 1916) (sin paginación).
    [5] AZAOLA, J. M., *Vasconia y su destino...* 372-3.

Es manifiesto que en años de relativa aceleración del ritmo del país los factores favorables al cambio actuaron sobre este cuerpo social proclive al predominio de los elementos inerciales, pero la decantación de su labor fue escasa. Contribuyó a ello de modo particular la conservación arriscada de las posiciones de privilegio mantenidas por extensos núcleos católicos en la actividad nacional. Como sucede con frecuencia inusitada en la historia de la iglesia española contemporánea, el mundo de la enseñanza presenta al respecto un ejemplo elocuente. Una red inextricable de intereses opondría invencible resistencia a todos los intentos reformistas desplegados desde el Ministerio de Educación en las etapas en que su cartera estuvo regida por los liberales [6]. Campañas tenebrosas de logias y sectas, criminal pasividad de las autoridades y olvido de las tradiciones patrias por minorías desarraigadas siguieron siendo cómodos recursos, para ocultar lacras propias [7].

Con un ascendiente y presencia aún muy poderosos en la cultura y vida nacionales, servida por unos cuadros eclesiásticos no del todo insuficientes —un sacerdote por cada 613 almas en 1920— [8] y dueña de considerables recursos económicos y sociales, la Iglesia podía aspirar a un liderazgo efectivo de no pocas facetas de la España del momento [9].

[6] Hay que recordar, sin embargo, que cuando los conservadores estaban en el poder acaecía lo contrario. Trágico destino a que ha estado condenado siempre el Ministerio de Educación. Cf. el curioso testimonio de lo acabado de decir en GÓMEZ MOLLEDA, M. D., *Unamuno «agitador de espíritus» y fines (correspondencia inédita)* (Madrid 1977) 139. En el mismo sentido otro testimonio, aunque perteneciente a 1913, es igualmente ilustrativo de la postura de los institucionistas, PRELLEZO GARCÍA, J. M., *Escuela confesional y escuela neutra en el pensamiento de Francisco Giner de los Ríos*, en *Orientamenti Pedagogici* XXIII (1976) 972.

[7] Véase, por ejemplo, los comentarios provocados en la prensa confesional por los decretos educativos concernientes a la Escuela Superior del Magisterio y a las Escuelas Normales promulgados por el primer gabinete Dato —favorable a la orientación católica— y los suscitados por la creación de los Institutos-Escuelas por don Santiago Alba, en el gobierno «nacional» de Maura, pretendidamente contrarios a la religión tradicional. Asimismo, las incesantes campañas del famoso jesuita Ruiz Amado constituyen un ejemplo bien elocuente: SANGÜESA GARCÉS, A., *Pedagogía y clericalismo en la obra del P. Ramón Ruiz Amado, S. J. (1881-1934)* (Zurich 1973) 226-8 y *passim*.

Desde otro ángulo, una respuesta más actualizada y pujante fue la de la Institución Teresiana, fundada precisamente en 1917. Dentro de una bibliografía que comienza a ser considerable, cf. sobre todo GALINO, A., *Textos pedagógicos hispanoamericanos* (Madrid 1968) 1473-88. Véase también, GÓMEZ MOLLEDA, M. D., *D. Pedro Poveda, hombre interior* (Madrid 1971) 14-5. Será igualmente de interés la lectura de la miscelánea: *Volumen monográfico con motivo del centenario del nacimiento del Padre Poveda*, en *Boletín del Instituto de Estudios Giennenses.* Suplemento extraordinario al 81 (1975), con trabajos muy desiguales en cuanto a calidad científica, pero todos útiles respecto a la aportación de datos.

[8] *El Anuario Eclesiástico Subirana*, de 1920, da la cifra de 34.420 sacerdotes en una población de 21.097.642 habitantes, 558.

[9] Desde una perspectiva opuesta a la de la autora, recogemos el siguiente e ilustrativo balance del resumen de una tesis de doctorado. «En la obra titulada *Nuevos apuntes para el estudio de la organización en España de las instituciones de beneficencia y protección*, editada por el Ministerio de Gobernación y la Dirección de Administracción, en casi 1.300 páginas, aparecen reseñadas 12.000 fundaciones, benéficas y de previsión; establecidas en más de 3.000 poblaciones, de las cuales ostentaban los máximos: Madrid, 1.000; Sevilla, 800; Córdoba, 300; Barcelona, 200; Cádiz, 200; Valencia, 100; y estaban dedicadas a adultos 3.000 (dotes, escuelas, estudiantes, otros conceptos); a socorros y limosnas, 3.000; a enfermos, 2.500 (con cerca de 2.000 hospitales), a índole genuinamente religiosa 1.800. Con un total de capital conocido de 600 millones y una renta anual de 13 millones. Datos expuestos por NAVARRO SALVADOR, en *Reseña Eclesiástica* (1920), tomo XII, correspondiente a los meses IV-V. CUESTA BUSTILLO, J., *El catolicismo social español durante el trienio 1917-1919* (Salamanca 1976) 13.

No fue así. Apenas se profundiza en manifestaciones claves de su existencia, se contrasta la ausencia de vitalidad y el predominio de fórmulas y factores convencionales. Los juicios de los más renombrados misioneros delatan la existencia de verdaderas zonas de misión en el campo, pretendido baluarte de la religión tradicional. A su vez, el espectacular desarrollo cuantitativo de la «buena prensa» no logra nunca el lógico correlato de convertir a la publicística profesional en influyente medio de información; el vasto aparato pedagógico eclesial no conseguirá frutos proporcionados a su extensión. Las formaciones laicales —en primer término, la Acción Católica— no consiguen traspasar las fronteras del elitismo. La piedad popular discurre por roderas tradicionales, sin abrirse a nuevas perspectivas. En numerosos ámbitos, la levadura cristiana parece más alejada que nunca de poder aspirar a transformar evangélicamente unas estructuras en las que la secularización adquiere siempre un tinte de franco distanciamiento de las corrientes espirituales representadas por la Iglesia.

Por ser la parcela menos desconocida del muy ignorado catolicismo de la época, la referencia a la toma de posiciones de su opinión pública —tan exigua e imprecisamente caracterizada aún desde todos los ángulos— frente a las cuestiones de mayor eco en la España del entonces proporcionará acaso algunas pruebas de lo acabado de exponer. En un período tan colmado de sucesos de larga onda, esta opinión mostró escasas dimensiones. En tanto que su radio de interés fue a menudo exclusivamente nacional e incluso corraleño, su talante se tiñó con frecuencia de puro negativismo. No quisiéramos forzar la argumentación para cimentar la tesis subyacente a toda esta escueta panorámica, pero documentos y posturas rivalizan en testimoniar a su favor. Como es obvio, dicha tónica conoció·su más sobresaliente excepción respecto a la posición adoptada cara a los bandos enfrentados en la «Gran Guerra» [10].

Juicio confirmado —aparte de numerosos otros de igual género—,

[10] «By contrast, the upper third of Spanish society soon became passionately divided over the war, which they saw not merely as a duel between empires but as an ideological strugglem which each side embodied certain principles of universal significance. The war was viewed as but an extension of the social conflict in Spain. To the «two Spains» that coexisted so rancorously, there corresponded the two Europes that contended openly and violently. The division between supporters, of the Allies and of the Central Powers was not fortuitous, but reflected, with few exceptions, the division in Spain between the «forces of movement» and the «forces of order». Thus the pro-German elements —by far the larger group— included the landed interests, most conservatives, some liberals, the bureaucracy, most of the military, the Church, the Carlists, and a large portion of the literates and nationalists. The pro-Allied sector included most of the intelligentsia, the Republicans, the Radicals... The Reformists, the Socialists and bourgeoisie and some segments of the lower middle class. The peripheral areas of the country especially Catalonia, were pro-Allied; the interior regions, especially Castile, tended te favor the Central Powers... The main bastions of pro-German sentiment in Spain were the Court, the Army, the Church and what may be termed the nationalist intelligentsia... The most formidable defender of the Central Power in Spain was the Catholic Church. From the lowliest parish priest te the highest clerical ranks, the clergy were nearly all hostile to the Allied cause. All Church-affiliated newspapers, such as *El Debate* and *El Universo,* launched incessant attacks against «impious» France and «perfidious» England. Such an attitude was not without its paradoxes, ignoring as it dit the German despolation of Catholic Belgium, the

por el de un sacerdote intelectual muy representativo de la clerecía española: «Altrament, en aquells temps, trobar un capellà que no fos germanòfil era cosa més rara que trobar una ermita de Sant Jordi. La clerecia ha tingut en tots temps una debilitat per Alemania». [11] A su vez el testimonio de un filólogo germanófilo es el corroborado por otro aliadófilo: «Era aquella una época en la que España estaba dividida entre aliadófilos y germanófilos, y Aguilar y yo [Marcel Bataillón] mirábamos irónicamente a los sacerdotes que entraban con aires misteriosos en el edificio de *El Correo de Andalucía,* el periódico conservador y germanófilo de Sevilla» [12]. Simpatizante, como queda dicho, en general de la causa germana —recordemos, empero, la excepción de Maura—, la opinión católica se compactó cara al triunfo de los soviets en el otoño del 17. En el primer punto, esto es, en su actitud hacia los imperios centrales, la reducida información acerca del tema muestra que tal postura respondió más al arraigo de un difuso credo autoritario antiliberal que a una precisa formulación doctrinal y, sobre todo, a la defensa de intereses reales de la comunidad española. En plena escisión jaimista, el ejemplo del carlismo es bien claro al respecto. La permanencia de los prejuicios sobre los regímenes «masónicos» de Francia e Italia primó a la hora de mostrar las simpatías hacia los contendientes, con flagrante olvido de que naciones como Bélgica eran arrolladas por un país protestante, con un esquema de valores muy diferente en el plano teórico al de la catolicidad española. En todo caso, el tema requiere un análisis detallado, atento a una multitud de aspectos dignos de atención y hasta el momento desconocidos. Así, por ejemplo, sería de suma importancia reconstruir la línea trazada o aconsejada al episcopado por el nuncio Ragonesi. De todos modos, el episcopado como·bloque no adoptó nunca una militancia en pro de uno de los beligerantes y se manifestó partidario a todo trance de conservar la neutralidad adoptada por el primer gobierno Dato y continuada después por los ulteriores gabinetes.

Igualmente y a pesar de la enorme trascendencia de la materia, no

urning of the famed Catholic library of Louvain, the staunch Protestantism of the Prussian nobility, and that France and Italy were, after all, great Catholic nations. But the clergy, like the ruling politicians, were deterred from taking a pro-Allied stance by the intensity of the domestic struggle». Meaker, G. H., *The revolutionary left in Spain. 1914-1923.* Stanford 1974).

[11] Griera, A., *Memòries* (San Cugat del Vallés 1963) 76.

[12] *Historia 16.16* (1977) 120. A nivel de la élite del país, la división nos parece bien marcada por los siguientes textos: «Yo también, en el fondo, acaso sea francófilo... La otra Francia [i. e., no la Francia reaccionaria] es de mi familia y aun de mi casa, es la de mi padre y mi abuelo y mi bisabuelo; que todos pasaron la frontera y amaron la Francia de la libertad y el laicismo, la Francia religiosa del *affaire* y de la separación de Roma, en nuestros días. Y ésa será la que triunfe, si triunfa, de Alemania».

«Unos soldados alemanes, de hinojos en el suelo, se confunden aquí en una misma oración alta y pura con los fieles belgas. Y al sentir el murmullo de las aves, al escuchar la dulce letanía, el *Regina pacis,* tan elocuente y conmovedor ahora, he unido mis preces a la oración de alemanes y belgas con los ojos llenos de lágrimas y el corazón de altos deseos.» Apud Cobb, C., *Miguel de Unamuno. Artículos olvidados sobre España y la Primera Guerra Mundial.* Introducción y edición de... (Londres, 1976) XIV-XV y XVII. No hemos sabido encontrar el texto de Machado en la edición crítica de *Los complementarios,* debida a D. Indurain (Madrid 1971).

se ha publicado aún ningún trabajo acerca del reflejo de la caída de zarismo en la prensa confesional. De una manera tangencial, el trabajo de Alfonso Lazo sobre el impacto de la Revolución rusa en ciertos sectores de la sociedad española señala cómo el portavoz de una gran parte del catolicismo de temple burgués —el diario madrileño *A B C*— puso particular cuidado en extrapolar el revisionismo social de los bolcheviques al plano netamente ideológico, identificando la resistencia al comunismo con la permanencia de la civilización cristiana y otros tópicos de la misma índole [13]. (Datos ulteriores comprueban la ancha audiencia adquirida por la versión del diario madrileño en la prensa confesional cuyo planteamiento antileninista tal vez ayudó a conformar.)

De entre las anchas y angustiosas problemáticas cernidas sobre el catolicismo europeo al abrirse el capítulo de la posguerra, la que imantó con mayor fijeza la preocupación de los círculos hispanos más cualificados fue la italiana; planteada en términos de decidido abandono de las viejas posiciones cimentadas en el *non possumus* cuarteadas ahora irremisiblemente. En especial los esfuerzos de Luigi Sturzo para hacer de los *popolari* el eje de la política de aquella península, convirtiendo su partido en un movimiento de masas, seduciría, como veremos, a los miembros de la naciente democracia cristiana, con indisimulables miras de trasplantar un día a España su triunfante estrategia [14].

Fuera del Viejo Continente, el curso de la primera gran revolución del siglo XX, la mejicana, fue seguido con atención relativamente pormenorizada por la prensa y los órganos de opinión católica, aunque el interés despertado por su primera fase decaería ahora, sin que la misma Constitución de 1917 reforzase la expectación, centrada a menudo en detalles anecdóticos [15].

3. LOS PROBLEMAS NACIONALES. MARRUECOS Y LA CRISIS DE LA MONARQUÍA ALFONSINA. EL REGIONALISMO

En una vertiente nacional, junto con la agonía del parlamentarismo canovista y la escalada de los antagonismos clasistas, fue sin duda el

[13] *La revolución rusa en el diario «A B C» de la época* (Sevilla 1975). Extrañamente no alude a la cuestión GARCÍA VENERO, M., *Torcuato Luca de Tena y Alvarez-Ossorio. Una vida al servicio de España* (Madrid 1971) 241ss.

[14] De la amplia bibliografía acerca de la empresa del sacerdote siciliano citamos tan sólo, por lo acabado de su síntesis, la muy útil *Storia del movimiento cattolico in Italia. Il partito popolare*, DE LA ROSA, G., (Bari 1976), en especial para nuestro objeto, 595. Igualmente esclarecedor LEONI, F., *Storia dei Partiti Politici Italiani* (Nápoles 1975) 247-52. Más personal y documentado, pero asistemático, es GALLI, G., *I partiti politici in Italia 1861-1973* (Turín 1975) 109-112.

[15] «Liberal response to the Mexican Revolution of 1910 was divided. Some writers hailed the anticlerical featuresof the movement and lavishly praised the 1917 constitution that eliminated every vestige of Church influence in the temporal order. Others complained about the anti-Spanish spirit unleashed by the Revolution, about the number of Spaniards killed or imprisoned in the course of the early years of violence, and about, the amount oᶠ land confiscated from Spanish citizens.» PIKE, Fb., *Hispanismo, 1898-1936. Spanish Conservatives and Liberals and and their Relations with Spanish America* (Londres 1971) 160. Véase también 397-8.

problema marroquí el que movilizó con más hondura la conciencia y las fuerzas católicas. En todas estas cuestiones, la inexistencia de un sólido pluralismo no se compensó con la potencia que suele acompañar a las actitudes polarizadas. Un comentarista de la época actual, R. La Cierva, ha observado la ausencia de cualquier referencia eclesial en la crisis del 17, índice significativo y sorprendente del marginamiento del catolicismo de las grandes conturbaciones del país, imprevisible un lustro atrás [16]. No obstante, la formación del grupo inicial de la democracia cristiana en julio de 1919 obedeció en buena medida a la clara visión que del irremediable desmoronamiento del Estado restauracionista tuvieron algunos de sus integrantes. Estos intentaron así coronar de modo efectivo la naufragada empresa del polaviejismo, consciente del papel que podía representar en el juego político de la nación un gran partido confesional de corte moderno. La reactivación de la lucha marroquí en 1920 y sus inmediatos efectos ralentizaron la plasmación de dichos afanes, que volverían, sin embargo, a cobrar nuevos vuelos poco más tarde [17].

Respecto a la cuestión africana, la historiografía eclesiástica carece de cualquier monografía acerca de la actuación de los católicos en este terreno. El reducido material acervado por el autor de las presentes

[16] *Historia de la guerra civil española. Antecedentes. Monarquía y República 1898-1936* (Madrid 1969) 66. Seco C., ha exhumado en fecha muy reciente un interesante juicio de un sacerdote destinado a ser gran figura intelectual. «Especialmente interesante es una carta de don Juan Zaragüeta, entonces Rector del Seminario Conciliar de Madrid, que desde San Sebastián escribía, también el 25 de agosto, para felicitar al ministro [Dato], ponerle en guardia frente a las incitaciones reaccionarias de cierta derecha, y animarle para que buscase la superación de la pasada crisis a través de las reformas sociales de que era el indiscutible abanderado:

«Aunque nada supone al lado de las mil valiosas felicitaciones que estos días habrá recibido, reciba usted también la mía sincerísima, por el singular acierto con que ha sabido conjurar la última crisis. Dios le ayude a aventar sus últimas cenizas, evitando durezas innecesarias, pero alejando al propio tiempo todo peligro de impunidad para los organizadores de tan grave sedición, con esa mansa y suave energía que al comienzo del actual Gobierno reconocía *El Liberal* como una de las características de su Presidente... Pero con ser esto de tan urgente necesidad, no le va en zaga la de proceder con toda decisión de ánimo y elevación de miras a la gran obra de nuestra reconstitución nacional, en el doble terreno político y social. Sólo de ella cabe esperar un remedio definitivo al hondo malestar del país, del cual son manifestación patológica las revueltas y asonadas que en tan grave riesgo acaban de poner al orden público, condición indispensable para toda prosperidad... Sería lamentable que en la interpretación y prosecución de este ideal llegaran algún día a prevalecer, a favor de la confusión originada en ciertos espíritus con los recientes sucesos, concepciones que habrían de significar un verdadero retroceso en la vida nacional. El peligro no existe seguramente en parte del Gobierno, pero ¿podría decirse otro tanto de todos los sectores de la opinión que se llama 'conservadora' en el amplio sentido de la palabra?»

Zaragüeta aduce determinados textos alarmantes, uno de *El Pueblo Vasco*, otro de *La Gaceta del Norte*. Y añade:

«A pesar de estas tendenciosas apreciaciones, creo que seremos todavía muchos los que apoyados en toda la historia política de usted, confiamos fundamentalmente en que sabrá armonizar el sentido conservador de su política con las exigencias de la 'justicia social', tan elocuentemente preconizadas en su Discurso inaugural del Congreso de Ciencias de Sevilla». *Perfil político y humano de un estadista de la Restauración: Eduardo Dato a través de su archivo* (Madrid 1978) 37-88.

[17] Es harto conocido cómo en el grupo predominaba más la tendencia social que la política. Es sobremanera ilustrativo el episodio narrado por Aznar, S., *Impresiones de un demócrata cristiano* (Madrid 1950) 493.

páginas testimonia que la jerarquía procuró restañar las heridas provocadas por la contienda, sin olvidar el reforzamiento del edificio monárquico, resquebrajado por las sacudidas de Annual. En algunos de sus componentes sorprende incluso el enfoque de las motivaciones bélicas de su patria, en todo semejante al del chauvinismo a ultranza expresado por varios prelados a raíz del desencadenamiento de la lucha hispanonorteamericana en 1898. El tiempo y la actitud del Pontífice reinante no ejercieron, pues, un positivo ejemplo en el talante del episcopado, tan proclive siempre a las cruzadas de fe [18].

En un área casi exclusivamente eclesiástica, la crecida del regionalismo adquirió muy altas notas. Bien que en 1917 lograra ocupar los primeros escaños en el Congreso, el nacionalismo vasco no contaba aún con el decidido apoyo de sectores eclesiásticos poderosos e influyentes. De ahí que fuera Cataluña donde las corrientes moderadas de su regionalismo siguieran el impulso ascendente entre el clero, ensanchando notablemente su caudal entre 1914-1922. A socaire del peso casi hegemónico detentado por el Principado en la vida socioeconómica del país y de la teoría de las nacionalidades mantenida por los vencedores de la Gran Guerra, la clerecía catalana afianzó su crédito ideológico en dicha

---

[18] En plena conmoción de Annual escribió el patriarca de las Indias y Vicario General castrense: «La Providencia divina, cuyos designios son siempre impenetrables, y en alguna ocasión pavorosos como las oscuridades del abismo, permite que una vez más seamos empujados hacia las ingratas tierras africanas, que ni regadas con nuestra sangre cristiana, generosamente derramada, logra producir frutos de honor y dignidad. Contra este honor y dignidad nacional se han conjurado traidoramente los seculares enemigos de nuestra Patria amada, ultrajando la bandera que, coronada por la cruz, es símbolo sagrado de glorias y grandezas incomparables, y asesinando con torpe y calculada deslealtad a los que como hermanos les trataban, pagando con largueza su insidiosa colaboración.

Por muy horrible que la guerra sea, y aunque llenan de espanto al corazón más esforzado los sufrimientos, la muerte y la desolación que la acompañan, ante torpes ultrajes y viles agresiones, se impone, fatal y necesaria, como sangrienta apelación y sanción suprema contra tan miserable iniquidad.

No merecería figurar entre naciones civilizadas la que, cobarde y egoísta, no lavara con sangre la odiosa ofensa que recibió.

Así lo han comprendido el Ejército y la Armada, que, respondiendo con prontitud al llamamiento del Gobierno de Su Majestad, se han concentrado con maravillosa rapidez en torno a la bandera, sin medir la extensión del sacrificio ni vacilar ante las torturas de una separación, cuyos detalles sólo Dios conoce y sólo Dios puede dignamente recompensar. Y aumentan la grandeza de la abnegación y en alto grado la avaloran las difíciles circunstancias en medio de las cuales se realiza. Aunque nunca suena bien en oídos extraños la alabanza propia, injusto fuera no hacer mención de la unánime conducta del Episcopado y clero español, el cual, dando a esta guerra carácter de santa cruzada, implora, en constantes rogativas, la intervención divina, comparte su escaso haber con el soldado, y pide con vivo anhelo la gracia de acompañarle mientras duren las operaciones, coincidiendo, en tan apostólica aspiración, todas las categorías eclesiásticas, desde el párroco de humilde aldea a Catedrático de Seminario y al Deán de renombrada Catedral. Unidos a los combatientes de mar y de tierra con lazos de jurisdicción espiritual más fuertes y sagrados que los de la carne y sangre, envío a todos mi bendición patriarcal. No la acompañarán exaltaciones patrióticas ni gritos ni maldición. Mejor sentarán en mi saludo y en vuestros oídos cristianos las palabras de San Agustín: *Sed pacíficos al guerrear, y así sacaréis del sacrificio provecho para vuestras almas*. Este es el espíritu del santo Evangelio, único libro que esclarece el pavoroso problema de la guerra y da fuerza al que lucha para que no decaiga su espíritu ni sufra intermitencias su valor», *Carta pastoral del Excmo. e Ilmo. Sr. Patriarca de las Indias, Obispo de Sión, pro-Capellán Mayor de S. M. y Vicario General Castrense a los señores Sacerdotes y fieles de sus privilegiadas jurisdicciones* (Madrid, Imprenta de Cleto-Vallinas, 1921) 3-5.

región, convirtiéndose de paso en el más importante grupo de presión dentro de la Iglesia nacional. Sólo como elemento táctico ante los débiles gobiernos madrileños puede interpretarse la queja expresada por Prat de la Riba en el famoso manifiesto de la *España Grande:* «Nosaltres, des d'aquei xa Catalunya que no pot tenir ministres ni generals i quasi ni bisbes...» Tras la muerte de Antolín López Peláez, la archidiócesis tarraconense volvía a ser ocupada por un coterráneo, al tiempo que numerosas diócesis en todo el territorio español estaban regidas por catalanes. Ni siquiera con la muerte de Torras i Bagés —1916— perdió fuerza el movimiento, ante el cual la única victoria conseguida por Madrid sería el envío a Cataluña de buen número de prelados valencianos. En 1921, con la elevación al cardenalato del primer arzobispo de Tarragona que alcanzó tal dignidad en los tiempos modernos, el catalanismo eclesiástico llegaba a su vértice. Con una política bien dosificada y mejor servida, la jerarquía y sacerdocio del Principado conservaron, en parte, en su redil a un movimiento del que tan decisivos parteros fueran medio siglo atrás. El camino abierto por su conducta ¿constituía un ejemplo a imitar o un modelo negativo, de clericalismo más o menos disfrazado? Su control de algunas orientaciones del catalanismo, ¿era el resultado de una positiva asunción de los valores temporales o un abandono del mensaje universalista del cristianismo, del que las oleadas crecientes del proletariado emigrado a la región se apartaba de forma cada día más ostensible? Dilema difícil que la Iglesia catalana, pese a la lección de la Semana Trágica, no acertó nunca a resolver en las escasas ocasiones en que sus más caracterizados miembros se lo formularon. Sin embargo, la paradoja era demasiado llamativa como para poder ocultarla. En la porción del país más descristianizada a nivel de masas populares, el ascendiente de una iglesia dotada de los mejores cuadros peninsulares se erigía en guía de la empresa más sentida por la población autóctona. Una generación posterior pondría al descubierto la artificialidad de un nacionalismo alimentado en buena medida por una ideología pararreligiosa.

QUINTA PARTE

LA IGLESIA DURANTE LA II REPUBLICA Y LA GUERRA CIVIL (1931-39)

Por VICENTE CÁRCEL ORTÍ

INTRODUCCION BIBLIOGRAFICA

La bibliografía sobre la II República y la guerra civil es inmensa. Indico solamente algunos títulos muy generales, agrupados por materias. Los referentes a temas eclesiásticos o relacionados de alguna forma con ellos se citan oportunamente.

I. **Bibliografías:** J. GARCÍA DURÁN, *Bibliografía de la guerra civil española* (Montevideo, Ed. El Siglo Ilustrado, 1964); R. DE LA CIERVA, *Cien libros básicos sobre la guerra de España* (Madrid, Ministerio de Información y Turismo, 1966); *Cuadernos bibliográficos sobre la guerra de España (1936-1939).* Serie I: *Folletos e impresos menores del tiempo de la guerra* fasc. 1. Director: V. Palacio Atard (Madrid, Cát. de Hist. Contemp. de España de la Fac. de Filosofía y Letras, 1966ss); *Bibliografía general sobre la guerra de España (1936-1939) y sus antecedentes históricos. Fuentes para la historia contemporánea de España.* Introducción general y dirección de R. de la Cierva. Coordinación y dirección: M.ª del Carmen Garrrido (Madrid-Barcelona, Ariel, 1968).

II. **Fuentes:** *Gaceta de Madrid* (1931ss); *Diario de sesiones de las Cortes Constituyentes de la República Española* (Madrid 1931); DÍAZ PLAJA, F., *La historia de España en sus documentos* (nueva serie, volumen extra). *El siglo xx. La guerra (1936-1939)* (Madrid, Ed. Faro, 1963); *Los documentos de la primavera trágica. Análisis documental de los antecedentes inmediatos del 18 de julio de 1936.* Introducción, selección y notas de R. de la Cierva (Madrid, Minist. de Información y Turismo, 1967).

Les archives secrètes de la Wilhelmstrasse. III: *L'Alemagne et la guerre civile espagnole (1936-1939)* (París, Libr. Plon, 1952), colección incompleta de documentos relativos en buena parte al bando nacional; *I documenti diplomatici italiani. Ottava serie: 1935-1939. Volume XII* (Roma, Minist. degli Affari Esteri, 1952); interesante para conocer las relaciones Franco-Mussolini; J. DEGRAS, *Soviet Documents on Foreing Policy.* Vol.3: *1933-1941* (London, Oxford University Press, 1953); colección de documentos aparecidos en periódicos y revistas rusos en su mayoría; *Foreing relations of the United States. Diplomatic Papers. 1936.* Vol.2: *Europe* (Washington, United States Government Printing Office, 1954); dedica a España desde la p.437 hasta la 796: relaciones comerciales con la República y cuestiones sobre la guerra civil.

III. **Historias generales:** J. ARRARÁS, *Historia de la II República Española* (Madrid, Ed. Nacional, 1956-68), 4 tomos; periodística, carece de planteamiento histórico; M. AZNAR, *Historia militar de la guerra de España* (Madrid, Ed. Nacional, 1958-63), 3 tomos; le falta revisión y crítica; F. BORKENAU, *The Spanish Cockpit* (Ann Arbor, The University of Michigan Press, 1963); orientación izquierdista; R. BRASILLACH-M. BARDECHE, *Historia de la guerra de España*, trad. del francés por A. Porcar (Valencia 1966); apologética en favor de los vencedores; F. BRAVO MORATA, *Historia de la República.* I: *1931-1932* (Barcelona, Daimón, 1977); II: *1933, 1934, 1935* (ibid., 1977); G. BRENNAN, *The Spanish labyrinth. An account of the social and political background of the Civil War* (Cambridge, University Press, ³ 1960); documentada, pero subjetiva; insiste en los factores sociales y políticos; P. BROUE-E. TEMIME, *La revolución y la guerra de España*, trad. de F. González Aramburu (Madrid, Fondo de Cultura Económica, 1977); 1.ª ed. francesa en París (Les Éd. de Minuit, 1961); marxista, apasionada; P. BROUE, *La revolución española* (Barcelona, Ed. Península, 1977); ed. francesa en París (Flammarion, 1973); análisis marxista del proceso revolucionario; E. COMÍN COLOMER, *Historia secreta de la II República* (Madrid, Ed. Nos, 1954-55); parcialísima, hostil a la República; *Guerra y revolución en España. 1936-1939;* obra elaborada por una comisión presidida por D. Ibárruri (Moscú, Ed. Progreso, 1966-67), 2 tomos; propagandística, carece de objetividad histórica y seriedad informativa; J. M. GARCÍA ESCUDERO, *Historia política de las dos Españas* (Madrid, Ed. Nacional, 1976) 2.ª ed., 4 tomos; amplia síntesis, equilibrada y serena; H. GUNTHER DAHMS, *La guerra española de 1936*, trad. de A. Soriano Tomás (Madrid, Rialp, 1966); ed. alemana en Tübingen (Rainer Wünderlich Verlag-Hermann Leins, 1962); tendenciosa, panegírico del franquismo y justificación de la intervención fascista; *Historia de la Cruzada de España.* Direc. lit.: J. Arrarás Iribarren; dir. artística: C. Sáenz de Tejada (Madrid, Ed. Españolas, ² 1940-43), 8 tomos; obra política, versión oficial de los vencedores; G. JACKSON, *La República española y la guerra civil* (Madrid, Ed. Grijalbo, 1978), 2 vols. Ed. inglesa en Princenton (University Press, 1965); obra importante, buena síntesis, favorable al socialismo azañista; R. DE LA CIERVA, *Historia de la guerra civil española.* T.1: *Perspectivas y antecedentes. 1898-1936* (Madrid, Ed. San Martín, 1969); primer intento de objetividad de un autor español, aunque no lo consigue; es un ensayo y no un estudio científico; A. H. LANDIS, *Spain: The Unfiniseh Revolution!* (Baldwin Park, California, The Camelot Publ., 1972); polémica, comunista, muy apasionada; S. G. PAYNE, *La revolución y la guerra civil española* (Barcelona, Argos, 1977); ed. inglesa (New York W. W. Norton, 1970); buen estudio, tendencia izquierdista; D. A. PUZZO, *Spain and the Great Powers, 1936-1941* (New York, Columbia Univ. Press, 1962); simpatías republicanas; método crítico, no siempre conseguido; G. ROUX, *La guerra civil española*, trad. F. Ximénez de Sandoval (Madrid, Ed. Cid, 1964); ed. francesa (París, Fayard, 1963); deficiente; contiene errores; carácter divulgativo; D. SEVILLA ANDRÉS, *Historia política de la zona roja* (Madrid, Ed. Nacional, 1954); 2.ª ed. (ibid., Rialp, 1962); historia interna de los partidos revolucionarios; intento de objetividad; G. SORIA, *Guerra y revolución en España* (Barcelona, Grijalbo, 1978), 5 vols.; R. TAMAMES, *La República. La era de Franco* (= *Historia de España*, dirigida por M. Artola: 7) (Madrid, Alianza-Alfaguara, 1977) 6.ª ed.; obra de un economista, no historiador; parcial; contiene errores; bibliografía seleccionada para servir a la posición ideológica del autor, comunista; U. THOMAS, *La guerra civil española* (Barcelona, Grijalbo, 1977); ed. inglesa (London Eyre et Spottiswoode, 1961), 3 vols.; apasionada y parcial, carente de método y crítica; L. TROTSKY, *La revolución española (1930-1940)* (Barcelona, Fontanella, 1977), 2 vols.; parcial, tendenciosa, izquierdista; M. TUÑÓN DE LARA, *La II República* 3.ª ed. (Madrid, Siglo XXI, 1976), 2 vols.; tendencia socialista; VARIOS AUTORES, *La guerra civil española* (Madrid, Grijalbo, 1978), 11 vols.

IV. **Ensayos recientes:** R. CARR y otros, *Estudios sobre la República y la Guerra Civil española*, trad. de A. Abad (Barcelona, Ariel, ² 1974); ed. inglesa (Bu-

ingstoke, Macmillan and Co. Ltd., 1971); M. A. GONZÁLEZ MUÑIZ, *Problemas de
la II República* (Madrid, Júcar, 1974); V. PALACIO ATARD, *Cinco historias de la
República y de la guerra* (Madrid, Ed. Nacional, 1973); V. PALACIO ATARD-R. DE
LA CIERVA-R. SALAS LARRAZÁBAL, *Aproximación histórica a la guerra española
1936-1939)*. Anejos de «Cuadernos Bibliográficos de la Guerra de España
1936-1939)» n.1, Univ. de Madrid (Madrid 1970); M. RAMÍREZ JIMÉNEZ y
otros, *Estudios sobre la II República Española* (Madrid, Tecnos, 1975); M. RAMÍ-
REZ, *Las reformas de la II República* (Madrid, Tucar, 1977).

V. **Partidos y grupos políticos:** M. ARTOLA, *Partidos y programas políticos
808-1936* (Madrid, Aguilar, 1974-75) I p.554ss; II p.323ss.; S. VARELA, *Partidos
parlamentos en la Segunda República* (Barcelona, Ariel, 1978).

1. *Anarquistas:* E. COMÍN COLOMER, *Historia del anarquismo español* (Barce-
ona, Ed. AHR, ² 1956), 2 tomos; J. GÓMEZ CASAS, *Historia del anarcosindicalismo
español* (Madrid 1968); C. M. LORENZO, *Los anarquistas españoles y el poder. 1868-
969* (París 1962); J. MAESTRE ALFONSO, *Hechos y documentos del anarcosindica-
ismo español* (Madrid 1973); A. ELORZA, *La utopía anarquista bajo la II· República,
recedido de otros trabajos* (Madrid, Ed. Ayuso, 1973); J. BRADEMÁS, *Anarcosindica-
ismo y revolución en España. 1930-1937* (Barcelona 1974); J. PEIRATS, *La C. N. T.
n la revolución española* (Buenos Aires 1955); M. BUENACASA, *La C. N. T., los
reinta y la F. A. I.* (Barcelona 1933).

2. *Comunistas:* E. MATORRAS, *El comunismo en España* (Madrid 1935); VA-
RIOS AUTORES, *Historia del Partido Comunista de España* (La Habana 1964); E.
COMÍN COLOMER, *Historia del Partido Comunista de España* (Madrid 1965); M.
KARL, *El comunismo en España: cinco años en el Partido; su organización y sus miste-
ios* (Madrid 1932); G. HERMET, *Les communistes en Espagne* (París 1971); D. J.
CATTELL, *Communism and the Spanish Civil War* (Berkeley-Los Angeles, Univer-
ity of California Press, ² 1956); ID., *Soviet doplomacy and the Spanish Civil War*
ibid., 1957); B. BOLLOTEN, *The grand camouflage: the communist conspiracy in the
panish civil War* (London, Hollis et Carter, 1961); L. TROTSKY, *La révolution
ermanente (1928-1931)* (París, Gallimard, 1963).

3. *Catalanes:* A. MASERAS, *La República Catalana* (Barcelona 1931), J. MA-
LUQUER I VILADOT, *Per a constituir la Regió Catalana* (Barcelona 1931); A. RO-
VIRA I VIRGILI, *Catalunya i la República* (Barcelona 1931); F. MASPÓNS Y ANGLA-
SELL, *La Generalitat de Catalunya i la República Espanyola* (Barcelona 1932); M.
SABATÉ, *Historia de la Lliga* (Barcelona 1968); H. RAGUER I SUÑER, *La «Unió Democrá-
ica de Catalunya» i el seu temps (1931-39)* (Abadía de Montserrat 1976).

4. *Derechas:* R. A. H. ROBINSON, *Los orígenes de la España de Franco: la dere-
ha, la República y la revolución* (Madrid 1974); ed. inglesa (Newton Abbot, David
t Charles, 1970); P. PRESTON, *The Spanish Right under the Second Republic* (Rea-
ling 1971); A. HERRERA ORIA, *La posición de la derecha española en la política
ctual* (Madrid 1932); M. FERNÁNDEZ AREAL, *La política católica en España* (Barcelona 1970) p.27-106.

a) *Acción Nacional:* J. MONJE BERNAL, *Acción Popular: estudio de biología polí-
ica* (Madrid 1936).

b) *C. E. D. A.:* O. ALZAGA VILLAAMIL, *La primera democracia cristiana en
España* (Barcelona, Ariel, 1973); J. TUSELL GÓMEZ, *Historia de la Democracia Cris-
iana en España. T.1: Antecedentes y C. E. D. A.* (Madrid, Edicusa, 1974); J. R.
MONTERO, *La C. E. D. A. El catolicismo social y político en la II República* (Madrid,
Ed. Revista de Trabajo, 1977).

c) *Monárquicos:* S. GALINDO HERRERO, *Los partidos monárquicos durante la
II República* (Madrid 1956); E. VEGAS LATAPIÉ, *Catolicismo y República* (Madrid
1932). ·

d) *Derecha Liberal Republicana:* R. SÁNCHEZ GUERRA, *Dictadura, indiferencia,
República* (Madrid 1931).

5. *Radicales:* R. SALAZAR ALONSO, *Historia crónica y pronóstico del Partido Radical* (Madrid 1932).

6. *Socialistas:* J. J. MORATO, *El Partido Socialista obrero* (Madrid 1918); M.

CORDERO, _Los socialistas y la revolución_ (Madrid 1932); R. LLOPIS-A. RAMO. OLIVEIRA-C. HERNÁNDEZ, _Etapas del socialismo español_ (Valencia 1938); R. DE L. CIERVA, _Historia perdida del socialismo español_ (Madrid 1972).

7. _Vasco-Navarros:_ D. DE ARRESE, _El País Vasco y las Constituyentes de la II República_ (Madrid 1932).

VI. **Biografías y memorias de políticos y militares:**

1. D. ABAD DE SANTILLÁN, _Memorias 1897-1936_ (Barcelona, Planeta, 1978).

2. N. ALCALÁ-ZAMORA, _Memorias (segundo texto de mis Memorias)_ (Barcelona Planeta, 1977); _Los defectos de la Constitución de 1931_ (Madrid 1936); _Régimen político de convivencia en España_ (Buenos Aires 1945).

3. J. ALVAREZ DEL VAYO, _Les batailles de la liberté (Mémoires d'un optimiste,_ (París, F. Maspero, 1963).

4. M. ANSÓ, _Memorias ineludibles. Yo fui ministro de Negrín_ (Barcelona, Planeta 1976).

5. M. AZAÑA, _Obras completas._ Compilación de Juan Marichal (México, Ed Oasis, 1966-68), 4 tomos; _Memorias políticas y de guerra. Vol. I: Año 1931_ (Madrid, A. Aguado, 1976); E. GIMÉNEZ CABALLERO, _M. A. Profecías españolas_ (Madrid 1932); N. GONZÁLEZ RUIZ, _Azaña_ (Madrid 1932); F. VILLANUEVA _Azaña, el Gobierno_ (México, ¿1946?); M. GÓNGORA ECHENIQUE, _Ideario de M. A_ (Valencia 1936); VARIOS, _A.: una vida al servicio de España_ (México 1942); G DÍAZ DOÍN, _El pensamiento político de A._ (Buenos Aires 1943); E. AGUADO, _Don M. A. D._ (Madrid, Nauta, 1972); C. MUÑOZ ESPINALT, _Estudi de M. A.: llicó de psicologia política_ (Barcelona 1971); C. ROJAS, _Diez figuras ante la guerra civil_ (Barcelona 1972) p.63-138; F. SEDWICK, _The Tragedy of M. A., and the Fate of the Spanish Republic_ (Columbus, Ohio State University Press, 1963).

6. J. BESTEIRO, _Marxismo y antimarxismo_ (Madrid 1935; 2.ª ed. 1967); _Polémica entre Luis Araquistain y Julián Besteiro Fernández_ (Oviedo 1935); A. SABORIT, _J. B._ (Buenos Aires 1967); J. GUTIÉRREZ RAVE, _J. B._ (Madrid 1965); A. MÍGUEZ _El pensamiento filosófico de J. B._ (Madrid 1971); E. LAMO DE ESPINOSA, _Filosofía y política en J. B._ (Madrid 1973).

7. J. CALVO SOTELO, _El Estado que queremos_ (Madrid, Rialp, 1958).

8. J. CHAPAPRIETA TORREGROSA, _La paz fue posible. Memorias de un político_ (Barcelona, Ariel, ² 1972).

9. J. M. GIL ROBLES, _No fue posible la paz_ (Barcelona, Ariel, 1968); J. ARRA BAL, _J. M. G. R.: su vida, su actuación, sus ideas_ (Madrid 1933); J. GUTIÉRREZ RAVE, _G. R., caudillo frustrado_ (Madrid 1967); A. BOISSEL, _Un chef: G. R._ (París 1934; ed. castellana, San Sebastián 1934).

10. F. LARGO CABALLERO, _Mis recuerdos_ (México 1954); F. FERRÁNDIZ AL BORZ, _F. L. C._ (París 1949); G. M. DE LA COCA, _Anticaballero: crítica marxista de la bolchevización del Partido Socialista (1930-1936)_ (Madrid 1936).

11. A. LERROUX, _Al servicio de la República_ (Madrid 1930); ID., _La pequeña historia_ (Buenos Aires 1945); ID., _Mis memorias_ (Madrid 1963); A. MARSÁ-E. CARBALLO, _A. L. ante el momento actual_ (Barcelona 1930); C. GONZÁLEZ RUANO, _Los hombres de la República: A. L._ (Madrid 1931); R. SALAZAR ALONSO-M. CARMONA-M. ARRAZOLA, _Trayectoria política de A. L._ (Madrid 1934); F. CAMBRA, _A. L.: el caballero de la libertad_ (Madrid 1935).

12. M. MAURA, _Así cayó Alfonso XIII..._ (Barcelona, Ariel, ⁵ 1968).

13. E. MOLA VIDAL, _Memorias_ (Barcelona, Planeta,1977); B. F. MAÍZ, _Mola aquel hombre. Diario de la Conspiración. 1936_ (Barcelona, Planeta, 1976).

14. F. DE LOS RÍOS-V. ZAPATERO, _F. de los R.: los problemas del socialismo democrático_ (Madrid 1973).

15. I. PRIETO, _Dentro y fuera del Gobierno: discursos parlamentarios_ (Madrid 1935); ID., _De mi vida_ (México 1965; 2.ª ed. 1968); ID., _Convulsiones en España_ (México 1967-69); C. DE BARAIBAR, _Las falsas «posiciones socialistas» de Prieto_ (Madrid 1935).

16. M. TAGÜEÑA LACORTE, _Testimonio de dos guerras_ (Barcelona, Planeta, 1978).

17. J. ZUGAZAGOITIA, _Guerra y vicisitudes de los españoles_ (Madrid, Grijalbo, 1978).

VII. **Nacionalismo catalán y vasco:** S. PAYNE, *Catalan and Basque nationalism:* Journal of Contemporany History (Londres) 6 (1971) 15-51; ID., *Spanish Nationalism in the Twentieth Century:* The Review of Politics (Indiana) 26 (1964) 403-22; M. CRUELLS, *El separatisme catalá durant la guerra civil* (Barcelona, Dopesa, 1975); V. GUARNER VIVANCO, *Cataluña en la guerra de España, 1936-1939* (Madrid, G. del Toro, 1975); C. SEMPRÚN MAURA, *Révolution et contre-révolution en Catalogne* (París, Mame, 1974); P. P. ALTABELLA GRACIA, *El catolicismo de los nacionalistas vascos* (Ed. Nacional, 1939); J. ESTELRICH, *La cuestión vasca y la guerra civil española:* La Ciencia Tomista 56 (1937) 319-48; S. J. GUTIÉRREZ ALVAREZ, *La cuestión eclesiástica vasca entre 1931-1936. Aspectos políticos y religiosos del nacionalismo vasco y su repercusión en la alianza con el Frente Popular* (León 1971); HISPANUS, *El nacionalismo vasco. Exposición y crítica de sus principios* (Granada 1952); D. MUGARZA MECOLALDE, *El decenio crítico: la política en el País Vasco entre 1930 y 1940* (Oñate 1940); M. GARCÍA VENERO, *Historia del nacionalismo vasco* (Madrid 1968); Z. DE VIZCARRA Y ARANA, *Vasconia españolísima* (Madrid 1939; 2.ª ed. 1971).

NOTA PREVIA

No es tarea fácil sintetizar en pocas páginas el período más agitado y transcendental de la historia de la Iglesia en la España contemporánea. El tema se presta a la polémica, y esto es lo que el historiador quiere evitar, tratando racionalmente y con visión histórica lo que ha sido y, por desgracia, sigue todavía estudiándose bajo los efectos de la pasión e incluso del odio.

El historiador encuentra grandes obstáculos, algunos insuperables de momento, ya que mientras abunda la bibliografía, escasean las fuentes archivísticas. De los libros aparecidos durante los últimos años hay que distinguir las memorias de los ensayos y monografías. Mientras las primeras encierran un gran interés, si bien el historiador las ha de manejar con espíritu rigurosamente crítico, porque todas son autoapologéticas y no ocultan el poso personal de cada autor, los segundos son muy peligrosos, ya que, en general, carecen de sólidas bases documentales; metodológicamente son muy vulnerables y en la mayoría de los casos plantean problemas tremendos con una simpleza y superficidad impresionantes, basadas en prejuicios y lugares comunes. En los últimos años se asiste a una auténtica explosión editorial sin precedentes, ya que el tema de la II República y la guerra civil es un producto que se vende; por tanto, resulta económicamente seguro. Hay excesivo afán por escribir y por publicar. Pero no siempre con tales monografías se consigue hacer historia, ya que las fuentes usadas son secundarias; los autores no han entrado en archivos; unas veces, por prisa o pereza, y otras, porque están cerrados a los investigadores. Así, nos dan libros hechos sobre libros, que a la vez están fundados en la propaganda y condicionados por el partido político en que milita el autor o por la ideología que comparte.

Con respecto a las fuentes archivísticas, se ha comenzado a trabajar en serio, y lo poco publicado hasta ahora merece todos los elogios. Me refiero al *Arxiu Vidal i Barraquer*[1], aunque se trata de una obra que no satisface plenamente, porque faltan los archivos de otros personajes de la época tan importantes como el cardenal de Tarragona. Desconocemos los de los nuncios Tedeschini, Cicognani[2] y Antoniutti[3], así como los de los cardenales Segura, Ilundain y Gomá y los de casi todos los obispos de entonces. En el Archivo Secreto Vaticano está totalmente prohibida la consulta en los fondos de este período. Por ello ignoramos la verdadera actitud de Pío XI y la de su secretario de Estado, Eugenio Pacelli, futuro Pío XII.

Todas estas premisas son necesarias para mostrar cuán peligroso resulta lanzar hipótesis que documentos inéditos podrán corregir sensiblemente e incluso destruir. Y aunque el historiador debe, ante todo, exponer hechos, explicar situaciones y tratar de ofrecer soluciones, sin embargo, difícilmente podrá hacerlo sin una base documental sólida.

La inserción de este capítulo en el conjunto de una *Historia general de la Iglesia en España* no permite dedicar mayor atención al tema, pese a su importancia objetiva. He procurado, por tanto, indicar los hitos fundamentales y aportar la mejor y más reciente bibliografía sobre los temas mayores. Cada una de las grandes cuestiones aquí apenas esbozadas comienza a despertar la atención de los estudiosos, y es de esperar que en un futuro próximo puedan consultarse libremente todos los archivos e inicien las investigaciones que necesitamos para una comprensión serena y completa de nuestra reciente historia eclesiástica.

Es ya hora de comenzar los análisis para poder ofrecer un día la síntesis. Y es hora también de que examinemos estas graves cuestiones con rigor y método, exentos de fobias y filias.

---

[1] Arxiu Vidal i Barraquer, *Església i Estat durant la Segona República Espanyola 1931-1936*. Textos en la llengua original. Edició a cura de M. Batllori i V. M. Arbeloa. I: 14 d'abril-30 d'octubre de 1931 (Monestir de Montserrat 1971); II: 30 d'octubre de 1931-12 d'abril de 1932 (ibid., 1975); III: 14 d'abril-21 de desembre de 1932 (ibid., 1977).

[2] De Cicognani sabemos que, apenas llegó a España en 1938, envió a Roma un amplísimo informe de más de 500 páginas sobre todos los aspectos de la situación (G. DI MEGLIO, *Ricordi del Nunzio Apostolico il Cardinale Gaetano Cicognani*, Tipografía Poliglotta Vaticana 1962, p.13).

[3] De Antoniutti tenemos algunas referencias en sus *Memorie autobiografiche* (Udine, Arti Grafiche Friulane, 1975). Sobre este nuncio cf. la colección de algunos de sus discursos pronunciados en España, *Sub Umbra Petri* (Madrid, Ed. Rialp, 1961), 2 tomos.

CAPÍTULO I

LA SEGUNDA REPUBLICA (1931-36)

1.   LA IGLESIA ESPAÑOLA EN 1931 [4]

Datos estadísticos

Difícilmente pueden entenderse la política religiosa de la II República y la actitud del catolicismo español ante el nuevo régimen sin algunas consideraciones sobre la importancia de la Iglesia en España en 1931. Hay que comenzar con algunos datos estadísticos, que deben ser tomados con gran reserva, ya que las fuentes no ofrecen mucha garantía. Los cuadros que siguen los he preparado teniendo en cuenta los datos que proporciona la colección del *Anuario eclesiástico,* editada en Barcelona por E. Subirana. Son datos bastante aproximados, ya que Subirana tenía corresponsales en todas las diócesis. Según esta fuente, al ser proclamada la República, la Iglesia española mantenía la organización establecida en el concordato de 1851 por cuanto se refiere a la distribución de arzobispados y obispados.

Sobre una población nacional que se calcula en 22.949.452 habitantes, los clérigos eran 111.092, distribuidos del siguiente modo: 34.176 sacerdotes diocesanos, 14.035 seminaristas diocesanos, 12.903 religiosos y 47.942 religiosas.

Con respecto a la organización parroquial, había 3.713 arciprestazgos, 1.297 parroquias de término, 3.846 parroquias de ascenso, 8.541 parroquias de entrada, 3.276 parroquias rurales y 3.771 parroquias filiales o ayudas. En estas cifras quedan incluidas las parroquias llamadas de «patronato», que en algunas diócesis eran muy numerosas. Las capillas, santuarios y oratorios ascendían a 18.118. Las casas religiosas de varones eran 1.067, y las de mujeres, 3.764 [5].

Repito que no garantizo la autenticidad de estos datos, porque durante la Monarquía no se hizo en España un censo oficial sobre personas y propiedades eclesiásticas. El primer ministro de Gracia y Justicia de la República, el socialista Fernando de los Ríos, lo intentó, pero no

---

[4] Buenas síntesis sobre la situación de la Iglesia española en 1931 pueden verse en M. RAMÍREZ JIMÉNEZ, *Los grupos de presión en la II República española* (Madrid, Ed. Tecnos, 1969) p.193-224, y C. MARONGIU BUONAIUTI, *Spagna 1931. La Seconda Republica e la Chiesa* (Roma, Bulzoni Ed., 1976) p.36ss, aunque los datos que manejan ambos autores, copiados de Ramos Oliveira y Tuñón de Lara, no ofrecen mucha garantía.
[5] En cambio, según L. Jiménez Asúa, el número total de religiosos, según el censo de población de 1930, ascendía a 20.456, y el de religiosas, a 60.633; mientras que las comunidades de varones eran 1.015, y las de mujeres, 3.871 *(Proceso histórico de la Constitución de la República Española* [Madrid 1932] p.204-205).

DATOS ESTADISTICOS SOBRE LA IGLESIA ESPAÑOLA EN 1931*

Diócesis	Extensión en km².	Arciprestazgos	PARROQUIAS					capillas o santuarios	Residentes en la diócesis
			de término	de ascenso	de entrada	rurales	filiales		
ALMERIA	6.557	13	13	36	38	23	13	40	258
ASTORGA	12.461	29	21	195	236	194	277	630	795
AVILA	9.760	20	31	54	225	4	80	245	380
BADAJOZ	16.348	14	20	56	55	19	—	154	374
BARBASTRO	2.836	10	5	15	104	29	46	71	141
BARCELONA	3.548	12	47	101	107	14	33	522	1.006
BURGOS	14.210	47	23	112	417	529	206	800	1.175
CADIZ	3.800	6	4	19	2	—	9	58	146
CALAHORRA	5.114	19	18	62	154	119	41	418	559
CANARIAS	3.944	5	15	20	18	1	9	68	135
CARTAGENA	24.002	19	32	40	62	1	164	423	585
CEUTA	—	—	2	—	—	—	1	3	20
C. REAL	19.741	18	16	38	66	1	9	188	263
C. RODRIGO	4.259	12	10	30	55	11	6	77	162
CORDOBA	15.097	17	42	24	58	2	23	405	390
CORIA	9.742	11	16	50	50	15	4	85	206
CUENCA	21.797	12	26	81	160	59	79	53	461
GERONA	4.965	14	30	90	171	74	24	593	935
GRANADA	8.448	—	31	31	138	—	46	312	444
GUADIX	4.734	9	7	18	35	4	16	98	168
HUESCA	5.026	13	10	30	115	20	23	32	203
IBIZA	700	—	5	10	5	—	2	9	63
JACA	5.391	8	10	31	26	86	100	137	199
JAEN	2.203	12	28	59	46	4	40	78	365
LEON	15.682	38	24	72	357	359	53	438	923
LERIDA	7.842	17	21	62	83	91	69	153	400
LUGO	11.500	40	13	39	567	16	452	—	959
MADRID	8.001	18	60	89	54	29	22	14	662
MALAGA	7.226	16	38	60	27	8	2	147	255
MALLORCA	4.306	7	14	27	28	3	23	277	535
MENORCA	708	1	5	6	2	1	3	8	92
MONDOÑEDO	4.369	27	9	139	164	4	84	408	479
ORENSE	5.176	37	12	212	299	70	85	—	711
ORIHUELA	3.203	11	19	13	27	16	3	145	295
OSMA	8.549	28	12	36	233	62	69	284	310
OVIEDO	14.048	78	40	236	576	117	168	2.422	1.954
PALENCIA	7.711	22	25	72	141	97	15	300	585
PAMPLONA	9.053	19	18	50	197	296	257	340	964
PLASENCIA	10.647	15	14	35	111	8	4	139	260
SALAMANCA	7.603	19	18	56	185	28	52	25	452
SANTANDER	4.124	26	11	18	254	81	59	65	445
SANTIAGO	8.546	36	33	100	632	3	252	837	1.346
SEGORBE	3.359	6	14	24	22	4	5	1	140
SEGOVIA	7.093	23	9	25	228	14	33	205	375
SEVILLA	27.716	—	63	92	94	11	36	409	657
SIGÜENZA	9.814	18	15	152	144	43	188	421	415
SOLSONA	4.000	11	20	49	76	5	25	480	445
TARAZONA	4.713	9	15	45	71	9	1	183	339
TARRAGONA	2.394	6	17	60	60	14	17	228	420
TENERIFE	3.328	10	16	33	32	3	9	184	106
TERUEL	6.060	6	6	18	56	4	20	252	184
TOLEDO	28.190	17	53	247	61	3	76	489	612
TORTOSA	8.709	12	17	48	105	6	21	723	537
TUDELA	200	1	4	2	1	2	1	—	53
TUY	1.985	15	19	43	197	4	92	96	379
URGEL	7.930	20	12	36	203	160	83	497	590
VALENCIA	10.755	25	47	140	150	—	86	185	1.237
VALLADOLID	2.347	9	21	31	30	13	14	88	298
VICH	3.367	10	20	56	85	98	30	580	838
VITORIA	7.094	36	27	69	267	352	52	967	2.053
ZAMORA	6.841	13	20	54	170	5	47	153	385
ZARAGOZA	20.409	16	34	98	209	27	12	476	716
TOTALES		3.713	1.297	3.846	8.541	3.276	3.371	18.118	

* FUENTE: *Anuario eclesiástico 1931* (Barcelona, Eugenio Subirana, S.A., 1931); completado con las ediciones 1927, 1928 y 1929 del mismo *Anuario*.

| ULAR | | SEMINARISTAS | | | | | RELIGIOSOS Y RELIGIOSAS | | | | | |
diócesis	Total de sacerdotes	Latinos o humanistas	Filósofos	Teólogos	Alumnos de otros colegios sacerdotales	Total de seminaristas diocesanos	Casas religiosas (v)	Religiosos	Casas religiosas (m)	Religiosas	Total de población clerical residente en la diócesis	Habitantes de la diócesis
4	283	59	23	27	—	109	4	46	22	323	761	290.200
2	833	140	[260]		150	550	6	48	19	308	1.739	401.000
5	389	90	40	50	—	180	—	127	—	425	1.121	300.000
—	374	—	—	—	—	85	10	133	58	520	1.112	648.000
	147	44	26	23	—	93	2	29	8	88	357	47.984
0	1.189	—	—	—	—	396	98	889	221	1.137	3.611	1.440.000
—	1.175	150	137	177	—	464	16	260	77	979	2.878	324.685
5	160	104	[22]		39	165	17	105	59	268	698	310.000
8	617		[110]		30	140	9	126	30	428	1.311	197.243
4	145	—	—	—	—	121	9	92	17	221	579	212.613
7	621		[200]		94	294	19	245	97	1.264	2.423	1.200.000
—	20	11	—	—	—	11	1	12	2	26	69	44.000
1	276	65	38	25	—	128	12	84	50	576	1.064	433.700
3	190	68	32	20	—	106	3	23	7	82	401	120.595
—	402	130	30	53	6	219	16	201	102	1.352	2.174	525.000
1	212	99	36	33	—	168	5	25	20	210	615	193.000
3	486	—	—	—	—	207	7	97	36	508	1.298	416.724
2	979	156	55	81	—	265	32	282	18	1.457	2.983	390.000
0	457	92	27	34	—	140	9	68	64	952	1.617	454.000
1	171	39	35	27	11	101	1	11	6	110	393	130.938
3	219	44	21	13	7	85	5	60	24	504	868	90.000
1	101	—	—	—	—	70	—	—	5	34	209	40.000
—	199	49	18	26	11	104	7	40	6	65	408	71.659
3	388	93	33	25	—	151	7	62	27	200	801	437.783
3	979	103	117	110	—	320	6	99	28	492	1.890	266.280
6	426	105	51	40	—	196	7	78	40	469	1.169	182.000
9	985	91	92	145	—	298	6	84	10	164	1.561	392.500
8	1.192	183	81	69	—	333	75	997	308	4.899	7.421	1.048.908
8	279	90	35	40	—	165	14	81	69	967	1.492	542.440
8	585	162	47	77	10	286	42	355	256	1.292	2.518	297.194
—	98	27	21	10	—	58	3	21	15	137	314	48.000
1	490	58	38	50	—	146	6	68	20	214	918	287.000
5	722	45	[260]		—	305	12	86	11	147	1.260	363.000
8	325	—	—	—	—	116	10	215	38	484	1.140	467.625
2	318	75	30	20	—	125	11	220	16	172	835	187.512
5	1.987	186	110	82	208	586	29	210	85	897	3.680	976.347
—	624	—	—	—	—	344	13	243	34	625	1.836	180.000
6	1.053	227	109	151	47	534	33	867	99	1.507	3.961	285.000
—	270	77	25	21	—	123	5	41	33	379	813	262.389
—	502	113	78	107	36	334	43	160	63	721	1.717	257.402
0	500	115	45	58	—	228	30	495	77	1.059	2.282	250.000
0	1.426	163	150	201	—	514	19	287	53	786	3.013	906.195
1	154	16	17	49	—	82	4	32	6	96	367	83.460
4	387	103	43	59	—	205	9	65	19	90	747	185.544
5	692	112	74	59	—	245	46	613	205	3.145	4.695	1.300.000
1	418	83	54	48	—	185	2	12	19	220	835	155.000
1	479	60	38	30	—	128	13	150	38	325	1.082	117.400
—	366	79	57	46	—	182	14	215	30	670	1.433	144.500
—	461	54	32	29	—	129	13	127	68	570	1.287	210.000
4	112	74	27	18	—	112	12	57	27	288	569	160.707
—	184	72	18	24	—	114	4	40	13	150	488	180.000
8	649	107	46	67	45	265	39	560	89	987	2.461	654.765
4	584	100	70	49	64	283	18	120	90	850	1.837	667.525
1	60	20	16	4	—	40	5	44	9	112	256	16.125
1	404	81	34	34	—	149	16	185	31	420	1.158	300.000
2	624	116	65	53	—	234	15	178	37	487	1.524	156.900
1	1.292	215	86	157	269	727	40	406	211	3.656	8.081	1.058.014
0	333	62	48	52	47	209	16	205	43	837	1.584	160.000
0	868	—	—	—	—	280	29	400	94	800	2.348	210.800
0	2.145	—	—	—	—	750	89	1.549	306	5.123	9.567	545.182
2	405	97	30	45	—	162	4	43	17	322	937	149.200
5	765	—	—	—	—	191	20	224	72	1.346	2.526	475.614
	34.176					**14.309**	**1.067**	**12.903**	**3.764**	**47.942**	**111.092**	**22.949.452**

consiguió completarlo, porque varias diócesis no respondieron a los cuestionarios. Por ello, los datos y cifras que muchos autores acostumbran a citar, en muchos casos copiándose unos a otros, son inciertos. La mayoría de ellos no indican las fuentes, porque no existen tales fuentes.

Situación económica

El ministro de Gracia y Justicia presentó algunas cifras incompletas a las Cortes el 8 de octubre de 1931, según las cuales el presupuesto del culto y clero ascendía a 52 millones de pesetas. La distribución de esta cantidad se hacía teniendo en cuenta lo establecido en el concordato de 1851. El cardenal primado tenía 40.000 pesetas de dotación anual, mientras el sueldo de los obispos oscilaba entre 20 y 22.000 pesetas. Los canónigos percibían cerca de 5.000 los de metropolitanas y 4.000 los de sufragáneas. A los párrocos urbanos correspondían cerca de 2.500 y a los rurales entre 1.500 y 2.000, según sus categorías.

Las propiedades de la Iglesia se calculaban en 11.921 fincas rurales, 7.828 urbanas y 4.129 censos. El valor total de estos bienes se calculaba en 129 millones.

Estas cifras se prestan, evidentemente, a la distorsión y a la falsa interpretación, ya que se debe distinguir entre el valor que teóricamente podían tener los bienes eclesiásticos puestos en venta y el de la rentabilidad que de hecho tenían. No hay que silenciar tampoco la enorme carga económica que comportaba la conservación y restauración de muchas de las propiedades, así como el destino que, en particular las órdenes religiosas, daban a muchas de sus casas, conventos y monasterios, especialmente los dedicados a enseñanza, situados por lo general en centros urbanos. Si se hubiesen vendido, el dinero, bien invertido, hubiera rentado mucho más, y sin ningún trabajo, del que dejaba su dedicación a la docencia [6].

Anticlericalismo

Con ser importante, el aspecto económico no es el que más nos interesa resaltar ahora, ya que la Iglesia española al llegar la República tuvo que pagar numerosos errores cometidos durante la Monarquía, y en concreto durante la dictadura de Primo de Rivera, por su estrecha unión con el poder político y por su apoyo incondicional a un régimen injusto y desprestigiado.

Por otra parte, hay que reconocer que la Iglesia española de 1931 estaba muy retrasada con respecto al progreso alcanzado por la sociedad civil y al panorama eclesiástico de otros países europeos. Buscar ahora las raíces de una situación tan compleja, excede los límites impuestos a este capítulo. Es cierto que el apostolado del clero en el campo social era muy deficiente. Cuando el catolicismo moderno planteaba en otras naciones grandes problemas e intentaba resolverlos con nuevas or-

---

[6] M. BATLLORI, *Los jesuitas en España durante los siglos XIX y XX:* Archivum Historicum Societatis Iesu 45 (1976) p.401.

ganizaciones y estructuras, en España se seguía actuando con criterios un tanto superados. Y aunque no faltaron ejemplos de buena voluntad, quizá en la masa del clero prevaleció una postura pasiva, agravada en algunos casos por la conducta menos digna de sacerdotes y religiosos poco observantes.

Resulta muy significativo el juicio que Gil Robles hace sobre la Iglesia española de 1931. Reconoce abiertamente «que había comenzado a brotar en esos años, con innegable retraso, un cierto sentido social, traducido en obras positivas, que no llegó a dar sus frutos por el indiferentismo de la mayoría de las gentes y en ciertos casos —sobre todo en el orden del sindicalismo industrial— por una concepción radicalmente equivocada. Por otra parte, no había conseguido liberarse la Iglesia del sello que le imprimieran varios siglos de lucha por la unidad de la creencia, lo que contribuía a mantener abierta una profunda sima entre la jerarquía y el pueblo, que procuraba ahondar el obtuso anticlericalismo de muchos de los que se llamaban librepensadores. Alejada cada vez más de las realidades vivas del país, la Iglesia se presentó al advenimiento de la República, injustamente, como una aliada de las clases burguesas. El esfuerzo denodado de muchos sacerdotes y religiosos que dedicaron su vida entera a los humildes, naufragó en la ola de incomprensiones y rencores, en cuyo lomo cabalgaban las masas, que se disponían al asalto del poder» [7].

«El diputado católico de más valor y capacidad política» [8], como Vidal y Barraquer definió a Gil Robles, ofrece un cuadro sintético, pero perfecto, de la auténtica situación de la Iglesia española en 1931. Es cierto que estaba «alejada de las realidades vivas del país». Si esto lo afirmaba un político creyente y practicante, exponente de la derecha democrática, aunque siempre fue más derechista que demócrata, no es necesario reproducir textos de otros autores que desde el laicismo, la indiferencia religiosa o el anticlericalismo atacaron duramente a la Iglesia por estas y otras muchas razones. Sin embargo, no quiero silenciar otro testimonio, que me parece muy elocuente por ser su autor, Madariaga, representante típico del intelectual avanzado, anticlerical, hijo de la Institución Libre de Enseñanza, donde surgieron tantos padres de la República. Decía Madariaga que a la hora de hacer política religiosa en España había que tener en cuenta dos hechos: «el primero es que la descatolización de España es casi nula en las mujeres y sólo superficial y escasa en los hombres, de modo que todavía durante mucho tiempo España seguirá siendo una nación católica; quizá, la más católica del mundo; el segundo, que los defectos de la Iglesia española, y en particular la incultura de la masa que bajo su manto se cobija, se deben no a ser católica, sino a ser española, es decir, a que la Iglesia católica [...] ha acompañado al resto de España en su decadencia e incultura» [9]. Ma-

[7] J. M. GIL ROBLES, *No fue posible la paz* (Barcelona, Planeta, 1978) p.44.
[8] *Arxiu Vidal* I p.375.
[9] S. DE MADARIAGA, *Anarquía o jerarquía (ideario para la Constitución de la II República Española)* (Madrid 1935) p.218.

dariaga hace dos reproches fundamentales a la Iglesia española: «su incultura y su sentido reaccionario en cuestiones económicas y sociales». Se trata, evidentemente, de afirmaciones un tanto radicales hechas en el lejano 1935. Ciertamente deben ser matizadas, porque no siempre la Iglesia española fue así, pero para 1931 la imagen vale.

Creo que este aspecto es el más grave y el más interesante, ya que se trata del mayor reproche que se le ha hecho a la Iglesia española, prescindiendo de su poder económico y de su influjo político. Desde el siglo XIX es verdad que a la Iglesia católica, en general, se le acusó, muchas veces injustamente, de impedir el acercamiento de los católicos a la cultura y a los movimientos intelectuales más avanzados. No entro en polémica, sino que me limito a constatar un hecho. La reacción ante esta idea tuvo infinitas manifestaciones anticlericales en todos los campos culturales, especialmente en el literario. El anticlericalismo en España tuvo una doble raíz, intelectual y popular, que ahondó sus bases en las estériles diatribas del ochocientos. El anticlericalismo intelectual despreció y atacó a la Iglesia por ser enemiga del progreso. Era el fruto del subjetivismo liberal y del positivismo científico. Mientras el popular era un anticlericalismo más emotivo y violento. El primero planteó su política partiendo de la escuela y de la universidad, luchando en defensa de una libertad de enseñanza, que la Iglesia había impedido durante siglos amparada en la Monarquía absoluta y liberal. El segundo había manifestado en España su virulencia y sus características desde la semana trágica de Barcelona [10].

Nótese que ambos anticlericalismos estuvieron siempre muy unidos, de forma que cuando el pueblo saqueaba, incendiaba y destruía edificios sagrados, e incluso cuando asesinaba a los sacerdotes, ponía en práctica las consignas recibidas de los líderes políticos en sus demagógicos discursos callejeros y parlamentarios. En 1906, Lerroux había dicho a sus «jóvenes bárbaros» de Barcelona que había que destruir la Iglesia. «Entrad a saco —les gritaba— en la civilización decadente y miserable de este país sin ventura; destruid sus templos, acabad con sus dioses, alzad el velo de las novicias y elevadlas a la categoría de madres para virilizar la especie. No os detengáis ni ante los sepulcros ni ante los altares. No hay nada sagrado en la tierra. El pueblo es esclavo de la Iglesia. Hay que destruir la Iglesia» [11].

En 1931, el ambiente general del país era fuertemente anticlerical, y ello se explica también porque durante los primeros años de la dictadura el gran periódico católico *El Debate* fue de los que mayor propaganda hicieron en favor del régimen del general Primo de Rivera. Después, Angel Herrera, futuro cardenal-obispo de Málaga, por influjo je-

---

[10] Cf. la obra fundamental de J. CONNELLY ULLMAN, *La semana trágica. Estudio sobre las causas socioeconómicas del anticlericalismo en España (1898-1912)*. Trad. castellana de G. Pontón (Barcelona, Ariel, 1972), que aporta copiosa bibliografía.

[11] Cit. por V. PALACIO ATARD, *Cinco historias de la República y de la guerra* (Madrid, Ed. Nacional, 1973) p.42, a quien sigo en el desarrollo de este punto. Véase también la explicación que da a este fenómeno M.ª D. GÓMEZ MOLLEDA, *Los reformadores de la España contemporánea* (Madrid, C. S. I. C., 1966).

uítico del P. Ayala, cambió la línea política del periódico. Pero la gran nasa de los católicos no tuvo conciencia de sus deberes y responsabilidades en el orden político-social. Solamente pequeños grupos demostraron una mentalidad realmente abierta y sensible a los problemas de la nación, como la primera democracia cristiana; si bien en el fondo todos us militantes eran aristócratas y de derechas, aunque durante la dictadura sufrieron divisiones internas, pues mientras unos colaboraron con la, otros, más liberales y demócratas, se mantuvieron al margen. Por so, este grupo apareció ante la naciente República con una gran dualidad, como demostró la conducta política de tres católicos democráticos an distintos como Gil Robles, el menos democrático; Martínez de Velasco, más, y Giménez Fernández, republicano, aunque católico.

El laicismo, pues, y el anticlericalismo subieron al poder con la República, y la política religiosa que instauraron entroncó perfectamente con as dos corrientes anteriormente indicadas. Por una parte, se cuidó exquisitamente una legislación laicista, y, por otra, se toleró la manifestación callejera y violenta del pueblo. Teniendo en cuenta estas consideraciones, ciertamente muy sumarias, no debe sorprender una serie de lechos hasta entonces inéditos en la historia de España, que afectaron lirectamente a la Iglesia, porque buena parte de ellos se prepararon y permitieron pensando precisamente en las instituciones eclesiásticas y lericales. Del sentimiento anticlerical teórico de los intelectuales se bajó l más burdo y simple de la masa popular, y de aquí se pasó al antirreligioso en muchas ocasiones.

2. LA JERARQUÍA ECLESIÁSTICA

os metropolitanos

Durante la dictadura del general Primo de Rivera (13 septiembre 923-28 enero 1930), la Monarquía de Alfonso XIII se desautorizó por ompleto. El monarca fue responsable, por su actuación personal, del lescrédito de la institución, ya que al colaborar con el dictador violó la Constitución de 1876, que había jurado cumplir. Por ello, tras la caída lel general dictador, la situación política era muy compleja, y el rey, nte la imposibilidad de seguir gobernando, no tenía más solución que limitir. ¿Cómo podía retirarse Alfonso XIII en aquellos momentos? Abdicar le era muy difícil, ya que su hijo mayor, Alfonso, estaba enfermo; el segundo, Jaime, era mudo, y el tercero, Juan, muy joven. En aquellos momentos era prácticamente imposible que tomara la regencia lguien que no fuese un militar. Al mismo tiempo, el pueblo no podía ceptar un nuevo régimen militar, aunque hubiese tenido carácter interino. Las elecciones del 12 de abril de 1931 dieron la victoria a las andidaturas republicanas en 41 capitales de provincia. Los monárquios ganaron solamente en nueve (Avila, Burgos, Cádiz, Gerona, Lugo, Palma de Mallorca, Pamplona, Soria y Vitoria). En Madrid, los republicanos y los socialistas obtuvieron un triunfo impresionante. Sin embargo, los datos globales oficiales, facilitados inmediatamente, eran fa vorables a los monárquicos. Las elecciones municipales, pues, las gana ron los candidatos monárquicos frente a la oposición republicana. Y, sir embargo, dos días después fue proclamada la II República española.

¿Por qué? Muchas explicaciones podemos encontrar entre cuantos intervinieron directamente en los acontecimientos. García Escudero las sintetiza en el segundo volumen de su *Historia política de las dos Españas,* a donde remito al lector. Basta decir que las elecciones municipales nc dieron el poder a los republicanos, sino que la debilidad del Pode permitió el advenimiento de la República. Miguel de Unamuno repetía con frecuencia que «la República no la trajimos nosotros... fue Don Al fonso de Borbón». Lerroux decía que «la monarquía se hundió, no la derribó nadie. Lo que hicieron los republicanos fue poner en su lugar ya vacío, la República». Por último, Miguel Maura, declaraba abierta mente: «Nos regalaron el poder».

Tras una monarquía desacreditada e impotente llegó, pues, pacífi camente, la II República, aceptada por la gran mayoría de los españoles como el régimen que debía sucederle naturalmente y consolidarse en España.

¿Cómo reaccionó la Iglesia tras el 14 de abril de 1931? Resulta peli groso hablar de Iglesia si no se distingue oportunamente entre el pue blo creyente y el clero. Incluso este segundo hay que dividirlo entre clero alto (cardenales, arzobispos y obispos) [12] y clero bajo (sacerdotes seculares y religiosos).

De momento interesa destacar la actitud del clero alto, porque fue e

---

[12] No existen estudios de conjunto sobre el episcopado de este tiempo. Las biografías son, por lo general, apologéticas. Sobre el cardenal Vidal se ha escrito bastante, pero la producción es muy desigual; destaca la obra de R. MUNTANYOLA, *Vidal i Barraquer, carde- nal de la pau* (Barcelona, Estela, 1970); hay una versión castellana de 1971, editada tam- bién por Estela. M. Batllori ha publicado un excelente retrato de *Vidal i Barraquer, prelat i patrici* en su *Galeria de personatjes* (Barcelona, Ed. Vicéns Vives, 1975) p.111-29. R. Comas ha dado a conocer una síntesis biográfica de *Vidal i Barraquer* (Abadía de Montserrat 1977) después de haber publicado *Gomá-Vidal i Barraquer. Dues visions antagoniques de l'Es- glesia del 1939* (Barcelona, Laia, 1974), traducida al castellano y publicada en Salamanca (Sígueme, 1977). Cf. también el comentario de esta obra por M. A. PIZA, *Los cardenales Gomá y Vidal i Barraquer:* Razón y Fe 188 (1973) 31-40. Sobre el arzobispo de Toledo es ya clásica la biografía documentada, aunque parcial, que escribió su secretario A. GRANADOS, *El cardenal Gomá, primado de España* (Madrid, Espasa-Calpe, 1969). Menos fortuna han tenido otros prelados; con todo, pueden ser útiles los libros de J. REQUEJO SAN ROMÁN, *El cardenal Segura* (Madrid 1931); R. GARRIGA, *El cardenal Segura y el Nacional-Catolicismo* (Barcelona, Planeta, 1977); L. TOVAR GONZÁLEZ, *Ensayo biográfico del Emmo. Sr. Cardenal Ilundain y Esteban* (Pamplona 1942); J. REY, *El obispo bueno. Excmo. Sr. D. José Eguino y Trecu, obispo de Santander* (Santander, Sal Terrae, 1963); P. L. LLORÉNS RAGA, *El obispo mártir. Perfil biográfico de Mons. Manuel Irurita y Almandoz, apóstol del corazón eucarístico de Cristo* (Valencia, Marí Montañana, 1972); J. RICART TORRÉNS, *Un obispo de antes del concilio. Biografía del Excmo. y Rvdmo. D. Manuel Irurita Almandoz, obispo de Barcelona* (Madrid, Ed. Religión y Patria, 1973); S. CIRAC ESTOPAÑÁN, *Vida de D. Cruz Laplana, obispo de Cuenca* (Barcelona 1943); N. TIBAU DURÁN, *Apuntes biográficos del Excmo. y Rvdmo. P. Salvio Huix Miralpeix, C.O., obispo de Lérida* (Lérida 1948), y sobre Nieto Martín, de Sigüenza, cf. A. DE FEDERICO FERNÁNDEZ, *Historia de la diócesis de Sigüenza —hoy Sigüenza-Guadalajara— y de sus obispos (continuación), 1898-1945* (Sigüenza 1967) p.75-207. Noticias diversas de otros obis- pos pueden recogerse en varios episcopologios que carecen de rigor científico, como son los de Olmos Canalda (Valencia), Tur Vidal (Orihuela) y Lloréns (Segorbe).

primer responsable de la postura que la Iglesia española adoptó ante la naciente República. Conviene separar del resto del episcopado al grupo de los metropolitanos, formado por tres cardenales —Segura (Toledo), Ilundain (Sevilla), Vidal (Tarragona)—, cinco arzobispos: Zacarías Martínez (Santiago), Remigio Gandásegui (Valladolid), Manuel de Casro (Burgos), Prudencio Melo (Valencia), Rigoberto Doménech (Zaragoza), y el obispo de Jaén, Basulto, que, tras la muerte del cardenal Casanova, arzobispo de Granada, representaba en la conferencia de meropolitanos a los obispos de dicha provincia eclesiástica. Más tarde, al ser expulsado el cardenal Segura, la provincia eclesiástica de Toledo estuvo representada en la conferencia por el obispo de Sigüenza, Eustaquio Nieto Martín.

Puede decirse que, en general, este reducido grupo de prelados se dio cuenta inmediatamente del cambio radical que se había verificado en el país. Se trata de una afirmación sujeta a revisión y matizaciones porque el grupo de los metropolitanos estaba compuesto por personajes de muy diverso origen y, por consiguiente, de categoría personal y mentalidad muy desiguales.

Al ser expulsado Segura quedaron dos cardenales, el navarro Ilundain y el catalán Vidal, que se convirtieron automáticamente en jefes morales del episcopado español desde sus respectivas sedes arzobispales de Sevilla y Tarragona. Dos personalidades que podían parecer antitéticas, destinadas a enfrentarse, y que se entendieron perfectamente gracias al sentido común y a la inteligencia de entrambos. Ilundain era arzobispo de la inmensa metrópoli hispalense, que entonces comprendía también la provincia de Huelva, donde había muchos católicos y pocos cristianos, y se dio cuenta de la gravedad que revestía para Andalucía el problema social. Resulta significativo que mientras en Roma se hablaba constantemente de la España católica y la mayoría de los católicos españoles ignoraba los verdaderos problemas del pueblo andaluz, el cardenal de Sevilla insistía a su colega de Tarragona para que advirtiera a la Santa Sede que la realidad del país, y en concreto la de su diócesis, era muy distinta de lo que en Roma creían [13]. Ilundain procedía de una familia navarra carlista e integrista, y siguió la carrera eclesiástica tradicional; pero, como hijo del pueblo, se dio cuenta de sus exigencias y comprendió perfectamente el peligro que encerraba el anarquismo andaluz. Demostró gran sensibilidad y sensatez al gobernar su diócesis tan conflictiva, donde la masa del pueblo odiaba a los señoritos burgueses, muy ricos y católicos, pero poco cristianos, y comprendió que los tiempos habían cambiado.

Vidal era de extracción diversa. Procedía de una familia acomodada, burguesa, con precedentes carlistas y liberales. Fue vocación adulta; ejerció la abogacía antes de ser sacerdote. Al llegar la República fue

---

[13] Así aparece a través de la obra de J. ORDÓÑEZ MÁRQUEZ, *La apostasía de las masas y la persecución religiosa en la provincia de Huelva (1931-1936)* (Madrid, C. S. I. C., 1968). Este libro tiene como base documental el amplio informe preparado por el cardenal Ilundain sobre el estado de su diócesis con motivo de la visita *ad limina* de 1932.

quizá el obispo más dispuesto a dialogar con el nuevo sistema, porque su formación, menos eclesiástica y clerical que la de los restantes prelados, le permitía reconocer sin dificultades que la soberanía del Estado radicaba en las Cortes Constituyentes, cosa en aquellos momentos difícil de admitir para la gran mayoría de eclesiásticos, porque desde los principios del siglo XIX hasta los del XX había sido doctrina constante de los papas la condena del liberalismo y de la expresión del voto popular. Recuérdense de modo especial Gregorio XVI y Pío IX. Vidal no era republicano, sino monárquico, como la gran mayoría de la burguesía catalana, pero reconoció que la República era un régimen irreversible, y junto con el cardenal de Sevilla, trató de sensibilizar a todo el episcopado para que tomara conciencia de lo que significaba el cambio de situación política.

Los obispos

Si bien de estos cardenales y del grupo de metropolitanos podemos dar algunas características generales, más ardua es la tarea con respecto a los demás obispos. En primer lugar porque resulta muy difícil conocer todos sus escritos pastorales y su correspondencia privada. Algo se puede decir de los más destacados, como el de Madrid-Alcalá, Eijo Garay, que había tenido sus dificultades con el dictador Primo de Rivera, y debió de sentir en los primeros días de la República su liberación personal.

Un sector fuerte y numeroso del episcopado estaba compuesto por los integristas. Quizá el más duro en aquellos momentos era el obispo de Tarazona, Isidro Gomá y Tomás, de quien hablaré más adelante. Sus intervenciones y escritos contra la República pasaron en aquellos momentos prácticamente desapercibidos, porque era obispo de una pequeña diócesis. Buena parte de los obispos más intransigentes procedían del grupo nombrado durante la dictadura, porque Primo de Rivera se apoyó en el integrismo y en el carlismo. En Cataluña concretamente trató de impedir, aunque no logró conseguirlo completamente, que hubiese obispos catalanes. Para ello buscó valencianos, mallorquines e incluso vascos y navarros que habían pasado por Valencia. Esto explica los nombramientos de los canónigos valencianos Bilbao, Vila e Irurita para las diócesis de Tortosa, Gerona y Lérida, respectivamente. Y la promoción del religioso mallorquín Perelló Pou a Vich.

El grupo de obispos intransigentes hubiera tenido un gran peso de haber existido la actual Conferencia episcopal. Pero su influjo quedó neutralizado por el equilibrio y la moderación de los metropolitanos que impartían las directrices pastorales a los restantes prelados.

Con todo, pese a la escasa documentación que poseemos y teniendo solamente en cuenta algunos de sus escritos y la conducta que observaron, se advierte inmediatamente la diferencia entre los obispos que procedían de un régimen liberal y los que eran hijos de la dictadura. Mientras los primeros mostraron mayor comprensión, no exenta de preocupación, ante el nuevo régimen, los segundos desencadenaron inmedia amente el ataque a la República. Este fue el caso de Gomá y el de Pérez Platero, obispo de Segovia.

3. LAS ELECCIONES MUNICIPALES DE 1931

Actitud de los obispos

Durante la campaña electoral para las municipales de 1931, el episcopado mostró una cierta moderación, si bien no faltaron excepciones, como el obispo Múgica, de Vitoria, que llamó la atención de los católicos para que no votasen candidatos republicanos y socialistas [14]. El prelado vasco provocó un conflicto con el poder civil en momentos de tirantez política, cuando crecía la tensión sorda y callada entre la Iglesia y el Estado.

El resultado electoral fue motivo de preocupación para el episcopado y para la inmensa mayoría de los católicos practicantes. «Hemos entrado ya en el vértice de la tormenta —escribía el obispo Gomá, de Tarazona, al cardenal Vidal—... Soy absolutamente pesimista. Ni me cabe en la cabeza la monstruosidad cometida» [15]. Y el cardenal Segura comentaba: «Indudablemente que nuestra Patria ha sufrido un rudo golpe con los sucesos de estos días» [16].

Se podrán reproducir otros testimonios, que quedan ampliamente recogidos en el *Arxiu Vidal*. Nótese, sin embargo, que estos juicios negativos de los primeros momentos están contenidos en correspondencia confidencial y privada, ya que los obispos mantuvieron una prudente actitud de espera, y se abstuvieron de manifestaciones, declaraciones o juicios hostiles hacia la recién estrenada República. En la mayoría de los casos se limitaron a recomendar sensatez y cordura a los sacerdotes, prohibiéndoles intervenir en asuntos políticos, sin ocultar un cierto nerviosismo por el paso de la Monarquía a la República. «La profunda conmoción que experimenta nuestra amada Patria con motivo del cambio de régimen —escribía el obispo Luis Pérez, de Oviedo— exige una extremada discreción de parte de todos los ciudadanos, y especialmente de los sacerdotes, por la mayor transcendencia de sus actos como directores y pastores de almas» [17]. Y, entre las normas dadas al clero y fieles «en las presentes circunstancias de la nación», estableció el prelado ove-

---

[14] *Arxiu Vidal* I p.57 n.7. El obispo de Tuy, Antonio García, publicó el 27 de marzo de 1931 una larga *Instrucción pastoral acerca de los deberes de los católicos para con su patria, especialmente en tiempo de elecciones* (Tuy, Tip. Regional, 1931). En ella hacía una apretada síntesis de las normas dadas por la Santa Sede en esta materia y concluía: «El obispo no puede descender a personalismos; vosotros en conciencia, delante de Dios, estudiad las condiciones de los candidatos, y, aplicando la doctrina expuesta, tomad la resolución de votar en favor de aquel que juzguéis candidato digno atendidas todas las circunstancias, de suerte que en la hora de la muerte, cuando estéis ya para comparecer delante del tribunal de Dios, no tengáis que arrepentiros del mal uso que hayáis hecho del derecho de votar» (p.27).

[15] *Arxiu Vidal* I p.19.

[16] Ibid., I p.22.

[17] *Doctrina constante de la Iglesia en materia política*. Circular del obispo de Oviedo, de 29 abril 1931 (Oviedo, Tip. La Cruz, 1931).

13

tense «que ningún sacerdote escriba en diarios, ni publique cualquier género de escrito, ni de conferencias sobre asuntos políticos sin nuestra licencia *in scriptis*».

Conducta de la Santa Sede

La Santa Sede, por su parte, recomendó a los sacerdotes, religiosos y fieles el máximo respeto a los poderes constituidos y la obediencia a ellos para el mantenimiento del orden y bien común [18]. Incluso el cardenal primado, Segura, mostró en los primeros días de la República gran moderación, ya que —escribía— «por el momento parece no hay peligro inminente respecto a personas, bienes y derechos económicos de la Iglesia» [19], si bien a principios de mayo cometió la gran imprudencia de publicar una pastoral donde elogiaba abiertamente al destronado monarca, porque «durante su reinado supo conservar la antigua tradición de fe y piedad de sus mayores. ¿Cómo olvidar su devoción a la Santa Sede y que él fue quien consagró España al Sagrado Corazón de Jesús?» [20]

Fue un golpe tremendo, que los republicanos acusaron inmediatamente. Las reacciones del Gobierno y de la prensa no se hicieron esperar. Se le presionó al nuncio para que Segura marchara de España, quien salió de Toledo el 10 de mayo y el 13 emprendió viaje a Roma.

El día 9 había tenido lugar en Toledo una reunión de los metropolitanos, promovida por la Santa Sede, en la que se acordó la adhesión incondicional al papa y al cardenal primado por la «persecución de que era objeto por parte del Gobierno»; se aprobó una declaración colectiva y una protesta dirigida al presidente del Gobierno provisional, Alcalá Zamora, contra «la violación de diversos derechos de la Iglesia ya llevada a cabo o anunciada oficialmente» [21].

Dos días más tarde, el 11 de mayo, en Madrid, Valencia, Alicante, Murcia, Sevilla, Málaga y Cádiz fueron incendiados y saqueados durante tres días de desenfreno popular, que el Gobierno no quiso o no pudo controlar, casi un centenar de edificios religiosos. La polémica sobre las responsabilidades gubernativas sigue abierta, pero no deseo entrar en ella, porque «al historiador no le quedan actas judiciales de este proceso, que no llegó a iniciarse, contra los autores de tales desmanes. Ya esta ausencia de formal intervención de la autoridad judicial denuncia de por sí que el Gobierno rehuía aclaraciones excesivas de lo ocurrido» [22].

---

[18] *Arxiu Vidal* I p.24.
[19] Ibid., I p.21.
[20] *Boletín Oficial Eclesiástico del Arzobispado de Toledo* n.9, 2 mayo 1931, p.137-45.
[21] *Arxiu Vidal* I p.45.
[22] A. MONTERO MORENO, *Historia de la persecución religiosa en España. 1936-1939* (Madrid, BAC, 1961) p.25. Sobre estos sucesos cf. también J. M. DE LA CHICA, *Cómo se incendiaron los conventos de Madrid* (Madrid 1931); J. ARRARÁS, *Historia de la II República Española* I (Madrid 1956) p.73-100, y F. NARBONA, *La quema de conventos* (Madrid 1931; 2.ª ed. 1959).

Quema de conventos

La quema de conventos fue el primer incidente serio que comenzó a enturbiar las relaciones Iglesia-Estado. Lerroux la definió «crimen impune de la demagogia»[23]. Maura reconoció que se trató de un *bache* que podía haber sido definitivo y crucial para el nuevo régimen, si bien fue superado[24]. Y Alcalá Zamora admitió que las consecuencias de estos sucesos fueron desastrosas para la República, ya que le creó enemigos que hasta entonces no tenía[25].

Tampoco por parte eclesiástica faltaron incidentes que alteraron la normalidad en las relaciones con el Estado. A la salida del cardenal Segura siguió su expulsión del territorio nacional el 15 de junio[26]. Entre tanto, el 17 de mayo había sido exiliado el obispo de Vitoria, Múgica, cuya belicosa hostilidad a la República se había manifestado abiertamente antes de las elecciones[27]. Durante el verano de 1931, concretamente el 14 de agosto, fueron sustraídos al vicario general del prelado vasco, Justo de Echeguren, unos documentos que comprometieron a la Iglesia. Echeguren se encontraba en Irún de paso para Anglet, donde residía el exiliado Múgica, cuando le descubrieron dicha documentación, que fue transmitida al Consejo de Ministros y motivó el decreto del 20 de agosto, por el que se prohibía la alienación de bienes eclesiásticos. En realidad, se trató de un complemento de la legislación precedente en materia de patrimonio artístico nacional, que provocó una fuerte reacción por parte de los obispos citados, es decir, Segura y Múgica, a quienes con decreto del 18 de agosto habían sido suprimidas las temporalidades[28].

La expulsión de los dos prelados fue obra personal del ministro Maura, quien justificó su actitud diciendo que no se trataba de un choque del Gobierno republicano contra la Iglesia, sino de «Miguel Maura, católico, apostólico, romano pero a la vez ministro de la Gobernación, con dos jerarcas de la Iglesia. Estoy seguro —concluía—, segurísimo, de haber evitado con ello graves daños a la paz religiosa y a los maldicientes católicos españoles»[29].

[23] A. LERROUX, *La pequeña historia...* p.33.

[24] M. MAURA, *Así cayó Alfonso XIII...* p.264.

[25] N. ALCALÁ-ZAMORA, *Memorias...* p.185. Otras reacciones de políticos sobre la quema de conventos en F. LARGO CABALLERO, *Mis recuerdos...* p.121-22, y C. RIVAS-CHERIF, *Retrato de un desconocido: vida de Manuel Azaña* (México 1961) p.135-36.

[26] Esta decisión fue tomada por Maura, ministro de la Gobernación, sin contar con el Gobierno (cf. su versión en *Así cayó Alfonso XIII...* p.298-307).

[27] V. M. ARBELOA, *La expulsión de Mons. Mateo Múgica y la captura de documentos al vicario general de Vitoria en 1931*: Scriptorium Victoriense 18 (1971) 155-95; ID., *El nuncio pide la repatriación del obispo de Vitoria y nuevas dificultades de su vicario general con el Gobierno republicano*: ibid., 19 (1972) 84-92; ID., *Don Mateo Múgica en el exilio (1931-1933)*: ibid., 20 (1973) 296-329.

[28] *Gaceta de Madrid*, 21 agosto 1931, p.1367-68.

[29] M. MAURA, *Así cayó Alfonso XIII...* p.307.

4. LAS CORTES CONSTITUYENTES DE 1931

Los partidos de izquierda y la Iglesia

Proclamada la República, el nuevo Gobierno provisional tuvo que iniciar inmediatamente la preparación de elecciones políticas para las futuras Cortes Constituyentes. A nadie se le ocultaba que a los complejos problemas que comportaba el cambio radical de régimen había que añadir las dificultades que encerraba la cuestión religiosa. Pero antes de entrar de lleno en el estudio de este tema es conveniente hacer algunas consideraciones de carácter general.

En primer lugar, ¿eran las Cortes Constituyentes una representación auténtica del pensamiento español de 1931? ¿Reflejaban la mentalidad del pueblo español? Honestamente hay que decir que no, en absoluto. Porque las Constituyentes de 1931 fueron el resultado de una ley electoral injusta, preparada por el Gobierno provisional de cara a dichas elecciones. La ley era mayoritaria; por tanto, a la hora de repartirse los escaños, los partidos mayores alcanzaron en el Parlamento una representación mucho mayor de los votos populares que realmente habían conseguido; mientras que los partidos menores, por esta misma distribución proporcional injusta, tuvieron menos representación a nivel de diputados. Por ello, la composición del Parlamento no respondió a las fuerzas auténticas del país. Sin embargo, hay que decir también que, después de la dictadura de Primo de Rivera, la inmensa mayoría del pueblo español reaccionó contra la Monarquía y apoyó cualquier candidatura republicana, prescindiendo, en aquella primavera tan esperanzadora de 1931, del contenido religioso que pudieran tener los distintos partidos políticos.

La consecuencia de las elecciones de junio de 1931 con dicha ley electoral fue una rotunda victoria de los socialistas. Este triunfo del gran partido de izquierdas se debió, en buena parte, al grave error cometido por la Monarquía liberal durante largos años de considerar al socialismo como un partido o un movimiento perturbador del orden social y enemigo de la Iglesia, cuando es bien sabido que Alfonso XIII, según afirmaba el cardenal Vidal, apoyaba a la Iglesia «no sólo por lo que representa y significa, sino por considerarla como uno de los puntales del trono» [30].

Lo que menos preocupaba a los socialistas, y en concreto a su patriarca Pablo Iglesias, era el problema religioso. Iglesias vio el anticlericalismo más como un factor burgués que como una característica del mundo proletario, ya que la obsesión del trabajador es buscar el pan y no el ir a misa. Por otra parte, los socialistas españoles habían demostrado gran moderación y sentido político al mantener las debidas distancias de los comunistas. La Monarquía española no hizo nada por acercarse al socialismo, que fue un elemento fundamental de la sociedad. La dictadura de Primo de Rivera le sirvió para organizarse a través

[30] _Arxiu Vidal_ I p.81.

de los comités paritarios, y, cuando llegó la hora de la verdad, el momento de las elecciones libres, estuvieron en las mejores condiciones para afrontar la prueba y ganarla limpiamente, con mayorías aplastantes en muchas capitales importantes, como Madrid [31].

Sin embargo, hay que reconocer que el socialismo salido de las elecciones políticas de junio de 1931 era rabiosamente anticlerical. El cardenal de Tarragona decía abiertamente que la Iglesia no podía esperar nada bueno de los socialistas, aunque algunos no eran partidarios de la violencia, y criticaba el «marcado sabor radical» de las nuevas Cortes, si bien, «con tacto y buena voluntad en los dirigentes, podrían disminuirse los estragos que se proponen causar en materia religiosa y social» [32]. Los socialistas eran anticlericales rabiosos, pero con una enorme carga social y económica, que les hacía ver en la Iglesia una poderosa organización, perfectamente instalada en las áreas del poder, que durante decenios había apoyado, directa o indirectamente, a los explotadores de la clase trabajadora. Pero se trataba de un anticlericalismo diverso del burgués, de corte decimonónico, de salón, reservado a clases económicamente privilegiadas. Este anticlericalismo era anacrónico, pero existía todavía en 1931 [33]. El anticlericalismo de los socialistas no era, ni podía ser, tan refinado, sino más elemental y popular.

Otro partido importante fue el republicano radical, que había cambiado muy poco, aunque su principal exponente, Lerroux, había evolucionado enormemente hacia la moderación y la burguesía. El cardenal Vidal reconocía que era «el más político, gubernamental y enérgico de los ministros del actual régimen». Lerroux se había moderado mucho, pero su partido no. Tan anticlericales eran los radicales como los socialistas. Por eso hay que tener en cuenta la actitud personal de Lerroux y distinguirla de su partido, que se le había escapado de las manos.

Menor era la potencia de otros partidos, como Acción Republicana, de Azaña; los radicalsocialistas, de Albornoz y Marcelino Domingo; el grupo republicano conservador, de Alcalá Zamora y Maura, y la Esquerra Catalana, con Nicolau d'Olwer. A estos políticos fueron encomendadas las principales carteras ministeriales en el primer Gobierno republicano.

Los católicos y la política republicana

¿Cómo podían hacer frente los católicos a estas fuerzas políticas en el Parlamento?

En 1931 no podía hablarse de fuerzas católicas organizadas políticamente. Entre otras cosas, porque había católicos practicantes en los

---

[31] J. Tusell Gómez, *La II República en Madrid: elecciones y partidos políticos* (Madrid, Tecnos, 1970).

[32] *Arxiu Vidal* I p.203 y 205.

[33] J. R. O'Connell, partiendo de las fuentes de la época y de la bibliografía reciente, reflexiona sobre la importancia del factor político anticlerical en la evolución de la II República, en *The Spanish Republic: Further Reflections on Its Anticlerican Policies:* The Catholic Historical Review (Wáshington) 57 (1971-72) 275-89.

partidos de derechas y en los republicanos. Los dirigentes más destacados entre estos segundos eran Alcalá Zamora y Maura, que representaban lo poco que quedaba de los viejos «católicos liberales» del XIX y principios del XX. Los grupos católicos homogéneos en las Constituyentes eran solamente dos: los agrarios de Castilla y los vasco-navarros. Pero mientras en la defensa de los intereses de la Iglesia se mostraban unidos, políticamente eran muy distintos, y llegaron a tener incluso intereses opuestos. Bastaba, sin embargo, que se uniesen en pro de la Iglesia para que fuesen considerados de derechas por todos los otros partidos laicos o de izquierdas. El grupo castellano de los agrarios era más republicano, porque no sólo acató la República, sino que la aceptó. Tuvo un gran dirigente, Martínez de Velasco, que contribuyó a darle gran seriedad y responsabilidad. Contaba además con una base popular fuerte, aunque no era un grupo proletario.

Los vasco-navarros no eran un partido, sino un grupo muy heterogéneo, que tenían en común el problema de los fueros y de la autonomía. Con todo, hay que reconocer que fueron acérrimos defensores de los derechos de la Iglesia.

Varios sacerdotes diocesanos fueron elegidos diputados por diversos grupos o partidos; pero, no obstante el prestigio personal de la mayoría de ellos y sus brillantes intervenciones parlamentarias, no puede decirse que su presencia en las Cortes tuviera alguna repercusión favorable con respecto al problema religioso [34].

Ante este panorama político, no está de más insistir de nuevo en que los metropolitanos tuvieron conciencia de que la República no era un régimen transitorio, sino una institución estable con la que habría que negociar en serio. Quizá otros obispos y la mayor parte del llamado clero bajo creían que la República podía desaparecer con un golpe militar, y hasta es probable que en el fondo lo deseasen. Cabía incluso la hipótesis de cambiar el régimen con unas nuevas elecciones políticas, dado que el sistema se desacreditaba por días a medida que crecía el caos social. Pero lo que nadie podía esperar después de las elecciones de junio del 31 es que volviera la Monarquía.

La República, escribía el cardenal Vidal, «representa una fuerte sacudida en el orden político, ideológico, moral y religioso» [35]; por ello, los obispos, y más en concreto los metropolitanos, hicieron frente a la nueva situación con gran realismo. Contaron además con el apoyo externo, aunque a veces dudoso, del nuncio Tedeschini, que no siempre actuó como los obispos hubieran querido, quizá porque advertía el dualismo existente en Roma entre el papa Pío XI y su secretario de Estado,

---

[34] Fueron: Ricardo Gómez Rojí (agrario), por Burgos; Luis López-Dóriga Meseguer (radicalsocialista), por Granada; Antonio Pildain Zapiain (vasco-navarro), por Guipúzcoa; Lauro Fernández González (agrario), por Santander; Jerónimo García Gallego (republicano independiente), por Segovia; Ramón Molina Nieto (agrario), por Toledo; Santiago Guallar Poza (agrario), por Zaragoza, y Basilio Alvarez Rodríguez (radical), por Orense. Este último estaba en situación canónica irregular, pero defendió siempre los derechos de la Iglesia.

[35] *Arxiu Vidal* I p.81.

Pacelli, al tratar los asuntos de España. Es posible que Vidal aludiera suavemente a estas diferencias cuando escribía al futuro Pío XII que, «si bien son diferentes la acción diplomática y la pastoral, deben completarse mutuamente y nunca estorbarse» [36].

Este dualismo se explica y se comprende porque Pío XI había estado muy comprometido, y comprometió a la Iglesia española con la política seguida durante la dictadura de Primo de Rivera, si bien gran parte de responsabilidad caía sobre su antiguo secretario de Estado, Gasparri, el de la *conciliazione* con Mussolini. Después de haber pactado con los fascistas italianos, Pío XI firmó un concordato con los nazis alemanes, y parece ser que en los últimos años se arrepintió de lo que había hecho. En cambio, la sustitución de Gasparri por Pacelli fue muy significativa, porque el nuevo secretario de Estado venía de Alemania y era mucho más hábil que Pío XI, que no era diplomático, sino hombre de estudio e investigación, a quien su fracaso en la Nunciatura de Polonia le condicionó siempre. Además, Pacelli en aquellos primeros momentos era mucho más sensible y abierto a los problemas de España que el papa, quizá porque había traído de Alemania la experiencia de los católicos, políticamente unidos. Ahora bien, esto tenía sus inconvenientes, ya que Pacelli pretendía que en España se repitiera la experiencia alemana, lo cual era utópico y además absurdo, porque los católicos españoles eran completamente diferentes de los alemanes, hasta el punto de que mientras en Alemania formaban un bloque monolítico, en España había católicos fascistas, monárquicos, republicanos, liberales, autonomistas, separatistas y carlistas. Pero como en Alemania la unidad política de los católicos monárquicos con los republicanos había evitado la victoria de los comunistas, el nuevo secretario de Estado quería repetir en España el mismo experimento, sin darse cuenta de que era imposible, porque existían en el catolicismo español diferencias muy profundas, prácticamente insalvables, que el cardenal Pacelli no acabó de percibir pese a su extraordinaria inteligencia. Y lo mismo les ocurría a sus más íntimos colaboradores; en concreto, al futuro cardenal Pizzardo, entonces secretario de Asuntos Extraordinarios, y, por tanto, brazo derecho de Pacelli. Con todo, hay que reconocer que mostró mayor comprensión que Pío XI hacía la República española [37].

[36] Ibid., I p.87.
[37] El dualismo Pío XI-Pacelli se puso de manifiesto en varias ocasiones. Quizá la más significativa fue en noviembre de 1931, cuando el papa expresó su opinión personal en las duras normas dadas a los obispos españoles con la *Gravis theologi sententia*. Este importante documento fue introducido casi clandestinamente en España por el jesuita Carvajal, y muchos obispos, en concreto los más integristas, lo conocieron antes o al mismo tiempo que los metropolitanos (C. MARONGIU BUONAIUTI, *Spagna 1931...* p.287-92).
   Los proyectos e iniciativas de Pacelli sobre la situación española pueden verse en *Arxiu Vidal*. Su actitud y la de Pizzardo aparecen más claras en *Euzkadi y el Vaticano (1935-1936)*. Documentación de un episodio, presentada en edición crítica por I. Moriones (Roma 1976). Sobre la conducta del papa cf. G. PALAZZINI, *Pio XI e il Messico, la Spagna, il Portogallo* en «Pio XI trentesimo della morte (1939-1969). Raccolta di studi e di memorie a cura dell'Ufficio studi Arciv. di Milano» (Milano 1969) p.621-57. La bibliografía sobre las relaciones Iglesia-fascismo-nazismo es inmensa. Remito a la excelente síntesis de G. Martina y a los títulos más significativos que cita en *La Iglesia de Lutero a nuestros días*. IV: *Epoca del totalitarismo* (Madrid, Ed. Cristiandad, 1974) p.115ss.

5. La cuestión religiosa[38]

Azaña ante la Iglesia

Entiendo por cuestión religiosa el conjunto de problemas relacionados con el *status* jurídico de la Iglesia católica en una República que deseaba el máximo laicismo posible sin chocar con dicha Iglesia; es decir, todo ese complejo mundo que afecta, directa o indirectamente, a las relaciones Iglesia-Estado.

En el caso de la II República española, la cuestión religiosa saltó al primer plano del interés nacional cuando en las Cortes Constituyentes se discutió el proyecto de artículo que trataba este tema, el artículo 24, que en el texto definitivo fue el 26.

Manuel Azaña, ministro del Ejército y exponente de Acción Republicana, «muy radical y de malas costumbres», según el cardenal Vidal[39], fue el protagonista de la discusión parlamentaria de dicho artículo, y a él se le imputa la aprobación del mismo. No cabe duda de que Azaña era profundamente laico y anticlerical, quizá por reacción a la formación clerical-integrista que recibió de los agustinos en El Escorial, lo cual motivó después una grave crisis religiosa cuando pasó a la Institución Libre de Enseñanza. En sus obras, especialmente en *El jardín de los frailes,* demostró un sentimiento religioso, que no puede silenciarse. Parece ser incluso que, a pesar de su laicismo, sentía un gran respeto por la Iglesia. Pero al mismo tiempo cometió errores gravísimos, típicos de un hombre que era más intelectual que político, porque no se dio cuenta de la auténtica situación del pueblo español. Le faltó inteligencia para tratar con la Iglesia, y las consecuencias fueron funestas. En aquellos momentos no comprendió que era una utopía querer un máximo de laicismo sin chocar con la Iglesia. Como era también práctica-

[38] Toda la problemática republicana sobre las relaciones Iglesia-Estado giró en torno a esta cuestión fundamental. De la bibliografía aparecida entonces selecciono algunos títulos: A. DE ALBORNOZ, *La política religiosa de la República* (Madrid 1935); A. DE CASTRO ALBARRÁN, *Los católicos y la República* (s.n.t.); F. CODINA Y SERT, *El Estado y la religión. Doce problemas de palpitante actualidad* (Barcelona 1932); PERSILES, *La política religiosa. España-Vaticano. Encuentros con El Capuchino* (Madrid, Ed. Signo, 1932). Recientemente han aparecido tres obras fundamentales, aunque desiguales, que han utilizado fundamentalmente los documentos del *Arxiu Vidal.* Las cito por orden de aparición: F. DE MEER LECHA-MARZO, *La cuestión religiosa en las Cortes Constituyentes de la II República Española* (= Colección de Historia de la Iglesia, de la Universidad de Navarra: 7) (Pamplona, Eunsa, 1975); libro bien construido y ordenado, pero con planteamiento sumario; C. MARONGIU BUO-NAIUTI, *Spagna 1931* (cit. en la nt. 4); centra mejor la cuestión y profundiza en los problemas fundamentales; V. M. ARBELOA, *La semana trágica de la Iglesia en España (octubre de 1931)* (Barcelona, Galba ed., 1976); tono periodístico. Este autor ha publicado varios artículos sobre el tema: *Los esfuerzos de la jerarquía española por un acuerdo con el Estado en materia religiosa en 1931:* Revista Española de Derecho Canónico 26 (1970) 661-73; *Iglesia y Estado en el anteproyecto de Constitución de 1931:* ibid., 27 (1971) 313-47; *El proyecto de Constitución de 1931 y la Iglesia:* ibid., 32 (1976) 87-109. Cf., además, M. GRANADOS, *La cuestión religiosa en España* (México, Ed. «Las Españas», 1959); F. ASTARLOA VILLENA, *Región y religión en las Constituyentes de 1931* (= Cátedra Fadrique Furió Ceriol: 6) (Valencia, Fac. de Derecho, 1976); M. RAMÍREZ JIMÉNEZ, *Iglesia y Estado en la Constitución española de 1931:* Estudios Filosóficos 15 (1966) 541-58; J. F. RIVERA RECIO, *La cuestión religiosa en las Constituyentes de 1931:* 60 (1965) 5-37.

[39] *Arxiu Vidal* I p.204.

mente imposible que una gran parte del episcopado, procedente de la dictadura, pudiese entenderse con una República anticlerical y laica.

El artículo 26

Sin embargo, al cargar sobre Azaña toda la responsabilidad del artículo 26, no se tiene en cuenta que su famosa intervención parlamentaria consiguió enmendar la formación de un proyecto mucho peor del texto que luego resultó definitivamente aprobado.

En la Comisión dictaminadora hubo gran tensión entre quienes propugnaban un texto moderado, que reconociera la separación de la Iglesia del Estado, el respeto mutuo y el reconocimiento de la Iglesia como sociedad de derecho público, y los socialistas, mucho más radicales, que pidieron fundamentalmente tres cosas:

1.ª Considerar todas las confesiones religiosas como asociaciones sometidas a las leyes generales del país.

2.ª Prohibir al Estado y a otras entidades u organismos cualquier tipo de ayuda económica o auxilio a las iglesias, asociaciones e instituciones religiosas.

3.ª No permitir en el territorio español el establecimiento de órdenes religiosas, disolver las existentes y nacionalizar todos sus bienes.

Es evidente que en las Cortes Constituyentes existía una mayoría aplastante dispuesta a aprobar las propuestas más radicales, ya que las fuerzas políticas dominantes rechazaron cualquier tipo de proyecto moderado y tolerante con la Iglesia. Azaña consiguió, a través de una enmienda presentada por un diputado de su partido, que luego hizo suya, cambiar completamente la situación. Y, pese al tono fuertemente polémico e ingenuamente anticlerical de su brillante discurso, suavizó enormemente el radicalismo de las propuestas socialistas. Habló durante cinco horas en la tarde del 13 de octubre de 1931, y obtuvo una mayoría limpia —178 votos a favor y 5 en contra— en favor de un texto nuevo que minimizaba los tres puntos arriba indicados, y que sin su intervención habrían sido ciertamente aprobados por un Parlamento en el que —son palabras del cardenal de Tarragona— predominaba el «bajo nivel intelectual y moral de parte de los diputados» [40]. Por consiguiente, en buena lógica hay que concluir que la Iglesia española se salvó gracias a la intervención de Azaña, inteligente y oportuna en aquella circunstancia, con la que evitó, de momento, el choque frontal que poco después fue inevitable.

Su discurso fue muy criticado, incluso por sus mismos compañeros de gobierno. Lerroux dijo que la intervención de Azaña era una «obra maestra de la perfidia, que desautorizaba a su jefe de gobierno y contentaba a la galería, menos atenta al interés de la República que al interés sectario» [41]. Alcalá Zamora le acusó de haber frustrado todo intento de paz religiosa al pronunciar un discurso que parecía improvisado,

---

[40] Ibid., I p.298.
[41] A. LERROUX, *La pequeña historia...* p.119.

cuando en realidad había sido cuidadosamente preparado y concertado [42]. El cardenal Vidal reconoció que la intervención de Azaña consiguió una fórmula «no tan radical como el dictamen primitivo, pero gravemente empeoradora del segundo dictamen de la Comisión» [43].

La aprobación del texto presentado por Jiménez de Asúa hubiera sido fatal para la Iglesia española, porque en la práctica habría significado su total desaparición. La maniobra de Azaña consiguió evitarlo. En realidad se trató de un texto menos malo, que muchos diputados católicos votaron por considerarlo un mal menor [44]. Después vino la crisis ministerial, con la dimisión de los exponentes más moderados, Maura y Alcalá Zamora, que se retiraron de la política activa. El primero quedó como simple diputado y al segundo se le ascendió más tarde a la presidencia de la República, con lo cual se consiguió que, en lugar de un laico, un católico llegase a la primera magistratura del Estado.

[42] N. ALCALÁ-ZAMORA, *Memorias...* p.193.
[43] *Arxiu Vidal* I p.389-90.
[44] Todos los boletines eclesiásticos de España publicaron el texto íntegro de la nueva Constitución, subrayando cuanto no estaba conforme con la doctrina o leyes católicas (*Arxiu Vidal* I p.484-505). Los obispos publicaron en diciembre de 1931 una carta colectiva que denunciaba el laicismo del Estado, la supresión del presupuesto eclesiástico y la disolución de las órdenes religiosas que por sus actividades constituían un peligro para la seguridad del Estado (J. IRIBARREN, *Documentos colectivos...* p.160-81). La nueva Constitución fue publicada en la *Gaceta de Madrid* de 9 diciembre 1931. Los artículos 26 y 27 dicen textualmente:

«Art.26.   Todas las confesiones religiosas serán consideradas como asociaciones sometidas a una ley especial.

El Estado, las regiones, las provincias y los municipios no mantendrán, favorecerán ni auxiliarán económicamente a las iglesias, asociaciones e instituciones religiosas.

Una ley especial regulará la total extinción, en un plazo máximo de dos años, del presupuesto del clero.

Quedan disueltas aquellas órdenes religiosas que estatutariamente impongan, además de los tres votos canónicos, otro especial de obediencia a autoridad distinta de la legítima del Estado. Sus bienes serán nacionalizados y afectados a fines benéficos y docentes.

Las demás órdenes religiosas se someterán a una ley especial votada por estas Cortes Constituyentes y ajustada a las siguientes bases:

1.ª Disolución de las que por sus actividades constituyan un peligro para la seguridad del Estado.

2.ª Inscripción de las que deban subsistir, en un registro especial, dependiente del Ministerio de Justicia.

3.ª Incapacidad de adquirir y conservar, por sí o por persona interpuesta, más bienes que los que, previa justificación, se destinen a su vivienda o al cumplimiento directo de sus fines privativos.

4.ª Prohibición de ejercer la industria, el comercio o la enseñanza.

5.ª Sumisión a todas las leyes tributarias del país.

6.ª Obligación de rendir anualmente cuentas al Estado de la inversión de sus bienes en relación con los fines de la asociación.

Los bienes de las órdenes religiosas podrán ser nacionalizados.

Art.27.   La libertad de conciencia y el derecho de profesar y practicar libremente cualquier religión quedan garantizados en el territorio español, salvo el respeto debido a las exigencias de la moral pública.

Los cementerios estarán sometidos exclusivamente a la jurisdicción civil. No podrá haber en ellos separación de recintos por motivos religiosos.

Todas las confesiones podrán ejercer sus cultos privadamente. Las manifestaciones públicas del culto habrán de ser, en cada caso, autorizadas por el Gobierno.

Nadie podrá ser compelido a declarar oficialmente sus creencias religiosas.

La condición religiosa no constituirá circunstancia modificativa de la personalidad civil ni política, salvo lo dispuesto en esta Constitución para el nombramiento de presidente de la República y para ser presidente del Consejo de Ministros.»

Legislación sectaria

La legislación que siguió a la aprobación de la Constitución fue de un sectarismo impresionante. A golpes de leyes y decretos, la República se fue desacreditando rápidamente y mostrando su odio a la Iglesia, a sus personas e instituciones. El 23 de enero de 1932 fue disuelta la Compañía de Jesús, ya que el artículo 26 de la Constitución había declarado suprimidas las órdenes religiosas que, además de los tres votos canónicos, imponían a sus miembros otro especial de obediencia a una autoridad distinta de la legítima del Estado. Los bienes de los jesuitas fueron nacionalizados [45]. El 2 de febrero se dio la ley del divorcio [46] y el 6 del mismo mes apareció en la *Gaceta* el decreto de secularización de los cementerios [47]. Por esas fechas, los maestros nacionales recibieron una circular del director general de Primera Enseñanza, Rodolfo Llopis, que les obligaba a retirar de las escuelas todo signo religioso, porque «la escuela ha de ser laica» [48]. Es decir, que el crucifijo fue suprimido en aplicación del artículo 48 de la Constitución, y, aunque se trataba de una medida legal, provocó gran irritación entre las numerosas familias cristianas de la nación, que sintieron profanada su fe y amenazada la educación de sus hijos por todo lo que detrás de tal medida se encerraba.

Mucho más polémica fue la llamada ley de Confesiones y asociaciones religiosas, del 2 de junio de 1933. Pocos días antes, el 17 de mayo, habían aprobado las Cortes, con gran satisfacción de los partidos de izquierdas, que seguían demostrando poco tacto y prudencia al tratar las cuestiones de la Iglesia, el proyecto de ley de Congregaciones religiosas. No faltó quien llegó a calificar esta ley como «la obra maestra de la República» [49]. Alcalá Zamora, presidente, se resistió a firmarla hasta el último momento por considerarla persecutoria, y apuró el tiempo legal para su promulgación hasta el 2 de junio. Muchos diputados católicos reprobaron la ley, y el catalán Carrasco Formiguera llegó a decir: «Los republicanos católicos nos sentimos engañados por no haber respetado la República nuestros sentimientos y faltado a sus promesas» [50].

[45] J. M. CASTELLS, *Las asociaciones religiosas en la España contemporánea. Un estudio jurídico-administrativo (1767-1965)* (Madrid, Taurus, 1973) p.418-23.

[46] Ya en noviembre de 1931, el Estado había negado efectos civiles a las sentencias eclesiásticas matrimoniales. Cf. J. TORRUBIANO RIPOLL, *El decreto de 3 de noviembre de 1931 sobre la competencia de los tribunales ordinarios en los pleitos de nulidad y divorcio de los matrimonios canónicos* (Madrid 1931), y V. M. ARBELOA, *El decreto de 3 de noviembre de 1931 sobre competencia de los tribunales civiles en los pleitos de nulidad y divorcio:* Revista Española de Derecho Canónico 29 (1973) 461-78. Posteriormente fue suprimido el tribunal de la Rota, de Madrid. Cf. V. M. ARBELOA, *La supresión de la Rota en España (1932-1933):* ibid., 30 (1974) 363-82.

[47] Todos estos documentos pueden verse en el tomo II del *Arxiu Vidal.*

[48] Publicada en la *Gaceta de Madrid* el 14 de enero de 1932. Cf. M. SAMANIEGO BONEU, *La política educativa de la II República durante el bienio azañista* (= Historia de España en el mundo moderno: 6) (Madrid, C. S. I. C., 1977); cf. también M. DOMINGO, *La escuela en la República* (Madrid 1933). M. PÉREZ GALÁN, *La enseñanza en la II República Española* (Madrid, Ed. Cuadernos para el Diálogo, 1975).

[49] V. PALACIO ATARD, *Cinco historias de la República...* 50.

[50] Ibid.

Esta ley limitó el ejercicio del culto católico y lo sometió en la práctica al consentimiento de las autoridades civiles, con amplio margen para el arbitrio personal de los poderes municipales [51].

Protestas de la jerarquía

Por parte católica, la reacción fue durísima. El episcopado publicó una carta colectiva el 25 de mayo [52], Pío XI dio a conocer la encíclica *Dilectissima nobis* el 3 de junio [53] y el nuevo arzobispo primado de Toledo, Gomá, publicó su famosa y enérgica carta pastoral *Horas graves* el 12 de junio [54]. Se trata, pues, de tres documentos fundamentales para entender la actitud de la Iglesia frente a una República que a los dos años de su proclamación se había convertido en un régimen opresor y perseguidor de la libertad religiosa, en una auténtica dictadura en nombre de una mal entendida democracia, mientras en los textos constitucionales presumía hipócritamente de libertad y tolerancia.

Las ideas de los tres documentos son substancialmente idénticas. La categoría de sus autores demuestra la gravedad del momento que vivía España. Se analizaba la política sectaria de los republicanos desde los primeros días y se condenaban con juicios duros y contundentes las medidas discriminatorias, injustas y violentas contra la Iglesia.

Los obispos denunciaban en su documento colectivo el «inmerecido trato durísimo que se da a la Iglesia en España. Se la considera —decían— no como una persona moral y jurídica, reconocida y respetada debidamente dentro de la legalidad constituida, sino como un peligro cuya compresión y desarraigo se intenta con normas y urgencias de orden público». Ponían de manifiesto la abierta contradicción entre los principios constitucionales del Estado y la violación que dicha ley infligía al libre ejercicio de la religión, coartando la autonomía jurisdiccional de la Iglesia, abusando del veto del Estado en el nombramiento de cargos eclesiásticos, sometiendo órdenes y congregaciones religiosas a un fuerte régimen de excepción, entrometiéndose en la vida interna de las mismas y atribuyéndose su administración. Dicha ley despojaba a la Iglesia de su derecho a la formación integral de sus miembros, ponía fuertes limitaciones a los centros vitales de enseñanza religiosa y amenazaba con desterrar de la escuela toda enseñanza por parte de la Iglesia. El Estado cometía un grave atropello contra el derecho de los pa-

---

[51] A. MONTERO MORENO, *Historia de la persecución religiosa...* p.32. Cf. también A. ARZA, *Influencia de la ley de Confesiones y congregaciones religiosas de 1933 en la ley de la Libertad religiosa en 1967:* Revista de Estudios Políticos n.194 (1974) 171-205; D. SEVILLA ANDRÉS, *El derecho de libertad religiosa en el constitucionalismo español hasta 1936:* Anales de la Universidad de Valencia n.128 (1972) 3-35; J. D. HUGHEY, *Religions freedom in Spain. Its ebb and flow* (Nashville, Broadman Press, 1955). Esta última obra, aunque está centrada en el siglo XIX, a partir de 1868, se detiene también en el período 1931-36.

[52] J. IRIBARREN, *Documentos colectivos del episcopado español. 1870-1974* (= Biblioteca de Autores Cristianos: 355) (Madrid 1974) p.189-219.

[53] AAS 25 (1933) 261-87. Ambos documentos pueden leerse también en el apéndice documental del libro de A. Montero Moreno.

[54] A. GRANADOS, *El cardenal Gomá...* p.59-61 y el texto íntegro de la pastoral en p.277-305.

dres a educar libremente a sus hijos, sin respetar las creencias religiosas de cada uno de ellos. «La ley de Confesiones y congregaciones —afirmaban los prelados— implica una sacrílega expoliación del patrimonio histórico y artístico eclesiástico, limita injustamente la propiedad de la Iglesia, a la que convierte en un departamento administrativo del Estado».

El arzobispo Gomá condenó con tono enérgico «los tentáculos del poder estatal, [que] han llegado a todas partes y han podido penetrarlo todo, obedeciendo rápidamente al pensamiento único que le informa de anonadar a la Iglesia, que se ha visto aprisionada en una red de disposiciones legales, pérfidamente afinadas en la sombra por los proyectistas, sacadas a la luz luego por el peso de una mayoría hostil y ejecutadas con frecuencia —testigos cien veces de ello— según el criterio cerril o cicatero de las autoridades lugareñas».

Pío XI repetía idénticos conceptos, sintetizaba los atentados cometidos desde la legalidad por el Gobierno republicano y condenaba igualmente la mencionada ley, «tan lesiva de los derechos y libertades eclesiásticos, derechos que debemos defender y conservar en toda su integridad». Por tanto —concluía el papa—, «Nos protestamos, solemnemente y con todas nuestras fuerzas, contra la misma ley, declarando que ésta no podrá nunca ser invocada contra los derechos imprescriptibles de la Iglesia». La protesta pontificia terminaba con un llamamiento a los católicos españoles para que, «subordinando al bien común de la patria y de la religión todo otro ideal», se uniesen disciplinados con el fin de alejar «los peligros que amenazan a la misma sociedad civil».

Si la legislación discriminatoria y persecutoria que hemos visto provocó la justa repulsa de las más altas jerarquías eclesiásticas, ni que decir tiene que la aplicación de las leyes a niveles provinciales y municipales desencadenó nuevas protestas del pueblo cristiano, ya por la torpeza de gobernadores y alcaldes en unos casos, ya por el sectarismo demostrado en otros. Las anécdotas podrían multiplicarse a este respecto, y no quiero perderme en detalles. Basta citar en nota alguno de los casos más pintorescos [55].

Reacción de los católicos

Todas estas medidas tuvieron también sus consecuencias positivas para la Iglesia. En efecto, gracias a ellas, la opinión pública católica comenzó a despertar del largo letargo en que había estado durante decenios de monarquía liberal y dictadura militar. Los católicos de los años treinta comenzaron a darse cuenta de lo que significaba vivir en un régimen que se declaraba laico. En las Cortes dijo Azaña que España había dejado de ser católica. Con lo cual no constataba un hecho real —ya que la inmensa mayoría de los españoles seguían y seguirían siendo católicos—, sino que manifestaba la voluntad de los nuevos gobernantes para que la nación dejara de ser católica. En este sentido

[55] Pueden leerse en A. MONTERO MORENO, *Historia de la persecución religiosa...* p.33-35.

resulta significativa la opinión del socialista Largo Caballero, que en un mitin celebrado en Madrid, en 1936, dijo que, al tener un presidente de la República católico se desvirtuaría el carácter laico del Estado. Y Azaña había propugnado la implantación de un laicismo dirigido desde el aparato del Estado, «con todas sus inevitables y rigurosas consecuencias» [56].

Es decir, que la política de Azaña desde la jefatura del Gobierno favoreció el crecimiento de las derechas, o, mejor, de la reacción católica de derechas. Nótese que el tono duro y contundente de los escritos episcopales, y en particular del arzobispo de Toledo, respondía a la violencia desatada por un régimen abiertamente sectario. Ello explica, pues, la formación de numerosas organizaciones locales, que llegaron a cuajar en un partido político de derechas —Acción Popular— que respondía a las exigencias de los católicos en aquellos momentos [57].

6. EL BIENIO MODERADO [58]

Negociaciones con la Santa Sede

La ley electoral injusta que había permitido en 1931 la victoria de las izquierdas sirvió para que en diciembre de 1933 ganasen las derechas. Fueron las primeras elecciones políticas celebradas después de las Cortes Constituyentes. Como había ocurrido dos años antes, el resultado de las urnas no respondía al panorama político de la nación. Los escaños en el Parlamento estaban mal repartidos. Pero ni los radicales (centro) ni la C. E. D. A. (derecha), que tuvieron la responsabilidad del poder en un bienio que los historiadores de izquierdas llaman «negro», cuando en realidad fue moderado, no hicieron lo más mínimo por cambiar la ley que les había favorecido. Así se llegó a febrero de 1936, con una victoria del Frente Popular, que quizá se podría haber evitado si el Gobierno de centro-derecha hubiese reformado la ley electoral. Por lo menos, las consecuencias de dichas elecciones no hubieran sido tan graves para la nación.

La legislación anticlerical no varió sensiblemente durante este bienio. Los radicales laicos de Lerroux intentaron un acuerdo con la Santa Sede, pero mientras permanezcan cerrados los archivos del Vaticano no podremos saber lo que pasó entre el cardenal Pacelli y el embajador republicano Pita Romero, católico creyente y practicante, que lógicamente deseaba una solución de las tensiones religiosas en España. Parece ser que una congregación de cardenales estudió la compleja situación española y puso como condición previa a cualquier negociación un cambio de la Constitución en aquello que afectase a la Iglesia católica, y, aunque se trataba de un simple voto consultivo, Pío XI hizo suyo el

---

[56] Ibid., p.35 nt. 47.
[57] R. ROBINSON, *La República y los partidos de la derecha*, en R. CARR y otros, *Estudios sobre la República y la guerra civil...* p.66-105.
[58] J. CORTÉS-CABANILLAS, *El bienio «santo» de la II República* (Madrid, Dopesa, 1973).

parecer de dicha comisión, pero las gestiones fracasaron. De todas formas, aunque se hubiese llegado a un acuerdo con el Vaticano, la situación de la Iglesia española hubiera seguido un camino incierto, ya que nadie podía garantizar la permanencia del centro o de la derecha en el poder, cosa que se podría haber conseguido con un cambio profundo de la ley electoral. Se trató, pues, de una grave omisión, cuya responsabilidad cae sobre los gobernantes del bienio moderado.

El clima de tensión político-social en el país había crecido sensiblemente ya antes de las elecciones de 1933. Desde el verano de 1932, es decir, desde el fracaso de la famosa «sanjurjada», la coalición presidida por Azaña se deterioró no sólo por la oposición que le venía de fuera, sino también por la descomposición interna. A la represión que siguió a la «sanjurjada» se añadió la matanza de Casas Viejas a principios de 1933 —personas inocentes fueron asesinadas por guardias de Asalto republicanos—, lo cual sirvió para que el centro y las derechas orquestaran a su favor el lamentable suceso, convirtiéndolo en tragedia nacional [59]. La victoria del centro-derecha puede interpretarse, pues, como una reacción del electorado a los atropellos de las izquierdas.

Revolución socialista

Durante el bienio moderado, la oposición socialista intentó una auténtica revolución. Programada para toda España, tuvo éxito solamente en Asturias [60], porque en Cataluña no llegó a triunfar. El presidente de la *Generalitat,* Companys, proclamó en Barcelona el Estado Catalán dentro de la República Federal Española. El Gobierno de Madrid impidió esta sublevación; 500 soldados republicanos dominaron la situación en pocas horas, con un total de 46 muertos y 11 heridos.

Lo de Asturias fue mucho más grave. Prescindiendo de otras consideraciones y limitándonos a nuestro tema, hay que decir sin tapujos que fue un auténtico ataque organizado contra la Iglesia: 58 iglesias fueron destruidas y 34 sacerdotes asesinados.

Para interpretar el significado y la lección de la revolución de Asturias y para entender igualmente el martirio y la persecución de la Iglesia española en 1936, no bastan las explicaciones simplistas y antihistóricas de que las matanzas eclesiásticas obedecieron a una represalia bélica por las muertes ocurridas en la zona de Franco, donde la represión fue terrible y despiadada en los primeros meses de la contienda. Nótese que estamos en octubre de 1934 y no en el verano de 1936. Las fuentes informativas que narran los sucesos de Asturias datan de 1934 y 1935, y, por consiguiente, no están influidas ni por una literatura bélica ni

---

[59] M. García Ceballos, *Casas Viejas (Un proceso que pertenece a la Historia)* (Madrid, F. Uriarte, 1965)

[60] Además de las referencias que pueden verse en las obras generales, cf. M. Grossi, *L'insurrection des Asturies. Quinze jours de révolution socialiste* (París, Études et documentation internationales, 1972); F. Aguado Sánchez, *La revolución de octubre de 1934* (Madrid, San Martín, 1973); J. A. Sánchez García-Saúco, *La revolución de 1934 en Asturias* (Madrid, Ed. Nacional, 1975); J. S. Vidarte Franco, *El Bienio Negro y la insurrección de Asturias* (Barcelona, Grijalbo, 1978).

por un clima de cruzada, aunque sí lo puedan estar por un ambiente general de persecución o de guerra religiosa. Cabe entonces preguntarse con Montero: «¿Hará falta insistir en que, al margen de la propia guerra civil y con antelación a la misma, estaba minuciosamente previsto el programa de persecución a la Iglesia?» [61]

La revolución de Asturias fue una llamada de atención. El Gobierno pudo controlar la situación con las fuerzas armadas y la ulterior represión. Pero la política religiosa no cambió substancialmente.

Lerroux intentó consolidar una República que estuviese abierta a todos los españoles, que no fuese «ni conservadora ni revolucionaria, ni de derechas ni de izquierdas, sino equidistante de todos los extremismos... Una República tolerante, progresista y reformadora sin violencias» [62].

La revolución de octubre sirvió para acercar a las derechas al poder, ya que los radicales de Lerroux y la C. E. D. A. eran las dos únicas fuerzas que quedaban «en el campo de la República». Lerroux tuvo que colaborar con los católicos de derechas y Gil Robles con los radicales para estabilizar la situación política. Es decir, que los intereses del momento sirvieron para que los católicos tuvieran responsabilidades de gobierno. Destacados políticos de la C. E. D. A. ocuparon carteras ministeriales desde octubre de 1934 hasta fines de 1935. Entre ellos, el propio Gil Robles (Guerra), Casanueva Gorjón (Justicia), Anguera de Sojo (Trabajo, Sanidad y Previsión), Aizpún Santafé (Justicia, primero, y después, Industria y Comercio), Salmón (Trabajo y Justicia), Giménez Fernández (Agricultura), y el dirigente de la Derecha Regional Valenciana, partido que actuaba integrado en la C. E. D. A., Luis Lucia (Obras Públicas y Comunicaciones) [63].

[61] A. MONTERO MORENO, o.c., p.52.
[62] R. ROBINSON, art.cit., p.87.
[63] J. R. MONTERO, *La C. E. D. A. El catolicismo social y político en la II República* (Madrid, Ed. de la Revista de Trabajo, 1977) 2 vols.

CAPÍTULO II

LA GUERRA CIVIL (1936-39) [64]

1. EL ALZAMIENTO NACIONAL

Polémica sobre la guerra y la paz

A los muchos interrogantes que plantea la guerra civil española desde el punto de vista político, militar, diplomático y social, hay que añadir el religioso. No cabe la menor duda de que la guerra desde su inicio y durante todo su desarrollo tuvo un fondo religioso, que desencadenó odios y pasiones en los dos bandos contendientes. No intento buscar ahora razones o motivos que expliquen por qué se llegó al 18 de julio de 1936. Históricamente, es un dato incontrovertible que la II República, mucho antes de aquella fatídica fecha, había fracasado rotundamente y las esperanzas que los españoles habían puesto en ella —por lo menos una gran mayoría de españoles— el 14 de abril de 1931, pasados cinco años, habían desaparecido por completo. La segunda experiencia republicana española ya no podía dar más de sí. ¿Faltó inteligencia, faltó sentido común, faltó buena voluntad? Quizá faltó todo. Los responsables fueron todos los españoles, y más en concreto, los dirigentes políticos. Durante años ha corrido sin obstáculos el mito de que la guerra civil fue provocada y desencadenada por la derecha. Además de que se trata de un dato históricamente falso, a medida que se van analizando los precedentes remotos y próximos y descubriendo las responsabilidades de los diversos partidos y grupos políticos, aparece con más evidencia «que el movimiento socialista fue el principal responsable del

[64] La política de la Iglesia durante la guerra civil española es uno de los temas menos estudiados con rigor, como reconocen historiadores extranjeros de la contienda (cf. St. G. PAYNE, *Recent studies on the Spanish Civil War:* Journal of Modern History [Chicago] 34 n.3 [1962] 312-314). Sin embargo, se ha escrito mucho sobre el mismo. Los grandes autores repiten los tópicos acostumbrados, sin aportaciones substanciales. Es, ciertamente, el tema más polémico del período; por ello, los títulos que cito son, en general, apasionados y partidistas: L. AGUIRRE PRADO, *La Iglesia y la guerra civil* (= Documentos históricos: 1) Madrid, Servicio informativo Español, 1964); J. M. LLORÉNS (Joan Comas), *La Iglesia contra la República Española* (Vieux 1968); *La Iglesia y la guerra civil española* (Buenos Aires 1947); A. F. MANNING, *Le Saint-Siège et la guerre civile espagnole*, en «La Méditerranée de 1919 à 1939». Actes du Colloque organisé par le Centre de la Méditerranée Moderne et Contemporaine. Nice, 28-31 mars 1968 (París, S.E.V.P.E.N., 1969) p.135-49, publicado también bajo el título de *De Heilige Stoel en de Spaanse burgeroorlog;* Tijdschrift voor Geschiedenis 81 (1968) 479-91. Muy deficiente es el apartado que le dedica U. M. MIOZZI, *Storia della Chiesa spagnola (1931-1966)* (Roma, Ist. Ed. Mediterraneo, 1967) p.107-62. Buenas síntesis son las de V. PALACIO ATARD, *Cinco historias de la República y de la guerra civil...* p.61-78, y H. RAGUER, *La Espada y la Cruz (La Iglesia 1936-1939)* (Barcelona, Bruguera, 1977).

descrédito del sistema democrático y de haber forzado a las derechas a elegir entre la extinción y la resistencia violenta»[65]. Se trata de una polémica siempre abierta y actualizada desde hace pocos años, cuando aparecieron las memorias de dos personajes de primer plano como José María Gil Robles y Joaquín Chapaprieta, con títulos tan polémicos como *No fue posible la paz* y *La paz fue posible*. No voy a entrar en ella, aunque creo que la guerra civil pudo haberse evitado, teniendo en cuenta que las elecciones de febrero de 1936 no dieron una victoria absoluta al Frente Popular. Sin embargo, la ley electoral injusta, a la que he aludido varias veces, perjudicó a las derechas, favoreció a las izquierdas y dejó al centro prácticamente como estaba. Prescindiendo, por tanto, de la composición del Parlamento y limitándonos al examen de los votos, tenemos a la izquierda ganadora, con 4.305.400 votos, seguida de la derecha, con 3.783.648 votos, y el centro, con 681.000 votos. Si los votos del centro y de la derecha se hubiesen sumado, el resultado hubiera sido de 4.464.648, frente a los 4.305.400 de las izquierdas[66]. Por consiguiente, la paz hubiera sido posible con una unión de centro-derecha, que no se pudo conseguir. De este modo triunfaron las izquierdas. Después se llegó a una guerra civil, y con ella, en sus primeros días, a la persecución más cruel que la Iglesia española ha sufrido desde los tiempos del imperio romano.

La Iglesia y el golpe militar

¿En qué medida la Iglesia española colaboró o estimuló el golpe militar del 18 de julio de 1936?[67] Es quizá una pregunta obligatoria cuando se estudia la actitud de la Iglesia durante la guerra civil. Ciertamente es muy difícil dar una respuesta, porque los documentos de que disponemos y los datos hasta ahora conocidos no permiten afirmar que la Iglesia interviniera, ni directa ni indirectamente, en el «alzamiento» de los militares frente al Gobierno de la República. Es cierto que el clima general de la nación había cambiado radicalmente con respecto a la primavera de 1931. Incluso los republicanos católicos se sintieron traicionados, maltratados y ofendidos por una República que había querido esclavizar —e intentado suprimir— a la Iglesia en un Estado libre. Los atropellos de todo género, las humillaciones, vejaciones y discriminaciones sufridas en silencio por los católicos durante aquellos

---

[65] R. ROBINSON, art.cit., p.67.

[66] C. SECO SERRANO, *Chapaprieta: un técnico anterior a la tecnocracia*, en J. CHAPAPRIETA TORREGROSA, *La paz fue posible...* p.90-91. Cf. también J. TUSELL GÓMEZ, *Las elecciones del Frente Popular en España* (Madrid, Edicusa, 1971), 2 vols.

[67] También los estudios en este campo son muy flojos. Cf. *Iglesia, Estado y Movimiento* (Madrid, Ed. Nacional, 1963); *El Vaticano y España. Hitos documentales desde 1936*. Edición e introdución por N. López Martínez (Burgos, Aldecoa, 1972); G. LEWY, *The uses of insurrection the Church and Franco's War:* Continuum (Illinois) III n.3 (1965) 267-90, no es trabajo de investigación; V. MARRERO, *Política española: su estructura y su despegue*. III: *El Movimiento Nacional y el catolicismo militante español:* Punta Europa (Madrid) VII n.80 (1962) 59-73; R. CALVO SERER, *La Iglesia en la vida pública española desde 1936:* Arbor 25 (1953) 289-324; artículo más político que científico, incluido en el libro, del mismo autor, *Política de integración* (= Biblioteca del Pensamiento Actual: 46) (Madrid, Rialp, 1955). A. GARCÍA, *La Iglesia española y el 18 de julio* (Barcelona, Acervo, 1977).

años serían una larga historia de violencias morales y físicas desde el vértice del poder político hasta la base del pueblo, que espera todavía ser escrita. Por otra parte, la buena voluntad demostrada por el episcopado, si se exceptúan los incidentes esporádicos provocados por el cardenal Segura y el obispo Múgica; el buen sentido de los metropolitanos y el tacto del representante pontificio en Madrid no consiguieron gran cosa. La dureza de Pío XI o la intransigencia del cardenal Gomá no bastan para justificar actitudes gubernativas tan violentas. Por eso, el choque que Azaña quiso siempre evitar —y quizá en el fondo deseaba sinceramente esquivar— fue inevitable. También es cierto que entre el clero bajo y gran parte de la población católica la única esperanza, cuando los ánimos se habían exasperado, estaba centrada en un golpe militar que acabara con la República. Incluso, aunque no consta documentalmente, es aceptable la hipótesis de que un sector del episcopado creyera que ésta era la única solución para resolver la caótica situación en que se encontraba el país. Pero de esto no se puede llegar a concluir que la Iglesia apoyase la sublevación. Además, históricamente no puede afirmarse, porque no se puede demostrar. Es más, en los primeros momentos, los eclesiásticos más responsables y el episcopado como tal no lo apoyaron.

Otra cosa es que la situación cambiase radicalmente después del «alzamiento», con una revolución tan brutal como la que destruyó a España en pocos días, hasta el punto de que se llega a faltar contra la historia al no recalcar e insistir debidamente en lo que fue esa revolución y en las atrocidades que se cometieron durante los últimos días de julio en la zona republicana que el mismo Gobierno no pudo controlar. Lerroux, republicano de siempre, aunque muy moderado en sus últimos tiempos, llegó a escribir que «el ejército no se sublevó contra el pueblo, que ya no era pueblo, sino rebaño de fieras... no se sublevó contra la ley, sino por la ley que todos habían jurado defender y que aquéllos habían traicionado...»

«No puede negarse —es siempre Lerroux quien habla— que el *Alzamiento Nacional,* movimiento fraternal del pueblo y del ejército, vendrá a parar en una dictadura militar. Lo es ya. No podía ser otra cosa. Pero si lo que hay enfrente hubiese sido una democracia como cualquiera de las que rigen en tantos otros pueblos, ¿se habría podido producir el Alzamiento Nacional?» [68]

Tampoco se ha demostrado históricamente que el Gobierno republicano fuese el principal promotor de la revolución, ya que ni Azaña, como presidente de la República, ni Companys, de la *Generalitat,* ni el presidente de *Euzkadi* querían una revolución de este tipo. Eran personas demasiado inteligentes y moderadas para pensar en una solución así, que precisamente por su virulencia y radicalismo iba en contra de sus mismos intereses republicanos y autonomistas. Se vieron sobrepasados por la revolución, cuya primera consecuencia fue la pérdida total del escaso prestigio que le quedaba a la desacreditada República, a pe-

---

[68] A. LERROUX, *La pequeña historia...* p.588-89.

sar del constante apoyo que recibió de todas las naciones democráticas. Si no hubiese sido por la revolución que siguió al 18 de julio, es muy probable que la guerra civil hubiese tenido un desarrollo muy distinto. No olvidemos además que algunos generales de la zona llamada nacional no eran católicos. Cabanellas, en concreto, era masón [69]. Mientras los dos mejores generales de la zona roja, Miaja [70] y Rojo [61], eran católicos. Miaja incluso tuvo un jesuita en casa como preceptor de sus hijas, porque no quería que frecuentaran las escuelas republicanas. Y de otros generales, como Aranguren y Escobar, republicanos, consta que murieron cristianamente.

Es decir, que la situación era muy contrastante y contradictoria. Y ante un panorama tan complejo hay que huir del maniqueísmo, porque es la actitud más antihistórica.

En la famosa carta colectiva de 1937, los obispos dijeron abiertamente que el 18 de julio en España ocurrieron dos cosas: 1.ª, un alzamiento militar; 2.ª, estalló una guerra. Pero nótese que la sublevación militar no se produjo sin colaboración del pueblo sano, que se incorporó en grandes masas al Movimiento, «que por ello debe calificarse de cívico-militar», y además «que este Movimiento y la revolución comunista son dos hechos que no pueden separarse, si se quiere enjuiciar debidamente la naturaleza de la guerra».

¿Por qué el 18 de julio?

Para comprender el 18 de julio no hay que olvidar lo que había ocurrido en España desde las elecciones de febrero de 1936. Solamente en los dos meses que van del 16 de febrero al 16 de abril de dicho año sucedieron los siguientes hechos:

	Asaltos y saqueos	Incendios
De círculos políticos	58	12
De establecimientos públicos y privados	72	45
De domicilios particulares	33	15
De iglesias	36	106

Hubo, además, 11 huelgas generales, 169 motines, 39 reyertas con fuego de fusilería, 85 agresiones personales, 76 muertos y 346 heridos.

Azaña, presidente de la República con el Frente Popular, declaró en un discurso que consideraba estos desmanes «como un mal y una tontería». Y Lerroux apostrofaba: «Azaña no se atrevió a declarar que todo aquello eran 142 iglesias saqueadas e incendiadas en dos meses de

---

[69] Lo reconoce abiertamente su hijo G. CABANELLAS, *Cuatro generales* (Barcelona, Planeta, 1977), 2 vols.

[70] A. LÓPEZ FERNÁNDEZ, *El general Miaja, defensor de Madrid* (Madrid, G. del Toro, 1975).

[71] V. ROJO, *España heroica. Diez bocetos de la guerra española* (Barcelona, Ariel, 1964); ID., *¡Alerta los pueblos! Estudio político-militar del período final de la guerra española* (Barcelona, Ariel, 1974).

Frente Popular... Quemar una iglesia, para Azaña, creyente, no pasa de ser una *tontería»* [72].

Ante una situación tan desesperada, agravada después por la revolución de julio y la guerra civil, no deben sorprender las palabras de los obispos en la pastoral colectiva: «La Iglesia nunca quiso la guerra ni colaboró con ella, pero no podía permanecer indiferente en la lucha: se lo impedían su doctrina y su espíritu, el sentido de conservación y la experiencia de Rusia».

Son ciertamente afirmaciones muy duras, que el historiador ha de tratar de enmarcar y comprender en su contexto. Las pastoral está escrita el 1.º de julio de 1937 y no un año antes. Es evidente que tras el 18 de julio de 1936 se vivieron momentos terribles en todo el país; que la mayor parte de los católicos y del clero pensó en aquellos momentos —y la opinión pública fue creciendo a medida que se conocían las barbaridades cometidas por los «rojos»— que era mejor que ganasen los «nacionales», aunque muchos ya veían los peligros del nacimiento de un resentimiento de extrema derecha, en tiempos en que el nazismo y el fascismo arrollaban a Europa, que luego acarrearía graves consecuencias.

No hay que olvidar, pues, el cambio radical de los españoles después del 18 de julio, teniendo en cuenta que los militares sublevados no hablaban de religión en sus primeros manifiestos y proclamas. Además, la revolución fue desencadenada por los anarquistas en Cataluña, Levante y Andalucía y por buena parte de los socialistas, entonces muy divididos, en Madrid y Asturias. Mientras que los comunistas en aquellos primeros momentos tuvieron una intervención poco destacada, ya que su influencia política era casi nula. Esta revolución provocó una alteración profunda en la mentalidad de los católicos, hasta el extremo de que muchos gilroblistas y catalanes de la Lliga no sólo se pasaron al bloque nacional, sino incluso se convirtieron en fanáticos del falangismo.

La inmensa mayoría de los españoles, y por supuesto de los católicos, hubiera visto con buenos ojos, pasados los primeros días de violenta revolución, un triunfo de los militares que hubiese restaurado el orden y la paz.

Persecución brutal

Sin embargo, la entrada en escena de los comunistas, por un lado, y de los falangistas, por otro, fue tremendamente fatal, porque arrastraron al país a una absurda guerra civil que duró tres años. Y aunque se trataba de dos partidos con insignificante influjo político, ya que debían tener entre un 5 y un 7 por 100 de votos, consiguieron hacerse dueños de la situación y monopolizar, respectivamente, las «dos Españas», cuando es de todos sabido que la izquierda republicana española estaba integrada por una variada gama de grupos y partidos con honda raigambre histórica, que nada tenían que ver con la violencia y el inte-

[72] A. LERROUX, o.c., p.553-54.559.

grismo comunistas, y la derecha había ofrecido, igualmente, ejemplos de liberalismo y democratismo, exentos de los delirantes extremismos falangistas.

Esta fue realmente la tragedia española. Este fue el hecho monstruoso al que el historiador busca solución, sin conseguir encontrarla. Y éste es, además, el grave problema de España, históricamente sin resolver.

Se podrán dar, sí, todas las interpretaciones que se quieran sobre la no-intervención extranjera; sobre la ayuda militar de Alemania, Italia y Rusia a uno y otro bando; sobre la estéril polvareda levantada por los intelectuales, católicos incluidos; sobre las divisiones de la jerarquía eclesiástica mundial y de los católicos de otros países acerca del desarrollo de la guerra; sobre el carácter de *cruzada* que se dio a la contienda y las implicaciones del problema religioso en la misma [73]; pero la cuestión fundamental permanece sin solución. Por ello hay que estu-

[73] No puede negarse que el factor religioso tuvo una importancia decisiva en la guerra de España desde su comienzo. El espíritu de *cruzada* o de *guerra santa* estuvo presente desde el principio en la zona nacional. La polémica que esta interpretación suscitó en el campo intelectual fue impresionante. Los franceses fueron, quizá, los que sintieron más hondamente el impacto de este espíritu, y desencadenaron la discusión. Nótese que al proclamarse la segunda República en España hacía escasamente cinco años que la Santa Sede había condenado las obras de Ch. Maurras y su periódico *L'Action Française* (1926), lo cual supuso una ruptura radical del catolicismo monolítico francés, que desde principios de siglo había estado dominado por *L'Action Française*. La guerra española fue un elemento de contraste para los católicos de Francia y una puesta en primer plano de los principios políticos y religiosos que en ella se ventilaban. Aunque la bibliografía sobre este particular es inmensa, no deben silenciarse algunos títulos. A. Garosi *(Gli intellettuali e la guerra di Spagna,* Torino 1959) ha estudiado la actitud de Bernanos. R. Remond *(Les catholiques, le communisme et les crisis* [1929-1939], París 1960) se detiene en la polémica de los católicos de opuestas tendencias. A. Coutrot *(Un courant de la pensée catholique: l'Heddomadaire «Sept»,* París 1961) y F. Mayeur *(«L'Aube». Studio di un giornale di opinione,* trad. italiana, Roma 1969) estudian, desde ambos periódicos, la guerra de España. E. Weber *(L'Action Française,* París 1964) pone de relieve la ayuda prestada por dicho movimiento en favor de Franco y el gran influjo que tuvo en la opinión pública católica. L. Pala *(I cattolici francesi e la guerra di Spagna* [= Pubblicazioni dell'Università di Urbino: 34], Urbino, Argalia ed., 1974) analiza ampliamente la situación española, manejando abundante prensa católica francesa, y en concreto, la revista *Esprit,* de Mounier.

También los católicos estadounidenses se dividieron, y mientras una minoría mantuvo simpatías por la República, la mayoría no ocultó su partidismo en favor de los sublevados. Es más, la prensa católica de los EE. UU. predispuso a los católicos americanos a favor de Franco, presentándolo como salvador frente al comunismo y al ateísmo, si bien no faltaron publicaciones católicas más racionales que denunciaron el radicalismo de la Iglesia como principal amenaza para ella misma y no el complot internacional urdido en Moscú. Cf. F. J. TAYLOR, *The United States and the Spanish Civil War* (New York, Bookman Ass. 1956); J. D. VALAIK, *American catholics and the Second Spanish Republic 1931-1936:* Journal of Church and State 10 (1968) 13-28; ID., *Catholics, Neutrality and the Spanish Embargo, 1937-1939:* Journal of American History (Bloomington) 54 (1967-68) 73-85; ID., *American Catholic Disenters and the Spanish Civil War:* The Catholic Historical Review (Washington) 53 (1967-68) 537-55.

Sobre los católicos ingleses cf. TH. R. GREEN, *The English Catholic Press and the Second Spanish Republic 1931-1936:* Church History (Chicago) 45 (1976) 70-84. Y sobre los eslovenos, E. MIKOLIK, *El catolicismo esloveno y España:* Revista Internacional de Sociología (Madrid) 15 (1957) 489-90.

Merece capítulo aparte en esta polémica la actitud de Maritain. Una buena síntesis puede verse en J. M. GARCÍA ESCUDERO, *Historia política de las dos Españas* (Madrid, Ed. Nacional, ² 1976) III p.1456-59. El discutido libro de V. MARRERO, *La guerra de España y el trust de los cerebros* (Madrid, Ed. Punta Europa, 1961) interpreta los diversos campos ideológicos españoles que desde 1931 hasta 1936 intervinieron en la guerra civil. Esta obra tuvo réplicas muy negativas. Cf., v.gr., J. BECARUD, *Intransigenter Katholizismus:* Hochland

liar, explicar y comprender la terrible persecución sufrida por la Iglesia española a la luz de ese conflicto armado, en el que «grupos militares y civiles centralizaron la derecha» para enfrentarse a la izquierda, que se alzaba en armas «improvisando nuevas autoridades revolucionarias y reclamando el triunfo de la revolución» [74]. Para comprender el 18 de julio de 1936 y la revolución que siguió, repito una vez más, hay que tener en cuenta todo lo que ocurrió en España desde la victoria del Frente Popular en febrero de 1936 hasta julio del mismo año.

Lo que sucedió durante los tres años de la guerra civil pertenece a la *historia de la persecución religiosa,* que espero tenga en día no lejano historiadores más serenos y objetivos de los que hasta ahora se han ocupado del tema. El material recogido es mucho, falta crítica, elaboración metodológica y planteamiento actualizado [75]. Con todo, hoy disponemos de una serie de datos que históricamente no pueden ni deben silenciarse, aunque estudios posteriores puedan introducir alguna rectificación.

Tributo de sangre de la Iglesia

El tributo en sangre rendido por la Iglesia española alcanza cifras impresionantes. Se calcula un total de 6.832 muertos, distribuidos en

(Munich) 55 (1962) 79-84. El autor se defendió de estas y otras críticas: *De diálogo en diálogo:* Punta Europa (Madrid) 8 n.90 (1963) 51-75.

Con respecto al factor religioso de la contienda y a la *cruzada* cf. H. BELLOC, *Característica esencial de la guerra española:* Punta Europa (Madrid) 6 (1961) 62-67; R. CALVO SERER, *La literatura universal sobre la guerra de España* (= O crece o muere: 167-168) (Madrid, Ateneo, 1962); J. DE ITURRALDE, *El catolicismo y la cruzada de Franco. Quiénes y con qué fines prepararon la guerra* (Vienne, Ed. Egui-indarra, 1955); J. DÍAZ DE VILLEGAS, *Nuestra Cruzada no fue jamás una guerra civil:* Guión (Madrid) n.266 (1964) 25-29; A. KINDELÁN, *Nuestro Movimiento de 1936. De golpe de Estado a Cruzada:* Punta Europa 8 (1963) 113-15; J. M. PASCUAL, *Negación y defensa del 18 de julio como cruzada (historia de una polémica olvidada):* Punta Europa 6 (1961) 112-23; J. PÉREZ DE URBEL, *La guerra como cruzada,* en *La guerra de liberación nacional* (Zaragoza, Cátedra General Palafox, 1961) p.45-129; RUBIO Y MUÑOZ BOCANEGRA, *Francisco Franco.* I: *Pensamiento católico.* II: *La cruzada anticomunista* (Madrid, Centro de Estudios Sindicales, 1958), 2 tomos; H. R. SOUTHWORTH, *El mito de la cruzada de Franco. Crítica bibliográfica* (París, Ruedo Ibérico, 1963). En general, se trata de textos con escaso valor histórico; en buena parte, defensas o acusaciones apasionadas, con títulos tan significativos, que descubren la respectiva tendencia.

La actitud de la Iglesia oficial y las intervenciones del episcopado véanse en J. M. GARCÍA ESCUDERO, o.c., III p.1441ss. Cf. también el tomo II de los *Escritos pastorales* del cardenal Pla y Deniel (Madrid, Ed. Acción Católica Española, 1949).

[74] V. PALACIO ATARD, o.c., p.64.

[75] A. Montero utiliza fuentes y bibliografía que en gran parte no satisfacen al historiador, porque ofrecen pocas garantías, ya que fueron escritas durante la contienda o inmediatamente después, bajo los efectos de la misma. Aunque trata de ser crítico y objetivo, no siempre lo consigue, porque silencia las posibles responsabilidades de la misma Iglesia. Con todo, su libro representó en 1960 una aportación muy valiosa y positiva para una comprensión serena de la tremenda persecución sufrida por la Iglesia. Tuvo críticos excesivamente severos, como A. Alonso Lobo (*¿Se puede escribir así la historia?:* La Ciencia Tomista 88 [1961] 301-376), que le atacó desde la derecha, y A. DIETERICH (*Spaniens Leiden am Bürgerkrieg. Zwei Neuerscheinungen und eine Kollektivneurose:* Wort und Wahrheit [Freiburg i.B.] 17 n.3 [1962] 221-23), desde la izquierda.

A la riquísima bibliografía recogida por Montero hay que añadir la interminable serie de martirologios que prácticamente todos los institutos religiosos, masculinos y femeninos, y casi todas las diócesis han publicado o tienen en curso de publicación. Es materialmente imposible reseñarlos. Son centenares los procesos de beatificación en marcha. Cf. S. C. PRO CAUSIS SANCTORUM, *Index ac status causarum Beatificationis Servorum Dei et Canonizationis Beatorum* (Roma, Tip. Guerra e Belli, 1975).

4.184 pertenecientes al clero secular y seminaristas, 2.365 religiosos y 283 religiosas. No disponemos de una relación completa de laicos católicos asesinados.

Montero ofrece los siguientes datos estadísticos sobre víctimas eclesiásticas y sobre templos y objetos sagrados destruidos:

CLERO SECULAR

DIOCESIS	Víctimas	Clero incardinado diócesis 1936	Porcentaje víctimas
Almería	65	200	32,0
Astorga	8	—	—
Avila	30	389	7,7
Badajoz	32	317	10,0
Barbastro	123	140	87,8
Barcelona	279	1.251	22,3
Burgos	13	—	—
Cádiz	5	—	—
Calahorra-La Calzada	1	-	—
Cartagena-Murcia	73	535	13,6
Ciudad Real	97	243	39,9
Ciudad Rodrigo	6	—	—
Córdoba	84	257	32,6
Coria	1	—	—
Cuenca	109	461	23,6
Gerona	194	932	20,7
Granada	43	415	10,3
Guadix-Baza	22	130	16,9
Huesca	34	198	17,1
Ibiza	21	53	39,6
Jaca	2	—	—
Jaén	124	365	33,4
León	12	900	1,3
Lérida	270	410	65,8
Lugo	4	—	—
Madrid-Alcalá	334	1.118	29,8
Málaga	115	240	47,9
Mallorca	3	—	—
Menorca	39	80	48,7
Orihuela	54	327	16,5
Osma	4	—	—
Oviedo	140	1.180	11,9
Plasencia	25	255	9,8
Salamanca	1	—	—
Santander	77	505	15,2
Santiago de Compostela	1	—	—
Segorbe	61	110	55,4
Segovia	4	—	—
Sevilla	24	657	3,6
Sigüenza	43	400	10,7
Sión	15	—	—
Solsona	60	445	13,4
Tarazona	1	—	—
Tarragona	131	404	32,4
Tenerife	1	—	—
Teruel	44	227	19,3
Toledo	286	600	47,6
Tortosa	316	510	61,9
Urgel	109	540	20,1
Valencia	327	1.200	27,2
Vich	177	652	27,1

DIOCESIS	Víctimas	Clero incardinado diócesis 1936	Porcentaje víctimas
Vitoria	35	2.075	1,6
Zamora	1	—	—
Zaragoza	81	819	9,3
No identificada	3	—	—

TOTAL SACERDOTES SECULARES ASESINADOS 4.184

RELIGIOSOS

Familia religiosa

	Víctimas
Agustinos	155
Benedictinos..	44
Camilos	13
Capuchinos	94
Carmelitas calzados	54
Carmelitas Descalzos	91
Cartujos	6
Cistercienses	16
Claretianos	259
Dominicos	132
Ermitaños	2
Escolapios	204
Filipenses	10
Franciscanos	226
Gabrielistas	48
Hermanos de la Caridad de la Santa Cruz	9
Hermanos Carmelitas de la Enseñanza	5
Hermanos Terciarios Carmelitas	3
Hermanos de San Juan de Dios	97
Hermanos de La Salle	165
Hijos de la Sagrada Familia	17
Jesuitas	114
Jerónimos	1
Marianistas	15
Maristas (Padres)	7
Maristas (Hermanos)	176
Mercedarios	36
Mínimos	3
Misioneros del Sagrado Corazón de Jesús	12
Sagrados Corazones de Jesús y María	5
Sagrados Corazones (Picpus)	14
Operarios Diocesanos	28
Oblatos..	29
Pasionistas	39
Paúles	53
Redentoristas	21
Recoletos de San Agustín	8
Reparadores	1
Salesianos	93
San Pedro ad Víncula	9
Terciarios Capuchinos	30
Trinitarios Descalzos	21

TOTAL DE RELIGIOSOS ASESINADOS 2.365

RELIGIOSAS

Familia religiosa	Víctimas
Adoratrices	26
Agustinas	3
Ancianos Desamparados	5
Angeles Custodios	1
Beatas Dominicas	2
Bernardas del Santísimo Sacramento	1
Bernardas (Vallecas)	3
Calasancias de la Divina Pastora	1
Capuchinas	20
Carmelitas Calzadas	4
Carmelitas Descalzas	5
Carmelitas de la Caridad	26
Celadoras del Culto Eucarístico	1
Cistercienses	1
Claretianas	1
Clarisas	3
Comendadoras de Calatrava	1
Compañía Santa Teresa de Jesús	3
Concepción Jerónima	2
Concepcionistas Franciscanas de San José	10
Concepcionistas de El Pardo	2
Damas Catequistas	2
Doctrineras	17
Dominicas de la Anunciata	8
Dominicas de Montesión	2
Esclavas de la Inmaculada	1
Escolapias	7
Franciscanas del Buen Consejo	1
Franciscanas de los Sagrados Corazones	2
Franciscanas de la Misericordia	2
Franciscanas Clarisas de San Pascual	2
Franciscanas de Santa Clara	9
Hermanas de la Caridad de Nuestra Señora de la Consolación	6
Hermanas de la Caridad del Sagrado Corazón de Jesús	5
Hermanas de San José	5
Hijas de la Caridad de San Vicente de Paúl	30
Hijas del Inmaculado Corazón de María	3
Hijas de San José	1
Institución Teresiana	1
Mínimas de San Francisco de Paula	9
Misioneras de la Inmaculada Concepción	2
Misioneras de Santo Domingo	4
Oblatas	4
Reparadoras	6
Salesas	7
Salesianas	2
Siervas de María	4
Terciarias Capuchinas de la Divina Pastora	4
Terciarias Franciscanas de la Divina Pastora	3
Terciarias Carmelitas Descalzas	3
Terciarias Franciscanas de la Purísima	1
Terciarias Franciscanas de la Natividad de Nuestra Señora	1
Trinitarias	4
Trinitarias Descalzas	4
De Congregación no identificada	1
TOTAL DE RELIGIOSAS ASESINADAS	283

TEMPLOS Y OBJETOS SAGRADOS

DIOCESIS	Iglesias totalmente destruidas	Iglesias parcialmente destruidas, profanadas y saqueadas	Ajuar litúrgico destruido en la diócesis
Almería	4	Todas	
Avila	—	60	Casi todo. En las invadidas, todo.
Badajoz	6	125	33 por 100.
Barbastro	8	Todas	Todo.
Barcelona	40	Todas, excepto 10	Casi todo.
Burgos	16	159	Totalmente en 175 iglesias.
Cádiz	1	16	Todo en las invadidas.
Cartagena	4	Casi todas	Casi todo.
Ciudad Real	6	Todas	Casi todo.
Córdoba	4	288	Casi todo.
Cuenca	Casi todas	Sólo tres resultaron indemnes	95 por 100.
Gerona	Varias	Unas 1.000	Casi todo.
Granada	8	43	Todo en las invadidas.
Guadix	3	118	95 por 100.
Huesca	?	?	?
Ibiza	1	Todas.	Todo.
Jaca	15	80	Todo en las invadidas.
Jaén	Varias	95 por 100	Todo.
León	24	132	Totalmente en 143 iglesias.
Madrid	30	Casi todas	Casi todo.
Málaga	6	282	Todo.
Mallorca	—	6	Todo en 2 iglesias.
Menorca	1	44	Todo.
Mondoñedo	2	3	Todo en las invadidas.
Orense	4	1	Totalmente en 4 invadidas.
Orihuela	25	Casi todas	Casi todo.
Oviedo	354	287	Todo.
Palencia	Alguna	La mayoría en los arciprestazgos zona roja	Todo en las invadidas.
Plasencia	3	25	Casi todo en 21 iglesias.
Santander	42	Casi todas	Totalmente en la mayoría de las iglesias.
Segorbe	Varias	Todas	Casi todo.
Sevilla	35	211	Todo en las invadidas.
Sigüenza	10	143	Todo en las invadidas.
Solsona	12	325	Todo.
Tarragona	?	?	?
Tenerife	2	7	Todo en las invadidas.
Teruel	9	115	Todo en 78 iglesias.
Albarracín	1	60	Todo en 31 iglesias parroquiales.

DIOCESIS	Iglesias total-mente destruidas	Iglesias parcialmente destruidas, profa-nadas y saqueadas	Ajuar litúrgico destruido en la diócesis
Toledo	22	Casi todas (sólo resultaron indemnes 7 iglesias parroquiales)	Casi todo.
Tortosa	48	Todas	Casi todo.
Urgel	?	?	?
Valencia	800	Más de 1.500	Todo.
Vich	20	502	97 por 100.
Vitoria	16	67	Todo en las invadidas.
Zaragoza	Unas 40	175	Todo en las invadidas.

Con respecto a estos datos se impone una breve reflexión. En primer lugar es evidente que hablo de persecución religiosa al referirme a la desencadenada en la zona republicana, cuya responsabilidad cae por completo sobre el Gobierno legítimo de Madrid, que repitió los errores cometidos en mayo de 1931 cuando la quema de conventos. Es decir, aceptó, incluso en manifestaciones públicas, la persecución como un desahogo razonable de la ira del pueblo exaltado e incluso como una aplicación de la llamada «justicia del pueblo». Las cifras anteriormente citadas se refieren a muertos; nada digo de las torturas y de las violencias más refinadas, ni de la destrucción del patrimonio histórico-artístico. No cabe duda de que el Gobierno intentó la salvación de algunos tesoros, pero es innegable que ardieron millares de obras de arte; numerosas iglesias, monasterios y conventos fueron total o parcialmente destruidos; los robos y saqueos no pueden contarse; innumerables archivos y bibliotecas perecieron en manos de los revolucionarios. Las pretendidas explicaciones sobre el resentimiento social contra la Iglesia por su alianza secular con las clases poderosas, no soporta la crítica más elemental, porque «centenares de sacerdotes no tenían el menor contacto, ni menos el menor contubernio, con esos círculos; murieron por ser sacerdotes; por motivos primero religiosos; luego, políticos; luego, en ciertos casos, sociales. Murieron, eso sí, a manos de otros católicos, porque sus asesinos estaban, en su inmensa mayoría, bautizados. La causa de su muerte es el odio de una España por la otra; de una España por la Iglesia. La inmensa mayoría de los sacerdotes asesinados eran tan pobres —eran tan pueblo— como sus asesinos»[76]. Y lo mismo puede decirse de la mayoría de seglares, que fueron asesinados porque practicaban la religión católica.

[76] R. DE LA CIERVA, *La historia se confiesa. España 1930-1976* t.3 (Barcelona, Ed. Planeta, 1976) p.23.

2. LA PASTORAL COLECTIVA DEL 1.º DE JULIO DE 1937 [77]

Documento polémico

Se trata del documento más polémico del episcopado español. La polvareda que entonces levantó y la discusión que ha seguido hasta nuestros días revelan la importancia que tuvo y el interés objetivo que encierra. No puede ser estudiado con criterios de ahora y quizá todavía es pronto para examinarlo con serenidad. Lo mismo debe decirse con respecto a dos obispos —Vidal y Múgica— que no lo firmaron. ¿Lo hicieron por razones políticas o pastorales? Tampoco lo firmaron Segura, que entonces no podía considerarse miembro de la jerarquía española, ya que no tenía algún cargo pastoral en España, pues era un cardenal de Curia, que residía en Roma, e Irastorza, obispo de Orihuela, ausente de su diócesis por enfermedad.

Podemos aproximarnos hacia una comprensión de este texto fundamental del magisterio episcopal español analizando el contexto histórico y la mentalidad de aquellos obispos y sin olvidar que se trata de la respuesta que la Iglesia dio a la persecución religiosa desencadenada en la zona republicana después de casi un año de guerra civil. Podemos incluso prescindir de la persecución constante y uniforme que la Iglesia española sufrió durante los tres años de lucha en dicha zona, si bien en algunos momentos decreció la intensidad persecutoria, no porque el Gobierno de Madrid —después pasó a Valencia— mostrase en momento alguno intenciones sinceras de reformar su política religiosa, sino por efecto de las repercusiones exteriores que las atrocidades cometidas por los «rojos» tenían en el extranjero. También podemos prescindir de la larga serie de atropellos, insultos, profanaciones, vejaciones y atentados de todo tipo cometidos desde 1931 hasta 1936, fruto, según decían los obispos, «de la Constitución y de las leyes laicas que desarrollaron su espíritu, [que] fueron un ataque violento y continuado a la conciencia nacional».

Persecución religiosa

Limitémonos a los precedentes inmediatos de la guerra. Desde la victoria del Frente Popular hasta el 18 de julio se cometieron en España cerca de 3.000 atentados graves de carácter político y social, entre los que se cuentan 411 iglesias destruidas o profanadas; 17 sacerdotes fue-

---

[77] La primera edición se hizo en Pamplona, en 1937, por Gráficas Bescansa, en un folleto de 31 págs. titulado *Carta colectiva de los obispos españoles a los de todo el mundo con motivo de la guerra de España*. Se tradujo a 14 lenguas, con 36 ediciones. El P. Ulpiano López, S. I., la tradujo al latín y la comentó: *Litterae communes Episcopatus Hispani 1 iulii 1937 cum annotationibus: Periodica de re morali canonica liturgica* 26 (1937) 518-42. Puede verse también en I. GOMÁ TOMÁS, *Por Dios y por España. Pastorales, instrucciones pastorales, artículos, discursos, mensajes, apéndice. 1936-1939* (Barcelona, R. Casulleras, 1940) p.560-90. Ediciones más recientes en A. MONTERO, o.c., p.726-41; A. GRANADOS, o.c., p.342-58; R. MONTANYOLA, o.c., p.831-54; J. IRIBARREN, o.c., p.219-42; I. GOMÁ TOMÁS, *Pastorales de la guerra de España* (= Biblioteca del Pensamiento Actual: 51) (Madrid, Rialp, 1955) p.147-89; R. DE LA CIERVA, o.c., p.24-40. Sobre la repercusión de este documento cf. *El mundo católico y la carta colectiva del episcopado español* (Burgos, Ed. Rayfe, 1938) y *La carta colectiva del episcopado español* (Madrid, Ed. CIO, 1972).

ron asesinados en diversos lugares y circunstancias desde el 1.º de enero al 18 de julio de 1936. Durante los últimos días de dicho mes otros 861 sacerdotes fueron asesinados por los «rojos». Solamente el 25 de julio, festividad del Patrono de España, fueron torturados y asesinados 95 sacerdotes y religiosos. A principios de agosto, concretamente el día 6, los obispos de Pamplona (Olaechea) y Vitoria (Múgica) publicaron un documento conjunto denunciando la muerte de más de 1.100 clérigos asesinados. Eran cifras un poco exageradas, que en aquellos momentos y circunstancias no podían precisar. Hoy los datos que poseemos son más fiables. Con todo, dicho documento encierra un valor indiscutible, porque se trata de la primera condena episcopal del crimen organizado contra la Iglesia y sus miembros.

Durante el mes de agosto de 1936 cayeron otros 2.077 eclesiásticos, es decir, casi 70 al día, después de haber sufrido horribles torturas, y en algunos casos, mutilaciones de órganos corporales. Entre las víctimas de ese trágico mes de agosto hay que citar varios obispos: los de Sigüenza (Nieto Martín) y Lérida (Huix), asesinados el día 5; el de Cuenca (Laplana), el 8; los de Barbastro (Asensio) y Segorbe (Serra), el 9; los de Jaén (Basulto) y auxiliar de Tarragona (Borrás), el 12; el de Ciudad Real (Esténaga), el 22, y los de Almería (Ventaja) y Guadix (Medina), que murieron juntos el día 30. Más tarde seguirían la misma suerte el de Barcelona (Irurita), que parece ser que fue asesinado por error al confundírsele con un sacerdote, y el de Teruel (Polanco), en 1939, cuando la guerra estaba acabando, mientras los comunistas lo conducían a la frontera. Es decir, un total de 12 obispos, y además el administrador apostólico, no obispo, de Orihuela, doctor Ponce.

A mediados de septiembre de 1936, las víctimas eclesiásticas se aproximaban a 3.400. Fue por entonces cuando Pío XI, en la audiencia concedida a un grupo de peregrinos españoles, cantó las glorias de los mártires españoles. Cuando no había transcurrido un año de la contienda, los asesinatos de eclesiásticos eran ya más de 6.500. La matanza era evidente. La Iglesia española no había conocido cosa semejante en su historia desde los tiempos primitivos. La cifra de muertos era impresionante cuando los obispos se decidieron a hablar [78]. Se trataba además de un momento en el que España se hallaba totalmente dividida en dos bandos, delimitados por las armas y por la ideología. El final de la guerra no se podía prever. La victoria tenía que ser, inevitablemente, de las armas y no fruto de una negociación político-diplomática, ya que la ayuda militar que llegaba desde el exterior a los dos bandos era cada vez más intensa y organizada. ¿Tiene algo de extraño que en aquellas tremendas circunstancias los obispos temiesen una probable aniquilación de la Iglesia en la zona roja? Basta repasar la prensa republicana, y en particular el material gráfico de revistas y periódicos, para descubrir el espíritu que animaba a los autores de incendios, robos, saqueos, torturas y asesinatos. Se elogiaban y ensalzaban como auténticas hazañas las

---

[78] Sigo a J. IRIBARREN, o.c., p.41-43.

mayores aberraciones. Quienes se sorprenden del tono usado por los obispos en la pastoral colectiva, ignoran que por esas fechas casi todos ellos habían dado a conocer en escritos personales su parecer sobre la guerra [79].

Situación religiosa en la España Nacional

Nótese además que en toda la zona republicana no se pudieron celebrar misas en público desde el domingo 19 de julio de 1936. Los templos quedaron cerrados y la Iglesia vivió en la mayor clandestinidad, con organizaciones y actividades que recordaban las catacumbas romanas. Por el contrario, y éste es otro elemento que hay que tener en cuenta, la normalidad religiosa era absoluta en la zona nacional y en los lugares que iban ocupando las tropas rebeldes a la República, si bien la represión política conocía también la tragedia, con matanzas, torturas y pillajes. A medida que el nuevo Estado español fue organizando y perfeccionando sus estructuras, la legislación de tipo eclesiástico tuvo primordial importancia, hasta el punto de que la Iglesia —elemento indispensable para la victoria definitiva de las armas— acaparó la atención de los nuevos gobernantes. Comenzaron entonces a llover privilegios, que en parte restauraban la posición perdida con la República ·y en parte aumentaban considerablemente su protagonismo en la sociedad al amparo del ejército vencedor.

Si nos limitamos solamente al primer año de guerra, antes de que apareciera la carta colectiva, hay que reseñar una serie de hechos y disposiciones legales que ciertamente allanaron el camino y facilitaron el acercamiento de la Iglesia hacia el nuevo Estado.

Legislación clerical

El terreno escogido en primer lugar fue el de la educación. Una orden del 19 de agosto de 1936 exigía a los alcaldes informes sobre la conducta observada por los maestros, para evitar que perturbasen con sus ideas políticas «las conciencias infantiles» tanto en el aspecto patriótico como en el moral [80]. El 4 de septiembre se ordenó a los gobernadores civiles, alcaldes y delegados gubernativos que procediesen urgentemente a la incautación y destrucción de cuantas obras de matiz socialista o comunista hallasen en bibliotecas ambulantes o escuelas, y a los inspectores de enseñanza que usasen en las escuelas «solamente obras cuyo contenido responda a los santos principios de la religión y de la moral cristiana» [81]. Para evitar las posibles dudas creadas por esta orden, el 21 de septiembre se dio otra en la que se declaraba textual-

---

[79] Fueron recogidas en un folleto, «dirigido particularmente a los católicos extranjeros que de buena fe han sido engañados y seducidos por falsos creyentes, perversos patriotas y apóstatas sacerdotes nacionalistas y separatistas», titulado *La voz de la Iglesia sobre el caso de España* (Zaragoza, Talleres Gráficos de «El Noticiero», 1937), 61 págs. El mismo folleto ha sido dado a conocer por V. M. Arbeloa como apéndice a un breve artículo, muy discutible, titulado *Anticlericalismo y guerra civil:* Lumen 24 (1975) 162-81.254-71.
[80] *Boletín Oficial* del 21 agosto 1936.
[81] Ibid., del 8 septiembre 1936.

mente que «la escuela nacional ha dejado de ser laica» y que las enseñanzas de la religión e historia sagrada era obligatoria y formaba parte de la labor escolar [82]. Esta disposición se amplió el 1.º de marzo de 1937 al restaurar la costumbre inmemorial de intensificar durante la cuaresma la enseñanza del catecismo de la doctrina cristiana, permitiendo que los niños acudiesen a las iglesias para escuchar las explicaciones de los párrocos y recibir los sacramentos [83]. Al mismo tiempo se restauró el culto y la devoción a la Inmaculada Concepción [84].

En materia castrense fue derogada una orden de la República del 12 de septiembre de 1934, fundada en el artículo 3.º de la Constitución y se concedió de nuevo la exención del servicio militar a los sacerdotes y religiosos [85]. También se reorganizó el servicio religioso de las fuerzas armadas [86].

El Ministerio de la Gobernación dio una serie de disposiciones relativas a la presencia de los obispos en las Juntas de Beneficencia [87], a la conservación del patrimonio artístico [88], a la prohibición de libros pornográficos [89] y fueron declarados fiestas nacionales el día de la Inmaculada Concepción [90], el Jueves y Viernes Santos [91] y el día del Corpus Christi [92].

El cardenal Gomá

El 5 de junio de 1937, el diplomático Pablo de Churruca fue nombrado ministro consejero y agente oficioso cerca de la Santa Sede [93]. Y aunque por parte de ésta todavía no se había producido el reconocimiento oficial del nuevo régimen, el cardenal Gomá, desde el 19 de diciembre de 1936, actuaba como encargado pontificio de negocios ante la Junta de Defensa Nacional.

Este último dato hay que tenerlo muy en cuenta, porque la carta colectiva es criatura de Gomá. Hay que destacar la importancia del cardenal primado en ese momento, porque estamos en 1937. Gomá era prácticamente el único cardenal español, ya que Segura seguía en Roma, Vidal había salvado la vida huyendo a Italia e Ilundain estaba enfermo y moriría el 10 de agosto de dicho año. Era, por consiguiente, la figura indiscutible del episcopado. La confianza puesta en él por Pío XI era una garantía para los obispos. A estos títulos, Gomá unía una serie de cualidades que todos reconocían y apreciaban. Catalán

---

[82] Ibid., del 24 septiembre 1936.
[83] Ibid., del 3 marzo 1937.
[84] Ibid., del 10 abril 1937.
[85] Ibid., del 19 octubre 1936.
[86] Ibid., del 12 mayo 1937. Cf. C. Pérez-Lucas Izquierdo, *El Cuerpo eclesiástico del Ejército en el primer tercio del siglo xx:* Revista de Historia Militar (Madrid) 17 (1973) 105-15.
[87] Orden de 22 octubre 1936.
[88] Orden de 23 diciembre 1936 *(Boletín Oficial,* 24-12-1936).
[89] Dec. de 23 diciembre de 1936 (ibid.)
[90] Dec. de 6 diciembre de 1936 (ibid., 9-12-1936).
[91] Dec. de 22 marzo 1937 (ibid., 23-3-1937).
[92] Dec. de 22 mayo 1937 (ibid., 25-5-1937).
[93] Ibid., de 20 junio 1937.

como Vidal, era más inteligente, más culto y más eclesiástico que el cardenal de Tarragona, que procedía de la universidad civil y era, más laico —Vidal fue abogado antes de sacerdote— y menos dogmático. Quizá fue éste el gran defecto de Gomá: su dogmatismo, su intransigencia y hasta su intolerancia al tratar temas políticos y sociales. Era un antiliberal furibundo, y lo demostró en numerosos escritos pastorales desde la proclamación de la República. Repetía sin titubear la doctrina y las condenaciones de Gregorio XVI, de Pío IX y de Pío X. La evolución y el aperturismo que se pudo constatar en otros obispos durante la República, en particular en los cardenales Vidal e Ilundain, y la moderación que siempre presidió las intervenciones de los metropolitanos, no fueron características de Gomá. Su fulminante ascenso desde Tarazona hasta Toledo en 1933 fue un gesto muy significativo de la dirección que Pío XI quería dar a sus relaciones con la República. Gomá era, ciertamente, la persona de mayor cultura y talento para luchar con la República, pero en momentos en que hubiera sido necesario un mínimo de espíritu abierto al diálogo y a la tolerancia, se buscó la persona más incapaz de optar por esta línea. Quizá a Gomá le sobró inteligencia teórica y le faltó habilidad política, con la que hubieran conseguido salvar muchas situaciones difíciles y favorecer a la Iglesia. Pero Gomá carecía de flexibilidad ante el liberalismo y el laicismo republicanos.

Nótese además que la carta colectiva se preparó por iniciativa del general Franco y sabiéndolo la Santa Sede, que aprobó el texto. Es un documento serio, bien pensado, redactado y construido, que solamente pretendía mostrar hechos —aunque no decía toda la verdad—, sin demostrar tesis, para que en el extranjero se tuviera una visión objetiva y serena de los acontecimientos españoles, cosa que no se consiguió plenamente. Tampoco influyó la colectiva de modo definitivo para que ganase la guerra un bando u otro, ya que el conflicto armado duró dos años más. No falta quien habla de sus importantes repercusiones dentro de España, porque desde su publicación disminuyó sensiblemente la persecución religiosa, lo cual es cierto en parte, ya que hasta el final de la guerra sólo fueron asesinados otros 332 sacerdotes [94]. Hoy puede decirse abiertamente que la colectiva perjudicó a la Iglesia española, porque la comprometió definitivamente con los vencedores. Este fue el aspecto más negativo y funesto de tan importante documento. A la luz de él, se comprende el silencio total y absoluto de la jerarquía católica ante las muertes de católicos inocentes y las atrocidades cometi-

[94] Esta observación la hace J. Iribarren (o.c., p.43). La condivido sólo en parte, porque en realidad la persecución religiosa había decrecido con anterioridad. En efecto, pasado el furor de los primeros meses que siguieron al 18 de julio de 1936, las matanzas de sacerdotes no fueron tan frecuentes. Habría que ver, más bien, si la disminución de la persecución a partir del verano de 1937 se debió a efectos de la pastoral colectiva o a la nueva política religiosa de la República desde que estuvo en el Gobierno el ministro católico Irujo, nacionalista vasco. O incluso a que resultaba mucho más difícil encontrar sacerdotes y religiosos, ya que los que consiguieron salvar su vida en los primeros momentos estaban escondidos o habían huido, y, aunque buen número seguía en las cárceles «rojas», su eliminación física no podía hacerse como en los primeros días de la revolución.

das por los «nacionales» en la zona llamada «liberada». La actitud beli‑
gerante y partidista del episcopado, del clero y de los católicos, que
desde el 18 de julio celebraron con manifiesta satisfacción la entrada
victoriosa del ejército rebelde en pueblos y ciudades, impidió que se
condenasen o denunciasen las represiones masivas que siguieron. No se
oyó una sola palabra de reproche. Los «nacionales» pudieron reprimir
libremente la oposición política sin temer interferencias de la jerarquía
eclesiástica.

El clero vasco

Llegamos así a la polémica sobre los fusilamientos de sacerdotes vas‑
cos por las tropas del general Franco y de otros muchos católicos asesi‑
nados por motivos puramente políticos, como había ocurrido en la ma‑
yoría de los casos señalados en la zona «roja»[95]. El historiador no puede
silenciar la tremenda responsabilidad de la Iglesia española en momen‑

[95] Catorce sacerdotes y religiosos vascos habían sido fusilados por los «nacionales»
acusados de separatismo por los tribunales militares, cuando Mons. Antoniutti llegó a
España en el verano de 1937. Este hecho suscitó tremenda impresión y fue instrumentali‑
zado por la prensa extranjera en contra de los militares sublevados. En Bilbao fueron
encarcelados más de sesenta sacerdotes y religiosos; Mons. Antoniutti consiguió que pasa‑
sen al convento de los carmelitas de Begoña, y que les fuesen mitigadas las graves penas.
Después se obtuvo la liberación de algunos, que fueron distribuidos por varias diócesis de
Sur necesitadas del clero. Su actividad pastoral fue muy ejemplar. Intervino también
Mons. Antoniutti en favor de los prisioneros vascos detenidos en campos de concentra‑
ción. Sus peticiones de indulto o reducción de la pena no siempre fueron escuchadas.
Muchos de ellos cayeron bajo las armas de los «nacionales». Más éxito tuvieron las gestio‑
nes para el intercambio de prisioneros y rehenes, aunque algunos casos fracasaron. Así
ocurrió con el conocido católico Carrasco Formiguera, embajador de la *Generalitat* de Ca‑
taluña ante el Gobierno vasco, ejecutado en Burgos después de haber recibido del jesuita
Romañá los últimos sacramentos *(Memorie autobiografiche... p.20-35)*.
Los catorce sacerdotes vascos fusilados por los nacionales fueron: Martín de Lekuona
(veintinueve años), Gervasio de Arbizu (sesenta y cinco), José de Sagarna (veinticuatro),
Alejandro Mendicute (cuarenta y cinco), José de Ariztimuño (treinta y nueve), Joaquín
Arín (sesenta y uno), José Marquiegui (cuarenta), Leonardo Guridi (cuarenta), José de
Peñagaricano (sesenta y cuatro), Celestino de Onaindía (treinta y ocho), Joaquín Iturri‑
Castillo (treinta), José Adarraga (cincuenta y cinco), y además dos religiosos: el P. Otano,
del Corazón de María, y el P. Román, carmelita (cf. *Le Clergé basque. Rapports présentés par
des prêtres basques aux autorités ecclésiastiques*, París, Ed. H.G.Peyre, 1938). El autor de esta
obra es Don Alberto de Onaindía, hermano de uno de los sacerdotes fusilados, quien me
ha confirmado recientemente la exactitud de estos datos. Cf. también Iñaki de Azpiazu,
El caso del clero vasco (Buenos Aires, Ed. Edin, 1957); A. E. Talde, *Con nuestro pueblo... por
la libertad* (San Sebastián 1977). En la obra de Azpiazu aparece otro fusilado: el P. Lupo,
capellán militar, detenido en el convento de los carmelitas de Vitoria; parece ser que fue
fusilado en su pretendido traslado a Pamplona, pero se ignora la fecha y el lugar. No
existen más datos ni ha sido posible identificarlo (agradezco estas noticias a D. A. de
Onaindía y a Ander Manterola). Sobre el clero vasco véase también la documentación
recogida por A. de Onaindía, *Ayer como hoy* (San Juan de Luz, Ed. Axular), *Hombre de paz
en la guerra* (Buenos Aires, Ed. Ékin, 1973) y *Experiencias del exilio* (Ed. Ekin).
El Socorro Rojo de España publicó en junio de 1937 un folleto titulado *¡Queman, roban y
asesinan... en tu nombre! Religión y fascismo*, que recoge breves biografías de los curas vascos
asesinados, así como otros datos interesantes sobre la persecución desencadenada por los
fascistas contra los católicos vascos.
Queda, pues, documentado que el número de sacerdotes vascos fusilados por los na‑
cionales asciende a 14. J. M. García Escudero *(Historia política de las dos Españas... 2.ª ed.
p.1474)*, da la misma cifra, y dice que fueron juzgados por tribunales militares, condena‑
dos como separatistas y ejecutados. Otros autores que se han ocupado del tema ofrecen
cifras diversas, pero no citan fuentes seguras.
A. Granados *(El cardenal Gomá... p.145 nt.4)* afirma «que el número de sacerdotes

tos tan graves. Los obispos asesinados por los «rojos» ya no podían hablar; los exiliados quizá tuvieron dificultades para hacerlo, porque las condiciones impuestas por los países que les acogieron no debían permitirles manifestaciones conflictivas. Pero los prelados que regían sus diócesis en la zona nacional pudieron haber intervenido, y ciertamente con eficacia. Consta de algunos obispos que llegaron a las más altas instancias militares del momento —incluso al general Franco— y consiguieron salvar la vida de algún sacerdote o laico condenado a muerte. Quizá en aquellas circunstancias resultaba difícil, comprometido y hasta peligroso defender la causa opuesta. Los documentos nos dirán en su día hasta qué punto los obispos cumplieron con su obligación pastoral. Una denuncia colectiva a la opinión pública mundial de la represión brutal que seguía a la entrada victoriosa de las fuerzas nacionales en cada lugar conquistado, ¿podían hacerla los obispos en plena guerra civil? Es una primera pregunta que no me atrevo a contestar. Pero hay más: ¿estaban los obispos en condiciones de hacerla visto el panorama que ofrecía la zona «roja»? Prevaleció, a mi juicio, el instinto de conservación, muy humano, pero poco cristiano. Acusar a la jerarquía española y al clero en general de contubernio con las fuerzas vencedoras, me parece exagerado e injusto. Ciertamente faltó coraje y valentía. La Iglesia, que supo ser mártir en la persecución, no supo o no quiso ser santa desde la victoria y el poder. ¿Por qué? En la zona «roja» lo había perdido todo, mientras que en la «nacional» podía perderlo si denunciaba. Un silencio prudente, pero comprometedor, podía conseguir algo. La lógica de la guerra es terrible, y la Iglesia tenía que pagar de alguna forma al vencedor el tributo de gratitud por su salvación. Se hizo esta última opción, con todas las consecuencias negativas que esto supuso.

3. Las relaciones del Vaticano con las «Dos Españas»

La Nunciatura de Madrid

Al ser proclamada la República, el nuncio apostólico, Federico Tedeschini, continuó al frente de la representación pontificia en Madrid. Ha sido praxis de la Santa Sede trasladar a sus diplomáticos cuando en una nación hay un cambio radical de régimen. En España se dio un caso único y raro en la historia de la diplomacia pontificia. Tedeschini llegó como nuncio en 1921, durante la monarquía liberal; siguió du-

fusilados fue de unos 18». R. Garriga (*El cardenal Segura*... p.240-43), dice que los curas vascos ejecutados fueron 16, y cita un documento del obispo Múgica, sin indicar la fuente, en el que el prelado de Vitoria daba la lista de 11 sacerdotes «venerables y celosos» fusilados. R. de la Cierva (*Historia básica de la España actual*... 2.ª ed. p.445), habla de «16 eclesiásticos fusilados por motivos puramente políticos y ciertamente injustos, pero jamás religiosos, por los nacionales, casi todos ellos en el País Vasco a raíz de la entrada de las tropas en 1937». M. Tuñón de Lara (*La España del siglo XX*... [Barcelona, Laia, 1974] 3.ª ed. p.561-62), se refiere a «15 sacerdotes vascos asesinados por los sublevados», y a los franciscanos Revilla y Bombín, «también asesinados por los rebeldes en Burgos y la Rioja respectivamente».

rante la dictadura de Primo de Rivera y el período de transición de los generales Berenguer y Aznar y permaneció durante la República hasta un mes antes de la guerra civil. Es decir, que representó al papa durante un régimen liberal, dictatorial, transitorio y republicano. Quizá el caso Tedeschini se explica por sus contrastes personales con Pío XI, que había fracasado diplomáticamente en Polonia, donde fue el primer nuncio en 1919, y, al regresar a Italia en 1921, Tedeschini, entonces sustituto de la Secretaría de Estado, le tuvo que manifestar la conveniencia de cambiar la diplomacia por la pastoral. Entonces Aquiles Ratti fue nombrado arzobispo de Milán, mientras Tedeschini era destinado a la Nunciatura de Madrid. Papa desde febrero de 1922, Pío XI mantuvo a Tedeschini en España durante más de quince años. En efecto, su nombramiento tuvo lugar el 31 de marzo de 1921, y aunque fue creado cardenal en el consistorio del 13 de marzo de 1933, no se hizo público, porque había sido reservado *in pectore,* hasta el 16 de diciembre de 1935. En ese mismo consistorio fue creado cardenal Gomá. Pero Tedeschini aún siguió en Madrid otros seis meses y no regresó a Roma hasta el 10 de junio de 1936. Desde esa fecha quedó en la Nunciatura el encargado de Negocios, Silvio Sericano, esperando al nuevo nuncio, Filippo Cortesi, nombrado el 4 de junio de 1936. La revolución de julio impidió que Cortesi llegase a España. Sericano siguió al frente de los asuntos de la Nunciatura y el 4 de noviembre de 1936 abandonó Madrid.

Constituida el 29 de julio de 1936 la Junta de Defensa Nacional, los generales sublevados intentaron inmediatamente un reconocimiento por parte de la Santa Sede. El primer paso lo dio el papa nombrando al cardenal Gomá, el 19 de diciembre de 1936, representante pontificio oficioso ante dicha Junta. El cardenal primado mantuvo este encargo hasta la llegada del joven arzobispo Ildebrando Antoniutti, que durante el verano de 1937 había visitado España para interesarse por las víctimas de la guerra. El 21 de septiembre de dicho año, Antoniutti fue nombrado encargado de Negocios de la Santa Sede ante el Gobierno nacional, presidido por el general Franco, con sede en Burgos. Permaneció pocos meses en la zona nacional, porque el 16 de mayo de 1938 tras el establecimiento de relaciones diplomáticas normales, se produjo el nombramiento del primer nuncio apostólico ante el Gobierno de Franco en la persona de Gaetano Cicognani [96].

La Embajada en Roma

Con respecto a la Embajada española en Roma, con la proclamación de la República cesó el último embajador de la Monarquía, Emilio de Palacio y Fare, que había presentado sus cartas credenciales a Pío XI el 2 de junio de 1930. La Embajada quedó provisionalmente confiada al ministro plenipotenciario, Eduardo García Comín, encargado de Negocios hasta la llegada del embajador Leandro Pita Lorenzo, republicano,

---

[96] G. DE MARCHI, *Le Nunziature Apostoliche dal 1800 al 1956* (Roma 1957) p.241-42. J. M. TABOADA LAGO, *Por una España mejor* (Madrid 1977) p.31-33.55.

católico, el 11 de junio de 1934, a quien sucedió Luis de Zulueta Escolano el 9 de mayo de 1936. Dicho diplomático apareció en el *Annuario Pontificio* de 1937 como representante oficial del Gobierno republicano español de Valencia, «ausente». Al mismo tiempo figuraba Antonio de Magaz como encargado oficioso del Gobierno nacional de Franco. El 5 de junio de 1937, Pablo de Churruca y Dotrés, ministro plenipotenciario de segunda clase, fue nombrado ministro consejero y agente oficioso del nuevo Estado español cerca de la Santa Sede. Desaparecida la representación diplomática del Gobierno republicano y reconocido oficialmente como Gobierno legítimo de España el que presidía el general Franco, fue nombrado embajador extraordinario y ministro plenipotenciario ante la Santa Sede José de Yanguas Messía, vizconde de Santa Clara de Avedilla, quien presentó sus credenciales a Pío XI el 30 de junio de 1938.

Por consiguiente, las relaciones diplomáticas con la República no sufrieron alteración por parte de la Santa Sede hasta bien entrada la guerra civil y cuando el desarrollo de los acontecimientos bélicos hacía prever una victoria de «la España» del general Franco. Sin embargo, la «otra España», la republicana, trató de mantener dichas relaciones durante la contienda, pues aunque nunca hubo una ruptura oficial ni por una parte ni por otra, las relaciones quedaron interrumpidas o suspendidas de hecho tras la salida de Mons. Sericano en noviembre de 1936.

El ministro católico Irujo

Pasados los dos primeros meses de persecución violenta, el 25 de septiembre de 1936 entró en el Gobierno republicano de Largo Caballero el católico Manuel de Irujo, representante del partido nacionalista vasco. Aunque era ministro sin cartera, Irujo trató por todos los medios de contener las violencias e intentó convencer a sus colegas de la necesidad de cambiar de política con respecto a la Iglesia. Irujo era persona de reconocido prestigio por su catolicismo militante y su honradez personal, aunque pudo obtener bien poco de sus compañeros de Gabinete, no obstante las intensas gestiones realizadas para conseguir un acercamiento al Vaticano, que mientras tanto buscaba la paz separada entre el Gobierno vasco autónomo y el Gobierno de Franco. Estas gestiones también fracasaron.

Desde el 17 de mayo al 11 de diciembre de 1937 ocupó Irujo la Cartera de Justicia. El único éxito que tuvo durante su breve permanencia en tan importante Ministerio fue el decreto del 7 de agosto de 1937 autorizando el «culto privado». Coincidió prácticamente la publicación de este documento con la difusión de la carta colectiva del episcopado, y parece ser que dicho decreto fue dado a conocer en tal circunstancia para contrarrestar los efectos del escrito de los obispos. Lo cierto es que el Gobierno republicano buscaba un entendimiento con la Santa Sede, y ésta fue la primera prueba de buena voluntad.

Siguieron gestiones diplomáticas a través de la Nunciatura en París, que llevó a cabo Luis Nicoláu d'Olwer con el nuncio Valeri. Intervinieron el cardenal Verdier, arzobispo de la capital francesa, y Mons. Fontenelle, que sirvió de enlace entre París y el Vaticano. Al mismo tiempo, la Unión Democrática de Cataluña mantuvo contactos con católicos franceses y con el cardenal Vidal. Pero en Roma pesaba negativamente la situación religiosa de la zona republicana, a la vez que el Gobierno de Burgos intensificaba las disposiciones legales en favor de la Iglesia y la propaganda sobre el floreciente estado de la religión en su territorio.

A finales de diciembre de 1937 cesó Irujo en el ministerio de Justicia, pero siguió, sin cartera, hasta agosto de 1938 en los gobiernos presididos por Negrín. Su presencia en estos Gabinetes contribuyó a que se dieran nuevas pruebas de buena voluntad, aunque insignificantes. Un Consejo de Ministros celebrado el 24 de febrero de 1938 bajo la presidencia de Azaña, presidente de la República, trató de la apertura de *una* iglesia pública «como medio único de poder acreditar ante el mundo que la República respeta la libertad de culto católico». Y el Ministerio de Defensa Nacional, el 1.º de mayo, permitió que los religiosos prestasen su servicio en la Sanidad Militar. Se llegó incluso a autorizar el viaje a España de Mons. Fontenelle, que no era prelado italiano; pero dicho viaje nunca llegó a realizarse.

La situación se complicó con el asunto del obispo de Teruel, Anselmo Polanco, que el Gobierno republicano tenía detenido e intentaba manipular para sus fines. El 22 de febrero de 1938, las tropas de Franco ocuparon Teruel, y el Gobierno de la República estaba dispuesto a entregar tan importante rehén al Vaticano con tal de que no se le permitiera volver a su diócesis. La Santa Sede no accedió. Se trataba de un compromiso anticanónico. Al mismo tiempo, la situación militar era cada vez menos favorable a los republicanos tras la batalla de Teruel y la ofensiva de Aragón. Por parte republicana se buscó una paz negociada, mientras el Vaticano reconocía oficialmente a Franco y designaba al nuncio Cicognani, primer representante pontificio oficial ante el Gobierno nacionalista.

Los «Trece puntos» de Negrín

Trató entonces el Gobierno republicano, presidido por Negrín, de dar una prueba mayor de buena voluntad, y el 30 de abril de 1938 publicó los famosos «Trece puntos», uno de los cuales, el sexto, parece ser que estuvo inspirado por Irujo. «El Estado español —decía— garantizará los derechos de los ciudadanos en la vida civil y social, la libertad de conciencia y el ejercicio de sus creencias y de sus prácticas religiosas». Los republicanos habían comprendido demasiado tarde que la vuelta a la normalidad religiosa era condición indispensable para negociar con la Santa Sede y para recobrar el prestigio internacional que habían perdido. Irujo quería además que se abriera alguna iglesia al culto público. Se pidió autorización al vicario general de Barcelona, José María Torréns, que no aceptó las condiciones puestas por el Gobierno y prohibió tajantemente la apertura de templos. Se pensó entonces en el regreso del cardenal Vidal a Tarragona, pero el purpurado no se prestó al juego político que encerraba su viaje, mientras seguían las persecuciones contra sacerdotes y seglares, aunque muy atenuadas. Irujo echó en cara al cardenal Vidal que los sacerdotes catalanes no querían abandonar su clandestinidad en espera de ser liberados por Franco. El ministro demostró una ingenuidad impresionante al exigir que la Iglesia española olvidara, sin más, largos años de cruel persecución; sin embargo, no cejó en su empeño, y, apoyado en el citado punto sexto, consiguió que Negrín siguiera la negociación con el Vaticano.

Pero la situación política cambió radicalmente en el verano de 1938. Irujo salió del Gobierno, y con él desapareció el único ministro católico del Gabinete que había demostrado voluntad sincera de acercamiento a la Iglesia. Negrín se echó en manos de los comunistas, los catalanes fueron perdiendo parte de su autonomía, los tribunales especiales republicanos intensificaron su actividad arbitraria. Comenzó un auténtico régimen de terror, conocido como «la dictadura de Negrín».

Fue por entonces cuando Irujo pronunció un durísimo ataque contra la política religiosa de la República. «Yo, que, además de liberal y demócrata, soy ferviente religioso, soy cristiano y católico —dijo—, siento tener que decir al Gobierno de la República que ya es tiempo de que los cristianos, de que los católicos, podamos tener una iglesia abierta. Lo he pedido muchas veces siendo ministro... todavía tenemos que ir a capillas privadas aquellos católicos que queremos cumplir con los preceptos de nuestra religión». Estas palabras, pronunciadas en San Cugat del Vallés el 30 de septiembre de 1938, resumen la situación de la Iglesia católica en la zona republicana cuando la persecución más violenta había disminuido y los asesinatos eran muy esporádicos.

El 15 de octubre se celebró en Barcelona el entierro del capitán vasco de milicias Vicente de Eguía. Presidió el ministro Alvarez del Vayo, representando a Negrín. La novedad del hecho la constituyó la presencia, por vez primera en zona republicana durante el período bélico, de un sacerdote católico oficiando en dicho acto. Fue un caso aislado y único, que la propaganda republicana explotó para demostrar una normalidad religiosa que no existía. Las fotografías dieron la vuelta al mundo, pero no consiguieron el efecto que sus autores pretendían. La persecución religiosa había calado hondamente en la opinión pública mundial y para los republicanos era una pesadilla constante. El desprestigio de la República era ya total. A finales de año comenzó la ofensiva de Cataluña, y con la caída de Barcelona desaparecieron las escasas esperanzas que podía abrigar un Gobierno republicano dividido, desmoralizado y abandonado incluso por sus amigos del exterior.

El Vaticano y la «España de Franco»

Para esas fechas, además, la «España de Franco» contaba ya con el apoyo total del Vaticano. El mismo cardenal Vidal, que iniciaría entonces otro exilio, no había dudado en pedirle a Gomá que manifestara al general Franco «mis saludos y homenajes de simpatía y afecto» [97].

Por su parte, el nuevo Estado español ampliaba y perfeccionaba la legislación en materias eclesiásticas con una imponente serie de disposiciones que conviene reseñar y que sirven de complemento a las anteriormente indicadas. Con ley de Jefatura del Estado de 10 de diciembre de 1938 fue derogada la de 1932 relativa a la secularización de cementerios y devuelta la propiedad de los mismos a las parroquias [98]. El ministerio de Educación Nacional completaba las normas relativas a la enseñanza religiosa [99]. Y el de la Gobernación imponía la depuración de bibliotecas y la censura cinematográfica, reprimía la blasfemia y promovía la restauración y reconstrucción de templos destruidos [100]. Por el Ministerio de Justicia quedaron suspendidos los pleitos de divorcio [101], derogada la ley sobre el matrimonio civil [102] y restablecida la Compañía de Jesús [103].

El 1.º de abril de 1939 comenzó un nuevo capítulo de la historia de la Iglesia en España.

[97] He seguido el artículo de V. PALACIO ATARD, *Intentos del Gobierno republicano de restablecer relaciones con la Santa Sede durante la guerra civil,* en *Cinco historias de la República...* p.79-120. Sobre la etapa prebélica cf. J. M. SÁNCHEZ, *The Second Spanish Republic and the Holy See. 1931-1936:* The Catholic Historical Review (Washington) 49 (1963-64) 47-68, y V. M. ARBELOA, *El proyecto de concordato del P. Postíus en 1934:* Revista Española de Derecho Canónico 29 (1973) 207-26.

[98] *Boletín Oficial del Estado* de 20 diciembre 1938.

[99] Por una orden del 21 de septiembre de 1937 se convocó concurso para el llamado *Libro de España,* destinado a las escuelas, con el fin de enseñar a los niños que «deben admirar e imitar la fe cristiana, la hidalguía caballeresca, la cortesía exquisita, el valor militar y la ponderación del juicio» (ibid., 22-9-1937). Por orden del 7 de octubre de 1937 se estableció que la religión sería enseñada por eclesiásticos, autorizados por sus respectivos obispos (ibid., 9-10-1937). El 7 de marzo, festividad de Santo Tomás de Aquino, fue declarado festivo en todos los centros docentes del nuevo Estado (ibid., 6-2-1938). Para los juramentos académicos fue adoptada la siguiente fórmula: «¿Juráis en Dios y en vuestro ángel custodio servir perpetua y lealmente al España, bajo el imperio y norma de su tradición viva; en su catolicidad, que encarna el pontífice de Roma; en su continuidad, representada por el Caudillo, salvador de nuestro pueblo? Si así lo hiciereis, Dios os lo premie, y, si no, os lo demande» (ibid., 2-1-1938). Por orden del 29 de abril de 1938 se implantó la celebración del mes de María ante la imagen de la Inmaculada, colocada en sitio preferente en la escuela (ibid., 8-5-1938). El crucifijo fue restaurado en todos los locales y dependencias de las facultades universitarias, institutos de enseñanza media y escuelas nacionales (ibid., 4-4-1939).

[100] Ibid., 17-9-1937, 12-12-1937, 11-6-1938. Al mismo tiempo se declaró fiesta nacional el 25 de julio y se estableció la ofrenda al apóstol Santiago en la cuantía y forma señalada en la real cédula de 17 de julio de 1643 y decreto de 28 de enero de 1875 (ibid., 22-8-1937). La festividad de San José fue politizada, porque el Estado español quiso recoger «con su doctrina, oficialmente expuesta, el sentido católico de la historia y la vida de España para incorporarlo a su política» (ibid., 19-3-1938). La misma carga política se dio a la festividad del Corpus Christi, que debería celebrarse «no con frialdad protocolaria, sino recordando nuestra gloriosa tradición y con la vista puesta en la trayectoria y propósitos de nuestra Revolución Nacional» (ibid., 15-6-1938). También se restableció la conmemoración teatral de dicha festividad eucarística por medio de autos sacramentales, sometidos a la censura de las autoridades eclesiásticas para «asegurar la exactitud dogmática y la dignidad teológica» (ibid., 15-6-1938). A los gobernadores civiles se les ordenó que persiguiesen la blasfemia, «lacra social, proferida en injuria de Dios y de los santos» (ibid., 11-7-1938).

[101] Dec. del 2 de marzo de 1938 (ibid., 5-3-1938).

[102] Ley del 12 de marzo de 1938 (ibid., 21-3-1938).

[103] Dec. del 3 de mayo de 1938 (ibid., 7-5-1938). Este Ministerio dio otras disposicio-

4. NOMBRAMIENTOS DE OBISPOS

Vacantes y provisiones durante la República...

Sabido es que los reyes de España intervinieron siempre de forma directa en los nombramientos de obispos en virtud del real patronato. La legislación civil sobre este punto fue cambiando a lo largo de los siglos, pero en realidad afectó solamente al procedimiento y no a la substancia. Desde Felipe II, pasando por Carlos III e Isabel II, los monarcas españoles regularon la presentación de candidatos al episcopado. Lo mismo hizo Alfonso XIII apenas iniciada la dictadura de Primo de Rivera [104].

Tras la proclamación de la República, ni el Gobierno ni la Santa Sede se plantearon el problema de las sedes episcopales vacantes. Dado que hasta las elecciones de junio de 1931 se vivió un clima de provisionalidad en espera del resultado de las urnas para las Constituyentes, el Vaticano advirtió inmediatamente que lo más prudente en aquellos momentos era no hablar del concordato de 1851, ni tratar con las nuevas autoridades republicanas sobre el derecho regio de presentación [105]. Es cierto que los obispos, y en concreto el cardenal Vidal, protestaron por las continuas violaciones del concordato vigente, pero nunca se llegó a una denuncia oficial del mismo.

La situación cambió radicalmente tras la aprobación de la Constitución republicana el 10 de diciembre de 1931. El concordato quedó abrogado de hecho, y la Santa Sede tuvo completa libertad para nombrar obispos, si bien dejó pasar dos años hasta que se produjeron las primeras promociones episcopales.

El 19 de abril de 1931 tuvo lugar en Durango la consagración episcopal del obispo auxiliar de Valencia, Francisco Javier Lauzurica, preconizado titular de Siniando el 20 de febrero del mismo año. Fue el único caso de obispo nombrado durante la Monarquía y consagrado en plena República. Las diócesis vacantes al advenimiento del nuevo régimen eran las siguientes: *Lérida,* desde el 13 de marzo de 1930, por traslado a Barcelona del obispo Manuel Irurita, si bien continuó gobernando la sede ilerdense en calidad de administrador apostólico hasta el nombramiento del P. Huix en 1935; *Plasencia,* desde el fallecimiento del obispo Rivas Fernández, ocurrido el 16 de julio de 1930; *Granada,* por la muerte del cardenal Casanova, acaecida el 23 de octubre de 1930 en Zaragoza, donde asistía a un congreso catequístico, y, finalmente,

---

nes relativas a los nombres que debían imponerse a los recién nacidos, tomados del santoral romano; a los servicios de comunidades religiosas en presidios y prisiones y a la retribución económica de los sacerdotes que ejercían cura de almas en territorios recién liberados. Los matrimonios civiles contraídos durante «la dominación roja» fueron anulados (ibid., 25-9-1938 y 13-3-1939) y la ley republicana de Confesiones y congregaciones religiosas quedó derogada el 2 de febrero de 1939 (ibid., 4-2-1939).

[104] J. GARRÁN Y MOSO, *La provisión de sedes episcopales* (Tolosa, Ed. Guipuzcoana, 1930); V. M. ARBELOA, *El nombramiento de obispos durante la dictadura y la II República:* Revista Española de Derecho Canónico 31 (1975) 143-57 y 427.

[105] *Arxiu Vidal* I p.28.

Mondoñedo, desde el 24 de febrero de 1931, por muerte del obispo Solís Fernández.

Durante los dos primeros años republicanos fueron vacando otras sedes por defunción de los respectivos prelados: *Cartagena,* el 6 de octubre de 1931 (obispo Salgado); *Cádiz,* el 15 de febrero de 1932 (obispo López Criado); *Gerona,* el 1.º de septiembre de 1932 (obispo Vila), y *Salamanca,* el 24 de enero de 1933 (obispo Frutos Valiente). La importante silla primada de *Toledo* quedó también vacante a finales de septiembre de 1931 tras la renuncia forzada del cardenal Segura, con lo cual se consiguió resolver una cuestión que a los republicanos sirvió de excelente pretexto para justificar las tensiones existentes entre la Iglesia y el Estado y la creciente hostilidad hacia la primera por los elementos más anticlericales. Pero se planteó el problema de la sucesión, mucho más grave por las consecuencias que podría tener —y de hecho tuvo— en el ulterior desarrollo de los acontecimientos político-religiosos. Por eso causó gran sorpresa el traslado del obispo Gomá, de Tarazona a Toledo, el 12 de abril de 1933. Aun reconociendo unánimemente la valía intelectual de Isidro Gomá, su fulminante promoción resultó muy significativa, pues desde hacía siglos no existía precedente del traslado del obispo de una pequeña diócesis, como Tarazona, a Toledo, primera sede arzobispal. El nombramiento de Gomá descubría la línea política que la Santa Sede deseaba mantener con una República cada vez más deteriorada en el orden interno y hostil a la Iglesia. La figura de Gomá, ciertamente la mejor del episcopado en aquellos momentos, y su actuación posterior confirmaron plenamente las previsiones de Pío XI.

El mismo 12 de abril de 1933 se hizo público también el nombramiento del nuevo obispo de *Cádiz* en la persona de Ramón Pérez Rodríguez, cesado en el cargo de vicario general castrense porque la República lo había suprimido, si bien conservó el título de patriarca de las Indias Occidentales. El 5 de septiembre de 1933, el administrador apostólico de *Solsona,* Valentín Comellas, fue nombrado obispo residencial de la misma diócesis. Fue el primer obispo residencial de la sede celsonense en la época contemporánea, ya que desde el fallecimiento del obispo Tejada, en 1838, Solsona estuvo vacante durante muchos años; el concordato de 1851 la suprimió, aunque fue regida por vicarios capitulares hasta 1891 y desde 1895 hasta 1933 tuvo obispos administradores apostólicos.

. El 29 de diciembre de 1933 fue nombrado obispo de *Gerona* el catalán José Cartañá, arcipreste de la catedral de Tarragona. Con lo cual la Santa Sede volvía lentamente al sistema tradicional, interrumpido por Primo de Rivera, de procurar obispos catalanes para las diócesis de Cataluña.

Durante el año 1933 quedaron vacantes tres diócesis: *Tarazona,* por el traslado de Gomá a Toledo, y *Santiago de Compostela* y *Huesca,* por fallecimiento de sus respectivos prelados, los agustinos Zacarías Martínez Núñez y Mateo Colóm Canals, ocurridas el 7 de septiembre y el 16 de diciembre.

La metropolitana de *Granada,* que había estado regida por el antiguo auxiliar del cardenal Casanova, Lino Rodrigo Ruesca, en calidad de administrador apostólico —quien tuvo que afrontar situaciones de gran tensión, porque se dio la circunstancia insólita de que el deán de la catedral, Luis López-Dóriga Meseguer, sobrino del célebre arzobispo Meseguer y Costa († 1920), fue elegido diputado radicalsocialista en las Cortes Constituyentes y llegó a votar leyes contrarias a la Iglesia—, quedó cubierta el 4 de abril de 1934 por el obispo de Palencia, Agustín Parrado.

Este traslado provocó en 1934 la vacante de la sede palentina. Vacaron además *Segorbe,* por muerte del obispo Amigó, ocurrida el 1.º de octubre; *Oviedo,* por fallecimiento del obispo Luis Pérez, acaecida en Madrid el 6 de noviembre, donde le sorprendió la revolución de Asturias, en que fueron asesinados 35 sacerdotes; entre ellos, su provisor y vicario general, Juan Puertes, y su secretario, Aurelio Gago; *Teruel,* por renuncia del anciano obispo Juan Antón de la Fuente, aceptada el 10 de noviembre; y *Coria,* el 11 de diciembre, por muerte del obispo Dionisio Moreno Barrio.

Tras las elecciones de 1933 y la subida al poder del Gobierno radical, apoyado por las derechas de Gil Robles, se suavizaron, en parte, las relaciones con la Iglesia. El Vaticano aceptó como embajador al católico Leandro Pita Romero, y lentamente se fueron cubriendo todas las diócesis. Al cardenal Vidal se le dio el 19 de abril de 1934 un auxiliar en la persona del deán de Tarragona, Manuel Borrás Ferre, asesinado en 1936, y cuyo proceso de beatificación ha sido introducido en Roma.

Numerosos traslados se hicieron desde principios de 1935: *Salamanca,* Pla y Deniel, que era obispo de Avila; *Lérida,* Huix Miralpeix, que era administrador apostólico de Ibiza; *Ibiza,* Cardona Riera, como administrador apostólico, que era coadjutor de Menorca; *Cartagena,* Díaz Gómara, obispo de Osma; *Huesca,* Rodrigo Ruesca, auxiliar de Granada; *Plasencia,* Rocha Pizarro, auxiliar de Toledo; *Tarazona,* Mutiloa Irurita, administrador apostólico de Barbastro; *Palencia,* González García, obispo de Málaga; *Santiago,* Muñiz Pablos, obispo de Pamplona.

Al mismo tiempo se nombraron nuevos obispos de *Oviedo* (Justo Echeguren, canónigo de Vitoria), *Almería* (Diego Ventaja, canónigo del Sacro Monte, de Granada), *Mondoñedo* (Benjamín de Arriba, canónigo de Madrid), *Osma* (Tomás Gutiérrez, canónigo de Palencia) y *Coria,* el dominico Francisco Barbado. También fue nombrado vicario apostólico de *Fernando Póo* el claretiano Leoncio Fernández Galilea. Dicho vicariato estaba vacante desde la muerte de su anterior titular, Nicolás González Pérez.

Se cubrieron además las diócesis de *Teruel* (Anselmo Polanco, agustino), *Avila* (Santos Moro, canónigo de la misma), *Málaga* (Balbino Santos, canónigo lectoral de Sevilla) y *Pamplona* (Marcelino Olaechea, salesiano). El doctoral y provisor de Guadix, Juan de Dios Ponce Pozo, fue nombrado administrador apostólico de *Orihuela,* cuyo obispo, Irastorza Loinaz, residía enfermo en San Sebastián con dispensa pontificia, por lo que la diócesis nunca estuvo canónicamente vacante. El doctor Ponce Pozo no fue nombrado obispo.

A principios de 1936 falleció el obispo dimisionario de Teruel, De la Fuente, pero su muerte no produjo vacante alguna. Por esas fechas fue nombrado administrador apostólico de *Barbastro,* con dignidad episcopal, Florentino Asensio, canónigo de Valladolid, que tomó posesión de la diócesis el 14 de marzo, evitando toda publicidad, dada la difícil situación política del país tras la victoria del Frente Popular en las elecciones de febrero del mismo año. También por entonces fue nombrado obispo de *Segorbe* el obispo de Canarias, Miguel Serra, que llegó a su nueva diócesis el 25 de junio y moriría asesinado un mes más tarde.

Su vacante en Canarias fue cubierta el 18 de mayo por el lectoral de Vitoria, Antonio Pildain, que no pudo ser consagrado hasta el 14 de febrero de 1937. El lectoral de Mallorca, Bartolomé Pascual, fue nombrado coadjutor de *Menorca* el 8 de mayo de 1936, pero tampoco pudo consagrarse hasta el 2 de octubre de 1938 a causa de la guerra civil. El 8 de junio, el cardenal Gomá recibió como auxiliar a su antiguo secretario y lectoral de Tarazona, Gregorio Modrego, consagrado el 11 de octubre del mismo año 1936.

...y durante la etapa bélica

Diez días después del alzamiento militar, el 27 de julio de 1936 fue nombrado obispo coadjutor de *Tortosa* el vicerrector del Colegio Español de Roma, Manuel Moll, consagrado el 30 de mayo de 1937 en la capilla de dicho Colegio. Desde 1938 hasta 1943 fue también administrador apostólico de *Lérida.*

El Vicariato General Castrense, suprimido en.1931, fue restaurado el 28 de febrero de 1937, y el cardenal Gomá nombrado su primer titular.

Durante los tres años de guerra civil se produjeron doce vacantes por asesinato de sus respectivos obispos, como se ha dicho anteriormente, y además otras seis por fallecimiento de sus prelados: *Sevilla* (Ilundain), *Cádiz* (Pérez Rodríguez), *Valladolid* (Gandásegui), *Oviedo* (Echeguren), *Menorca* (Torres Rivas) y *León* (Alvarez Miranda).

Algunas de estas vacantes se fueron cubriendo durante la contienda. Solamente las situadas en la zona ocupada por las fuerzas del general Franco: *Sevilla* (cardenal Segura), *Valladolid* (Antonio García, obispo de Tuy), *Oviedo* (Manuel Arce, obispo de Zamora) y *León* (Carmelo Ballester, paúl). Tras la dimisión de Múgica fue nombrado administrador apostólico de *Vitoria* el obispo auxiliar de Valencia, Lauzurica. La vacante de *Barbastro* fue encomendada al obispo de Huesca.

Estos nombramientos se hicieron durante la misión de Antoniutti (1937-38), sin consultar previamente al Gobierno nacional, el cual insistió sobre la necesidad de llegar a un acuerdo. Antoniutti y el general conde de Jordana, ministro de Asuntos Exteriores, negociaron una fórmula parecida a la italiana, consistente en la simple presentación por parte de la Santa Sede de un candidato para conocer las eventuales objeciones políticas que el Gobierno pudiera hacerle. El general Franco estaba de acuerdo con esta fórmula, pero la situación cambió con la llegada a Roma del embajador Yanguas Messía, que había sido ministro de Alfonso XIII durante la dictadura de Primo de Rivera. El nuevo representante diplomático presionó para que al jefe del nuevo Estado español le fuesen reconocidos los antiguos privilegios de la Corona sobre los nombramientos de obispos. El embajador estuvo apoyado por numerosos juristas y políticos de la nueva situación, que reivindicaban las antiguas prerrogativas de la Monarquía [106].

5. VICISITUDES PERSONALES DE ALGUNOS OBISPOS DURANTE LA GUERRA

Aproximadamente la mitad de los obispos regían diócesis que estuvieron siempre en la zona llamada «nacional». Por consiguiente, su actividad pastoral siguió el ritmo normal, dentro de las limitaciones impuestas por el estado de guerra civil en el país. Hubo, sin embargo, algún prelado que el 18 de julio de 1936 se encontraba en zona roja por razones personales. Este fue el caso del obispo de Córdoba, Adolfo Pérez Muñoz, que se hallaba veraneando con sus familiares en Reinosa (Santander), de donde pudo escapar y llegar huyendo hasta Palencia, donde le acogió su amigo el nuevo obispo Manuel González, que anteriormente lo había sido de Málaga [107].

Entre los que estuvieron desde el principio de la revolución en ciudades rojas que más tarde pasaron bajo el control de los nacionales, figura el obispo de Badajoz, Alcaraz Alenda. No obstante las violencias cometidas en dicha capital, el prelado fue respetado [108]. El de Ibiza, Antonio Cardona, fue perseguido por las fuerzas rojas enviadas desde Cataluña para tomar las Baleares. Pudo esconderse gracias a la ayuda de un republicano amigo, mientras que su padre y un hermano fueron asesinados. Solamente pudo volver a la normalidad cuando el ejército rojo huyó de la pequeña isla [109].

La suerte de los obispos cuyas diócesis estuvieron desde el comienzo de la revolución en la zona republicana o roja fue muy diversa. El de Santander, José Eguino, que era vasco, fue detenido el 16 de agosto de 1936 y llevado a la cárcel provincial de dicha ciudad, donde permaneció hasta el 24 de octubre del mismo año. Después pudo huir protegido por

[106] I. ANTONIUTTI, o.c., p.33-34. El ulterior desarrollo de este tema pertenece a la historia de las relaciones entre la Santa Sede y el nuevo régimen hasta el concordato de 1953.

[107] J. CAMPOS GILES, «... *El obispo del sagrario abandonado*». *Biografía del Excmo. y Rvdmo. Sr. Dr. don Manuel González y García, obispo de Palencia y antes de Málaga, fundador de la Pía Unión de Marías de los Sagrarios-Calvarios y discípulos de San Juan y del Instituto de HH. Marías Nazarenas* (Palencia, Ed. «El Granito de Arena», 1950) II p.751-52.

[108] G. CABANELLAS, *La guerra de los mil días. Nacimiento, vida y muerte de la II República Española* (México-Buenos Aires, Grijalbo, 1973) II p.884 y 1166.

[109] Ibid., p.563.

algún amigo, ya que al ser tomada la ciudad por las fuerzas nacionales en agosto de 1937 regresó a su diócesis [110].

Apenas estalló la revolución, el cardenal Vidal y Barraquer se refugió en el monasterio de Poblet, pero fue descubierto y detenido por un grupo de militantes de la C. N. T., quienes le llevaron preso a Barcelona, donde Ventura Gassols, consejero de la Generalitat, consiguió liberarle y acompañarle a un barco, que le condujo a Italia, junto con los obispos de Tortosa y Gerona, Félix Bilbao y José Cartañá respectivamente [111].

El de Urgel, Justino Guitart, pudo pasar a Francia a través de su señorío de Andorra [112]. Lo mismo hizo el de Solsona, Valentín Comellas, que estuvo protegido por un delegado gubernativo de Lérida, quien consiguió salvar la vida a varios sacerdotes catalanes llevándoles hasta Andorra [113]. También el P. Perelló, obispo de Vich, escapó a Francia, y desde allí marchó a Roma.

El de Cartagena, Díaz Gómara, tomó un barco mercante en el puerto de esta ciudad acompañado de su secretario. Ambos llegaron a Roma y se presentaron a los superiores del Colegio Español de San José, del que habían sido alumnos, vestidos de paisano. Allí se les facilitaron hábitos talares [114]. En enero de 1939 dicho prelado fue nombrado administrador apostólico de Barcelona, cargo que desempeñó hasta el nombramiento del obispo Modrego en 1943.

También el de Málaga, Balbino Santos Olivera, consiguió salvarse en el convento de franciscanos de Tánger, donde pudo llegar gracias a una intervención del cónsul italiano en la capital malagueña. Regresó a su diócesis en febrero de 1937, tras la ocupación de la misma por las fuerzas nacionales, y se dedicó de lleno a su reorganización material y espiritual, con especial atención a la reparación de los numerosos templos destruidos [115].

El obispo de Madrid-Alcalá, Leopoldo Eijo Garay, pudo marchar a su Galicia natal poco después de estallar la guerra, y allí consiguió salvar la vida [116]. En cambio, habían salido anteriormente el arzobispo de Valencia, Prudencio Melo, quien transcurrió toda la contienda en Burgos, su tierra [117], y su auxiliar, Lauzurica, que se hallaba casualmente en Vitoria, diócesis de la que fue nombrado administrador apostólico al ser expul-

---

[110] J. REY, *El obispo bueno...* passim; J. EGUINO Y TRECU, *Pastorales y alocuciones...* (Santander, Ed. Cantabria, 1946).

[111] R. MUNTANYOLA, o.c., p.566-68.

[112] Ibid., p.569 nt.9; G. CABANELLAS, o.c., p.884.

[113] F. VIADIU, *Los comunistas aprovechan la oportunidad:* Historia 16 n.12 (abril 1977) p.96. *p.96.*

[114] *Mater Clementissima*, revista del Pont. Colegio Español de San José (Roma) (1938) p.285.

[115] *Guía de la Iglesia y de la Acción Católica Española* (Madrid 1943) p.747; *ABC 1936-39. Doble diario de la guerra civil* n.3 p.46.

[116] M. DE IRIARTE, *El profesor García Morente, sacerdote. Escritos íntimos y comentario biográfico* (Madrid, Espasa-Calpe, ³ 1956) p.44; KODASVER, *Medio siglo de vida diocesana matritense. 1913-1963. Memorias, recuerdos, evocaciones* (Madrid 1967) p.123; J. M. TABOADA LAGO, *Por una España mejor* (Madrid, G. del Toro, 1977) p.233-234.

[117] *Bol. Of. del Arz. de Valencia*, 18 enero 1939, p.4.

ado el obispo Múgica debido al apoyo prestado al clero vasco, enfrentado con el general Franco. Esta situación se agravó tras la victoria del 1.º de abril de 1939. El obispo Múgica tuvo que renunciar a la diócesis de Vitoria el 12 de octubre de 1937 y se le nombró obispo titular de Cinna. Siguió en el exilio durante mucho tiempo, pero se le permitió regresar a España, y transcurrió los últimos años de su larga vida en Zarauz y San Sebastián hasta su muerte, ocurrida el 29 de octubre del año 1968.

El cardenal Gomá había salido de Toledo el 13 de julio de 1936 con dirección a Tarazona para consagrar a su obispo auxiliar, Gregorio Modrego. Pero esta ceremonia se aplazó hasta el 11 de octubre del mismo año. Gomá se trasladó al balneario de Belascoain, cerca de Pamplona, donde residió durante toda la guerra. Sobradamente conocidas son sus actividades durante los tres años de contienda, y, en concreto, la confianza que la Santa Sede puso en su persona al acreditarle como representante ante la Junta de Defensa Nacional y nombrarle vicario general castrense de las fuerzas nacionales. Por el contrario, su diócesis fue una de las más castigadas por la persecución religiosa, en que fueron asesinados el vicario general, Agustín Rodríguez, y el deán, Polo Benito. Salvó la vida el recién nombrado obispo auxiliar, Gregorio Modrego, que se hallaba en Tarazona, su tierra natal. A Pamplona, junto a Gomá, regresó desde Roma el obispo Cartañá, de Gerona, gran amigo y antiguo compañero del cardenal primado en el cabildo tarraconense.

En cambio, el cardenal Vidal y Barraquer, que junto a Múgica no firmó la famosa pastoral colectiva de 1937, no pudo regresar a España. El Gobierno del general Franco le condenó al exilio; pero la Santa Sede no declaró vacante la sede ni la cubrió hasta el fallecimiento del purpurado, ocurrido en Friburgo, en 1943. El gobierno diocesano, por delegación expresa del cardenal, estuvo encomendado al canónigo penitenciario, Salvador Rial Llovera.

El arzobispo de Valladolid, Gandásegui, que era natural de Galdácano, se encontraba en tierras de Vizcaya cuando se produjo el Movimiento. Se dijo que los «rojos» lo habían asesinado y en Valladolid se le celebraron solemnes funerales; pero a principios de agosto de 1936 apareció sano y salvo en la capital de su diócesis. El prelado desmintió las noticias falsas sobre malos tratos sufridos y aseguró que en la zona republicana siempre le habían respetado. Quizá por esta razón los grupos más reaccionarios y los falangistas vallisoletanos intransigentes le llamaron «el obispo rojo» [118].

Más insólito fue el caso del anciano obispo de Menorca, Juan Torres Ribas, que contaba noventa y dos años de edad y llevaba treinta y cuatro al frente de la diócesis menorquina. Fue respetado durante toda la guerra por el comité militar local, uno de los más violentos, formado por sargentos, que asesinaron al general, al almirante y a casi todos los

---

[118] A. RUIZ VILAPLANA, *Doy fe... Un año de actuación en la España nacionalista* (s.l., Edic. Españolas, 1937) p.141-42.

oficiales de la guarnición existente en dicha isla. Este prelado falleció en Ciudadela el 6 de enero de 1939, pero su muerte pasó desapercibida, porque coincidió con la gran ofensiva de las fuerzas nacionales sobre Cataluña, que consiguió la rendición de Barcelona el 26 de enero de 1939 y motivó, pocos días después, la caída de Menorca en la «España de Franco». Por esto, el sucesor del obispo Torres Ribas, Bartolomé Pascual Marroig, pudo tomar posesión de su sede el 2 de abril de 1939 [119].

[119] J. MASSOT I MUNTANER, *Esglesia i Societat a la Mallorca del segle* XX (Barcelona, Curial, 1977) p.126 nt.21.

SEXTA PARTE

ESPIRITUALIDAD Y APOSTOLADO

Por BALDOMERO JIMÉNEZ DUQUE

INTRODUCCION

La vida de la Iglesia tiene dos caras, una externa y otra interna. La primera es la que principalmente es objeto de la historia: relaciones Iglesia-Estado, actuación de la jerarquía, grandes hechos y personalidades célebres, etc. Ahora también se cultiva bastante, y con razón, la historia de los aspectos socio-económicos en la vida eclesial. La otra cara: vida cristiana del pueblo, santidad, literatura y corrientes espirituales, etc., suele historiarse menos en las exposiciones generales de la historia. Y ello se comprende. El material de esta última es más escondido, más inaprensible en gran parte. Y, sin embargo, es el lado más interesante de esa realidad misteriosa, divino-humana, que llamamos Iglesia. Porque esa institución —comunidad y sociedad— es precisamente para eso, para suscitar esa vida sobrenatural con toda la fuerza de proyección social que la presencia del Espíritu lleva consigo. Es verdad que asistimos a una auténtica primavera de interés por estos temas. El aspecto «carismático» de la Iglesia se valora mucho hoy, y se trata de estudiar sus manifestaciones. Por eso, los trabajos sobre historia de la espiritualidad se multiplican. El movimiento comenzó a finales del siglo XIX y ha crecido incesantemente. Las mismas orientaciones del concilio Vaticano II lo han favorecido. Pero queda, sin embargo, mucho por hacer. Y las síntesis son todavía peligrosas y difíciles. Fácilmente se hacen simplificaciones a base de tópicos y de prejuicios, cuando el recurso serio a las fuentes nos proporciona frecuentes sorpresas. La misma historiografía general de la otra cara más visible de la Iglesia está siendo revisada, y hasta descubierta en gran medida, en nuestros días. Y esto, si cabe, de modo especial tratándose del siglo XIX, tan cercano y tan desconocido, tan inédito aún para la mayoría de los nietos de aquellos que lo vieron y lo hicieron; de aquellos que no lo pudieron historiar, porque eran ellos mismos los que lo hacían. Este volumen y su bibliografía nos lo están demostrando. Pero nos dice a la vez que ya se va haciendo mucho y bien, que ya el terreno se va desbrozando y preparando. Por lo que se refiere al tema estricto de la «espiritualidad», hay que reconocer que el quehacer es inmenso, pues es relativamente muy poco lo científicamente explorado.

Lo difícil es precisar qué entendemos aquí por «espiritualidad» y por «apostolado», que son los temas concretos de nuestro capítulo especial.

Prácticamente, ya lo hemos indicado: por «espiritualidad» aquí queremos decir la vida de la Iglesia en cuanto realidad íntima de la comunidad y de los individuos que la constituyen, en particular la de aquellos que de manera eminente supieron encarnarla. Es decir, la Iglesia contemplada más en cuanto «comunidad» de fe y de caridad, de vida cristiana, que en cuanto «sociedad» jurídica y administrativa. Se trata, pues, de querer historiarla desde dentro de ella misma, de acercarse a su santidad en una palabra; reflejada ésta en el vivir y en el obrar de la comunidad y de sus miembros (no sólo en su literatura, aunque también ella sea elemento exponencial y muy significativo de esa vida). Se comprende, desde luego, la dificultad de trazar límites, ya que la Iglesia es una misma y única realidad, transida, bajo todos sus diversos aspectos, por el mismo divino Espíritu. A pesar de ello, puede intentarse la aventura, a condición de rozar, inevitablemente, terrenos que directamente pertenecerán a otros capítulos. Porque ¿cómo separar rigurosamente los valores «místicos», «carismáticos», de los doctrinales, jurídicos, sociales y hasta políticos? (en el sentido vulgar de estas palabras). Todo es parte de la vida colectiva e individual humanas. Por supuesto, nos limitamos a hablar de espiritualidad cristiana, que es, por otra parte, la única que merece ser estudiada en la España del XIX. Unicamente su falta en forma de incredulidad o su alteración por el impacto del liberalismo («catolicismo liberal») invitan a hacer algún que otro sondeo. Pero se limitará, más bien, a la línea del pensamiento religioso; la espiritualidad en profundidad apenas fue afectada por ello en España.

Nótese que aquí hablo de *espiritualidad cristiana en España*, no de *espiritualidad cristiana española*, porque esto último exigiría muchas explicaciones, quizá no del todo convincentes, ya que el concepto en sí es borroso. Mejor es hablar de espiritualidad en España o de espirituales españoles; eso sí.

Por «apostolado» entendemos aquí lo que vulgarmente se suele cubrir con estas palabras: «hacer apostolado». Sabido es que en los siglos primeros se reservaba ese término solamente a todo aquello que se refería a los doce que eligió el Señor. Y en la Edad Media se llama «vida apostólica» a la de los religiosos, por ser parecida a la que hicieron los apóstoles. Pero desde la Edad Moderna, la semántica de la palabra es la primera: todo lo que signifique hacer apostolado, es decir, trabajar por la evangelización y promoción religiosa de las gentes. Así lo entendemos ahora aquí. También habrá campos borrosos en este terreno, ya que la evangelización comporta, inevitablemente, tareas no estrictamente evangelizadoras; además, la mixtificación de lo eclesial y lo no eclesial ha sido bastante grande en la historia de la Iglesia; en concreto, en el siglo XIX en España.

FUENTES

Las *fuentes* para nuestro estudio son muchas y a la vez limitadas. Podemos dividirlas en *literatura espiritual* y en *documentos inéditos* (siempre me ciño a nuestro tema determinado, no a otros temas eclesiales que más o menos directa o indirectamente pueden interesar a aquél).

La *literatura espiritual* original de este período la revisaremos en un apartado *ex professo*. A él remitimos para no repetirnos. En conjunto es muy pobre, sobre todo la autóctona. Pero llamo la atención sobre el apartado e), *Experimentales,* que nos revelan vivencias espirituales de algunas almas particularmente ricas e interesantes. Interesa conocer la traducida de otras lenguas. Y también las reediciones de obras anteriores. Todo ello fue alimento de la espiritualidad de la época, y también exponente de la misma. Desde luego, hay que hacer divisiones en ese siglo y medio que historiamos: del 1800 al 1875 y desde esta última fecha hasta 1936 principalmente.

Los *documentos inéditos* espirituales por publicar no parece sean muchos tampoco. Quizá pudiera haber aún sorpresas, como en parte ha ocurrido con la reciente aparición de los *Escritos íntimos* de la M. Angela de la Cruz. Podemos apuntar algunos que conocemos:

Santa María Micaela del Santísimo Sacramento, *Autobiografía, favores y penitencias* (de próxima publicación).

Cardenal Marcelo Spínola, *Paternidad de Dios.*

Angeles Sorazu, *Diario espiritual* (en parte publicado) y *Autobiografía* 2.ª parte (la primera ya fue editada hace tiempo).

Aurora Calvo, *Diario y otros escritos íntimos* (fragmentos en la biografía de la misma, por A. de Castro Albarrán).

Y muchas *cartas* de siervos de Dios que esperan en los archivos su hora de publicación. Muchas de ellas íntimas, de extraordinario interés.

BIBLIOGRAFÍA

Síntesis o conspectus generales

V. DE LA FUENTE, *Historia eclesiástica de España* VI (Barcelona 1875).

M. MENÉNDEZ PELAYO, *Heterodoxos* VII y VIII (ed. Madrid 1967) 671-1035.

J. M. DE LA CRUZ MOLINER, *Du 18 au 20 siècle*, art. «Espagne» del *Dict. de Spiritualité* fasc.28-29 (París 1960) col.1178-92.

R. G. VILLOSLADA, *La Iglesia y el Estado de España y Portugal*, en *Hist. de la Iglesia católica* IV (Madrid 1963) 525-91.

F. MARTÍN HERNÁNDEZ-J. M. MOLINER-J. M. PIÑERO, *Espiritualidad romántica*, en *Hist. de la espiritualidad* t.2 (Barcelona 1969) 449-523.

J. GOMIS-J. M. PIÑERO, *Espiritualidad contemporánea*: ibid., 529-641.

B. JIMÉNEZ DUQUE, *La espiritualidad del siglo XIX español* (Madrid 1974).

MONOGRAFÍAS Y BIOGRAFÍAS

Advirtamos en seguida que todavía tenemos pocos estudios monográficos documentados y serios. Dígase otro tanto, y más, de las biografías. La mayoría de éstas son panegíricos en orden a la edificación piadosa y a la propaganda. Los problemas desagradables se silencian o se soslayan. Las afirmaciones apenas se documentan. En este terreno queda casi todo por hacer. Indicamos lo más aprovechable. Prescindo, por supuesto, de todo lo que se refiere a historia eclesiástica en general, y más aún al resto de la historia española de entonces.

A. M. FRANQUESA, O.S.B., *Movimiento litúrgico contemporáneo,* en *Diccionario de historia eclesiástica de España* t.2 (Madrid 1972, 1930-35) (breve resumen).

R. MARTÍNEZ ALBIACH, *Religiosidad hispánica y sociedad borbónica* (Burgos 1969).

M. REVUELTA GONZÁLEZ, *La exclaustración* (Madrid 1976). Con amplia bibliografía.

L. FRÍAS, S.I., *La Provincia de España de la Compañía de Jesús (1815-1863)* (Madrid 1914).

— *La Provincia de Castilla de la Compañía de Jesús (1863-1914)* (Bilbao 1915).

— *Historia de la Compañía de Jesús en la Asistencia moderna de España,* 2 vols. (Madrid 1923-44).

E. DE PORTILLO, S.I., *La Provincia de Toledo de la Compañía de Jesús desde 1880 a 1914* (Madrid 1916).

SILVERIO DE SANTA TERESA, O.C.D., *Historia del Carmen Descalzo* t.13 (Burgos 1946).

MARÍA PABLO GARCÍA GÓRRIZ, O.C., *El alcázar del silencio* (Madrid 1961). Se trata de la primera trapa femenina de España, la de Tiñosillos (Avila).

C. FERNÁNDEZ, C.M.F., *La Congregación de los Misioneros Hijos del Inmaculado Corazón de María* vol.1 (Madrid 1967).

I. TELLECHEA IDÍGORAS, *Las Hijas de la Caridad de Santa Ana. Documentos históricos (1808-1818)* (Zaragoza 1968).

J. M. LOZANO, *Regla y Constituciones de las Religiosas Misioneras de la Inmaculada Concepción* (Roma 1968).

J. CIUDAD GÓMEZ, O.H. de S.J. de D., *Historia de la restauración de la Orden Hospitalaria de San Juan de Dios en España* (Granada 1968).

D. CARBAJO, O.F.M., *Restauración de la Provincia Seráfica de Cartagena* (Murgetana 1968).

J. MESEGUER FERNÁNDEZ, O.F.M., *Provincia de San José. Los dos últimos decenios de su existencia:* Archivo Iberoamericano (1973) 501-58.

ANÓNIMO, *La Compañía de Santa Teresa de Jesús* (Barcelona 1969).

J. MARÍA PIÑERO: *Ordenes religiosas* (Siglo XIX), en *Historia de la espiritualidad* t.2 (Barcelona 1969) 507-23.

— *Institutos religiosos:* ibid., 597-628.

— *Institutos seculares:* ibid., 631-41.

J. ALVAREZ GÓMEZ, O.C., *Congregaciones femeninas fundadas en España en el siglo XIX:* Vida religiosa 187 (1970).

ANA MARÍA ALONSO FERNÁNDEZ, *Historia documental de la Congregación de Hermanas Carmelitas de la Caridad* vol.1: *La Congregación en vida de la Fundadora (1783-1854)* (Vitoria 1968) vol.2 (Madrid 1971).

BASILIO DE SAN JOSÉ, Pas., *Historia de la Provincia pasionista de la Preciosísima Sangre* (Madrid 1952).

ANÓNIMO, *Datos para nuestra historia,* RR. Escolapios (Zaragoza 1971).

E. ALCOVER SERRES, *Historia de la Congregación de Religiosas Terciarias Franciscanas de la Inmaculada,* 3 vols. (Valencia 1976).

M. CARCELLER, *Historia general de la Orden de Recoletos de San Agustín* t.10 (Madrid 1962) t.11 (Madrid 1967).

M. GÓMEZ, *Los benedictinos españoles en el siglo XIX* (Roma 1929).

T. MORAL, *Los benedictinos españoles en el siglo XIX:* Yermo 10 (1972) 207-48.

SEBASTIÁN DE UBRIQUE, O.F.M.C., *Vida del Beato Diego José de Cádiz,* 2 vols. (Sevilla 1926).

— *La divina Pastora y el Beato Diego José de Cádiz* (Sevilla 1949).

J. M. MARCH, S.I., *El Beato José Pignatelli y su tiempo,* 2 vols. (Barcelona 1935-36).

A. BARRIOS MONEO, C.M.F., *Mujer audaz* (Santa María Micaela del Santísimo Sacramento) (Madrid 1968).

C. FERNÁNDEZ, C.M.F., *El Beato P. Antonio María Claret. Historia documentada de su vida y empresas,* 2 vols. (Madrid 1946).

C. FERNÁNDEZ, C.M.F., *El confesor de Isabel II y sus actividades en Madrid* (Madrid 1964).

J. M. JAVIERRE, *Soledad de los enfermos* (Santa Soledad Torres) (Madrid 1970).
—*Refugio de los ancianos* (Santa Teresa Jornet) (Madrid 1974).

M. MELENDRES, *Una monja y su siglo* (Ana María Janer) (Barcelona 1961).

J. MONTERO, *Manjón, precursor de la escuela activa* (Granada 1958).

JOSÉ MARÍA JAVIERRE, *Madre de los pobres* (M. Angela de la Cruz) (Madrid 1969).

ANICETO DE CASTRO ALBARRÁN, *Serafinillo* (Salamanca 1935).

RAFAEL MARÍA DE ANTEQUERA, O.F.M.C., *M. Carmen del Niño Jesús. Vida documentada* (Sevilla 1953).

M. GONZÁLEZ, D. *Enrique de Ossó o la fuerza del sacerdocio* (Barcelona 1967).

GUMERSINDO DE ESTELLA, O.F.M.C., *Historia y empresas apostólicas del P. E. de Adoaín* (Pamplona 1944).

J. BLANCO TRÍAS, S.I., *El P. F. J. Butiñá, S.I., y su obra* (Barcelona 1958).

PEDRO MARÍA AYALA, S.I., *Vida documentada del P. F. de Paula Tarín* (Sevilla 1951).

J. M. DE NADAL, *El obispo Caixal: un gran prelado de la Edad Moderna* (Barcelona 1959).

C. M. STAEHLIN, S.I., *El P. Rubio* (Madrid 1953).

A. M. DE BARCELONA, O.F.M.C., *El cardenal Vives y Tutó* (Barcelona 1916).

A. A. LOBO, *El P. Arintero* (Salamanca 1970).

A. TORRES SÁNCHEZ, *Vida de D. M. Domingo y Sol* (Tortosa 1934).

J. CAMPOS GILES, *El obispo del sagrario abandonado* (Palencia 1950).

JOSÉ MARÍA JAVIERRE, *Don Marcelo de Sevilla* (Barcelona 1963).

J. ZAMEZA, S.I., *Una virgen apóstol según las exigencias de nuestra época* (Bérriz 1934).

M. DE POBLADURA, O.F.M.C., *Una flor siempre viva* (M. Sorazu) (Madrid 1941).

L. VILLASANTE, O.F.M., *La sierva de Dios M. A. Sorazu*, 2 vols. (Bilbao 1950).

D. DE FELIPE, C.SS.R., *La Venerable M. Antonia* (Madrid 1962).

MARÍA ISABEL DE JESÚS, franc. concep., *Vida admirable... de M. Patrocinio* (Guadalajara 1925).

J. BEATA GOMIS, O.F.M., *Sor Patrocinio, la monja de las llagas* (Madrid 1946).

FLAVIA PAZ VELÁZQUEZ, *Vida de María Josefa Segovia* (Madrid 1964).

D. MONDRONE, S.I., *El P. Poveda* (Bilbao 1965).

JUAN SÁNCHEZ, *Apóstol y mártir* (D. Pedro Ruiz de los Paños) (Salamanca 1949).

ENRIQUE FERNÁNDEZ, O.P., *Una madre modelo* (Práxedes) (México 1952).

M. M. OLIVÉ, O.P., *Práxedes* (Lourdes 1970).

JOSÉ MARÍA JAVIERRE, *Merry del Val* (Barcelona 1961).

JOSÉ MARÍA DE GARGANTA, O.P., *Francisco Coll, fundador de las dominicas de la Anunciata* (Valencia 1976).

Capítulo I

PANORAMA CULTURAL

Es absolutamente necesario recordar el telón cultural de fondo o marco cultural en que la «espiritualidad» a la que nos acercamos se dio.

Desde el siglo XVIII hasta nuestros mismos días, al llamado «Occidente» sacude una inmensa revolución de la cultura, que viene afectando a todos los pueblos más o menos, aun a los más extraños y lejanos a ese «Occidente». Por fuerza, esa revolución tenía que impactar también a la Iglesia, encarnada en los hombres, y particularmente en ese «Occidente», al que venía impregnando de siglos, de tal modo que generalmente se le calificaba de «cristiano».

Por ello, la Iglesia estaba, al mismo tiempo, muy comprometida por esa cultura occidental. Se expresaba en ella. Pero la famosa «Ilustración» y la Revolución francesa, hija de aquélla, desatan esa novación, cuyo despliegue y consecuencias llegan a nuestro tiempo. Como resultado de dicho «proceso hay que afirmar que el «Occidente» ya no es la «cristiandad», y esto ha permitido descubrir a muchos que la llamada «cristiandad» no era la Iglesia. Esta distinción es muy importante subrayarla desde el primer momento.

Con el riesgo de simplificar demasiado, podemos calificar a esa sacudida cultural a que aludimos de *liberalista* en el siglo XIX, y de *socialista* en el XX. La primera es de signo personal, o individualista mejor. Su consigna es la palabra *libertad*. La segunda, de signo social. Su palabra mágica es la de *justicia social*. Claro es que ambos aspectos, antagónicos entre sí, se provocan y se mezclan a la vez uno y otro desde la segunda mitad del siglo XIX y durante el siglo XX, que es cuando ambos coinciden. Del liberalismo surgen, en política, las repúblicas y las monarquías constitucionales, y del socialismo, las dictaduras más o menos comunitarias. Pero el «antiguo régimen» de absolutismos regios queda condenado, aunque forcejea por subsistir a lo largo del XIX, sobre todo en su primera mitad.

Pero estas culturas liberal y socialista se explican por las ideologías que las crean y sostienen, y que nosotros no podemos, ni siquiera en síntesis, exponer aquí. Indiquemos únicamente, dejando de aludir a corrientes de pensamiento más remotas, a la «Ilustración» dieciochesca, complejo de doctrinas y de tendencias racionalistas, que producen y desembocan en los distintos idealismos, por una parte, y en el positivismo por otra. Y que son la causa del liberalismo doctrinal y político, el cual provoca como reacción el socialismo, que, a su vez, se apoya también, teóricamente, en el idealismo hegeliano. Toda esta fabulación de la filosofía y sus consecuencias prácticas en toda la cultura occidental es algo enorme y que choca de hecho con su tradicional cristianismo, haciéndola un puro interrogante para sí misma. Añádase el elemento «romántico», sentimental, que la colora en la primera mitad del XIX, y que no es sólo elemento literario sin más, sino vital, cultural propiamente, y que en parte complica y en parte suaviza todo ese humanismo exacerbado y complejo de dicho período.

Pues bien, la Iglesia y sus cristianos estaban insertos en la antigua cultura, y se tuvieron que encontrar ahora con la nueva. En esas condiciones tuvo que darse, y se dio, la espiritualidad de la misma. En medio de una problemática fuerte y difícil. La presencia de la Iglesia, su actuación apostólica, sus reservas vivas de caridad divinal, de santidad..., ¿qué *líneas de fuerza* tuvieron que superar, por un lado, y tuvieron que trazar, por otro, para poder sobrevivir y seguir realizando su misión divina en medio de un mundo conflictivo, revuelto, nuevo en gran medida? Porque anotemos en seguida que esa revolución cultural fue, por supuesto, «secularizante» y hostil muchas veces a la Iglesia institucionalizada. El choque fue terrible para ésta, que estaba tan comprometida, aunque no identificada, con la anterior culturización. Para muchos, instintivamente, Iglesia y «cristiandad occidental» eran lo mismo. Me parece necesario apuntar las líneas siguientes. Ellos estigmatizan, directa o indirectamente, la espiritualidad de la época. Y, por supuesto, hablo de España, sin olvidar que no era una isla; al contrario, reconociendo que esa revolución cultural tuvo poco de original entre nosotros; casi todo fue recibido de fuera e incitado, con mejor o peor adaptación, a nuestro propio modo indígena de ser. Esto hay que aplicarlo también al terreno estricto de la espiritualidad.

Pero hagamos una sencilla reflexión teológica. La Iglesia no tiene más que un medio para influir en la humanidad y, por ende, en sus formas de socialización: la caridad. Se entiende la caridad teologal, con toda su radical y total exigencia. La caridad es la revolución del amor. Excluye toda violencia, toda presión que atente a la libertad fundamental de las personas humanas, y presupone sinceridad, verdad en todo. Esto explica que la influencia de esa caridad teologal sea difícil, lenta, y que muchas veces fracase de momento o se enturbie con injerencias extrañas y hasta contrarias.

Decía que es difícil su penetración, porque, dado lo complejo de la vida social y de las formas y problemas sociales (también son complicados los personales, pero, en general, menos), se comprende que muchas veces el ejercicio de la caridad resulte hasta contradictorio. Porque hay que atender a realidades encontradas a veces y hay que proceder con caridad para con todos. Los pródromos de esas dificultades están en el mismo Evangelio y en la transcendencia eterna a la que él lleva en definitiva, más allá de lo temporal y provisorio. Por eso, repito, los resultados de la presencia de la caridad divina (y eclesial) quedan mediatizados o se consiguen sólo a largo plazo. Esto sin contar con los desaciertos de los mismos responsables: falta de visión, sobra de prejuicios inveterados, peso histórico, malicia a veces... Son las limitaciones humanas, superables unas e insuperables otras.

Sepamos comprender, sepamos explicar, aunque ciertas actitudes no pueden justificarse en parte o en nada.

La Iglesia no tiene otras armas más que las de proclamar el Evangelio, invitar a aceptar la fe, y la esperanza y la caridad que ha venido a traernos Jesucristo. Y esto lo harán sus ministros y sus cristianos a base de sacrificio y de cruz... Su fuerza únicamente está allí. Y, desde luego, esa fuerza sobrehumana y sobrenatural se da en la Iglesia a pesar de todos los pesares: debilidad y pobreza de los de dentro y persecuciones violentas o taimadas de los de fuera... Porque, humanamente hablando, ella tenía y tiene todas las de perder. Y, sin embargo, ella sigue haciendo presente en medio del mundo a Jesucristo, clavado en el corazón de ese mundo como una espina molesta para muchos o como una herida de amor y de vida para no pocos.

1. GENERALIDADES

Esto supuesto, recordemos: la Iglesia postridentina poseía, pacíficamente en general (la crisis jansenista fue entonces la única importante dentro del catolicismo), su credo de fe. Y lo transmitía en una presentación teológica de signo escolástico-tomista bastante anquilosada; los teólogos se repiten rutinariamente. Esto por una parte.

Por otra, la situación sociojurídica de la Iglesia era de un maridaje fuerte con los poderes civiles. Ello venía rodando desde la alta Edad Media. Fue un forcejeo por ambos lados para mutuamente dominarse. La Iglesia exigía a los Estados, y éstos a la Iglesia. Se apoyaban, se ayudaban, se comprometían, se utilizaban, se dominaban. En esto último, los Estados tenían las de ganar casi siempre. Era natural, dados los medios humanos de que disponían. El «regalismo» práctico florecía turgente desde toda la Edad Moderna. Y llegó a tener carta de naturaleza, como nunca quizá, a lo largo del siglo XVIII. Hasta teóricamente encontró entonces egregios defensores.

Pues bien, el pensamiento filosófico y las ciencias históricas, matemáticas y naturales se disocian más cada vez del pensamiento tradicional cristiano y se enfrentan con él desde el siglo XVII. La filosofía cartesiana y sus secuencias, junto con las ciencias antes aludidas en franco desarrollo, orillaron a la escolástica, que se encerró en sí misma, sin querer o poder dialogar, vegetando sin creatividad alguna; a lo más, permitiéndose algunos flirteos intranscendentes con aquéllas. Ni siquiera supo incorporar de momento los hallazgos que la crítica histórica empezó a ofrecer desde el siglo XVIII en adelante. Los conflictos entre ciencia y fe tenían tontamente que presentarse. Y una actitud meramente dogmática, hirsuta, defensiva y condenatoria frente a los dogmatismos también de los otros fue generalmente la adoptada.

Pero había que abrir ventanas, más pronto o más tarde, para no morir. Por eso los ensayos que a lo largo del XIX van surgiendo en Alemania, Francia e Italia de «apologéticas» del cristianismo y de filosofías para la teología, con más o menos apariencias, pero generalmente con poca garra y hasta equivocadas además. Así aparecen algunos conatos de teología racionalista, de tradicionalismo y fideísmo teológicos, de ontologismos a ultranza, hasta llegar a la gran fabulación «modernista», sin olvidar el método de la inmanencia y otros intentos. La apologética comienza en esta época por ser esteticista, romántica (clásico un Chateaubriand), y generalmente se entretiene, pobre y alicorta, en la consideración de la belleza y de los valores sociales del cristianismo. Hay que esperar al genio de Newman, al mismo inmanentismo de Blondel y a los esfuerzos del neotomismo para encontrar elementos más serios y aprovechables. No digo ahora nada acerca de Lamennais, cuya figura, exponencial en los problemas relativos a las relaciones Iglesia-Estado y a las libertades sociales tanto juego dio y sigue dando, hasta nuestros días. Y con repercusión, más de lo que pudiera creerse, en la misma vida espiritual de los cristianos. Luego volveremos sobre este asunto.

En la segunda mitad del siglo XIX comienza a revivir con más personalidad el pensamiento católico. El nombre de Newman es de primera importancia. El tomismo resurge con fuerza, unas veces cerrado, otras más abierto; recuérdese a un Mercier, por ejemplo. Y las ciencias bíblicas, históricas, patrísticas, litúrgicas, pastorales, teológicas en general florecen. Necesariamente, todas ellas comportaron el cultivo científico de la «espiritual». Ya insistiremos sobre esto.

En España, el estiaje intelectual es pavoroso durante la primera mitad del XIX. No queda más que un poco de escolástica repetida y algunas infiltraciones de sabor jansenista y hasta protestante. No perdamos de vista que las facultades de teología en nuestras universidades agonizan y que los seminarios y casas de formación de los religiosos tienen una vida insegura y precaria, dadas las circunstancias políticas y de guerras de esos años tristes. Apenas merecen citarse algunos nombres de escritores de entonces que fueron teólogos y apologistas demasiado «rancios» y más bien negativos. El más notable es, sin duda, F. de Alvarado, O.P. (por no citar a F. de Ceballos, O.S.H., mucho más valioso todavía, pero que pertenece, más bien, al siglo XVIII). Recuérdense otros pocos nombres, como J. Vidal, O.P.; J. de Jesús Muñoz, O.S.A.; F. Sánchez y Soto y R. Vélez, O.M.C. Estos autores apenas interesan para la espiritualidad estrictamente tal.

Otra cosa es ya J. Balmes († 1848). Aparte sus virtudes sacerdotales (se ha llegado a hablar de un posible proceso de beatificación), su apologética y su visión del clero católico ofrecen una base más valiosa para ayudar a la elevación de los espíritus. Es cierto que su apologética insiste, quizá demasiado, en el papel de la Iglesia en la civilización occidental, le concede una importancia excesiva en el despliegue de las libertades políticas, etc.; es decir, es una pologética «histórica» principalmente, con los riesgos y limitaciones que ello lleva consigo. Pero era muy de aquel momento romántico. Es una apologética que está en la línea de la que se ha llamado «escuela apologética catalana» (J. Roca y Cornet, M. de Cabanyes, J. M. Quadrado, T. Aguiló, J. Rubio y Ors...), siendo Balmes su cumbre indiscutiblemente. Así, en *El protestantismo comparado con el catolicismo* (1844). En sus *Cartas a un escéptico* (1843-44) es más profundo, pero más bien negativo (refutar objeciones). Hay que recurrir a sus obras filosóficas *(El criterio, Filosofía fundamental...)* para en sus enseñanzas acerca del conocimiento, del sentido común, etc., encontrar las apoyaturas básicas para una apologética más radical, al modo como la desarrollará más adelante el gran Newman. Sin embargo, es en sus *Reflexiones sobre el celibato del clero católico* (1839) y en sus *Observaciones... sobre los bienes del clero* (1840) donde nos dibuja la figura y la misión del sacerdote, figura y misión espirituales y sembradoras de una espiritualidad humana y evangélica de veras. No hay que dejar de recordar también su traducción de las *Máximas de San Francisco de Sales* y su colección de textos ascéticos *Manual para la tentación*. Pero luego volveremos sobre Balmes para acercarnos brevemente a su doctrina teórica y práctica acerca del cristianismo y la libertad personal y social, tema candente que Lamennais puso al rojo vivo, y que es fundamental, aunque no lo parezca a veces, para dimensionar toda la espiritualidad cristiana penetrantemente [1].

Donoso Cortés es el representante más notable del romanticismo cristiano en España. Su misma «conversión» desde el liberalismo, que le llevará a un cristianismo tocado de tradicionalismo teológico, es romántica: «Tuve un hermano a quien vi vivir y morir, y que vivió una vida de ángel y murió como los ángeles morirían, si murieran. Desde entonces juré amar y adorar, y amo y adoro... iba a decir lo que no puedo decir; iba a decir con una ternura infinita al Dios de mi hermano... Como usted ve, aquí no ha tenido influencia ni el talento ni la razón; con mi talento flaco y con mi razón enferma, antes que la verdadera fe me hubiera llegado la muerte. El misterio de mi conversión (porque toda conversión es un misterio) es un misterio de ternura. No le amaba, y Dios ha querido que le ame, y le amo; y porque le amo, estoy convertido». Y antes: «El sentimiento exquisito que siempre tuve de la belleza moral y una ternura de corazón que llega a ser una flaqueza; el primero debía hacerme admirar el catolicismo y la segunda me debía hacer amarle con el tiempo» [2]. Uno recuerda el «¡He llorado y he creído!», de Chateaubriand. Y su apologética será también de las que se entusiasman con el orden y paz que proporciona lo religioso a la sociedad. «Cuando el termómetro religioso está subido, el termómetro de la represión está bajo, y cuando el térmometro religioso está bajo, la represión política, la tiranía, está alta» [3]. Donoso Cortés tiene el gran mérito de haber oteado, sin conocer seguramente a Marx, las consecuen-

---

[1] J. BALMES, *Obras completas*, ed. BAC., 8 vols. (Madrid 1948-50). El vol.1: *biografía*, por I. Casanovas, S.I.
[2] Carta al M. de Raffín, cit. por R. G.-VILLOSLADA en *Historia...* 548; *Obras*, ed. BAC, II p.224-226.
[3] En R. VILLOSLADA, 548.

cias del liberalismo, es decir, la reacción socialista frente al mismo, y de haber localizado en Rusia el epicentro de esa reacción revolucionaria. Pero él no descubre todavía la necesidad de una justicia social como remedio a ese proceso histórico; él sigue pensando que bastaría para ello la caridad en los ricos y la paciencia en los pobres, frutos ambos de la religión. Una visión achatada, típica de la mayoría cristiana de aquel momento. Balmes fue en esto más clarividente: prevé los grandes cambios, y busca soluciones, que pecan, sin duda, de conservadoras, pero que se abren a posibles avances lentos. Por lo demás, Donoso morirá también santamente († 1853), después de unos años de vida admirable de piedad [4].

2. Pensamiento e Iglesia

El pensamiento católico se afirma y manifiesta más en la segunda mitad del siglo. Y son muchos seglares los que lo expresan. Se ha llegado a decir, con un tanto de exageración, que ellos son los «santos padres» de la Iglesia española de entonces. Pero para la espiritualidad interesa anotar la reaparición del tomismo en las escuelas clericales. Ya Balmes había preparado el terreno. En filosofía, a pesar de su eclecticismo y de sus connivencias con la escuela escocesa, es preponderantemente tomista. Con la pacificación de 1875 se pudieron reorganizar esas escuelas en una nueva edición. Los seminarios, las casas de estudio de los religiosos, las tímidas nuevas facultades eclesiásticas, pueden volver a formar sus cuadros de formación de ambos cleros. Y ello coincide con el revivir del tomismo, que da un fondo de seriedad a aquellos estudios. En España surgió una de las principales figuras de ese tomismo reencontrado: el cardenal Ceferino González, O.P., que suscita un grupo de discípulos interesantes, dominicos y seglares (Pidal y Mon, Ortí y Lara...). Pero, aunque el P. González parecía que podía haber sido el inicio de un movimiento tradicional y renovador al mismo tiempo, ello no fue así, y el tomismo en España fue muy cuadriculado, fuera de algunas notables excepcionales figuras. Y esto ocurrió parecidamente con la filosofía y la teología que los jesuitas, no sin grandeza, cultivaron antes y después de 1900 entre nosotros. No faltaron también aportaciones valiosas de agustinos, franciscanos, etc. Pero, en general, sin figuras ni escuelas de peso internacional. Y sin que los estudios bíblicos y patrísticos aquí se atendiesen apenas. Fue esto último un fallo enorme para las ciencias eclesiásticas en general y para que los estudios de espiritualidad y la misma espiritualidad se enriqueciesen. Sin embargo, la tónica general más elevada en ese entorno del 1900 permitió la aparición de un P. Arintero, O.P., y de otros autores [5].

[4] Donoso Cortés, *Obras completas*, ed. BAC, 2 vols. (Madrid 1946).
[5] R. de Miguel, *El filósofo Rancio* (Burgos 1964); A. Elorza, *Cristianismo ilustrado y reforma política en Fr. Miguel de Santander:* Cuad. Hispanoamer. 214 (octubre 1967); M. Andrés, *Las facultades de teología en las universidades españolas* (1396-1868): Revista de Teología (1968) 319-58, y *La supresión de las facultades de teología en las universidades españolas*

Pero el diálogo con el pensamiento profano, digamos así, apenas se dio. Los intelectuales católicos, clérigos y seglares, que fueron en conjunto más numerosos y más valiosos que los no católicos, se cerraron sobre sí mismos. Igual que los otros. La Institución Libre de Enseñanza (1876), que representa y polariza a lo más representativo y activo de estos últimos, resultó, contra sus mismos principios, una verdadera «secta». La actitud de los creyentes fue también, por lo general, negativa. Y así ocurrió que en el terreno de la pedagogía y formación, por ejemplo, se dieron grandes valores en una y otra parte, sin reconocerse mutuamente y hasta atacándose sin misericordia. El «liberalismo» a ultranza de los unos, paradójicamente, no dio para más, y menos la intransigencia doctrinal de los otros. No despreciemos la mixtificación de la política en todo este problema. Luego hablaremos de los pedagogos y formadores cristianos al tratar del apostolado catequístico y del de enseñanza y educación en general [6].

3. Política e Iglesia

Aludimos antes a la situación sociojurídica de la Iglesia de España en este período: estrecha unión con los poderes civiles y hasta injerencias múltiples del Estado en ella. Un regalismo a veces llamado jansenista, aunque de doctrina jansenista como tal tenía bien poco. En esta coyuntura irrumpe el vendaval liberal, la cultura liberal en el mapa. Ese liberalismo será doctrinal y práctico. Y su grito inicial fuerte son las Cortes de Cádiz. Ello da lugar a consecuencias tremendas. Abre la puerta a las libertades de pensamiento, de expresión (prensa), de actuación, que permiten existir, y hasta privar muchas veces, a una intelectualidad no cristiana, como indicábamos en el párrafo anterior (liberalismo doctrinal, krausismo, etc.). Y se traduce en todo género de instituciones sociales; en primer lugar, en el terreno de la política. El Antiguo Régimen, totalitario y oligárquico, cede el paso a otro liberal, constitucional, poco a poco más democrático y hasta republicano. La alianza secular «del Trono y el Altar» queda fuertemente sacudida, y a la larga se hundirá prácticamente.

Hay que reconocer que la Iglesia, en cierto sentido, se había hecho a esa situación de maridaje estrecho con el Estado. Sin dejar de defender su libertad en ocasiones más extremas, se había acostumbrado al apoyo estatal y hasta lo exigía de muchas maneras. La concepción, no precisamente tomista, del poder regio venido directamente de Dios, que estaba en la mentalidad de muchos, agravaba el problema. Ahora el libe-

(1852): Anthologia Annua (1971) 585-655; J. M. Cuenca Toribio, *Notas para el estudio de los seminarios españoles en el pontificado de Pío IX:* Nuestro tiempo (1971) 1-53; F. Díaz de Cerio, S.I., *Un cardenal filósofo de la historia: F. Ceferino González, O.P.* (Roma 1969); A. Vázquez García, *El P. Cámara, figura preclara del episcopado español:* Hispania Sacra (1954) 327-58.
     [6] María Dolores Gómez Molleda, *Los reformadores de la España contemporánea* (Madrid 1966).

ralismo y su política del pueblo por el pueblo lo dinamitaba todo. Sabida es la tragedia que todo esto produjo en España. Cómo los tradicionalistas y los liberales se enfrentaron y lucharon con toda clase de recursos (ideológicos, guerras...). Cómo, sin embargo, un proceso irreversible de cambio se va produciendo. Proceso que aún no se ha cerrado, porque la historia humana no se cierra nunca en realidad.

Pues bien, la cultura liberal con todo su entorno, todo ese «mundo moderno» que ella creaba, ¿podrá dialogar con el pensamiento cristiano, y en concreto con la Iglesia, entendida como aquí la entendemos, por su jerarquía y sus instituciones fundamentales? Este fue el gran problema de fondo. Y dificilísimo de solucionar teórica y prácticamente. Para la mayoría de los eclesiásticos, tradicionales cien por cien, el mundo moderno era inadmisible sin distingos. La unión del Trono y el Altar había que mantenerla, era sagrada. La Iglesia era el freno más importante frente al desorden social, que atacaba al orden, que era «lo establecido». Así pensaba, ya lo vimos, un Donoso Cortés, por ejemplo. Pero para algunos otros, más abiertos, más liberales, el diálogo era posible, había que distinguir muchas cosas, sobre todo en la praxis, y la Iglesia tenía que ser el gran fermento sano de renovación de la vida social. Hasta se llegó a exagerar por algunos, pensando que había que casi identificar a la Iglesia con las democracias liberales. Lo cual era el mismo error de los que la enfeudaban con las monarquías absolutas. Pero para ser esa levadura, la Iglesia tenía que liberarse e independizarse de los poderes estatales, no comprometerse con ninguno, ser una Iglesia pobre, evangélica, ministerial. Fue la tesis de Lamennais y muchos otros. Tesis liberal que no tiene aplicación en el dominio de la fe y de su contenido objetivo. Allí el dogmatismo es necesario. Y que en el campo de las realizaciones prácticas exige muchas distinciones y matizaciones; hay cosas en ella también inmutables; otras no. El idealismo es casi siempre irreal. Y, aun siendo mudables y que hay que mudarlas, es necesario siempre discreción y prudencia para hacerlo, porque la realidad viva es muy compleja, y lo mejor es muchas veces enemigo de lo bueno. Sin embargo, los dirigentes deben tener visión para darse cuenta de todo ello y para prever el futuro, a fin de ir, en lo que sea posible, al ritmo del progreso cultural bajo todos sus aspectos. Entre nosotros, Balmes fue de los más sensibles para darse cuenta de la situación. Su *Pío IX* es un documento elocuente de ello. Y tantea aperturas, entre conservador y reformista, sin precipitaciones ni extremismos. También algunos otros, como el cardenal J. J. Romo y Gamboa. Pero habrá que esperar a los tiempos de la *Unión Católica,* de la segunda mitad del siglo, para encontrar personas y grupos más blandos y dispuestos a aquel diálogo con ese mundo moderno. Hay que reconocer que la actitud del clero en España fue preponderantemente cerrada, tradicional, y la apertura muy lenta. Bien es verdad que la de los de la acera de enfrente fue tan dura o más que la de aquéllos, y eso a pesar de su proclamado liberalismo. Se comprende por ello que una postura de defensa fuese también necesaria y trajese consigo un enrarecimiento de relaciones. Los datos son de sobra conocidos y se historian en este volumen.

Todo esto tiene suma importancia para la espiritualidad de este tiempo. Para algunos, esta situación tirante fue ocasión de afirmar su fe y su vida espiritual. Y fue una viva exigencia de actuación apostólica ante las dificultades y los problemas urgentes, sin meterse activamente apenas en los turbios quehaceres de la política ni eclesial ni civil. Así, muchos santos y hombres apostólicos sin más. Para otros, más sensibles y positivos, les fue llevando a una actitud más flexible, a trabajar desde presupuestos y con recursos más actuales, y hasta a vivir una espiritualidad más purificada, si se quiere. Se dan cuenta de que el protagonista de la historia va siendo «el pueblo», siempre manipulado por los más «listos». Unos y otros con las limitaciones inherentes a los humanos, y más entre nosotros, donde el lastre tradicional y secular pesaba mucho [7].

4. Problema social e Iglesia

Como ya dijimos, la segunda parte de nuestro tiempo gira en torno a la palabra «justicia social». La palabra «libertad» sigue manoseándose, pero más bien al servicio o en contra de la otra. El liberalismo provocó el socialismo. Porque su siembra de libertades individuales dio lugar a estructuras o condicionamientos opresores para la mayoría más que lo habían hecho los regímenes totalitarios antiguos. Ello empieza en torno al 1840, crece en la segunda mitad del siglo y se hace aluvión en nuestro siglo xx. Para nuestro tema interesa anotar que los católicos españoles, ante el problema llamado por antonomasia «social», fueron siempre

---

[7] J. M. Cuenca Toribio; *Iglesia y Estado* [en España] (1789-1903), en *Diccionario de historia eclesiástica de España* t.2 (Madrid 1972) 1160-74, y J. Martín Tejedor, ibid. *(1903-1931)* 1174-79 (ambos con abundante bibliografía); J. M. Cuenca Toribio: *Aproximación al estudio del catolicismo español de fines del XIX:* Hispania Sacra (1971) 347-65, y *Estudios sobre la Iglesia española del XIX* (Madrid 1973); M. Revuelta González, S.I., *Política religiosa de los liberales en el siglo XIX* (Madrid 1973); V. Cárcel Ortí, *Masones eclesiásticos españoles durante el trienio liberal, 1820-1823:* Archivum Historiae Pontificiae (1971) 249-77; Id., *El nuncio Franchi en la España prerrevolucionaria de 1868:* Scrip. Vict. (1973) 330-57; V. M. Arbeloa, *El nuncio Franchi ante la revolución de septiembre de 1868:* Scrip. Vict. (1975) 5-77; F. Pérez Gutiérrez, *El problema religioso en la generación de 1868* (Madrid 1975); V. Cárcel Ortí, *1874: Comienzo de un siglo de relaciones Iglesia-Estado en España:* R. Esp. de D. C. (1974) 265-311; M. F. Núñez Muñoz, *La Iglesia y la Restauración. 1875-1881* (Santa Cruz de Tenerife 1976); V. Garmendía, *Vicente Manterola, canónigo, diputado y conspirador carlista* (Vitoria 1975); R. Sanz de Diego *Medio siglo de relaciones Iglesia-Estado: el cardenal A. Monescillo y Viso (1811-1897)* (Madrid 1977), y García Herrera, *El cardenal Sancha 1833-1909* (Madrid 1974); J. M. Cuenca Toribio, *La Iglesia española en el Trienio constitucional (1820-1823):* Hisp. Sacra 18 (1965) 333-362; J. Goñi Gaztambide, *Joaquín Xavier de Uriz y Lasaga, el obispo de la caridad (1815-1829):* Príncipe de Viana 28 (1967) 353-440; C. Sanz Ros, *El obispo Rafael de Vélez y el Trienio constitucional (1820-1823):* Naturaleza y Gracia 18 (1971) 139-158; M. Revuelta González, *Los planes de reforma eclesiástica durante el Trienio constitucional:* Miscelanea Comillas 30 (1972) 5-55; R. Viola, *Incidencias religiosas durante el período constitucional (1820-1823) en la diócesis de Lérida:* Anth. Annua 20 (1973) 753-820; F. Díaz de Cerio, *Notas sobre el Jansenismo español en 1820-1825:* Script. Vict. (1976) 303-342. (En torno a las «Institutiones theol. Lugdunenses» y las «Instit. iuris canonici», de D. Cavallari); F. Rodríguez de Coro, *El obispado de Vitoria durante el sexenio revolucionario (1868-1874)* (Vitoria 1976). Y *Reacciones vascongadas ante un nuevo comportamiento religioso en España:* Script. Vict. (1977) 65-100.

en retardo, se asomaron a él con timidez, les faltó sentido social. Las Conferencias de San Vicente de Paúl, magníficas por muchos motivos, ya hablaremos de ellas, son alicortas ante el problema social estrictamente tal. Más avanzados fueron otros ensayos, como los círculos obreros. El hecho se estudia en otro capítulo de este volumen. Pero tuvo repercusión hasta en la vida espiritual de no pocos. Sufrieron por ello. Trabajaron apostólicamente por resolverlo ante las incomprensiones de los mismos de casa. Y muchos padecieron las consecuencias; la tragedia de 1936 se explica en gran parte por la respuesta pobre que se había dado al mismo por parte católica, dejando el terreno libre al marxismo ateo y violento. Hasta se vislumbra en varias formas y aspectos de la vida espiritual, ya en pleno siglo xx, una indirecta influencia de esa problemática planteada por la mayor socialización de la vida, un afán de desclasificación social, de sencillez, de justicia exigida por la caridad teologal. Piénsese, por ejemplo, en las Hermanitas de la Cruz y en ciertas obras en favor de la clase obrera, como las Damas Catequistas. Quizá el exponente más claro de la repercusión de ese clima sea, ya más tarde y de origen no español, la espiritualidad y las organizaciones que se cubren con el nombre de C. de Foucauld. Aunque se sigue adoleciendo de mentalidad paternalista y se retarda en tener conciencia clara y plena de lo que la justicia social importa. Llegar a las últimas consecuencias de la caridad divinal, del compromiso cristiano, es muy complejo y difícil, porque el egoísmo humano es muy fuerte, y las circunstancias externas, muy complicadas. Una vez más, sepamos comprender, y que nos comprendan a nosotros a su vez [8].

---

[8] C. MARTÍ, *Catolicismo social,* en *Dic. de hist. ecl. de España* I (Madrid 1972) 387-91.

CAPÍTULO II

LINEAS DE LA ESPIRITUALIDAD EN ESE PERIODO

1. RELIGIOSIDAD Y PIEDAD POPULARES

Es la solera de la espiritualidad. Y digamos desde el primer momento que esa base existía y existió a todo lo largo del siglo y medio que historiamos, pero dándose un proceso de deterioro cada vez más profundo y extenso. Al decir «religiosidad y piedad populares», no entiendo ese término «popular» en sentido peyorativo, sino de «masa media», dejando aparte a algunos selectos, que no están contra la misma, sino más allá de la misma.

Los siglos XVII y XVIII son, en religiosidad popular, los mejores de España. Todos los esfuerzos reformadores del XVI tuvieron como consecuencia lenta —al pueblo los efectos llegan siempre con más o menos retraso— la empinación espiritual y moral de las gentes sencillas. El clero y los religiosos habían, en general, mejorado. Y su proyección catequística (piénsese en los buenos «catecismos» que se difunden) y las «misiones populares», que en esos siglos se incrementan más y más, formaron un clima bastante saturado de fe y costumbres cristianas. El culto y la predicación abundosísimo contribuyeron también mucho a ello. Quizá lo que más. Todas esas actividades comportaban la nota de la cultura barroca, con sus temas y maneras impresionistas, con su ampulosidad, con sus devocionismos concretos y plásticos. Todo ello a propósito para impactar al pueblo. Así fue de hecho. Como indicaba, esos siglos son los de ambiente más cristiano; ambiente tranquilo, rutinario si se quiere, pero sincero en el fondo. Se rezaba mucho, se cumplían bastante bien los preceptos de la Iglesia, se la respetaba, y las costumbres eran sobrias y sanas en la masa popular. Había deficiencias y miserias, como es natural, pero se reconocían como tales, y se clamaba continuamente contra ellas, hasta aparatosamente, por los predicadores. Se ha acusado de fariseísmo a esa situación espiritual. Pero me parece injusto. La fe era verdadera y la piedad se vivía con esfuerzo generoso. Eso sí, un poco cerrada en su moral, sin que aquí el jansenismo se conociese apenas. Era tendencia que venía de atrás. Y, sobre todo, era una piedad muy preocupada de la propia salvación, que era el objetivo no sólo primario, sino a veces casi exclusivo, de sus afanes. No faltó, sin embargo, el cuidado de practicar las «obras de misericordia», aunque muchas veces pensando, más que nada, en hacer méritos para asegurar «mi» salvación eterna.

Con esta herencia entramos en el siglo XIX. Pero el siglo XVIII empezó a hacer crisis en las clases altas e intelectuales. Los aires ultramontanos las sacudieron. Desde la venida de los Borbones, los Pirineos, más que frontera, fueron caminos. Pero al pueblo todavía no llegaron aquellas corrientes «enciclopédicas». Por eso, la guerra de la Independencia se tiñó de sentido religioso, que enardeció al pueblo. Sin embargo, ya sabemos cómo las ideas revolucionarias y liberales se fueron abriendo brecha, cómo los «liberales» fueron ampliando sus grupos y su influencia, cómo el contagio de su pensamiento cundió poco a poco. Estoy hablando un poco vagamente. No tenemos estudios monográficos para conocer científicamente el proceso exacto de esa penetración. Pero la burguesía liberal se fue incrementando y llegando a no pocos: nuevos ricos creados por las contingencias políticas, profesionales que quieren estar muy al día por esnobismo, periodistas (nueva profesión que la libertad de imprenta lanza a la calle como producto original), etc. Y esa burguesía hace, de maneras directas o indirectas, su propaganda.

Además, para gran parte del pueblo surgen situaciones sociales nuevas. El campo en la mitad sur de la Península padece una agravación de su ancestral mala distribución, con el pauperismo correspondiente. Y se da por otra parte, sobre todo en Cataluña, la aparición del industrialismo, con todos los problemas de concentración urbana, de injusticias, de subsiguientes reivindicaciones, que se hacen casi siempre al margen de los cristianos, menos alertados ante estos asuntos.

Todo ello fue resquebrajando la tradicional religiosidad del pueblo español. Sobre todo a partir de la mitad del siglo. El caciquismo liberal y la propaganda socialista afectaron a grandes sectores en ciudades y hasta en los pueblos. Claro que hay que distinguir entre regiones y regiones. Navarra y las provincias vascas, carlistas en gran parte y por su atávica psicología, se mantuvieron altamente religiosas. Muchos payeses catalanes y grandes zonas de León y Castilla la Vieja también. El resto, por unas y otras razones (menos clero, clima fácil, los problemas sociales apuntados...), menos cada vez. El hecho es que la descristianización fue en aumento, con todas sus consecuencias. Y su desarrollo fue irreversible y cada vez más fuerte hasta 1936. Sobre todo, el problema economicosocial, agitado por el socialismo, sensibilizó en sentido anticristiano a las grandes concentraciones obreras. Y esto a pesar de los esfuerzos de muchos hombres y mujeres beneméritos que trabajaron denodadamente por evangelizar y conservar la fe de los españoles. Y ¡gracias a ellos! Luego registraremos esa admirable labor.

En España, reconozcamos que el sentimiento, o mejor, «asentimiento religioso», era, a comienzos del XIX, *real,* es decir, vital, y menos *nocional* o ilustrado (según la terminología de Newman, y que él mismo explica), en parte al menos, por su tradición secular, por la pacífica posesión de esa fe y vida cristianas desde el siglo XVI, por señalar un momento alto; por su historia, tan cargada de vivencias religiosas. Y ese asentimiento era en sí una riqueza, un tesoro. Pero la sacudida brutal de las nuevas ideologías lo sorprendieron. Y las rentas de que se venía viviendo se perdieron en mucho. La reacción instintiva fue defenderlas por parte de los responsables de la Iglesia. Pero esto era poco. Había que reponerlas, que renovarlas, que buscar soluciones a la quiebra que se venía encima. Y mucho de esto se hizo. Ya lo inventariaremos en seguida. Las reservas vitales de la Iglesia existían aquí también, y se pusieron en activo. Hombres y mujeres generosos y clarividentes lucharon por salvar y mejorar esa religiosidad y piedad populares, y consiguieron más de lo que a veces se suele sospechar. Los datos lo dirán [9].

Para ser justos hay que añadir que ese sentimiento religioso era, sí, real; pero en algunas regiones, o en sectores amplios al menos, tenía una solera nocional no despreciable. Y esto a pesar de la falta de cultura, del alto porcentaje de analfabetismo. Las misiones populares, el culto abundoso, heredado todo ello de los siglos anteriores; no poco los libros y revistas piadosas, que empiezan ahora a publicarse, etc., alimentaron la piedad de muchas gentes. Numerosos «catecismos» se editaron y reeditaron a lo largo del siglo. Baste ahora citar el de Mazo, cuya primera edición fue en 1837, y que después las tuvo multiplicadamente. Por los pueblos de Castilla, yo mismo he podido recoger cantidad de ejemplares y oír a los ancianos recordar cómo lo leían y conocían. Y, ciertamente, se trata de una exposición de la doctrina cristiana magnífica y muy completa. Otro tanto habría que decir del del P. Claret (en catalán y en castellano).

Convengamos, sin embargo, en que hubo mucha rutina, mucho vivir de reservas, que se empobrecían; mucho ataque contra esa religiosidad y piedad tradicionales. La reacción se dio, lenta y difícil. En parte fue incompleta. En parte llegó tarde. En conjunto fue, a pesar de todo, grandiosa y heroica. Debido a ella, aún hay fe en España.

2. SISTEMATIZACIÓN DE LAS CARACTERÍSTICAS GENERALES

Después de estas observaciones generales y previas, intentemos ahora una sistematización de las *notas* de esa espiritualidad española en ese período. Los datos que comprueban nuestras afirmaciones vendrán después. También indiquemos que es necesario hacer una neta división en dicho período: la que señala el año 1875. Es verdad que después de esa fecha se continúa la anterior —todo es continuo en la historia—, pero con características y acentuaciones que fuertemente las distinguen.

De 1800 a 1875

Como ya indicamos, la vida española está aún muy impregnada de cristianismo. Con todas las manifestaciones sociales correspondientes.

---

[9] J. H. NEWMAN, *El asentimiento religioso* (Barcelona 1960) 78.

Las campanas de los templos señalan todavía la distribución de los quehaceres, digamos de la vida, sobre todo en los pueblos. Sus toques son la señal para todo: las avemarías (tres veces: mañana, mediodía, anochecer) enmarcan la jornada. Toques de ánimas, de queda, de fiestas, de peligros (a rebato); todo... Es, si se quiere, un residuo, pero todavía harto exponencial. Los serenos, cuando se crean a mediados de siglo, dan las horas saludando con el avemaría.

Las prácticas religiosas de misa dominical, de cumplir con Pascua, de recibir los sacramentos del bautismo, confirmación, matrimonio, de preparación para la muerte, etc., es casi únanime. Las excepciones son eso, excepciones, y se señalan con el dedo por todos. Los ayunos y abstinencias se observan bastante bien. Se toma la bula de cruzada casi masivamente. La Navidad, la Cuaresma y la Semana Santa, las fiestas patronales, son algo ambiental que impacta a todos. Las cofradías numerosas, con más o menos vida o languidez, siguen enrolando a una gran mayoría de gentes. Cierto que se limitan a algunos cultos y, en ocasiones, a alguna ayuda material a los asociados, resto de los antiguos gremios, que solían acompañarlas. Todo ello, convengamos, tenía mucho de tradicional, de establecido, de ambiente social recibido, pero mantenía la fe y las costumbres cristianas de los españoles. Estas últimas, ya dijimos, eran aún, en general, bastante sanas, con las quiebras y limitaciones humanas, siempre explicables. Por esto se comprende la reacción popular ante la francesada, la resistencia de tantos grupos «carlistas», en especial en algunas zonas del país, y el que, a pesar de las campañas y golpes contra la Iglesia (en el fondo, contra la religión) de los grupos liberales activistas, que se fueron haciendo con el poder y que supieron utilizar la gran arma de difusión y propaganda de la prensa libre como nadie, se pudieran reunir todavía en 1869 casi cuatro millones de firmas (otros muchos no pudieron firmar, porque no sabían, sobre todo en la mayoría de los ambientes rurales, que eran la mayoría del país) en favor de la «unidad católica» y en contra del famoso artículo 11 de las Cortes Constituyentes de aquel año.

Otra cosa va siendo en la vertiente de 1875 para acá. Digamos, un poco panorámicamente, que la solera cristiana se va perdiendo. La acción de las instituciones, de la política, de la economía, de la industrialización, los problemas sociales no bien resueltos, lo fueron conmoviendo y erosionando todo. La masa se fue descristianizando. Pero como se trabajó esforzadamente por muchos y se fueron esbozando soluciones que respondían, en gran parte al menos, al desafío de aquellos elementos, mucho se conservó, y, lo que es más interesante, se fue logrando una formación más al día y más completa en no pocos sacerdotes y seglares, conscientes y responsables de su fe y de su vida cristianas.

Así, pues, la piedad hasta 1875 fue:

a) *Doctrinalmente, pobre, más bien negativa; preponderantemente, moralizante.* —Es verdad que, como indicamos, las síntesis doctrinales (catecismos) que se manejaban eran buenas. Se salvó así lo esencial. Pero la temática principal de las misiones populares, de los sermones, de los libros piadosos más socorridos entonces, es herencia de la piedad barroca: novísimos en plan más bien terrorista, brevedad de la vida, vanidad de las cosas temporales, el pecado y sus consecuencias, explicación hasta casuística de los mandamientos, preparación de la confesión y comunión (ésta poco frecuentada por supuesto). Los grandes y fundamentales aspectos de nuestra vida sobrenatural apenas se exponen positivamente. Y la doctrina del amor no se subraya, quizá, cuanto fuera debido. Ello constituye una seria limitación y empobrecimiento en la piedad de aquellas décadas.

La formación bíblica ex profeso fue completamente nula en este tiempo. La lectura de la Sagrada Escritura, muy escasa. Y menos mal que empiezan a autorizarse y publicarse versiones en castellano de la misma (traducción de Scío, Valencia 1790-93; traducción de Torres Amat, Madrid 1823-25). Pero, aun esas biblias en castellano, apenas llegan más que al clero. Esta fue, reconozcámoslo, una deficiencia grave en la espiritualidad de entonces.

b) *Individualista.*—Es consecuencia también de toda la cultura renacentista, barroca y liberal. Venía rodando desde lejos. Pero quizá ahora se llega en este sentido al límite. Falta sentido comunitario, eclesial, litúrgico por ende. Ya ofreceremos datos concretos que lo delatan. La piedad decimonónica pone su acento en el negocio de la propia salvación. Ello es legítimo. Pero corto e incompleto. Hay afán de ganar *indulgencias* para asegurarlo. Las mismas obras de misericordia material y espiritual se practican muchas veces pensando más en el provecho personal del que las hace que no por el bien de los otros. Pero añadamos que lo elemental de la vida litúrgica se vivía, y en algunos de sus aspectos, a veces no los más importantes, abundosamente. Y que la preocupación caritativa y oracional por los otros se daba de varias y frecuentes maneras. Se pide en los ejercicios de piedad «por la conversión de los pecadores, de los herejes y de los infieles, por las necesidades de la Iglesia y del Estado, por la perseverancia de los justos, por las benditas almas del purgatorio...» Es fórmula muy repetida poco más o menos.

c) *Devocional.*—También viene ello de atrás. Pero los siglos XVIII y XIX, si se quiere, exagerándolo. Hay rescoldo de devoción auténtica en muchos buenos y hasta santos cristianos. Pero las «devociones» y «prácticas devocionales» abundan a su vez. Las «devociones» son elemento necesario de la piedad popular siempre. Pero en el período de que estamos hablando hay que afirmar que se cultivan mucho, aun por los más ilustrados y serios devotos. Era algo universal. Entre el vulgo, muchas de ellas fueron muy accidentales y hasta supersticiosas en ocasiones. Aunque la superstición no fue nunca cosa importante en la religiosidad española, fuera de en alguna que otra región. La literatura piadosa de la época es de ese cuño en una gran proporción: devocionarios, novenas, etc. Ya lo enumeraremos en lo posible. Este aspecto devocional de esa piedad fue como un inmenso matorral que en parte la sostuvo y en parte la ofuscó y restó vuelo. En conjunto, yo más bien la valoro positivamente.

d) *Activa y práctica.*—El quietismo no encontró nunca clima a propósito en España. Su presencia fue siempre limitadísima. La idiosincrasia española no lo comporta fácilmente. Ahora tampoco se dio. Por eso, aunque la piedad no fuese lo debidamente social en sentido reflejo ni en algunas de sus manifestaciones, no faltó actividad piadosa y caritativa; es decir, la misma piedad personal se expresaba en variados quehaceres culturales y penitenciales externos, en obras de beneficencia antiguas y de nueva creación, y en obras de apostolados organizados, de defensa, de propaganda, de enseñanza, etc. La misma necesidad de defender la fe y el patrimonio espiritual cristiano, tan amenazados y atacados, dio al catolicismo español y a su espiritualidad un tono militante y activo. Por eso surgen tantas obras y fundaciones nuevas, y hasta el aire de muchas manifestaciones lleva ese signo combativo: peregrinaciones, himnos: *¡Firme la voz...!...;* campañas para protestar ante los gobiernos con recogida de firmas, con mítines...; la misma devoción al Sagrado Corazón se reviste, a lo largo del siglo XX, de un carácter social comprometedor: «el reinado social» de Jesucristo, con todas las proyecciones que esto implicaba. Todo esto quiere decir que la espiritualidad estaba en una línea de acción y de practicidad grandes, creadoras, hasta desafiantes en muchas ocasiones.

e) *Romántica.*—Es consecuencia, en parte, de la pobreza doctrinal antes indicada. Y, en parte, del talante cultural del momento. El sentimentalismo informa en mucho aquella cultura. Y se revela en el estilo poético, afectivo, blando, de la literatura y de las artes. Así es, en parte, la piedad y la literatura piadosa de entonces: poco contenido doctrinal, muchas frases e interjecciones afectivas, muchos «suspiros», muchas palabras y repeticiones. Se escribe y se predica para conmover, para tocar al corazón, para provocar las lágrimas o los fervores sensibles... Con todo y con eso, digamos que en España, si comparamos su piedad con la piedad respectiva de otros pueblos (Francia, por ejemplo), la nota romántica reviste cierta sobriedad y mesura, no se llega casi nunca a la ñoñería a que se llegó en otras partes. El romanticismo gustó —era lógico— del maravillosismo. También se dio entonces esto entre nosotros, pero sin exceso. Ello es, por otra parte, una constante, más o menos supervalorada, de la vida religiosa de siempre y en todas las latitudes. El siglo XIX no fue más que otros en este sentido.

De 1875 a 1936

Se prolongan las dimensiones de la espiritualidad de antes, pero se suavizan y evolucionan varias de ellas. Sigue dominando la nota de individualismo, pero lentamente se abre hacia un sentido más comunitario y eclesial, sobre todo a medida que algunos grupos de seglares se sensibilizan más de las urgencias de su bautismo. Se forman y trabajan más en varios apostolados, se organizan, se responsabilizan. Piénsese en los que se lanzan al periodismo, a toda clase de propaganda escrita, a actuar en el terreno «social», en las asociaciones iniciales de la Acción

Católica (ésta más estructurada al final de este período), en los grupos que animan los propagandistas, las marías, el Opus Dei, etc.

Esta apertura viene sostenida por una base doctrinal más seria y más divulgada. Los centros de formación de ambos cleros mejoraron mucho en este tiempo después de la paz alfonsina. Se empezaron a publicar revistas de investigación y de divulgación alta que antes no existían. Y libros de más peso (los de un P. Arintero, por ejemplo).

Las devociones continúan y algunas se intensifican (Sagrado Corazón...); pero las nuevas, sobre todo, suelen llevar un sello y acompañarse de unas prácticas más sólidas en general y más sustanciales: frecuencia de sacramentos, oración meditativa, retiros, etc. Las obras de caridad, sociales, de apostolado (catequesis, etc.), se van multiplicando.

La piedad y el sentido litúrgico se inician en el siglo XX muy despacio, muy parcamente, es cierto. Pero se inician. El movimiento estaba puesto en marcha; particularmente por Cataluña, región más relacionada con Francia. No perdamos de vista, sin embargo, que la espiritualidad de esos años está dominada en mucho en las clases más cultas, y también con enorme proyección en la clase media y devota, por la actividad multiforme y meritísima de la Compañía de Jesús (colegios, congregaciones, ejercicios, oración metódica, exámenes, misiones, publicaciones...). Pero marcada, a su vez, por sus limitaciones; entre otras, su poco entusiasmo por el cultivo de una piedad litúrgica tal como ya desde entonces se viene entendiendo.

En lo que se distingue más este período del anterior es en el estilo, porque se supera prácticamente el tono romántico. No que no queden residuos. Pero, sobre todo al final, el talante es muy otro. La cultura era de otro signo, y, como es natural, afectó a la espiritualidad en sus maneras.

Si quisiéramos ahora analizar un poco más por dentro la espiritualidad que estudiamos, tendríamos que acudir a sus manifestaciones todas, y en primer lugar a la literatura, que en parte la provoca y que en parte es su efecto. En seguida haremos un elenco de esa literatura, y con algunas notas subrayaremos sus temas y matices más notables y específicos en los autores más importantes.

Hagamos previamente unas reflexiones generales sobre esa temática y sobre los orígenes de la misma.

Como podría sospecharse, la espiritualidad del XIX y del XX prolonga la de los siglos anteriores. No puede ser de otra manera en el fondo. Y además esto lo hace españolamente. Pero con detalles, con acentuaciones, padeciendo influencias diversas..., que coloran y varían la configuración de aquella.

Por de pronto, no se trata, entre nosotros, de una *espiritualidad abstracta,* al estilo de la renanoflamenca de los siglos XIV-XVI; ni a la manera de la francesa beruliana del XVII. Nunca fue ésa la espiritualidad representativa de España. Y menos en el XIX. Se trata de una espiritualidad, más bien, *afectiva y práctica.* Sin que le falte seguridad doctrinal de base, por supuesto.

Por ello, los temas trinitarios, la meditación paulina del misterio de Cristo, la teología de la vida eclesial, etc. (que no faltaron de una u otra manera en los mejores autores españoles del XVI y XVII), en el XIX apenas se tocan, expresamente al menos. La pobreza doctrinal tantas veces aludida lo llevaba consigo. El siglo XX empezó a volver a ellos, quizá por la elevación doctrinal evidente que se advierte, aunque no sea exagerada. Sin duda, el tema central de la piedad de la época es Jesucristo. Si no, no sería cristiana. Pero según esa corriente sencilla, afectiva, humana, que viene de la baja Edad Media; según el estilo bernardiano y franciscano, que prolonga luego la escuela ignaciana y la escuela teresiana, y más de inmediato y más devocionalmente, la literatura ligoriana.

Esta devoción esencial a Jesucristo se concreta —vuelve la nota de practicidad y devocionalidad— en la devoción a su pasión, a su eucaristía, a su corazón. Y se tiñe en los espirituales más refinados de la época con ese colorido muy romántico de *reparación* (entendida casi siempre como *consuelo*) que pide ese corazón, «horno ardiente de caridad», ofendido por sus redimidos. Adjunto a ese amor a Jesucristo va el amor y culto a María, que venía intensamente de antiguo, pero que ahora se acrece en cierta manera y toma algunas expresiones nuevas.

Esa devoción a Jesucristo, por ser fuertemente práctica, se traduce en la imitación de Jesús y de María. Todo ello muy franciscano. Y lleva, por consiguiente, a querer hacer la voluntad del Señor, aspecto en el que insiste San Alfonso María de Ligorio, y antes, las enseñanzas de San Francisco de Sales, que desde el siglo XVIII se lee bastante en España.

Como consecuencia y en cierto modo como preparación, se insiste en los temas clásicos del desprendimiento de las cosas de aquí abajo, en los novísimos (temas muy del barroco, ya dijimos, y muy ligorianos). Y no se olvidan, sobre todo los autores jesuitas o ignacianos, del de la gloria de Dios.

Al retornar las órdenes religiosas y al irse mejorando la situación de los seminarios después de 1875, la práctica de los ejercicios espirituales (dirigidos y fomentados principalmente por los jesuitas) se va extendiendo, en esas casas de formación, en el clero y hasta en los seglares. En éstos más según avanza el siglo XX. También se cultiva más la dirección espiritual y la oración mental en grupos determinados de fieles (congregaciones, teresianas, terciarios, marías, movimientos apostólicos de Acción Católica, etc.). Los libros para hacer meditación (Ossó, La Puente, Garzón...) se difunden bastante entre esos cristianos más preparados. Fue, sin duda, un enriquecimiento auténtico de la piedad en comparación con los tiempos anteriores, aunque limitado y un poco demasiado metodizado en general.

La proyección caritativa hacia el pobre se vive desde la piedad. Es decir, el pobre es imagen de Cristo y en él se le sirve. Pero según esa mentalidad achatada: la existencia de pobres y ricos es algo natural y hasta necesario; así, aquéllos ejercitan la resignación y la paciencia, y los otros, la caridad compasiva. Estos prejuicios han tardado mucho en irse ablandando.

Para ser completos, volvamos a recordar la devoción al papa. Es la nota eclesial más destacada entonces.

Por lo demás, hay que esperar el final del siglo XIX y al XX avanzado para encontrarnos con alguna influencia del aliento liberal hecho compatible y hasta matizando la espiritualidad de algunos en España, como fueron varios de los de la Unión Católica y de los propagandistas después.

En cuanto a las influencias recibidas que explican, en parte al menos, esta espiritualidad, podemos decir que en primer lugar está la gran solera recibida de los siglos anteriores. La herencia era muy rica en España. Aunque con bastante debilitación y rémora, se siguen leyendo los años cristianos, Granada, Santa Teresa....

Pero también ahora, ya lo insinuábamos antes, se filtra en algunos sectores más cultivados el espíritu de San Francisco de Sales, y más aún los escritos de San Alfonso María de Ligorio tan populares y devotos.

En cuanto a devociones y prácticas devocionales, Francia es ahora la gran exportadora en España. Todo lo francés pesa aquí mucho. También en espiritualidad.

Desde esta base y solera, con todas sus posibilidades y limitaciones, floreció una espléndida multitud (así) de santos (algunos, «carismáticos» de veras, y místicos privilegiados no pocos), surgiendo una turgente cantidad de inquietudes apostólicas traducidas en obras. Quiere decir que la fecundidad, y, por tanto, la vida subyacente de la Iglesia y de la cristiandad en España, eran muy fuertes. Mucho se perdió sin duda, mucho se depuró, mucho se renovó. Estilos y realizaciones se sucedieron unos a otros, se cambiaron. Pero lo esencial lo había, y perduró bajo las formas que fuesen. Nosotros vivimos, en gran parte, de la herencia de aquellos hombres y de muchas de sus iniciativas, aunque seamos a la vez muy distintos. Los hechos y los números mismos cantan. La «santidad» en esta época dio frutos impresionantes en cantidad y calidad. Luego lo veremos. La espiritualidad cristiana del siglo XIX español no es despreciable, sino, al contrario, es un capítulo glorioso, en conjunto, de su historia espiritual.

Después de estas perspectivas, intentemos justificarlas con hechos y documentos. Pero en primer lugar digamos una palabra acerca de los dirigentes y promotores de esa piedad cristiana; de los que por esa misión ellos mismos tienen que ser, y suelen ser de hecho, exponentes de la misma. Me refiero a los obispos, sacerdotes y religiosos. No hacemos historia, sin más, de los mismos; no nos toca a nosotros sino en cuanto puedan interesar a nuestro tema concreto.

3. LOS OBISPOS, LOS SACERDOTES Y LOS RELIGIOSOS

Sobre el *episcopado* decimonónico vamos teniendo ya algunos estudios generales y algunas monografías científicamente trabajadas. Queda, sin embargo, mucho por hacer. Aquí solamente podemos ofrecer algunas notas en relación con nuestro tema [10].

Hay que hacer tres grupos dentro de ese episcopado: el que va hasta el concordato de 1851; el que surge después de este concordato: el episcopado isabelino, y el de fin de siglo (después de la restauración) hasta el 1936. Digamos de todos, en general, que fueron hombres de fe, de buena voluntad, deseosos de fomentar la vida cristiana, «penetrados» (según palabra muy del tiempo) de su responsabilidad por la salvación de sus ovejas, fieles a la Iglesia y, en concreto, a Roma; los de los dos últimos grupos, adictos (repito: en general) a la monarquía isabelina y alfonsina. De costumbres sencillas y sobrias dentro del formalismo estereotipado entre los de su clase, y que venía de muy lejos. Formulismo solemne que ahora empieza a declinar, dados los acontecimientos políticos y sociales. Vivieron, más bien, pobres. De extracción social personal preponderantemente de ambientes medios y pobres, rurales muchos de ellos. Menos de profesionales y clases altas. Científicamente, el nivel medio fue mediano. Pocos sobresalieron en este sentido ni como teólogos ni como publicistas. Muchos, piadosos, y algunos, hasta santos. Les faltó visión profética y audacia a la mayoría ante los problemas que se les echaron encima o iban a venir. Quizá algunos no tuvieron oportunidad para las mismas, y les sobró en muchos casos timidez, por consiguiente. No hubo grandes figuras de talla supranacional. Una palabra sobre cada grupo de los indicados.

El primer grupo es muy heterogéneo. Con formación teológica pobre. Es el estiaje de nuestras facultades de teología. Son, más bien, «canonistas». Les sorprendió la desgarrada irrupción de las nuevas ideas. Y su reacción fue, en general, de resistencia y de defensa, nada más. Por eso, no pocos simpatizan con el carlismo (sobre todo, un Joaquín Abarca y Blaque, obispo de León; un Félix Herrero Valverde, de Orihuela, etc.). Algunos fueron más abiertos, como el ya citado Judas José Romo. Y no faltaron los progresistas (que diríamos hoy), que colaboraron con el régimen liberal combinado con resabios regalistas, como Pedro González Vallejo, Félix Torres Amat... Hasta nos encontramos con el caso de un A. Posada Rubín de Celis, de Murcia, que por los años del trienio liberal (1820-23) formaba parte de la masonería (como parece ocurrió lo mismo con la figura borrosa y enigmática del cardenal Alameda y Brea, de Toledo). Pero la mayoría son hombres pacíficos, que no se resignan ni saben vivir si no es en el clima de la alianza del

---

[10] J. M. CUENCA TORIBIO, *Sociología de una élite de poder...: La jerarquía eclesiástica (1789-1965)* (Córdoba 1976); cf. la nt. 7 anterior. Del mismo autor: *Sociología del Episcopado español en la crisis del Antiguo Régimen:* Hispania (1976) 567-622. Y en mi libro *La espiritualidad...*, bibliografía, p.228-30.

Trono y el Altar. Forcejean en ese sentido cuanto pueden. Por eso suelen estar con los poderes constituidos: con Fernando VII, mitificado por la guerra de la Independencia; con la regente Cristina (externamente al menos), aunque los liberales que la rodean destierren y maltraten a muchos de ellos por considerarlos sospechosos, no amigos de las nuevas corrientes (y no sin razón). Esta situación ya nos puede hacer sospechar que estos hombres no estaban para cultivar altas y serenas espiritualidades.

Los del siguiente grupo son los nombrados después del concordato por la Nunciatura y los gobiernos de Isabel II. No se pierda de vista la mano que tuvo en estos asuntos San Antonio María de Claret. Desde ahora, los nombramientos se hacen un poco por hornadas y con una especie de molde. Su formación fue quizá, en conjunto, más deficiente aún que la de los anteriores, o poco más o menos. Pero se distinguen, por sus mismos orígenes episcopales, por dos notas: por su adhesión al régimen monárquico-liberal, personificado en la reina (no fueron, sin embargo, serviles, las protestas y exposiciones a la reina y a los gobiernos se dieron frecuente y valientemente) y su devoción al papa, devoción que crece en ellos, en el clero y en los fieles a medida que las desgracias se abaten sobre Pío IX, el cual además, por su bondad humana y por su santidad, se convierte en un objeto de culto ferviente para la gran mayoría de los católicos. Durante estos años algo más tranquilos (aunque no todos; recuérdese el bienio 1854-56), los obispos pudieron realizar una tarea pastoral más cuidada; se reorganizan los seminarios, se multiplican las misiones populares, muchas fundaciones, mucho culto y devociones, etc. Los documentos episcopales, como «cartas pastorales», etc., van preocupándose algo más de problemas pastorales más piadosos, enseñanza catequística, preparación o resultado de las misiones, el tiempo de Cuaresma, devociones a la Virgen, a San José, al Sagrado Corazón... Porque hasta ahora, y aun después, los temas preponderantes de esos documentos son pastorales cien por cien, desde luego, pero acerca de los problemas que planteaban las situaciones políticas, las relaciones Iglesia-Estado, los «males del siglo»: liberalismo, propaganda protestante, situación del papa, costumbres públicas y privadas, etc. El vuelo no solía ser más alto. Pero las urgencias vivas e inmediatas eran aquéllas. Se comprende.

Los obispos de este grupo dieron toda su medida en la gran ocasión del concilio Vaticano I. Fue lástima que no pudiera asistir el cardenal García Cuesta, de Santiago. Pero los asistentes dieron la nota unánime de teólogos serios y tradicionales, tomistas de fondo, sin especiales preocupaciones; de virtuosos varones, de incondicionales al papa y a su infalibilidad. Ninguno destacó, sin embargo, como figura de primera magnitud, no fue ninguno jefe de fila. Quizá pudieran haber hecho más. Pero me parece que su actuación respondió a la tónica media de su valía real. Se hicieron notar, por unas u otras causas, García Gil, de Zaragoza; P. Monserrat, de Barcelona; M. Payá, de Cuenca, F. Blanco de Avila; J. Caixal y Estradé, de Urgel; A. Rodrigo Yusto, de Salamanca, etcétera [11].

El tercer grupo se inicia con las luchas por la «unidad católica» de los años 1869, y más tarde, de nuevo, en 1876. Casi fue total la actitud firme y cerrada del episcopado en ambas ocasiones. Sólo se dieron las tenues fisuras del obispo de Avila, P. J. Sánchez Carrascosa (piadoso varón), y del de Orihuela, P. M. Cubero López de Padilla, en las Constituyentes del 76, y la postura más flexible del episcopado catalán, con el arzobispo Costa Borrás a la cabeza. Por otra parte, el episcopado de todo este período se señalará siempre, fuera de contadas excepciones: Caixal y Estradé y el titular de Daulia, B. Serra, como carlistas; y Casas y Souto, de Plasencia; Mazarrasa, de Ciudad Rodrigo y, quizá, Martínez Izquierdo, de Madrid, como integristas, se señalará (digo) por su admisión del régimen alfonsino, sin dejar por eso de luchar contra las leyes y proyectos de leyes que les parezcan menos a propósito para el cristianismo y su influencia social en la nación. Y esto frente a la fuerte oposición de una gran parte del clero secular y regular, que hasta avanzado el siglo XX fue rabiosamente «tradicionalista», dividido desde 1888 en «carlistas» e «integristas». Las gestiones ante los gobiernos y las divisiones de los católicos consumieron negativamente enormes energías pastorales de los obispos. Estos no pudieron así conseguir positivamente lo que hubieran querido. Porque hay que afirmar que una mayoría de los mismos fueran hombres de valía, mejor formados cada vez, piadosos, preocupados, bastante abiertos, con creatividad e iniciativas pastorales algunos, no pocos excelentes. Luego estudiaremos a algunos. Los documentos que publican van siendo más «espirituales»; algunos, estrictamente tales. Algunos los recordaremos después.

Dos palabras acerca del *clero secular*.

Su espiritualidad y su pastoral dependió, en gran parte, de las circunstancias y de su formación. Tiempos recios y agitados, sobre todo hasta 1875. Los seminarios, pobres en todo. Eso cuando podían estar abiertos. Formación espiritual, intelectual, pastoral, rutinarias, deficientísimas. Un elemento de elevación —y a la par testimonio de su nivel en el mejor de los casos— nos lo ofrece la obra célebre del P. Claret *El colegial o seminarista instruido* (1.ª ed. Barcelona, t.1 [1860]; t.2 [1861]. Hizo mucho bien). Alguno que otro se defiende un poco mejor, como el de Vich. (Fue notable también el esfuerzo del P. Claret por la creación de un seminario modelo en El Escorial, de 1860 a 1868.) La base doctrinal fue un poco de tomismo barato y repetido. Sin garra, sin diálogo con las ideologías nuevas. Las ciencias se empiezan tímidamente a cultivar. La teología «positiva» y, por ende, la exégesis bíblica, la patrología, la historia... apenas nada. La consecuencia fue un clero desarmado, empobrecido material y espiritualmente, con abundantes fallos y escándalos en su vida moral, sin inquietudes pastorales. En los escritos del P. Claret, por ejemplo, abundan las lamentaciones sobre el estado

---

[11] J. MARTÍN TEJEDOR, *España y el concilio Vaticano I:* Hispania Sacra (1967) 99-175.

espiritual del clero. Mucho de él se refugia, por atavismo y por instinto de defensa, en la política de signo tradicionalista. Rutinariamente sostuvo la fe en muchas gentes sencillas, que estaba muy enraizada en sus corazones. Pero debilitándose y perdiéndose cada vez más. Desde 1875, en que se crean o renuevan los seminarios, los colegios para estudiantes pobres, las universidades eclesiásticas, la de Comillas y el Colegio Español de Roma (1892), los Estudios Superiores de Calatrava (Salamanca 1894), la fundación *Biblioteca Balmes*, del P. I. Casanovas, S.I. (Barcelona 1923), etc., el nivel formativo del clero fue elevándose y, por consiguiente, su tono espiritual bajo todos aspectos. También las divisiones hirsutas de final de siglo se fueron suavizando en el XX. Fue un clero menos politizado en general. Con todo, vegetó bastante rutinariamente en virtud, en ciencia, en pastoral. Hubo, sin embargo, figuras egregias, más notables, si cabe, dada la mediocridad ambiental en que tuvieron que realizarse y el anticlericalismo creciente que les fue rodeando.

Varias asociaciones aparecieron para ayudar a los sacerdotes. En España cundió mucho, en el entorno de 1900, la *Unión Apostólica,* aparecida en Francia en 1862.

Anotemos algo sobre *los religiosos y religiosas.* Y también distingamos entre antes y después de 1875. Los «regulares» fueron objetivo especial del bombardeo antirreligioso de la incredulidad de estos siglos. Eran particularmente representativos de una actitud y de un camino. Por otra parte, su número (unos 31.000 en 1836) y el no pequeño volumen de sus propiedades llamaban la atención de los interesados por la cosa pública.

En los setenta y cinco años que corren del 1800 al 1875, la historia externa de los religiosos es de sobra conocida en sus grandes líneas. Por otra parte, se hace en otro lugar de este volumen. Francesada, leyes restrictivas y desamortizadoras del rey José, trienio liberal, matanzas del 1834 y 35, desamortización y supresión general... Esta última no alcanzó a todas las religiones; pero sí la desamortización, la reducción, el acoso, el tratar de hacerles la vida imposible. Fue una catástrofe casi total. E injusta. Reconozcamos (y esto es lo que a nosotros interesa destacar aquí) que los religiosos de ambos sexos no estaban demasiado florecientes al comenzar el siglo XIX, pero tampoco se puede hablar de relajación. Sencillamente vegetaban. Sin que faltasen hombres y mujeres de gran altura espiritual entre ellos. Pero las guerras francesa y carlista, las salidas de los conventos por unas u otras razones, la inseguridad de la vida en ellos, la pobreza de los estudios..., resquebrajó más y más la vida religiosa cada día. Los superiores generales o vicarios generales (casi todas las órdenes los tenían en España por ese afán regalista y nacionalista de no depender estrictamente de los generales romanos), los provinciales..., se esfuerzan con documentos numerosos por elevar el espíritu, los estudios, la observancia de las comunidades. Con resultados muy relativos. El proceso de desintegración apenas podía detenerse, cuanto más superarse. Luego la supresión estatal lo liquidó todo. Para la vida religiosa española fue un golpe tremendo. Hay que darse cuenta (basta hojear la literatura, aun profana, española desde la Edad Media en adelante) de lo que significaban y pesaban los «frailes» en España. Ello creó esa nueva figura del «exclaustrado», que durante unos decenios protagoniza, sin demasiado ruido, la vida espiritual de nuestras ciudades y pueblos en no pocos aspectos. Porque la mayoría de esos pobres religiosos quedan, como pueden, en España (los menos se van fuera, a Italia, a Francia, a América, donde harán un papel interesante, que luego recordaremos). Los más se instalan en parroquias, en colegios, en capellanías de monjas; misionan, escriben, fundan congregaciones nuevas, etc. Como a pesar de los pesares, tenían, en general, buen espíritu y gran sentido de su condición de religiosos y una formación algo mejor que la del clero secular (siempre digo «en general»), su actuación fue preciosa para ayudar a la fe y religiosidad de nuestro pueblo. A la vez fue un refuerzo cuantitativo sacerdotal oportuno para muchas diócesis, en las cuales, debido a los avatares de los tiempos, empezaba a haber carestía de sacerdotes. Está por hacer ese capítulo sintético de lo que significó la presencia de los exclaustrados en nuestra historia espiritual del centro del siglo XIX. Pero me parece que sería muy interesante.

Ya dijimos que las religiosas, en gran parte, pudieron subsistir. Pero en medio de mil dificultades y privaciones. Se les prohibió admitir novicias y emitir votos, para extinguirlas por consunción. Tuvieron que juntarse a veces comunidades hasta de órdenes distintas, con los problemas inevitables de combinaciones y estrecheces que ello comportaba. Pasaron hambres terribles al arrebatarles sus bienes (el Estado se comprometió a pasar cuatro reales diarios a cada monja, cosa que cumplió con dilaciones). Pero anotemos que las que abandonaron sus conventos (a éstas se les daban cinco reales para su sustento) fueron poquísimas; prácticamente, nada (nótese que en 1836 había más de 15.000 monjas y en 1867 se contaban 14.725, y eso que no pudieron apenas recibir refuerzos). Esta fidelidad a sus compromisos es significativa. Pero no quiere decir que la espiritualidad estuviese entre ellas demasiado floreciente. Los conventos eran muchos; con pocas monjas cada uno; ancianas la mayoría. Cuando se pudieron admitir nuevas, se hizo, en general, con poca selección, dada la necesidad, y la inmensa mayoría, sin apenas cultura, pues procedían de ambientes rurales. La clausura se observaba bien, y una vida espiritual formularia y devocional. Pero poco vuelo y poca doctrina. La observancia se aflojó mucho en la mayoría de los conventos: cada monja tenía su «peculio», con la consiguiente falta de vida común; mucho locutorio, con la disipación correspondiente, etc. Digamos en su descargo que los acontecimientos y agitaciones, los sobresaltos, la falta de religiosos y sacerdotes que las dirigiesen y ayudasen..., explican y hasta justifican, en gran parte, esa situación. He aquí un documento, entre muchos, que la describe. Nos dice el santo P. Claret: «Observé en todas las poblaciones que en la mayoría de los conventos no se hacía vida común, sino particular; v.gr.: en Sevilla hay actualmente veinte conventos de monjas; en cinco se observa la vida común, y en quince se hace vida particular, y en esta proporción están los conventos de otras poblaciones de Andalucía. Los que han tratado con monjas saben que es imposible que haya perfección en aquella comunidad en que no se guarda dicha vida común». Y aduce un párrafo de una carta de una monja (18-12-1862): «...le suplico que me saque de este infierno. No es convento, es una casa de vecindad; aquí no hay sosiego, todo es un puro laberinto» [12]. Claro que hay que distinguir; en algunas regiones, quizá, las cosas fueron algo mejor. Y entre órdenes y órdenes y entre conventos y conventos de una misma orden. Y no dejaron de darse algunos ejemplares magníficos de elevada santidad.

Nada anoto acerca del problema de la *desamortización,* hoy tan socorrido por los historiadores españoles. Sin duda fue un latrocinio injusto, desastroso artística y culturalmente hablando, casi ineficaz desde el punto de vista económico. Pero esa desamortización había que haberla hecho de otro modo, desde luego. Sin embargo, ni eclesiásticos ni civiles estaban preparados, ni tenían visión profética para haberla hecho como era debido. Dios permitió que se hiciera malamente, violentamente. Y hecha está. Añadamos que ello afectó no sólo a los religiosos, sino también al clero secular (diócesis, parroquias, fundaciones piadosas...), y hasta a las propiedades comunales de municipios y asocios. Ello trajo consigo una situación de pobreza efectiva para los «eclesiásticos». ¿Hasta qué punto supieron asumirla espiritual, evangélicamente? Con resignación, sí. Con elegancia espiritual..., no sé. La pobreza se valoraba entonces, en la espiritualidad romántica, como un hecho inevitable y necesario para algunos, que había que soportar con paciencia y sobre el cual los ricos tenían ocasión de ejercitar su «caridad» compasiva. La profundización penetrante en el valor espiritual de la pobreza como virtud voluntaria, que requiere, a la par, la observancia de la más rigurosa justicia bajo todos sus aspectos, y ambas: pobreza y justicia, exigidas por la llama de la caridad teologal, no se había logrado como quizá hoy se formula y se proclama, aunque de hecho, efectivamente, se viva, poco más o menos, peor que entonces... Pero la pobreza es un dato con el que tuvo que contar y que luchar la Iglesia en España desde aquellos momentos. Momentos en los cuales la burguesía liberal desataba el crecimiento del «capital», el culto al dinero y al bienestar material, y, por reacción, la lucha del proletariado, también multiplicado, por participar en el reparto de las ganancias y en el consumo de los resultados. Era la hora de la pobreza cristiana como respuesta y desafío. Quizá la Providencia, permitiendo el despojo de la Iglesia, la ayudó a vivir mejor desde entonces su identidad evangélica [13].

Después de 1875, las cosas se fueron volviendo, en parte, a la normalidad de antes. Ya después del concordato de 1851 se fue permi-

---

[12] En *Escritos autobiográficos...* 388-89 (luego citados).
[13] Acerca de la exclaustracion y sus consecuencias, cf. la obra citada en la bibliografía general de M. Revuelta. Sobre la *desamortización,* cf. bibliografía correspondiente en este mismo volumen, p.137-138.

tiendo la apertura de casas religiosas. A la sombra de dicho documento o un poco haciendo la vista gorda. (De siempre habían quedado abiertas unas poquísimas casas para poder proveer de personal misionero a las Antillas, a Filipinas y a Tierra Santa: dominicos, agustinos calzados, recoletos y franciscanos; luego, más tarde, jesuitas también.) A las monjas se les fue autorizando a recibir novicias, se fueron admitiendo congregaciones extranjeras (además de las Hijas de la Caridad, desde muy antes establecidas, así como algunas fundaciones de beneficencia y enseñanza indígenas que habían ido apareciendo); hasta se fundaron algunos conventos de clausura, como los de concepcionistas de la famosa M. Patrocinio. Es verdad que a las claustrales se les exigió tener colegios, cosa que algunas cumplieron y otras soslayaron como pudieron. Mucho de todo esto se hizo recurriendo a la reina, fácil a favorecer lo que podía en este sentido.

Después de 1875 todo se autoriza y vuelve a florecer. Compañía de Jesús (la primera mal tratada en todas las ocasiones conflictivas), órdenes antiguas, congregaciones de fuera, numerosas nuevas de origen español (de mujeres; de hombres, apenas se fundan entre nosotros; la única importante fueron los cordimarianos del P. Claret, que desde ahora empiezan a multiplicarse).

Prácticamente, los religiosos tuvieron que volver a partir ahora desde cero. Y lentamente mejoraron sus casas de estudio y formación, sus colegios, sus actividades apostólicas todas. Hubo las amenazas de principios de este siglo (ley «del candado», etc.). Pero se soslayaron. Y la vida religiosa se pudo cultivar tranquilamente entre nosotros hasta la república de 1931. Con bastante espíritu y altura. Con bastante intelectualidad (jesuitas, dominicos, agustinos, franciscanos...). Y con una efectividad pastoral muy grande; en general, pesando más que la del clero secular y con la correspondiente proyección misional, en particular en América. Digo pesando más porque ellos atendieron preferentemente esos apostolados que podríamos llamar extraordinarios (misiones, ejercicios, colegios...), que hacen, de suyo, más ruido que los ordinarios, que lleva consigo la atención parroquial por ejemplo; estos últimos fueron exclusivos, prácticamente, del clero secular.

Brevemente recordados todos estos efectivos, entremos ya a hacer historia más detallada de las manifestaciones de la vida espiritual. Los datos y hasta las anécdotas cuentan más en historia que las categorías y las dialécticas.

CAPÍTULO III

DOCUMENTOS Y DATOS CONCRETOS

1. LITURGIA ESPIRITUAL

Digamos desde el primer momento que fue muy pobre. En esto, el siglo XIX es deficientísimo. El siglo XX mejora bastante. Sin ser tampoco notable. En este período apenas tenemos alguna figura que destaque, que tenga como escritor proyección universal. Ofrecemos una lista de las obras más importantes, con alguna nota ilustrativa acerca de las que más pudieran orientar en el conocimiento de la piedad de entonces. Siempre que la conocemos damos la ficha de la primera edición y no de otras.

Previamente registremos dos o tres entidades que fueron instrumentos magníficos de trabajo para la edición y difusión de la literatura piadosa y religiosa en general.

Me refiero a la *Librería Religiosa,* que funda el P. Claret en Barcelona, en 1847, ayudado por el futuro obispo de Urgel Caixal y Estradé. Era a base de suscriptores que recibían así los libros que iban saliendo. Luego pudo vender a bajo precio y hasta repartir gratis libros y folletos de Claret y de otros. Hizo también ediciones de autores clásicos de siglos anteriores y traducciones del extranjero. La difusión de sus publicaciones fue multitudinaria [13*].

En 1889, el P. F. de Paula Garzón, S.I. († 1919), funda en Madrid el *Apostolado de la Prensa,* que igualmente edita y propaga, a precios asequibles y en formatos fáciles, obras de nuestros clásicos del XVI y XVII y de autores modernos. Otras editoriales de Madrid y Barcelona, sobre todo, se podrían recordar en este sentido.

Pero hay que conmemorar con honor la obra de Eudaldo Serra: *Foment de Pietat Catalana* (1917), que tanto ha servido para lo que indica su nombre en esa lengua. Lo ha hecho con una gran dignidad y hasta elegancia editorial.

Haremos ahora nueve apartados en esa literatura: *a)* documentos episcopales; *b)* sermones y sermonarios; *c)* escritos devocionales; *d)* de divulgación piadosa; *e)* experimentales; *f)* especulativos y científicos; *g)* estudios históricos; *h)* traducciones del extranjero; *i)* revistas.

[13*] A. BORRÁS Y FELÍU, *La «Librería Religiosa» de Barcelona y la renovación de la piedad en España a mediados del siglo XIX (1848-1868):* Festschrift W. Zeller (Marbourg 1976) 370-383.

a) Documentos episcopales

Apenas puedo precisar algo concreto. Es un trabajo por hacer el recoger la documentación episcopal sobre estos temas. Ya dijimos que los obispos viven preocupados por otros problemas urgentes pastorales, y sobre ellos versan sus escritos. Pero había que despojar las colecciones de los *boletines eclesiásticos* (comienza el de Toledo en 1844) y de revistas, como *La Cruz* principalmente, para hacer esa selección y el estudio de los que tratan más de temas espirituales. Uno de los filones en este sentido son las cartas pastorales que muchos de los obispos escribieron con motivo de la Cuaresma, por ejemplo. Insisten, generalmente, en los temas propios de la misma: cumplimiento pascual, penitencia, oración, etcétera. Temas moralizantes, sin grandes elevaciones doctrinales sobre el ministerio.

Así, el obispo de Orihuela F. Herrero Valverde publica en 1833 su *Carta pastoral* (reeditada por la Librería Religiosa de Claret), que es una especie de ejercicios cuaresmales sencillos, tradicionales, típicos de la espiritualidad del momento. Se utilizaron bastante.

Puestos a espigar muy por encima, señalemos algunas de J. Costa y Borrás, de Tarragona; del obispo de Avila F. Blanco; del cardenal Casañas, de Urgel y Barcelona; del cardenal A. M. Cascajares (*Sobre la fe*, 1893); del cardenal M. Spínola, de Sevilla (sobre Cuaresma, Adviento, Sagrado Corazón...); de J. Torrás y Bages, de Vich (la última, firmada en su lecho de muerte (1916) como un testamento: *La ciencia de patir...*); de M. González, de Málaga y Palencia (muchos de sus documentos pastorales pasarán después a sus libritos piadosos); del Beato Ezequiel Moreno, de Pasto (Colombia), etc.

b) Sermones y sermonarios

Se publicaron innumerables sermones y discursos. El siglo XIX y el XX son siglos de oratoria abundosa y retórica en todas partes y por todos los autores de la vida cultural española. La *predicación sagrada* fue como un diluvio universal. Y no bajo la forma sencilla de la *homilía*, sino del *sermón* grandilocuente, artificial, con poco contenido espiritual la mayor parte de las veces. Era una pieza literaria con la que se deleitaba o aburría a los fieles. Se insertaban en toda ocasión: misas, triduos, novenarios, etc. Es verdad que, en conjunto, algo hicieron, aunque no fuese más que por su cantidad. Y que hubo excepciones honrosas. Es más, hay que distinguir entre la primera parte del siglo XIX y la de después. En la primera, la predicación está muchas veces politizada, es patriotera. Lo explican las circunstancias de guerras y disensiones. Luego se serena y hace más humana y estrictamente religiosa, pero bastante huera e inútil. Por supuesto, los sermones y pláticas de los grandes misioneros fueron algo vivo y práctico: trataban de mover, de convertir. Los temas, desde luego, según las características antes apuntadas: verdades eternas, pecados, mandamientos, confesión, eucaristía, pasión, la Virgen...

Pues bien, no intentamos, ni por asomo, agavillar los *sermones* que se publicaron sueltos. De muchos hasta habrán desaparecido todos sus ejemplares, dada la fragilidad de los mismos. Unicamente ofrecemos la ficha de los principales *sermonarios*, que daban «hechos», en todo o en parte, los sermones a la mayoría del clero, que se limitaba a aprenderlos y a recitarlos de memoria. He aquí la lista (incompleta ciertamente):

MIGUEL DE SANTANDER, O.F.M.C., *Sermones panegíricos* (Madrid 1801).

J. TRONCOSO, *Biblioteca completa de oratoria sagrada*, 12 tomos en 6 vols. (Madrid 1844-47).

FÉLIX LÁZARO GARCÍA, *Biblioteca predicable*, 24 vols. (Madrid 1846-51); *Año predicable, o sea, Biblioteca de predicadores para uso de párrocos*, 6 vols. (Madrid 1847); *Tesoro de predicadores ilustres*, 15 vols. (Madrid 1851-52).

SAN ANTONIO MARÍA CLARET, *Sermones de misión* (Barcelona 1857); *Colección de pláticas dominicales* (Barcelona 1858); *Copiosa y variada colección de selectos panegíricos*, 11 vols. (Barcelona 1860); *Pláticas doctrinales* (Barcelona 1868).

P. RAMÓN BOLDÚ NOGUÉS, O.F.M. (bajo su dirección): *Tesoro de oratoria sagrada*, 6 vols. (Barcelona 1859-60); *Tesoro de panegíricos*, 4 vols. (Barcelona 1862-63); *Tesoro mariano*, 7 vols. (Barcelona 1880-85); *Año pastoral: pláticas catequísticas*, 4 vols. (Barcelona 1869).

JUAN GONZÁLEZ, canónigo de Valladolid, carmelita exclaustrado, *Colección de sermones*, 10 vols. (Madrid 1866-67); *Sermón sobre las siete palabras* (Madrid 1872); *Sermón sobre las tres coronas de la mujer católica* (Madrid 1877); *Sermones*, 3 vols. (Valladolid 1878); *Sermones doctrinales* (Valladolid 1878).

ANTOLÍN MONESCILLO, *Colecciones de sermones...*, 6 vols. (Jaén 1868-1874).

I. INFANTE MACÍAS, *Sermones...*, 4 vols. (Madrid 1871).

EMILIO MORENO, *Biblioteca predicable*, 11 vols. (Madrid 1877).

JUAN PLANAS, O.P., *Virgo praedicanda* (Gerona 1869); *Jesucristo predicado*, 2 vols. (Barcelona 1877); *El cura en el púlpito*, 3 vols. (Barcelona 1877); *El catequista orador*, 2 vols. (Barcelona 1879); *El misionero apostólico* (Barcelona 1887).

L. CALPENA, *Antología de oratoria sagrada*, 4 tomos (Madrid s.f.); *Sermones de Semana Santa* (Madrid 1902); *Jesucristo Rey. Homilías y sermones* (Madrid 1902).

DOMINGO TORRES LAGUNA, *La voz del púlpito, revista dedicada al clero* (Huesca 1901-10).

JUAN ALBIZU, *Homilías parroquiales*, 2 vols. (Pamplona 1917); *Sermones parroquiales* (Pamplona 1919).

ALFONSO TORRES, S.I., *Lecciones sacras*, 9 vols. (Madrid 1973). Como indica su nombre, tienen otro estilo y gran contenido.

c) **Escritos devocionales**

Son innumerables. No podemos enumerarlos. Las novenas, triduos, prácticas devocionales...; por escrito, a misterios, advocaciones marianas, santos... constituyen un verdadero aluvión. Sería curioso coleccionarlos, no por su valor intrínseco, que es casi nulo, sino como dato para sopesar la piedad popular que suponen y, a su vez, alimentan. Además, muchas, o algunas ediciones de otras, habrán desaparecido del todo, dada su pequeñez material y el repetido uso de muchos de sus ejemplares. Siempre es pidiendo gracias, por supuesto, aunque con sentido teologal, pues siempre se añade: «Si nos conviene». Recordemos también las hojas de *goigs* catalanes y valencianos, de los cuales ya se han hecho varios recuentos, siempre incompletos, y nuevas reediciones de algunos. En el resto de España, *gozos;* se utilizaron mucho menos.

Como no disponemos de espacio para ofrecer aquí una lista (por supuesto, incompletísima) de estos libros devocionales, me remito a mi libro citado: *La espiritualidad en el siglo XIX español* p.114-18. Solamente cito aquí, por su importancia excepcional, los siguientes:

ANÓNIMO, *Devocionario manual.* En 1881 llevaba ocho ediciones, con 232.000 ejemplares. En este mismo año se hace otra, notablemente aumentada.

CLARET, SAN ANTONIO MARÍA, *Camino recto y seguro para llegar al cielo* (1.ª ed. en catalán, 1843; 1.ª ed. en castellano, 1846). Docenas de ediciones, con millones de ejemplares.

MACH, J., S.I., *Ancora de salvación* (1.ª ed. 1854). Luego otras muchas. Con el *Camino recto...,* del P. Claret, fue el devocionario que millonariamente avivó la piedad de nuestro pueblo.

MANJÓN, A., *Visitas al Santísimo* (Madrid 1913) (Libro muy valioso).

MARTÍN, M., *Ejercicio cotidiano de diferentes oraciones* (París 1826).

SARDÁ Y SALVANY, F., *Mes del Sagrado Corazón de Jesús* (Barcelona 1880); *Devoto novenario* (Asunción); *Devoto octavario* (Belén); *Mes de marzo; Mes de mayo; Mes de junio; Mes de octubre; Mes de noviembre; Novena al Espíritu Santo; Novena a la Inmaculada.* (Las obras de Sardá, muy valiosas.)

TORRAS Y BAGES, J., *Mes del Sagrado Corazón de Jesús* (Barcelona 1886). (Muy valioso y doctrinal.)

VILARIÑO, R., S.I., *Caminos de vida* (Bilbao). Sus *devocionarios,* serios y más litúrgicos ya. Así, *El caballero cristiano* (1.ª ed. Bilbao 1920), etc.

d) **De divulgación piadosa**

En realidad, este apartado apenas se distingue del anterior. Al menos es difícil situar algunos libros en uno o en otro. Dentro del mismo, hacemos subdivisiones según temas y destinatarios de los mismos: 1) Generalidades. 2) Eucaristía. 3) Sagrado Corazón. 4) Santísima Virgen. 5) Ejercicios espirituales. 6) Para sacerdotes. 7) Para religiosos.

Pero tengo de nuevo que remitir al catálogo publicado en mi libro antes recordado (p.119-30).

Anoto, sin embargo, aquí unos pocos títulos de lo más significativo o que completan aquel elenco.

GARZÓN, F. de Paula., S.I., *Meditaciones espirituales* (Madrid 1900).

LUCAS DE SAN JOSÉ, O.C.D., *Confidencias a un joven* (Barcelona 1914); *Desde mi celda* (Barcelona 1914); *La santidad en el claustro* (Barcelona 1920); *Nada te turbe* (Barcelona 1915); *El espíritu del crucifijo,* 2 vols. (Barcelona 1923); *Palabras del crucifijo* (Barcelona 1928).

MANRIQUE, Ramón F. O.S.B., *Diario del alma en presencia de Dios* (Madrid 1815).

OSSÓ, E., *El cuarto de hora de oración* (Barcelona, 1.ª ed. 1874). Más de 50 ediciones. Un verdadero *best seller.*

SÁNCHEZ VARELA, C., obispo de Plasencia, *Católica infancia* (Barcelona 1845).

SANZ Y ALDAZ, J. M., *Caminos del amor* (l.1 Barcelona 1915; l.2 ibid., 1922).

JACINTO VERDAGUER, Sería injusto no anotar aquí la poesía religiosa de Verdaguer. Por ej., sus *Idil.lis i cants mistics* (1878); *La somni de sant Joan* (1882), etc. Otros muchos poetas podrían citarse. Pero sería demasiado largo el recuento.

MARTÍNEZ VÉLEZ, Dámaso, O.S.A., *Caminos del amor* (Madrid 1926).

MATAMOROS, Narciso, O.F.M., *Tesoro de consideraciones* (sobre el Sdo. Corazón) (Sevilla 1829).

MARTÍNEZ SÁEZ, Joaquín María, O.F.M.C., *El Universo hallado en las delicias de la Eucaristía* (La Habana 1866); *Tesoros del amor virginal* (sobre el Cor. de María) (La

Habana 1866); *La escuela del amor* (sobre el Sdo. Corazón) (La Habana 1867). Los títulos son bien representativos de la época romántica.

TELLADO, Buenaventura, O.F.M., *Nuevo manojito de flores en tres ramilletes* (Madrid 1805).

VALLE, F. Javiera del, *Decenario al Espíritu Santo* (Salamanca 1932).

VIVES Y TUTÓ, J. C., cardenal, numerosos libros de divulgación en latín y castellano (véanse enunciados en las p.481-500 de su biografía por A. M. de Barcelona, O.F.M.C.).

GOMÁ Y TOMÁS, I. card., *La eucaristía y la vida cristiana*, 2 vols. (Barcelona 1922).

GONZÁLEZ, M., obispo de Palencia, *Libritos eucarísticos...* (Muchas ediciones.)

GOMÁ Y TOMÁS, I. card., *La mediación de la Virgen y la misión del sacerdote...* (Barcelona 1929); *María Santísima* (Toledo 1940).

SORAZU, Angeles, concepc., *Opúsculos marianos* (Valladolid 1929).

CASANOVAS, I., S.I., *Biblioteca d'Exercisis*, 11 vols. (1930-36).

GONZÁLEZ, M., obispo de Palencia, *Lo que puede un cura hoy* (Huelva 1910).

MACH, J., S.I., *El tesoro del sacerdote* (1861).

TORRAS Y BAGES, J., *El clero en la vida social moderna.*

RAFELBUÑOL, JOSÉ de, O.F.M.C., *Instrucción de un novicio capuchino...* (Valencia 1783; 1795; 1826).

No podemos menos de elogiar a los grandes apóstoles que tanto fomentaron la piedad con su pluma durante este período. Fueron publicistas sencillos, de divulgación; pero, por eso mismo, beneméritos cien por cien. Su finalidad inmediata era llegar al pueblo, como los misioneros, con su palabra. Hicieron mucho bien. Queden de nuevo consignados aquí los nombres más preclaros: P. Claret, M. Ferrer, P. Mach, P. Butiñá. E. de Ossó, Gras y Granollers, F. Sardá y Salvany, J. Torras y Bages, P. Vilariño, M. González... (La impresionante relación de los escritos del P. Claret puede verse en las p.132-38 de la edición de sus *Escritos autobiográficos...*)

Acerca de la literatura espiritual para sacerdotes, quede constancia aquí de lo siguiente: aunque no estrictamente espirituales, hicieron mucho bien, en general, a los sacerdotes y les orientaron: la obra del bernardo exclaustrado Atilano Melguizo, *Honra y gloria del clero español*, 2 tomos (Madrid, 1843); *El arte pastoral*, del también exclaustrado C. J. Planas, O.P. (Barcelona 1860). Y, más tarde, la revista de ciencias eclesiásticas *El Consultor de los Párrocos* (Madrid 1876ss), del infatigable apologista D. Miguel Sánchez. Luego, en torno al 1900, surgirán otras muchas publicaciones periódicas que ayudarán al clero, como la *Revista Eclesiástica*, de Silos; *Sal Terrae*, de Comillas; *Ilustración del Clero*, de los claretianos en Madrid; *Reseña Eclesiástica*, de Barcelona; *El Buen Pastor*, de Barcelona, etc.

e) **Experimentales**

Relativamente, tenemos pocos documentos. Y, fuera de algunas excepciones —ya las relataremos al hablar de sus vidas y enseñanzas—, no de gran originalidad ni penetración. En bastantes biografías de siervos de Dios se insertan fragmentos de cartas o notas espirituales de los mismos. De momento anoto aquí los escritos siguientes:

AMIGÓ, L., O.F.M.C., obispo de Segorbe, *Autobiografía* (Valencia 1944).

ANGELA DE LA CRUZ, *Escritos íntimos* (Madrid 1974). Muy interesante.

ANÓNIMO, *Noche oscura de un alma escogida* (Barcelona 1920).

CALVO, A. (Serafinillo), *Cartas.*

CLARET, SAN ANTONIO MARÍA, *Escritos autobiográficos y espirituales* (Madrid 1959). Muy interesante.

FILOMENA, MARÍA DEL PATROCINIO, franc. concep., *Autobiografía* (Madrid 1925).

HANICH, W., S.I., *Epistolario del P. Juan Marcelo Valdivieso:* Arch. Hist. S.I. [1971] 91-146.

MARÍA ESPERANZA DE SAN RAFAEL, clar., *Autobiografía* (Bilbao 1941).

MORENO, Bto. E., *Cartas espirituales*, 2 vols. (Madrid 1914 y 1917).

RAFAEL ARNAIZ BARÓN, cist., *Vida y escritos* (Madrid 1966).

SANTA JOAQUINA DE VEDRUNA, *Espistolario familiar:* Analecta Sacra Tarraconensia [1964] 139ss; 1965, 93-107.

SANTA MARÍA MICAELA DEL SACRAMENTO, *Cartas*, 4 vols. (Barcelona s.f.); *Autobiografía, mercedes, penitencias* (inédito aún).

SORAZU, ANGELES, concep., *Mi historia* (autobiografía) (Valladolid 1929); *Itinerario místico* (cartas), 3 vols. (Madrid 1942, 1952, 1958); *La vida espiritual* (Madrid 1956). Sumamente interesante.

f) Trabajos especulativos y científicos

AGUILLÓ LÓPEZ DE T., J., *Teología ascético-mística* (Barcelona 1903).

AICARDO, J. M., *Comentario a las constituciones de la Compañía de Jesús*, 6 vols. (Madrid 1919-32).

ANÓNIMO, *Las criaturas. Grandioso tratado del hombre* (Barcelona 1854). Es una adaptación de la *Teología natural,* de Sibiuda (Sabunde).

ARAMENDÍA, J., C.M.F., *Mística mariana:* Vida Sobrenatural (1934-35); *Las oraciones afectivas y los grandes maestros espirituales de nuestro siglo de oro:* Monte Carmelo (1934-35).

ARINTERO GONZÁLEZ, J., O.P., *La evolución mística* (Salamanca 1908); *Grados de oración* (Salamanca 1916); *Cuestiones místicas* (Salamanca 1916); *El Cantar de los Cantares* (Salamanca 1919); *La verdadera mística tradicional* (Salamanca 1925); *Las escalas del amor* (Salamanca 1926).

AURELIANO DEL SANTÍSIMO SACRAMENTO, O.C.D., *Manuale cursus Vitae Spiritualis* (Alwaye [3]1950).

AUX, M., O.M., *Compendio de la teología mística* (Quito 1857).

CATALÁ, J., O.F.M., *Nociones elementales de teología mística* (Barcelona 1903).

CRISÓGONO DE JESÚS SACRAMENTADO, O.C.D., *San Juan de la Cruz; su obra científica y su obra literaria,* 2 vols. (Avila 1929); *La escuela mística carmelitana* (Avila 1930); *Compendio de ascética y mística* (Avila 1933).

EUSEBIO DEL NIÑO JESÚS, O.C.D., *Santa Teresa y el espiritualismo,* 2 vols. (Burgos 1928).

GUERNICA, J., O.F.M., *Introducción a la mística franciscana* (Buenos Aires 1925).

GUTIÉRREZ, M., O.S.A., *El misticismo ortodoxo en sus relaciones con la filosofía* (Valladolid 1856).

MAURA, J., *Santa Teresa y la crítica racionalista* (Palma 1883).

MENÉNDEZ PELAYO, M., *La mística española,* ed. de Sainz Rodríguez (Madrid 1956).

MONASTERIO, I., O.S.A., *Místicos agustinos españoles,* 2 vols. (El Escorial 1929).

NAVAL, F., C.M.F., *Curso de ascética y mística* (Madrid 1914); *Theologiae asceticae et mysticae cursus* (1925).

NEBREDA, E., C.M.F., *De oratione secundum Divum Augustinum* (Bilbao 1922).

SAINZ RODRÍGUEZ, P., *Introducción al estudio de la literatura mística en España* (Madrid 1927).

SEISDEDOS, J., S.I., *Estudios sobre las obras de Santa Teresa* (Madrid 1886); *Principios fundamentales de la mística,* 5 vols. (Madrid 1913-19).

SUBIRANA, J., *Perfección cristiana y discernimiento de espíritus.*

TARRAGÓ, S.I., *La contemplación.*

VIVES Y TUTÓ, J. C., card., *Compendium theologiae asceticae-mysticae* (Barcelona 1886).

W. DEL SANTÍSIMO SACRAMENTO, O.C.D. *Fisinomía de un doctor* (San Juan de la Cruz), 2 vols. (Salamanca 1913).

g) Estudios históricos

Sobre esto no decimos nada. Desde Menéndez Pelayo se inicia un movimiento en este sentido, que lentamente se fue robusteciendo. Importó ediciones más cuidadas, algunas casi críticas, de algunos grandes escritores de siglos anteriores, con estudios en torno a los mismos. Se van haciendo también calas en el humus espiritual de la España antigua, medieval y del XVI, etc. Varias revistas cultivan con especialidad esta veta de nuestra gran cultura. Pero es después de 1936 cuando los estudios históricos están floreciendo con esplendidez.

h) Traducciones

Los *Años cristianos* del P. P. de Rivadeneira, S.I., y el del P. J. Croisset, S.I., sobre todo, que había sido traducido por el P. Isla (el último tomo, por el P. J. B. Castellot) en el siglo anterior y editado por primera vez en Salamanca en 12 volúmenes, 1753-73. Ahora, en el siglo XIX, se reedita este último muchas veces: 1833, 1846, 1852, 1856... También se editan vidas sueltas del mismo con novenas y gozos de los santos respectivos. La lectura de esas «vidas» aún alimentó mucho la fe y la piedad de bastantes familias cristianas. Al hablar de *Años cristianos* no podemos olvidar el valioso de J. L. Villanueva, 19 vols. (Madrid 1791-1829); ni la compilación de Eduardo María Vilarraza, *La leyenda de oro*, 4 vols. (Barcelona 1896-1897).

Se traduce principalmente del francés; algo también del italiano y de alguna otra lengua. Por ejemplo: *Documentos para tranquilizar las almas timoratas en sus dudas*, C. J. Quadrupani. Traducidos por B. Cavalle, O.F.M. (Madrid 1884).

Así, las *Glorias de María*, de San Alfonso María de Ligorio, se traducen ya en el siglo XVIII, viviendo aún el Santo, por A. Arqués y Jóver, O.M. Pero en el siglo XIX se reiteran las traducciones y ediciones (por ejemplo, la de R. García, S.I., Madrid 1866). Igualmente se multiplican las de sus *Visitas al Santísimo*, y menos otras obras, como la *Práctica del amor a Jesucristo*, etc.

También se leyó bastante *El tesoro escondido de la santa misa*, de San Leonardo de Puerto Mauricio, O.F.M. (trad. Barcelona 1881). Otras pequeñas obras del mismo se tradujeron después. *Las finezas de Jesús sacramentado*, de J. J. de Santa Teresa, O.C.D. italiano, se tradujeron en 1775 por I. Rosende, pero fueron muy leídas en el siglo XIX.

Las obras de E. M. Dubois para seminaristas y sacerdotes se tradujeron pronto. Ya en 1840 aparece en Madrid, vertida al castellano por M. Lara, su *Práctica del celo eclesiástico*.

De tema mariano es también el *Anuncio de María*, de Menghi D'Awille, que se tradujo por Magín Ferrer, O.M., y que fue muy leído a lo largo del siglo. (El mismo traductor hizo del francés la del *Kempis con breve ejercicio del cristiano*, Barcelona 1841.)

José María Lasso de la Vega, O.F.M. († 1863), célebre apologista (los «sartenazos» contra Clararrosa, etc.), discursos y sermones, traduce *El interior de Jesús y María,* del P. Grou, S.I., 2 tomos (Cádiz 1853). La obra célebre del P. Fáber *Todo por Jesús* se traduce pronto del inglés (Madrid 1866). Se reedita luego varias veces y se traducen más adelante otras obras suyas. Sabido es el impacto del *Todo por Jesús* en Miguel de Unamuno. También *La vida interior,* de J. Tissot, se traduce y edita a finales de siglo. Monseñor Gay, D. Chautard, Sauvé, D. Marmión..., igualmente, entonces, o después, etc. La avalancha de traducciones, sobre todo del francés, es imponente desde finales del XIX y en lo que corre del XX. Mucho bien han hecho muchos de esos libros. Pero son una muestra, a la vez, de la debilidad de la producción autóctona, cuyo vacío venía a llenar.

Saludemos, por su influencia preciosa y única, a la *Historia de un alma,* de Santa Teresa del Niño Jesús. La primera edición española apareció en 1910, en Barcelona. Después se han hecho otras varias en varios lugares. También han producido gran impacto los *Recuerdos,* de Isabel de la Santísima Trinidad, traducidos por el Carmelo de Betoño (Alava) en 1928 por primera vez.

i) **Revistas**

Sólo indico las que más sirvieron para la vida piadosa de nuestro pueblo.

Desde 1852 a 1915 (de 1852 a 1868 en Sevilla, después en Madrid) lanza L. Carbonero y Sol († 1902) su revista *La Cruz,* que fue importantísima, casi oficiosa del episcopado a veces, tradicional, romanísima. Trató mucho de temas espirituales, sobre todo a propósito de santos y escritores célebres.

Prescindo de las revistas apologéticas y religiosas en general (muchas directa o indirectamente contribuyeron a levantar el espíritu piadosa y apostólicamente, como la *Revista Católica,* de Barcelona; la *Revista Popular,* de Sardá y Salvany; la *Lectura Popular,* de Claravana, en Orihuela; la *Hormiga de Oro,* de Barcelona, etc.) y de las *hojas parroquiales* que se publicaron en muchas diócesis e hicieron mucho bien. Y damos algunos títulos de las revistillas más sembradoras de piedad y devoción. Casi todas son de poco fuste. Pero fueron como la hierba sencilla y humilde que sostiene la tierra en las montañas y evita los calveros en las mismas.

La primera archibenemérita, *El Mensajero del Sagrado Corazón,* que comienza en 1866, en Barcelona, para continuar luego en Bilbao; *Revista Franciscana* (1873), del P. Boldú, O.F.M.), *El Promotor de la Devoción a la Sagrada Familia* (Palencia 1876). En 1872 aparece la *Revista Teresiana,* de Ossó (Barcelona). En 1881, *El Congregante* (para jóvenes), de D. M. Domingo y Sol. *San Juan de la Cruz,* en Segovia (1890, de breve existencia). *El Boletín de Silos* (1888). Los carmelitas descalzos de Burgos lanzan en 1900 *El Monte Carmelo,* que fue haciéndose de más altura con el tiempo. *Boletín del Santo Nombre de Jesús* (Barcelona, hasta 1936). *Vida cristiana* (Barcelona 1915-1929); *La Paraula cristiana* (Barcelona 1927-1936), etc.

Más específicamente de espiritualidad fueron *La Vida Sobrenatural*, del santo P. Arintero, en Salamanca (1921). Y *Manresa*, de los PP. Jesuitas, mas restringida en general al tema de los ejercicios (1924).

Y amontonemos nombres (todas son de la primera mitad del siglo XX): *El Adaliz Seráfico* (O.F.M.C.), *El Iris de Paz* (C.M.F.), *La Merced* (mercedar.), *Ecos del Carmelo y Praga* (Burgos) y *El Mensajero de Santa Teresa* (Madrid, C.D.), *Hechos y Dichos* y *De broma y de veras* (S.I.), *El Santo Trisagio* (de los trinitarios). La difundidísima de D. Manuel González, el fundador de las Marías; *El Granito de Arena* (1907). Muy de antes, el órgano de la Adoración Nocturna: *La Lámpara del Santuario*. El *Santo Rosario* (Vergara, O.P.), *El reinado Social del Sagrado Corazón* (Madrid, PP. Picpus). Para seminaristas: *El Correo Josefino*, en Tortosa, de mosén Sol; *El Mensajero de María, Reina de los Corazones* (Totana, O.F.M.C.); *La Medalla Milagrosa* (Madrid, PP. Paúles); *El Perpetuo Socorro* (Madrid, PP. Redentoristas); *La Estrella del Mar* (congregaciones marianas, S.I.); *El Pilar*, de Zaragoza, etc.

Una palabra sobre las revistas misionales. Se multiplican en el siglo XX: *El Siglo de las Misiones, Illuminare, Misiones Franciscanas, Misiones Dominicanas, El Misionero* (C.M.F.), *La Obra Máxima* (C.D.), etc.

2. CREACIONES

La vitalidad de la Iglesia y sus frutos de santidad, virtudes y apostolado fueron, ya se ha repetido varias veces, abundosas. Vamos a estudiarlo más despacio.

1. Cofradías piadosas

Como primer indicio de esa piedad digamos algo sobre estas asociaciones piadosas. Subsisten numerosas antiguas; generalmente, muy rutinariamente. Así, en casi todas las parroquias hay cofradías del Santísimo Sacramento en forma de *Minerva* , con sus cultos mensuales un domingo; también suele haber la de la *Vera Cruz*, que apenas si tiene vida más que en los días de Semana Santa y en las defunciones de algún cofrade; la del *Rosario;* en las ciudades suele haber la de *Piedad y Caridad*, para asistencia de los ajusticiados y para proporcionar sepultura a los pobres o cosas parecidas. En Andalucía, sobre todo, las *cofradías* llamadas *penitenciales*, con cultos a sus cristos y vírgenes, principalmente en Cuaresma y Semana Santa. Luego las cofradías a vírgenes y santos, de carácter patronal; muchas de ellas restos de los antiguos gremios, y que prácticamente sólo consisten en algún culto anual y sus correspondientes diversiones profanas.

Siguen existiendo las *órdenes terceras*, que sufren un rudo golpe con la supresión de los religiosos. Muchos exclaustrados continúan animando a los grupos que pueden, y hasta a base de los mismos se fundan, a veces, nuevos institutos religiosos. En ocasiones, esos grupos salvan algunas de las antiguas iglesias de su orden respectiva. También las célebres *escuelas de Cristo* permanecen en algunas poblaciones, pero languideciendo y desapareciendo. Pero se crean numerosas asociaciones nuevas, que responden a los nuevos gustos devocionales del momento. Enumeremos las más importantes.

Hay algunas (pocas) cofradías de la *Santísima Trinidad*. Pero se extiende mucho, sobre todo por tierras levantinas y andaluzas (menos por el Norte y Castilla), la práctica del *trisagio*. Lo fomentan los capuchinos (Beato Diego de Cádiz) y San Antonio María Claret: «Para atajar estos tres males (descatolización, república anticristiana, comunismo) me dio a conocer que se habían de aplicar tres devociones: el trisagio, el Santísimo Sacramento y el rosario» [14]; varias congregaciones lo rezan diariamente, como las Adoratrices de la M. Sacramento, etc.

Las *asociaciones eucarísticas,* de nuevo cuño, son ahora varias y eficaces. Muchas de ellas, como las de otros títulos que diremos después, son de origen francés. En el siglo XIX, Francia es un manantial abundoso de inquietudes e iniciativas pastorales.

En España, el *culto eucarístico* era espléndido por tradición secular. El siglo XIX aún conservó esa herencia a pesar de todos los pesares. Las fiestas del Corpus seguían siendo fastuosas. Las *cofradías* antiguas, promocionadas por D.ª Teresa Enríquez, «la loca del Sacramento», existían prácticamente en todas las parroquias, aunque vegetando rutinariamente en muchos casos. En otras funcionaban bajo la forma de las llamadas de la «Minerva» (por su origen, en el siglo XVI, en la iglesia de la Minerva, de los dominicos de Roma). También los cultos de las Cuarenta Horas. Cofradías eucarísticas de nuevo cuño habían ido apareciendo recientemente también; así, por ejemplo, la *Congregación del Alumbrado y Vela Perpetua al Santísimo Sacramento,* de Madrid (1789), del lego carmelita Jerónimo de San Eliseo, muy protegida por los reyes Carlos IV y Fernando VII.

Ya en nuestro tiempo surgen nuevas asociaciones para fomentar el culto de la eucaristía. Digo el *culto* refiriéndome, más que nada, a la reserva eucarística. Pero hay que observar que estas nuevas agrupaciones se abren más y más también hacia la práctica de la comunión y van valorando más y más la misa.

La primera, importada desde luego de Francia, fue la *Adoración Nocturna* de hombres, que se difundió mucho e hizo un bien inmenso a sus asociados (las secciones de *Tarsicios,* para niños, tuvieron menos importancia; más la tuvo, ya en el siglo XX, la *Cruzada Eucarística,* para los mismos, filial del *Apostolado de la Oración).* La Adoración Nocturna se inaugura en noviembre de 1877 con siete adoradores en la iglesia de San Antonio del Prado (hoy desaparecida), de Madrid. Su expansión

---

[14] En *Escritos autobiográficos* p.384 y 869.

luego fue, como digo, enorme. Más recientemente (Valencia 1925...) se fundaron también secciones para mujeres, pero siempre fueron menos importantes y menos numerosas.

Para fomentar la comunión se había ideado, desde 1854, una asociación de coros de treinta personas que se comprometían a comulgar un día del mes cada uno. El fundador fue un librero granadino, José María Zamora, y la obra llegó a contar en 1870 con 216.000 asociados.

El P. Juan de Guernica, O.F.M.C. († 1950), es el autor de la *Archicofradía de los Jueves Eucarísticos* (Vigo 1907; luego el centro se puso en Zaragoza). Los socios comulgan de doce en doce en recuerdo de la institución de la eucaristía.

Luego nos encontramos con la figura extraordinaria bajo muchos aspectos (sacerdotal, catequístico, pastoral, eucarístico...) de D. Manuel González (*Sevilla 1877; † Madrid 1940), «el obispo del sagrario abandonado». Funda la *Obra de las Tres Marías* y de los *Discípulos de San Juan* (1910), los *Niños Reparadores* (1912) y el instituto de las Hermanas Nazarenas (1921). Con estas obras, su revista *El Granito de Arena*, sus numerosos libros y folletos, su predicación y su vida..., provocó un intenso movimiento eucarístico, principalmente de reparación y compañía al Santísimo Sacramento, pero a la par de comuniones y misas, cada vez más teológico y litúrgico (se nota este proceso en los escritos, chispeantes y ungidos a la vez, del prelado). Las marías se extendieron rápidamente, como el fuego en un cañaveral, en España y fuera de ella. En su momento álgido llegan a contar con dos millones de asociadas. Y no solamente se dedican al culto, sino que, aparte del cultivo espiritual de ellas mismas, muy notable y serio en general, hacen un gran apostolado de catequesis, de visitas de pueblos al recorrer sus sagrarios, de propaganda, etc. Algunos centros son particularmente activos, como el de Madrid, bastante independiente de la Pía Unión General, y que animó muchos años el santo P. J. María Rubio, S.I. (*Dalías 1864; † Aranjuez 1929). Durante unos años (pongamos de 1915 a 1925) puede decirse que las marías fue la gran obra seglar de más ruido y presencia en la España católica de entonces (no quiero decir con esto que fuera la más importante).

El gran obispo de Oviedo, sociólogo eminente, D. J. Bautista Luis Pérez, autor de unas sustanciosas *Meditaciones eucarísticas* († 1934), ayuda a la fundación de las Jerónimas de la Adoración (1931) y a la obra de Juana Carau: la *Adoración Perpetua...*

Las visitas al Santísimo Sacramento se recomiendan mucho por los autores y directores espirituales. Y para facilitarlas se escriben muchos libros: las de San Alfonso María de Ligorio, traducidas y editadas muchas veces; las de D. Andrés Manjón, etc.

Como se puede suponer, dado ese clima eucarístico, varios institutos religiosos tendrán como centro la eucaristía. Así, las *Adoratrices Esclavas del Santísimo Sacramento y de la Caridad,* de Santa María Micaela del Santísimo Sacramento. Ella funda también el primer taller de ornamentos para ayudar a las iglesias pobres (Madrid 1858). Después se multiplican por todas partes. Igualmente son adoradoras del Santísimo Sacramento, entre otras, las *Esclavas del Sagrado Corazón*, de Santa María Rafaela del Sagrado Corazón; las *Celadoras del Culto Eucarístico*, de D. Miguel Maura; las *Misioneras del Santísimo Sacramento y María Inmaculada*, de la M. María de Jesús (Riquelme); las *Esclavas de la Santísima Eucaristía y de la Madre de Dios*, de la M. Trinidad del Purísimo Corazón de María, etc.

Como sucesos extraordinarios del culto eucarístico tenemos los *congresos eucarísticos* (también iniciativa francesa). En 1911 tuvo lugar el internacional de Madrid, que hizo un gran impacto y removió a grandes sectores del catolicismo español (hasta creaciones, como el periódico *El Debate*, nacieron de allí). Y, aparte los numerosos diocesanos, comarcales, parroquiales, tuvieron lugar grandes congresos nacionales (con secciones y actos cultuales, doctrinales, artísticos...): Valencia, 1893; Lugo, 1896; Toledo, 1926; después del 36: Granada, 1957; Zaragoza, 1961; León, 1964; Sevilla, 1968; Valencia, 1972 [15].

Asociaciones en honor del Sagrado Corazón de Jesús

Si hubiera que poner en lo alto del mástil de esta época una devoción típica, ésta es, sin género de duda, la del Corazón de Jesús. Desde 1850 a 1950 es la reina de las devociones. Sus inicios en España tienen lugar en Valladolid a principios del siglo XVIII. El foco místico que anima el P. Juan de Loyola es el gran propagador de la misma. Los nombres de los PP. Cardaveraz, Hoyos, Calatayud, Peñalosa, Mendiburu, Jiménez... son muy conocidos.

La lista de las congregaciones que se fundan a lo largo del XIX y XX bajo el nombre del Sagrado Corazón se hace fastidiosa por lo larga: Esclavas de Santa Rafaela, Terciarias de los Sagrados Corazones, de Antequera; Misioneros de los Sagrados Corazones, de Mallorca; Siervas del Sagrado Corazón, de Vich; Operarias Misioneras del Sagrado Corazón de Jesús, del P. L. de Clairac; Damas Apostólicas del Sagrado Corazón, de L. Casanova; Operarios Diocesanos, de mosén Sol; Esclavas concepcionistas del Sagrado Corazón, del cardenal Espínola; Hospitalarias del Sagrado Corazón, del P. B. Menni; Hermanas Misioneras de los Sagrados Corazones, de M. Lladó, etc.

Las asociaciones piadosas para los fieles en torno a la misma fueron numerosas. En 1826 se fundaba, bajo los auspicios de Fernando VII, la *Real Congregación del Sacratísmo Corazón de Jesús*, en el Real Monasterio de las Salesas de Madrid. Pero las más extendidas han sido la *Guardia de Honor* y el *Apostolado de la Oración*.

La primera fue importada en España por las religiosas de la Visitación (Salesas), y el que la hizo florecer fue el P. Isidoro Hidalgo, S.I. († 1912), en Madrid. Luego la dirigiría con gran acierto el P. Rubio, S.I.

Pero la más importante fue el *Apostolado de la Oración*. De origen jesuítico francés (J. Gautrelet y P. E. Ramière, S.I.), entra en seguida en España; se habla ya en 1858 de la parroquia de *Los Palacios* (Sevilla).

---

[15] Cf. *Crónicas* de los congresos. Y el volumen *España eucarística* (Salamanca 1952).

Pero fue en Barcelona donde se implanta con fuerza, gracias principalmente al futuro obispo de allí mismo, D. José Morgades († 1901). En 1866, él empieza a publicar *El Mensajero del Corazón de Jesús,* remedo del de Francia. Pero al ser nombrado en 1883 obispo de Vich hubo de renunciar a la dirección nacional de la obra y de la revista, que pasan a la Compañía de Jesús en Bilbao. El desarrollo de ambos fue desde entonces enorme, y llega a ser fabuloso en el siglo XX. Célebres son los trabajos del P. Julio Alarcón († 1924) al frente de estas obras; pero, sobre todo, desde 1901 hasta su muerte en 1939, la dirección del extraordinario P. Remigio Vilariño, que anima la obra, la revista (y otras que él funda), las campañas que promueve, los libros que escribe y edita, los calendarios... Todo ágil, multitudinario... Un propagandista del bien como pocos lo han sido en nuestra Patria. El Apostolado de la Oración ha celebrado, recordémoslo también, varios congresos nacionales: 1920, 1930 (en Madrid), 1944 (en Barcelona).

Como indicaba antes, las entronizaciones, las consagraciones, los monumentos (célebre el de Bilbao) en honor del Corazón de Jesús..., de familias, de entidades religiosas y civiles, de pueblos y ciudades, se multiplican por toda España, sobre todo en el siglo XX, principalmente en lo que va de 1919 a 1931. Las campañas de entronización del célebre P. Mateo Crawley encontraron en España enorme resonancia. En 1919 tuvo lugar, el 31 de mayo, la inauguración del monumento nacional del Cerro de los Angeles, con la presencia del rey D. Alfonso XIII, que leyó allí el acto de consagración de España al Corazón de Jesús. Un gesto significativo y valiente, que podrá ser tildado hoy de triunfalista y sin contenido, pero que no dejaba de ser religioso y expresivo de la fe de una gran parte de los españoles. ¿Era un reto a la vez? Así lo pensaron no pocos, y la respuesta tuvo lugar en 1936 al destruirlo bárbaramente. De hecho, el monumento del Cerro fue un símbolo de amor y de odio para cada una de las dos Españas.

Cuando San Juan Bosco visitó Barcelona en 1886, aceptó el obsequio que le hicieron de la cumbre del Tibidabo para levantar allí un templo-monumento al Corazón divino que dominara la ciudad condal. Los salesianos se hicieron cargo de ello. Pero las obras se realizaron muy lentamente. Su completa inauguración, acompañada de un congreso internacional de estudios, no pudo lograrse hasta 1961.

También el arzobispo de Valladolid, R. Gandásegui, erige la iglesia de San Esteban, de aquella ciudad, en Santuario Nacional de la Gran Promesa (al P. Hoyos) en 1933 [16].

Para ser completos en torno a Jesucristo hay que registrar la práctica frecuentísima que se hace del *viacrucis,* que venía del siglo anterior. Y la devoción al *amor misericordioso,* de la cual se hizo portavoz el P. Arintero, y que fue discutida después de su muerte. Pero la M. Esperanza Alhama funda en Madrid, en 1930, sus *Esclavas del Amor Misericordioso,*

---

[16] E. URIARTE. *Principios del reinado del C. de J. en España* (Bilbao 1912). Y *Memorias* de los Congresos aludidos.

que han conseguido clamoroso ambiente en Italia (rama sacerdotal, santuario, peregrinación...).

Asociaciones marianas

La devoción y las «devociones» a la Virgen revisten matices y maneras especiales en este tiempo. Y, desde luego, no desmerecen en intensidad de los anteriores. Al contrario. La declaración dogmática del misterio de su inmaculada concepción en 1854 hizo vibrar al pueblo español. Documentos episcopales, cultos, entusiasmo... Las advocaciones marianas: *Inmaculada, Dolores* (la Virgen «carlista» de los liberales por haberla proclamado aquéllos su Patrona), *Soledad* (la «Paloma», de Madrid), *Divina Pastora,* de los capuchinos, *Merced, Carmen, Pilar,* de Zaragoza; *Montserrat,* etc. Santuarios y advocaciones regionales, como algunas de las ya citadas, y Covadonga, Desamparados, Guadalupe, Begoña, Reyes, Angustias, Rocío..., polarizan a las multitudes. Las peregrinaciones a Lourdes. El uso de *escapularios* (Carmen, azul, Dolorosa...). Se introducen nuevos títulos y advocaciones marianas, que adquieren gran audiencia. Así, la *medalla de la Milagrosa,* difundida por los PP. Paúles y las Hijas de la Caridad (parece que el primero que la da aquí a conocer es D. Manuel Martínez Sanz, fundador de las Siervas de María). Los misioneros del Sagrado Corazón propagan la de *Nuestra Señora del Sagrado Corazón.* Y los redentoristas, la del *Perpetuo Socorro.*

Sin embargo, la práctica devocional mariana por antonomasia del siglo XIX y primera mitad del XX es la del *rosario.* Los grandes apóstoles del siglo (Claret, Coll, Tarín...) la fomentan. Rosarios en los cultos vespertinos, rosarios de la aurora, rosario en familia, rosario perpetuo... Las cofradías del rosario por doquiera.

Más prácticas devocionales marianas de entonces: la de las *Mil Avemarías,* del 30 de noviembre al 24 de diciembre (cada día 40). Las *Jornadas,* del 16 al 24 del último. Todo ello preparatorio del clima de Navidad. Las *Tres Avemarías* diarias, devoción propagada principalmente por los capuchinos.

Otra devoción muy extendida desde mediados del XIX es la del *mes de mayo.* Es de origen italiano y jesuítico. Del siglo XVIII. Se publican a centenares. El P. Canal, C.M.F., calcula en esos dos siglos unos 500, con más de 1000 ediciones. El más célebre fue el del P. A. Muzzarelli, S.I. (Roma 1785). En España se escriben muchos también: D. Enrique de Ossó, D. Félix Sardá y Salvany (el más conocido), etc.

Luego, las *asociaciones marianas.* La celebérrima fue la de las *Hijas de María.* También de origen italiano. Es difícil precisar sus inicios. Así como en España. Van surgiendo por unas u otras parroquias, en unos u otros colegios, con unos u otros matices. Pero a finales de un siglo y comienzos del otro está establecida en la mayoría de las ciudades y parroquias de España. Fue la asociación que cultivó principalmente, e iba a decir exclusivamente, a nuestra juventud femenina, haciéndole un bien inmenso: a cada cual lo suyo. Uno de los principales promotores de la misma fue el santo D. Enrique de Ossó. El funda en 1873, en

Tortosa, su *Archicofradía de Hijas de María y Santa Teresa de Jesús,* con carácter no sólo piadoso, sino apostólico a la vez. Se propagaron mucho, sobre todo por Cataluña y Valencia.

Después hay que recordar también la *devoción* y la *Cofradía del Corazón de María.* Esa devoción es francesa. En España hay una cofradía con este nombre en Madrid (1824). Luego surge en 1836 la celebérrima de París (en Nuestra Señora de las Victorias, por C. L. Dufriche-Degenettes). Y las que había fundadas o se van fundando en España se van agregando a aquélla. Sobre todo a partir de 1844, que por real orden (13 septiembre) se autoriza su establecimiento y agregación a la del monasterio de la Encarnación, de Madrid. En este año se traduce el *Manual* de la Archicofradía (Málaga). En 1845 y 1846, los *Anales* (Bilbao). Desde 1847 se constituye en entusiasta fomentador el P. Claret, que las funda en sus misiones, edita la *cédula* de agregación (a la que une el pertenecer a la *Sociedad de María contra la Blasfemia,* de los jesuitas de Roma); en 1847 publica también su *Breve noticia...* sobre la Archicofradía. Y, finalmente, en 1849 fundará sus *Misioneros Hijos del Inmaculado Corazón de María...*

Más asociaciones: la *Corte de María.* La crea en Madrid el hermano Ramón García Leal, S.I. († Poyanne 1876). El la dirigió hasta 1857. Se extendió muchísimo. En 1859 se erige por Pío IX en archicofradía. En 1865 tenía 17.000 coros, de 31 personas cada uno. Los socios tenían que visitar una imagen distinta de la Virgen cada día, según tocaba por papeletas. Surgió del mes de mayo. Quizá a algunos de nuestro tiempo estas prácticas parezcan ingenuas y hasta triviales. Pero Dios es el que juzga la fe y devoción de los corazones. Y, sin duda, de algunas de nuestras devociones se sonreirán los del siglo XXI...

Manuel María García y Navarro († Valbonne 1903), sacerdote y músico, funda en Valencia, en 1863, la *Asociación de la Felicitación Sabatina,* que Pío IX elevó a «primaria». Se encargaba de celebrar los cultos del sábado en honor de la Virgen, que en un escrito así titulado: *Felicitación sabatina,* había publicado y difundido a raíz de la proclamación del dogma de la Inmaculada. En 1871 entró cartujo. Y dato curioso: Pío IX le regaló el solideo usado por él el día 8 de diciembre de 1854.

Todavía hay que registrar la fundación en 1862, en Lérida, de la *Academia Mariana* por el santo sacerdote José Escolá y Cugat († Lérida 1884), en colaboración con José Mensa y Font y Luis Roca y Florejachs. Su finalidad: fomentar estudios y piedad marianos. Certámenes anuales, publicaciones, etc. Aún subsiste.

En el siglo XX se difunde la *Esclavitud Mariana,* de antecedentes españolísimos, pero revitalizada más tarde por San Luis María Grignon de Monfort. El trío de los que la promueven en España fueron: el P. Leonardo de Bañeras († 1918) O.F.M.C.; D. José Bau († 1932) y el P. Nazario Pérez, S.I. († 1952), todos santos varones. Se fundan, con muy limitados alcances, los *Sacerdotes de María* y la *Archicofradía de María Reina de los Corazones;* ésta desde Totana.

También recordemos las asambleas marianas de Covadonga, Vitoria,

Murcia..., y, sobre todo, el Congreso Monfortiano de Barcelona, de 1918. Más los grandes Congresos Marianos de Zaragoza (1908) e Hispano-Americano de Sevilla (1929).

Nada digo aquí de las congregaciones religiosas que se fundan en España bajo el nombre de misterios y advocaciones de la Virgen. Son casi innumerables.

Sólo añadamos, para terminar, que desde la segunda mitad del siglo pasado hasta hoy se suceden las coronaciones canónicas de imágenes de la Virgen. La primera fue la de Montserrat, en 1889. Luego, durante algunas temporadas de paz (1923-30 y después de la guerra de 1936-39), se multiplican. Durante otras se enrarecen (así, en los años de la república, de 1931-36, sólo tienen lugar dos: la de la Salud, de Mallorca, y la de Sonsoles, de Avila). Gestos triunfalistas, se dirá. Pero casi siempre enormemente populares. La devoción a María, Virgen y Madre, ha sensibilizado inmensamente la piedad de los tiempos modernos. Habrá habido exageraciones de expresión unas veces y culto con sabor supersticioso otras (menos esto cada vez, más antes). Pero en conjunto esta devoción ha sido positiva, ha sostenido la fe, ha llevado a muchos al Señor...

Una nota curiosa y simpática: G. Sánchez Rubio, obispo de Osma, es el primero que pide a Roma la declaración del misterio de la Asunción de María; luego, la reina Isabel II, inducida, sin duda, por el P. Claret, en 1863 hace llegar al papa su súplica en favor de lo mismo [17].

Sagrada Familia y San José

Son devociones ahora muy cultivadas. Entre nosotros, el P. José Mañanet es figura destacada en ello. Funda los *Hijos de la Sagrada Familia* y las *Hijas de la Santa Casa de Nazaret*, y a él deben el nombre las *Religiosas de la Sagrada Familia*, de Urgel. Y él y sus hijos son los que promueven la construcción del templo de la Sagrada Familia, comenzado en Barcelona en 1882 y aún inacabado. Como es sabido, constituye la obra cumbre del inmortal arquitecto Gaudí.

En Palencia se empieza a publicar en 1876 una humilde revista: *El promotor de la devoción a la Sagrada Familia*, todavía existente, y que por los pueblos de Castilla sobre todo avivó el fuego de la devoción incansablemente. Así como fueron muy populares las capillitas circulares de la *visita domiciliaria* con la imagen de la misma, que después se copiaron con otras imágenes y advocaciones.

La M. Petra de San José logra inaugurar en 1895 el *santuario de San José de la Montaña*, en Barcelona. Fue centro de peregrinaciones, no sin tener que padecer y que someterse a precisiones por parte de la autoridad eclesiástica a fin de evitar supersticiones y peligros.

Por otra parte, el P. Bach, oratoriano de Vich, y D. Manuel Do-

---

[17] E. LLAMAS, *Mariología* (épocas moderna y actual), en *Dic. de hist. ecl. de España*, III (Madrid 1973) 1422-25.

mingo y Sol pondrán sus colegios de vocaciones sacerdotales bajo el patronato de San José.

Para ser completos, añadamos que J. M. Bocanegra y Verdaguer, junto con el P. M. Rodríguez, mercedario, fundan en Barcelona la *Asociación Josefina* (1866), con su revistilla: *El propagador de la devoción a San José.* También D. Enrique de Ossó crea en 1876 la *Hermandad Josefina,* para hombres.

Recordemos que la devoción a los *siete domingos* a San José, el *mes de marzo* dedicado al mismo, etc., fueron apreciadísimos del clero y gente devota. Se escriben numerosos libros para orientar esas prácticas. P. Mach, M. Martínez Sanz, P. Butiñá, J. Lucas González, E. de Ossó... Hasta hubo sus exageraciones. Así, fue condenada la obrita, de José Domingo M. Corbató Chillida, *El inmaculado San José* (1907).

De otras devociones que vienen también de antiguo y que continúan en este tiempo, nada especial hay que decir. Así la de *las ánimas del purgatorio* aún se mantiene con toda su fuerza y con las acostumbradas fórmulas de expresión. El mismo ambiente romántico las mantuvo a su aire. Sin que hubiese creaciones nuevas en este sector de la piedad cristiana.

Así como la devoción a los *santos* patronos y a los protectores de problemas y enfermedades. Un San Antonio de Padua, por ejemplo, sigue siendo bastante universal. Bajo su nombre se crea la obra benéfica *El pan de los pobres,* con su respectiva revistilla (Bilbao). Es curiosa la devoción del siglo XIX a Santa Filomena. Los liberales la llamaron la santa «carlista», y llegaron a deportar en 1842 al obispo de Menorca, Fr. J. Antonio Díaz Merino, por haber introducido su rezo en la diócesis. La M. Sacramento, la M. Paula Delpuig de San Luis, etc., le profesaron gran devoción, como en Francia el Santo Cura de Ars.

2. Asociaciones de formación y apostolado

Son el producto más genuino del momento. La necesidad de dar una formación más a propósito a los católicos, al menos a los más selectos y deseosos, y la urgencia de defender, por una parte, y propagar, por otra, los intereses cristianos, las hizo aparecer y desarrollarse. Claro, su fisonomía es a veces borrosa, en el sentido de que sus fines se mistifican frecuentemente: cultivan la piedad; son, en ocasiones, benéficas, sociales; hasta tienen algunos ribetes políticos... Por eso no es fácil su clasificación. En cuanto al estilo nuevo de organización, la obra más pionera son las *Conferencias de San Vicente de Paúl.* Pero su carácter claramente benéfico hace que la remitamos al apartado correspondiente.

Aquí y ahora podemos registrar la *Asociación de Católicos,* que se organiza en 1869 (el marqués de Viluma al frente) para intentar principalmente mantener la unidad católica en aquellos momentos difíciles. Logró sensibilizar a varios millones de católicos. Su reglamentación se inspiró en la de las Conferencias de San Vicente y tuvo centros en varias ciudades. Pero no subsistió mucho tiempo.

Podíamos aquí volver a recordar a la *Unión Católica,* de D. Alejandro y D. Luis Pidal y Mon. Aparece en 1881. Y era preponderantemente política. Pero con un marcado sentido social y hasta religioso. El episcopado la apoyó casi unánimemente, deseoso de acabar con las banderías, cada vez más furiosas entre los católicos. Pero los tiempos no estaban maduros para ello. La mayoría del clero le hizo una ruda oposición. A la sombra, sin embargo, del movimiento que ella suscita surgieron los *congresos católicos,* que, aunque aparentemente fracasados también, no dejaron de ser una revisión de fuerzas y una siembra de inquietudes ante mil problemas de apostolado, y, por tanto, con repercusión en la vida toda espiritual de la nación. Baste saber que por ellos desfilaron como ponentes las figuras más importantes y creadoras del catolicismo español. Tuvieron lugar en Madrid, 1889; Zaragoza, 1890; Sevilla, 1892; Tarragona, 1894; Burgos, 1899, y Santiago, 1902 [18].

Más estrictamente formativas y apostólicas son las diversas agrupaciones de *juventud católica* que a partir de 1871 comienzan a existir. Con sus academias de estudio, con sus apostolados, con sus cultos. Así, los *Luises,* que animan los jesuitas en sus colegios y otros eclesiásticos, como mosén Sol en Tortosa. Varias otras instituciones crean obras parecidas, como los franciscanos sus *juventudes antonianas,* etc.

En 1894 aparece la primera *Junta Central de Acción Católica,* que preside el marqués de Comillas, D. Claudio López Bru. Esta Junta evolucionó de mil modos, ampliando su campo de acción, desglosando sectores del mismo, conexionando otros... Los cardenales de Toledo y la junta de metropolitanos después fueron dando diversos reglamentos y estructuras a esta Acción Católica. Obras sociales obreras, Acción Católica de la Mujer, Juventudes católicas, Padres de Familia, Maestros Católicos, Estudiantes Católicos, hermandades profesionales, obras de propaganda de la prensa católica, obras de enseñanza, Cruzada de la Decencia, orientación de la mujer, etc., van apareciendo, sobre todo a lo largo del siglo XX, más o menos en relación con esos organismos centrales, hasta llegar a la estructuración de los años treinta y tantos. No que entonces la Acción Católica oficial lo absorbiera todo. Pero sí que catalizó en gran parte todos esos movimientos apostólicos de los seglares. En esa última hora nos encontramos también con la *Federació de Joves Cristians de Catalunya,* que animó A. Bonet, y que agrupó miles de jóvenes entusiastas, así como la Juventud de Acción Católica en general por el resto de España [19].

Y saludemos en esta misma línea a la benemérita, ágil y moderna *Asociación Católica Nacional de Propagandistas,* del P. A. Ayala, S.I. (1908),

---

[18] Sobre estos avatares, cf. B. DE ECHALAR, O.F.M.C., nota en su traducción de la *Historia,* de F. Mourret, 9 (Madrid 1927) 637-38; R. G.-Villoslada, *Historia...* IV (Madrid 1963) 568-74; C. MARTÍ, *Congresos católicos,* en *Dic. de hist. ecl. de España* I (Madrid 1972) 604-605; J. M. CUENCA TORIBIO, *Integrismo:* ibid., II (Madrid 1972) 1203-1206; B. URIGÜEN, *Nocedal C. y Nocedal R.:* ibid., III (Madrid 1973) 1775-80; R. SANZ DE DIEGO, *Una aclaración sobre los orígenes del integrismo: la peregrinación de 1883:* Estud. Ecles. (1977) 91-122.
[19] A. BONET, *Acción Católica,* en *Dic. de hist. ecl. de España* I (Madrid 1972) 2-5.

que tantos hombres e iniciativas lanzó a actuar en todos los campos del apostolado seglar: prensa *(El Debate,* la Editorial Católica...), acción social, política, etc. [20]

3. Obras de propaganda

En realidad, más o menos, lo son todas. Todo contribuye a la evangelización. Pero agrupemos aquí las que más directa y sencillamente sirven y contribuyen a la proclamación amplia (y en algunos casos profunda a la vez) del mensaje cristiano.

a) Y volvamos a recordar la *predicación,* que fue el recurso más utilizado, como es lógico. Acerca de los *sermones* (digamos) *de circunstancias,* ya hemos hablado: hubo mucho, y mucho de ello, más bien, sin sustancia. En la hora de las grandes crisis de guerras, calamidades públicas, etcétera, toman muchas veces un tono apocalíptico, «profético» y politizado, que fuera de su ambiente nos choca y molesta [21].

Demos algunos nombres de oradores sagrados célebres: Vicente Manterola, de Vitoria, célebre en el Parlamento de 1869; Arbolí, y Roca y Ponsa, de Sevilla; Luis Calpena, de Madrid; Ludovico de los Sagrados Corazones y Salvador de la Madre de Dios, carmelitas descalzos; los agustinos Tomás Cámara, obispo de Salamanca, y Zacarías Martínez, arzobispo de Santiago; Luis Urbano, O.P.; Alfonso Torres, S.I.; P. Laburu, S.I., etc.

Las *misiones populares* fueron medio extraordinario y abundantísimo de recristianización en esta época. La temática y el estilo ya nos son conocidos. Pero los frutos fueron inmensos. Frenaron en mucho el proceso de incredulidad y paganización que las circunstancias fueron produciendo. Y el tono se fue también suavizando con el tiempo, sin dejar de ser fuerte en general. La misma devoción al Sagrado Corazón, que los misioneros jesuitas principalmente propagan, influyó mucho en ello.

Se distinguieron como corporaciones particularmente misioneras los jesuitas, capuchinos, paúles, cordimarianos, redentoristas (vienen en 1864) y pasionistas (llegan en 1880). Pero hubo también nombres gloriosos de otras órdenes: franciscanos, dominicos...

Comienza el siglo XIX con la muerte del Beato Diego José de Cádiz († 1801), el colosal capuchino, que pertenece propiamente al siglo anterior. El preparó, en cierto modo, al pueblo español para la francesada. La figura central es luego el P. Claret († 1870). Fue el apóstol, primero, de Cataluña y Canarias; luego, de Cuba durante su arzobispado, y después, de España entera, aprovechando su misión de confesor de la reina, de las estancias y viajes de la misma. Sus sermones impresos prolongan en algo —sólo en algo— su siembra evangelizadora, y sobre todo sus misioneros cordimarianos, que él funda con enorme ilusión para esa tarea principalísimamente en Vich el año 1849.

---

[20] J. L. GUTIÉRREZ, *Asociación Cat. Nac. de Propagandistas,* en *Dic. de hist. ecl. de España* I (Madrid 1972) 144-47.

[21] R. MARTÍNEZ ALBIACH, *Religiosidad hispánica...* a.c.

Después enumeremos, entre los principales, a los franciscanos del convento de Escornalbou (Tarragona), que hasta la exclaustración de 1836 misionan mucho y fuerte por Cataluña. Entre los capuchinos, a Miguel de Santander, misionero y escritor notable y valioso, pero que se vio implicado con buena voluntad, como obispo auxiliar de Zaragoza, en la tragedia de aquella ciudad cuando la guerra de la Independencia. Muere por ello marginado en 1831. Al P. Salvador Joaquín de Sevilla († 1830); al P. Juan Evangelista de Utrera († 1833) y al P. Esteban, de Andoaín († 1880), hombre carismático e impresionante que misiona varias naciones americanas durante la exclaustración y termina sus días en Sanlúcar de Barrameda, iniciada ya la restauración capuchina en España. Es un hombre de primera magnitud.

De los jesuitas anotemos: José Mach († 1885), Francisco Cabrera († 1886), Juan Bautista Morote († 1891), Juan Conde († 1899), Nicolás Rodríguez († 1900, en Colombia), Ignacio Santos († 1908), Tiburcio Arnáiz, un segundo P. Tarín, de quien en seguida hablaremos; trabaja principalmente por Málaga, donde muere rodeado de multitudes en 1926; Julián Curiel († 1930), Luis G. Navarro († 1948), Julián Souto, etcétera. El egregio misionero jesuita del siglo y uno de los más grandes de toda la historia de las misiones entre fieles fue el P. Francisco de Paula Tarín. Misiona principalmente Andalucía y la Mancha. El éxito de sus correrías y empresas fue inmenso. Y su vida y actividad, extraordinarias. Muere en Sevilla, en 1910, rodeado de deslumbrante fama de santidad.

Más nombres: el del Bto. Francisco Coll, O.P., fundador de las Dominicas de la Anunciata y émulo de Claret por tierras catalanas († 1875); José Xifré († 1899) y Mariano Avellana († 1904)..., entre los cordimarianos o claretianos. Ya en el siglo XX, fue famoso e infatigable el P. Ramón Sarabia, redentorista, etc.

Habría que decir algo de la predicación especializada de los *ejercicios espirituales*. Únicamente que hasta 1936 fue quehacer pastoral casi exclusivo de los jesuitas (Eduardo Carasa, José Mach, Jose Irisarri, José María Rubio, etc.). Y se fueron propagando cada vez más, y llegando también a los seglares más sensibilizados y comprometidos. Se crean casas ex profeso para facilitar su práctica. Y hasta instituciones para ayudarla; así, las *Misioneras Seculares*, de D. Rufino Albalde, y las *Esclavas de Cristo Rey*, de D. Pedro Legaría. En Cataluña, por la segunda década del siglo XX, aparece un gran movimiento de ejercicios de signo parroquial, debido al entonces jesuita P. Francisco de Paula Vallet, que funda después, para dedicarse a ellos, la obra de los *Cooperadores Parroquiales*.

b) Otra palanca poderosísima de propaganda religiosa y espiritual fue la *prensa*. Es la gran arma propagandística del siglo XIX. Ya hemos dado el elenco de lo más importante que se publicó entonces. El incansable P. Claret fundó en Madrid, en 1858, la *Academia de San Miguel*, que reunía a escritores y artistas para que se dedicaran a la propaganda escrita. Prácticamente desapareció en 1868. No debió de adquirir demasiada importancia. También fomentó mucho el Santo las *bibliotecas popu-*

lares y parroquiales. Y con su ya antes celebrada *Librería Religiosa,* de Barcelona, inundó España de libros, folletos, hojas, estampas, etc. De otras entidades, como de la editorial *Apostolado de la Prensa,* ya se hizo mención. El *Día de la Prensa,* que se celebró muchos años en nuestro siglo (el 29 de junio), animado por el P. Dueso, C.M.F., contribuyó a alertar a los católicos en favor de la misma.

c) Y para ser completos en lo posible, digamos una palabra acerca de las *peregrinaciones,* muy promovidas en 1875. Son un medio de propaganda y se afervora a los que participan en ellas. Se empiezan a organizar también masivamente a Roma, ya que los medios de comunicación permiten hacerlo. Fue famosa la llamada de Santa Teresa, en 1876. Pero hubo en ella su tanto de política. Y, por lo mismo, fracasó la que se proyectó para 1882 por los nocedales. Pero se multiplicaron desde entonces mucho a santuarios marianos; a Avila y Alba (preparadas por el teresianísimo P. Ossó); a Lourdes, a Roma, por diócesis o archidiócesis... Celebérrima la peregrinación nacional obrera a Roma, de abril de 1894, para agradecer a León XIII la *Rerum novarum:* 18.000 peregrinos, casi todos hombres y más de la mitad de ellos obreros. Fue un verdadero acontecimiento internacional. También empiezan las peregrinaciones a Tierra Santa, como la de Bilbao, de 1904, y otras preparadas por los franciscanos, etc.

4. Catequesis y obras catequísticas

La catequesis se practicaba según los modos rutinarios de los tiempos precedentes. Pero no faltaba su cultivo. Este se hacía principalmente en la familia (más que por los sacerdotes y escuelas). No olvidemos este dato significativo e importante. Para ello no faltaban buenos catecismos. Para memorizar se seguían utilizando, en el área lingüística castellana, los clásicos Ripalda y Astete. Hubo ediciones comentadas, como la de P. B. Herrero (Madrid 1842). Y traducciones de los de Montpellier (Madrid 1840), Fleuri, etc. En Cataluña se manejó bastante a comienzos de siglo el *catecismo* del obispo de Solsona Rafael Lasala, O.S.A., publicado en 1803 (antes, 1791; ediciones en Cervera del *Catecismo mayor* y *del menor).* En toda la zona valenciana, el catecismo casi exclusivo desde 1740 (primera edición) hasta 1930 fue el de Fr. Pedro Vives, O.F.M. (más o menos retocado). Para lectura y explicaciones más amplias aparece el *Catecismo explicado,* de Santiago José García Mazo († Valladolid 1849), del que ya hemos dicho algo antes. Su primera edición, en 1837. Después, numerosas veces editado. En la zona castellana fue el gran libro de formación cristiana del siglo XIX. Y no sin razón. La seguridad doctrinal, la claridad de exposición, el estilo terso y ungido, le pusieron en las manos de todas las personas medianamente cultas de su tiempo.

Nuevos catecismos populares y más adaptados a la sensibilidad mental del siglo aparecen a lo largo del mismo. Por ejemplo, el del arzobispo de Tarragona José Costa y Borrás († 1864): *Catecismo de la doctrina cristiana* (1858; 1.ª edición bilingüe, en catalán y en castellano). Y antes, el también muy célebre de San Antonio María de Claret (1849, en catalán, y 1850, en castellano por primera vez). Iba acompañado de láminas. Claret trabajó denodadamente antes y en el concilio Vaticano I por la redacción e implantación de un catecismo único para toda la Iglesia, sin resultado. El cardenal de Santiago M. García Cuesta publicó también el *Catecismo para uso del pueblo*, el *Catecismo sobre el protestantismo* (más de 300.000 ejemplares) y el *Catecismo apologético*.

Como nuevas aportaciones posteriores tenemos la publicación del *Catecismo* de San Pío X, 1912, en tres grados, que se manejó bastante en España.

No es nuestro cometido hacer aquí la historia de la *catequesis* en el siglo XIX español. Unicamente anotemos los nombres de algunos grandes catequistas de ese tiempo. Generalmente fueron hombres de gran espíritu y santidad de vida, con los cuales ya nos encontramos y nos hemos de encontrar después.

Don Enrique de Ossó y Cervelló († Gilet [Valencia] 1896), gran catequista, fundador de la Compañía de Santa Teresa y entre cuyas obras figura *Guía práctica del catequista* (1872). Es una obra notabilísima, la primera en España de pedagogía catequística. El P. Manuel Urrutia, S.I. (1850-1914), que hizo famosas sus catequesis de Salamanca y Santiago. D. Domingo Rodríguez Muñoz († 1914), fundador de la *Revista Catequística* (Valladolid 1910-36), la primera en su género en España. La extraordinaria personalidad bajo muchos aspectos de D. Andrés Manjón († 1923). Había que citar todos sus libros, en especial *El catequista* (1915). Y su obra de renombre internacional de las *Escuelas del Ave María*. Luego a D. José Samsó, arcipreste de Mataró († 1936, mártir), y a D. Manuel Alonso Pindado, párroco de Perlora, Asturias († 1936, mártir). Al P. R. Ruiz Amado, S.I. († 1934), benemérito en todos los capítulos de la pedagogía religiosa teórica y práctica. Al colosal D. Manuel González, obispo de Málaga y Palencia († 1940), y a su colaborador D. Manuel Siurot († 1940). A D. Práxedes Alonso († Zaragoza 1956), autor de un tratado de *pedagogía catequística* (Zaragoza 1942) y fundador de la revista *Educación cristiana* (Zaragoza 1929-56). Al también importantísimo D. Daniel Llorente Federico, obispo de Segovia († 1971), autor de numerosas obras catequísticas; en especial, del *Tratado elemental de pedagogía catequística* (Valladolid; 1.ª ed. 1928), que fue el excelente manual de formación de varias generaciones de catequistas. Y ya más en nuestros días, a D. Juan Tusquets, competentísimo y sabio educador, que publicó, entre otros trabajos, su *Pedagogía de la religión* (Barcelona 1935) y editó la revista *Orientación Catequística* (Barcelona 1929-57). A. D. Francisco Esteban († 1955), «párroco de Cardeñosa» (Avila), autor de numerosos libros catequísticos y fundador de *Nuestra Revista*. Y, finalmente, *Los puntos de Catecismo* (para adultos), muy reeditados, del P. Remigio Vilariño Ugarte, S.I. († 1939). Ni olvidemos la *Gran obra de Atocha*, en La Coruña, de D. Baltasar Pardal († 1963), y las magníficas catequesis de la parroquia de San Nicolás, de Bilbao. Véase *Lo que puede y debe ser un Catecismo* (Bilbao 1939). Añádase el manual del P. D. Domínguez, S.I., *Formación catequística de los seminaristas* (Santander 1931).

Desde la encíclica *Acerbo nimis,* de San Pío X, en 1905, el movimiento catequístico se aceleró por todas partes. Y las iniciativas. Fundaciones, publicaciones, revisiones de métodos y prácticas pedagógicas aplicadas a la enseñanza catequística y formación religiosa cristiana en general se multiplican por doquier. Quede todo ello para la historia de este tema.

Baste recordar que ya desde el siglo XIX se crean muchos institutos religiosos para la enseñanza y que en el XX aumentan más y más. Todos ellos dan preferencia, como es lógico (eran para eso), a la enseñanza y formación religiosa.

También el esfuerzo de sacerdotes y seglares en catequesis de adultos, y sobre todo infantiles (en escuelas y parroquias), fue en esa primera parte del XX notabilísimo. En todas las diócesis se fueron creando *secretariados catequísticos, escuelas de catequistas, días del catecismo,* pequeñas publicaciones, semanas, cursillos, etc.

Todo ello culmina con los *Congresos Catequísticos Nacionales:* de Valladolid, 1913; Granada, 1926; Zaragoza, 1930; Valencia, 1950.

5. Obras de enseñanza general

Este apartado ha de ser muy breve, porque aunque la enseñanza y formación generales de niños y jóvenes sea transcendental para su vida espiritual, sin embargo, desborda demasiado nuestro tema especial. De la formación clerical y de los religiosos nada añadimos.

En España, los «enseñantes», o sea, las instituciones dedicadas a colegios, se reducían, entre los varones, a los *escolapios,* que, mejor o peor, pudieron sostenerse a lo largo del siglo. Los jesuitas estuvieron a todas horas proscritos, de suerte que apenas pudieron funcionar sus colegios hasta después de 1875.

Colegios para las jóvenes apenas existen hasta mediados de siglo. Es verdad que había algunas antiguas fundaciones para «doncellas» y que la *Compañía de María,* desde 1650, y las *Salesas* desde el siglo XVIII, tenían ya algunas pocas casas en España. Pero es hacia 1850 cuando empiezan a establecerse aquí institutos franceses de enseñanza (Sagrada Familia, de Burdeos; Sagrado Corazón, Jesús-María...). Entonces también (1851) se exige a las monjas de clausura poner enseñanza. Algunas lo hicieron, como las concepcionistas de la M. Patrocinio.

Ya de antes habían comenzado las fundaciones de origen español. La primera (enseñanza y beneficencia), las *Carmelitas de la Caridad,* de Santa Joaquina de Vedruna (1826). Luego, muchas, la mayoría con poca difusión. Las más importantes son la *Compañía de Santa Teresa,* de D. Enrique de Ossó (1876); *Las Esclavas del Sagrado Corazón,* de Santa Rafaela (1877), etc.

Otras notas: los Hermanos de las Escuelas Cristianas entran en España en 1878 (Madrid). Los *salesianos,* en 1881 (Utrera). Los *maristas,* en 1887 (Gerona). Los *Marianistas,* en el mismo año 1887 (San Sebastián), etc. En España todos florecen multitudinariamente.

Fuera de estos institutos religiosos, hay que registrar también las «academias» de estudio de asociaciones, congregaciones, etc. La curiosa *Escuela de la Virtud,* del P. Palau y Quer, O.C.D., que de 1851 a 1854 funcionó en Barcelona[22]. El proyecto de *estudios católicos,* especie de universidad libre, hecho por la *Asociación de Católicos* en 1871. Por razones económicas, entre otras, fracasó. Luego subrayemos el *Colegio de El Escorial,* de 1875, por los PP. Agustinos; generoso intento de discreta apertura[23]. En 1893 se creará allí mismo la llamada Universidad de María Cristina. En 1886, los jesuitas erigen en *Deusto* sus estudios de Derecho y Letras, y en 1908, en Madrid, los de ingeniería y técnicas[24]. Pero ninguno de estos centros pudo conseguir el reconocimiento oficial; el monopolio estatal era dogma intocable en la praxis del liberalismo, por más incongruente que ello sea.

Don Andrés Manjón. En 1889 comenzó sus *Escuelas del Ave María,* en Granada. Aquel cántabro adusto y tajante, pero santo y pedagogo cien por cien, se entregó a los niños pobres, y, como por instinto, fue aplicando métodos activos y humanísimos, que educaron y cristianizaron a miles de niños. Enseñar jugando, practicando, orando, cantando, deporteando... No es tanto la originalidad (la escuela activa se iba ensayando de unas u otras maneras en todas partes) cuanto la integral formación humana, cristiana y española que D. Andrés supo plasmar en sus escuelas. Funda también un seminario para la formación de maestros[25]. Y a su inspiración surgieron otras escuelas y seminarios parecidos: en Valencia, la *Congregación de Avemarianas,* de D. Miguel Fenollera; en Huelva, las escuelas de D. Manuel González y el seminario de maestros, de Manuel Siurot; en Madrid, la *Institución del Divino Maestro,* etc.

Nos quedan por citar a la *Institución Teresiana,* de D. Pedro Poveda († mártir en 1936). Aparece tímidamente como Academia Teresiana en Oviedo 1911. Y supone un progreso grande en la actualización de la presencia de la mujer en el terreno educacional. Se trata de una sencilla pía unión ágil, sin tener que vivir, al menos como norma general, en comunidad, sin signos exteriores, y, sobre todo, para dedicarse, más que a colegios propios y a residencias, a ocupar ellas mismas puestos oficiales. Las teresianas de Ossó ya apuntaron a todo esto. Ahora las de Poveda avanzaron más.

Y en esa misma línea de actualización, pero con horizontes mucho más amplios, surge en 1928 el *Opus Dei,* de D. José María Escrivá. No es sólo el grupo sacerdotal de la Santa Cruz, sino toda clase de seglares, que en todas las profesiones y trabajos toman viva conciencia de su santificación en el mundo y de su obligación apostólica de cristianizarlo desde sus mismas estructuras. Es tal el volumen que el Opus ha adqui-

---

[22] G. de Jesús Crucificado, *Brasa entre cenizas* (Bilbao 1956).
[23] W. Gómez de Mier, *El colegio del El Escorial: cien años de reformismo (1875-1975):* La Ciudad de Dios (1974) 607-31.
[24] C. Sáenz, *Historia de la Universidad de Deusto (1886-1961)* (Bilbao 1962).
[25] *Obras...* 10 vols. (Alcalá 1945-56): *El pensamiento del A. M.; El maestro mirando hacia adentro; El maestro mirando hacia afuera...* También muy interesante *Diario del P. Manjón* (Madrid 1973).

rido mundialmente en nuestros días, que hay que afirmar que es una de las cuatro grandes aportaciones de España a la catolicidad eclesial (las otras tres son la Orden de Predicadores, la Compañía de Jesús y la espiritualidad teresiano-sanjuanista). No es de extrañar que, como la Compañía en el siglo XVI, el Opus haya encontrado, junto a las adhesiones más entusiastas, las persecuciones más absurdas.

La FAE (Federación de Amigos de la Enseñanza) fue un generoso esfuerzo para aunar ideas y trabajos de los pedagogos católicos (Madrid 1930). Fue obra del marianista P. Domingo Lázaro y del P. Enrique Herrera, S.I. Pero se recogió allí la herencia y la colaboración de un P. Poveda, de un P. Ruiz Amado, S.I.; de un P. F. Restrepo, S.I.; de un P. Teodoro Rodríguez, O.S.A. Fue oportunísima en aquellos momentos difíciles para la enseñanza libre y cristiana.

6. Obras benéficas

La beneficencia había sido tarea casi exclusiva de la Iglesia a lo largo de los siglos. Desde la Edad Media, en España proliferaron las fundaciones piadosas de carácter beneficial: hospitales para enfermos y peregrinos, refugios, dotaciones de doncellas pobres, asilos de huérfanos, limosnas a viudas, colegios «de la doctrina cristiana», etc. Entidades a veces demasiado entecas, hasta el extremo de tener que pensarse en la refundición de varias de ellas. Así se hizo ya, en parte, en tiempos de Felipe II. Y más en los de Carlos III. Los «ilustrados» metieron mano, no sin razón, en este asunto. Había que organizar mejor y más en grande. Pero ello entrañaba un proceso de «secularización» de la beneficencia. Y esto fue ocurriendo. Sin embargo, a lo largo del XIX no dejó de seguir dándose mucha libertad y hasta anarquía. Junto a la iniciativa particular de muchos institutos religiosos que se fundan abundosamente por entonces con fines benéficos y la de algunos particulares que continúan haciendo nuevas obras en este sentido, están las creaciones del Estado y las de diputaciones y ayuntamientos o las de los colegios de profesionales y agrupaciones obreras, que van preocupándose, más cada vez, de atender a las necesidades de sus miembros. Bien es verdad que la dirección y administración de esas entidades suele confiarse, en la inmensa mayoría de los casos, a los religiosos, quedando, por consiguiente, viva y presente la influencia religiosa de la Iglesia.

Tengamos presente que el siglo XIX acentuó la pobreza entre los españoles. El «pauperismo», endémico entre nosotros, se agudiza como efecto de las guerras francesa y carlista, de la pérdida de las colonias, de la desamortización, tan mal hecha; del desorden político y administrativo, etc. El romanticismo, hasta teñido de religiosidad a veces, tuvo, por desgracia, terreno amplio donde poder ejercitar su compasión sensiblera. Y no faltaron por ello soluciones de emergencia, parciales y cortas, pero generosas y hasta heroicas. El problema, sin embargo, no se abordó a fondo: el de una mejor distribución de los medios de producción y de las riquezas, el de haber fomentado mejor la productividad y el progreso. Faltó visión y sobraron prejuicios clasistas. Pero mucho se hizo por muchos hombres y mujeres deseosos y sacrificados. Ellos hicieron lo que supieron y pudieron. Suavizaron y resolvieron muchas necesidades. El conjunto de esos esfuerzos es impresionante. Enumeremos muchas de esas obras, aunque es imposible de momento poder anotarlas todas.

a) *Institutos religiosos.*—Ya hemos hablado de algunos, y otros irán saliendo más adelante. Aquí sólo queremos llamar la atención acerca de la abundancia de estas fundaciones en estas horas difíciles. Son una prueba evidente de la fecundidad inmarcesible de la Iglesia. Porque en esto el siglo XIX es incomparable con ningún otro.

Ahora únicamente registremos la presencia en España de las *Hijas de la Caridad,* de San Vicente de Paúl. Su primera casa fue en 1790, en Barcelona. En 1792 se hacen cargo del hospital de Lérida y de un colegio en Barbastro. En 1793, del hospital de Reus. En 1800 fundan en Madrid, donde en 1803 abren noviciado (sor Manuela Lecina). En 1804, Pamplona, etc. Se fueron manteniendo lánguidamente hasta mediados de siglo. Algunas comunidades dan lugar a la fundación de nuevos institutos religiosos. Y todas ellas quedan con cierta independencia de la casa madre de París y con hábito diferente hasta tiempos muy recientes. Pero desde mediados de siglo crecieron como la espuma, y se hicieron cargo de una cantidad enorme de instituciones benéficas estatales y de entidades oficiales. A finales de siglo se crea una provincia más estrictamente «francesa», que, aunque menos que la «española», también se difundió bastante. Esta anomalía extraña desapareció en nuestros días con una perfecta unificación de ambas ramas.

También conviene observar, para darnos cuenta un poco de la fronda de fundaciones, cómo éstas se multiplican saliendo unas de otras. Por ejemplo: en Valls, el arcipreste Jaime Cessat encarga el hospital a tres hermanas, que adoptan las reglas de las Hermanas de la Caridad, pero que no son tales jurídicamente. La fundación de Zaragoza de las Hermanas de la Caridad de Santa Ana, de Juan Bonal y M. Ráfols, amigo de Jaime Cessat, es algo parecido (allí se fundan también hermanos, que luego desaparecen). La Junta del hospital de Cervera pide hermanas a Valls, de donde van unas cuantas. Hay conatos de unión o federación de unos y otros, pero las Juntas y ayuntamientos de los que dependían no lo consienten. Las Hermanas de la Caridad de Reus (que también lo son a su aire) fundan en Tortosa, que se separa y se convierte en el Instituto de Nuestra Señora de la Consolación (Beata María Rosa Molas). De Cervera sale la M. Ana Janer, y funda en Urgel, con el obispo Caixal, la Congregación de la Sagrada Familia. En 1899, M. Güel hace de las de Cervera el Instituto de Hijas del Corazón de María. Las de Valls se unen en 1881 con las M. Janer. De ellas saldrá después, por obra de la M. Colomina y del P. Mañanet, el Instituto de la Santa Casa de Nazaret. Cuando en 1792 salen de Barcelona las Hijas de la Caridad por exigencias de la Junta, Teresa Cortés, una de ellas, se queda bajo la Junta y funda después las Hijas de la Caridad de la Santa Cruz. Así como el P. José Tous, O.F.M.C., funda las Terciarias Capuchinas de la Divina Pastora, de donde se separarán las Terciarias Franciscanas del mismo nombre (M. María Ana Mogas Fontcuberta). De las Siervas de María salen las Siervas de Jesús, etc. Es una muestra del enrejado de fundaciones que van apareciendo a base de tanteos y de divisiones, inesperadas muchas veces y providenciales a la vez.

b) *Obispos y sacerdotes y seglares limosneros.*—Llamémoslos así. Y ha sido tradicional siempre en la Iglesia, y en concreto en España. Ahora, muchos obispos, a pesar de las estrecheces económicas en que se tuvieron que ir desenvolviendo, no dejaron de ser espléndidamente la providencia de muchos. Así, por citar algunos, el egregio cardenal Pedro Quevedo y Quintano, obispo de Orense († 1818); el de Pamplona, J. Xavier Uriz; el cardenal M. García Gil, O.P., arzobispo de Zaragoza; el santo obispo de Segorbe, Domingo Canubio, O.P., etc.

Entre los seglares emergen una venerable Rafaela Ibarra de Villalonga († 1900), fundadora de las religiosas de los Angeles Custodios, y una Dorotea Chopitea de Villota († 1891), la «limosnera de Dios», de numerosas fundaciones barcelonesas (salesianos...). También el marqués de Comillas, D. Claudio López Bru († 1925), al que se encuentra siempre en medio de casi todas las empresas benéficas y sociales de su tiempo.

c) *Hospitales.*—Ya lo dijimos: la mayoría de los antiguos desaparecen. Pocos resisten. Pero se crean otros por unas u otras entidades civiles. Su administración se confía, a veces, a un patronato, en el que no suele faltar la presencia de algún «eclesiástico». Pero además el personal sanitario se busca casi en su totalidad entre religiosos. Las Hijas de la Caridad y las numerosas congregaciones nuevas que se fundan, y de las cuales ya algo hemos dicho antes, se encargan de ellos. En otras ocasiones son estas mismas congregaciones quienes los fundan y sostienen. La página es gloriosa. Anotemos que los Hermanos de San Juan de Dios se restauran en 1867 en Barcelona por el P. Benito Menni († 1914). Ya en 1862 y en 1866, el general, P. J. M. Alfieri, negociaba la restauración cerca de Isabel II y valiéndose de los buenos oficios del P. Claret. El P. Menni funda, a su vez, las *Hermanas Hospitalarias del Sagrado Corazón* (Ciempozuelos 1877), dedicadas, como aquéllos, principalmente al cuidado de los enfermos mentales y de los niños inválidos: heroico trabajo...

La Ilustración gustó mucho de que se asistiese a los enfermos en su propio domicilio y no en hospitales. Esto, en parte, siempre se había hecho. Hoy las técnicas sanitarias exigen lo contrario. Pero las primeras religiosas que se fundan en la Iglesia con aquella finalidad fueron las *Siervas de María* (Madrid 1851), de D. Miguel Martínez Sanz († 1890) y Santa Soledad Torres y Acosta († 1887), que quedó pronto al frente del grupo inicial. De ellas se derivaron luego (1871), con el mismo fin, las *Siervas de Jesús*, de la M. María Josefa del Sagrado Corazón. En 1871 nacen en Sevilla las *Hermanitas de la Cruz*, obra extraordinaria de D. José Torres Padilla († 1878) y la venerable Angela de la Cruz († 1932). M. Angela y sus hermanitas llenan con su admiración y su fama, con su estilo de pobreza, de austeridad, de abnegación, de entrega incondicional, todos los lugares donde trabajan en favor de los humildes.

En 1909, el P. Carlos Ferris, S.I., funda la *leprosería de Fontilles*. Y hasta la misma *Cruz Roja Española* ha tenido siempre una nota religiosa y hasta marial.

d) *Casas para expósitos y huérfanos.*—Sólo indicarlo. Siempre existieron. Ahora son las diputaciones y otras entidades las que crean sus casas-inclusa o residencias y colegios a propósito. Todos, prácticamente, en manos de religiosas. Algunos fueron fundados por ellas mismas también.

e) *Ancianos.*—De antes había algunos Asilos o casas de misericordia para ellos: pocos e insuficientes. Ahora surgen varias congregaciones religiosas dedicadas y especializadas en este duro y admirable apostolado.

En 1863 vienen a España las *Hermanitas de los Pobres,* de Francia. Y en 1873 se fundan en Barbastro las *Hermanitas de los Ancianos Desamparados,* por obra de D. Saturnino López Novoa († 1905) y de Santa Teresa de Jesús Jornet († 1897); congregación que ha alcanzado una extraordinaria difusión en España y fuera de España. La misma fundadora dejó fundados ¡103! asilos. Con el mismo fin principalmente se fundan en Málaga (y luego en Barcelona definitivamente) las *Hermanas de los Ancianos Desamparados de San José de la Montaña,* por obra de la M. Petra de San José († 1906).

f) *Obras para la instrucción y educación del pueblo pobre.*—Aparte de lo que se hizo en numerosos colegios gratuitos, sobre todo por algunos como los salesianos, las Escuelas del Ave María, de Manjón; la de Huelva, de D. Manuel González, etc., surgieron varias iniciativas para ayudar a ir superando el escandaloso porcentaje de analfabetismo imperante.

Así, la *Asociación Católica de Señoras,* de Madrid (1869), que se dedicó a fundar escuelas gratuitas por Madrid y otras ciudades. Santa María Micaela del Santísimo Sacramento crea en Madrid (1857), con una Junta a propósito de señoras, las *Escuelas Dominicales,* para la instrucción y catequesis de obreras y sirvientas los domingos por la tarde. Hicieron furor por toda España, y mucho bien. Y lánguidamente duraron hasta 1936 o poco más. Hoy serían impensables [26].

A finales del XIX se van abriendo *escuelas y clases nocturnas,* aunque ya de antes algo había habido en este sentido. Los *círculos católicos* de obreros las tuvieron casi todos. También las *escuelas profesionales,* de las que fueron pioneros los salesianos. Después otras congregaciones, y finalmente el Estado, las fueron multiplicando y mejorando, hasta llegar a las universidades laborales de hoy.

g) *La reeducación de los jóvenes.*—Delicado y difícil problema. En lo que se refiere a los jóvenes, de un modo u otro, se hacía en los colegios dedicados a los mismos. Pero la delincuencia juvenil fue creciendo más

---

[26] A. BARRIOS, *Mujer audaz* p.303-09.

y más en el «siglo de las luces» y de los libertinajes. Y se agudizó el problema. Entonces surgieron instituciones a propósito que salieron a su encuentro. Así, D. Francisco de Asís Méndez Casariego († 1924) funda en Madrid, en 1885, el *Asilo de Porta Coeli*, para golfos. Más tarde, el P. José Manuel Aicardo S.I. († 1932), hace otro tanto en Málaga con la *Casa del Niño Jesús*, etc. Pero principalmente tenemos la Congregación de los *Terciarios Capuchinos de la Dolorosa*, que lanza a la vida el P. Luis Amigó, O.F.M.C. (luego obispo de Segorbe; † 1934), en Masamagrell, y que, especializados en estas tareas reeducativas, han extendido sus colegios por toda España.

Para la regeneración de la mujer, tantas veces víctima del egoísmo de los hombres, existían ya *casas de arrepentidas* en algunas ciudades, pero eran simplemente un refugio para las que querían dejar su mala vida. También algo hacían, en plan preventivo, los restos de las fundaciones para dotar doncellas, antes numerosísimas, que aún quedaban después de las desamortizaciones.

La primera que en España se entrega a abrir colegios de reeducación y de formación para chicas caídas o en peligro fue la vizcondesa de Jorbalán, Santa María Micaela del Santísimo Sacramento. El primer colegio se inicia en Madrid, en 1845; queda ella, en definitiva, al frente del mismo en 1850, y deja fundados al morir en Valencia, en 1865, siete, más el *Instituto de Adoratrices Esclavas del Santísimo Sacramento y de la Caridad*, consagradas a este apostolado tan vidrioso. Ellas han multiplicado sus casas por toda España y otras naciones.

La misma Santa dio orientaciones para la fundación de una obra parecida a la suya: la de *Hijas de María Santísima de los Dolores y San Felipe Neri*, que nace en Sevilla, en 1859, por obra del P. Francisco de Jerónimo Tejero, oratoriano († 1909), ayudado de María Dolores Márquez y Oñoro. Su desarrollo ha sido, más bien, reducido.

Más amplio lo ha tenido la Congregación de *Oblatas del Santísimo Redentor*, que comienza en Ciempozuelos, en 1864, por los buenos oficios del P. José Serra, O.S.B., obispo de Daulía († 1886), y de la Venerable M. Antonia de la Misericordia († 1898). Luego hay que añadir a las *Trinitarias*, de D. F. Méndez Casariego, antes citado, siendo cofundadora la M. Mariana de Allsop († 1933) [27]. Mucho más tarde, y a la sombra de las Adoratrices, surgirán las *Esclavas de la Virgen Dolorosa* (1935), para completar de algún modo la tarea de aquéllas. Sus fundadoras fueron la M. María Serreguet y Gallego († 1936, mártir) y D. Manuel Herranz († 1968). Después de nuestro período se originan la *Institución de Nuestra Señora del Amparo* (Madrid 1940), las *Auxiliares del Buen Pastor* (Pamplona 1942), la *Institución de Cristo Abandonado* (Málaga 1947), etc.

No para este estricto apostolado de la regeneración de la mujer, pero tangenciales al mismo, surgen las *Religiosas de los Angeles Custodios* (bastante afín a las obras anteriores, en Bilbao, por obra de la venerable

[27] *Ibid.*, p. 285-393.

D.ª Rafaela de Ibarra († Bilbao 1900). Y más diferentes en la finalidad, las *Hijas de María Inmaculada*, para el servicio doméstico (Madrid 1868), que tienen por madre a Santa Vicenta María López y Vicuña († 1890). La obra en favor de las sirvientas había sido iniciada por su tía D.ª Eulalia Vicuña y ha conseguido bastante expansión.

h) *Religiosas pobres.*—Ya dijimos de la situación precaria en que la desamortización dejó a las religiosas. Sin rentas, con dotes ridículas, con un trabajo mal remunerado..., pasaron hasta hambre. Por eso hubo una obra, debida a la iniciativa inagotable de la futura M. Sacramento, para ayudarlas: una *junta de señoras* (Madrid, 1841), que hizo lo que pudo [28].

Más tarde, en el siglo XX, un seglar, D. Ramón Risco, sostuvo hasta 1936 una obra modesta en Madrid con el mismo fin.

Y hasta hubo una obra, sencilla también, para ayudar a los religiosos y sacerdotes exiliados, con agentes en las ciudades y puertos más importantes de Francia e Italia. La organizó el sacerdote catalán Enrique Margalhan Ferrat.

i) *Obras benéficas de seglares con carácter más general.*—Además de las antiguas, restos de las fundaciones anteriores, que quedaron después más o menos florecientes (más bien menos), como *La Caridad Cristiana*, de Barcelona para visitar y socorrer enfermos, etc., tenemos que hacer mención honorífica de dos muy importantes.

La *Cofradía de la Doctrina Cristiana*, fundada en Madrid, en 1842. Sus constituciones (varias veces reeditadas; conozco la edición de 1902) se aprueban por vez primera en 1846. No nos engañe el título: era ciertamente de finalidad catequética, pero con una amplísima elasticidad. Al enseñar doctrina en los hospitales, asilos, cárceles..., prolongaba luego su actividad a ayudar a todas las necesidades de sus catequizados. Por eso surgieron de ella otras mil iniciativas y hasta fundaciones (como la de la M. Sacramento, la de la M. Oviedo, la de la M. Vicuña...). Hacia el centro del siglo XIX puede decirse que toda la plana mayor del catolicismo militante madrileño, clerical y seglar, pertenece a la misma y allí templa apostólicamente [29].

La otra obra son las célebres *Conferencias de San Vicente de Paúl*. Como es harto sabido, son de origen francés (Ozanán). En España las da a conocer Santiago de Masarnau († 1882). Músico importante, que marcha a Francia en 1823 con su padre, desterrado. Allí forma parte del grupo de Ozanán. Cuando vuelve a España consigue fundar en Madrid (1850) la primera conferencia. Pronto se multiplican. Claret y todos los apóstoles de entonces las protegen y animan. Se crean también de mujeres (la M. Sacramento les echará una mano en varias partes también). Inundan España. E hicieron inmenso bien. El bienio progresista de 1854-56 las persiguió. La «gloriosa» de 1868 las suprimió y se incautó de sus bienes. Hasta se creó el remedio laico de la sociedad de Amigos de los Pobres. Pero reflorecieron luego clamorosamente. Estos datos son elocuentes: hacia 1900 se contabilizaban unas 500 conferen-

---

[28] Ibid., p.379-84.
[29] *Constituciones de la Congregación de la D. C.* (Madrid 1902).

cias de varones, con unos 10.000 socios, y las de mujeres, con más de 13.000 socias. Se visitaban unas 25.000 familias. Ya dijimos que el estilo organizativo de las Conferencias de San Vicente traía un aliento nuevo, más adaptado a la sensibilidad mental y a las maneras de la época. Por eso, en gran parte, el éxito de las mismas y que sirvieran de estímulo para otras organizaciones seglares. Reunión semanal, estudio de problemas, archivo... En cuanto a su espíritu hay que reconocer que estaba, como es natural, condicionado por la ideología práctica del momento: caridad paternalista, socorrismo generoso; pero a la par se abría a perspectivas más amplias; no se trataba sólo de dar limosnas, sino de visitarlos en sus casas, como a hermanos y amigos; de ayudarles en todo lo que se podía (enfermedades, colocaciones, instrucción, etc.). Por eso hicieron mucho bien a los visitados y a los visitadores. Hoy, en esa forma al menos, quedan ya superadas [30].

Como obra complementaria señalemos la *Asociación de Matrimonios Pobres,* que hacia 1850 fundó en Madrid el presbítero D. José María Tenorio para casar concubinarios, facilitando documentación, gastos. También proliferó en otras ciudades. Hasta 1876 había legitimado, sólo en Madrid 5.664 casos. Pertenecieron a la misma muchas de las principales figuras del apostolado español [31].

Ya sé que en otras muchas partes (Barcelona, Valencia, Sevilla...) se dieron muchas obras parecidas también. Registrar todas resultaría casi interminable.

---

[30] *Reglamento y manual de la Sociedad de San V. de P.,* ed. de 1941; MARÍA JIMÉNEZ SALAS, *Beneficencia,* en *Dic. de hist. ecl. de España* I (Madrid 1972) 213-38.
[31] *Memoria...* Leída en junta general de 29-14-1877 (Madrid 1877).

CAPÍTULO IV

PROYECCION DE LA ESPIRITUALIDAD CATOLICA EN LOS SIGLOS XIX Y XX

1. EL «PROBLEMA SOCIAL»

Ya sabemos lo que suele entenderse con este nombre: el problema socioeconómico de la distribución de las riquezas y del trabajo, por consiguiente. Ya sabemos también la fuerte crisis del mismo en la edad contemporánea y la solución materialista del mismo, que provocó el capitalismo liberal y proclamó el marxismo. En España, el industrialismo en Cataluña y el absurdo latifundismo de la mitad sur pusieron pronto dicho problema al rojo. ¿Qué hicieron los católicos españoles ante el desafió del marxismo y el anarquismo? Algo, pero tomaron conciencia del mismo tarde y lentamente. Se reaccionó negativamente a la solución marxista, y con razón. Pero no se dio una respuesta cristiana rápida y valiente. Aquí, como en casi todo el mundo, la Iglesia perdió a la mayoría de las masas obreras. Fue un desastre tan grande o más que el de las mayores herejías y cismas. Pero algo se fue haciendo por resolver el mismo. Por ejemplo:

a) Se multiplican los *Montes de Piedad y Cajas de Ahorros* (el primero se había abierto en Madrid, en 1702, por el sacerdote D. Francisco Piquer). Se inventan también *cocinas económicas, cantinas escolares, colonias escolares* para el veraneo, *cajas dotales* (1909), iniciativa del P. Gerardo Gil, O.S.A. Obras más bien benéficas todas ellas.

b) Algunos obispos van publicando documentos poniendo el dedo en la llaga. Así, los cardenales Sancha, Spínola, Guisasola. Llamó fuertemente la atención la pastoral de este último: *Justicia y caridad,* de 1916. También R. Martínez Vigil, O.P., de Oviedo; José María Salvador y Barrera, de Madrid y luego arzobispo de Valencia; A. López Peláez, arzobispo de Tarragona; F. Soto y Mancera, de Badajoz; J. M. Luis Pérez, de Oviedo, etc.

c) Algunas congregaciones tímidamente, sin demasiado sentido de la justicia social tal como ahora la entendemos, fueron preocupándose de promocionar a la clase obrera espiritual y hasta materialmente. Hicieron lo que pudieron. En realidad, todas las dedicadas a la beneficencia lo hacían de una u otra forma. Añadamos las *Siervas de San José* y las *Hijas de San José,* del P. F. J. Butiñá, S.I. Las *Esclavas de María Inmaculada, protectoras de las obras,* de Juana María Condesa († 1916), de Valencia. Las *Damas Catequistas,* de Dolores R. Sopeña († 1918). Las *Da-*

mas Apostólicas, de L. R. Casanova († 1949). La *Institución Javeriana,* del P. M. Marín Triana, S.I., etc.

d)   Más cerca del problema están los *círculos católicos,* del P. Antonio Vicent, S.I. († 1912). El primero se crea en Manresa (1864). Y adquirieron enorme difusión. Llegaron a contarse más de 1.000, con su Consejo Nacional y tres federaciones. Hay también centros de obreras. Y en 1904 dan vida al Banco León XIII, a más de a mutualidades y cooperativas. Eran religiosos, educativos, gremiales, recreativos. Pero no eran la respuesta suficiente al problema. Se necesitaba la sindicación fuerte y decidida. Esta surge entre los católicos, pobremente, en 1897. En 1909 se hace la primera federación de *sindicatos católicos.* Pero fueron débiles, formados muchas veces por patronos y obreros; «amarillos» los llamaron, despectivamente, los socialistas. Los esfuerzos de algunos sociólogos católicos, como el P. Gerard, O.P.; B. Ibeas, O.S.A.; M. Arboleya, P. J. Gafo, O.P., por suscitar *sindicatos libres,* no bien mirados por muchos católicos, llegaron tarde. La gran tragedia del 36 lo barrió todo. Lo que tuvo un poco de más ambiente y consistencia fue la sindicación agraria; la *Confederación Nacional Católica Agraria* (P. J. Nevares, S.I.), fue prepotente en el campo hasta su desaparición después de la guerra del 36.

En el terreno ideológico se fue poco a poco creando un clima más social. Ya de atrás, N. Pastor Díaz propugnaba, en 1848, por un borroso socialismo cristiano. J. Balmes hace, a su vez, algunas observaciones interesantes ante los inicios del industrialismo y del proletariado. Bajo algunos aspectos, no podemos tampoco pasar por alto las aportaciones sociales de una gran socióloga cristiana: Concepción Arenal († 1893). Volvamos a recordar los documentos episcopales antes aludidos, muchos de ellos con motivo de la *Rerum novarum,* de León XIII (1893).

Al socaire de ese clima, el marqués de Comillas crea en Madrid, en 1905, el *Centro de Defensa Social,* que formó a muchos hombres y suscitó muchas iniciativas de largo alcance. Tanto y más que los hombres sociales de la Institución Libre y que los dirigentes socialistas, los hombres de la línea católica fueron consiguiendo leyes sociales para hacer más justa la vida del obrero y fueron casi exclusivamente los que iniciaron y fomentaron la previsión social en España. He aquí unos cuantos nombres ilustres: J. Maluquer, E. Dato, S. Aznar, J. Jiménez, S. Miguijón, L. Leal, A. López Núñez, María Echarri, F. González Rojas, A. Monedero... Revistas como *La Paz social, Fomento Social, Mundo Social, Siembra, Revista Internacional de Sociología,* etc. También las *semanas sociales* surgen de ese ambiente; la primera, en 1906; anuales hasta 1912; se reanudan en 1933. Ellos formarían también el grupo de la Democracia Cristiana, con fines sociales y políticos de altura.

Los jesuitas crean en Barcelona, en 1908, la *Acción Social Popular,* obra del P. Gabriel Palau († 1939), con revistas, libros, etc., y en Madrid, *Fomento Social,* en 1926: otro centro también de estudios y publicaciones. Fue el P. Sisinio Nevares († 1946) el fundador de este último, y muchos nombres ilustran el centro: PP. J. Azpiazu, M. Marina,

J. Ballesta (mártir en 1936), J. Soler, M. Marín Triana (fundador de las javerianas), M. Brugarola, F. del Valle... [32]

Una observación final: a lo largo de este largo recorrido de movimientos, se habrá podido notar cómo los *seglares* o *laicos* miembros del Pueblo de Dios fueron comprometiéndose y ayudando a la Iglesia. Desde las letras y las ciencias (p.ej.: M. Menéndez Pelayo), desde la política (Donoso, Aparisi Guijarro, Vázquez Mella...), desde la acción apostólica y social (marqués de Comillas...), cada vez con sentido más organizativo, más actual, fueron, en gran medida, «santos padres» de la Iglesia de España. Si leemos el libro de F. Sardá y Salvany *El apostolado social* (Barcelona 1885), podemos captar cómo ha ido evolucionando y enriqueciéndose este vital aspecto de la Iglesia.

Luego, la *Asociación Católica Nacional de Propagandistas*, y el *Opus Dei* más tarde, son las dos grandes obras que lo catalizan y potencian al máximum. Sus múltiples actividades en todos los campos de la cultura son impresionantes, y no las vamos aquí a analizar, pues desbordan nuestro tema. Pero en el fondo está él como una llama y como su consigna mayor.

Archivemos también que el santo P. Claret lanzó un proyecto (1850), que se realizó en parte, de instituto secular *avant la lettre:* sus *Religiosas en sus casas o Hijas del Santísimo e Inmaculado Corazón de María.*

En 1925 funda D. Antonio Amundarain († 1954) la pía unión (luego instituto secular) de la *Alianza en Jesús por María,* que ha agrupado miles de «aliadas» por España y fuera de España, consagradas virginalmente en medio del mundo.

2. Proyección fuera de España

A pesar de la situación tan conturbada de la vida eclesial en la España del siglo XIX, se dejó sentir su influencia más allá de nuestras fronteras. Su dinamismo llegó lejos y fue eficiente. Pero precisemos con datos este capítulo de la espiritualidad contemporánea española.

Y comencemos por reconocer que nuestra creatividad en este aspecto fue mucho menor que en Italia, y no digamos que en Francia. El siglo XIX marca uno de los momentos más fuertes de la expansión misionera de la Iglesia universal según la rosa de los vientos, pues el mundo se hace accesible y comunicable a escala total. Indiscutiblemente, Francia va a la cabeza en ese movimiento misional. Se fundan muchos nuevos institutos de religiosos y religiosas con esa finalidad, o al menos también con ella. Además del célebre Seminario de Misiones Extranjeras de París, que funciona al máximum en ese tiempo.

Tengamos en cuenta que en España la revolución antirreligiosa llegó más tarde y además asestó golpes repetidos contra los religiosos, que son los que casi en exclusiva se lanzan fuera de la Patria a evangeli-

[32] Cf. n.8.

zar. Hay que esperar a mediados del siglo XX para encontrarnos con un clero secular que también se comprometa a misionar en el extranjero (el Instituto de París era en realidad una especie de congregación religiosa de tantas). Quiere decir que los religiosos en España apenas pueden sostener sistemáticamente misiones hasta que se restauran con tranquilidad después de 1875.

Por otra parte, las pocas colonias que quedaban (Cuba, Puerto Rico, Filipinas) y en general toda la América latina acaparan sus efectivos antiguos y nuevos. Ese campo inmenso les impidió, en cierto modo, preocuparse de otros terrenos de misión hasta los entornos del 1900, una vez más organizados y numerosos.

Sin embargo, concedamos que faltó inventiva y creatividad a este respecto. No se fundan nuevos institutos (fuera de los misioneros del Corazón de María, del P. Claret), no se crean obras para ayudar a las misiones; únicamente se van introduciendo las que vienen de fuera, de Francia en especial. Explíquese como se pueda y quiera esta laguna. Pero el hecho está ahí, evidente. ¿Atonía apostólica y, por ende, espiritual? Me resisto a admitirlo, dados los datos que tenemos de esa vida espiritual. Creo que las dos razones apuntadas: desconcierto casi permanente desde 1808 a 1875, más aún, imposibilidad práctica de existir, y la llamada de la América inmensa..., explican este fenómeno. Quizá también que el revival de las órdenes antiguas después del 75 fue más rápido y abundoso que en otras partes, absorbiendo muchas energías, e hizo innecesarias nuevas fundaciones.

Todo esto supuesto, enumeremos los principales hechos. Cuba, Puerto Rico y Filipinas continuaron atendidos, mejor o peor, desde aquí. Por eso, los mismos gobiernos liberales y masónicos dejaron abiertas algunas casas de reclutamiento: dominicos de Ocaña, agustinos de Valladolid, agustinos recoletos de Monteagudo... Luego se fueron permitiendo algunos más después de 1851: franciscanos, jesuitas, capuchinos... Pero a varios de estos últimos los eliminó la revolución de 1868.

En Cuba, necesitadísima bajo todos los aspectos, dio toda su medida de apóstol y de colonizador humanísimo San Antonio María Claret, de 1851 a 1857. Por allí y Puerto Rico trabajaron también hombres como el famoso P. Andoaín, O.F.M.C., y el obispo de La Habana J. M. Martínez, O.F.M.C.; el futuro obispo de Almería J. Orberá, el futuro cardenal Sancha, el P. J. M. de Usera, fundador de las Religiosas del Amor de Dios, etc.

En Filipinas, dominicos, franciscanos y agustinos de ambas ramas continuaron su secular labor evangelizadora. La Universidad de Santo Tomás, de Manila, de los dominicos, fue el foco principal de la cultura cristiana de todo el Oriente. Luego, a final de siglo, jesuitas, paúles, benedictinos... trabajan por allí generosamente. La pérdida de aquellas islas para España conmovió la presencia de los religiosos españoles, que hubieron de sufrir vejaciones numerosas. El caso injusto del arzobispo B. Nozaleda, O.P., fue tristemente célebre en España. Pero los religiosos continuaron como pudieron allí su presencia y su acción misionera...

También en las colonias españolas de las Marianas y Carolinas, con Guam a la cabeza, los capuchinos y jesuitas trabajaron hasta recientemente con gran efectividad.

En la hora de la emancipación, en América quedaron no pocos religiosos españoles. Pero muchos o se repatriaron o fueron muriendo. De momento no era fácil ir desde España de nuevo, dada la tensión existente. Pero la necesidad hizo superar pronto aquella situación. Y bastantes exclaustrados se fueron a América. Así, por ejemplo, los capuchinos, que en 1842 partieron para Venezuela en numerosas expediciones, preparadas desde Roma por el comisario apostólico, P. Fermín de Alcaraz (luego obispo de Cuenca, † 1855). Luego se corrieron por Cuba y Centroamérica. La figura cumbre es el varias veces elogiado P. Andoaín [33].

Los agustinos recoletos sostuvieron sus misiones de la Candelaria, en Colombia, donde brillaría luego el santo obispo de Pasto, hoy Beato Ezequiel Moreno († 1908) [34].

A partir de 1875, todas las órdenes y congregaciones religiosas españolas se extienden por ambas Américas. Generalmente, cada provincia de España se encarga de alguno o algunos vicariatos o prefecturas apostólicas allí y de ir creando viceprovincias en aquellas naciones que luego van poco a poco consiguiendo su mayoría de edad e independencia al ir logrando personal propio suficiente. Sería larga la lista de nombres ilustres. Por citar alguno, sea el del P. Nicolás Rodríguez, S.I. († 1900), en Cartagena de Colombia.

Tampoco faltó, aunque fuese sobriamente, la presencia española en Estados Unidos. Así, nos encontramos con el P. José Sadoc Alemany, O.P. († 1888), como primer arzobispo de San Francisco, en California.

Los franciscanos continuaron su secular y heroica actividad entre los musulmanes. Por eso, para atender a Tierra Santa y lugares en torno, se les permitió abrir el convento de Priego (1853; luego en Santiago, 1862). Y tuvieron la gloria de que en 1860 fueran martirizados en Damasco los hoy Beatos Manuel Ruiz y seis compañeros españoles.

También los capuchinos exclaustrados fundan en 1841, con el santo Fr. Agustín José de Burgos († 1845) a la cabeza, una misión en Mesopotamia.

Los franciscanos tuvieron siempre la nostalgia de Marruecos. Por eso, en cuanto les fue posible, vuelven a penetrar (1859). Después de la guerra de 1860, y a través de dificultades no pequeñas (había que contar con las complicaciones de la política), se consolidó la misión. El primer prefecto apostólico fue el P. J. M. Lerchundi († 1896), gran figura misionera, gran organizador y creador de obras de todo género; gran arabista y diplomático a la vez [35].

En el Oriente Lejano tenemos luego las misiones dominicanas del

---

[33] Gumersindo de Estella, *Historia y empresas apostólicas del P. E. de Andoaín* (Pamplona 1950); A. M. de Barcelona, *El cardenal Vives y Tutó* (Barcelona 1916) 18-34.
[34] T. Minguella, O.S.A.R., *Vida del P. E. Moreno* (Barcelona 1909).
[35] J. María López, O.F.M., *El P. José Lerchundi* (Madrid 1927).

Tonkín, que, con otras en China, venían cultivando los dominicos hacía tiempo. En estos años (1838-57-58-61) padecen el martirio hasta ocho españoles, hoy beatificados (seis de ellos obispos). Habría que mencionar otros muchos abnegadísimos «confesores» de la fe, extraordinarios misioneros que lograron entre aquellas gentes heroicas crear unas cristiandades admirables, dignas de los primeros siglos cristianos.

Los benedictinos españoles Rosendo Salvado († 1900) y José María Benito Serra († 1886), refugiados en Italia, marchan en 1845 a Australia, donde fundan la abadía misionera de Nueva Nursia. Luego fueron, sucesivamente, obispos de Puerto Victoria (Serra, Salvado); y Serra, luego, administrador apostólico de Perth. Allí llevaron un buen número de benedictinos españoles. Hasta que, ayudado por Claret, obtiene Salvado licencia para establecer un colegio en El Escorial para aquellas misiones. Pero la revolución de 1868 lo hizo abortar. Luego es declarado tal Montserrat (1885). Por fin, en 1900, año de su muerte, consigue Salvado unir Nueva Nursia a la Congregación casiniense. Le sucede en Australia Fulgencio Torres, gran misionero y organizador († 1914). Fue una lástima la ruptura entre Salvado y Serra. Este último vuelve a Europa en 1859 y renunció en 1860 a sus cargos en Australia. En 1862 viene a España, donde se dedica a numerosas obras de celo y donde fundará las Oblatas del Santísimo Redentor (1864) [36].

Luego ya, a finales del XIX, y más en el XX, todas las órdenes y congregaciones se vuelcan en llevar misiones por todas partes. Jesuitas en Japón, China, India, Africa... Carmelitas en la India (el Malabar). Dominicos, franciscanos, capuchinos, agustinos calzados y recoletos, claretianos, redentoristas, pasionistas... en Formosa, China... Paúles en la India. Trinitarios en Madagascar, etc.

La Guinea española fue inicialmente abordada por D. Jerónimo Mariano de Usera y por D. Miguel Martínez Sanz (ya conocidos); luego, por los jesuitas, y finalmente, ya en profundidad y permanencia, por los claretianos desde 1883.

Nada digamos de las religiosas. Desde finales del XIX se encuentran en todas partes. Pertenecen a todos los institutos nacionales y extranjeros. Al final del período que historiamos, recordemos como hecho exponencial la fundación de las *Mercedarias Misioneras de Bérriz* (transformación de su antiguo monasterio mercedario de clausura en instituto misionero). Fue el alma del mismo la M. Margarita Maturana († 1934).

El año 1899, D. Gerardo Villota y Urroz († 1906) fundaba en Burgos el *Colegio Eclesiástico de Ultramar y Propaganda Fide*. Miraba hacia América, adonde envió en veinte años unos cincuenta sacerdotes. A otras partes no había dado misioneros. Pero en 1920, el arzobispo J. Benlloch publica su carta pastoral *Las misiones extranjeras*, y convierte el Colegio en *Seminario Español de Misiones Extranjeras*, según el modelo clásico del de París del siglo XVII. Desde entonces fue prosperando en edificios, alumnos y misiones.

[36] R. Ríos, O.S.B., *Las misiones australianas de los benedictinos españoles* (Barbastro 1930); S. Rodríguez, *El P. Salvado* (Madrid 1944).

Finalmente hay que registrar también la ayuda a la empresa misionera de la Iglesia prestada por el pueblo, ya de antes cristiano. Ello contribuye a potenciar su vida espiritual. En España, lentamente se fue haciendo ambiente y despertando conciencia sobre esa grave obligación de todos los fieles. Lo suscitaron las revistas misioneras, ya recordadas en su lugar. La primera en romper filas fue *El Siglo de las Misiones* (1914), de los jesuitas. Grandes misionólogos ilustran sobre este vital problema: Hilarión Gil, S.I. († 1928); José Zameza, S.I. († 1960); Pío de Mondreganes, O.F.M.C., autor de un magnífico manual de misionología († 1933), etc. Un dato interesante es también el de la *Exposición Misional*, que se insertó en la Exposición Internacional de Barcelona de 1929, con un congreso misional de gran resonancia.

Las *Obras Misionales Pontificias* han sido el instrumento más precioso para ir despertando y manteniendo el espíritu misionero en sectores más o menos amplios de nuestros pueblos. La *Propagación de la Fe* se funda aquí en 1839, y consigue en seguida miles de suscriptores que daban los dos cuartos semanales. Pero en 1841 Espartero la suprime, pues dijeron que el dinero iba a parar ¡a D. Carlos! Hasta 1884 no se instala de nuevo. Adquiere un auge sorprendente, como todas las demás Obras Pontificias, y la organización y propaganda de las mismas, bajo la dirección del egregio D. Angel Sagarmínaga († 1969). El Día de las Misiones (DOMUND), que empezó aquí a celebrarse en algunas diócesis, se hace nacional en 1931, y sus técnicas le ponen a la cabeza de todos los del mundo. La *Santa Infancia* se introduce en 1849 (oficialmente, en 1852), siendo su primera socia la infanta Isabel de Borbón. La de *San Pedro Apóstol para el Clero Indígena* no se establece aquí hasta 1922. La *Unión Misional del Clero,* en 1921. Nada añadimos de otras muchas obras particulares, como el *Sodalicio de San Pedro Claver* y las que cada orden y congregación suele tener en favor de sus misiones respectivas. La *Cruzada Misional de Estudiantes* no comienza hasta 1937, en Vitoria.

Digamos para terminar que varios religiosos españoles fueron los artífices importantes en la restauración de sus órdenes respectivas en otras naciones. Así, D. Cándido Albalat, abad de la trapa de Santa María del Desierto († 1915), en Francia. También allí el P. Domingo de San José († 1870) es instrumento eficaz de la nueva fundación del Carmelo teresiano. Como el P. J. J. de Arezo († 1878) lo fue para la de los franciscanos.

Luego piénsese en la presencia de muchos prestigiosos españoles en las curias generalicias de sus órdenes y en las universidades eclesiásticas, sobre todo romanas. Labor generalmente callada, pero fecunda como pocas. Y en lo que significó para la Iglesia universal la múltiple actividad, en el pontificado de San Pío X, avalada por la santa vida de ambos, de los cardenales españoles J. C. Vives y Tutó, O.F.M.C. († 1913), y R. Merry del Val († 1930).

3. Espiritualidad litúrgica

En España había «liturgia». Si no, no hubiera habido Iglesia. Pero el sentido litúrgico no era herencia de la cultura barroca ni anteriores. Ahora el romanticismo le ayudó a despertar, comenzando por Francia, donde surge un gran movimiento en este sentido con el famoso dom P. Guéranger, O.S.B., a la cabeza. El movimiento irá profundizando cada vez más, no sólo en los valores históricos y estéticos de la liturgia, sino en sus valores auténticos, mistéricos, teológicos, y en su proyección pastoral y práctica. En España todo esto se dio muy poco a poco y muy retardadamente. Es un fallo de nuestra espiritualidad contemporánea. Ya lo hemos indicado antes. No olvidemos que aquí el romanticismo fue más sobrio, y, aunque se tiñó a veces de religiosidad, ello fue muy superficialmente y sin apenas influencia ni en la apologética ni en la espiritualidad.

Como en todas partes, los benedictinos fueron aquí los pioneros. Montserrat se vuelve a abrir oficialmente en 1854. Samos, en 1880, por dom G. de Villarroel. Silos, en el mismo año, por monjes franceses solesmenses (dom Guepín). Estos monasterios siguieron siendo focos de irradiación del movimiento litúrgico. Sobre todo, Montserrat. De tal modo que Cataluña es la región más sensible y más adelantada en este sentido. En Montserrat tuvo lugar en 1915 un *Congreso Litúrgico* que hizo gran impacto, y cuyo principal monumento fue el libro del futuro cardenal Isidro Gomá *El valor educativo de la liturgia* (Barcelona 1918); el *Eucolofi,* del Dr. Carreras, etc. También allí aparece el *Misal de los fieles,* de dom A. M. Gubianas. Silos traducirá más tarde el de dom G. Lefèvre (en ¡1862!, sin embargo, se había ya publicado uno en París por el sacerdote Joaquín Feria y Camargo, con recomendación del cardenal de Toledo Alameda y Brea) [36*].

En los años últimos del primer tercio del siglo XX, movimiento y sentido litúrgicos, canto gregoriano, etc., fueron desarrollándose y llegando más al pueblo. Los movimientos apostólicos seglares lo cultivaron con cariño. Ello enriqueció enormemente la piedad.

4. Oración y santidad

En las páginas anteriores hemos intentado hacer una relación de las numerosas iniciativas apostólicas, de las actividades múltiples de la Iglesia en España en ese tormentoso período del 1800 al 1936. Y no nos ilusionamos haberlo recogido todo, ni mucho menos. Tantos esfuerzos generosos, y hasta heroicos muchas veces, están arguyendo de la vida existente. Están proclamando que había santidad; santidad sencilla en

---

[36*] Había que registrar también, a propósito de la liturgia, su proyección en la música y en las artes plásticas, Cf. J. M. Lloréns, *Música religiosa,* en *Doc. de hist. ecl. de España* III (Madrid 1973) 1763-1766. En cuanto a las artes, citemos un nombre egregio: A. Gaudí; y la revista *Anuari dels amics de l'Art liturgic* (Barcelona 1925ss); y el *Circol artistic de Sant Lluc,* que animó el obispo Torras y Bages, etc.

muchos cristianos sinceros y virtuosos, y santidad extraordinaria en no pocos. En mi libro, varias veces aludido, acerca de la espiritualidad de ese tiempo, ofrezco una larga relación de nombres «santos», con la nota de las biografías de muchos de ellos; a ella me remito (p.187-219). Suman 509. Otros cuantos se podrían añadir aún. Sólo este dato es impresionante. De éstos, 27 están ya en los altares:

Beato Diego José de Cádiz, O.F.M.C. († 1801) (aunque pertenece en realidad al siglo XVIII).

San José Pignatelli, S.I. († 1811).

Beatos mártires del Tonkín: Clemente Ignacio Delgado, Domingo Henares y José Fernández († 1838).

Santa Joaquina Vedruna de Mas, fundadora de las Carmelitas de la Caridad († 1854).

Beatos mártires del Tonkín: José María Díaz Sanjurjo († 1857) y Melchor García Sampedro († 1858).

Beatos mártires de Damasco, O.F.M. Manuel Ruiz y sus compañeros: Carmelo Volta, Nicanor Ascanio, Nicolás María Alberca y Torres, Pedro Soler, Francisco Pinazo y Juan Jacobo Fernández († 1860).

Beatos mártires del Tonkín: Jerónimo Hermosilla, Valentín Berrio-Ochoa y Pedro Almató († 1861).

Santa María Micaela del Santísimo Sacramento, fundadora de las Adoratrices († 1865).

San Antonio María Claret, fundador C.M.F. († 1870).

Beata María Molas y Ballvé, fundadora de las Hermanas de la Consolación († 1876).

Santa Soledad Torres y Acosta, fundadora de las Siervas de María († 1887).

Santa Vicenta López y Vicuña, fundadora de las Religiosas del Servicio Doméstico († 1890).

Santa Teresa Jornet e Ibars, fundadora de las Hermanas de los Ancianos Desamparados († 1897).

Beato Ezequiel Moreno, O.S.A.R., obispo de Pasto († 1908).

Santa Rafaela del Sagrado Corazón, fundadora de las Esclavas del Sagrado Corazón († 1925).

Beato Francisco Coll, O.P., fundador de las Dominicas de la Anunciata († 1875).

Y otros seis tienen ya en este momento aprobadas las virtudes heroicas:

Venerable Paula del Puig de San Luis, carmelita de la Caridad († 1889).

Venerable Enrique de Ossó y Cervelló, fundador de la Compañía de Santa Teresa († 1896).

Venerable María Antonia de la Misericordia, fundadora de las Oblatas del Santísimo Redentor († 1898).

Venerable Rafaela Ibarra de Villalonga, fundadora de las Religiosas de los Angeles Custodios († 1900).

Venerable Manuel Domingo y Sol, fundador de los Operarios Diocesanos († 1909).

Venerable Angela de la Cruz, fundadora de las Hermanas de la Cruz († 1932).

La mayoría de los nombres citados son de mártires y de fundadores. Ello tiene fácil explicación: su misión especial y el interés de sus hijos hacen más posible esa glorificación eclesial.

Pero entre los muchos siervos de Dios que se contabilizan en el libro aludido, los hay de todas las condiciones humanas y sociales. Seglares como el marqués de Comillas, D. Emiliano R. Risueño, profesor universitario; Isidoro Zorzano, ingeniero; Santiago Masarnau, músico, etc. Mujercitas humildes, como *Práxedes Fernández* († 1936), que se santifica en el matrimonio y en la viudedad, en el ambiente enrarecido y amargo de la cuenca minera de Mieres, siendo modelo de caridad cristiana para con todos, abnegada, pobre y de una profunda vida interior.

Hay obispos de una santidad evidente. Aparte San Antonio María Claret (luego volveremos sobre él), un Domingo Canubio, O.P., obispo de Segorbe; un cardenal Marcelo Spínola, de Sevilla († 1906), insigne fundador de las Esclavas Concepcionistas y obispo de una virtud profunda y suave, estilo San Francisco de Sales, y a la vez hombre clarividente en sus enseñanzas y en sus empresas pastorales.

Capítulo aparte merece D. Manuel González, obispo de Málaga y luego de Palencia († 1940). Muy personal, muy genial. Fue célebre por su apostolado eucarístico, «el obispo del sagrario abandonado», (marías, juanes, niños reparadores, marías nazarenas). Pero tanto y más como catequista, y, sobre todo, por su seminario de Málaga, pionero, bajo muchos aspectos, de una reforma de esos centros de formación sacerdotal.

Tenemos también un grupo de misioneros santos que se santificaron en ese ministerio, tan socorrido entonces y tan fecundo. Ya los hemos recordado antes. Hay que reconocer que fueron los principales mantenedores y avivadores de la fe y de la piedad en la España de entonces.

Entre los obreros más eficaces de aquellas horas hay que contar a D. Enrique de Ossó, a D. Manuel Domingo y Sol, a D. Andrés Manjón y a D. Pedro Poveda. Todos fueron hombres de múltiples iniciativas apostólicas, sobre todo en el campo de la formación y de la pedagogía religiosa. Con sus colegios y seminarios y sus operarios, M. Sol contribuyó mucho a la elevación del clero. Ossó, Manjón y Poveda constituyen el trío extraordinario en el apostolado de la educación. Anotemos que Ossó y Poveda lo hacen bajo el signo del teresianismo. En D. Enrique ello es un verdadero estilo de vida cristiana, es decir, su extraordinaria devoción e irradiación teresianas no son sólo eso, sino vivir el cristianismo según el espíritu de Santa Teresa. Así fue su espiritualidad y así la transmitió en herencia a su Compañía de Santa Teresa. Algo especial, no igualado por nadie [37]. Los cuatro fueron hombres verdaderamente santos (sus procesos de beatificación se siguen en Roma); y Poveda, mártir de la educación católica además. La Institución Teresiana de este último, prolongando lo ya iniciado por Ossó, es una obra modernísima y original. Ya lo dijimos antes.

No falta lo carismático maravilloso en los siervos de Dios de estos siglos. No lo examinamos ni juzgamos aquí. Sería muy difícil y no nos interesa. Sólo hago juicios de existencia, no de valor. Además de Claret

---

[37] *Obras completas,* 3 vols. (Barcelona 1974-1977).

y la M. Sacramento, recordemos a Asunción Galán, O.S.A. († 1910); Cándida de San Agustín, O.S.A. († 1861); al P. Andoaín, O.F.M.C., tantas veces citado; los PP. Tarín y Rubio, S.I.; la famosa «monja de las llagas», M. Patrocinio; María Esperanza González de Jesús, fundadora de las Esclavas del Corazón de María, de Lérida († 1885); Antonia París de San Pedro, fundadora de las Religiosas de la Inmaculada y Enseñanza († 1885); Bárbara de Santo Domingo, O.P. († 1872); María Florencia del Santísimo Sacramento, O.M. († 1879); Carmen Sojo de Anguera, casada († 1890); Amparo del Sagrado Corazón († 1941), clarisa, fundadora del convento de Cantalapiedra, de grande celebridad... Se podrían agregar otros muchos nombres, como Aurora Calvo, joven seglar, de una mística de simbolismo nupcial muy insistente, inspirada en los dos santos doctores del Carmelo († 1933); Antonia Otegui, adoratriz († 1927); hermano Benjamín Antonio; Filomena del Patrocinio, concepcionista († 1913); Filomena de Santa Coloma, mínima († 1868); F. Javiera del Valle, humilde mujercita seglar, que nos dejó un «decenario» al Espíritu Santo, no exento de doctrina elevada († 1930); María de la Reina de los Apóstoles, reparadora († 1905)... En estos últimos, su vida «mística» tuvo menos repercusiones somáticas, sin dejar de ser fuertemente registrada por ellos como fuese.

Pero querría llamar la atención sobre la espiritualidad de algunas figuras más significativas en este período. Es una cala en la espiritualidad de todo ese tiempo que nos permitirá conocerle un poco mejor en ese aspecto. (Sobre el problema político eclesial que plantean algunos grandes santos de entonces por sus intervenciones cerca de la reina Isabel II, remito a las p.173-80 de mi citado libro, donde lo estudio.)

San Antonio María Claret († 1870). Se ha clasificado su espiritualidad y su vida mística de «apostólica». Realmente, su vocación fue el apostolado activo en grande: misionero y escritor popular. Pero es evidente que ese apostolado no fue activismo natural, sino vocación divina, que él vivía desde su interior. Los signos maravillosos no faltaron a lo largo de su vida, ni los hechos paramísticos de locuciones, etc. Todo ello nos dice de su auténtica santidad. Pero un conocimiento profundo de su itinerario espiritual se nos escapa, porque, a pesar de sus escritos autobiográficos, él no nos lo revela con claridad. Su piedad es muy de su tiempo: devocional y de estilo ignaciano y ligoriano, con influencias también teresianas. Segura en su ascetismo y su fervor. Por instinto sobrenatural, esa piedad tiene raíces muy sólidas, es muy cristológica y mariana. Pero, aunque el P. A. Ortega, C.M.F., se esfuerza por presentarla estructurada a base de un pensamiento teológico alto y casi original[38], me parece muy sencilla en este sentido, sin que falte en ella, por supuesto, contenido doctrinal suficiente para que no sea solamente una llamarada de fervor y de apostolicidad extraordinarios. No se puede construir toda una espiritualidad elaborada y completa por algunas frases sueltas. Se trata, más bien, de intuiciones y vivencias de un alma

[38] En *Escritos autobiográficos...* p. 80-125.

sinceramente entregada y de mucha oración. Lo que es indiscutible es que el P. Claret centra el siglo XIX español con su vida santa y apostólica. Por muchos capítulos, su heroicidad fue excepcional. Es el gran santo en esa hora de revolución, de transición, de iniciativas; también de sufrimientos y de cruz [39].

Heroísmo sin medida fue la vida y la muerte de la *M. Sacramento* († 1865). Su obra social le dio ocasión de revelar toda la grandeza de su alma. Pero la conocemos por dentro además: sus escritos autobiográficos, abundosos y vivos, nos permiten adentrarnos por las galerías de la misma. Sólo se han publicado fragmentos de los mismos. Pero conozco todo lo inédito. No es nada doctrinal, sino solamente informativo de su vida interior. Con un estilo espontáneo, incorrecto, abandonado. A través de un psicologismo exuberante, de una pasión de fe y de amor vibrantes, de un devocionalismo turgente, conocemos el secreto de aquella mujer. Y ese secreto fue la eucaristía: misa, comunión, culto eucarístico. En este sentido, no sé que haya una experiencia mística eucarística más rica en toda la hagiografía cristiana (en cuanto la documentación existente nos permite hacer comparaciones). Es algo único por lo luminoso, lo penetrante; por la proyección en todo el vivir de la Santa, por otra parte muy humana, muy práctica, muy activa. Inevitablemente, nos recuerda a Santa Teresa de Jesús, pero acentuando la dimensión eucarística de su vida espiritual, en lo cual, repito, la M. Sacramento no admite rival. Los fenómenos paramísticos son en ella abundosos, pero el fundamento subyacente es sencillo, seguro y tradicional. Su obra externa y sus virtudes fuertes garantizan la autenticidad de esa vida eucaristizada [40].

El *Beato Ezequiel Moreno, O.S.A.R.*, fue un gran misionero y un obispo que luchó denodadamente contra el liberalismo en Colombia. Pero fue, al mismo tiempo, un gran místico. Formó parte y alentó mucho una *Liga santa de víctimas del Sagrado Corazón,* que se extendió por América y España. Con este motivo principalmente escribe cartas íntimas, que son un exponente de su profunda y tierna espiritualidad, muy en la línea de la devoción reparadora al Corazón de Cristo que privaba en sus días, pero que son de una grandeza espiritual innegable y de un vuelo místico colosal. Su vida de apostolado, de penitencia y de sufrimientos acreditan la verdad de esa vida inmolada, transida de fe y de religiosidad [41].

La M. Angeles Sorazu, franciscana concepcionista en Valladolid, es un caso singular. Pero de lo más interesante, no sólo en su tiempo, sino en toda la historia de la espiritualidad española. Su obra literaria es

---

[39] Cf. *Escritos...* y C. FERNÁNDEZ, *Vida...*

[40] A. BARRIOS, *Mujer audaz...;* VARIOS, *Esclava del Santísimo y de la caridad;* Studia Clarentiana (Roma 1965); ID., *Rasgos de la espiritualidad de M. S.* (Madrid 1966).

[41] Cf. n.34; E. AYAPE, O.S.A.R., *Semblanza del Beato E. M.* (Monachil 1975).

muy extensa y toda ella es vivencial. Su facilidad para expresarse es asombrosa, y esto a pesar de su origen vasco y su poca cultura humana. Sus experiencias místicas han sido muy fuertes y, reconozcámoslo, bastante complicadas. Su itinerario místico es muy personal. Vive siempre en alternancias de gozos y de penas, sin que resulte fácil poder reducir a un esquema su camino. Por otra parte, su espiritualidad es una constante elevación a las regiones más altas y abisales del misterio de nuestra deificación y cristificación, con la intervención, además, incesante en las mismas de la Virgen María. Tiene algo del estilo abstracto de la escuela renanoflamenca del XIX (cosa más bien rara en la mística española a pesar de lo que algunos pretenden), y, a la vez, ello se empapa de un psicologismo caliente, muy meridional. Insisto en que sus escritos son todos autobiográficos. La autobiografía, los tres volúmenes de cartas al P. M. Vega, O.F.M.C. (para mí lo más vivo e interesante), el diario..., nos permiten asomarnos a su alma, sacudida, de unas u otras maneras, por el Espíritu. ¿Hasta qué punto era responsable su misma imaginación? ¿O no sería mejor decir que el Espíritu la preparó de antemano para hacerla vibrar después según sus planes misteriosos? El hecho está ahí, impresionate y desafiante. Ya se han realizado algunos estudios valiosos sobre la M. Sorazu. Pero aún se volverá sobre ella sin duda, pues hay para ello mucho lugar. He aquí el esquema que nos ofrece el P. M. de Pobladura, O.F.M.C., de la obra más sistemática y sintética que nos dejó la Madre: *La vida espiritual*. Ese panorama nos permitirá vislumbrar un poco todo el contenido de esa rica y difícil espiritualidad.

«La M. Angeles comienza con una muy original clasificación de las almas y con la explicación de la conducta de Dios para con cada una de ellas (c.1); y luego describe el estado inicial del alma, que, secundando la llamada divina, se convierte (c.2), atravesando en su marcha ascensional por la noche del sentido (c.3) y por el purgatorio o desierto espiritual (c.4-5) hasta recibir el anuncio gozoso de la próxima entrega de Dios (c.7). En esta primera sección, que pudiéramos muy bien llamar introductiva, se expone magistralmente (c.6) la relevante y decisiva intervención de María Santísima, sobre todo en el difícil período de la purgación. En el caso concreto y personal de la M. Sorazu, la fase aquí descrita terminó en 1894.

»A los desposorios místicos sucede un descenso; es decir, la vida espiritual se mueve por un cauce más ordinario, y el alma siente el incontenible afán de acompañar a sus divinos amores Jesús y María; contempla los misterios de la vida pública de Jesús (c.8), y progresa más y más en la perfecta imitación e identificación del mismo (c.9), dando comienzo a la contemplación simple, o sea, de la naturaleza divina del Verbo encarnado (c.10), y el alma se asocia a Jesús, ultrajado por los pecadores (c.11). En este punto tiene lugar una singular noticia del atributo del amor (c.12), y se reciben otras altísimas comunicaciones divinas. Por fin se penetra en la noche oscura del espíritu (c.13-14). Hasta ahora ha tenido cumplimiento el primero de los tres aludidos textos evangélicos:

El que me ame será amado de mi Padre, y yo le amaré y me manifestaré a mí mismo. La M. Angeles recorrió esta etapa del itinerario espiritual desde 1894 hasta junio de 1911.

»Finalmente llega la hora venturosa del matrimonio espiritual, en el que la Beatísima Trinidad se entrega al alma ya purificada y bien dispuesta para recibirla (c.15), y se cumple el segundo de los textos evangélicos: *Si alguno me ama, guardará mi palabra, y mi Padre le amará, vendremos a él y haremos morada en él.* De aquí arranca una nueva fase, y empieza a desenvolverse la parte más interesante y original de la obra. La M. Angeles la denomina vida del alma en Dios, y abraza los cuatro períodos descritos en los capítulos 16-19, cuyos fenómenos se realizaron en ella desde junio de 1911 hasta agosto de 1913. El primer período, muy corto, se caracteriza por el amor jubiloso, que produce una vida sobrenatural rebosante o de henchimiento, que sacia y satisface. El segundo, o de expectativa, se distingue por las heridas de amor, así como el tercero por los toques sustanciales, y el cuarto, por una mayor intimidad con el Espíritu Santo. Aquí tiene cumplimiento la primera parte del tercer texto evangélico: *En aquel día vosotros conoceréis que yo estoy en mi Padre.*

»A continuación se desarrolla la otra fase, denominada vida de Dios en el alma, desde agosto de 1913 hasta julio de 1915. Ya no es el alma la que se mueve, sumerge y vive en el infinito océano de la divinidad, sino que es Dios quien, por así decirlo, se derrama en el alma y en ella desarrolla su vida divina (c.20). Los fenómenos más sobresalientes son: participación del amor divino, soberano imperio de la voluntad divina, acerbas penas, causadas por las criaturas y soportadas con inmenso júbilo; mutua complacencia y comunicación de bienes, participación del inefable misterio de la Santísima Trinidad y relaciones muy especiales con cada una de las tres divinas personas.

»La vida del alma en Jesucristo (c.21), que sucede al período anteriormente descrito, está caracterizada por la contemplación mixta de la humanidad y divinidad del Verbo, y en él tienen su cumplimiento las palabras de Jesús: *Y vosotros (estáis) en mí;* el alma recibe sorprendentes luces con las noticias sustanciales de la encarnación y filiación divina. Durante el período de 'la vida de Jesús en el alma' (c.22), ésta experimenta el anhelo ansioso de apoderarse de la vida de Jesús, de poseerle enteramente, y lo logra mediante una mayor identificación con María, y se verifican las otras palabras del Maestro: *Y yo (estoy) con vosotros.* Aquí no hay nueva entrega divina, sino, más bien, la reaparición del germen divino ya depositado; el alma se ve como envuelta en la humanidad gloriosa del Verbo y trabajada por un anhelo insatisfecho de participar de la pasión de Jesús y por un celo insaciable de la salvación de las almas. Poco a poco, esta vida de Jesús en el alma se perfecciona con nuevas comunicaciones (c.23); aumenta el ansia de identificación con Jesús paciente; se entrevén los misterios dolorosos a que participará el alma. Como la M. Angeles no los había experimentado aún cuando escribía el tratado, los explica con el ejemplo de algunas almas santas y con una bellísima paráfrasis del salmo 21»[42].

M. *Angela de la Cruz.*—Ya se habló de su obra oficial extraordinaria. Ahora quisiera llamar la atención sobre su vida interior, extraordinaria también. Sus escritos confidenciales: relaciones y notas de ejercicios para su director, D. José Torres Padilla, nos la revelan.

Una espiritualidad sencilla, popular, devocional en sus formas, de molde ignaciano en cuanto a los principios y maneras prácticas de vivir la piedad (oración...); de matiz franciscano por su amor a la pobreza y por su naturalidad. No perdamos de vista la psicología sevillana de la Madre. La virtud luego característica de sor Angela fue, sin duda, la de la humildad. La vivió hasta el fondo. Una humildad que brotaba de la cruz de Cristo como de fuente dolorosa y amorosa. He aquí algún que otro texto significativo: «Por un lado, ve, o, más bien, siente a su Dios, en ese mar de perfección sin principio ni fin; infinito en sus infinitas perfecciones. Y, por otro, el abismo de su nada; pero esa nada nada, nada; ese mar inmenso de nada que no tiene fin ni principio. Y, encontrándose en medio de estos dos infinitos, de serlo todo y de no ser nada, o, para que usted me entienda, Dios infinito siéndolo todo antes, ahora y después, y la criatura siendo nada antes, ahora y después; y si ha sido algo, es o será, no es más que maldad; eso es lo único que tiene propiedad, porque todo lo que no es maldad no le pertenece: todo es de quien lo es todo; de nuestro Dios.

»Padre, esto no se puede explicar a quien no lo haya sentido, porque no lo entendería; pero usted me entiende, porque así lo experimenta.

»Pues bien, cuando el alma se encuentra en medio de estos dos abismos, del ser y no-ser, del bien por esencia, de parte de Dios, y la maldad por propiedad natural, de parte de la criatura; y después de esta maldad rebelada contra ese bien sumo, se abisma en su propia confusión. Pero, conociendo todo esto, no puede menos de exclamar: ¡Gracias a Dios que te he encontrado, Dueño mío, mi bien y mi todo! Yo te buscaba sin descanso, Amado mío, llena de una santa inquietud; no sabía la causa, pero ya la comprendo: querían robarte de mi presencia; y ¿por qué se ha de llevar otro lo que es tuyo y sólo tuyo?[43].

»En lo demás está tan claro; es verdad que soy más conocida y atendida, y de algunas personas, hasta respetada, pero esto es por el lugar que ocupo en esta santa Compañía; pero yo soy la misma negrita, zapaterita y tontita.

»Perdóneme uste, padre mío, pero éste es el espejo de todo mi interior; yo me quedo, como siempre, esperando la corrección de mis disparates; me parece que lo he hecho como una negra. Perdóneme usted; perdón, perdón»[44]. De ese espíritu empapó a su Compañía: vivir en pobreza para los pobres; vivir esa «humildad que no tiene fin, es como

---

[42] En *La Vida espiritual* p.9-12; *Obras...*, en la bibliografía y biografías citadas de Pobladura y Villasante.
[43] *Escritos íntimos* p.414.
[44] Ibid., p.418.

el mar»; vivir la humillación permanente de la cruz... Todo esto por amor a Jesucristo; un amor vivísimo, en la fe, en la confianza insobornable, y traducido en amor a los pobres hasta el heroísmo más sublime. Todo envuelto en una serena sonrisa, que hace a esa espiritualidad, tan austera para consigo misma, dulcísima y humanísima, sevillana...

Experiencia espiritual, mística ciertamente, pero muy sencilla bajo el punto de vista especulativo —nada nuevo, nada original—; riquísima como testimonio, como vida. No es extraño que haya hecho fuerte impacto dondequiera que ella y su obra han podido llegar.

Finalmente, digamos una palabra sobre *Rafael Arnaiz Barón,* monje trapense, antiguo alumno de Arquitectura; un joven que lo renuncia todo para, por amor a Jesús, a María y a los hombres, abrazarse en el Císter con una vida de abnegación total, para él muy sensible dada su educación y su poca salud. Por eso tuvo que salir de la misma en más de una ocasión, para morir prematuramente en ella, víctima de su diabetes crónica. He aquí una página muy expresiva de sus escritos —era fácil para desahogarse a través de ellas, cosa que, por otra parte, tenía aconsejado por su confesor—: «¡Con qué facilidad juzga el mundo y con cuánta facilidad también se equivoca! Para mi familia es la cosa más natural que yo esté en la Trapa. Mis hermanos, llevados del cariño, desean mi felicidad; han visto, mientras he estado en el mundo, mis deseos de vivir y morir trapense...; ahora que ya vivo en el monasterio, dicen... que 'Dios te ayude'; 'por fin vives en tu *centro;* ¡ojalá no tengas que volver a salir'... 'Eres feliz en el convento; el mundo no es para ti'. Estas y otras razones se hace mi familia. Es natural...; *ignoran* mi vocación. ¡Si el mundo supiera el martirio continuo que es mi vida!... ¡Si mi familia supiera que mi *centro* no es la Trapa, ni el mundo, ni ninguna criatura, sino que es Dios, y Dios crucificado!... *Mi vocación es sufrir;* sufrir en silencio por el mundo entero; inmolarme, junto a Jesús por los pecados de mis hermanos los sacerdotes, los misioneros; por las necesidades de la Iglesia, por los pecados del mundo, las necesidades de mi familia, a la que quiero ver no en la abundancia de la tierra, sino muy cerca de Dios... ¡Ah! ¡Si el mundo supiera lo que es mi vocación en la Trapa!... ¡Si supieran ver la cruz detrás de una pacífica sonrisa, si supieran ver las enormes luchas detrás de la paz conventual!... Pero no, eso no deben verlo... ¡sólo Dios! Bien está así. Esto no son quejas de mi amargura...; *todo lo contrario.* Mis ansias de cruz no disminuyen; mi mayor alegría es vivir ignorado; mi vocación la comprendo, y en ella, a Dios bendigo cuando de todo corazón la abrazo. ¡Qué dulce es sufrir por Jesús y sólo por El y sus intereses! La Trapa, mi centro, dice el mundo... ¡Qué paradoja! ¡Mi centro es Jesús, es su cruz! La Trapa no me importa nada...; y si Dios me manifestara *otro sitio* donde *sufriera más* y El me lo pidiese, allí me iría con los ojos cerrados. Yo no me entiendo a veces. Soy absolutamente feliz en la Trapa, porque en ella soy absolutamente desgraciado. No cambiaría mis penas por todo el oro del mundo, y al mismo tiempo lloro mis tribulaciones y desconsuelos, como si con ellos no pudiera vivir. Deseo con ansia la muerte por dejar de sufrir, y, a veces, no quisiera dejar de sufrir ni aun después de muerto. Estoy loco, chiflado; no sé lo que me pasa. En algunos momentos sólo en la oración, a los pies de la cruz de Jesús y al lado de María, tengo sosiego. ¡Que El me ayude! Así sea» [45].

Rafael acentúa a veces, en sus cartas y documentos, el aspecto ascético de la *fuga mundi;* hasta quizá parezca excesivamente exagerado en ocasiones; pero téngase en cuenta su especial vocación a la vida contemplativa, ya que dejaba un mundo convulso: el del entorno de 1931. Por otra parte, su alma de artista siempre supo vibrar con asombro y entusiasmo ante la naturaleza, aun en medio de la austeridad tradicional de la vida trapense.

5. EL DESPERTAR DE LOS ESTUDIOS DE ESPIRITUALIDAD

Ya hemos dicho y repetido; la literatura espiritual del XIX fue no pobre, sino pobrísima. Pero el siglo XX trajo consigo un revivir de la misma, y el hombre clave fue el P. J. G. Arintero, O.P. (*Lugueros 1860 – † Salamanca 1928). Y la obra que provoca todo un movimiento espiritual fue *La evolución de la mística* (Salamanca 1908). Realmente, esta obra abre una época nueva en la literatura espiritual española. La obra del P. Arintero despertó un enorme entusiasmo. Téngase en cuenta que ese libro es un compromiso entre tratado doctrinal y lectura piadosa. Quiere decir que su público puede ser muy amplio. Más tarde, la fundación de la revista *La Vida Sobrenatural* (1921), divulgará más y más la doctrina espiritual del benemérito Padre.

Pero la propaganda espiritual del P. Arintero no sólo suscitó entusiasmo, sino también muchas polémicas. En realidad eran las mismas que habían surgido en Francia a principios del siglo: duelo Poulain-Saudreau. Las tesis defendidas con calor por el P. Arintero, y que no todos aceptaban, eran las siguientes: 1) No hay dos caminos en la vida espiritual: el de la ascesis y el de la mística. Sólo hay uno, que es ascético y es místico a la vez. 2) Quiere decir que todos están llamados a la vida mística, ya que todos están llamados a ser santos. Santidad y mística van siempre unidas. 3) La mística consiste en el desarrollo normal de la vida de la gracia y las virtudes, ayudadas por la actuación de los dones del Espíritu Santo, y que comporta una vida de oración, que llega a ser contemplativa por esa actuación de los dones. 4) La contemplación es siempre infusa; no se da una verdadera contemplación que sea adquirida.

Y surgió la lucha doctrinal, que a veces degeneró casi en guerra a muerte. Una guerra poco mística que digamos. Junto al P. Arintero se alinearon, en general, los dominicos y franciscanos. En el lado opuesto, los carmelitas y jesuitas. No hago aquí historia de esas luchas. Ya se ha hecho, y en caliente. Señalo sólo unos hitos de la misma. La obra antes

---

[45] *Vida y escritos* p.463-65.

registrada, del P. Jerónimo Seisdedos. *Principios fundamentales de la mística* y el *Curso de ascética y mística*, del P. F. Naval, C.M.F., muy divulgado cómo libro de texto en seminarios y noviciados; los artículos del P. G.-Villada, S.I. en «Razón y Fe» (1919). Ambos jesuitas y el P. Naval, antiarinterianos. Vinieron luego el *Congreso Teresiano* de Madrid (1923); la *Semana de Espiritualidad*, en honor del P. L. de La Puente, en Valladolid (1924), y el *Congreso Sanjuanista*, de Madrid (1928). En todas partes, sobre todo en Madrid, se discutió en grande. A nuestra mentalidad actual hace sonreír un poco el énfasis con que en esos congresos se definían doctrinas como si se tratase de un concilio infalible, cuando hasta los planteamientos de los problemas nos parecen hoy, muy en gran parte, gratuitos y hasta desenfocados. Pero los hombres somos así. Otros juzgarán de nosotros poco más o menos. Las revistas *Razón y Fe, Estudios Franciscanos, Vida Sobrenatural, Ciencia Tomista, Monte Carmelo, Mensajero de Santa Teresa...*, todas terciaron en la contienda. Hay dos opúsculos del año 1925 que son como el exponente del jaleo, aunque directamente tratan sólo de la existencia o no de una contemplación activa o adquirida: *la Carta abierta,* del P. Juan Vicente de J. M., C.D. (Pamplona), y la *Contestación... a la misma,* del P. Ignacio M. Reigada O.P. (Salamanca). Y los otros libros ya citados antes del P. Arintero: *Cuestiones místicas; La verdadera mística tradicional,* etc. Luego vinieron las obras del P. Crisógono de Jesús Sacramentado, C.D., que son como la expresión endurecida de la llamada escuela carmelitaṇa: *San Juan de la Cruz; su obra científica y su obra literaria; La escuela mística carmelitana; Compendio de ascética y mística.*

Todos estos torneos no fueron estériles. Hicieron estudiar, escribir. Pusieron de actualidad los temas espirituales. En torno o al margen de los mismos se publicaron muchos trabajos y libros de espiritualidad. Y aunque no hayamos llegado a tener ningún autor espiritual de fama y resonancia internacional ni especulativo ni experimental, sin embargo, a partir del P. Arintero, y más aún después de la guerra del 36, se ha escrito bastante y bien sobre estos temas en España.

El P. Arintero fue benemérito por sus escritos y sus incitaciones. Lo fue tanto y más por su vida santa y por la dirección espiritual que proporcionó a otras muchas. La alta espiritualidad, más centrada en lo esencial: Misterio cristiano, caridad, virtudes, dones, oración y contemplación, apostolado..., se abrió más y más camino. El cultivo de la liturgia y los movimientos de apostolado seglar y sociales se fueron abrevando en ella y beneficiándola a ella misma a la vez...

SÉPTIMA PARTE

LOS CATOLICOS Y LA CULTURA ESPAÑOLA

Por CARLOS VALVERDE

NOTA BIBLIOGRAFICA

Los católicos españoles de los siglos XIX y XX han estado, en cuanto hombres de fe, tan íntimamente entrañados en todos los acontecimientos culturales de nuestra sociedad en esta época, sea por colaboración, sea por reacción, que para conocer las relaciones entre ellos y la cultura se hace preciso manejar las obras históricas generales. Como este tomo ya lleva una *Introducción bibliográfica general* y bibliografías particulares, basta añadir aquí algunas obras específicas del tema de esta parte. Así se evitan repeticiones inútiles.

I. FUENTES

a) *Obras de autores* (nos reducimos a los más relevantes; otras obras que deben llamarse también fuentes van citadas en el texto).

LISTA, Alberto, *Poesías* (Madrid 1822); *Lecciones de literatura española explicadas en el Ateneo Científico, Literario y Artístico* (Madrid 1836); *Ensayos literarios y críticos* (Madrid 1844), 2 vols.

ALVARADO, Fr. Francisco, O.P., *Cartas Aristotélicas* (Madrid 1825); *Cartas críticas* (Madrid 1824-25), 4 vols.; *Cartas inéditas* (Madrid 1846).

DONOSO CORTÉS, Juan, *Obras completas,* ed. preparada por Carlos Valverde (Madrid [BAC 12 y 13] 1970), 2 vols.

BALMES, Jaime, *Obras completas,* ed. crítica por Ignacio Casanovas, S.I. (Barcelona 1925-27), 33 vols. Refundición de la anterior es la hecha por la BAC, *Obras completas de Jaime Balmes* (Madrid 1948-50), 8 vols.

GONZÁLEZ, Fr. Ceferino, O.P., *Estudios sobre la filosofía de Santo Tomás* (Madrid 1864), 3 vols.; *Philosophia elementaria* (Madrid 1868), 3 vols.; *Filosofía elemental* (Madrid 1873) 2 vols.; *Estudios religiosos, filosóficos, científicos y sociales* (Madrid 1873), 2 vols.; *Historia de la filosofía* (Madrid 1878-79), 3 vols.; *La Biblia y la ciencia* (Madrid 1891), 2 vols.

URRÁBURU, Juan José, S.I., *Institutiones Philosophicae* (Valladolid 1890-1900), 8 vols.

COMELLAS Y CLUET, Antonio, *Demostración de la armonía entre la religión católica y la ciencia* (Barcelona 1880); *Introducción a la filosofía* (Barcelona 1883).

SARDÁ Y SALVANY, Félix, *Obras completas* (Barcelona 1883-94), 12 vols.

FITA, Fidel, S.I.; sus escritos son innumerables. Entre los más importantes: *Estudios históricos* (Madrid 1884-87) (colección de artículos publicados en el *Boletín de la Real Academia de la Historia,* en los ocho primeros tomos), *Las Cortes de los antiguos reinos de Aragón y de Valencia y Principado de Cataluña* (en colaboración con B. Oliver y V. Vignan) (1895-1917), 24 vols. Muchísimos artículos en el *Boletín de la Real Academia de la Historia* desde 1879 hasta 1917.

MANJÓN, Andrés, *Obras selectas* (Alcalá 1945-56).

VERDAGUER, Jacinto, *Obras completas* (Barcelona 1905-08), 7 vols.

MENÉNDEZ PELAYO, Marcelino, *Edición Nacional de las Obras completas,* dirigida por D. Miguel Artigas (Madrid-Santander 1940-55), 62 vols.

AYALA, Angel, *Obras completas* (Madrid 1948), 2 vols.

HERRERA, Angel, *Obras selectas* (Madrid 1963).

VÁZQUEZ DE MELLA, Juan, *Obras completas* (Barcelona 1931-42), 28 vols.

MAEZTU, Ramiro de, *Obras completas,* ed. dirigida por Vicente Marrero (Madrid 1957-68), 28 vols.

AMOR RUIBAL, Angel, *Los problemas fundamentales de la filología comparada* (Santiago 1904-1905), 2 vols.; *Los problemas fundamentales de la filosofía y del dogma* (Santiago 1914-36), 10 vols. Ha comenzado a salir una edición nueva, a cargo de Saturnino Casas Blanco (Madrid, C.S.I.C., 1972, 1974); *Cuatro manuscritos inéditos* (Madrid 1964).

ASÍN PALACIOS, Miguel, *El averroísmo teológico de Santo Tomás de Aquino* (Zaragoza 1904); *La escatología musulmana de la «Divina Comedia»* (Madrid 1919); *Abenházam de Córdoba y su historia crítica de las ideas religiosas* (Madrid 1927-32), 5 vols.; *El islam cristianizado* (Madrid 1931); *La espiritualidad de Algazel y su sentido cristiano* (Madrid 1934-41), 4 vols., etc.

RAMÍREZ, Santiago, O.P., *Opera omnia* (Madrid 1970-73), 13 tomos.

ZUBIRI, Javier, *Naturaleza, historia, Dios* (Madrid 1944); *Sobre la esencia* (Madrid 1962); *Cinco lecciones de filosofía* (Madrid 1963).

b)   *Obras generales*

DÍAZ-PLAJA, Guillermo, *Historia general de las literaturas hispánicas,* publicada bajo la dirección de..., T.6: *Literatura contemporánea* (Barcelona 1967).

DÍEZ-BORQUE, J. M., *Historia de la literatura española,* T.3: siglos XIX y XX (Madrid 1975).

DÍEZ ECHARRI, E.-ROCA FRANQUESA, *Historia de la literatura española e hispanoamericana* (Madrid 1960).

FRAILE, Guillermo, *Historia de la filosofía española desde la Ilustración* (Madrid 1972).

FRÍAS, Lesmes, *Historia de la Compañía de Jesús en su Asistencia moderna de España* (Madrid 1954).

GARCÍA Y GARCÍA DE CASTRO, Rafael, *Los apologistas españoles (1830-1930)* (Madrid 1935).

GAYA NUÑO, Juan Antonio, *Arte del siglo XIX,* vol.19 de *Ars Hispaniae* (Madrid 1966); *Arte del siglo XX,* vol.20 de *Ars Hispaniae* (Madrid 1977).

GÓMEZ APARICIO, Pedro, *Historia del periodismo español* (Madrid 1967-74), 4 vols.

HOCEDEZ, Edgar, S.I., *Histoire de la Théologie au XIXe siècle* (París 1947-52), 3 vols.

JOBIT, Pierre, *Les éducateurs de l'Espagne contemporaine* (París 1936).

LUIS, Leopoldo de, *Poesía religiosa. Antología* (Madrid 1969).

MENÉNDEZ PELAYO, Marcelino, *Historia de los heterodoxos españoles* t.6 (Edic. Nacional, Santander 1948).

PALACIO ATARD, Vicente, *Los españoles de la Ilustración* (Madrid 1964); *Fin de la sociedad española del Antiguo Régimen* (Madrid 1952).

RABAZA, Calasanz, *Historia de las Escuelas Pías en España* (Valencia 1917), 4 vols.

TORRENTE BALLESTER, *Panorama de la literatura española contemporánea* (Madrid 1966).

VALBUENA PRAT, Angel, *Historia de la literatura española* t.3 y 4 (Barcelona 1973).

II. ESTUDIOS

En los últimos años se han multiplicado los trabajos monográficos sobre temas particulares de la historia de la Iglesia en la España de los siglos XIX y XX. Con frecuencia, uno advierte falta de objetividad, profundidad y sentido histórico en bastantes de estos escritos. Son, no raras veces, polémicos y apasionados. En las notas a pie de página se encontrarán referencias a estos estudios.

Algunos de los más generales e interesantes para el tema de esta parte, aunque con interpretaciones y tendencias distintas, son:

ABELLÁN, J. L., *La cultura en España* (Madrid 1971); *El exilio español de 1939*, obra dirigida por... Vol.1; *La emigración republicana de 1939;* vol.2: *Guerra y política;* vol.3: *Revistas, pensamiento, educación* (Madrid 1976).

ANDRÉS MARTÍN, Melquiades, *La supresión de las facultades de teología en las universidades españolas (1845-1855)* (Burgos 1976).

ARANGUREN, José L., *Catolicismo y protestantismo como formas de existencia* (Madrid 1952).

CALVO SERER, Rafael, *España, sin problema* (Madrid 1959).

CÁRCEL ORTÍ, Vicente, *Política eclesial de los gobiernos liberales españoles, 1830-1840* (Pamplona 1975).

CASTELLS, José María, *Las asociaciones religiosas en la España contemporánea* (Madrid 1973).

CACHO VIU, Vicente, *La Institución libre de Enseñanza* (Madrid 1962).

CEÑAL, Ramón, *La filosofía española en la segunda mitad del siglo XIX:* Revista de Filosofía 15 (1965) 403-44; *La filosofía española contemporánea:* Actas del I Congreso Nacional de Filosofía (Mendoza [Argentina] 1949) t.1 p.419-41.

COMAS, Ramón, *Isidro Gomà-Francesc Vidal i Barraquer. Dos visiones antagónicas de la Iglesia española de 1939* (Salamanca 1977).

CUENCA, J. M., *Estudios sobre la Iglesia española del siglo XIX* (Madrid 1971).

DÍAZ, Elías, *Pensamiento español. 1939-1973* (Madrid 1974).

DÍAZ MOZAZ, J. M., *Sociología del anticlericalismo* (Madrid 1976).

ELORZA, Antonio, *La ideología liberal en la Ilustración española* (Madrid 1970).

FERNÁNDEZ DE LA MORA, Gonzalo, *Pensamiento español (1963-1969)* (Madrid 1964-70), 7 vols.

FONTÁN, Antonio, *Los católicos en la Universidad de la España actual* (Madrid 1961).

GARCÍA CORTÁZAR, F., *La Iglesia y la nueva sociedad burguesa de la Restauración:* Rev. de Fomento Social 126 (abril-junio 1977) 167-77.

GALLEGO, José Andrés, *La política religiosa en España 1889-1913* (Madrid 1975).

GÓMEZ MOLLEDA, María Dolores, *Los reformadores de la España contemporánea* (Madrid 1966).

GONZÁLEZ RUIZ, N.-MARTÍN, Isidoro, *Seglares en la historia del catolicismo español* (Madrid 1968).

GUITIÉRREZ RÍOS, Enrique, *José María Albareda. Una época de la cultura española* (Madrid 1970).

HEREDIA SORIANO, Antonio, *Cuatro ensayos de historia de España* (Madrid 1975).

JIMÉNEZ DUQUE, Baldomero, *La espiritualidad en el siglo XIX español* (Madrid 1974).

JURETSCHKE, Hans, *Los afrancesados en la guerra de la Independencia. Su génesis, desarrollo y consecuencias históricas* (Madrid 1962).

LAÍN ENTRALGO, Pedro, *España como problema* (Madrid 1956).

LÓPEZ-QUINTAS, Alfonso, *Filosofía española contemporánea* (Madrid 1970).

MAINER, José C., *La edad de plata (1902-1931); Ensayo de interpretación de un proceso cultural* (Madrid 1975); *Literatura y pequeña burguesía en España (1890-1950)* (Madrid 1972).

MARAVALL, J. A., *Sobre orígenes y sentido del catolicismo liberal en España*, en *Homenaje a Aranguren* (Madrid 1972) p.229-66.

MARRERO, Vicente, *La guerra civil española y el trust de cerebros* (Madrid 1961).

MARTÍ GILABERT, Francisco, *La abolición de la Inquisición en España* (Pamplona 1975).

MARTÍNEZ ALBIACH, Alfredo, *Talante del catolicismo español:* Burgense 17-1 (1976) 99-160; 17-2 (1976) 545-632; 18-1 (1977) 253-319; *Religiosidad hispana y sociedad borbónica* (Burgos 1969).

NÚÑEZ MUÑOZ, María F., *La Iglesia y la Restauración 1875-1881* (Santa Cruz de Tenerife 1976).

PETSCHEN, Santiago, *Iglesia-Estado. Un cambio político. Las Constituyentes de 1869* (Madrid 1974); *El anticlericalismo en las Cortes Constituyentes de 1869-1871:* Miscelánea Comillas 34 (1976) 67-96.

REVUELTA GONZÁLEZ, Manuel, *Política religiosa de los liberales del siglo XIX. Trienio constitucional* (Madrid 1973); *La exclaustración (1833-1840)* (Madrid 1976).

RODRÍGUEZ, Manuel José, *Dios en la poesía española de la posguerra* (Pamplona 1977).

RUIZ BERRIO, Julio, *Política escolar de España en el siglo XIX* (Madrid 1970).

SÁEZ MARÍN, J., *Datos sobre la Iglesia española contemporánea 1768-1868* (Madrid 1975).

SAINZ RODRÍGUEZ, Pedro, *Evolución de las ideas sobre la decadencia española y otros estudios* (Madrid 1962).

TERRÓN, Eloy, *Sociedad e ideología de la España contemporánea* (Barcelona 1969).

TOMSICH, María Giovanna, *El jansenismo en España* (Madrid 1972).

TUÑÓN DE LARA, Manuel, *El hecho religioso en España* (París 1968); *Medio siglo de cultura española* (Madrid 1970).

VÁZQUEZ, J. M., *Realidades sociorreligiosas de España* (Madrid 1967).

ZAVALA, Iris M., *Masones, comuneros y carbonarios* (Madrid 1971).

CAPÍTULO I

PANORAMA GENERAL DE LA CULTURA ESPAÑOLA
CONTEMPORANEA

> «*La idea romántica de que es España una na-*
> *ción comida por los curas, a la que cierra el paso*
> *hacia la luz de la ciencia una maligna Iglesia cató-*
> *lica, ha de confinarse al basurero de los numerosos*
> *errores que sobre España circulan por el mundo*».
> S. DE MADARIAGA, *España, Ensayo de historia*
> *contemporánea* (Buenos Aires [7] 1964) p.411.

La narración de las relaciones que la Iglesia ha tenido con la cultura de España en la época contemporánea parece que debe abarcar los tiempos que corren entre las Cortes de Cádiz y el comienzo del concilio Vaticano II. Aunque en historia no se deben fijar límites muy precisos a las épocas y a las edades, en esta ocasión podríamos, de forma convencional, señalar dos fechas: 1812-1962. La justificación de esta cronología parece bastante obvia. Las Cortes de Cádiz son el primer acto oficial en el que se da carta de ciudadanía en España al *novus ordo,* a la nueva concepción general de la existencia humana que se había gestado en Francia durante el siglo XVIII y que se suele denominar, de forma genérica, con el nombre de liberalismo. Por el otro extremo, el concilio Vaticano II pone fin a unas actitudes determinadas dentro de la Iglesia e inicia en ella un rumbo renovador que todavía no puede ser objeto de la historia.

El liberalismo significaba una ruptura con el *ordo christianus* tal como se había entendido desde la Edad Media. Para muchos cristianos, las estructuras sociales, políticas, familiares, eclesiásticas, etc., de ese orden eran sacrales e intocables y crimen de lesa revelación intentar su transformación o sustitución. Una necesidad psicológica de seguridad motivaba, en parte, ese conservadurismo. No pocos liberales, por su lado, impulsados por una mayor sensibilidad a una adaptación a los tiempos que amanecían nuevos, radicalizaban de tal manera sus ideas ilustradas, que efectivamente llegaban a constituir una amenaza de destrucción del orden cristiano, con lo cual provocaban a los del otro bando a que se aferrasen aún más a las viejas creencias. Y entre ambos extremos, un sinnúmero de actitudes y actuaciones moderadas que a las inmediatas llevan siempre las de perder, y a las mediatas, las de ganar. Aun a riesgo de simplificar demasiado —el historiador siempre juega con ese riesgo—, parece que se podría decir que, desde 1812 hasta 1962, la geografía y la historia de España han sido el escenario en el que el pueblo español ha representado un drama en mil actos, en el que el argumento principal ha sido la lucha entre liberalismo y antiliberalismo por lograr «una reconstitución nacional desde el mismo suelo» (Madariaga). Lenta y atormentadamente se va verificando la síntesis de lo que en el liberalismo europeo había de correcto, de real, de humano y de cristiano con lo que en el cristianismo es permanente como explicación básica del hombre, de la sociedad y de la historia. El espectador no ve más que lo que sucede en la escena: guerras civiles, pronunciamientos militares, gobiernos efímeros, pueblos hambrientos en lucha por su liberación, el nacimiento y desarrollo del capitalismo, caciques, poetas románticos, novelistas, frailes desamortizados, quemas de conventos, jesuitas hacia el exilio, parlamentarismo, Repúblicas y Monarquías, etc. El historiador, mientras contempla el escenario, buscará las razones y el sentido de todos estos fenómenos, que en el fondo no son sino las quebradas a través de las cuales asciende con esfuerzo y dolor la conciencia humana.

Para comprender mejor la historia, la inteligencia necesita dividir lo que en sí es indiviso, el fluir de la vida humana. Por eso, al dar una panorámica general de la cultura española entre 1812 y 1962, en la que después veremos la actuación de la Iglesia, podemos distinguir tres épocas:

La primera abarca desde las Cortes de Cádiz hasta la revolución que destronó a Isabel II (1812-68). La segunda va desde ese momento hasta el final de la II República (1868-1936). La tercera comprende la era de Franco (1936-75). Si hacemos esta división, es porque parece que en la historia de la cultura española se pueden apreciar rasgos que caracterizan y especifican cada una de ellas.

1. PRIMERA ÉPOCA: 1812-68

Cuando al fin los franceses de Napoleón, derrotados, se retiraron definitivamente de España (1814), dejaron atrás un pueblo orgulloso y aun ebrio de sus victorias, ansioso de que otra vez volviera el rey legítimo de España, Fernando VII, a quien por eso llamaron «el Deseado». Pero la torpeza insigne de este Borbón, la represión o supresión de todas las reformas políticas anteriores, la carencia o la frustración de hombres próceres del pensamiento y de la política, el radicalismo político-religioso y otras muchas causas hicieron que el pueblo se encontrase sin verdaderos guías ideológicos como los que hubiera necesitado. El pueblo había dado su vida por la Patria, pero ahora nadie era capaz de hacer la Patria de los tiempos nuevos.

Era el pueblo español de entonces (11.661.865 habitantes según el censo de 1822) campesino, pobre e inculto. En 1814 se dio un primer *Reglamento general de instrucción pública,* y otro en 1821. En 1834 se renovó, por decreto, la primera enseñanza. En 1857, el ministro de Fomento, Claudio Moyano, dio una Ley general de instrucción pública, que con algunas modificaciones ha estado vigente hasta 1970. Pero por la incuria de los campesinos, por la mala dotación de escuelas y maestros, porque el erario se agotaba en políticas y guerras, etc., lo cierto es que todavía en 1877 sólo sabían leer y escribir un 38 por 100 de hombres y un 19 por 100 de mujeres.

En lo religioso, los españoles del siglo XIX eran, por lo general, muy poco instruidos, pero férreamente adheridos a sus creencias católicas, sin distinguir exactamente lo que en ellas era esencial y lo que en ellas había de accidental, recargado o supersticioso. La ancestral pugna contra musulmanes, luteranos, alumbrados e ilustrados y la presencia siempre vigilante y siempre temida de la Inquisición había troquelado el carácter religioso español de forma monolítica, de tal manera que no se consideraba español al que no era católico. La religión católica había sido el más eficaz aglutinante del pueblo hispánico, y atentar contra la una era atentar contra el todo.

El pueblo era mantenido en su fe y en su piedad religiosa, recargada y barroca, por una multitud de clérigos seculares y regulares, a los que el pueblo veneraba y obedecía. El número de clérigos y frailes era excesivo, y los observadores más avanzados —Jovellanos, por ejemplo— lo denunciaban como un perjuicio religioso y social. Miguel Artola calcula que el número de clérigos y religiosos a principios del siglo XIX se aproximaba a 150.000 individuos [1]. Según el censo de 1797, sobre una población de 10.541.221 habitantes, el número de religiosos y sacerdotes era exactamente de 110.361 [2]. Era, sin embargo, la fe del pueblo suficientemente viva y vital como para dar un sentido profundo y real a la vida y a la muerte, así como frutos admirables de virtud, santidad y servicio al prójimo.

Una sucesión inacabable de violencias (guerras civiles, pronunciamientos, persecuciones, destierros, ejecuciones), un agotamiento de las fuerzas vivas del país, en enfrentamientos políticos de partidos y bandos; un afán desmedido de protagonismo y de eliminación radical de los contrarios, una inestabilidad continuada de gobiernos y aun constituciones que, apenas nacidas, ya podían oír aquellas palabras de la Biblia: «A la puerta están los que te van a llevar también a ti al sepulcro», y, por lo mismo, una ausencia de continuidad en los proyectos de desarrollo y de cultura, hicieron que el siglo XIX, excluyendo su último cuarto, fuera casi estéril en cuanto a producción y creatividad cultural. En el panorama español de esa época se dio una increíble efervescencia y agresividad político-religiosa, un lento desarrollo económico y una pobre vida cultural.

En las épocas del absolutismo de Fernando VII (1814-20/1823-33)

---

[1] MIGUEL ARTOLA, *La burguesía revolucionaria (1808-1869)*, en *Historia de España* V (Alfaguara, Madrid 1973) p.136.
[2] *Censo de la población de España de el año 1797, executado de orden del Rey en el de 1801*, estado n. 44. Más estadísticas concretas pueden verse en MANUEL REVUELTA, *La exclaustración (1833-1840)* (Madrid 1976) p.13-24; *Política religiosa de los liberales en el siglo XIX* (Madrid 1973) p.395-470. Con manifiesta inexactitud y exageración, los hace ascender a 200.000 J. VICÉNS VIVES, *Historia de España y América* t.5 (Barcelona 1961) p.140. Debe enumerar entre ellos a novicios, donados, criados, etc.

se reprime cualquier manifestación cultural que pretenda introducir el liberalismo o parezca pretenderlo. Los pensadores liberales se tuvieron que expatriar o fueron a la cárcel. En la primera etapa sólo se permiten dos periódicos en todo el país: la *Gaceta* y el *Diario de Madrid* [3]; en la segunda, «la *Gaceta* y el llamado *Diario de Madrid* y los periódicos de comercio, agricultura y artes que en la corte o en las provincias acostumbran a publicarse en la actualidad o se publiquen en adelante con las licencias necesarias» [4]. En 1824 se elabora un plan de estudios para las universidades conforme al modelo clásico (humanidades, filosofía escolástica, teología, leyes, cánones y medicina), con toda clase de cautelas para evitar infiltraciones heterodoxas o liberales. Pero como, a pesar de todo, las sociedades secretas influían en las cátedras y entre los estudiantes, el rey decidió nada menos que cerrar las universidades en 1830, y no volvieron a abrirse hasta 1832. Claro que, aun cuando estuvieran abiertas, el nivel cultural era muy bajo. De «estado de barbarie y noche intelectual» califica Menéndez Pelayo la situación cultural española de la época [5].

Mientras subsistió la Inquisición, ella se encargó también de vigilar y perseguir la publicación y la lectura de libros de ultrapuertos con estrechez y rigor indebidos, que crearon situaciones de angustia en los que pretendían abrirse al mundo cultural europeo; y, por lo demás, sin gran éxito, pues de hecho los libros «ilustrados» se vendieron y leyeron con profusión [6].

Muerto Fernando VII (1833), la libertad y las posibilidades culturales crecieron: «Todos los españoles pueden imprimir y publicar libremente sus ideas sin previa censura, con sujeción a las leyes», decía la Constitución de 1837. En 1835 se acometió la reforma de las universidades, se instauró la Facultad de Filosofía, en la que se incluían las ciencias de la naturaleza, y se crearon los institutos de enseñanza media.

Hubo un movimiento literario romántico tardío, pero fecundo; so-

---

[3] El decreto del soberano del 2 de mayo de 1815 decía: «Habiendo visto, con desagrado mío, el menoscabo del prudente uso que debe hacerse de la imprenta, que, en vez de emplearla en asuntos que sirvan a la sana ilustración del público o a entretenerle honradamente, se la emplea en desahogos y contestaciones personales, que no sólo ofenden a los sujetos contra quienes se dirigen, sino a la dignidad y decoro de una nación circunspecta, a quien convidan con su lectura; y bien convencido por mí mismo de que los escritos que particularmente adolecen de este vicio son los periódicos y algunos folletos provocados por ellos, he venido en prohibir los que de esta especie se dan a luz dentro y fuera de la corte; y es mi voluntad que sólo se publiquen la *Gaceta y el Diario de Madrid*».

[4] Real Orden de 30 de enero de 1824. De hecho, más tarde, todavía durante el decenio absolutista, se publicaron más periódicos; cf. PEDRO GÓMEZ APARICIO, *Historia del periodismo español* t.1 (Madrid 1967) p.175-85.

[5] M. MENÉNDEZ PELAYO, *Historia de los heterodoxos españoles* l.8 c.3 (Madrid 1956); Edic. Nac. t.6 (Santander 1948) p.355.

[6] Sobre la actuación de la Inquisición tardía debe leerse el libro de MARCELIN DEFOURNEAUX, *L'Inquisition espagnole et les livres français au XVIIIᵉ siècle* (París, P.U.F., 1963). He aquí su conclusión final: «No; la Inquisición, de hecho, no ha cerrado España a la cultura europea; toda la historia del siglo XVIII español demuestra lo contrario. Pero ha dado a algunos de aquellos que vivían en el interior de sus fronteras la impresión de estar encerrados en una "prisión intelectual", a través de cuyos barrotes podían entrever la libertad. Así se explica y se justifica —históricamente hablando— el resentimiento que crece contra ella, y del que, a principio del siglo siguiente, va a ser víctima» (o.c., p.166).

bre todo en el teatro (Martínez de la Rosa, Bretón de los Herreros, Duque de Rivas, Larra, Espronceda, Gil y Carrasco, Mesonero, Hartzenbusch, Zorrilla, Bécquer, etc.). En cambio, carecimos en absoluto de filósofos, si se exceptúa a Balmes y a Donoso Cortés, que ya son de la mitad del siglo. De ellos nos ocuparemos más adelante. Es explicable esta miseria filosófica, porque se enseñaba en las universidades el empirismo y el sensismo, de importación francesa, que no podían sino esterilizar las mentes juveniles. La gran metafísica escolástica española de los tiempos áureos había desaparecido. En los años de Fernando VII se había enseñado una escolástica pobrísima, rutinaria y arcaica [7]. Después se prefirió la moda extranjera. Pero de lo extranjero se escogía lo que menos valía. La metafísica idealista alemana fue casi ignorada en nuestro suelo. Sólo en 1872 se hizo una traducción de la *Lógica* de Hegel, sobre una traducción italiana, y en 1878 se tradujo la *Filosofía del derecho*. Hasta entonces sólo se conocía un tanto por referencias y traducciones francesas [8]. Menéndez Pelayo, nada sospechoso de querer ocultar los valores patrios, escribe refiriéndose a la filosofía que se enseñaba entonces en las universidades españolas: «Nunca fue mayor la decadencia de nuestros estudios filosóficos que en la primera mitad del siglo XIX [...]. Nada iguala a la pobreza de los escritos en que se desarrollaban las doctrinas sensualistas de Condillac y de Destutt de Tracy o el *utilitarismo,* única filosofía de los llamados entonces *liberales* y de los afrancesados, que en esto y en otras cosas se daban la mano con ellos» [9].

Pronto llegaron algunos libros socialistas franceses, principalmente de Lamennais y de Fourier, y aun se formaron algunos círculos fourieristas; pero el socialismo español aún no había nacido, porque el país no se había desarrollado industrialmente.

La proximidad de Francia, la más fácil comprensión de su idioma y las idas y venidas de exiliados hicieron que la influencia de la cultura francesa fuera superior a cualquier otra en los tres primeros cuartos del siglo XIX.

En 1835 se fundó el *Ateneo Científico y Literario* de Madrid, centro cultural parauniversitario, dividido en cuatro secciones —Ciencias Morales y Políticas, Naturales, Físicas y Matemáticas, Literatura y Bellas Artes—. En él dieron cursos los hombres más eminentes de la época, como Lista, Alcalá Galiano, Pacheco, Donoso Cortés, etc. A su imitación, también en provincias se fundaron centros similares. Los ateneos

---

[7] Cf. ANTONIO HEREDIA SORIANO, *La filosofía «oficial» en la España del siglo XIX, 1800-1833:* La Ciudad de Dios 185 (1972) 225-82, 496-542.

[8] Ha sido principalmente a través de las obras de Víctor Cousin como se ha divulgado en los países latinos la doctrina de Hegel; cf. MARCELINO MENÉNDEZ PELAYO, *Historia de los heterodoxos españoles* l.8 c.3 Ed. Nac. t.6 (Santander 1948) p.353-59; *Estudios de crítica literaria.* t.5: *Quadrado y sus obras.* Ed. Nac. (Santander 1942) p.213. En la Universidad de Sevilla hubo una especie de escuela hegeliana, dirigida por un catedrático llamado Contero Ramírez, que no escribió nada. Para alguna mayor información, cf. M. PIZAN, *Los hegelianos en España* (Madrid 1973) p.13-35. A pesar del título, este libro sólo dedica estas páginas al hegelianismo.

[9] MARCELINO MENÉNDEZ PELAYO, *Estudios y discursos de crítica histórica y literaria* t.7. Edic. Nacional (Santander 1942) p.244.

serían, a la larga, poderosos instrumentos para el adoctrinamiento de la burguesía.

Pero el fenómeno más curioso y de más alcance de la cultura española mediado ya el siglo XIX es el krausismo. En un panorama cultural desolado, un hombre tenaz, austero y moralizante, Julián Sanz del Río (1814-69), fue becado (1843) por D. Pedro Gómez de la Serna, ministro de la Gobernación, para que estudiara dos años en Alemania y luego enseñara filosofía en España. Convertido en Heidelberg al krausismo, en el que creyó encontrar toda la verdad y la moral más recta, concibió un propósito casi mesiánico: «Mi resolución invariable es consagrar todas mis fuerzas durante mi vida al estudio, explicación y propagación de esta doctrina según sea conveniente y útil en nuestro país [...], es mi convicción última y completa acerca de la verdad de la doctrina de Krause [...], que yo encuentro dentro de mí mismo, y que infaliblemente encontrará cualquiera que sin preocupación, con sincera voluntad y con espíritu libre y tranquilo se estudia a sí mismo»[10]. Volvió a España, y cumplió con energía indomable su vocación. Desde la cátedra de Madrid, cuando pudo, en traducciones, en artículos y libros, y sobre todo en círculos de amigos y de discípulos, expuso, comentó y persuadió a muchos de las ideas de Krause.

Lo más lamentable había sido la elección. Porque Karl Cristian Friedrich Krause (1781-1832) no había pasado de ser un mediocre profesor alemán que nunca pudo llegar a «Professor ordinarius», dominado, como tantos de sus compatriotas, por la concupiscencia de sistematizar —ridiculizada ya por Engels—. Con sus especulaciones no había conseguido sino un sistema nebuloso y sibilino de panteísmo o panenteísmo racionalista, epígono del idealismo, que desembocaba en la visión de la humanidad como la más alta esencia derivada de Dios. En su *Filosofía del derecho* —la parte más válida de su pensamiento— da normas de conducta ética, social y filantrópica.

Faltos de otras perspectivas y de otros maestros, algunos jóvenes inquietos de la burguesía española, bajo el magisterio de Sanz del Río, se entusiasmaron con Krause, y en él buscaron apoyo para su racionalismo, su liberalismo progresista y su filantropía. Se sumergieron en el laberinto de sus densas y tenebrosas especulaciones, se dedicaron con veneración a interpretar a Krause y al mismo Sanz del Río —«peor que Sanz del Río no cabe en lo humano escribir; el mismo Salmerón lo iguala, pero no lo supera» (M. Pelayo), y constituyeron, como en tantas otras ocasiones históricas, una especie de secta dogmática, puritana y cuasi-religiosa. Pío Baroja los describe como «hombres graves, barbas negras, miradas sombrías, aire profético»[11]. Lo cierto fue que del grupo de los discípulos de Sanz del Río salieron profesores y políticos, reformadores y masones, que influyeron muy considerablemente con sus ideas y su acción en el desarrollo político, social, cultural y religioso

---

[10] J. SANZ DEL RÍO, *Cartas* p.11-12; cit. en VICENTE CACHO VIU, *La Institución Libre de Enseñanza* (Madrid 1962) p.35-36.

[11] PÍO BAROJA, *Familia, infancia, juventud* (Madrid 1944) p.202.

de la España futura. El fruto más constatable del espíritu y del círculo krausista fue la Institución Libre de Enseñanza, fundada por Francisco Giner de los Ríos, el más destacado discípulo de Sanz del Río. De ella nos ocuparemos en seguida [12].

2. Segunda época: 1868-1936

No es de este sitio narrar las peripecias políticas de esta época atormentada de nuestra historia desde que se hunde la monarquía de los Borbones (1868) hasta el cataclismo en el que se hunde la II República (1936).

Por la dinámica misma de las fuerzas evolutivas de la humanidad, que no por previsión y planeamiento de un desarrollo económico y social, creció en todo este tiempo la industria y el comercio sobre bases modernas y aumentó la población (15,6 millones en 1860; 23,5 en 1930). Surgieron los aristócratas del dinero y los movimientos proletarios. El Partido Socialista Obrero Español se organiza en 1879, y desde 1886 publica un periódico, de gran difusión entre las masas, *El Socialista*. El Partido Comunista, nacido tras el triunfo de la revolución rusa (1917), nunca fue multidudinario. El *Capital*, de Marx, se tradujo parcialmente al castellano en 1886. La Unión General de Trabajadores (U.G.T.), sindicato socialista, es de 1882, y de 1911 la Confederación Nacional de Trabajadores (C.N.T.) o sindicato anarcosindicalista.

Lo curioso es que, a pesar de las dificultades de todo tipo —económicas, políticas, sociales, internacionales— en que la sociedad española avanzaba, aparecieron ya, desde el último cuarto del siglo XIX hasta 1936, hombres y movimientos que significan mucho culturalmente y que califican esta etapa como muy distinta y superior a la precedente.

Hubo un progreso en la culturización de las masas. Los analfabetos, que en 1901 eran el 56 por 100, en 1931 habían descendido al 31,13 por 100 gracias, sobre todo, a que Primo de Rivera había creado en los seis años de su gobierno 5.000 escuelas y 25 institutos de enseñanza media. Había decidido e iniciado, además, la espléndida Ciudad Universitaria de Madrid. En 1928 estaban matriculados en el conjunto de las universidades españolas 28.000 alumnos varones y muy pocas mujeres. La II República (1931-36) intensificó el empeño por llevar la cultura a todos, aunque obstaculizó cuanto pudo la labor docente de la Iglesia. Desde finales de siglo ésta había realizado un gran esfuerzo por llevar al pueblo la cultura, y, a través de la cultura, la fe, como más adelante expondremos. Aumentaron, además, las publicaciones de periódicos diarios y revistas, las bibliotecas, los ateneos y centros cultura-

---

[12] Sobre Sanz del Río y el krausismo, cf. los autores y obras citados más abajo en la nota 15. Puede verse además: Fernando Martín Beuzas, *La teología de Sanz del Río y el krausismo español* (Madrid 1977). Un catálogo de los discípulos notables de Sanz del Río se encontrará en Guillermo Fraile, *Historia de la filosofía española desde la Ilustración* (Madrid 1972) p.140-51. Hace una sátira del krausismo Leopoldo Alas, en *Zurita* (*Pipá...*), 3.ª ed. (Madrid 1886) p.369-441. L. Alas había sido antes krausista y discípulo de Giner.

les. Ya en 1898, *El Imparcial* tiraba 150.000 ejemplares cada día, y las ediciones económicas de libros de bolsillo extendieron el saber popular.

Pero lo más relevante fue la aparición de movimientos intelectuales minoritarios o sencillamente de personajes aislados, que, al ser mirados en conjunto, constituyen brillantes constelaciones. Se ha llamado a este tiempo Edad de plata de la literatura española. Entre 1868 y 1936 florecieron con exuberancia la novela (Pérez Galdós, Juan Valera, Pérez de Ayala, Pardo Bazán, Alarcón, Palacio Valdés, Pereda, «Clarín», Luis Coloma, Pío Baroja, Azorín, Valle Inclán, Blasco Ibáñez, etc.), el teatro y la poesía (Echegaray, Verdaguer, Marquina, Benavente, Unamuno, Antonio y Manuel Machado, Joan Maragall, Gabriel y Galán, Rubén Darío, Juan Ramón Jiménez, Jorge Guillén, Gerardo Diego, Pedro Salinas, García Lorca, José María Pemán, Gabriel Miró, Vicente Aleixandre, Rafael Alberti, Alejandro Casona, Luis Cernuda, etc.), los estudios históricos (Menéndez Pelayo, Menéndez Pidal, Gómez Moreno, Américo Castro, Sánchez Albornoz, Asín Palacios, Salvador de Madariaga, el P. Villada, etc.), la medicina (Ramón y Cajal, Jiménez Díaz, Marañón, etc.); en tono menor, aunque superior al del siglo pasado, la filosofía (Unamuno, Ortega, García Morente, Amor Ruibal, Eugenio d'Ors), la música (Albeniz, Granados, Turina, Usandizaga, Vives, Falla, Rodrigo, Guridi, Casals), la arquitectura (Gaudí), la pintura (Zuloaga, Sert, Sorolla, Palencia, Salaverría, Vázquez Díaz, Picasso, Dalí). Sería demasiado largo enumerar todos los nombres; con los más relacionados con la cultura católica nos volveremos a encontrar.

Al hundirse definitivamente el viejo imperio español con la pérdida de Filipinas, Puerto Rico y Cuba (1898), se había extendido por el país un estremecimiento «regeneracionista». Era preciso regenerarse y regenerar a España en todo: en lo político, en lo económico, en lo social, en lo cultural, en lo religioso. Desde el cardenal arzobispo de Valladolid hasta Blasco Ibáñez, el novelista sensual y republicano, todos pedían «regeneración».

Prescindiendo ahora de la contribución de la Iglesia, que después expondremos y valoraremos, hay que reconocer que el organismo que más eficazmente contribuyó a una regeneración cultural —aunque laica— del país fue la llamada *Institución Libre de Enseñanza*.

Gobernaba España desde enero de 1875 Cánovas del Castillo, buscando sinceramente la integración de las fuerzas políticas, con tolerancia «jamás conocida por España bajo un gobierno conservador» [13]. Menos tolerante que él, su ministro de Fomento, el Marqués de Orovio, había dictado unas normas severas contra la libertad de cátedra, que los liberales habían conseguido al caer Isabel II en 1868 [14]. La reacción de

[13] Raymond Carr, *España, 1808-1939* (Barcelona 1969) p.340.
[14] Exigió de nuevo que los profesores presentasen al Ministerio los programas y los textos para su aprobación. Además, en circular privada a los rectores de las universidades, les advertía que no tolerasen «otras doctrinas religiosas que no sean las del Estado», es decir, las católicas; que impidiesen cualquier ataque verbal «a la persona del rey o al régimen monárquico constitucional» y que se exigiese con rigor la disciplina y la asistencia a clase; cf. Vicente Cacho Viu, *La Institución Libre de Enseñanza* (Madrid 1962) p.284-85.

un grupo de profesores liberales y prestigiosos no se hizo esperar; protestó Giner de los Ríos, y fue confinado a Cádiz; escribieron en contra Salmerón y Azcárate, y fueron suspendidos de empleo y sueldo; hicieron causa común y cerrada los krausistas; en suma, se levantó una de esas tempestades que tantas veces se han levantado en nuestra vida pública durante la época que historiamos.

Lo cierto es que, con ocasión de esta «cuestión universitaria», cobró importancia y relieve un personaje: Francisco Giner de los Ríos (1839-1915). Desde la muerte de Sanz del Río (1869) era él el dirigente del movimiento krausista. Este había ya dado de sí cuanto tenía que dar, que era bien poco, y además se dividía en tendencias plurales, como suele suceder. Giner de los Ríos, consciente de que el krausismo llegaba a su ocaso, espoleado por el ataque de Orovio a la libertad de enseñanza y liberado pronto de su confinamiento, juntó discípulos y profesores, redactó bases estatutarias, y el 29 octubre de 1876, en la calle de Esparteros, número 9, de Madrid, D. Laureano Figuerola leía el discurso inaugural de lo que iba a ser una especie de universidad libre, y que se iba a llamar *Institución Libre de Enseñanza*.

Era Francisco Giner de los Ríos un hombre silencioso y apacible, como Kant, que reunía en su espíritu la quintaesencia de toda la Ilustración del siglo XVIII y de la evolución de ésta en el XIX, con la integración de elementos idealistas, positivistas y krausistas. Seguro del poder supremo e inapelable de la razón, lleno de esperanza en la ciencia rigurosa, amante de la naturaleza hasta el misticismo cuasi-panteísta, rechazaba cualquier tipo de religión positiva que pretendiera poseer verdades reveladas, y su Dios no era sino el primer principio o «potencia activa del cosmos, que llamamos Dios sólo para poder entendernos». Enemigo, por tanto, aunque respetuoso, de la Iglesia y de las iglesias, a las que culpaba de obscurantismo. Como krausista, era moralizante desde las bases de la verdad, la justicia y la filantropía, aspirante a un orden natural armónico y perfecto para la humanidad. Comprendió con penetración que la revolución de España no sería eficaz si se hacía con las armas o desde la política. Cayó en la cuenta —y fue su intuición más válida— que lo eficaz es educar las mentes y formar hombres con ideas, porque éstas acaban por sobreponerse a todos los movimientos violentos. Supo ser pedagogo y hacer de los discípulos alumnos, es decir, amigos que se alimentasen del pan de la cultura que él les impartía. Soñó con abrir España al mundo ideológico europeo haciendo que los mejores de los universitarios valorasen en poco las tradiciones hispanas y buscasen en la cultura europea la apertura a las luces, a la tolerancia, el pluralismo, el laicismo y el naturalismo.

Sus ideas pedagógicas nuevas —participación de los alumnos, carencia de formalismos, cercanía de los profesores, eliminación de exámenes, lecciones de cosas, etc., su pensamiento innovador y su humanismo hicieron de él l primer maestro de una juventud burguesa que bajo su dirección volvía la espalda al catolicismo y a la España del pasado y buscaba definitivamente el porvenir de España en el racionalismo, en el laicismo y en el liberalismo europeos.

La Institución Libre de Enseñanza se puso en marcha, y con un éxito indiscutible. En 1907, cuando ya los institucionistas tenían mucha influencia política, fundó el Gobierno, bajo su inspiración y presidida por Ramón y Cajal, la *Junta para la Ampliación de Estudios e Investigaciones Científicas*, que posibilitó el que no pocos institucionistas estudiasen en el extranjero. En 1910 creó Giner, en Madrid, la *Residencia de Estudiantes*, donde proseguía la formación de los universitarios. Desde 1881, la Institución atendió a estudiantes de bachillerato, y desde 1885, a párvulos; creó e inspiró otros centros, como el *Centro de Estudios Históricos*, el *Museo pedagógico*, etc.

Es imposible referir aquí los nombres de todos los profesores, escritores y políticos que se formaron en el espíritu de la Institución. Baste recordar a Salmerón, Azcárate, Melquiades Alvarez, Besteiro, Azorín, Fernando de los Ríos, Luis Zulueta, Alvaro de Albornoz, Antonio Machado, Juan Ramón Jiménez, Azaña, Américo Castro, Ortega y el grupo de la *Revista de Occidente*, Joaquín Xirau, Manuel Bartolomé Cossío, el «delfín», que sucedió a Giner en la dirección de la Institución, etcétera. Todos ellos se caracterizaron por su refinamiento estético, puritanismo moral, laicismo y distancia de la Iglesia, intelectualismo, aristocratismo cultural, propensión a una izquierda moderada en política. Nada de la política y del pensamiento español contemporáneo puede ser comprendido si no es en dependencia o en pugna con la *Institución Libre de Enseñanza* [15].

Intimamente ligados con ella están casi todos los hombres que constituyen lo que se suele llamar *Generación del 98*. Si estos hombres tienen o no características suficientes como para constituir una «generación», quiénes son los que la integran, si se les puede llamar «regeneracionistas» o «modernistas», si se les ensalza más que lo que merecen, como quería Azaña («la generación del 98 viene a ser ya, para disertar de literatura, como los tercios de Flandes para la historia») o si forman «un grupo capaz de honrar por sí mismo a toda la historia cultural de una nación» (Ricardo de la Cierva), son tema en los que no podemos entrar. De lo que no se puede dudar es de su presencia influyente en la cultura española de la primera mitad del siglo XX, principalmente en la literatura y en la política. Generalmente se admite que pertenecen a la «generación del 98» Unamuno (1864), Ganivet (1865), Valle Inclán (1866), Baroja (1872), Azorín (1873), el primer Maeztu (1874) y Antonio Machado (1875). Sin embargo, «el espíritu del 98» está presente también en Joaquín Costa, Pérez de Ayala, Blasco Ibánez, Jacinto Benavente,

---

[15] Sobre Giner y la Institución Libre de Enseñanza son indispensables los libros de MARÍA DOLORES GÓMEZ MOLLEDA, *Los reformadores de la España contemporánea* (Madrid 1966) y VICENTE CACHO VIU, *La Institución Libre de Enseñanza* (Madrid 1962). También pueden verse PIERRE JOBIT, *Les éducateurs de l'Espagne contemporaine* (París 1936); L. LUZURIAGA, *La Institución Libre de Enseñanza y la educación en España* (Buenos Aires 1956); ANTONIO JIMÉNEZ-LANDI, *La Institución Libre de Enseñanza* (Madrid 1973); JUAN LÓPEZ MORILLAS, *El krausismo español* (1956).

Manuel Machado, Gabriel Miró, Menéndez Pidal, Juan Ramón Jiménez, Ortega y Gasset, etc.

No se puede seguir hablando de un monolitismo ideológico entre ellos, como hizo Pedro Laín Entralgo en su obra *La generación del 98* (1945). Pero sí es cierto que coincidieron en determinadas actitudes ante la realidad española de finales del siglo. Estas podrían resumirse así: *a)* un compartido afán de denuncia de los males patrios, rebeldía e inconformismo; *b)* inculpación de la decadencia española al catolicismo, a la actitud cerrada de los tres últimos siglos y a la desgraciada política del siglo XIX; *c)* necesidad de un examen de conciencia nacional y de una palingenesia mediante la europeización; *d)* preocupación por temas filosóficos, morales y socio-políticos, expresados en novelas, ensayos y poesías; esteticismo y culturalismo revolucionarios; *e)* conocimiento de la realidad española mediante andanzas y viajes por las tierras españolas y mediante una lectura nueva de los clásicos. En lo político fueron radicales en su juventud, desde el federalismo intransigente hasta el marxismo. Más tarde fueron liberales moderados, pero antiparlamentarios y antidemócratas, porque propendían a alejarse de las multitudes incultas, aunque fuesen de diputados. Unamuno llama a los liberales «legión de ceros». Cuando apareció la dictadura de Primo de Rivera, se opusieron también a la dictadura, y la criticaron con dureza, porque su tarea crítica y negativa fue mucho más amplia que la constructiva y positiva.

Fue Nietzsche el maestro más influyente en la «generación del 98». De él heredaron su actitud anticristiana, la exaltación de lo volitivo y lo vital frente a la razón, el aristocratismo, la búsqueda del superhombre (el «Pío Cid» de Ganivet, el «Cristo Quijote» de Unamuno, el «Caballero de la Hispanidad» de Maeztu, el «César Moncada» de Baroja). Estos temas se funden en ellos frecuentemente con los afanes culturales y racionalistas propios de la Ilustración [16].

Laín Entralgo ha hablado de la «común e individual disidencia del catolicismo ortodoxo de todos ellos» [17]. No son sólo anticlericales, es decir, no sólo combaten y ridiculizan el integrismo y las formas religiosas arcaicas o grotescas de sectores del clero y del pueblo, sino que, perdida su fe y su aceptación de la revelación cristiana, propagan un deísmo de cuño dieciochesco o una vivencia «agónica» del cristianismo como lucha inacabable entre la razón, que dice que no, y la «cardíaca», que dice que sí (Unamuno), o un agnosticismo cuasi-panteísta (Pío Baroja). Sus lecturas caóticas y múltiples, a las que se entregaron sin una preparación crítica; las embestidas de la atmósfera scientista, positivista y nietzscheana de Europa, el influjo de las cátedras krausistas y el que

---

[16] Pío Baroja escribe: «Tal vez, si quisiéramos destacar la influencia más decisiva e incisiva [sobre la generación del 98], tendríamos que nombrar a *Federico Nietzsche*» (PÍO BAROJA, *El escritor según él y los críticos* [Madrid 1944] p.177). Es indispensable consultar sobre este tema UDO RUKSER, *Nietzsche in der Hispania* (München 1962) y la obra más completa de GONZALO SOBEJANO, *Nietzsche en España* (Madrid 1967).

[17] PEDRO LAÍN ENTRALGO, *España como problema* (Madrid ³1962) p.424.

el medio católico español no les ofrecía un panorama renovado y atrayente consumaron su alejamiento y su antipatía a la Iglesia y a la fe [18].

Fueron institucionistas (Manuel Azaña, Ortega y Gasset, Fernando de los Ríos, Alvaro de Albornoz, etc.) los que al caer la dictadura de Primo de Rivera aceleraron la llegada de la II República (14 de abril de 1931). Quisieron una república de trabajadores, laica y racional, moderada, culta y feliz. Joaquín Maurín la ha llamado «una típica revolución pequeño-burguesa«. Pero, una vez más, la realidad desmintió a la utopía. Buenos para teorizar, pero malos para gobernar, desataron con sus imprudencias, su sectarismo antirreligioso y su debilidad una vorágine de luchas, partidismos y violencias; se politizaron hasta el radicalismo todas las estructuras del país. Ortega y Gasset, intelectual y utópico, gritaba en un artículo famoso: «No es esto, no es esto». Pero ya era tarde. El huracán estaba desatado.

Es verdad que la República, alentada por los institucionistas, intentó una renovación pedagógica y una ampliación de la cultura para el pueblo. Pero los resultados fueron escasos por las razones dichas y por el burocratismo asfixiante [19].

3. TERCERA ÉPOCA: 1936-75

La guerra civil (1936-39) ensangrentó la patria española durante casi tres años. De aquella guerra nació un Estado autoritario y enérgico, decidido a mantener un orden y una paz perdidas desde siglo y medio antes, en los que fuese posible el desarrollo industrial, social y cultural. Digan lo que quieran sus detractores, ese Estado tuvo un inmenso respaldo popular. Persuadido el general Franco de que una de las causas principales de las desventuras de la España moderna había sido la política cicatera, caciquil y partidista, abolió dicha política y, tras las gravísimas dificultades creadas por la guerra mundial, lanzó al país hacia un desarrollo económico y hacia unas reformas sociales que han producido una notable elevación general del nivel de vida, principalmente de las clases proletarias, aunque no han suprimido los abusos del capitalismo.

Los vencedores sabían bien que la guerra había sido, en gran parte,

---

[18] Sobre la generación del 98 pueden consultarse como obras más importantes: PEDRO LAÍN ENTRALGO, *La generación del 98* (Madrid 1945); RAFAEL CALVO SERER, *Del 98 a nuestro tiempo:* Arbor (1949) 1-34; GUILLERMO DIAZ PLAJA, *Modernismo frente al 98* (Madrid 1951); LUIS S. GRANJEL, *Panorama de la generación del 98* (Madrid 1959); *La generación del 98* (Madrid 1966); C. BLANCO AGUINAGA, *Juventud del 98* (Madrid 1970); JOSÉ LUIS ABELLAN, *Claves del 98. Un acercamiento a su significado*, en VARIOS, *Sociedad, política y cultura en la España de los siglos XIX y XX* (Madrid 1973). Son interesantes las observaciones de PÍO BAROJA, *El escritor según él y según los críticos* (Madrid 1944) p.174ss.

[19] Marcelino Domingo, primer ministro de Instrucción Pública de la República, creó 27.000 escuelas sobre el papel y 3.000 sobre el terreno. Fernando de los Ríos, descendiente de Giner de los Ríos, elevó el número de las escuelas efectivamente creadas hasta 10.000. Salvador de Madariaga cuenta que, cuando fue Ministro de Instrucción Pública en 1934, «hallé que había en España alrededor de 10.500 maestros sin escuela y 10.500 escuelas sin maestro» (SALVADOR DE MADARIAGA, *España. Ensayo de historia contemporánea* [Buenos Aires ²1964] p.411).

provocada por un enfrentamiento anterior de ideas. Fueron dos concepciones distintas del hombre y de la vida humana las que estuvieron en presencia; primero, en los libros, los periódicos, los mítines y el Parlamento; cuando eso se agotó, se encararon en las trincheras. En seguida hablaremos de las dos Españas. Por eso, terminada la contienda bélica con la victoria de las armas, los que habían ganado la guerra quisieron no perder la paz, y con el radicalismo propio de los triunfadores impusieron una ideología y una cultura, procurando raer del suelo patrio todo lo que fuese liberalismo. Se consideró al liberalismo y a sus amigos más cercanos y aliados, el socialismo y el comunismo, como las causas de todos nuestros males y se les desterró al otro lado de nuestras fronteras. Además, por entonces se imponían en Europa los totalitarismos antidemocráticos, y nuestra suerte parecía indisolublemente unida a la suya. Así sucedió que hasta fines de la década de los años cuarenta se mantuvo oficialmente en España un riguroso control ideológico sobre la enseñanza y las publicaciones. Estado e Iglesia, unidos y apoyados mutuamente, fomentaron todas las manifestaciones culturales de signo tradicional y católico. En la poesía y en el cine se exaltaron los valores patrios, y todo un clima de hispanismo a ultranza y de identificación de éste con nuestro siglo de oro, sus valores y sus estirpes, sin concesiones a «desviaciones» liberales, se impuso desde arriba y desde abajo. «Por el Imperio hacia Dios» era la consigna.

Dentro del movimiento falangista, de tendencias fascistas, ya en los años cuarenta hubo, sin embargo, un sector aperturista que buscaba la recuperación e integración de valores liberales. Fueron sus principales representantes Dionisio Ridruejo, Pedro Laín Entralgo y Antonio Tovar, y con ellos y bajo su dirección, la revista *Escorial*. Pero pudieron más, por causas que no podemos estudiar aquí, los grupos conservadores, que querían sólo una de las Españas: la católica y tradicional.

Las cosas, sin embargo, empezaron a cambiar cuando las democracias, después de ganar la guerra mundial (1945), se afirmaron en el gobierno del mundo occidental y exigieron que España hiciese como ellos. En los años en que Joaquín Ruiz Jiménez fue ministro de Educación y Ciencia (1951-56), se intentó una revisión de las etapas anteriores, una liberalización de la educación universitaria y una recuperación de valores culturales eclipsados. Comenzó la crisis universitaria en su doble vertiente de protesta y de evolución hacia la izquierda hasta el marxismo. La revista *Alcalá*, del SEU, era la tribuna de propaganda de una nueva línea aperturista. Manuel Fraga, Ministro de Información, consiguió ya más tarde, en 1966, una ley de Prensa que suprimió la censura para los periódicos y revistas.

La apertura económica y turística a Europa de los años sesenta, la lenta pero progresiva liberalización del régimen y los cambios efectuados en la Iglesia por el papa Juan XXIII y el concilio Vaticano II mitigaron, cada vez más, las rígidas posturas anteriores e hicieron que, al comenzar la década de los setenta todas las corrientes ideológicas y culturales se cruzasen de nuevo en nuestros caminos. Entonces se verificó, una vez más, la seducción de lo prohibido antes, y por eso y por representar los signos de los tiempos nuevos, y por un cierto vacío ideológico ambiental común a toda Europa, muchos de nuestros jóvenes profesores y estudiantes —que ahora ocupan las cátedras— derivaron hacia el marxismo, el socialismo, el freudismo y el neopositivismo; este último muy pobre como filosofía, pero de moda en las extensas áreas de influencia anglosajona. Ello supone una seria amenaza para la cultura cristiana y la concepción católica de la vida [20].

El régimen de Franco, una vez que pudo salir de los tremendos apuros económicos de los primeros años, hizo grandes esfuerzos por elevar el nivel cultural del pueblo todo. El 29 de julio de 1943 se promulgaba una Ley de ordenación de la universidad española. Se dedicaron a la enseñanza créditos ordinarios y extraordinarios. En 1950 no quedaban más que un 17,34 por 100 de analfabetos varones, y la cifra seguiría disminuyendo, hasta reducirse al 8,8 por 100 en los años setenta.

El Estado puso en marcha y financió el *Consejo Superior de Investigaciones Científicas,* que pretendía continuar y mejorar la labor de la *Junta para la Ampliación de Estudios,* orientada antes por la Institución Libre de Enseñanza. El Consejo era un árbol de la ciencia (su escudo era así), compuesto por todas las ramas del saber, cada una con su Instituto y su revista. Hay que reconocer, con Lora Tamayo, que el Consejo creó «la figura del investigador profesional, desconocida antes en España» [21], y con Ricardo de la Cierva, «que mantuvo un alto nivel informativo y una vital conexión con los centros de investigación extranjeros a pesar de las dificultades» [22]. Aunque tenía un manifiesto carácter conservador, hubo desde los primeros momentos —nota Elías Díaz—, «en los puestos directivos del mismo o entre sus colaboradores, algunos científicos e intelectuales de clara mentalidad aperturista e incluso liberal» [23]. En 1950 publicó 227 libros; en 1951, las revistas que editaba eran 118. Hasta 1956, los pensionados por el consejo en el extranjero eran 849, un 30 por 100 de los cuales eran o llegaron a ser catedráticos de universidad.

El régimen de Franco cometió el error de reprimir el desarrollo de las culturas y de los idiomas regionales por temor a que ello atentase contra la unidad de la Patria.

Años más tarde, con el rápido desarrollo económico y demográfico, sobrevendría el alud incontenible de las masas estudiantiles en las universidades, que obligó a que éstas se desdoblasen una y otra vez. En 1970, una *Ley general de educación,* dada durante el ministerio de Villar Palasí, se proponía escolarizar a todos los niños hasta los catorce años,

---

[20] Estudia con objetividad el proceso de apertura de la España de Franco, sus éxitos y dificultades, José María García Escudero, *Historia política de las dos Españas* t.4 (Madrid 1975) p.1925-42.
[21] M. Lora Tamayo, *La investigación científica,* en *El nuevo Estado español* (Madrid 1961) p.717.
[22] Ricardo de la Cierva, *Historia del franquismo. Orígenes y configuración (1939-1945)* (Barcelona 1975) p.399-400.
[23] Elías Díaz, *Pensamiento español, 1939-1973* (Madrid 1974) p.40-41.

alargar la enseñanza media, renovar los métodos pedagógicos y facilitar el acceso de todos a la cultura y la ciencia.

Sin intentar ahora juzgar el régimen político de la época de Franco, que ni es de este lugar ni es aún tiempo oportuno para la objetividad, lo cierto es que, pasados los primeros años de una embriaguez triunfal inevitable y de cerrazón temerosa por todo lo que había sucedido, a lo largo de toda esta etapa han crecido y se han desarrollado en España minorías selectas y dirigentes en todas las zonas de la cultura. En teología, en filosofía, en historia, en poesía, teatro, novela y cine; en pintura, escultura, arquitectura y música ha habido personalidades muy destacadas. Si no las enumeramos aquí junto con sus obras, es porque sería demasiado largo y porque muchas de estas personas viven aún, y podríamos ofender su modestia o pecar de omisiones involuntarias. Otro tanto deberíamos decir de los campos de las ciencias naturales, medicina, física, biología, etc., porque es innegable que en todos los campos de la cultura y del saber hubo hombres eminentes.

Parece que no es exagerado afirmar que el nivel cultural, en su conjunto, alcanzó en estos años —a pesar de las restricciones a la libertad— cotas tan altas como en cualquiera de las mejores etapas de la época contemporánea, si no superiores. La facilidad para estudiar en el extranjero una vez acabada la guerra mundial, la asistencia a congresos, el intercambio de revistas, la modernización de las facultades, las exigencias del desarrollo industrial y técnico, la elevación del nivel económico del país y otros factores contribuyeron al logro de estas realidades.

Ha sido doloroso para España el que al final de la guerra civil tuvieran que emigrar hombres notables en muchos campos del saber, y que exiliados forzadamente unos, libremente otros, representan hoy mucho en la cultura española y aun mundial. Los nombres de Severo Ochoa, Salvador de Madariaga, Américo Castro, Claudio Sánchez Albornoz, José Gaos, José Ferrater Mora, Alejandro Casona, Picasso, Falla, Pau Casals, son por sí mismos elocuentes, y, naturalmente, no son sino algunos de los más representativos [24].

* * *

Supuesto este brevísimo e incompleto esquema del panorama cultural de la España que vive entre 1812 y 1962, vamos ya a hablar de la actuación y de las aportaciones de los hombres de la Iglesia al pensamiento y a las artes. Por supuesto que, cuando decimos hombres de la Iglesia, no nos referimos únicamente a los clérigos, sino a todos aquellos que más directa e inmediatamente se han inspirado para su quehacer cultural en la fe católica. Es importante no identificar Iglesia con clérigos, puesto que el concepto de Iglesia es mucho más amplio, aun-

---

[24] La literatura sobre la guerra española y sus consecuencias y sobre los problemas posteriores es inmensa. Pueden verse conjuntos importantes de esta bibliografía en RICARDO DE LA CIERVA, *Historia básica de la España actual (1800-1973)* (Madrid 1974) p.551-62; *Historia del franquismo* (Madrid 1975) p.425-30.

que sí es verdad que, sobre todo en el siglo XIX, en España se les ha identificado con demasiada facilidad y frecuencia.

En el caso español hay que advertir también que lo católico ha estado secularmente tan presente en todas las manifestaciones de la existencia humana, que es prácticamente imposible hacer una historia de la Iglesia si no es considerando sus hechos, entretejidos en la urdimbre general de la historia española; y viceversa, si se ha de hacer una historia de España, nunca se podrá prescindir de los factores religiosos y católicos. En colaboración o en disensión, siempre ha habido una relación de lo religioso y lo hispano.

CAPÍTULO II

EN LOS ORIGENES DE LAS DOS ESPAÑAS

Dos concepciones de la vida con bases metafísicas y problemática religiosa han constituido desde finales del siglo XVIII lo que ya Larra llamó «las dos Españas». Menéndez Pidal afirma que «los puntos de divergencia» que han dividido a los españoles desde el siglo XVIII «son siempre por motivos religiosos» [25]. Desde el análisis que de las dos Españas hicieron primero Fidelino de Figueiredo [26] y luego, con su habitual maestría, el mismo Menéndez Pidal [27], todos tenemos que admitir la trágica escisión de los españoles contemporáneos en dos zonas, cada una de las cuales ha pretendido tener toda la razón, sin conceder nada a la otra. Una tradicionalista [28], que aprueba la actuación española en los siglos XVI y XVII y que cree que el pensamiento y la acción desarrollados en aquella época áurea han de ser consustanciales con el genio hispánico, y los que han de orientar siempre nuestro proyecto de vida colectiva si no queremos renunciar a nuestra misma esencia. Se siente esta España, además, con vocación de pueblo elegido por Dios para defenderle a él y su religión ante el mundo entero. Esta corriente ve la causa de todos nuestros males en la interrupción que algunos españoles hicieron de su historia a finales del siglo XVIII aceptando la ideología anticristiana de la Ilustración francesa, que se llamó después liberalismo. Desde entonces, creen, a España se le va el alma en querer ser lo que no es. La otra España es la España liberal, europeizante y anticlerical, que ve el origen de nuestra decadencia en el aislamiento orgulloso y en el dogmatismo cerrado y arcaico en que se encastilló la nación desde el siglo XVI cuando tomó una posición hostil a Europa al ver que Europa se perdía irremisiblemente para la fe católica. El remedio de España ha de estar, en consecuencia, en abrirse a Europa e integrar en las esencias del alma española cuanto de progresivo y válido corre más allá de las fronteras, aunque no sea castizo o cristiano.

El exclusivismo temperamental español, la exigencia de protagonismo, que, a su vez, necesita un antiprotagonista, y nuestro sentido absoluto de las ultimidades hicieron que «las dos Españas, guerreando

[25] RAMÓN MENÉNDEZ PIDAL, *Historia de España, Introducción* (Madrid 1947) p.LXXXVIII.

[26] FIDELINO DE FIGUEIREDO, *As duas Espanhas* (1932).

[27] RAMÓN MENÉNDEZ PIDAL, *Las dos Españas. Introducción* a la *Historia de España* t.1 (Madrid 1947) p.LXXI-CI. Es interesante sobre este escrito de Menéndez Pidal el comentario de ANTONIO DOMÍNGUEZ ORTIZ *Reflexiones sobre las dos Españas: Cuadernos Hispano-Americanos* 238-40 (1969) p. 42-54.

[28] Uso aquí esta palabra con el único sentido de adhesión a las tradiciones seculares de un pueblo, y, por tanto, sin matiz ninguno que diga relación al tradicionalismo filosófico ni al político o carlismo.

por los principios más altos, abandonasen los fines inmediatos, los esenciales de la convivencia» [29].

El enfrentamiento de las dos Españas ha sido una constante a lo largo de todo el período que historiamos, ha esterilizado muchos intentos de progreso y renovación y ha ensangrentado el solar de todos los españoles en cinco guerras que tuvieron siempre un fondo religioso (guerra de la Independencia contra franceses y afrancesados, las tres guerras entre carlistas y liberales y la guerra civil entre nacionales y rojos). Unos a otros se han acusado de integrismo e intransigencia; pero la realidad ha sido que ambos bandos han pecado de lo mismo. Cuando José Luis Aranguren ha llamado a la derecha española «la más cerril del mundo», José María García Escudero le ha podido responder que ha sido efectivamente así, pero que la izquierda española ha sido también «la más cerril del mundo».

Naturalmente que hubo también «conciliadores», y ya desde el siglo XVIII. Los nombres de Jovellanos, Feijoo y Balmes valen por todos. Pero no estaban los españoles para aceptar componendas. Prefirieron seguir en la actitud unamuniana de «contra esto y contra aquello»; españolistas contra afrancesados; ilustrados contra retrógrados; doceañistas contra serviles; Inquisición contra enciclopedistas y librepensadores; constitucionales contra absolutistas; progresistas contra moderados; ateos, deístas y masones contra frailes e Iglesia, etc. En suma, liberales y antiliberales en pugna perpetua por obligar al contrario a rendirse sin condiciones, ya que no tenía nada de razón [30].

Y como hubo dos Españas, hubo —en cierta manera— dos Iglesias. Es verdad que entre los llamados hombres de Iglesia ha habido más en el bando tradicionalista y que la Iglesia jerárquica española ha propendido a favorecer esa actitud, pero no se puede olvidar que en la primera mitad del siglo XIX hubo también la otra Iglesia, la Iglesia de los clérigos liberales y progresistas, que constituyeron una minoría rectora y que influyeron no poco con su preparación cultural, sobre todo en los comienzos del siglo XIX, en la conformación del liberalismo español. Esta tendencia desapareció desde mediados del siglo XIX por motivos que expondremos a su tiempo.

La primera manifestación oficial y pública de ambas actitudes se dio en las Cortes de Cádiz. Es de notar que aquella asamblea nacional, que tuvo el coraje de reunirse para legislar el futuro de una España entonces ocupada en su totalidad —excepto el mismo Cádiz— por los ejércitos de Napoleón, estaba compuesta de tal manera, que un tercio aproximadamente de sus diputados eran clérigos. Fernández Almagro da estos datos: «Se contaban entre ellos [los diputados] 97 eclesiásticos, 8 títulos del reino, 37 militares, 16 catedráticos, 60 abogados, 55 funcio-

---

[29] RAMÓN MENÉNDEZ PIDAL, o.c., p.XCIII.
[30] Han estudiado el tema de las dos Españas, además de los autores citados, PEDRO LAÍN ENTRALGO, *España como problema* (Madrid 1956); RAFAEL CALVO SERER, *España sin problema* (Madrid 1959), y sobre todo, con gran documentación y equilibrio, JOSÉ MARÍA GARCÍA ESCUDERO, *Historia política de las dos Españas*, 4 vols. (Madrid 1975).

narios públicos, 15 propietarios, 9 marinos, 5 comerciantes, 4 escritores y 2 médicos» [31].

Pronto apareció en dichas cortes que el verdadero problema no era el bélico, sino el de si se había de aceptar el nuevo orden ideológico y práctico que venía de los pensadores franceses de la Ilustración, o si se había de mantener el orden tradicional, al que muchos consideraban como sagrado e intangible. El orden nuevo ofrecía y exigía variaciones decisivas en lo económico, en lo social, en lo político y en lo religioso. Afirmaba que la soberanía residía en el pueblo y no en el rey por la gracia de Dios; que el poder (legislativo, ejecutivo, judicial) debía residir en sujetos distintos (Parlamento, Gobierno, tribunales) para evitar el absolutismo; que todos los ciudadanos eran iguales ante la ley y tenían los mismos derechos; que las clases y los privilegios debían ser abolidos; propugnaba las elecciones parlamentarias populares; concedía la libertad de pensamiento, de expresión y de prensa, lo que era incompatible con la Inquisición, etc. El nuevo espíritu decía además que todos estos principios debían quedar plasmados en una Constitución que, aprobada por la asamblea representativa, obligase después al rey y a todos los ciudadanos. A estos planteamientos más generales se añadía, en los diputados ilustrados de Cádiz, la convicción de que la Iglesia española necesitaba una reforma, y que ésta la había de hacer el Estado. El número de clérigos y frailes les parecía excesivo, así como también el volumen de sus recursos económicos; no pocos de los clérigos eran ignorantes; la Inquisición debía ser abolida; Trono y Altar no debían de apoyarse mutuamente; el voto de Santiago y los diezmos debían desaparecer; la piedad popular estaba recargada y tejida de supersticiones, etc.

Ante tamaños y tan nuevos postulados, que venían además de las mismas latitudes que los odiados invasores, la división de pareceres fue inevitable. Hubo dos bandos principales: los que recibieron el nombre de liberales o negros y los tradicionalistas, a los que los otros llamaron serviles [32].

Hubo clérigos entre los liberales. Clérigos ilustrados que habían leído a Rousseau y a Montesquieu y que estaban de acuerdo con la nueva ideología, porque no veían en ella nada contra la fe católica y la doctrina ortodoxa; más aún, que creían que del Evangelio y de las obras de Santo Tomás se podían deducir los mismos principios que los franceses habían deducido de las de los filósofos enciclopedistas. Estos clérigos eran además, por lo general, jansenistas, lo que significaba ser

---

[31] MELCHOR FERNÁNDEZ ALMAGRO, *Orígenes del régimen constitucional en España* (Barcelona 1928) p.82. Miguel Artola advierte que esta clasificación, aun no siendo del todo exacta, «es muy útil para facilitar una orientación general» (MIGUEL ARTOLA, *La España de Fernando VII* t.26 de la *Historia de España* dirigida por Ramón-Menéndez Pidal [Madrid 1968] p.471). De los eclesiásticos de las Cortes de Cádiz, cinco eran obispos, y los demás beneficiados y simples sacerdotes. Puede verse también E. DÍAZ.-R. MORODO, *Tendencias y grupos políticos en las Cortes de Cádiz y en las de 1820:* Cuadernos Hispanoamericanos 201 (septiembre 1966) p.637-76.

[32] El calificativo «liberal» se utilizó por primera vez en las Cortes de Cádiz. Después se extendería a todo el mundo. Sobre el uso de este y otros términos puede verse el libro de MARÍA CRUZ SEOANE, *El primer lenguaje constitucional español* (Madrid 1968).

enemigos de los jesuitas —extinguidos entonces—, rigoristas en materias morales y, sobre todo, regalistas, como medio de independizarse de la autoridad romana [33].

Entre los clérigos liberales de Cádiz destacó sobre todos Diego Muñoz Torrero (1761-1829), sacerdote extremeño, catedrático y rector de la Universidad de Salamanca, que fue el primero que en su famoso discurso inaugural de las Cortes (24 de septiembre de 1810) defendió la soberanía del pueblo, la división de poderes, la inviolabilidad de los diputados y otras tesis liberales. Estas ideas no sólo fueron aceptadas, sino que pasaron a ser ley fundamental de la asamblea, y desde entonces Muñoz Torrero quedó constituido en cabeza y jefe del grupo liberal avanzado de las Cortes. En este grupo progresista influido por la ideología liberal francesa y por el realismo jansenista se encontraban otros eclesiásticos, como Joaquín Lorenzo Villanueva [34], José Espiga, Antonio Oliveros, José Ruiz Padrón, Francisco Martínez Marina y el culto y elegante poeta Juan Nicasio Gallego, racionero de la catedral de Murcia y decidido rusoniano en su concepción de la sociedad y el Estado.

Inevitablemente, las tesis liberales tuvieron sus opositores entre los diputados eclesiásticos de Cádiz. Fue cabeza dirigente de la oposición D. Pedro de Inguanzo y Rivero, que más adelante sería cardenal de Toledo [35]. Destacó por su firmeza en contradecir los principios de la ilustración D. Pedro de Quevedo y Quintano, obispo de Orense, que pagaría su firmeza con el destierro. En el grupo estaban otros clérigos, como Lera, Ostolaza, Ros, Borrell, Creus, etc. Inguanzo y los suyos apelaban a los errores y catástrofes religiosas y políticas que sobre Francia habían traído los principios ilustrados; la conveniencia de no instaurar en España la tristemente célebre «soberanía popular»; la sacralidad del poder real; la necesidad de buscar otros medios para conjugar los organismos políticos modernos con los elementos tradicionales propios de nuestro país; la importancia de que el Estado defendiese la religión; la conveniencia de mantener la Inquisición para evitar la difusión de la impiedad; la ilegitimidad de la libertad sin límites; la tutela de los bienes eclesiásticos, el derecho de propiedad del clero y de la Iglesia, etc.

Fracasó esta oposición y triunfaron los principios liberales. Se concedió en seguida (octubre-noviembre de 1810) la libertad de imprenta, con lo que se desató un torrente de publicaciones liberales, anticlericales

---

[33] Cf. E. APPOLIS, *Les jansenistes espagnols* (Bordeaux 1966).

[34] Joaquín Lorenzo Villanueva es, después de Muñoz Torrero, el personaje más característico de los clérigos liberales doceañistas. Culto y fecundísimo escritor. Académico de la Historia y de la lengua, publicó, entre otras muchas obras, una muy célebre defendiendo la ortodoxia de la Constitución con las doctrinas de Santo Tomás, titulada *Las angélicas fuentes o el tomista en las Cortes* (Cádiz 1811). J. A. Maravall (*Sobre orígenes y sentido del catolicismo liberal en España*, en *Homenaje a Aranguren* [Madrid 1972] p.229-66) ve en Villanueva «el primer representante del catolicismo liberal en España», ya que intentó demostrar la congruencia entre el pensamiento católico y el liberalismo democrático, apoyándose además en la escolástica. Maravall prefiere hablar de «catolicismo liberal» español, para distinguirlo del «liberalismo católico» de otros países, dadas las diversas circunstancias de la Iglesia en España, por un lado, y en los países centroeuropeos, por otro.

[35] Sobre Inguanzo, cf. J. M. CUENCA TORIBIO, *Don Pedro de Inguanzo y Rivero (1764-1836), último primado del Antiguo Régimen* (Pamplona 1965).

y sectarias que invadieron Cádiz y otras poblaciones. En algunas de tales publicaciones colaboraban clérigos. Ninguno levantó más escándalo que el desvergonzado *Diccionario crítico-burlesco,* de Bartolomé José Gallardo. Periódicos y folletos ridiculizaban y calumniaban con espíritu volteriano a los hombres y a las instituciones eclesiásticas que el pueblo veneraba. Comenzaba así el anticlericalismo y la labor corrosiva y calumniosa contra la Iglesia, que duraría, con breves interrupciones, hasta 1939 [36]. Se suprimió la Inquisición [37], quedó abolido el voto de Santiago, se inició la desamortización de bienes eclesiásticos y la reforma de la Iglesia por los poderes civiles. Se pidió que los frailes fueran «útiles» a la sociedad, lo que era tanto como pedir la supresión de las órdenes contemplativas y mendicantes. Turbas manejadas por los clubs y las logias masónicas aplaudían las medidas radicales de las Cortes de Cádiz y la violencia con que dichas Cortes ejecutaban sus medidas, la persecución y el destierro contra los que a ellas se oponían (obispos, cabildos, sacerdotes), la expulsión del nuncio Gravina, etc. En suma, como sucedería tantas veces en la historia posterior de España, faltó realismo, prudencia y moderación.

Hoy reconocemos que muchos de los principios de Cádiz eran sensatos y sabios. Su famosa Constitución, promulgada el 19 de marzo de 1812, era ciertamente afrancesada [38], aunque como Diego Sevilla ha demostrado, no tanto como se venía repitiendo [39] y no contradecía en lo sustancial a los principios del pensamiento católico.

Pero los teóricos ilustrados de Cádiz carecieron de realismo para comprender que una gran parte del pueblo identificado con los clérigos y adoctrinado por ellos, y en los momentos en que acababa de expulsar a los franceses invasores tras una guerra feroz, no estaba en condiciones de recibir y asimilar convenientemente tantas y tan nuevas doctrinas, de las que además se afirmaba que venían de la impía y odiada Francia. El espíritu de la Constitución no era el espíritu del pueblo; «este contrasentido inicial es la clave que explica muchos contrasentidos subsiguientes» [40].

La *consulta al país* hecha por la Junta Central antes de la reunión de las Cortes había demostrado que muchos hombres de la Iglesia española querían unas reformas moderadas y paulatinas [41]. Pero ni los diputados de Cádiz ni las turbas, manejadas por los clubs y las logias masó-

---

[36] Cf. M. GONZÁLEZ IMAZ, *Los periódicos durante la guerra de la Independencia (1808-1814)* (Madrid 1910).

[37] Sobre el laborioso y larguísimo proceso de la abolición de la Inquisición pueden consultarse F. MARTÍ GILABERT, *La abolición de la Inquisición en España* (Pamplona 1975); J. PÉREZ VILARIÑO, *Inquisición y Constitución en España* (Madrid 1973).

[38] Véase WARREN M. DIEM, *Las fuentes de la Constitución de Cádiz,* en *Estudios sobre las Cortes de Cádiz* (Universidad de Navarra, 1967) p.355-486.

[39] DIEGO SEVILLA ANDRÉS, *La Constitución española de 1812 y la francesa del 91:* Saitabi 7 (1949) 212-34.

[40] F. SOLDEVILLA, *Historia de España* t.6 (Barcelona, s.a.) p.344.

[41] Cf. MIGUEL ARTOLA, *Los orígenes de la España contemporánea* t.2: *Respuestas procedentes del estamento eclesiástico* (Madrid 1959).

nicas, supieron tener paciencia y mesura. Por las calles de Cádiz se cantaba:

> *«Muera quien quiera*
> *moderación*
> *y viva siempre*
> *la exaltación.»*

Así sucedió que muchos obispos, clérigos seculares y regulares y una gran parte del pueblo hicieron causa común contra liberales, afrancesados, ilustrados y masones, ya que a todos les veían bajo la misma óptica de enemigos de la Iglesia y de la patria española. Las dos Españas estaban en presencia.

Fuera del ámbito constitucional y legislativo de las Cortes de Cádiz había entre los hombres de Iglesia, como en todo el pueblo español, minorías intelectuales educadas en las ideas de la *Enciclopedia* francesa y adeptas a ellas. En su original francés, o, más frecuentemente, en traducciones, habían leído y asimilado a Montesquieu, a Voltaire, a Holbach, a Diderot, a Condorcet, a Rousseau, etc. Con ingenuo entusiasmo veían en ellas el camino de la nueva España. El abate Marchena (1768-1821), que no pasó de las órdenes menores, afrancesado, revolucionario, atrabiliario y prácticamente ateo «propagandista de impiedad con celo de misionero y apóstol» (Menéndez Pelayo), había traducido con éxito no pocos de esos libros [42]. Entre los clérigos seculares y en los conventos había graves y dolorosos enfrentamientos, y a veces las comunidades se escindían, se denigraban y se acusaban mutuamente, como dos medias Españas en pequeño, por causa de las ideas [43].

Hubo entre los clérigos enciclopedistas y afrancesados figuras que, por uno u otro motivo, merecen recordarse al tratar de las relaciones de la Iglesia con la cultura del siglo XIX. Así por ejemplo, Juan Antonio Llorente (1756-1823), regalista y antirromano, comisario de la Inquisición en Logroño, colaborador de José Bonaparte, masón, que ha alcanzado la fama, sobre todo, por su *Histoire critique de l'Inquisition d'Espagne* (París 1817-18), libro voluminoso y documentado, aunque tendencioso y malintencionado, que tiene muy poco de historia crítica y que ha dado origen al tremendismo de la leyenda negra sobre la Inquisición [44]. Destacaron por su vasta cultura el obispo Félix Amat (1750-1824), un

---

[42] Para mayor información, cf. MARCELIN DEFOURNEAUX, *L'Inquisition espagnole et les livres français au XVIIIᵉ siècle* (París 1963); MIGUEL ARTOLA *La difusión de la ideología revolucionaria en los orígenes del liberalismo español*, en *Estudios sobre historia de España*, por colaboradores de *Arbor* (Madrid 1965) p.375-390; M. MENÉNDEZ PELAYO, *Historia de los heterodoxos españoles* c.2 y 4 y l.5 c.1-3; LAMBERTO DE ECHEVARRÍA, *El libro religioso francés en España. Tradición y Actualidad:* Arbor 63 (1966) 57-69.

[43] Proporciona abundantes datos MANUEL REVUELTA, *La exclaustración* (Madrid 1976) p.80-152.

[44] Entre las otras obras de Llorente merece recordarse también su *Discurso sobre una Constitución religiosa considerada como parte de la civil nacional* (París 1820) y la *Apología católica del proyecto de Constitución religiosa* (París 1821). Era todo un proyecto cismático y protestante de creación de una Iglesia española libre e independiente. Encontró gran aceptación en el ala izquierda y regalista del liberalismo.

tiempo confesor de Carlos IV, afrancesado, regalista y conciliarista, moderado en política y propugnador de una honda renovación del clero nacional, que escribió una *Historia eclesiástica* en 12 volúmenes; y su sobrino, el también obispo Félix Torres Amat, tenido por jansenista y liberal, miembro correspondiente o numerario de sociedades y academias, que publicó, entre otras cosas, unas eruditas *Memorias* [...] *de escritores catalanes,* piedra fundamental de la bibliografía catalana, y una traducción de la Biblia muy divulgada, de la que se ha dicho después que no es sino un plagio de la que hiciera en el siglo XVIII el jesuita Petisco [45].

Forman trilogía, por ser coetáneos, por ser hombres cultos y por sus ideas ilustradas, Félix José Reinoso (1772-1841), José María Blanco y Crespo (Blanco-White) (1775-1841) y Alberto Lista (1775-1848). Reinoso vivió y murió como sacerdote. Blanco, después de serlo, fue mujeriego, apostató, se hizo anglicano, escribió contra el catolicismo y murió en la secta de los unitarios. Lista fue sacerdote con muy poca vocación de tal, masón, anticlerical, que apoyó las medidas antieclesiásticas de Mendizábal.

Pero los tres son figuras de relieve en la cultura de la primera mitad del siglo XIX. Los tres pertenecieron a la Academia de Letras Humanas de Sevilla, los tres fueron poetas y humanistas. De menos talla Reinoso, que además profesaba en filosofía el pobre sensismo materialista de Destutt de Tracy y el utilitarismo de Bentham. Era la moda. De más categoría Blanco-White, como periodista, como poeta español prerromántico, como traductor de poesías inglesas, como crítico artístico, como ideólogo político que propugnaba una democracia de estilo inglés, es decir, un sistema representativo con dos Cámaras. Alberto Lista es figura clave para el conocimiento de la primera mitad del siglo XIX. Nacido en Sevilla, ejerció su múltiple magisterio en Zaragoza, Valencia, Pamplona, Bilbao, Madrid y Cádiz. Enseñó matemáticas, filosofía, latín, idiomas modernos, retórica, poética, historia, literatura. De hondo instinto pedagógico, influyó como pocos en los planes y proyectos de enseñanza media y universitaria. Fue buen poeta neoclásico y crítico literario de penetración nada común. En plena guerra de la Independencia contra los franceses propaga, en *El Espectador Sevillano* y en *El Semanario-Patriótico,* el sistema político constitucional de modelo francés. Lo mismo hará durante el trienio liberal (1820-23) desde el periódico afrancesado *El Censor.* Hans Juretschke, que ha estudiado detenidamente a Lista, le concede el mayor mérito en haber sido el portavoz del romanticismo histórico de los hermanos Schlegel contra el romanticismo francés de Víctor Hugo, Dumas, etc., y en haber contribuido al reexamen de nuestro teatro del siglo de oro, que culminó en la estima de Calderón como máximo exponente de la sociedad española de los Austrias. Su influencia literaria, política y pedagógica fue inmensa [46].

---

[45] Torres Amat escribió la *Vida del Excmo. Sr. D. Félix Amat* (Madrid 1835).
[46] Cf. HANS JURETSCHKE, *Vida, obra y pensamiento de Alberto Lista* (Madrid 1951). Se podrían añadir otros a los nombres ya dados de eclesiásticos ilustrados, como el de Sebas-

Es claro que, si en las Cortes de Cádiz hubo, como hemos dicho, representantes del clero que tomaron partido en contra de las tesis liberales, ellos no eran sino expresión de todo un sentir de la mayoría de la Iglesia y del pueblo españoles. Los tradicionalistas fueron minoría en las Cortes, mayoría fuera de ellas. El choque armado con los invasores franceses había producido una exaltación de los principios, que se empezaron a llamar tradicionales. España debía mantenerse fiel a sus tradiciones católicas, esencia de su historia y de su ser; los franceses eran ateos que venían a inyectar el veneno de la irreligión; su filosofía racionalista e ilustrada era impía y herética, causa de todos los males; el Altar y el Trono debían permanecer unidos indisolublemente y apoyarse uno a otro frente a los revolucionarios que profanaban iglesias y guillotinaban reyes; era preciso defender las esencias puras de la fe católica tal como las habían vivido nuestros padres; ante el mundo, España debería ser el paladín de la integridad y de la pureza católica.

Ante las provocaciones irreligiosas de los liberales, reaccionaron los obispos con pastorales que defendían los dogmas católicos y denunciaban los errores racionalistas. Durante el trienio liberal (1820-23), que imponía el liberalismo por la fuerza y la persecución contra todo el que no fuese liberal, no pocos obispos tuvieron que padecer graves consecuencias por la defensa del dogma y de la moral [47]. Hubo una prensa católica que intentó responder al desafío feroz de los periódicos liberales, dedicados al desprestigio y la sátira contra la Iglesia y los católicos, a los que calificaban de fanáticos, supersticiosos, bárbaros, borricos, ignorantes y serviles. Hubo periódicos «antirreformistas» que regalaron los oídos de los liberales llamándoles «casta de hombres perniciosos», «maldita secta de los francmasones», «zorras astutas», «raza de víboras», etc. Hubo sacerdotes periodistas de buena pluma como D. Andrés Esteban, diputado en Cádiz por Guadalajara; D. Guillermo Hualde, canónigo de Cuenca; D. Francisco Molle, que gozaría después de gran predicamento cerca de Fernando VII; Fr. Agustín de Castro, antiguo jerónimo de El Escorial —«pocas plumas de aquel tiempo superan en ingenio, desenvoltura y donaire a la del P. Castro [...]; su estilo era sencillo, incisivo y mordaz, aunque, frecuentemente, destemplado y sin altura» [48]—, debelador implacable de franceses y afrancesados, lo que le costó pena de cárcel.

Pero hay que reconocer que ni *La Atalaya de la Mancha en Madrid,* que dirigía Fr. Agustín de Castro; ni *La Frailomanía,* editado por el mercedario P. Martínez; ni *El amante de la religión;* ni *La verdad contra el error. Desengaño de incautos,* redactado clandestinamente durante el trienio liberal por D. Andrés Martín, abad de Badostain, y Fr. Diego Gar-

---

tián Miñano (1776-1845), amigo de Reinoso y Lista; el de Manuel María de Arjona (1771-1820), jansenista y antirromano, poeta de la misma escuela de Sevilla y superior en poesía a Lista y Reinoso, a juicio de Menéndez Pelayo; el de José Joaquín de Olavarrieta, que se firmaba «Clara Rosa» en honor a sus dos concubinas, antiguo fraile y luego propagador del liberalismo exaltado y del regalismo cismático, etc.

[47] Cf. MANUEL REVUELTA, *Política religiosa de los liberales en el siglo XIX* (Madrid 1973) p.107ss.

[48] PEDRO GÓMEZ APARICIO, *Historia del periodismo español* t.1 (Madrid 1967) p.113.

cía, mercedario; ni la *Defensa cristiana católica de la Constitución novísima de España* redactada por Fr. José Martínez, O.P., «que es, sin duda, la publicación periódica más constante y aguda de la prensa ortodoxa» [49]; ni los demás periódicos tradicionalistas pudieron hacer frente, con altura ideológica y con estilo periodístico, a los mil periódicos liberales, audaces y desenfadados, como *El Duende de los Cafés, El Espectador, El Gorro Frigio* o *El Zurriago,* «símbolo de una época» (Gómez Aparicio), que estampó como lema en la cabecera de uno de sus números:

> *«No entendemos de razones,*
> *moderación ni embelecos;*
> *a todo el que se deslice,*
> *zurriagazo y tente tieso».*

Dos nombres merecer ser especialmente citados cuando hablamos de la defensa del pensamiento «tradicional» a ultranza en los comienzos de la España contemporánea: el P. Rafael de Vélez y el «Filósofo Rancio».

El P. Vélez (1777-1850), capuchino, nacido en Vélez-Málaga, lector de artes y teología en Cádiz, custodio general de los capuchinos de Andalucía más tarde, obispo después de varias diócesis hasta que ocupó la sede de Santiago de Compostela (1824-50), combatió infatigablemente contra franceses, afrancesados y liberales desde su periódico *El Sol de Cádiz,* viendo en ellos el máximo peligro para España, ya que pretendían destruir la religión y la Monarquía tradicional. Impugnaba su concepto de libertad y de igualdad basados en el naturalismo de Rousseau. Publicó otra obra en 1812, también en Cádiz. Se titulaba *Preservativo contra la irreligión, o los Planes de la filosofía contra la religión y el Estado, realizados por la Francia para subyugar la Europa, seguidos por Napoleón en la conquista de España y dados a luz por algunos de nuestros sabios en perjuicio de nuestra Patria.* El título lo dice todo. Se dividían los campos con espada maniquea: el catolicismo y la España tradicional, todo el bien; la Ilustración y Francia, todo el mal. Identificaba a los liberales con los «iluminados, materialistas, ateos, incrédulos, libertinos, francmasones, impíos». Terminada la guerra de las armas, era necesario emprender la cruzada de las ideas: «Cuando la Patria peligra, todos sus hijos deben armarse para defenderla», era la proposición con que se abría el libro. «El mal está dentro de nosotros», clamaba el capuchino [50]. Hay toda una conspiración masónica francesa y liberal en España y contra España [51]. La denuncia de la libertad ilustrada como libertinaje, de la libertad de prensa como ataque blasfemo contra la religión, del racionalismo como irreligión y ateísmo, del afrancesamiento como antiespañolismo, la refutación de los artículos de prensa liberales, en fin, el estilo vibrante y enérgico del fraile, hicieron de este libro, multiplicado en muchas ediciones, uno de los más influyentes en su época y a lo largo de todo el siglo.

[49] MANUEL REVUELTA, *Política religiosa de los liberales en el siglo XIX* (Madrid 1973) p.113.
[50] *Preservativo contra la irreligión* (Madrid 1812) p.210.
[51] Ibid.

Por si fuera poco, Vélez publicó otra obra en 1818 que tuvo aún mayor resonancia. Lo tituló *Apología del Altar y del Trono*. Lo era en efecto. Pero de la manera más exaltada e intransigente. Nada de malo en la Iglesia y en la Monarquía española. Nada de bueno en el liberalismo y en la Constitución afrancesada de Cádiz. España no tenía más que un camino para su salvación: la unión del altar católico y del trono absolutista. Con datos históricos, con principios filosóficos, con textos de la Escritura y de los Padres de la Iglesia, que suponían una cultura nada vulgar, analizaba y condenaba todas las reformas de Cádiz como provenientes de la Filosofía francesa y refutaba cuantos ataques se habían lanzado contra la religión y sus ministros.

No faltaban en las obras del fraile capuchino exhortaciones a la concordia y a la unión de todos: «No haya más vicisitudes en la España, acábese ya todo partido; seamos todos de un labio, un corazón y un alma» [52]; pero, por supuesto, no veía otra posibilidad de unión que bajo la corona y la cruz de nuestros antepasados [53].

En la historia del pensamiento, de más renombre ha sido Fr. Francisco Alvarado, O.P. (1756-1814), principalmente por el juicio favorable que de él dio Menéndez Pelayo en su *Historia de los heterodoxos*, y en el que se han venido inspirando los posteriores. Para desgracia de sus escritos, los firmaba con el pseudónimo de *El Filósofo Rancio*. Fue su obra más famosa la titulada *Cartas críticas* [54]. Era Fr. Francisco un buen escolástico dominico que conocía y manejaba la *Summa* de Santo Tomás como ariete definitivo contra afrancesados, liberales, jansenistas y masones [55]. El duro ejercicio mental de defensas y argumentos, de distinciones y ergos, practicado en las aulas conventuales le había armado caballero para criticar con penetración falacias y sofismas. Cuando vio

---

[52] *Apología del Altar y del Trono* (Madrid 1818) t.2 p.345.

[53] Javier Herrero ha estudiado con detalle las dos primeras obras de Vélez, pero sus juicios vehementes, apasionados y rotundos en contra de la España «tradicional» restan valor científico a su obra. Sus acusaciones contra «el astuto Vélez» de ambición, adulación, hipocresía, etc., son panfletarias y quedan sin probar. Cf. JAVIER HERRERO, *Los orígenes del pensamiento reaccionario español* (Madrid 1973) p.264-67,294-316. En 1834, cuando Vélez era arzobispo de Santiago, volvió a empuñar la pluma para defender las órdenes religiosas contra las injustas medidas del Gobierno liberal; pero el viejo Vélez que escribe en 1834 es mucho más moderado en sus expresiones. Ya no es el fraile batallador de la *Apología del Altar y del Trono* de 1818.

[54] El título completo era: *Cartas críticas que escribió el Rmo. P. Maestro Fr. Francisco Alvarado, del Orden de Predicadores, o sea el Filósofo Rancio, en las que con la mayor solidez, erudición y gracia se impugnan las doctrinas y máximas perniciosas de los nuevos reformadores y se descubren sus perversos designios contra la religión y el Estado. Obra utilísima para desengañar a los incautamente seducidos, proporcionar instrucciones a los amantes del orden y desvanecer todos los sofismas de los pretendidos sabios.* Se publicó primero cada carta en forma de folleto suelto, a partir de 1811; impresas casi siempre en Cádiz. Luego, en 1824, en cuatro tomos, en Madrid. Las escribía desde Tavira (Portugal), donde se había refugiado huyendo de los franceses. Las cartas 29 y 42 las escribió ya desde Sevilla. En sus años jóvenes ya había compuesto unas *Cartas filosóficas,* para defender a Aristóteles contra ciertos modernos que llama «eclécticos», que seguían la filosofía sensualista del Genovesi y de Verney. En ellas da muestras de notable erudición.

[55] Escribe desde su refugio de Portugal: «Me animo mucho más a arrostrar esta empresa porque se ha aumentado mi biblioteca, reducida antes a un breviario. Tengo ya en mi poder el catecismo más completo que se ha escrito de la doctrina cristiana, el más

el sesgo que tomaban las Cortes de Cádiz, en las que había puesto su esperanza y para las que había redactado un programa, y que se imponían los liberales, embistió contra ellos con talento y con agudeza metafísica, que hacía tambalearse a las proposiciones del *Contrato social,* a las de Montesquieu o a las de Condorcet. Pero la realidad es que no conocía a los «filósofos» franceses más que indirectamente y que se gloriaba de ello [56]. Su filosofía política era bastante más profunda y seria que la de los ilustrados, que era superficial; pero la exponía de manera tan polémica, tan pedestre, con gusto tan chocarrero y tan burdo, con tal mezcla de razones sensatas, latines, anécdotas, chistes y sátiras, que nos produce hoy malestar el leerle. Hay que perdonarle, porque era el estilo incivil y estragado de aquellos años.

Con todo, lo que más nos hiere hoy es su absoluta intransigencia e incapacidad para pensar que en los contrarios podía haber algo bueno o aceptable. Todo era detestable, impío, ridículo en los «filósofos». Todo estaba ya dicho, y bien dicho, en la Escritura y en los doctores de la Iglesia [57]. Nada debía innovarse: ni la Inquisición española, ni los diezmos y primicias, ni la Monarquía española, ni siquiera la física aristotélica [58]. La Iglesia y el Trono juntos daban al pueblo la libertad evangélica, única verdadera, y los verdaderos derechos humanos. La filosofía escolástica —a pesar de lo pobre que entonces era— y la teología católica solucionaban todos los problemas humanos.

De la influencia grande que tuvo el Filósofo Rancio en su época da buena idea, la larguísima «Lista de los señores suscriptores» que va al final de cada tomo en la edición de sus obras en 1824. Canónigos, curas,

---

precioso compendio de los Padres de la Iglesia, el resumen de los mejores principios de legislación y moral y la quintaesencia de la más pura y juiciosa filosofía. No sé si me habré explicado bastante para que usted entienda que he adquirido una *Summa* de Santo Tomás» *(Cartas críticas* [Madrid 1824] t.1 p.141). Había manejado también, en otro tiempo, la *Summa Philosophiae,* de Salvador María Roselli, O.P. (Roma 1777-1783, 6 vols.), una de las obras de filosofía escolástica decadente que, junto con la semejante de Francisco Jacquier *(Institutiones Philosophicæ,* Valencia 1800-1801), eran los textos oficiales de filosofía que Fernando VII impuso a las universidades españolas.

[56] «Y bien: si era un delito leer tales libros, ¿cómo los ha leído el Rancio? Así dice *El Duende;* pero razón de duende. El Rancio no los ha leído, aunque pudiera haberlo hecho, si hubiese querido abusar de las facultades que para ello le dieron. Pero el Rancio los conoce más que a sus manos, porque desde muy joven, temiéndose lo mismo, ha gastado su tiempo y su salud en tomar informes de ellos; ha leído sus sabios y piadosos impugnadores; se ha visto en la necesidad de entenderse con muchos de sus prosélitos; ha apurado, finalmente, la materia en cuanto le ha sido permitido» (FR. FRANCISCO ALVARADO, *Cartas críticas* [Madrid 1824] t.1 p.228-29). «Con ellos ningún trato ni comunicación. Ni aun saludarlos siquiera. Cuanto menos leer sus libros [...], Rousseau, Montesquieu, Mirabeau, han sido declarados por la Iglesia, mi madre, traidores y depravados hijos; ¿cómo, pues, he de tener yo comercio ni correspondencia con ellos?» (o.c. t.1 p.164). «En lo que he escrito y han querido dar a luz, en lo que está inédito y en lo demás que pienso escribir, he dado y habré de dar varias censuras a los errores y absurdos con que me topo, calificándolos según juzgo deben ser calificados. Usted sabe muy bien que ni los conozco ni quiero conocer a sus autores» (o.c., t.2 p.130).

[57] «Si ustedes quieren serlo [hombres de bien] y ayudar a otros a que lo sean, dejen la filosofía de Rousseau, Montesquieu, Puffendorf, etc., y váyanse a buscar lo que Dios enseñó *per os sanctorum qui a saeculo sunt Prophetarum eius»* (o.c., t.1 p.80).

[58] «Con que tenemos, si ustedes no lo han por enojo, que cuanta física moderna se ha escrito depende de una, ya de muchas hipótesis, a veces entre sí contrarias, insubsistentes y probabilísimamente falsas» *(Cartas filosóficas* [Madrid 1825] p.11).

frailes y burgueses aprendieron el integrismo en las *Cartas críticas* [59].
Por supuesto que hubo otros eclesiásticos que salieron a la lid contra
el Liberalismo, pero no podemos detenernos ahora en su estudio [60].

En resumen: que en la Iglesia española de los primeros decenios del
siglo XIX hubo dos corrientes de pensamiento filosófico-político y que
ésta fue casi la única manifestación cultural de aquella época bélica,
exaltada y pobrísima: los clérigos liberales, que constituyeron una minoría ilustrada y rectora dentro y fuera de las Cortes de Cádiz, aperturistas, regalistas; algunos de ellos, heterodoxos; otros, muy poco religiosos;
otros, moderados y bien intencionados. La otra corriente fue la de los
integristas, defensores de lo que consideraban tradiciones inviolables y
principios inmutables; intransigentes y batalladores. Unos y otros fueron maestros influyentes de muchas generales de seglares. Y unos y
otros tuvieron continuadores que con la pluma y con la predicación
defendían sus ideas.

La corriente liberal había desaparecido a mediados de siglo. Tierno Galván atribuye este hecho a la desamortización de Mendizábal
como a causa principal. El clero, castigado y resentido por ella —piensa—, se corrió definitivamente hacia las posturas tradicionalistas y absolutistas [61]. Bien pudo ser ésa, efectivamente, la causa principal. Otras
causas fueron, sin duda, el concordato de 1851 entre España y la Santa Sede, que fortalecía mucho la autoridad de los obispos, su unión
con Roma, la autonomía eclesiástica en el régimen de formación de
los seminarios, la vigilancia de la Iglesia sobre las publicaciones y las
ideas, etc. Contribuyó también la figura del papa Pío IX (1846), de tendencias centralistas y jerarquizantes, y, sobre todo, la publicación del
Syllabus (1864), en que se condenaba los errores modernos, y, entre ellos,
no pocos principios del racionalismo y del liberalismo [62].

---

[59] Sobre el Filósofo Rancio pueden verse: M. MENÉNDEZ PELAYO, *Historia de los heterodoxos españoles* l.6 c.3 y l.7 c.2; J. M. MARCH, *El Filósofo Rancio, Fr. Francisco Alvarado, según
nuevos documentos:* Razón y Fe 34 (1912) 141-54.316-28.425-33; 35 (1913) 17-29, donde
demuestra que los editores modificaban a veces y corregían los originales del autor;
A. LOBATO, *Vida y obra del P. Francisco Alvarado:* Archivo Hispalense (1954) 1-88; R. DE
MIGUEL LÓPEZ, *El Filósofo Rancio: sus ideas políticas y las de su tiempo:* Burgense 5 (1964)
p.57-253; María CRISTINA DIZ-LOIS, *Fr. Francisco Alvarado y sus Cartas críticas,* en *Estudios
sobre Cortes de Cádiz* (Universidad de Navarra, 1967); JAVIER HERRERO, *Los orígenes del pensamiento reaccionario español* (Madrid 1973) p.316-41. Este último autor ha estudiado también al Filósofo Rancio; pero cuando le juzga lo hace con tal apasionamiento, que sus
páginas se parecen a las del Rancio, RAMÓN LUIS SORIANO, *Las ideas políticas de Francisco
Alvarado:* Revista de Estudios políticos 216 (1977) 181-203.

[60] Destaca el dominico mallorquín P. Felipe Puigserver († 1821), que escribió contra
Lorenzo de Villanueva *El teólogo democrático ahogado en las angélicas fuentes* (Mallorca 1815)
y un buen libro de texto de filosofía, Otros autores pueden verse citados en GUILLERMO
FRAILE, *Historia de la filosofía española desde la Ilustración* (Madrid 1972) p.95-96.

[61] ENRIQUE TIERNO GALVÁN, *Tradición y modernismo* (Madrid 1962) p.145-46.

[62] No hace falta decir que hubo también hombres moderados que querían permanecer incondicionalmente fieles a la Iglesia, sin tomar por ello actitudes integristas. Puede
ser ejemplo el cardenal Judas José Romo, que en 1843 defendía la necesidad de ceder
para llegar a un acuerdo razonable entre la Santa Sede y el Gobierno (cf. su escrito
Independencia constante de la Iglesia hispana y necesidad de un nuevo Concordato, Madrid 1843).
Los integristas lo tuvieron por liberal. Así, el mercedario catalán Magín Ferrer, que pole-
mizó largamente con él; cf. JOSÉ M.ª CUENCA, *Apertura e integrismo en la Iglesia decimonónica
española* (Sevilla 1970).

CAPÍTULO III

JUAN DONOSO CORTES Y JAIME BALMES

Cuando en 1823 los 100.000 hijos de San Luis invadieron España para liquidar el constitucionalismo de Riego y restaurar el absolutismo de Fernando VII, la mayor parte de los hombres de la Iglesia, clérigos y laicos, se estremecieron de gozo y vieron llegada la hora del triunfo de «su» España. En sermones, cátedras, artículos y libros se ensalzó al monarca que iba a devolver a la Iglesia la paz, la libertad y el puesto que en la sociedad española había tenido siempre. El recuerdo de las turbulencias y persecuciones liberales los horrorizaba; «ya somos liberales y no libertinos», escribía un provincial a sus súbditos.

En la década siguiente, llamada «ominosa» por los liberales, el ambiente de represión y de restauración absolutista político-religiosa era tan denso, que no brotó manifestación cultural alguna que merezca la pena reseñar. Periódicos y libros en favor del realismo con los mismos temas y argumentos de siempre, escritos y editados frecuentemente por religiosos bien convencidos de que defender el absolutismo fernandino era lo mismo que defender la Iglesia católica, ya que —desde su punto de vista— los liberales, cuando habían vencido a uno, habían pretendido destruir la Iglesia [63]. Disputas sobre si se debía restaurar o no la Inquisición y sobre si Fernando VII era débil, y su hermano el infante D. Carlos más enérgico. En suma: obsesión político-religiosa y estéril agotamiento de fuerzas en luchas intestinas. Dos factores que se darán reiteradamente en nuestra historia contemporánea [64].

El yermo panorama cultural vino a ensombrecerse con el proceso de exclaustración de los religiosos y la desamortización de los bienes de la Iglesia llevado a cabo después de la muerte de Fernando VII. Con las feroces matanzas de religiosos en 1834, con el cierre y liquidación de monasterios en 1835 y 1836 por obra y arte del ministro Juan Alvarez Mendizábal, perecieron hombres eminentes, como el jesuita arabista Juan Artigas y los profesores del Colegio Imperial, de Madrid, y queda-

---

[63] De este estilo eran, por ejemplo, los dos periódicos ultrarrealistas *Defensor del Rey* y *El Restaurador*. Un dominico, Juan Antonio Díaz Merino, junto con Basilio Antonio Carrasco, editaron la *Colección Eclesiástica Española* y la *Biblioteca de la Religión*, que contenían los escritos que más favorecían la religión tradicional, la unión del Altar y el Trono. Ambas obras constituyen las dos aportaciones bibliográficas más características de la época. Otro dominico, el P. José Vidal, publicó su obra *Origen de los orígenes revolucionarios de Europa y sus remedios* (t.1 Valencia 1827; t.2 Valencia 1829). Más moderado era el libro del agustino J. DE J. MUÑOZ, *Tratado del verdadero origen de la religión, en la que se impugna la obra de Dupuis titulada «Origen de todos los cultos»*, 2 tomos (Madrid 1828).

[64] Hay que notar que hubo frailes y obispos conciliadores que exhortaron a la mansedumbre y a la reconciliación; cf. MANUEL REVUELTA, *La exclaustración, 1833-1840* (Madrid 1976) p.86.

ron abandonados a la incuria, al pillaje y a la ruina cerca de 2.000 conventos, cargados algunos de ellos de archivos, bibliotecas, manuscritos y obras de arte, como los de Poblet, Ripoll, Oña, Leyre, etc. Este desastre venía después del de la francesada y antecedía al vandalismo de 1868 (caída de Isabel II) y al de 1936-39 (guerra civil), en los que pereció una buena parte de nuestros tesoros artísticos y culturales.

Narrar la historia de la España de los años centrales del siglo XIX es narrar una cadena sin fin de desventuras e infortunios, de guerras civiles, de insensateces políticas, de caciquismos y luchas entre mil partidos; de constituciones que nacen muertas, de persecuciones estúpidas, de intrigas, de inestabilidad en todos los órdenes y, no raras veces, de caos.

La Iglesia, entrañada en la sociedad española, siguió tales vicisitudes, perseguida por unos y defendida por otros. Sería largo y poco útil contar los episodios menores de esta contienda inacabable. Los periódicos católicos que defendían la fe y la Iglesia eran *La Religión, El Católico, La Revista Católica, La Esperanza,* diario carlista; *El Pensamiento de la Nación,* dirigido por Balmes; *El Padre Cobos,* el más importante entre los periódicos satíricos, «siempre alegre, pero nunca chocarrero» (Gz. Aparicio), etc. Naturalmente, se publicaron libros apologéticos y expositivos, entre los que destaca el *Catecismo* del magistral de Valladolid D. Santiago José García Mazo, editado en 1837, que fue durante muchos años el compendio teológico más leído por el pueblo.

Pero hablando de cultura y de ideologías inspiradas en la fe católica, es preciso prescindir de figuras de menor relieve y detenernos en el estudio de los dos únicos hombres que pensaron con verdadera originalidad cuando el siglo XIX llegaba a su mitad: Juan Donoso Cortés y Jaime Balmes. Ellos «compendian el movimiento católico en España desde el año 1834» (Menéndez Pelayo).

Era Juan Donoso Cortes extremeño de nacimiento, ya que había visto la luz el 6 de mayo de 1809 en Valle de la Serena (Badajoz). Después de una formación ilustrada y liberal en las Universidades de Salamanca y Sevilla y hecho abogado, se dirigió a Madrid en 1832, dispuesto a intervenir en la política para desde ella reformar la España tradicional y hacerla liberal, progresista y europea. Era entonces católico, pero ecléctico y frío. Muchos años más tarde escribirá con su característica nobleza: «Yo siempre fui creyente en lo íntimo de mi alma; pero mi fe era estéril, porque ni gobernaba mis pensamientos, ni inspiraba mis discursos, ni guiaba mis acciones. Creo, sin embargo, que si en el tiempo de mi mayor abandono y de mi mayor olvido de Dios me hubieran dicho: 'Vas a hacer abjuración del catolicismo o a padecer grandes tormentos', me hubiera resignado a los tormentos por no hacer abjuración del catolicismo» [65].

Por sus dotes humanas y por sus artículos en los periódicos liberales, ascendió pronto en los cargos políticos. Impresionado por las fuerzas revolucionarias, se hace moderado, doctrinario, y tal se muestra en las *Lecciones de derecho político* que dio en el Ateneo de Madrid, en el curso

---

[65] *Carta a Alberich de Blanche, marqués de Raffin,* en *Obras completas* (Madrid 1970) t.2 p.342.

1836-37. Servirá incondicionalmente a María Cristina en los días prósperos como en los adversos, con lealtad romántica a ella y a la Monarquía española que representaba. De ahí que ella le encargase de la educación en ciencias históricas de su hija Isabel II, futura «reina de los tristes destinos», y le concediese el título honorífico de marqués de Valdegamas. Hacia 1847 estaba hastiado de la turbulenta y sucia política española y desengañado del liberalismo por su ineficacia.

Tres hechos han decidido su nuevo rumbo ideológico que hará de él el crítico más penetrante del liberalismo y el socialismo y el defensor extremado de las «soluciones católicas»: el encuentro en 1847 con un cristiano ejemplar: Santiago de Masarnau: «aquel hombre me sojuzgó con sólo el espectáculo de su vida» [66]; la muerte, también en 1847, de su hermano Pedro, «que vivió una vida de ángel y murió como los ángeles morirían si murieran» [67], y la meditación sobre los hechos revolucionarios de 1848: «Mi conversión a los buenos principios se debe, en primer lugar, a la misericordia divina, y después, al estudio profundo de las revoluciones» [68]. La época breve y nueva que entonces inicia Donoso será la de plenitud y madurez de su vida —la única que tiene un alto valor—, en la que pronunciará los grandes discursos, en la que escribirá el *Ensayo sobre el catolicismo, el liberalismo y el socialismo* (1851) —el único libro español que influyó en la contrarrevolución europea—, en la que su arrogante figura de diplomático llenará las cancillerías y los salones de Berlín y de París. Llegó entonces a ser el más europeo de los españoles de su siglo, consultado por Pío IX, por Luis Napoleón, por Metternich, por Veuillot y Montalembert, leído y meditado y discutido por españoles y extranjeros. Más que político y diplomático, era ya filósofo y teólogo católico. Su primera profesión pública de fe católica fue el *Discurso de recepción en la Academia de la Lengua,* que dedicó a *La Biblia como fuente de inspiración y de belleza,* y que ha pasado a todas las antologías como modelo de oratoria deslumbrante y fastuosa.

Hacia 1851 se sentía agotado: «Yo estoy cansadísimo y fatigadísimo de todo» [69]. La política española le asqueaba, las etiquetas y las visitas diplomáticas se le antojaban estériles; tuvo que defender su *Ensayo* de los ataques de los liberales de izquierda y de los liberales católicos franceses como Dupanloup y Gaduel, hasta que Pío IX, en carta particular, y *La Civiltà Cattolica,* por la pluma de Taparelli, le defendieron en público.

En 1852, el cardenal Fornari, que entonces era prefecto de la Sagrada Congregación de Estudios, le escribió una carta en nombre del papa, a la que acompañaba una hojita que se conserva en el archivo, y que se encabeza así: *Syllabus eorum quae in colligendis notandisque erroribus ob oculos haberi possunt.* Sigue un índice de 28 capítulos sobre los principales errores filosófico-teológicos de la época. El cardenal pedía al embajador Donoso que en un breve plazo respondiese a los puntos que pudiera, al menos «con breves indicaciones». Donoso respondió el 19 de

---

[66] Ibid.
[67] O.c., p.343.
[68] *Carta a Montalembert,* en *Obras completas* (Madrid 1970) t.2 p.327-28.
[69] *Carta a Gabino Tejado,* París, 20 de julio de 1851. Edic. cit. t.2 p.717.

junio de 1852 con una carta que representa la madurez más completa a la que llegó su pensamiento. Ciertamente, ningún otro pensador español ha hecho una disección más ordenada y profunda y una crítica más incisiva del liberalismo, aunque con radicalismo excesivo y sin acertar a ver los elementos positivos que en él se encerraban, y que iban a ser conquistas irreversibles de los nuevos tiempos [70].

Pensó seriamente en abandonar el mundo y hacerse religioso; según Luis Veuillot, su íntimo amigo, en la Compañía de Jesús [71]. No llegó a realizarlo. Pero sí es cierto que durante sus últimos años llevó una vida de oración y ascesis, de austeridad y entrega a los pobres de París, que hicieron de él un cristiano ejemplar. «Anacoreta perdido en las estepas áridas de la diplomacia, apóstol predicador de los salvajes de salón, asceta bajo el hábito bordado de embajador» [72], puede decirse de él que fue un adelantado del compromiso seglar cristiano en el mundo de la política, la diplomacia y la filosofía. Murió en París el 3 de mayo de 1853 [73].

La resonancia que en España y en Europa encontró el pensamiento de Donoso en el siglo XIX, y en el siglo XX, a partir de los estudios de Carl Schmitt (1921), hasta nuestros mismos días, es un exponente inequívoco de su valor [74]. En medio de la pobreza filosófica e histórica de su época, se adelantó a analizar y valorar con altura inusitada muchos de los problemas específicos del mundo moderno, y que hoy todavía siguen preocupando a los hombres: el comunismo, el socialismo, el liberalismo, las dictaduras, el ateísmo, el significado cultural, social y político del cristianismo, el porvenir de Europa, las causas y los remedios de las revoluciones, el sentido de la historia, la filosofía histórica de Francia, de Rusia, de Inglaterra, de España, etc. Ha sorprendido siempre su capacidad para profetizar hechos que la historia ha confirmado, y que no era sino su capacidad de intuir los efectos en las causas. Previó así el despotismo comunista cuando apenas había nacido el comunismo, la llegada de las grandes dictaduras, el imperialismo ruso, la inestabilidad de las democracias liberales, etc.

Sus convicciones cristianas y su incoercible tendencia a llegar hasta lo absoluto le llevaron a ver las teorías políticas en función y como consecuencia de los planteamientos teológicos. «Político porque fue teó-

[70] Sobre la influencia que la *Carta al cardenal Fornari* de Donoso tuvo en la redacción del *Syllabus*, de Pío IX, cf. LUIS ORTIZ ESTRADA, *Donoso, Veuillot y el «Syllabus» de Pío IX*: Reconquista 1 (1950) 15-36. El autor, sin embargo, no había visitado el archivo de Donoso, y no conocía los documentos a que aquí se ha hecho referencia. Cf. también *Donoso Cortés y la preparación del «Syllabus»*: Verbo (1962) 27-58.
[71] LUIS VEUILLOT, *Introduction* a la ed. de *Oeuvres de Donoso Cortés* (París 1858-59) p.LXIV.
[72] COMTE DE HÜBNER, *Neuf ans de souvenirs d'un Ambassadeur d'Autriche à Paris, 1851-1859* (París 1904) t.2 p.129.
[73] La biografía más completa de Donoso es la de EDMUND SCHRAMM, *Donoso Cortés. Su vida y su pensamiento* (Madrid 1936). Han aportado nuevos datos SANTIAGO GALINDO HERRERO, en Arbor 25 (1953) 1-17, y CARLOS VALVERDE, *Introducción general*, en las *Obras completas de Donoso Cortés* (Madrid 1970) t.1 p.28-79.
[74] Está sin hacer un estudio detallado de la influencia de Donoso en los pensadores católicos españoles posteriores, y sería muy interesante, si se hace con objetividad y espíritu científico.

logo», dijo de él Eugenio d'Ors. El capítulo con el que abre su *Ensayo sobre el catolicismo, el liberalismo y el socialismo* se titula, programáticamente, «De cómo en toda gran cuestión política va envuelta siempre una gran cuestión teológica». En su *Discurso sobre Europa*, en el mismo *Ensayo* y en la *Carta al cardenal Fornari* establece unos paralelismos, evidentemente excesivos, entre las diversas concepciones religiosas (teísmo, deísmo, ateísmo) y las diversas concepciones políticas (monarquías absolutas, moderadas, progresistas, república, socialismo).

En el fondo de los escritos de su época de madurez hay siempre una base metafísico-religiosa y antirrevolucionaria, de la que se derivan después todas las ideas sociales y políticas. Esta base es: el cosmos y la humanidad, como parte de él, están sometidos a un orden impuesto por Dios, que debe ser aceptado en todas sus partes. La libertad humana puede quebrantar el proyecto relativo de Dios. Es la acción del mal en el mundo. Pero al final siempre se cumple el proyecto absoluto. Es el sentido agustiniano providencialista de la historia.

De ahí arranca para denunciar con energía el deísmo liberal, que, al negar la providencia de Dios sobre los hombres, deja a éstos en manos de su propio y subjetivo arbitrio. De ahí que denuncie también el socialismo ateo —conoció, sobre todo, el de Proudhon—, que abandona los hombres a lo colectivo impersonal. Se muestra enemigo de las revoluciones, porque ellas significan el quebrantamiento del orden querido por Dios, y si defiende a ultranza el catolicismo y la Iglesia, es porque ve en ellos el orden querido por Dios y los presupuestos de todo humanismo verdadero.

Se le ha acusado de teorizante y defensor de la dictadura. Una frase del *Discurso sobre la dictadura* revela todo su pensamiento: «Cuando la legalidad basta para salvar la sociedad, la legalidad; cuando no basta, la dictadura» [75]. Es, pues, un régimen de excepción que ha de salvar la sociedad en momentos de riesgo.

Contra la soberanía de la razón, tan ensalzada por los liberales, y con ánimo polémico y radical, lanza denuestos e insultos inadmisibles: «La razón humana es la mayor de todas las miserias del hombre» [76]. «La razón sigue al error adondequiera que va» [77]. Otro tanto se diga contra la voluntad y la libertad: «Estando enferma la voluntad, no puede querer el bien ni obrarle sino ayudada» [78]. «El término de la voluntad fue el mal, que es la negación del bien» [79]. En el fondo, lo que pretendía Donoso, que no entendía de matizaciones y distingos, era debelar el dogma rusoniano de la bondad natural del hombre y de la infalibilidad de su razón.

Y frente a estos errores, que detesta, eleva y ensalza las concepciones antropológicas y sociopolíticas del catolicismo. El catolicismo, orden per-

[75] *Obras completas* (Madrid 1970) t.2 p.306.
[76] *Cartas de París*, carta de 31 de julio, en *Obras completas* (Madrid 1970) t.1 p.877.
[77] *Ensayo* l.2 c.3; o.c., t.2 p.566.
[78] *Carta a Montalembert*, Berlín, 26 de mayo de 1849: o.c., t.2 p.325.
[79] *Ensayo* l.2 c.4: o.c., t.2 p.568.

fecto, porque sitúa al hombre dentro del plan de Dios, único remedio contra las revoluciones, único depositario de soluciones eficaces, único fundamento verdadero de la libertad, la igualdad y la fraternidad. El catolicismo y la caridad, que él predica, única solución eficaz a la cuestión social: «De lo que hoy se trata sólo es de distribuir convenientemente la riqueza, que está mal distribuida. Esta, señora, es la única cuestión que hoy se agita en el mundo. Si los gobernadores de las naciones no la resuelven, el socialismo vendrá a resolver el problema poniendo a saco las naciones» [80].

Fue así Donoso un correctivo ideológico a la revolución al estilo de Maistre o de De Bonald, de los que estaba muy influido. Si tuvo grandes intuiciones críticas contra el liberalismo y el socialismo, si denunció su racionalismo y su naturalismo como disolventes del humanismo cristiano, si defendió el catolicismo con argumentos y datos irrefutables, también es verdad que no vio, como ya hemos indicado, los elementos válidos que había en aquellos sistemas sociopolíticos y que señalaban el rumbo de las nuevas sociedades. Soñaba románticamente con la vuelta a una cierta teocracia que ni él mismo supo concretar, mientras servía con lealtad y realismo a un régimen liberal. Su ardor temperamental, su lógica excesiva, su estilo rotundo y de grandes afirmaciones, le hacían decir más de lo que él en realidad pensaba.

Pero en cualquier caso, cuando se lee a Donoso, se advierte que se camina por niveles mucho más elevados y más serios que cuando se lee a Vélez o al Rancio. Los integristas españoles, sin embargo, se lo apropiarían más adelante, sin comprender lo que en sus escritos es y sigue siendo válido y lo que es fuego, oratoria o arcaísmo [81].

Siempre va unido al nombre de Donoso Cortés el de Jaime Balmes, aunque en realidad sólo hay en ellos de semejante la misma fe católica y el mismo amor a la Iglesia. Por lo demás, todo en ambos es diverso. Balmes quedará en la historia de la cultura de España como el pensador sobrio, sereno, realista, sistemático, original, eruditísimo, que dio un impulso renovador a la filosofía española, depauperada entonces hasta la miseria. Fue, además, el apologista católico más serio del siglo, sin apasionamientos ni extremismos. Su mayor mérito y originalidad está, sin embargo, en la finura y penetración de sus análisis políticos y sociales y en el equilibrio y sensatez de sus soluciones. Ellas forman un verdadero cuerpo de doctrina sociopolítica, de inspiración cristiana, de valor inestimable. En medio de una sociedad y de una Iglesia agitada

---

[80] *Carta a María Cristina:* o.c., t.2 p.726.
[81] De las *Obras completas* de Donoso se han hecho cuatro ediciones, de las cuales cada una mejora las anteriores. La última es la preparada por CARLOS VALVERDE, *Obras completas de Donoso Cortés* (BAC, Madrid 1970), que añade muchos documentos inéditos, además de una larga Introducción. La bibliografía sobre Donoso es muy abundante. Destacan los escritos de CARL SCHMITT, *Der unbekannte Donoso Cortés*, Hochland, 27 Jahrgang, t.2 (1930); *Donoso Cortés in gesamteuropäischer Interpretation* (Köln 1950); EDMUND SCHRAMM, *Donoso Cortés. Leben und Werk eines spanischen Antiliberalen* (Hamburg 1935); DIEGO SEVILLA ANDRÉS, *Donoso Cortés y la dictadura:* Arbor 24 (1935) 58-72; FEDERICO SUÁREZ VERDEGUER, *Introducción a Donoso Cortés* (Madrid 1964); RAINER DEMPF, *Die Ideologie, kritik des Donoso Cortés:* Philosophisches Jahrbuch der Görresgesellschaft 64 (1956) 298-338.

por banderías y pasiones sin mesura, él supo independizarse, buscar y publicar la verdad sin compromisos. Había nacido en Vich el año 1810. Inclinado desde niño al sacerdocio, estudió en el seminario de su ciudad natal. Más tarde cursó teología durante nueve años en la Universidad de Cervera, donde obtuvo el «doctorado en pompa». Pero desde la expulsión de los jesuitas (1767), la Universidad de Cervera era decadente, y feneció en 1835, el mismo año en que en ella había terminado Balmes. Más adelante recordará sus grados, «cuyos diplomas para nada nos sirven» [82]. Sin embargo, allí estudió y aprendió, por cuenta propia, la filosofía y la teología escolástica y su método riguroso y analítico, contra el ambiente de profesores y alumnos, que la ridiculizaban sin conocerla. Allí aprendió también la filosofía escocesa del «sentido común», que enseñaba un hombre eminente, Ramón Martí de Eixalá (1808-57), y de la que quedaría notablemente influenciado.

Pasó después unos años, que su mejor biógrafo, el P. Ignacio Casanovas, llama de «vida oculta», en Vich, sin encontrar su camino. Allí desempeñó con brillantez una cátedra de matemáticas que nadie le había enseñado, pero que él había aprendido, y mereció una silla en la Academia de Buenas Letras de Barcelona. Leyó y meditó mucho sobre lo leído, como era su costumbre, y también sobre las dramáticas circunstancias históricas de su patria. Y descubrió su vocación de escritor. Sus primeros folletos tuvieron éxito. Escribió *Reflexiones sobre el celibato del clero* (1840) y *Observaciones sociales, políticas y económicas sobre los bienes del clero* (1840). Así se dio a conocer y a estimar en todos los ambientes intelectuales de España. En 1841 se trasladó a Barcelona, y comenzaron los siete años de fecundidad increíble de una vida que se extinguiría en 1848 cuando contaba treinta y ocho años de edad. Escribió en las revistas *La Civilización* y en *La Religión;* fundó y dirigió *La Sociedad,* revista quincenal escrita casi totalmente por él. De 1844 a 1848 vivió en Madrid, donde fundó, dirigió y redactó casi íntegramente *El Pensamiento de la Nación,* semanario conciliador que buscaba la unidad del pueblo en sus esencias más íntimas: la religión y la Monarquía, pero entendidas en términos de moderación, de armonía y de paz. Desde este semanario propugnó el enlace matrimonial de Isabel II con el conde de Montemolín, hijo primogénito de D. Carlos, boda que hubiera puesto fin a las sangrientas luchas dinásticas y acaso a las dos Españas.

Por afán de observación directa y de enriquecimiento cultural viajó varias veces a Francia, Bélgica e Inglaterra. En los ambientes intelectuales de estos países fue admirado y obsequiado. En sus viajes conoció a Chateaubriand, a Lacordaire, a Dupanloup, a Ravignan, etc.; visitó la Universidad de Lovaina y dialogó con los obispos belgas y con el nuncio Mons. Pecci, el futuro León XIII.

En abril de 1847 fue nombrado socio de la Academia de la Religión Católica, de Roma; en septiembre, miembro de la Asociación defensora

---

[82] JAIME BALMES, *Obras completas* (Barcelona 1925-27) t.29 p.388.

del trabajo nacional y de la clase obrera; en noviembre, socio de honor y de mérito de la Academia Científica y Literaria de Profesores de Madrid, y en febrero de 1848, miembro numerario de la Real Academia Española.

Un asunto doloroso en extremo precipitó la muerte de Balmes. Al subir al trono, Pío IX había iniciado una serie de reformas liberales moderadas dentro de los mismos Estados pontificios. Este hecho enardeció de entusiasmo a los liberales y de indignación a los extremistas del absolutismo. Balmes publicó un opúsculo en defensa de Pío IX por defender al papa de Roma y porque su propia actitud política era también la de la moderación y la evolución. Los españoles intransigentes, que no eran pocos, desataron una campaña furibunda contra Balmes, al que llamaron «el Lamennais español» y acusaban de ambicioso del cardenalato, etc.

Cansado, triste y enfermo, se retiró a Vich, y allí murió el 9 de julio de 1848.

Entre sus obras apologéticas, son las más relevantes *El protestantismo comparado con el catolicismo en sus relaciones con la civilización europea* (1842-44) y *Cartas a un escéptico en materia de religión* (1846). La primera, calificada por Menéndez Pelayo como «el primer libro español de este siglo», es una respuesta a la *Historia de la civilización en Europa,* de Guizot. Sin duda, significa una de las críticas más serias, científicas y constructivas al mismo tiempo que se ha hecho al protestantismo. Balmes demuestra la superioridad del catolicismo en lo religioso, en lo social y en lo cultural, y sostiene la tesis de que el protestantismo no sólo no ha favorecido, sino que más bien ha entorpecido el desarrollo de la verdadera civilización y del humanismo europeo [83].

Su pensamiento filosófico queda expuesto en *El criterio* (1845), en *La filosofía fundamental* (1846), intento de crear una filosofía original, y en el *Curso de filosofía elemental,* manual didáctico de filosofía independiente. Pretendió el filósofo Balmes dar principios serenos y objetivos para comprender e interpretar todos los aspectos de la realidad sin caer en extravagancias idealistas o empiristas. Buen conocedor del tomismo, del suarismo, de la filosofía moderna, de Kant, de la escuela escocesa del «sentido común», etc., su obra representa el único esfuerzo español, original y serio del siglo XIX, por presentar, sobre la base de un tomismo ampliamente interpretado, una filosofía independiente y que condujese la mente humana, de mano segura, a una representación armónica y verdadera de la realidad y a una praxis ética conforme a la naturaleza de la persona.

Sus ideas sociales y políticas las fue publicando en artículos y folletos, que luego se coleccionaron en los llamados *Escritos políticos;* probablemente, lo más valioso de su obra. Captó perfectamente la gravedad e importancia de la «cuestión social» y la necesidad de resolverla desde el

---

[83] Tierno Galván sostiene la tesis de la gran influencia de Chateaubriand y su *Genio del cristianismo* en *El protestantismo comparado con el catolicismo,* de Balmes; cf. E. TIERNO GALVÁN, *Tradición y modernismo* (Madrid 1962) p.151-52.

principio básico de la dignificación de la persona humana. Captó la importancia de los factores económicos de producción y distribución de la riqueza en el desarrollo y solución de los problemas sociales y se sintió muy atraído por los estudios de economía política.

Sus ideales políticos de moderación y reconciliación nacional le llevaron a analizar con mesura y buen sentido los hechos políticos que se sucedían; a combatir a Espartero, por su dictadura de izquierdas y anticlerical, y a Narváez, por su dictadura de derechas. No contento con escribir, fundó un partido político, el *Monárquico Nacional,* que corrió la suerte de todos los partidos políticos españoles [84].

La figura de Jaime Balmes ha quedado en la historia de España como un modelo de fe cristiana, de virtud sacerdotal y de participación inteligente y libre en el quehacer cultural de nuestra sociedad. Su muerte prematura no le permitió crear escuela, y ello ha sido lamentable. Sin embargo, tuvo buenos colaboradores seglares católicos, como los escritores catalanes Jesús Ferrer Subirana († 1858) y Joaquín Roca y Cornet (1804-73). En compañía de Balmes fue también culto apologista de la fe católica José María Quadrado Nieto (1819-96), menorquín, historiador, arqueólogo, archivero y al mismo tiempo periodista, colaborador de *El Pensamiento de la Nación,* de *La Fe* y de *El Católico.* No sólo escribió buenos artículos sobre fe, religión y filosofía, el escepticismo y el materialismo, el espíritu del siglo, etc., sino que en dos volúmenes publicó un *Discurso sobre la historia universal* que continuaba dignamente el de Bossuet. Poeta catalán de hondo sentido cristiano, colaborador de Roca y Cornet, apologeta y maestro, fue D. Joaquín Rubió y Ors (1819-99).

[84] El P. Ignacio Casanovas, S.I., hizo la edición crítica de las *Obras completas de Jaime Balmes,* 33 vols. (Barcelona 1925-27), reproducida en 6 vols. por la BAC (Madrid 1948-50). Como obras de consulta sobre el pensador catalán pueden verse: IGNACIO CASANOVAS, S.I., *Biografía de Balmes,* en el t.1 de las *Obras completas,* ed. BAC, p.3-558; J. CORTS GRAU, *El ideario político de Balmes* (Madrid 1934); IRENEO GONZÁLEZ, *El ideario político de Balmes* (Madrid 1942); J. ZARAGÜETA, I. GONZÁLEZ, S. MINGUIJÓN, J. CORTS GRAU, *Balmes, filósofo social, apologista y político* (Madrid 1945); VARIOS, en Pensamiento 3 (1947) 7-335 (número extraordinario dedicado a Balmes en su centenario); M. BATLLORI, *Balmes en la historia de la filosofía cristiana:* Razón y Fe 134 (1946) 281-95; VARIOS, en Actas del Congreso Internacional de Filosofía de Barcelona (Madrid 1949) (diversas ponencias y comunicaciones); J. MARÍA GARCÍA ESCUDERO, *Política española y política de Balmes* (Madrid 1950); F. DE URMENETA, *Principios de la filosofía de la historia a la luz del pensamiento de Balmes* (Madrid 1952).

CAPÍTULO IV

EN BUSCA DE UNA FILOSOFIA

La lucha político-religiosa, o mejor dicho, la defensa de la fe religiosa, con la que se consideraban indisolublemente unidas ciertas formas políticas tradicionales, había absorbido los mejores ingenios y las mejores plumas de la Iglesia en la primera mitad del siglo XIX. Pero el panorama filosófico era desolador, si se exceptúan las dos figuras próceres de Donoso Cortés y Balmes, y aun de éstos, el primero, que había tenido tan pésima formación filosófica, como todos sus compañeros, cuando quiso elevarse por encima del utilitarismo y del eclecticismo doctrinario, cedió más de lo justo al tradicionalismo francés, porque no encontró a mano otra filosofía mejor.

La carencia de originalidad creativa y robusta se suplía con una proliferación de libros de texto para seminarios y universidades, todos ellos muy mediocres, de los que sólo merece mencionarse —y no muy alto— el del dominico mallorquín Felipe Puigserver, *Philosophia S. Thomae,* obra en tres volúmenes, publicada en Valencia en 1820 [85].

Una vez que el siglo dobló su mitad, continuó la tarea impugnadora y polémica característica de nuestro siglo decimonónico; ahora no tanto contra el liberalismo y los afrancesados cuanto contra el materialismo y el positivismo, que nos venían también de Francia; contra el evolucionismo darwinista, que parecía en abierta oposición con el Génesis y la teología; contra el espiritismo y la teosofía; y en cuanto apareció, contra el krausismo [86].

Sin embargo, esto no fue todo. La filosofía y la teología escolásticas estaban frecuentemente desestimadas incluso por hombres eminentes dentro de la Iglesia, como el docto escriturista Francisco Javier Caminero (1837-85), que fue además catedrático de Valladolid, obispo electo

[85] Puede verse un catálogo de autores y obras de esta época en GUILLERMO FRAILE, O.P., *Historia de la filosofía española* t.2 (Madrid 1972) p.116-17. Informa con más estudio y crítica ANTONIO HEREDIA SORIANO, *La filosofía «oficial» en la españa del siglo XIX, 1800-1833:* La Ciudad de Dios 185 (1972) 225-28.496-542.

[86] En la impugnación del panteísmo o panenteísmo krausista destacaron : ALEJANDRO DE LA TORRE Y VÉLEZ, *El discurso del académico de la Historia Sr. D. Fernando de Castro, del 7 de enero de este año, examinado a la luz de la doctrina y de la verdad histórica* (Salamanca 1866); FRANCISCO NAVARRO VILLOSLADA, en *El Pensamiento Español;* ORTÍ Y LARA, *Impugnaciones del discurso pronunciado en la inauguración del año académico 1857-58* [...] *por* [...] *Sanz del Río* (Granada 1857); *Krause y sus discípulos, convictos de panteísmo* (Madrid 1864); *Lecciones sobre el sistema de filosofía panteísta del alemán Krause* (Madrid 1865); *Paradoja contra Krause y su discípulo Sanz del Río en estilo llamado neocatólico* (Madrid 1869); FRANCISCO JAVIER CAMINERO, *Examen crítico del krausismo:* Revista de España 10 (1869) p.254-72.416-48; 12 (1870) 116-34.557-70; 13 (1870) 270-90.421-28; 14 (1870) 69-88; *Estudios krausistas,* en *La Defensa de la Sociedad* 8 (1875) 193-19.257-83.321-48; (1876) 557-600.641-71.705-32. Los escritos de Caminero son los más valiosos.

de León, miembro de la Real Academia de Ciencias Morales y Políticas, impugnador vigoroso del krausismo y filósofo de resabios tradicionalistas. Escribía en 1870: «Filósofos respetables de la actualidad, sacerdotes dignos, corporaciones religiosas potentes, han tomado a su cargo restaurar la filosofía tomista, llamándola la filosofía católica. Los enemigos de la teología católica aceptan aquella denominación, porque significa la identidad y solidaridad del catolicismo y la filosofía escolástica; y están bien seguros de que ésta hace tiempo que murió, sin que nadie pueda resucitarla, sino, a lo más, galvanizar su cadáver. ¿Podría hacerse cosa que más les lisonjeara que identificar el catolicismo con una filosofía muerta y podrida?»[87]

Aludía directamente el escriturista palentino a los intentos que se hacían de restaurar la filosofía escolástica como única respuesta sólida a tanto empirismo, utilitarismo y subjetivismo. El hecho era que efectivamente había comenzado un movimiento de restauración escolástica. Se suele considerar como su iniciador al P. José Fernández Cuevas (1816-64), jesuita asturiano, que en 1858 había publicado un notable manual escolástico de inspiración suarista con el modesto título de *Philosophiae rudimenta*. Como la Santa Sede había intervenido para detener el tradicionalismo y el concilio Vaticano I prácticamente lo había condenado, se echaron atrás algunos pensadores católicos que, inspirados en Donoso y en los franceses, lo seguían (Gabino Tejado, José María Cuadrado, Ramón Nocedal, Francisco Javier Caminero). Con ello y la aparición del P. Ceferino González, O.P., quedaba abierto el camino hacia un neotomismo que formó escuela con muchos de los eternos valores de la metafísica escolástica, pero más rígida y tradicional de lo que requerían los tiempos y sin verdadera originalidad ni novedad.

Era Fr. Ceferino González un dominico asturiano que había nacido en 1831. Por cuenta propia había estudiado a fondo a Santo Tomás, y en 1864 publicó en Manila, donde enseñaba filosofía, tres volúmenes de *Estudios sobre la filosofía de Santo Tomás*. Esta obra la editaría en Madrid en 1866, y en Ratisbona, traducida al alemán, en 1885. Ella significa «el arranque claro del movimiento renovador de la escolástica española por parte de los dominicos»[88]. En ella demostraba conocer bien a Santo Tomás, a los filósofos empiristas, a los tradicionalistas y menos a los alemanes. Tomaba una postura abierta al pensamiento moderno. Honesto y científicamente sincero, no juzgaba sino lo que conocía personalmente: «Soy enemigo de juzgar sistemas, doctrinas y autores por citas de otros o por extractos, que no siempre son exactos»[89]. Probablemente, había sido la lectura de Balmes lo que había despertado en él la vocación y el interés por la filosofía[90]. Volvió a España en 1866, y, a

---

[87] En *Revista de España* n.2 (1870) 124-25.
[88] FRANCO DÍAZ DE CERIO, S.I., *Un cardenal filósofo de la historia, Fr. Ceferino González, O.P. (1831-1894)* (Roma 1969) p.49.
[89] CEFERINO GONZÁLEZ, O.P., *Estudios sobre la filosofía de Santo Tomás* (Manila 1864) t.1 p.XXI.
[90] GUILLERMO FRAILE, O.P., *El P. Ceferino González y Díaz-Tuñón*: Revista de Filosofía 15 (1956) 468.

pesar de los cargos de gobierno que tuvo en su Orden, pudo seguir estudiando; se interesó por las ciencias naturales; publicó *Philosophia elementaria ad usum academicae ac praesertim ecclesiasticae inventutis,* en tres volúmenes (1868), etc.

A partir de 1871 residía en Madrid, y en su celda recibía tres veces por semana a un grupo de jóvenes seglares, a los que enseñó el tomismo. Algunos de ellos llegarán después a figurar en el mundo de la política y en el de la filosofía. Fueron de aquel grupo el marqués de Pidal y su hermano Alejandro Pidal y Mon, que, andando los años, encabezarían el movimiento moderado dentro del carlismo tradicionalista español y frente a la tendencia integrista de Cándido y Ramón Nocedal[91]. De labios de Fr. Ceferino aprendió también el tomismo el ya no tan joven Juan Manuel Ortí y Lara (1826-1904), más adelante catedrático de Metafísica en la Universidad de Madrid, polemista inteligente, pero espíritu intransigente y cerrado a cualquier innovación que pensaba que, fuera de la escolástica y de la fe, casi todo eran errores y falsedades, y que se quejaría años adelante de la benignidad con que el P. Ceferino trataba a los filósofos no cristianos. Tiene el mérito de haber introducido en España a los neotomistas italianos[92]. De aquel grupo de discípulos de Fr. Ceferino fueron también Antonio Hernández Fajarnés (1851-1907), futuro rector de Zaragoza y catedrático de Madrid, autor de obras filosóficas meritorias influidas por la escuela de Lovaina; Eduardo de Hinojosa (1852-1919), jurista eminente y académico de la Historia; Carlos María Perier († 1893), senador y más tarde jesuita, escritor, fundador y director de la *Defensa de la Sociedad* y miembro de la Real Academia de Ciencias Morales y Políticas, etc.; Fr. Ceferino editó el compendio de sus clases en su *Filosofía elemental* (Madrid 1873), del que dirá el cardenal Mercier que fue el «manual de su juventud».

No contento con esta tarea de enseñanza y publicación, el activo dominico fundó en 1877 una revista de notable altura intelectual titulada *La Ciencia Cristiana,* que en sus dos series llegó a comprender 33 volúmenes.

Nombrado obispo de Córdoba, en medio de sus tareas pastorales encontró aún tiempo para escribir una *Historia de la filosofía,* en cuatro volúmenes, que ha sido clásica en la historiografía filosófica española, ya que para su tiempo representó un esfuerzo de comprensión, de sistematización, de sano eclecticismo y de crítica de todos los sistemas filosóficos, superior a cuantos se habían hecho en España.

La Academia de Ciencias Morales y Políticas le concedió un puesto

[91] Alejandro Pidal escribió un estudio sobre *Santo Tomás de Aquino* (Madrid 1875), que León XIII ensalzó en un breve, y que el P. Ceñal califica de «excelente»; cf. RAMÓN CEÑAL, *La filosofía española en la segunda mitad del siglo* XIX: Revista de Filosofía 15 (1956) 439. Además fundó y dirigió una revista: *La España Católica.* Fue también gran orador parlamentario.
[92] Ortí y Lara combatió contra el krausismo, contra el liberalismo doctrinario y contra el moderantismo católico de Pidal. Sus obras didácticas y de texto son manuales carentes de toda originalidad, que no hacen sino repetir a Sanseverino, Liberatore, Taparelli, Ceferino, Mendive o Urráburu. Fundó una revista titulada *La Ciudad de Dios,* que vivió poco tiempo.

en el Senado, y otro tanto la Real Academia de la Lengua, aunque en ésta no llegó a tomar posesión de su áurea silla.

Por su prestigio intelectual y su actividad social y pastoral fue nombrado arzobispo de Sevilla (1883), cardenal (1884) y primado de España (1886). Pero tuvo que renunciar a sus cargos por causa de su mala salud, y en 1889 se retiró a la vida privada de la celda conventual, en la que preparó una obra apologética: *La Biblia y la ciencia,* en dos volúmenes (1891 y 1894). En ella pretendía tomar parte y partido en la amplia polémica que había suscitado la traducción al español de la obra, del norteamericano William Draper, *Los conflictos entre la religión y la ciencia* (Madrid ²1885) [93]. Demostraba un conocimiento no vulgar de las ciencias naturales y una moderada audacia escriturística, que influiría un tanto en la renovación de la exégesis promovida después, y llevada adelante, no sin gran dificultad, por el dominico francés P. Lagrange y la *Revue Biblique* [94].

Murió el cardenal Ceferino González en 1895. Dentro del ámbito cultural hispano, es, sin duda, la figura más destacada de la renovación neoescolástica; no por su creatividad, sino por lo serio de su estudio y por su moderación. Ultimamente se ha puesto de relieve su valor no sólo como escolástico, sino como filósofo de la historia [95]. En cualquier caso, su obra preparó el ambiente en el que pudo encontrar eco y fecundidad la encíclica *Aeterni Patris* (4 de agosto de 1879), de León XIII. Ella impulsaba a los pensadores católicos de todo el mundo a estudiar el pensamiento de Santo Tomás y de los escolásticos, a purificarlo de cuanto en él había de caduco, a enriquecerlo con las nuevas aportaciones del pensamiento, y a asegurar así a los aspirantes al sacerdocio una formación sólida, desde la que después pudiesen ejercer un apostolado eficaz [96].

Sucedió en esta época en España, y a impulsos de la voluntad del papa, una cierta floración neoescolástica nada desestimable, aunque sin la capacidad renovadora y creativa que tendría la escuela del cardenal Mercier en Lovaina, o la del jesuita belga Joseph Marechal, o la de Gallarate en Italia. Dominicos, jesuitas, agustinos y franciscanos se dedicaron con interés al estudio de la escolástica en las versiones propias de sus órdenes, y resucitaron ciertos enfrentamientos domésticos (tomistas,

---

[93] Entre los impugnadores de Draper destacó el canónigo catalán Antonio Comellas (1832-84), que dominaba bien las lenguas extranjeras y que había estudiado a Kant, a Krause, a Hegel, a Cousin, a Spencer, etc. Escribió una *Demostración de la armonía entre la religión católica y la ciencia* (Barcelona 1880). También impugnaron a Drape Joaquín Rubió y Ors con su obra *Los supuestos conflictos entre la religión y la ciencia, o sea, la obra de Draper ante el tribunal del sentido común, de la razón y de la historia* (Madrid 1881); Juan Mir, S.I.; Miguel Mir, hermano del jesuita. El P. José Mendive, S.I., filósofo escolástico independiente, en vez de seguir detalladamente a Draper para refutarle, expuso magistralmente los motivos de credibilidad en su libro *La religión, vindicada de las imposturas racionalistas* (Madrid 1883).

[94] Cf. *Avant-Propos* del número fundacional de la Revue Biblique 1 (1892) 11-16.

[95] FRANCO DÍAZ DE CERIO, *Un cardenal filósofo de la historia; Fr. Zeferino González, O.P. (1831-1894)* (Roma 1969).

[96] Sobre la elaboración en esta época de una teoría católica del derecho, véase JUAN JOSÉ GIL CREMADES, *El reformismo español* (Barcelona 1969) p.154-80.

suarecianos, escotistas, egidianos) de tiempos idos y remotos. Sería largo y fatigoso enumerar hombres y libros. Baste recordar, como *summa* del saber escolástico de la segunda mitad del siglo XIX, la obra ingente de Juan José Urráburu, S.I., *Institutiones Philosophicae,* en ocho gruesos volúmenes, publicados en Valladolid entre 1890 y 1900. Es un monumento del saber escolástico organizado y sistemático, fluido y vigoroso en la argumentación y en la refutación, última enciclopedia del tomismo bajo la interpretación suareciana, a la que es incondicionalmente adicto. Sólo dejó sin estudiar la filosofía moral. Conocía y manejaba la filosofía moderna, a la que critica implacable y bondadosamente en un latín diáfano y escolar; pero no distinguía debidamente entre los eternos e importantes problemas filosóficos y metafísicos del hombre y las escaramuzas intranscendentes e inacabables entre escolásticos, así como también es deficiente en las consideraciones históricas, que están casi ausentes de su obra. A través de sus clases en la Universidad Gregoriana de Roma (1878-87), en la facultad jesuítica de Oña y en el seminario de Salamanca, y mediante el *Compendium Philosophiae Scholasticae,* que publicó entre 1902 y 1904, fue Urráburu el educador de muchas generaciones de sacerdotes seculares y religiosos, que en él aprendieron —mejor que sus antepasados— a ir al fondo metafísico de los problemas, a argüir, a refutar y a precisar. Ello fue un gran valor. Hubiera debido completarse con una puesta al día que abriese al clero al diálogo con las circunstancias y con los hombres de su tiempo, que ya no hablaban latín, ni se preocupaban gran cosa de si la esencia se distinguía real o racionalmente de la existencia, ni de si el principio de individuación era o no la *materia signata quantitate* [97].

No quedaría completo este recuerdo histórico del esfuerzo de la Iglesia española por ser fiel a una tradición que tantos pensadores próceres había engendrado, si no citáremos a Antonio Comellas y Cluet (1832-84), canónigo de Solsona y profesor de su seminario. Fue de raigambre escolástica, pero libre e independiente en el mejor sentido de los vocablos. Además de la enérgica refutación de Draper a la que ya nos hemos referido, escribió una *Introducción a la filosofía, o sea doctrina sobre la dirección al ideal de la ciencia* (Barcelona 1883). Pretendía, dice en el prólogo (p.XIII), contribuir, con tantos otros, «a la restauración felizmente emprendida y continuada con gloria por filósofos insignes, y en nuestros días alentada y dirigida por el papa León XIII en su encíclica *Aeterni Patris*». Leía Comellas las lenguas extranjeras, y en su obra cita directamente a Krause, a Hartmann, a Spencer, a Cousin, etc. Dialoga

---

[97] Entre los jesuitas destacó también el P. José Mendive (1836-1906), que, además de escribir contra Draper, redactó, en castellano y en latín, buenos compendios de casi toda la filosofía, que se utilizaron en muchos seminarios; entre los dominicos, el P. Fonseca (1822-90); entre los agustinos, el P. Marcelino Gutiérrez (1858-93), escolástico libre e independiente, estudioso de Fr. Luis de León, director de *La Ciudad de Dios,* escritor de temas varios. Hubo también escolásticos seglares. Además de los ya citados del grupo de Fr. Ceferino, destacaron José A. Pou y Ordinas (1834-1900), jurista; Manuel Polo y Peyrolón (1846-1918), polemista contra el darwinismo; Luis María Elizalde (*Elementos de psicología, lógica y ética,* 3 vols., Madrid 1886), José Daurella (*Instituciones de Metafísica,* Valladolid 1891), etc.

de tú a tú con Balmes. Curiosamente, en el método se acerca más a la dialéctica de Hegel que a la escolástica, ya que busca el ideal de la ciencia por las tres fases de tesis, antítesis y síntesis. Menéndez Pelayo decía de Comellas en una carta a Gumersindo Laverde de 12 de febrero de 1883: «Es un pensador de primera fuerza, y desde Balmes acá no hemos visto en España nada semejante» [98].

En resumen, que frente al krausismo que importó Sanz del Río de Alemania y que llegó a ser una especie de mística secular que dirigía toda la vida cultural de los adictos de una de las Españas, surgió una filosofía escolástica de raíces añosas y vigor eterno, en la que los católicos, y principalmente el clero, buscaron y encontraron apoyo para su fe y explicación para los enigmas de la existencia. En este renacimiento escolástico faltaron espíritus creadores que supiesen integrar valores y pensar una filosofía para los tiempos nuevos, capaz de engendrar nuevas generaciones culturales dentro del ámbito eclesial. Faltó también quien tendiese puentes de acceso y de encuentro entre la filosofía más tradicional y los seglares cultos. El divorcio entre el pensamiento filosófico eclesial y el seglar se acentuó en la segunda mitad del siglo XIX [99].

---

[98] Sobre Comellas, cf. A. GÓMEZ IZQUIERDO, *Un filósofo catalán: Antonio Comellas y Cluet:* Cultura Española (1907) 287-95.603-15.1099-15.

[99] Fue un caso muy singular en esta época, digno de recordarse aquí, el de Fernando de Castro y Pajares (1814-74). Novicio franciscano antes de la exclaustración, sacerdote después, estudioso y elocuente, de religiosidad sincera, catedrático de Historia en el Instituto de San Isidro y más tarde en la Universidad, de la que fue también rector; académico de la Historia, capellán real de Isabel II, pensador y amigo de los krausistas, sufrió una larga y silenciosa crisis religiosa, que acabó por llevarle fuera de la Iglesia, para quedarse en un deísmo racionalista y en un humanitarismo social. Sobre Castro es indispensable la obra, de F. DÍAZ DE CERIO, S.I., *Fernando de Castro, filósofo de la historia 1814-1874* (León 1970).

Capítulo V

TEOLOGOS, EDUCADORES, ARTISTAS DEL SIGLO XIX

El acontecimiento más relevante de la Iglesia católica durante el siglo XIX fue la celebración del concilio Vaticano I. La noticia de su convocatoria levantó una polémica entre periódicos como *El Pensamiento Español* y *La Esperanza* (católicos) y *La Nación* (liberal), aunque los liberales, en general, fueron respetuosos y correctos. Con ocasión del concilio se publicaron nuevos periódicos dedicados a cuestiones doctrinales y dogmáticas; así, por ejemplo, *La Iglesia; Altar y Trono; La Iglesia Católica; El Concilio; El Católico Romano; La Ciudad de Dios,* etc. El más importante fue *La Cruz,* fundado en 1852 por el eminente publicista León Carbonero y Sol (1812-1902), y que llegó a ser la revista oficiosa del episcopado de tendencia conservadora. Asistieron al concilio 44 obispos españoles y algunos teólogos de menor relieve. Por lo general, eran los obispos personas que provenían de cargos eclesiásticos, a los que se habían preparado mediante estudios y oposiciones. Por esto y por la formación recibida en los seminarios y escolasticados, dominaban bien la Sagrada Escritura, los Padres, la filosofía y la teología escolásticas, pero eran menos sensibles a los signos irreversibles de los nuevos tiempos (aportaciones de la Ilustración y el liberalismo, pluralismo religioso e ideológico, industrialización, proletarización, socialismo y comunismo, etc.). Desde la desamortización de los bienes eclesiásticos, sobre todo, y por el radicalismo con que los liberales progresistas habían perseguido a la Iglesia, a sus instituciones y a los eclesiásticos al llegar al poder, la Iglesia española y sus obispos habían cerrado filas entre sí y junto al papa, que repetidamente les había defendido. No había entre los obispos españoles ningún brote considerable de liberalismo católico al estilo del de Dupanloup en Francia, porque era impensable en nuestra circunstancia histórica de la segunda mitad del siglo XIX. El concilio se convocó el 29 de junio de 1868 y se abrió el 8 de diciembre de 1869, tiempo en el que justamente había caído en España el trono de Isabel II (septiembre 1868), y se había desatado de nuevo una ola de violencia y crueldades, a veces extremas, contra la Iglesia y sus ministros.

En estas circunstancias no extrañará que los obispos españoles defendieran unánimemente en el concilio la necesidad de condenar los errores modernos (racionalismo, panteísmo, tradicionalismo y socialismo) y fueran todos infalibilistas, es decir, propugnadores de la conveniencia de que la autoridad pontificia quedase robustecida ante el mundo con la definición del dogma de la infalibilidad del sucesor de Pedro cuando definía solemnemente una verdad dogmática. No hubo entre ellos disidentes al estilo de Hefele o Strossmayer. Si hemos de creer a Vicente de la Fuente, Pío IX pudo decir que «de los obispos españoles respondía como de cosa propia» [100].

Destacaron en sus intervenciones conciliares Manuel García Gil († 1881), dominico y arzobispo de Zaragoza, que fue nombrado para presidir la Comisión De fide y tomó parte en la redacción de la constitución dogmática sobre la infalibilidad pontificia; el obispo de Cuenca D. Miguel Payá, que participó activa y eficazmente en la redacción de la constitución sobre la Iglesia y fue relator en la congregación 88; el cardenal Moreno y Maisonave, arzobispo de Valladolid, que por su buen sentido y moderación fue el dirigente nato de los obispos españoles, etc. [101].

No pudo asistir al concilio el cardenal Miguel García Cuesta (1803-73), arzobispo de Compostela, por estar encausado por el Gobierno revolucionario de septiembre, que le negó el pasaporte. Fue lástima, porque era, probablemente, el prelado de más merecido prestigio intelectual. Había sido catedrático de griego y filosofía en la Universidad de Salamanca, obispo luego de Jaca, y más tarde, cardenal de Santiago, consultor de las Congregaciones Romanas y designado por Pío IX para redactar la bula Ineffabilis Deus, en la que se había definido la concepción inmaculada de María [102].

Sin llegar a la talla de García Cuesta, fue producto característico del clero intelectual del siglo XIX Antolín Monescillo (1811-97), obispo de Calahorra y Jaén y por fin cardenal de Toledo, que, si no destacó demasiado en el Vaticano I —aunque, junto con García Gil, perteneció a la Diputación de la Fe—, se destacó siempre por su pluma ágil de periodista y de apologeta, valiente desvelador y debelador de los errores de su tiempo en sus célebres Pastorales y Exposiciones al Gobierno [103]. Tradujo el Diccionario teológico, de Bergier, y lo que es más significativo, la Simbólica, de Juan Adam Moelher (publicada en 1832), estudio contrastante de las proposiciones dogmáticas de católicos y protestantes. Como todos los eclesiásticos de su tiempo, tuvo que defender la independencia de la Iglesia frente al Estado y las tradiciones que expresaban la ortodoxia católica contra los liberales.

Junto con García Cuesta y Monescillo —que fueron también parlamentarios—, en el frente de batalla apologética que formó el clero español en la segunda mitad del siglo XIX destaca el magistral de Vitoria Vicente de Manterola (1833-91), a quien los liberales no pudieron impo-

---

[100] VICENTE DE LA FUENTE, Historia eclesiástica de España t.6 (Madrid 1875) p.274.
[101] Hace un excelente estudio sobre los españoles en el concilio Vaticano I, J. MARTÍN TEJEDOR, Concilio Vaticano I, en Diccionario de la historia eclesiástica de España t.1 p.496-515.
[102] Defendió García Cuesta a Pío IX en «la cuestión romana» con su importante escrito Cartas a la Iberia sobre la necesidad del poder temporal del Papa (Madrid 1966).
[103] Durante sus estudios en la Universidad de Toledo había pertenecido a un grupo de jóvenes eclesiásticos y seglares que, andando el tiempo, llegarían a pesar en la vida nacional. Lo formaban José Zorrilla, el poeta; León Carbonero y Sol, fundador, propietario y director de la revista La Cruz y notable publicista seglar católico; Juan González, conocido por «el Chantre», orador sagrado de fama, que publicó sus sermones en una voluminosa colección titulada El catolicismo y la sociedad defendidos desde el púlpito; los hermanos Lobo, más tarde jesuitas, etc.

ner silencio ni persiguiéndole ni ofreciéndole una mitra. Se distingue de los demás en que no sólo escribió, sino que en las Cortes midió dignamente su oratoria con la de Castelar, rey entonces de la oratoria parlamentaria. Su primer discurso contra el proyecto de Constitución después de 1868 ha quedado como una obra maestra de tal oratoria. Se dedicó después a conspirar y a hacer propaganda política en favor de D. Carlos. El título de una de sus obras ha quedado como símbolo del pensamiento de una parte de los católicos españoles de entonces. Era: *Don Carlos o el petróleo*. No veían otra alternativa: o el integrismo carlista o la revolución.

Un historiador tan serio como Martín Grabman escribe, aunque hay que reconocer que con benevolencia, que, a pesar de los múltiples contratiempos en que vivió la Iglesia española, «todavía ha conseguido la teología católica de la península Ibérica, fiel a sus gloriosas tradiciones, producir, durante el siglo XIX y los años que han transcurrido del actual, grandes obras y aportaciones muy notables en el campo de las ciencias eclesiásticas. El historiador encuentra aquí figuras de primer orden por sus dotes de intuición genial, que han penetrado en las profundidades de la verdad católica y han sabido presentarlas en exposiciones llenas de animación y de vida» [104].

La formación del clero español durante el siglo XIX fue muy pobre, rutinaria y cerrada en general. Las circunstancias sociopolíticas y culturales del país ni permitían ni exigían mucho más. Los planes de estudios sacerdotales eran frecuentemente hechos por los gobiernos y los gobiernos nombraban los superiores y los profesores, y fijaban también los libros de texto [105]. Los futuros sacerdotes acudían a las facultades de teología donde había universidad. Estas fueron suprimidas en 1852, restauradas en 1854 y definitivamente suprimidas en 1868 por Ruiz Zorrilla después de la revolución gloriosa [106]. El concordato de 1851 elevó a la categoría de universidades los seminarios de Toledo, Granada, Valencia y Salamanca. Más adelante, en 1896-1897, León XIII dará también el rango de universidades pontificias a los de Sevilla, Tarragona, Zaragoza, Santiago, Valladolid y Burgos, sin que alcanzaran más que un modesto nivel académico. Por ello desaparecieron como tales al publicarse la exigente constitución sobre estudios eclesiásticos *Deus Scientiarum Dominus*, de Pío XI, en 1931. Donde no había universidades, los futuros sacerdo-

[104] MARTÍN GRABMANN, *Historia de la teología católica* (Madrid 1940) p.342. M. Grabmann recuerda, además de los teólogos y filósofos de los que ya hemos hablado o hablaremos, al P. Faustino Arévalo, jesuita, que nos dejó excelentes estudios en sus ediciones de las obras completas de San Isidoro y de los himnos de Prudencio, Draconcio, Sedulio. También cita a los dominicos Francisco Xarrió († 1866) y Narciso Puig († 1865), que escribieron en colaboración unas *Institutiones theologiae ad mentem Sancti Thomae*. Igualmente, al agustino Honorato del Val († 1910), profesor en El Escorial, que dejó «un excelente curso» en su *Sacra Theologia Dogmatica* (3 vols.), de tendencia augustiniano-tomista, etc.; cf. M. GRABMANN, o.c., p.342-49.

[105] Hicieron planes de estudios eclesiásticos Calomarde (1824), María Cristina (1835), Pedro José Pidal (1845), González Romero (1852), José Alonso (1894). Puede verse el artículo, de JOSÉ M. CUENCA TORIBIO, *Notas para el estudio de los seminarios españoles en tiempos de Pío IX:* Saitabi 23 (1973) 51-88.

[106] Véase MELQUIADES ANDRÉS, *La supresión de las facultades de teología en las universidades españolas* (Burgos 1976).

es vivián frecuentemente en pensiones y acudían a las clases del seminario o de casas religiosas. La inseguridad social hacía que estos centros tuviesen una existencia precaria y azarosa y que la formación dada en ellos fuera superficial y escasa. En 1835, la reina María Cristina estableció el llamado «curso breve». Los que lo seguían llegaban al sacerdocio con sólo tres cursos de latín, uno de filosofía y dos de teología.

A partir de 1875, y con la paz canovista, los seminarios se reorganizaron y paralelamente al ambiente cultural secular también mejoró la formación del clero. En 1884, un santo sacerdote de Tortosa, D. Manuel Domingo y Sol (1836-1909), fundaba la Hermandad de Sacerdotes Operarios Diocesanos, que se dedicarían al fomento de vocaciones sacerdotales y a su formación. Poco a poco, les fueron encomendados muchos seminarios en España y en América. En 1892 realizó Domingo y Sol el deseo de la Santa Sede y de los obispos españoles de fundar el Colegio Español de Roma. Allí recibieron formación excelente muchos seminaristas que luego fueron buenos profesores de otros seminarios.

Los obispos y el alto clero eran seleccionados principalmente entre los doctores en teología y cánones. El valor de estos títulos era distinto según los centros que los hubieran conferido. Hacia finales del siglo XIX y luego en el XX fueron elegidos frecuentemente para sedes arzobispales y cardenalicias obispos que poseían títulos civiles. El prestigio alcanzado por José Torras y Bagés (1846-1916), obispo de Vich; por Francisco Vidal y Barraquer (1868-1943) y más tarde por Angel Herrera (1886-1968) —por citar algunos ejemplos—, se debe, en gran parte, a la estima de maestros y compañeros de la universidad y a su mentalidad más abierta y universal. En la segunda mitad del siglo XIX y en los primeros años del XX, los obispos fueron, en conjunto, de tendencias religiosas y políticas más moderadas que el resto del clero, que casi todo era integrista [107].

La teología y la apologética llegaban al pueblo en pastorales, sermones y periódicos, pero también se difundió, y mucho, a través de colecciones económicas de libros religiosos. Así, por ejemplo, a la antigua *Biblioteca de la Religión,* que había protegido el cardenal Inguanzo, le sucedió la *Biblioteca Religiosa;* José Caixal, obispo de Urgel, fundó la *Librería Religiosa,* de Barcelona; Sardá y Salvany comenzó en 1870 una colección de teología popular; D. Nicolás Malo editó la *Biblioteca Universal de Autores Católicos;* se dio a luz un *Tesoro de Predicadores Ilustres,* etc. En estas y otras colecciones pudieron los españoles conocer muchas obras extranjeras de pensamiento católico, desde las *Veladas de San Petersburgo,* de De Maistre, hasta las *Conferencias de Nuestra Señora de París,* del P. Félix. San Antonio María Claret fue publicista infatigable y popular. Su multitud de obras sencillas y piadosas instruyeron al pueblo y mantuvieron su piedad durante muchos años.

Con todo, el más leído y popular de los apologetas de esta época, el que con sus libros, folletos, hojas y artículos catequizó a una gran parte

---

[107] Sobre la procedencia y formación de los obispos españoles aporta muchos datos concretos JOSÉ MANUEL CUENCA TORIBIO, *Sociología de una élite de poder en España e Hispanoamérica contemporáneas: la jerarquía eclesiástica (1789-1965)* (Córdoba 1976).

del pueblo, fue el sacerdote catalán Félix Sardá y Salvany (1844-1916). Son incontables sus escritos, dominados todos por el celo ardiente de dar sentido sobrenatural a la vida, de combatir los errores anticatólicos (protestantismo, espiritismo, anarquismo, naturalismo, liberalismo, socialismo) y de propagar la doctrina católica y la piedad. Que su actitud era intransigente, basta para demostrarlo el título de su obra más famosa y divulgada: *El liberalismo es pecado.* El liberalismo era naturalismo y racionalismo, rechazaba los dogmas y los misterios cristianos, propugnaba una religión y una moral naturales, una libertad de conciencia y un pluralismo religioso; ¿cómo podía, en buena conciencia, ser aceptado?[108] Existió también una pequeña corriente más abierta de pensamiento religioso tolerante y que buscaba una reconciliación con algunos principios del liberalismo. Así son los artículos del presbítero Eduardo María Vilarrasa en la *Revista Católica.*

En 1851, el Estado español se comprometía en el concordato con la Santa Sede a dispensar su protección a los obispos en orden a impedir la difusión de las doctrinas anticatólicas y ponía bajo la vigilancia de la jerarquía eclesiástica la enseñanza religiosa de los centros docentes.

Incidentalmente hemos hablado ya de las órdenes religiosas de raigambre secular en España, que a lo largo de todo el siglo XIX siguieron educando, desde el púlpito y en el confesionario, generaciones y generaciones de buenos y, no raramente, excelentes cristianos. El sobresalto casi continuo en el que hubieron de vivir durante todo el siglo, la formación recibida dentro de los claustros, porque a las Universidades ya no podían ir a formarse como sacerdotes; la necesidad de una apologética continua y de una pastoral inmediata, hicieron que los religiosos no alcanzaran, en conjunto, la altura científica de otros tiempos áureos de la cultura eclesiástica española. Pero si en el siglo XIX no tuvieron ese mérito que tuvieron en el XVI, tuvieron otro de máxima importancia, que fue la dedicación abnegada de muchos religiosos, y lo que era mucho más nuevo, de muchas religiosas, a enseñar a niños y adolescentes.

Desde su fundación se habían dedicado los jesuitas a la enseñanza y educación de los jóvenes, bien persuadidos de que pocas formas de apostolado son más eficaces. La consagración a la enseñanza suponía la entrega al estudio, y así, no sólo habían mantenido un alto nivel cultural en todos los campos dentro de su orden, sino que habían contribuido siempre a la elevación y cristianización de la cultura. Cuando Carlos III en 1767, «por razones que se reservaba en su real ánimo», expulsó de todos sus dominios a 5.500 jesuitas que tenían en su mano casi toda la enseñanza media de la juventud, infirió a la cultura española un perjuicio sin precedentes; 112 colegios se cerraron en España y 120 en América. Hombres doctos de todas las ciencias tuvieron que salir de España y abandonar bibliotecas, archivos y publicaciones[109]. Las

---

[108] El año 1896, Sardá y Salvany se separó del integrismo político y anunció en su artículo *Alto el fuego* una postura mucho más moderada y tolerante.

[109] Menéndez Pelayo enumera los jesuitas eminentes expulsados por Carlos III en *Historia de los heterodoxos* l.6 c.2 ap.3.

otras órdenes religiosas sólo por excepción se dedicaban a la enseñanza, menos los escolapios, que comenzaban a extenderse por entonces.

Pero Pío VII en 1814 restauraba en toda la Iglesia la Compañía de Jesús, y en 1815 la restauraba Fernando VII en España. Volvían ancianos los jesuitas que marcharon jóvenes. Seis años después tenían ya 238 novicios en España. Con ellos volvieron los colegios y la ilusión por el trabajo intelectual y docente. El P. Manuel Luengo, por ejemplo, venía con 63 volúmenes de su *Diario* de los años de destierro, con 26 tomos de *Papeles varios* y 4 de *Miscelánea,* documentos todos ellos de valor inestimable para el conocimiento de las vicisitudes de aquella época.

Sin embargo, la Compañía restaurada no pudo realizar en los primeros tiempos la labor apostólica y cultural de épocas pasadas. Ya no estaban los jesuitas apoyados y favorecidos por príncipes y magnates, como en otros tiempos. Más aún, cada vez que los liberales subían al poder, habían de hacer los jesuitas sus hatos para salir desterrados. Los expulsaron las Cortes en 1820, los exaltados en 1835, la revolución «gloriosa» de septiembre en 1868, la II República en 1932. En los tiempos en que pudieron retornar a su patria y permanecer en ella, los jesuitas volvieron tenazmente a abrir sus colegios y tornaron a ellos muchos miles de jóvenes. En 1830 tenía el Colegio Imperial, de Madrid, más de 700 alumnos, y 220 el Seminario de Nobles. En él estudiaron entonces Pedro Madrazo y José Zorrilla. El Colegio de Valencia tenía 900; el de Sevilla, 260, etc. En todos se seguía el método tradicional humanístico de la *Ratio Studiorum,* adaptado a los nuevos tiempos en 1832. Entre 1856 y 1868, los jesuitas se encargaron de la dirección de los seminarios de Salamanca, Barcelona, Coria, Canarias, Burgos, Puerto Rico.

Ha sido entre 1880 y 1932 —la etapa más sosegada y larga— cuando la Compañía de Jesús proporcionó a la Iglesia y a la sociedad española más realidades culturales y científicas. Hasta 35 colegios volvió a instaurar en España y en América, aunque ahora los gobiernos liberales forzaban a todos los centros a someterse a sus planes de estudios, programas, textos y exámenes. Se cultivaron con particular interés los estudios de Ciencias naturales, porque era la época scientista, en que se presentaba la ciencia como incompatible con la fe.

No fue sólo en la enseñanza media donde trabajaban los emprendedores jesuitas. En 1886 inauguraban en Deusto, barrio de Bilbao, una Universidad autónoma. Sus estudiantes habían de cursar allí, en régimen de internado, dos carreras: filosofía y derecho. Se estableció, además, un bienio preparatorio para las carreras de ciencias. En 1916 se añadió una Facultad de Ciencias Económicas, que precedió en treinta años a la primera Facultad de Ciencias Económicas abierta por el Estado. Aunque sus estudios no fueron oficialmente reconocidos como válidos hasta la época de Franco, de las aulas de la Universidad de Deusto han salido juristas, economistas y políticos eminentes de la España contemporánea.

Casi al mismo tiempo montaban los jesuitas españoles otra Universidad, ésta de estudios eclesiásticos, en Comillas (Santander), bajo el mecenazgo de D. Antonio López y de su hijo D. Claudio López Bru, marqueses de Comillas. En un artístico edificio, obra de los arquitectos catalanes Martorell y Doménech, elevado en una bellísima colina sobre el Cantábrico, León XIII erigió un *Seminario Pontificio* (1890), y Pío X (1904) lo elevó a categoría de *Universidad Pontificia,* con las Facultades de Derecho Canónico, Teología y Filosofía, que habían de seguir el modelo de las que componían la Universidad Gregoriana de Roma. La Universidad de Comillas, por la elevación y seriedad de sus estudios, por la vida ascética y piadosa en que se formaron sus alumnos, dio a la Iglesia española e hispanoamericana muchos y excelentes pastores y profesores. Gracias a muchos de los alumnos de Comillas y a otros del Colegio Español de Roma, la formación del clero en el siglo XX fue mucho más completa y científica que lo había sido en el XIX.

Pocos años más tarde (1908) iniciaron en Madrid los jesuitas el *Instituto Católico de Artes e Industrias* (I.C.A.I.), para la formación de ingenieros, que alcanzó pronto gran prestigio. En 1916 fundaron en Sarriá, junto a Barcelona, el *Laboratorio Químico,* para cursos de citología, histología y embriología.

Siguiendo una vieja tradición, se dedicaron también a la astronomía, y fundaron el Observatorio de Belén, en La Habana (1857); el de La Cartuja, en Granada (1902); el del Ebro, en Tortosa (1904).

Sería largo enumerar los hombres eminentes en las diversas ramas de la ciencia que fueron maestros en estos centros, sus obras y sus publicaciones. Formados en España y en universidades extranjeras, llevaron la ciencia y la cultura de inspiración cristiana a un nivel superior a cuantos había alcanzado en épocas anteriores, y que competía —y en muchos casos superaba— a la de las universidades civiles. En 1913 se celebró en Madrid una Exposición para el adelantamiento de las Ciencias. Torres Quevedo calculó que un 20 por 100 de los objetos expuestos correspondía a los jesuitas [110].

Aunque no podemos citar todos los nombres, es inevitable recordar al P. Fidel Fita (1835-1918), arqueólogo, epigrafista, historiador, paleógrafo, filólogo y numísmata, que publicó más de 700 artículos en el *Boletín de la Academia de la Historia,* que al morir Menéndez Pelayo fue elegido director de dicha Academia y que dio colaboración y recibió honores de otras muchas entidades científicas de España y del extranjero.

En 1901 fundaron los jesuitas una revista de cultura bajo el significativo título de *Razón y Fe,* que más adelante se desmembraría en otras más especializadas. Ella fue, durante muchos años, norma de orienta-

---

[110] Cf. RICARDO GARCÍA-VILLOSLADA, *Manual de historia de la Compañía de Jesús* (Madrid 1954) p.617. Como obras monográficas pueden verse CARMELO SÁENZ DE SANTA MARÍA, S.I., *Historia de la Universidad de Deusto* (Bilbao 1962); CAMILO MARÍA ABAD, *El Seminario Pontificio de Comillas. Historia de su fundación y primeros años (1881-1925)* (Madrid 1928); NEMESIO GONZÁLEZ CAMINERO, *La Pontificia Universidad de Comillas. Semblanza histórica* (Madrid 1942).

ción moderada y elevada en los diversos campos del saber para los espíritus cultivados de la época dentro del ámbito católico [111].

No fueron sólo los jesuitas los que se dedicaron a la tarea docente y cultural. Otras órdenes y congregaciones religiosas captaron la enorme importancia de poseer, elevar y comunicar los valores de la cultura. Los agustinos, al hacerse cargo del monasterio de El Escorial (1885), restauran el seminario y el colegio, y en 1892 organizan la que desde entonces se llamó *Universidad María Cristina*, en honor de la reina regente, con facultades de derecho y filosofía y cursos preparatorios para el ingreso en la Academia General Militar.

Las Escuelas Pías de San José de Calasanz existían en España desde 1683. Sufrieron las vejaciones de los gobiernos liberales del siglo XIX, aunque en los incendios de conventos y en las matanzas de frailes las respetaron los amotinados; por lo general, porque educaban gratuitamente a muchos niños pobres en España [112].

San Antonio María Claret, que merece un puesto destacado entre los pedagogos españoles, funda en 1849 la congregación masculina de Misioneros Hijos del Inmaculado Corazón de María, y en 1855, la femenina de Religiosas de María Inmaculada para la Enseñanza. Unos y otras extienden sus colegios por España. En 1878 llegaban a España, procedentes de Francia, los Hermanos de las Escuelas Cristianas, que a partir de 1880 fundaron muchas escuelas y colegios para las clases populares. En 1887 vienen también de Francia los Hermanos Maristas de la Enseñanza. Ese mismo año lo hacen los Padres y Hermanos de la Compañía de María (marianistas). En 1884 fundaron los salesianos de Don Bosco, en Sarriá (Barcelona), las primeras escuelas profesionales. En 1912 ya tenían centros de enseñanza popular en 14 ciudades españolas. En muchos sitios se fundaron también escuelas dominicales y nocturnas para obreras y obreros jóvenes.

Pero lo más original fue la decisión con que hombres y mujeres de la Iglesia fundaron congregaciones religiosas femeninas que consagraban su vida al servicio de los pobres y a la enseñanza de las niñas. Por increíble que parezca, en el siglo XIX se fundaron en España 74 congregaciones religiosas femeninas, de las cuales no menos de 58 tenían como finalidad la formación de la juventud femenina [113]. Es evidente que este impulso contribuyó, como ningún otro, a la promoción de la mujer en nuestra sociedad y a la creación de familias de hondo sentido cristiano de la vida.

Como resumen, diremos que a principios del siglo XX existían en España 597 comunidades religiosas masculinas, y de ellas 294 estaban dedicadas a la enseñanza; y 2.656 femeninas, de las que 910 se dedica-

---

[111] Sobre la Compañía de Jesús en la España moderna debe verse LESMES FRÍAS, *Historia de la Compañía de Jesús en su Asistencia moderna de España*, 2 vols. (Madrid 1923-44) (abarca los años 1815-68).
[112] Cf. CALASANZ RABAZA, *Historia de las Escuelas Pías en España*, 4 vols. (Valencia 1917).
[113] Cf. JESÚS ALVAREZ GÓMEZ, *Congregaciones femeninas fundadas en España en el siglo XIX:* Vida Religiosa 29 (1970) 72-78.

ban también a la educación de las niñas y 1.029 a la asistencia benéfica [114].

Este breve recorrido que hemos hecho de los esfuerzos y logros educativos de la Iglesia española en el siglo XIX debe cerrarse con la figura de Andrés Manjón (1846-1923), el sacerdote burgalés que, no satisfecho con su cátedra de Derecho Canónico en la Universidad de Granada, allí dedicó su tiempo, su virtud y su intuición a la educación de los gitanos y de los niños más desharrapados del Sacro Monte. En 1888 fundó las *Escuelas del Ave María*, a cuyo frente puso sacerdotes seculares. En vida de su fundador llegaron a ser más de 200 escuelas. En 1905 fundó, además, una Escuela Normal para maestros que siguieran sus métodos pedagógicos. Eran éstos precisamente sus aportaciones más originales, un verdadero adelanto de la educación activa y personalizada, distinto de cuanto hasta entonces se había hecho. Intentaba hacer agradable la enseñanza y el aprendizaje; que los niños aprendiesen jugando al aire y al sol y en movimiento continuo, como es su naturaleza; que dramatizasen y personificasen en diálogo didáctico; que conjugasen el aprendizaje de la mente con el trabajo manual, y para ello que, junto a la escuela, hubiese talleres y granjas; en fin, que aprendiesen a ser hombres en la doctrina religiosa y en la experiencia de la fe. Sus doctrinas quedaron escritas en sus obras pedagógicas. Fue admirado y querido por católicos y liberales, porque, cuando España entera pedía «regeneración» con el grito de Costa «escuela y despensa», Manjón había pasado de la teoría a la praxis [115].

Para cerrar este apartado con el que terminamos el estudio de la cultura y la Iglesia española en el siglo XIX, tenemos que hablar brevemente de las realizaciones llevadas a cabo por los católicos españoles de esa época en las diversas zonas de las Bellas Artes.

Siquiera sea de pasada, hemos de citar en primer lugar al poeta que hizo español el romanticismo y fue su exponente más representativo: José Zorrilla (1817-93), porque una cosa es cierta, que fue el trovador de los dos grandes ideales de la España tradicional: Patria y fe religiosa. De ahí su enorme popularidad. Representante del romanticismo de inspiración católica fue también el poeta Enrique Gil y Carrasco (1815-46), más conocido por su novela histórica *El Señor de Bembibre*, considerada como la mejor novela histórica de nuestra literatura. Sólo son comparables con ella las del periodista y novelista navarro, de recia raigambre tradicionalista, Francisco Navarro Villoslada (1818-95); *Doña Blanca de Navarra* (1847), *Doña Urraca de Castilla* (1849) y *Amaya o los vascos en el siglo VIII* (1877), en la que las dos razas enemigas, godos y vascos, se funden a la sombra de la cruz. Poeta también y romántico imaginativo y extravagante fue el escolapio Juan de Arolas (1805-49), alma religiosa,

---

[114] Cf. J. VICÉNS VIVES, *Historia de España y América* t.5 (Barcelona 1961) p.147.
[115] Sobre Manjón puede verse: J. MONTERO VIVES, *Manjón, precursor de la escuela activa* (Granada 1958); *La educación personalizada comentada por D. Andrés Manjón* (Granada 1973); A. BENITO DURÁN, *Andrés Manjón. Estudio de su sistema pedagógico* (Granada 1955). En J. M. Prellezo García *(Diario del P. Manjón 1895-1905*, Madrid, BAC, 1973) se encontrará toda la bibliografía manjoniana (p.XVIII-XXI).

por un lado, pero extraordinariamente sensible al amor humano y a la sensualidad, por otro, que pasó los cinco últimos años de su vida en la locura.

Mucho más importante dentro del ámbito poético de inspiración religiosa es el sacerdote catalán Jacinto Verdaguer (1845-1902), cuya obra poética, escrita en catalán, le ha hecho merecedor del apelativo de «Dante de Cataluña». Así como los italianos del Medioevo aprendieron el toscano culto en los versos de Dante, los catalanes modernos aprendieron a leer el catalán en los de «Mosén Cinto». Laureado una y otra vez en los «Jochs Florals», que iniciaron en la segunda mital del siglo XIX la *Renaixença* o recuperación literaria de la lengua catalana, fue publicando su *Passió*, los *Idilis*, las *Cansons de Montserrat*, su famosa *Oda a Barcelona*, y en el género épico, *L'Atlántida* y la leyenda pirenaica, de los tiempos de la Reconquista, *Canigó*. Estas dos son las que más fama le han dado, aunque siempre vale más en él lo descriptivo y lo lírico que lo dramático y novelesco. Azorín ha escrito: «En castellano ha sido escrita —por Cervantes— la obra más universal de nuestra literatura; en catalán, modernamente se ha visto —en Verdaguer, en Maragall— la más fina, la más profunda, la más delicada poesía lírica de toda España» [116].

En el campo de la narrativa novelesca tenemos que citar a Cecilia Böhl de Faber (1796-1877), que firmaba sus obras con el pseudónimo de *Fernán Caballero*. Católica y moralizante en exceso, está considerada como la iniciadora del realismo y del costumbrismo en la novela española —reacción contra el romanticismo arqueológico—, que tendrá más adelante representantes de la más alta categoría artística. Con ocasión de la revolución de 1868 se exacerbaron las posiciones de liberales y católicos. Esta situación social se reflejó también en la literatura. Al sectarismo anticlerical de Pérez Galdós, que, a fuerza de exagerar los rasgos de los católicos, no hace sino caricaturas de ellos; al naturalismo de Blasco Ibáñez, etc., se opusieron las novelas de Pedro Antonio de Alarcón (1833-91), que en la segunda etapa de su vida (desde 1857 aproximadamente) fue, sí, un católico convencido, aunque no el ultramontano y fanático que quisieron ver en él sus enemigos; las de José María de Pereda, de raigambre realista, costumbrista y tradicional, que resuelve los conflictos humanos con criterios católicos y combate la demagogia y la revolución; y las del jesuita Luis Coloma (1851-1915). Proveniente éste de una familia aristocrática de Jerez de la Frontera, conocía bien la llamada «alta sociedad». Como no era fácil ni prudente fustigar sus vicios desde el púlpito, compuso una novela famosísima desde su publicación (1891), que tituló *Pequeñeces*, y en la que decía a los aristócratas, «en su propia lengua, verdades claras y necesarias que no podrían jamás pronunciarse bajo las bóvedas de un templo» (Prólogo). No era, sin embargo, un sermón; era una verdadera novela costumbrista, en la que

[116] AZORIN, *Vistazo a España*, en *Obras completas* t.9 (Madrid 1948) p.1317. Sobre la influencia del pensamiento católico en la *Renaixença* catalana puede verse JOSEP MASSOT, *Aproximació a la historia religiosa de la Catalunya contemporania* (Barcelona 1973).

quedaban al descubierto, con la vida y andanzas de la disoluta condesa Currita Albornoz, los contrastes de una aristocracia decadente. Destaca el P. Coloma por la agilidad y viveza de sus pinturas realistas en cuadros llenos de colorido, con un arte aprendido bajo la dirección de Fernán Caballero, pero superado por una personalidad de más viril y vigoroso estilo. No sólo escribió esta novela, sino además cuentos; unos, de tendencia moralizante; otros, de temas político-sociales, que fueron muy leídos. Así, *Pilatillo, Paz a los muertos, Medio Juan y Juan y Medio, Caín y Mal Alma, Por un piojo, La Gorriona, Juan Miseria, Era un santo,* etc. Cultivó también con éxito la novela histórica, como *La reina mártir* (1898), sobre María Estuardo; *El marqués de Mora* (1903), semblanza de un volteriano de la época de Carlos III, y la más popular de todas, *Jeromín,* delicioso relato, de absoluta fidelidad histórica, sobre la vida de D. Juan de Austria. Hacia el final de su vida, todavía publicó otras dos novelas; una costumbrista, del estilo de *Pequeñeces,* titulada *Boy* (1910), y otra histórica, *Fray Francisco* (1914), descripción biográfica del cardenal Cisneros. Los temas mismos de las novelas históricas están expresando la admiración que siente y la exaltación que hace Coloma de las virtudes españolas y cristianas.

En cuanto al teatro baste recordar a Manuel Tamayo y Baus (1829-98), de honda inspiración moralizante, considerado como el dramaturgo más perfecto del siglo, aunque no el más original ni el más inspirado. Su obra *Lances de honor* ha quedado como la más violenta diatriba católica contra el duelo [117].

Si de la literatura pasamos a la arquitectura y a las artes figurativas religiosas del siglo XIX, tenemos que confesar que entramos en un desierto. Lo que había sido una especie de dogma, a saber, que arte religioso y arte español eran una misma cosa, se vacía de sentido, ya que, por primera vez en la historia de España, los tema religiosos no provocan las máximas expresiones estéticas. La obsesión político-religiosa del siglo, la actitud de vigilia tensa y cerrada que mantuvo la Iglesia para defenderse y atacar, el empobrecimiento económico debido a la desamortización, hicieron que se esterilizase la inspiración religiosa de estas artes, que son, más que ningunas otras, artes liberales y caras. La grandiosidad arquitectónica pasaba de las catedrales y los monasterios a los edificios públicos y a los palacetes de los burgueses. En la primera mitad del siglo XIX no sólo es que no se construyó nada digno de mención, sino que, con el abandono de monasterios y templos por las guerras y las desamortizaciones, fue más lo que se destruyó que lo que se construyó [118]. Muchos de los edificios religiosos se reformaron y pasaron a ser teatros o cuarteles, o sencillamente desaparecieron. En la segunda mitad sólo florecieron desgraciadas imitaciones de estilos medievales, principalmente gótico y mudéjar, o extravagantes restauraciones. Sólo

---

[117] Es una excelente y abundante obra sobre estos temas la de EMILIANO DÍEZ-ECHARRI y JOSÉ MARÍA ROCA FRANQUESA, *Historia de la literatura española e hispanoamericana* (Madrid 1960). Allí se encontrará abundantísima bibliografía.

[118] Cf. J. A. GAYA NUÑO, *La arquitectura española en sus monumentos desaparecidos* (Madrid 1961).

después de la vuelta de la Monarquía borbónica (1874) hubo un modesto renacimiento de la arquitectura religiosa.

Poco más se puede decir de la escultura. Hubo escultores que trabajaron en estatuaria religiosa; pero pocos nombres merecen conservarse, por la baja calidad general de sus obras, salvo contadas excepciones, como el *San Jerónimo penitente,* del valenciano J. Piquer, del Museo de Arte Moderno de Madrid, y algunas imágenes de los hermanos Vallmitjana.

La pintura religiosa propiamente dicha —no la de cuadros románticos en los que aparecen claustros góticos o monjes— fue también muy pobre. Sólo merecen destacarse algunos cuadros de Eduardo Rosales (1836-73), como el de Tobías y el ángel o los de los apóstoles San Juan y San Mateo y parte de la decoración del templo de San Francisco el Grande, de Madrid, iglesia que eligio Cánovas del Castillo para hacer de ella una especie de altar de la Patria, y en cuya decoración colaboraron buenos artistas; entre ellos, Moreno Carbonero (1860-1942) [119].

[119] Puede consultarse J. A. GAYA NUÑO, *El arte del siglo XIX,* vol. 19 de *Ars Hispaniae* (Madrid 1966).

CAPÍTULO VI

MARCELINO MENENDEZ PELAYO

Si encabezamos esta sección con un nombre, no es por convencionalismo ni por patriotera exaltación de una figura. Es por algo mucho más hondo. Es por la real significación que tiene este hombre, su actitud y su obra, en la historia religiosa y cultural de España, sea como signo de contradicción por su fe católica, sea como investigador y verdadero científico de la cultura, sea como humanista indicador, no seguido, de un camino hacia la armonía y la concordia hispanas. En cualquier caso, su personalidad, situada entre el siglo XIX y el XX, destaca sobre la de todos sus coetáneos *quantum lenta solent inter viburna cupressi*. Lo reconocen amigos y adversarios.

Laín Entralgo ha escrito que «la vida genéricamente humana y personalmente singular de Menéndez Pelayo está inscrita en los siguientes modos de ser: el más amplio y fundamental es su condición de hombre católico. Dentro de éste habitaba su condición de español. Menéndez Pelayo es católico como cree que debe serlo un español consciente de su historia y de las peculiaridades psicológicas que como 'español' le determinan» [120].

He aquí por qué fue, es y será signo de contradicción entre españoles. Entendió él también que lo hispánico y lo católico habían ido unidos en síntesis tan apretada a lo largo de nuestra historia, que ésta no se podía entender sino como expresión de la fe católica de un pueblo entero a lo largo de diecinueve siglos. Veremos cómo evolucionó en la vivencia de esta actitud desde una intransigencia juvenil hasta el equilibrio y la tolerancia de la madurez.

Ante el disgusto y el dolor de esa nación desgarrada y decadente, que le dolía a Menéndez Pelayo como a sus coetáneos Ganivet y Unamuno, y ante la inevitable pregunta que él, como ellos, se hacía: Entonces, ¿qué es España?, Menéndez Pelayo respondía: Una historia irrenunciable que culmina en el siglo de oro y que recibe de la fe católica su inspiración. Y una conclusión se derivaba: Ese abolengo ha de ser gloria de nuestro pasado y guía de nuestro futuro.

Tenía sólo veinticinco años cuando alzó su copa en el banquete ofrecido a las personalidades extranjeras asistentes a la conmemoración del centenario de Calderón de la Barca (1881), en el Retiro de Madrid, y dijo: «Brindo por lo que nadie ha brindado hasta ahora: por las grandes ideas que fueron alma e inspiración de los poemas calderonianos.

---

[120] PEDRO LAÍN ENTRALGO, *España como problema* t.1 (Madrid 1956) p.99. A los dos «modos de ser» citados añade Laín el de ser historiador moderno y esteta.

En primer lugar, por la fe católica, apostólica, romana, que en siete siglos de lucha nos hizo reconquistar el patrio suelo, que en los albores del Renacimiento abrió a los castellanos las vírgenes selvas de América, y a los portugueses los fabulosos santuarios de la India. Por la fe católica, que es el *substratum,* la esencia y lo más grande y lo más hermoso de nuestra teología, de nuestra filosofía, de nuestra literatura y de nuestro arte» [121]. Estas palabras caían y resonaban en una España dividida en católicos tradicionales e intelectuales krausistas. El joven santanderino, catedrático de Historia de la Literatura de la Universidad de Madrid, que había accedido a ella cuando sólo tenía veintiún años, por concesión excepcional del Parlamento a su ciencia, no necesitaba buscar la benevolencia de los intelectuales de otros signos, ni temía sus críticas ni su desprecio. Recogía él la herencia ideológica de la España católica y se sentía con fuerzas hercúleas para demostrar que «España, evangelizadora de la mitad del orbe; España, martillo de herejes, luz de Trento, espada de Roma, cuna de San Ignacio..., ésa es nuestra grandeza y nuestra unidad, no tenemos otra» [122]. Así, el primer Menéndez Pelayo se ponía en línea con la estirpe de los defensores de «la España tradicional y católica», que entendían la esencia de lo hispánico fundida con la de la fe romana.

En una cosa se diferenciaba de todos los antepasados de esa estirpe: en que su propósito de reivindicar la grandeza hispana por la grandeza de la fe no se iba a apoyar en declamaciones fáciles o en injurias o en anatemas, sino en la ciencia. Fue esa actitud la que le libró del fanatismo y la que hizo de él un moderno.

Ya era humanista y filólogo por influencia de uno de sus maestros de la Universidad de Barcelona: Manuel Milá y Fontanals (1818-84). En Barcelona estudió dos cursos. En 1873 estudió en la Universidad de Madrid. Salmerón, desde su cátedra de Metafísica, se debatía entre las tinieblas krausistas. Al final del primer curso creyó —con razón— que sus alumnos no habían penetrado convenientemente en los misterios de Krause y decidió que todos ellos repitieran el curso. Menéndez Pelayo se negó a ello, y para fortuna suya se fue a Valladolid, en cuya Universidad conoció e hizo amistad con un profesor prócer del espíritu: Gumersindo Laverde (1840-90). Fue Laverde quien despertó en Menéndez Pelayo la ilusión por conocer y valorar lo español. En 1876, un krausista, Gumersindo de Azcárate, defendía en una serie de artículos publicados en la *Revista de España* (1876) que desde hacía tres siglos no había habido en España ciencia ni progreso por la cerrazón religiosa y política, y concretamente, por la represión de la Inquisición. Era la vieja tesis de Masson de Morvilliers en la *Enciclopedia*. Este hecho fue la ocasión de que Menéndez Pelayo saliese en defensa de lo español. Con ardor polémico, propio de su juventud, pero con erudición pasmosa en

---

[121] *Brindis del Retiro,* en *Estudios de crítica histórica y literaria* t.3, Edic. Nacional (Santander 1941) p.383.
[122] MARCELINO MENÉNDEZ PELAYO, *Historia de los heterodoxos españoles. Epílogo* t.6 (Edic. Nacional) p.508.

cualquiera, pero mucho más en un joven de veinte años, publicó en *La Revista Europea* una serie de cartas abiertas a D. Gumersindo Laverde en las que demostró edad por edad, autor por autor, libro por libro que durante aquellas centurias las mentes españolas habían aportado mucho en todos los campos del saber, desde la metafísica a la botánica desde la filología a la medicina. Era la reivindicación de un pasado mul titudinario, real y glorioso olvidado por quienes preferían volver la es palda a lo español para admirar lo extranjero, aunque valiese menos Probaba demasiado Menéndez Pelayo cuando aducía nombres que de hecho no significaban gran cosa en la ciencia, pero vindicaba una fama bien merecida para Luis Vives, Francisco Suárez, Fox Morcillo, Gómez Pereira, Antonio de Nebrija y otros cien, ignorados todos ellos por krausistas y neokantianos. La polémica sobre la *ciencia española* se enma rañó y perduró. No la podemos seguir aquí con detalle. Sólo recorda remos que, curiosamente, si Manuel de la Revilla y José del Perojo ata caron a Menéndez Pelayo para vituperar la historia del pensamiento y de la ciencia española en nombre del europeísmo liberal, por el extremo opuesto dos «ultras» de la derecha, Pidal y Mon y, sobre todo, e P. Fonseca, O.P., hablaron y escribieron contra Menéndez Pelayo, escanda lizados de que un católico pudiese defender otra teología y otra filosofía que no fuese la tomista que el papa León XIII había recomendado a toda la Iglesia. El P. Fonseca, con cerrazón increíble, decía que no aca baban de gustarle «esos alardes prematuros de autonomía científica, esa marcada independencia en la dirección de sus estudios filosóficos, lle vada hasta la exageración más peligrosa» [123], ya que «la sublime y pode rosa inteligencia de Santo Tomás de Aquino, dadas su intuición cas divina y sus íntimas comunicaciones con el Verbo, poseyó realmente una sabiduría angélica que, sin ser formalmente toda ciencia, contenía virtualmente y de un modo eminencial, los principios fundamentales y genéricos de todas las demás ciencias» [124].

No hizo gran caso Menéndez Pelayo de semejantes diatribas. Con testó puntualmente a Revilla, Perojo, Pidal y Fonseca, y siguió siendo pensador y filósofo independiente, admirador, tal vez con exceso, de Vives e influenciado por la escuela escocesa del «sentido común» que había conocido en las aulas de Barcelona. «Soy católico, apostólico, ro mano, sin mutilaciones ni subterfugios [...], pero muy ajeno, a la vez, de pretender convertir en dogmas las opiniones filosóficas de este o el otro doctor particular» [125].

En sus años mozos (1880-82) escribió otra obra que asombra tam bién por su erudición histórica, y que fue la que más fama le dio: *Histo ria de los heterodoxos españoles*. Es en realidad una historia de toda la espiritualidad española o una especie de historia de la Iglesia vista de revés. De ella se deducía una consecuencia, que era la de muchos cató

---

[123] *La ciencia española* t.2 (Edic. Nacional) (Santander 1953) p.127. En esta edición se incluyen todos los escritos de la polémica.
[124] O.c., p.170.
[125] *La ciencia española* t.1 (Edic. Nacional) (Santander 1953) p.201.

licos españoles del siglo: los heterodoxos no han arraigado en el suelo español ni han aportado nada sustancial a nuestro ser nacional. Sólo que ahora a esta conclusión se llegaba después de vastísimos estudios y de montañas de datos.

Fueron las obras de su juventud. Por ello, por el ambiente polémico en que se escribieron, por el temple varonil e independiente del autor, que no necesitaba apoyarse en escuelas ni en padrinos, salieron excesivas. Los años templarían este talante. Escribía en la *Advertencia preliminar* a la tercera edición de *La Ciencia Española* (1887): «Y ahora, en descargo de mi conciencia, no de escritor, sino de cristiano y de hombre, debo dar alguna explicación sobre las personales actitudes y violencias que en estas Cartas [las que componen *La Ciencia Española*] hay, y que de buen grado habría yo suprimido [...], no he encontrado en ellas verdadera injuria personal ni expresión alguna que pueda desdorar el crédito moral de ninguno de mis adversarios [...], escribí estas cartas a los veintiún años sin conocer del mundo y de los hombres más que lo que dicen los libros (...). Pero es tal mi respeto a la dignidad ajena; me inspira tanta repugnancia todo lo que tiende a zaherir, a mortificar, a atribular un alma humana hecha a semejanza de Dios y rescatada con el precio inestimable de la sangre de su Hijo, que aun la misma censura literaria, cuando es descocada y brutal, cínica y grosera, me parece un crimen de lesa humanidad, indigno de quien se precie del título de hombre civilizado y del augusto nombre de cristiano [...]. Y la mejor y última prueba que puedo alegar de esto es que todos mis contradictores han sido amigos míos después de esta controversia» [126]. Era ésta una actitud nueva que colocaba a Menéndez Pelayo en la alta y serena zona de la verdadera ciencia, a muchos codos de altura sobre todos los polemistas del siglo XIX de uno y otro bando. En el discurso de ingreso en la Real Academia de Ciencias Morales y Políticas (1891) decía: «La era de las polémicas ha pasado, y hemos llegado a la era de las exposiciones desinteresadas, completas y fidelísimas» [127]. Por desgracia, no había pasado para muchos. Pero sí para él.

Desde hacía años estaba dedicado a la investigación histórica más seria en casi todos los campos del saber humanístico. En sus múltiples obras escribió siempre con vastos conocimientos, con escrupulosidad en la documentación y con juicios ecuánimes. Escribió mucha historia de la filosofía, y aun soñó con escribir una obra que fuera muy amplia y definitiva sobre la filosofía española [128]; escribió historia de España de tal

---

[126] MARCELINO MENÉNDEZ PELAYO, *La ciencia española. Advertencia preliminar de la tercera edición* t.1. Edic. Nacional (Santander 1953) p.5-6.

[127] *De los orígenes del criticismo y del escepticismo, y especialmente de los precursores españoles de Kant. Discurso...,* en *Ensayos de crítica filosófica* (Edic. Nacional) (Santander 1948) p.133.

[128] «Historia que está todavía por escribir, y que escribiré algún día si la vida me alcanza para completar el círculo de mis trabajos y si no mueren ahogados por el general escarnio o la general indiferencia que en nuestro país persiguen a todo trabajo serio de los que aquí se denigran con el nombre, sin duda infamante, de erudición» *(Historia de las ideas estéticas* t.1 *Advertencia preliminar* [Edic. Nacional] [Santander 1940] p.4). Sobre Menéndez Pelayo filósofo deben consultarse JOAQUÍN IRIARTE, S.I., *Menéndez Pelayo y la filosofía española:* Arbor 34 (1956) 359-83; ADOLFO MUÑOZ ALONSO, *Las ideas filosóficas de Menéndez Pelayo* (Madrid 1956).

forma, que se ha podido editar una antología de Menéndez Pelayo co
el título de *Historia de España* [129]; dio a luz ese monumento ingente qu
es su *Historia de las ideas estéticas en España,* en la que, como en tanta
otras ocasiones, da más de lo que promete, pues hay capítulos que so
verdaderos y amplios estudios de historia de la estética universal y aur
de la filosofía universal desde Platón a Hegel; escribió, más que d
nada, de historia de la literatura española y universal (siete tomos en l
Edición Nacional); agotó el tema de los *Orígenes de la novela,* pues escri
bió sobre ellos cuatro tomos, y seis sobre el teatro de Lope de Vega
Por si fuera poco, desde muy joven concibió el proyecto y puso manos
la obra de la publicación de una *Biblioteca hispano-latina clásica* y de un
Biblioteca de traductores; preparó y editó colecciones de poesías (diez to
mos tiene la antología de poetas líricos castellanos); tradujo obras im
portantes, escribió en periódicos y revistas, dio innumerables conferen
cias, prologó muchos libros, se carteó con muchos personajes, compus
bellas poesías, fue catedrático, miembro de las Academias de Historia
de Ciencias Morales y Políticas, de Bellas Artes, presidente de la Aca
demia Española y director de la Biblioteca Nacional; formó una in
mensa y riquísima biblioteca particular y aún tuvo tiempo de interveni
en política y ser diputado, senador y consejero de Instrucción Pública
Dámaso Alonso advierte que, aun siendo ingente la cantidad de su
escritos, «lo que a mí, sin embargo, me maravilla es que jamás —ni er
prosa ni en verso— he encontrado una página suya que se pudiera lla
mar baladí; siempre aprendemos algo de él, aun en aquellos casos er
que no podemos estar conformes con lo que dice» [130].

Hubo en Menéndez Pelayo, como en todos los hombres, una evolu
ción de su personalidad al correr de los años. Permanecieron una
constantes: preeminencia de su fe católica, amor a lo español, huma
nismo, trabajo científico, independencia de su pensamiento. Evoluciona
ron sus actitudes hacia la moderación, la concordia y la unidad; po
ello, con el tiempo desciende en él el nivel polémico que había here
dado de su siglo. Desde 1883 y 1891 trata los temas ideológicos e histó
ricos con mayor serenidad y ponderación. La *Historia de las ideas estética*
es, en este sentido, muy distinta y superior a la *Historia de los heterodoxos*
Y esa superioridad se acentúa en lo que podemos llamar su última
época (1891-1912), la de su plenitud humana e intelectual, en la que s
dedica, sobre todo, a temas literarios. No hubo quiebra ni conversiór
en su línea biográfica. Sólo que fue ganando altura.

Su correspondencia ha revelado la cordial amistad que le unía cor
Galdós, anticlerical. Fue Menéndez Pelayo quien propugnó siempre l
candidatura del novelista en todas las vacantes de la Real Academia

---

[129] *Historia de España seleccionada en la obra del Maestro,* por Jorge Vigón (Madric
1934).
[130] DÁMASO ALONSO, *Menéndez Pelayo, historiador de la literatura y crítico literario:* Arbo
34 (1956) 345. Por su parte, Vicente Palacio Atard afirma: «Es un hecho objetivo que s
vida y su obra han hecho época en la historia científico-literaria de España» (VICENTI
PALACIO ATARD, *Menéndez Pelayo, historiador actual:* Arbor 34 [1956] 428).

«No podré pagar a Marcelino —escribía Galdós— con ninguna clase de agradecimiento lo que hace por mí»[131]. Muy buen amigo fue de Menéndez Pelayo el liberal Valera, patriarca de los liberales, como puede verse en su *Epistolario*, ya publicado. «Lo fue muy íntimo, dejándome con su muerte imborrable recuerdo y amarguísimo duelo aquel gran crítico Manuel de la Revilla, en cuyo generoso espíritu no quedó ni la más ligera sombra de rencor después de nuestro combate literario»[132]. Se podrían aducir otros muchos testimonios.

Pero no sólo creció su tolerancia en la amistad, que iba tan bien con su humanismo, sino incluso en la admiración y estima de autores extranjeros opuestos al pensamiento católico. Admiró grandemente, como puede verse en la *Historia de las ideas estéticas,* a Schelling, Winckelmann, Lessing, Herder, Kant, Fichte, Juan Pablo Richter. Comprendió perfectamente la grandeza y la importancia de Hegel en la historia del pensamiento: «Hegel es el Aristóteles de nuestro siglo, y su monarquía, aunque no menos negada y combatida que la del Estagirita, dura y durará como la suya [...]. En medio del clamoreo desacordado que por todas partes se levanta contra la metafísica, todavía los mismos materialistas están viviendo de las migajas de la opulenta mesa de Hegel; y cualquiera que sea el destino que la Providencia reserve a los estudios filosóficos, hoy tan necesitados de una total renovación, y aunque el tiempo, gran depurador de las cosas, anule todo lo que hay de sofístico en la dialéctica hegeliana y en la *Filosofía de la naturaleza* y en la *Filosofía del espíritu,* todavía seguirán, por largas edades, informadas de espíritu hegeliano la filosofía del derecho, la filosofía de la historia, la historia de la filosofía y, sobre todo, la filosofía del arte, a la cual levantó Hegel imperecedero monumento en sus *Lecciones de estética*»[133]. Se podrían multiplicar las citas.

Era un modo nuevo de ser católico, español e intelectual. Para él, lo extranjero y lo no católico no era todo error ni riesgo de la fe; con la ciencia extranjera y no ortodoxa cabía un diálogo y una simbiosis, de la que la fe saliera no sólo incólume, sino enriquecida. Creía Menéndez Pelayo en el poder de la razón humana, que, guiada por la revelación, acaba por encontrar y asumir la verdad dondequiera que esté. No otra fue la actitud de los primeros intelectuales del cristianismo.

Para definirlo, el cardenal Herrera Oria le aplica la expresión de Feijoo: «Ciudadano libre de la república de las letras» y lo sitúa «por encima de partidos y escuelas»[134]. Marañón escribe: «Menéndez Pelayo puede considerarse precursor de la mentalidad posliberal, en cierto modo liberal, que tiene hoy ganadas a muchas conciencias»[135]. El marxista Luis Araquistain dijo en Berlín en el año 1930: «Afortunadamente, ya somos muchos los españoles que se avergüenzan de esa injus-

---

[131] Carta de Galdós a Pereda, 1-3-1901.
[132] *La ciencia española* t.1 (Edic. Nacional) (Santander 1953) p.6.
[133] *Historia de las Ideas estéticas* t.4 (Edic. Nacional) (Santander 1940) p.184.
[134] *Prólogo* a la *Antología general de Menéndez Pelayo* (BAC 155 y 156, Madrid 1956) p.58.
[135] GREGORIO MARAÑÓN, *Tiempo viejo y tiempo nuevo* (Madrid 1940) p.96.

ticia de valoración y reconocimiento cometida con aquel hombre sin igual que personificó la enciclopedia de la cultura española [...]. ¿Se engañó a veces? Es cierto; pero apenas caía en la cuenta de su error, rectificaba noblemente, porque poseía inmensa flexibilidad de inteligencia y, al mismo tiempo, integridad de carácter, una conciencia incorruptible y un alma despojada de toda vanidad [...]. Lo de espíritu estrecho pertenece a la leyenda, puesto que comprendió todas las filosofías; y concretamente, los grandes valores de la filosofía alemana nadie los ha ensalzado en lengua española como él. Al cabo estuvo adornado de uno de los espíritus más libres y comprensivos de España [...]. Sin él, todos los españoles seríamos más pobres en el conocimiento de la ciencia nacional y extranjera» [136].

Con todo y con esto, el magisterio y el ejemplo de Menéndez Pelayo no han sido debidamente seguidos. En vida tuvo fanáticos pigmeos que le combatían desde la derecha y desde la izquierda. Unos porque no podían comprenderle. *El Siglo Futuro,* periódico integrista, le llamaba liberal: «¡Qué decimos un liberal! El pobre hombre Marcelino, que fue por vino (por vanagloria y provecho corriente) y perdió... el cuerpo (y añadan ustedes el alma)» [137]. Otros, por una conjura de silencio. «¿Creerás —escribía a Laverde cuando publicó el tercer tomo de los *Heterodoxos*— que a estas horas, ni en bien ni en mal, ha escrito nadie una letra sobre tal libro, ni siquiera para decir que se ha publicado? Los krausistas, periodistas y demás alimañas han recurrido a la estratagema del silencio, y todavía ninguno de ellos ha roto la consigna. Los amigos se callan también, quizá porque he dicho o procurado decir la verdad a todos. Poco importa» [138]. A lo largo de los años posteriores —ya entrado el siglo xx—, interesaron más los críticos negativos del 98 —Costa quería echar «siete llaves sobre el sepulcro del Cid»— que el investigador cántabro, que nos invitaba, con su ejemplo y su palabra, a crear y recrear nuestra cultura *sub halitu fidei.* Después, el nombre de Menéndez Pelayo fue, para unos —que hubieran debido enarbolarle menos e imitarle más—, un nombre más que añadir al de los Reyes Católicos, Lepanto o Donoso. Para otros, un nombre más que silenciar o que menospreciar [139].

[136] LUIS DE ARAQUISTAIN, *Marcelino Menéndez Pelayo y la cultura alemana.* Conferencia en la Universidad de Berlín, publicada en alemán por W. Gronan (Jena 1932) y recogida más tarde en el Boletín de la Biblioteca Menéndez Pelayo t.15 (1933) 189-209.

[137] Cit. en JOSÉ MARÍA GARCÍA ESCUDERO, *Historia política de las dos Españas* t.1 (Madrid 1975) p.181.

[138] Cit. en G. FRAILE, *Historia de la filosofía española desde la Ilustración* (Madrid 1972) p.181.

[139] Así, por ejemplo, el historiador marxista de nuestros días Manuel Tuñón de Lara escribe un libro titulado *Medio siglo de cultura española (1885-1936)* (Madrid ²1971), en el que no aparece para nada la figura de Menéndez Pelayo, siendo así que el libro tiene como propósito «acercarnos al conocimiento de un período esencial en la historia de la cultura española» (p.9). En otra de sus obras, nada menos que sobre *El hecho religioso en España* (París 1968), he aquí todo lo que sabe decir sobre la personalidad y la significación de Menéndez Pelayo: «Hubo, sin embargo, en los últimos años del siglo pasado una personalidad católica de alto valor en su especialidad crítica y erudita: Marcelino Menéndez Pelayo, cuyas ideas de joven sobre nación y religión han sido aprovechadas para la gran operación mixtificadora consistente en confundir la confesión religiosa con el carácter

Es nada menos que Menéndez Pidal (el máximo historiador de la España contemporánea, institucionista y liberal) el que lamenta que las izquierdas se hayan mostrado «muy poco inclinadas a estudiar y afirmar en las tradiciones históricas aspectos coincidentes con la propia ideología; no se interesaron en destacar un ideario tradicional, convergente hacia los principios rectores del liberalismo [...], tal pesimismo histórico constituía una manifiesta inferioridad de las izquierdas en el antagonismo de las dos Españas. Con extremismo partidista abandonan íntegra a los contrarios la fuerza de la tradición; dejan a las derechas disfrutar por entero del sólido apoyo de una afirmación entusiasta, personificada por un Menéndez Pelayo, quien con erudición y arte insuperables exalta toda la vida pretérita como gloria del pasado y guía del futuro. Pero Menéndez Pelayo, aunque en los escritos de su edad madura rectificó, con la más elevada temperancia, el extremismo partidista de sus juveniles escritos polémicos, aunque mejor que nadie hubiera podido ser quien consiguiese el deseable influjo de conciliadora captación, no la logró. Vio que el adverso fallo histórico, propio de las izquierdas, ganaba terreno, generalizándose a consecuencia del estado de ánimo engendrado tras el desastre de 1898; vio aumentar siempre la repulsión del pasado en el mundo intelectual que le rodeaba, y al fin de su vida, en 1910, siente la más honda amargura presenciando el lento suicidio de un pueblo que, engañado por gárrulos sofistas, hace espantosa liquidación de su pasado, escarnece a cada momento las sombras de sus progenitores y reniega de cuanto en la historia les hizo grandes» [140].

nacional, cuya consistencia es la de excluir de la comunidad nacional a los heterodoxos. Este planteamiento es una manera más de enfocar el problema llamado de 'las dos Españas', que por su complejidad escapa del objeto de este trabajo. Menéndez y Pelayo escribió en los años 1880-82 la *Historia de los heterodoxos españoles,* cuya tesis, más apasionada que científica, es la identidad entre la ortodoxia católica y el espíritu nacional, y, por consiguiente, la negativa de la completa españolidad a los heterodoxos. Más tarde, él mismo reconoció que esa obra tenía 'muchos defectos' debido a la 'ligereza juvenil', y se mostró mucho más comprensivo» (p.105-06).

[140] RAMÓN MENÉNDEZ PIDAL, *Los españoles en la historia. Cimas y depresiones en la curva de su vida política, Introducción a la Historia de España,* dirigida por Ramón Menéndez Pidal, t.1 vol.1 (Madrid 1947) p.XCVI-XCVII. La bibliografía sobre Menéndez Pelayo es copiosísima. Como biografía puede verse la de ENRIQUE SÁNCHEZ REYES, *Don Marcelino. Biografía del último de nuestros humanistas* (Santander 1956). Entre los estudios destacan los ya citados en las notas y los recogidos en Arbor 34 (1956) 337-536, y en la Revista de Archivos, Bibliotecas y Museos, número extraordinario en honor de D. Marcelino Menéndez Pelayo, enero-abril de 1956. Muy interesante también el trabajo, de PEDRO SAINZ RODRÍGUEZ, *Menéndez Pelayo, historiador y crítico literario,* en *Evolución de las ideas sobre la decadencia de España* (Madrid 1962) p.430-569.

Capítulo VII

LA ENTRADA DE LOS SEGLARES EN EL QUEHACER CULTURAL DE LA IGLESIA

Donoso Cortés y Menéndez Pelayo son seglares a los que hay que estudiar cuando se hace historia de la Iglesia española contemporánea. Evidentemente que no son los únicos y hemos citado a otros. Pero sí es cierto que ha sido a principios del siglo XX cuando seglares españoles han iniciado un movimiento corporativo de participación y compromiso con la Iglesia y sus tareas como actitud cristiana, que quedaría sancionada oficialmente por Pío XI (Acción Católica), Pío XII (institutos seculares) y por el concilio Vaticano II. No es vanidad, sino historia, decir que la Iglesia española señaló con anticipación la importancia del compromiso seglar cristiano en una Iglesia renovada. Ya en 1886 lo pronunciaba Sardá y Salvany en su libro *El apostolado seglar*.

La época que sigue a la restauración de los Borbones (1875) en que por arte de Cánovas del Castillo se logra una etapa de paz y equilibrio, y los años del siglo XX que corren hasta el advenimiento de la II República (1931) son de una intensa recatolización de las clases medias españolas, con éxitos indudables. Cuando todos, detrás de Joaquín Costa, clamaban por la «regeneración», los hombres de la Iglesia, preocupados por los avances del racionalismo, del positivismo y del socialismo y aprovechando la conjunción favorable de circunstancias que ofrecía la Restauración canovista, se lanzaron con celo, intuición y eficacia a una amplia operación de evangelización. No se trataba ya solamente de hacer apologética, sino de hacer cristianos íntegros con todas las consecuencias.

Uno de los medios de esta evangelización, el más eficaz, fue la enseñanza media, y en menor escala, la universitaria. Hacia finales de siglo, casi dos terceras partes de los alumnos de enseñanza media estaban en manos de las órdenes religiosas. Una mayoría de ellos pertenecía a las clases económicamente acomodadas. Hay que reconocer, sin embargo, que a los jóvenes de la aristocracia y de la burguesía se les dio en esos centros de la Iglesia, por lo general, una excelente formación piadosa y cultural, pero muy poca o ninguna formación social. De ahí, en parte, la falta de sentido social que ha caracterizado a las clases conservadoras y burguesas españolas, y de ahí, también en parte, el alejamiento de la Iglesia de las clases proletarias, para entonces ya muy cultivadas por el socialismo y el anarquismo.

Hay que decir también que hubo otros muchos centros de la Iglesia dedicados a la formación y educación de las clases más pobres. El cardenal Marcelo Spínola (1855-1906), arzobispo de Sevilla, se destacó, además de por su santidad, por su interés en llevar a la práctica las doctrinas sociales de León XIII y por su preocupación en elevar el nivel cultural de los hijos de los obreros favoreciendo los colegios de los salesianos, de las Hermanas de la Cruz, etc.

Un hecho curioso y doloroso es que de los centros educativos de los religiosos salieron algunos de los intelectuales más anticlericales y antirreligiosos de la generación del 98 y aun después. En la Congregación Mariana de la parroquia de Santiago, de Bilbao, se formó Miguel de Unamuno; con los escolapios de Yecla, «Azorín»; con los jesuitas de Málaga y Deusto, Ortega y Gasset; con los agustinos de El Escorial, Manuel Azaña; también con los jesuitas, en Gijón, Pérez de Ayala, etc.

Pero dicho esto, tenemos que hablar de la entrada en la tarea evangelizadora de la Iglesia de corporaciones de seglares que, espoleados y dirigidos por sacerdotes, comienzan a sentir esta tarea como una exigencia ineludible de su bautismo y de su fe. No podemos detenernos en el nacimiento de las primeras asociaciones católicas para defender la fe contra el laicismo, ni en las campañas de moralización llevadas a cabo por la Asociación de Padres Católicos y por el segundo marqués de Comillas, etc., porque nos interesa más historiar la acción eficacísima en la Iglesia española de la *Asociación Católica Nacional de Propagandistas,* primera obra corporativa seglar de talante moderno dentro de la Iglesia española contemporánea.

En el colegio que los jesuitas tenían en la calle de Areneros, de Madrid, el P. Angel Ayala, un jesuita con vocación de organizador e ideólogo, uno de los más eficaces formadores de hombres de la España moderna, reunía el 4 de noviembre de 1908 a un pequeño grupo de congregantes marianos para animarles a formarse como propagandistas del pensamiento católico y a lanzarse a una campaña de acción por toda España. El hecho obedecía a dos motivos; el deseo de Mons. Vico, nuncio del papa Pío X, de que se fundara una *Juventud de Acción Católica Española* y la preocupación del P. Ayala por dar a los católicos españoles, sobre todo a los jóvenes, un cauce de acción apostólica eficaz, más allá de discusiones y partidismos estériles. Ni el P. Ayala ni sus jóvenes tenían una idea exacta de lo que pretendían. De momento sólo propagar el pensamiento católico mediante mítines, y así despertar la conciencia y la responsabilidad de muchos católicos. Eran los tiempos de las medidas anticlericales de Canalejas. Un año más tarde, después de las primeras campañas, el 3 de diciembre de 1909, en un acto litúrgico reciben aquellos jóvenes sus insignias de manos del nuncio, y queda constituida la *Asociación Católica Nacional de Jóvenes Propagandistas.* Tuvo la fortuna de tener como presidente, desde el primer momento, a un joven excepcional, Angel Herrera Oria (1886-1968), abogado del Estado entonces; más adelante, sacerdote (1936), obispo (1947) y cardenal (1965).

En el primer período, los jóvenes propagandistas se dedicaron a las campañas de difusión oral por toda España en favor de las ideas católicas y de su incidencia en la vida pública. Pronto se vio la necesidad de propagar y defender el pensamiento eclesial también por escrito. En 1911 compraron *El Debate,* que llegaría a ser el primer gran rotativo moderno de España. En 1912 fundaron *La Editorial Católica,* que en el siglo xx ha sido el instrumento más eficaz de difusión del pensamiento católico a través de periódicos *(El Debate, Ya,* de Madrid; *Ideal,* de Granada; *Hoy,* de Badajoz; *El Ideal Gallego,* de La Coruña; *La Verdad,* de Murcia), de revistas *(Lecturas para todos),* de agencias de noticias *(Logos),* de libros *(Biblioteca de Autores Cristianos).* En 1926 crearon la *Escuela de Periodismo de El Debate,* la primera y la mejor que en su género ha existido en España. La Asociación promovió amplios movimientos universitarios católicos, como los *Círculos de Estudio,* la *Confederación Nacional de Estudiantes Católicos,* las *Conversaciones Católicas Internacionales,* de San Sebastián; los *Cursos de Verano,* de Santander, y, posteriormente, el *Centro de Estudios Universitarios* (C. E. U.), iniciado en la época de la República, y que en nuestros días ha llegado a ser una universidad católica —aun cuando todavía no tenga ese nombre—, con más de 20.000 alumnos. Los propagandistas se preocuparon también de extender el conocimiento de la doctrina social de la Iglesia mediante grandes campañas y de la promoción de los obreros en el *Instituto Social obrero,* que pretendía preparar a los obreros para altos puestos de la sociedad y la política. La intervención de los propagandistas en la política fue decisiva sobre todo entre 1931 y 1936, pues a ellos se debió el primer intento de respuesta civil disciplinada a los atropellos republicanos mediante el movimiento de *Acción Nacional,* y más tarde, desde el gran partido político moderno de masas que se llamó *Confederación Española de Derechas Autónomas* (C.E.D.A.). Entre 1924 y 1925 fueron los propagandistas los que, por recomendación de la jerarquía, crearon y extendieron por España la *Juventud de Acción Católica Española,* y en 1933, la Asociación entregó a la Junta Central de la Acción Católica sus mejores hombres; entre ellos, al mismo Angel Herrera, que pasó a ocupar la presidencia. En la época posterior a la guerra civil y hasta nuestros días, además de continuar muchas de las actividades editoriales, culturales y sociales ya reseñadas, los propagandistas han estado presentes en puestos clave de la vida pública, oficial y cultural de España.

En sus inicios, los propagandistas tomaron una postura belicosa, tradicionalista y antiliberal, propia del catolicismo del siglo xix. Poco a poco se hicieron modernos por su eficacia, por su sentido social, por su moderación, por su tolerancia y apertura. Se puede afirmar que fueron ellos los iniciadores de un catolicismo para el siglo xx. Angel Herrera habló de una «tercera España» media entre las dos extremas, la de Jovellanos, Balmes, Cánovas y Menéndez Pelayo; «en la línea de esa tercera España nos situamos» [141]. Entre 1945 y 1956 ellos representaron, dentro del régimen de Franco, el aperturismo y la moderación. Por influencia de políticos pertenecientes a la A. C. N. de P. se logró pasar de la concepción del Estado nacionalsindicalista a la de un «Estado católico, social y representativo, que, de acuerdo con la tradición, se erige en

[141] Angel Herrera, *Obras selectas* (Madrid 1963) p.231.

reino», como se definía al Estado español en la ley de Sucesión, del 7 de junio de 1947 [142].

Por los mismos años en que nacía la Asociación de Propagandistas era canónigo en Covadonga un joven y virtuoso sacerdote andaluz que había experimentado en silencio las pruebas de la incomprensión y la humillación. Pedro Poveda (1874-1936) había tenido que abandonar su admirable labor social con los cueveros de Guadix, y ahora, en la paz de Covadonga (1906-11), meditaba sobre la secularización de la sociedad y la necesidad de reavivar la vida cristiana a través de la enseñanza y la pedagogía. Abrió academias en Oviedo, Linares (su pueblo natal), Jaén, Alicante, Madrid, etc., en las que completaba con una formación cristiana la formación, muchas veces laica, que recibían las jóvenes maestras de las Escuelas Normales recién creadas. Cuando logró federarlas a todas y encontró una muchacha extraordinaria por su virtud y su prudencia, Josefa Segovia (1891-1957), formada en la Escuela Superior de Magisterio, a quien poner al frente, tenía fundada la que llamó *Institución Teresiana*. En la mente del fundador estaba dar una respuesta desde el mundo seglar cristiano a la Institución Libre de Enseñanza. No logró hacerlo con hombres, como había proyectado. Fundó una institución femenina, con lo que colaboró providencialmente a la promoción de la mujer cristiana en el campo de la pedagogía y de la cultura. La Institución fue aprobada por la Santa Sede en 1924 como Pía Unión primaria, y como Instituto secular en 1951. Extendidas por el mundo entero, con admirable espíritu sobrenatural y evangélico, con sentido de modernidad pedagógica, altura cultural y elegancia humana, las señoritas pertenecientes a la Institución Teresiana han educado y educan en cristiano a cientos de miles de jóvenes. En cátedras oficiales, en colegios propios, en laboratorios y en revistas, en congresos y en Jornadas, han significado desde su fundación la novedad de la presencia de la mujer seglar cristiana en las avanzadas de la cultura y de la pedagogía moderna.

Pedro Poveda, que había trabajado intensamente además en la Liga Femenina de Orientación y Cultura, en la Federación de Amigos de la Enseñanza, en la Federación Nacional de Maestros Católicos, en la Confederación Nacional de Padres de Familia, etc., fue considerado por los rojos españoles como un enemigo y asesinado en las tapias del cementerio de la Almudena, de Madrid, la noche del 28 de julio de 1936. Pero, una vez más, la sangre de su martirio fue fecunda, y, después de la guerra civil, la Institución Teresiana se multiplicó prodigiosamente en personas y en obras [143].

[142] La ideología de la Asociación Católica Nacional de Propagandistas (A.C.N. de P.; actualmente, A.C. de P.) queda expuesta en tres libros doctrinales de los tres grandes dirigentes de la obra: ANGEL AYALA, *Obras completas*, 2 vols. (Madrid 1947); ANGEL HERRERA ORIA, *Obras selectas* (Madrid 1964); FERNANDO MARTÍN-SÁNCHEZ, *Ideas claras* (Madrid 1973). Un compendio de su historia puede leerse en N. GONZÁLEZ RUIZ-ISIDORO MARTÍN, *Seglares en la historia del catolicismo español* (Madrid 1968).
[143] Sobre el P. Poveda y su Institución puede verse DOMINGO MONDRONE, *El P. Poveda* (Bilbao 1965); ANGELES GALINO, *El pensamiento pedagógico del P. Poveda*: Revista Española

El tercer movimiento seglar importante dentro de la Iglesia española contemporánea, y que ha tenido una evidente significación en la cultura, ha sido el Opus Dei. Pensado como una asociación de fieles católicos que se esfuerzan por vivir las virtudes cristianas y el apostolado cada uno dentro de su respectivo estado y en el ejercicio de su propia profesión, nació en 1928 merced al impulso creador de un joven sacerdote aragonés: José María Escrivá de Balaguer. Sólo después de la guerra civil comenzó a ser conocido y a difundirse. La Santa Sede lo aprobó (24-2-1947) como Instituto secular pocos días después de la promulgación de la Constitución apostólica *Provida Mater Ecclesia,* que creaba la figura jurídica de los Institutos seculares en la Iglesia. Su difusión en España y en el mundo entero a partir de los años cuarenta ha sido asombrosamente rápida y multitudinaria, sobre todo entre las clases medias acomodadas. Son miembros de la obra hombres y mujeres célibes —aunque en sectores cuidadosamente separados—, matrimonios, jóvenes, profesionales, sacerdotes, etc., de forma que se dé en ella el mismo pluralismo que en la sociedad.

Pero en sus Constituciones (c.1 § 3.2) se advierte:«Lo específico [de la Obra] es esforzarse con todo empeño en que la clase que se llama intelectual y aquella que, bien en razón de la sabiduría por la que se distingue, bien por los cargos que ejerce, bien por la dignidad por la que destaca, es directora de la sociedad civil, se adhiera a los preceptos de Nuestro Señor Jesucristo y los lleve a la práctica». De ahí el empeño que el Opus Dei mostró, en cuanto apareció en la escena pública, por ocupar las cátedras de las universidades y de los institutos. Hacia 1956 es probable que sus hombres ocupasen un 30 por 100 de las cátedras. Ello fue posible gracias a su preparación y al apoyo incondicional que el ministro de Educación, José Ibáñez Martín, prestó durante su larga gestión (1939-51) a los miembros del Opus con la intención de que su influencia católica sustituyese a la influencia liberal de los catedráticos de la Institución Libre de Enseñanza. Les faltó, frecuentemente, la prudencia y la autocrítica, y se ganaron no pocas odiosidades inútiles. En 1952, el Opus había iniciado además en Pamplona un *Estudio General de Navarra,* que, ampliado paulatinamente, sería erigido por la Santa Sede en 1960 como Universidad Católica, con 27 facultades, secciones e institutos. Por la seriedad de su trabajo académico, por el prestigio de muchos de sus profesores, por la atención que se dedica a los alumnos, algunas de sus facultades gozan de merecido prestigio, y la burguesía española más adicta a la Obra envía a sus hijos a estudiar a aquellas aulas. A ellas vienen también estudiantes extranjeros, ya que la Universidad pretende formar en cristiano con proyección universalista. La Universidad publica cinco revistas: *Ius Canonicum, Revista de Medicina, Nuestro Tiempo, Anuario Filosófico* y *Scripta Theologica,* además de diversas colecciones de libros.

El ministro Ibáñez Martín, de la A. C. N. de P., puso también en

de Pedagogía 9 (1951) 49-57; FLAVIA PAZ VELÁZQUEZ, *Vida de María Josefa Segovia* (Madrid 1964).

manos del Opus Dei el Consejo Superior de Investigaciones Científicas. Desde el primer momento fue su secretario general José María Albareda (1902-66), miembro del Opus Dei, edafólogo eminente, que siete años antes de su muerte recibió la ordenación sacerdotal. En la segunda mitad de los años cuarenta, *Arbor,* la revista ideológica del Consejo, estaría orientada por miembros del Opus. *Arbor* pretendió realizar en esta época (1944-53) una actualización de la tradición católica dentro de la cultura occidental, una crítica del pensamiento filosófico, político, histórico y social del mundo contemporáneo, un estudio de las revoluciones, etcétera.

El otro campo preferencial del trabajo del Opus han sido los ejecutivos de la Administración, de la política y de la economía. Por todo ello y por el celo excesivo y la falta de prudencia de algunos de sus miembros, esta obra ha sido interpretada, frecuentemente, como ansiosa de los medios de poder. El haber tomado una actitud conservadora tanto en lo ascético y litúrgico como en lo político les ha ganado muchos adeptos, ya que las clases acomodadas buscan, ante todo, su seguridad personal en lo temporal y en lo espiritual. Pero ha provocado contra ellos la acusación de inmovilismo, de carencia de sentido social y comunitario, de falta de apertura al futuro y de puritanismo. Sus pensadores más destacados (Rafael Calvo Serer —en su primera época—, Florentino Pérez Embid, Federico Suárez Verdeguer y su escuela histórica, etcétera) representan, en lo cultural, una continuidad del pensamiento tradicionalista y conservador español [144].

No quedaría completo este apartado si no hiciéramos una brevísima referencia a los parlamentarios seglares que en las Cámaras legislativas defendieron los principios tradicionalistas y combatieron la fobia anticlerical con palabra ardiente y rotunda, según el estilo de la época. Fueron grandes oradores Antonio Aparisi y Guijarro (1818-95), Cándido Nocedal (1821-85) y Alejandro Pidal y Mon (1846-1913). Pero el nombre más importante es el de Juan Vázquez de Mella (1861-1928), que, a su vigorosa formación científica, a su profundo conocimiento de los dogmas católicos y a la seguridad con que deducía de ellos las consecuencias sociales y políticas, unía la cualidad de subyugar a oyentes y lectores cuando exaltaba con acentos mágicos la divinidad de Jesucristo, la belleza de su religión, el «milagro social» del catolicismo, el «milagro de la institución» del pontificado romano, las grandezas históricas de las órdenes religiosas, sus santos y sus héroes, el arte de sus templos y monasterios, etc.

---

[144] Sobre el espíritu del Opus Dei pueden verse las *Conversaciones con Mons. Escrivá de Balaguer* (Madrid 1968), *Camino,* libro de aforismos ascéticos escritos por Escrivá y muy difundido por sus hijos. Puede consultarse también: P. Rodríguez, *Camino y la espiritualidad del Opus Dei:* Teología Espiritual 9 (1965) 215-45; Salvador Bernal, *Monseñor José María Escrivá de Balaguer, Apuntes sobre la vida del fundador del Opus Dei* (Madrid 1976). Como obra valorativa y discutida, pero con muchos datos, Daniel Artigues, *El Opus Dei en España* (París 1971). Un testimonio duro y desorbitado es el de Alberto Moncada, *El Opus Dei; una interpretación* (Madrid 1974); también es un testimonio personal, pero tendencioso, el de María Angustias Moreno, *El Opus Dei* (Barcelona 1976).

La Acción Católica, iniciada en 1881, ha sido también un movimiento de compromiso seglar cristiano. Su importancia en la vivencia y la animación de la fe en la Iglesia española ha sido grande. Pero no lo fue tanto en los aspectos culturales que aquí historiamos. Tuvo, sin embargo, organizaciones para Maestros (Federación Católica de Maestros Españoles) y para universitarios (Juventud Estudiantil Católica) [145].

[145] Tendenciosamente, se ha querido ver en la participación de los seglares en la defensa y propagación del Evangelio un «nuevo clericalismo», una «instrumentalización del laicado» por parte de los clérigos, para que la Iglesia mantuviese en el mundo moderno secularizado el mismo papel rector y dominante que tenía en el Antiguo Régimen. Así lo hace, por ejemplo, JOSÉ ANDRÉS GALLEGO, *La política religiosa en España, 1889-1913* (Madrid 1975). La interpretación es falsa, porque no ha comprendido el problema. Los obispos y sacerdotes han despertado en los laicos, eso sí, la preocupación por defender y extender el cristianismo y la Iglesia como exigencia de una fe comprometida por el bautismo y por el mandato de Cristo. Esa es, en germen, la teología del laicado, que se desarrollaría en la segunda mitad del siglo XX y que ratificaría el concilio Vaticano II.

CAPÍTULO VIII

SIGLO XX ADENTRO

Llevados por la corriente narrativa de este duelo secular entre las dos Españas, en el que juegan papel de protagonistas las ideas, nos hemos metido ya siglo XX adentro.

A principios de siglo arreció la lucha entre liberalismo y tradicionalismo, o, si se quiere, entre anticlericalismo y clericalismo, entendidos estos conceptos al estilo decimonónico, que apenas avanzaba nada en la depuración de ellos ni en la lima de sus estrías [146].

Por el lado anticlerical creaban animadversión furibunda los políticos liberales (Moret, Azcárate, Melquiades Alvarez, Lerroux, Alba), los autores de la generación del 98 (Azorín, Baroja, Unamuno, el primer Maeztu, Ortega), las novelas y el teatro de Pérez Galdós —el estreno de su *Electra* (en 1901) levantó tempestades—, el mimetismo hacia lo francés, característico en España desde Felipe V —en Francia estaba efervescente el anticlericalismo—, y, sobre todo, la numerosa prensa liberal, y a su cabeza *El País*. Por el lado de la Iglesia y su clero era general la postura tradicional —más radicalizada en los integristas, menos en los moderados—, que en cualquier caso seguía fielmente el *Syllabus* y atendía poco a las advertencias de moderación y tolerancia que había hecho León XIII. Hay que confesar que una mayor tolerancia y apertura en

[146] Una de las manifestaciones más curiosas de las luchas religioso-políticas que tuvo repercusiones dentro de la misma Iglesia, la constituyó en esta época el problema que se llamó del «mal menor». Desde 1886 defendían D. Ramón Nocedal y su periódico *El Siglo Futuro* un tradicionalismo político y religioso de absoluta intransigencia, que se negaba a cualquier mitigación de sus actitudes frente al liberalismo y los liberales. El grupo de rigoristas, que era muy numeroso y que acusaba a D. Carlos, el pretendiente, de debilidad y transigencia, fue expulsado del Partido Carlista. Formaron un nuevo partido, cuyo objetivo era el mantenimiento «de la íntegra verdad católica». De ahí el nombre de *integrismo*. Se pueden imaginar las discordias y confusión que este hecho provocó entre los católicos. El episcopado intentó la unión de todos mediante *Congresos católicos nacionales*. En el primero (Madrid, abril de 1889) pronunció un discurso Menéndez Pelayo, repudiando «esas estúpidas cuestiones que se sostienen por católicos españoles sobre interpretación del *Syllabus*, grados de liberalismo, tesis e hipótesis, integrismo y mesticismo». Sostenían los carlistas moderados que un cierto compromiso histórico con los liberales era un «mal menor», y la hipótesis, preferible a la tesis. Respondían los integristas que eso era mestizaje y que al «mal menor» había que oponer el «bien mayor». Intervinieron los obispos, y el mismo León XIII, para moderar la actitud integrista. Nocedal se gloriaba de tener de su parte a los jesuitas y de aconsejarse de ellos. Actuó al general de la Compañía, que entonces era el español Luis Martín, y, como consecuencia, el P. Venancio María de Minteguiaga publicó en *Razón y Fe* (octubre de 1905) un artículo en que defendía la postura del «mal menor» y la necesidad de unión de todos los católicos. Lo mismo defendió en otro artículo el P. Villada, director de la revista e insigne moralista. Estos artículos fueron violentamente impugnados; pero Pío X, en su breve *Inter catholicos Hispaniae* (20 de febrero de 1906), señaló aquellos criterios como los más prudentes. Es interesante el artículo, de RAFAEL SANZ DE DIEGO, *La Santa Sede amonesta a la Compañía de Jesús. Nota sobre el integrismo de los jesuitas españoles hacia 1890*: Miscelánea Comillas 34 (1976) 237-266.

los católicos hubiera evitado muchas de las rabias anticlericales de algunos hombres cultos que querían ser cristianos, pero sin las exageraciones y la cerrazón de no pocos católicos. Los congresos de Prensa católica (Santiago 1902, Sevilla 1904, Zaragoza 1908, Toledo 1924) impulsaron la unión en la defensa de la fe y la impugnación del liberalismo, de sus libros y de sus periódicos. Se propugnaba sobre todo, la supremacía de la Iglesia y su doctrina, la enseñanza católica en las escuelas, la no libertad de cultos, la unión de la Iglesia y el Estado. No se atisbaba una evolución del pensamiento católico. El concilio Vaticano II estaba aún muy distante, y no se debe juzgar a aquellos católicos con los criterios posteriores a dicho concilio.

El conflicto y la controversia anticlerical se exacerbaron hasta el límite cuando Canalejas subió al poder (1910), y, en lugar de dedicar todas sus energías a la solución de los problemas económicos y sociales, que eran los urgentes, empezó por dar lo que llamó «la batalla al clericalismo», una batalla ruda, pero que estaba seguro de ganar. Tras otras medidas presentó a las Cortes, y fue aprobada, la llamada *ley del candado,* por la que cerraba la entrada en España a los religiosos perseguidos y exiliados de Francia y prohibía el crecimiento ulterior de las órdenes y congregaciones religiosas hasta que se promulgase una nueva ley de Asociaciones. Pretendía con ello frenar la influencia del clero, sobre todo en la enseñanza secundaria y universitaria, que era donde se libraba —entonces como siempre— la verdadera batalla [147]. Los católicos habían comprendido bien la importancia de educar en cristiano a los niños y a los adolescentes, tenían en su mano una buena parte de la juventud estudiosa, y exigían que se enseñase la religión en todos los centros oficiales. Los liberales querían la escuela neutra, el respeto a la libertad de conciencia, el control estatal de los colegios de los religiosos, la titulación oficial de todos los docentes, el monopolio de los exámenes. Detrás estaba siempre el miedo a lo que consideraban fanatismo religioso y el deseo de una educación más europeizada [148].

No es de este sitio narrar los episodios inacabables de esta lucha que se sucedieron hasta 1936, en que estalló una guerra que, como todas las nuestras en los últimos siglos, tuvo mucho de religiosa. Pero sí hemos de recordar que, proclamada la II República el 14 de abril de 1931, antes de un mes, el 11 de mayo, las turbas, azuzadas por ocultas manos sectarias, incendiaron 107 iglesias y conventos en muchas ciudades ante la pasividad del gobierno, que así mostró su verdadera fisonomía. Perecieron allí inapreciables tesoros de arte y ciencias. Los jesuitas de Madrid, por ejemplo, vieron arder sus preciosas bibliotecas de la casa profe-

---

[147] Sobre el tema véase Diego Sevilla Andrés, *Canalejas* (Barcelona 1956).

[148] Los religiosos españoles promovían la educación de los niños y los jóvenes de todas las zonas sociales en colegios y escuelas propios. Pero también a través de las organizaciones católicas que dirigían y orientaban. Así, por ejemplo, la Asociación Católica de Señoras, dirigida por el P. J. M. Valera, S.I., procuraba en 1930 la educación de 10.600 niños en 54 escuelas; la Obra de Preservación de la Fe en España, alentada por el célebre jesuita P. Rubio, educaba a 13.000 niños de los barrios más pobres de Madrid, en 60 escuelas.

sa (100.000 volúmenes) y del Instituto Católico de Artes e Industrias (40.000 volúmenes), y el P. Zacarías García-Villada, S.I., gran paleógrafo, diplómata e historiador, que llevaba publicados cinco volúmenes de su documentadísima *Historia eclesiástica de España,* perdió su enorme arsenal de fichas y documentos bajo la tea de los incendiarios. Uno de los ministros de la República (se discute si Azaña o Alvaro de Albornoz) dijo entonces que «todos los conventos de Madrid no valían la vida de un republicano». Los intelectuales republicanos (Marañón, Ortega y Pérez Ayala) publicaron en *El Sol* una nota condenando los hechos, pero afirmando al mismo tiempo que en los edificios incendiados «vivían gentes que, es cierto, han causado durante centurias daños enormes a la nación española, pero que hoy [...] significan en España poco más que nada»[149].

Estos hechos hubieran sido episodios de menos importancia si las Cortes Constituyentes, primero, y el Gobierno, a continuación, no hubieran repetido el enorme y anacrónico error de dar la máxima importancia a la lucha contra el clero y la Iglesia. Pero no se debe olvidar que cinco ministros de aquel Gobierno eran masones (Albornoz, Casares, Domingo, Martínez Barrios y De los Ríos). Azaña no lo era tal vez, pero con ánimo más propio de un déspota ilustrado y volteriano del siglo XVIII que de un ministro del siglo XX, era el caudillo del anticlericalismo. Por lo que hace a nuestro tema, hay que decir que el artículo 26 de la nueva Constitución prohibía a todos los religiosos la enseñanza y expulsaba de España a los jesuitas. El mismo Fernando de los Ríos dijo el 11 de mayo de 1933, cuando se promulgó la ley de Ordenes religiosas, que se quedaban sin aulas y sin docencia 351.937 alumnos de primera enseñanza y 17.098 de segunda[150]. Probablemente eran más. Se prohibió, además, la enseñanza religiosa en todas las escuelas y que sus locales estuvieran presididos por el crucifijo. Todos los niños llevaron entonces un crucifijo al pecho. Los jesuitas salieron, una vez más, para el destierro. Tuvieron que abandonar 8 centros de cultura superior, 21 colegios de segunda enseñanza, 3 colegios máximos de teología y filosofía, 2 observatorios astronómicos y 163 escuelas de enseñanza elemental y profesional. Pero con energía indomable montaron colegios para niños españoles en Entre-os-Ríos y Curía (Portugal), donde además modernizaron su pedagogía por obra y arte de un hombre intuitivo, el P. Antonio Encinas. El Instituto Católico de Artes e Industrias se trasladó a Lieja para seguir formando allí a jóvenes ingenieros españoles. En Bélgica y en Italia se establecieron los noviciados y las casas de estudio para los futuros jesuitas españoles que un día habrían de volver.

---

[149] Puede verse en JOSÉ ORTEGA Y GASSET, *Obras completas* t.11 (Madrid 1969) p.297.

[150] Cf. SALVADOR DE MADARIAGA, *España, Ensayo de historia contemporánea* (Buenos Aires 1964) p.410. El 13 de octubre de 1931 dijo Manuel Azaña en las Cortes que «en ningún momento, ni mi partido ni yo en su nombre, suscribiremos una cláusula legislativa en virtud de la cual siga entregado a las órdenes religiosas el servicio de la enseñanza. Eso jamás. Yo lo siento mucho, pero ésa es la verdadera defensa de la República [... ya que] la obligación de las órdenes religiosas católicas, en virtud de su dogma, es enseñar todo lo que es contrario a los principios en que se funda el Estado moderno» (MANUEL AZAÑA, *Obras completas* t.2 [Madrid, 1966] p.57).

A medida que se tejía con agresividad y violencia la historia de la República, aumentaba la crisis espiritual de España, cuyo aspecto más característico es —piensa acertadamente J. M. Jover Zamora— «una manifiesta supeditación de los valores morales a los valores vitales» [151]. La influencia de Nietzsche a través de la generación del 98, la de Marx, Lenin y Sorel a través de socialistas y comunistas, hacen que se exalte en la izquierda y en la extrema derecha el combate y el triunfo sobre la norma ética y la conciencia moral. Era la época de los fascismos de izquierda y de derecha.

Entre los movimientos culturales de raigambre católica surgidos en esta época dolorosa destaca *Acción Española*, nacida en 1931, y que constituyó el más brillante equipo intelectual de la derecha española. Se inspiraba en la doctrina tradicional del derecho público cristiano y en la proyección política de éste. Quería crear, sobre todo, un pensamiento contrarrevolucionario de estilo europeo, moderno y católico sobre bases tradicionales. Restauraba la imagen del intelectual católico y español. Hasta ellos parecía que, salvo algunas excepciones, ser intelectual era sinónimo de ser descreído o antirreligioso. Fueron sus representantes más destacados Eugenio Vegas, Ramiro de Maeztu, José Calvo Sotelo, Eugenio Montes, José María Pemán, José Pemartín, Víctor Pradera, Pedro Sainz Rodríguez, Marcial Solana, Jorge Vigón, próceres todos ellos de la inteligencia y del espíritu cristianos. Publicaron una revista: *Acción Española*, que significó entonces la empresa cultura católica más seria.

En la misma línea de Menéndez Pelayo, identificaban nacionalidad hispana histórica con catolicismo; la grandeza o la decadencia de España estaba en conexión sustancial con la grandeza y la decadencia del catolicismo; defendían la Monarquía como el único sistema coherente con nuestra identidad y repudiaban como históricamente funesto el sistema liberal de partidos políticos; de ahí su desacuerdo con la política de Gil Robles de aceptar el poder constituido. Ensalzaban, por fin, y defendían como absolutos todos los valores católicos y tradicionales. Su elevación cultural, su postura filosófico-histórica, su nobleza, les salvaban de las estrecheces del integrismo [152].

De entre todos los pensadores del grupo sobresale Ramiro de Maeztu (1874-1936). Con Azorín y Pío Baroja inició un tiempo la generación del 98, que detestaba a la España tradicional y católica. Pero sus meditaciones sobre la historia, sus viajes por Europa y América, el espectáculo de la primera guerra mundial y su vasta cultura le llevan a una transformación radical, que se acusa ya en su obra *Authority, Liberty and Function in the Light of War* (Londres 1916), traducida al castellano con el título *La crisis del humanismo* (Barcelona 1919), en la que estudia la inversión y las desviaciones axiológicas del hombre moderno desde una inspiración cristiana y defiende una posición funcional y de equili-

---

[151] Ubieto-Regla-Jover, *Introducción a la historia de España* (Barcelona 1973) p.736.
[152] En la misma línea ideológica de Acción Española está el libro que durante la guerra civil (1937) publicó Juan José López Ibor, *Discurso a los universitarios españoles*.

brio entre los principios extremos y unilaterales de libertad y autoridad mediante una crítica del individualismo y del despotismo estatal.

Sin embargo, la obra decisiva del segundo Maeztu es su *Defensa de la Hispanidad* (1934), en la que desvela el valor de la teología católica vivida e interpretada de forma ecuménica por los españoles, que les llevó a comprender la dignidad de la persona humana, la unidad e igualdad de todas las razas, los valores estructurantes y permanentes del espíritu, la posibilidad de una historia universal. Sólo un retorno a esos valores, una «vuelta a nuestra fe», ofrecerá a España una salida digna en su marcha vacilante. Menéndez Pelayo era su maestro, y muchos hombres de la posguerra, sus discípulos. Los rojos españoles le asesinaron el 29 de octubre de 1936 [153].

Mientras la vida pública española era un torbellino de pasiones y animosidad política, dos sacerdotes seculares liberados de tales contingencias trabajaban, en silencio solitario y fecundo, en zonas muy distintas de la ciencia, pero con la constancia y seriedad que ésta requiere. Coetáneos, orientalistas, académicos, profesores y bondadosos ambos, ellos dos significan las aportaciones máximas del clero secular a la cultura española en la primera mitad del siglo XX. Nos referimos a Angel Amor Ruibal (1869-1930) y Miguel Asín Palacios (1871-1944).

Era pontevedrés Amor Ruibal. En el seminario de Santiago de Compostela enseñó lenguas orientales y derecho canónico. Se había formado en Roma, pero era naturalmente independiente y personal. En 1890 publica en latín una *Gramática sirio-caldea*, que obtiene el primer premio en Berlín, y fue siempre filólogo de idiomas antiguos y modernos. Pero sus largas horas de trabajo y meditación las dedicó a la historia y a la crítica de la filosofía y del dogma y a un intento de sistematización nueva y original, que no consumó por su muerte temprana. Por el fondo de su obra corre siempre el intento ambicioso de purificar los sistemas filosóficos que han servido de base a la estructuración teológica del dogma católico, y crear un sistema más apto y más moderno. A este empeño responde el título de su gran obra: *Los problemas fundamentales de la filosofía y del dogma* [154]. Muy buen conocedor de la historia del pensamiento, ataca duramente a la escolástica, en la que ve un sincretismo mal logrado de platonismo y aristotelismo. Después de su crítica intenta crear un sistema realista sobre la base de una concepción

---

[153] Otras obras importantes de Maeztu fueron *La revolución y los intelectuales* (1911); *Don Quijote, don Juan y La Celestina* (1926); *La función del arte; La brevedad de la vida en nuestra poesía lírica* (1935); *En vísperas de la tragedia; Defensa del espíritu*, etc. Sobre Maeztu pueden consultarse VARIOS, *Homenaje a D. Ramiro de Maeztu:* Cuadernos Hispanoamericanos 33-34; 12 (1952); V. MARRERO, *Maeztu* (Madrid 1955); J. L. VÁZQUEZ-DODERO, *Ramiro de Maeztu*, en *Forjadores del mundo contemporáneo* IV 6 (Barcelona 1970) p.145-57.

[154] La obra consta de 10 volúmenes. Los seis primeros fueron publicados por el autor de 1914 a 1922. Los cuatro últimos, póstumos, fueron editados de 1933 a 1936. Actualmente se reeditan en edición muy cuidada. Completan la obra *Cuatro manuscritos inéditos* (1964). Publicó, además, *Los problemas fundamentales de la Filología comparada* (Santiago 1904-1905), traducida al italiano, holandés y húngaro. De sus estudios canónicos son fruto los tres volúmenes de *Derecho penal de la Iglesia católica* (Santiago s.a.) Actualmente está en curso una nueva edición (C. S. I. C.) de los *Problemas fundamentales de la Filosofía y del Dogma.*

relacional-ambital de la realidad. Con sentido científico y moderno, ve lo real no de forma estática y esencialista, sino genética y correlacional. Nada existe ni es inteligible sino en dinamismo y relación, y esto lo mismo en el ámbito filosófico que en el teológico. Lo decisivo es advertir, en cada caso, el orden específico que orienta la integración de las partes en un todo determinado. Es esta ordenación la que da sentido específico a los elementos constitutivos, que sin ella carecen de valor y significación. La esencia de las cosas no está formada por la díada materia-forma, sino por el conjunto de sus relaciones dinámicas ambitales. De este planteamiento brotan posibilidades insospechadas para la teoría del conocimiento, que llevan a plantear, de modo distinto a como lo hacía la escolástica, los temas del paso de lo sensible a lo inteligible y que anticipan ciertos planteamientos de Heidegger y de Marechal. Valoró con originalidad el acceso cognoscitivo del hombre a Dios y trató muy extensamente el tema de las vías clásicas para probar la existencia de Dios en los volúmenes IV, V y VI de su gran obra, además de en dos de sus *Cuatro manuscritos inéditos* [155].

No completó Amor Ruibal ni matizó su sistema. Murió pronto. Además escribía una prosa ruda e inelegante, bien distinta de la de los pensadores y ensayistas de la Institución Libre, mucho menos profundos, pero mucho más atrayentes. Han tenido que pasar bastantes años para que su pensamiento haya encontrado eco [156]. Fue académico correspondiente de la Real Academia Española y de la de Ciencias Morales y Políticas, académico de honor de la Real Academia de Galicia, miembro de la Reale Società degl'Intellettuali, de Roma, y de la Altorientalische Gesellschaft, de Berlín.

Don Miguel Asín Palacios era aragonés, catedrático de Lengua Árabe en la Universidad de Zaragoza. Dedicó su talento y su vida a la investigación del pensamiento filosófico-teológico árabe en relación con el cristiano, con éxitos sorprendentes y renombre mundial por la calidad de sus estudios. Llamaron la atención, sobre todo, sus tesis sobre el averroísmo teológico de Santo Tomás y sobre la influencia de Ibn-al-Arabi en la concepción escatológica de Dante. Sus obras son muchas. Como las más importantes pueden citarse *La espiritualidad de Algazel y su sentido cristiano* (1934-41), *Averroísmo teológico de Santo Tomás* (1904), *Logia et Agrapha Domini Iesu apud moslemicos scriptores, asceticos praesertim, usi-*

---

[155] Otros aspectos que hacen de Amor Ruibal un anticipador de ciertos aspectos de la filosofía de Heidegger y de Zubiri pueden verse en RAMÓN CEÑAL, *La filosofía española contemporánea*: Actas del I Congreso Nacional de Filosofía (Mendoza [Argentina] 1949) t.1 p.422-25.

[156] En los últimos veinte años, la bibliografía sobre Amor Ruibal se ha multiplicado. Son especialmente importantes los estudios de CARLOS A. BALIÑAS, *El legado filosófico de Amor Ruibal*: Revista de Filosofía 17 (1958) 471-82; SATURNINO CASAS BLANCO, *Introducción* a la obra *Cuatro manuscritos inéditos* (Madrid 1964); JOSÉ DELGADO VARELA, *Ontología amorruibalista*: Estudios 4 (1948) 429-84; 6 (1950) 57-96; AVELINO GÓMEZ LEDO, *Amor Ruibal o la sabiduría con sencillez* (Madrid 1949); MANUEL LONGA PÉREZ, *La doctrina de Amor Ruibal sobre la sustancia*: Compostellanum 8 (1963) 100-191; *La relación, idea dominante en el sistema filosófico de Amor Ruibal*: Revista de Filosofía 93 (1962) 468-89; ALFONSO LÓPEZ QUINTAS, *Correlacionalidad de lo real y razón analéctica*, en *Filosofía española contemporánea* (Madrid 1970) p.38-89.

tata (1916), *Abenmasarra y su escuela.* Orígenes de la filosofía hispano-musulmana (1914), *La escatología musulmana en la Divina Comedia* (1919), *El islam cristianizado* (1931), *Huellas del islam* (1941), etc. En 1933 creó la Escuela de Estudios Arabes, de Madrid, y su revista *Al-Andalus.* En esa institución existe una verdadera escuela de prestigiosos arabistas que reconocen a Asín Palacios como maestro indiscutido. También él fue miembro de la Real Academia de la Lengua, de la de Ciencias Morales y Políticas, de la de la Historia, de academias extranjeras.

En la paz de los claustros, con el fragor político siempre de fondo, pudieron seguir estudiando algunos religiosos. Los dominicos mantuvieron su tradición científica en hombres notables: profesores en el Ateneo Angélicum, de Roma; en el convento de San Esteban, de Salamanca; en las Universidades de Friburgo y Manila; como el P. Francisco Marín Sola, que se atrevió con un estudio difícil: *La evolución homogénea del dogma católico* (1923); Manuel Barbado (1884-1945), que se dedicó a modernos estudios de psicología experimental (1946); Luis Alonso Getino, fundador de la revista *La Ciencia Tomista,* estudioso de Fr. Luis de León y de Francisco de Vitoria, y Santiago Ramírez (1891-1967), extraordinario talento, digno sucesor de los grandes tratadistas escolásticos del siglo XVI español. Sus *Opera omnia,* en curso de publicación, ocuparán no menos de 40 volúmenes. Entre ellas sobresalen sus tratados *De hominis beatitudine, De ipsa Philosophia in universum* y *De analogia,* serios, profundos y exhaustivos, aunque más propios de otras épocas y de difícil asimilación para nuestros coetáneos.

Los jesuitas, a pesar de su inseguridad y de ser el blanco predilecto de las persecuciones, en la Patria, hasta 1932; en el destierro, hasta 1938, y, vueltos a España, más tarde, continuaron también su empeño cultural. Tuvieron en sus colegios máximos buenos teólogos para aquella época, como Blas Beraza (1862-1936), que publicó sus voluminosos cursos *De gratia Christi* (1916), *De Deo creante* (1921), *De Deo elevante, de peccato originali, de novissimis* (1929), *De virtutibus infusis* (1929); excelentes escrituristas, como el P. Lino Murillo (1852-1932), bien versado en crítica histórica y filológica, y el P. José María Bover (1877-1954); moralistas y canonistas, como el P. Pablo Villada († 1921) y el P. Pedro Vidal († 1939); historiadores, como el P. Antonio Astrain († 1928), el ya citado P. García-Villada y el P. Lesmes Frías († 1939); escritores ascéticos que popularizaron el dogma y la moral cristiana, entre los que sobresalen el P. Ignacio Casanovas (1872-1936), hombre de gran erudición y cultura, asesinado por los rojos; editor de las *Obras completas* de Balmes (33 volúmenes), fundador de la institución cultural barcelonesa *Biblioteca Balmes,* como centro de altos estudios eclesiásticos, amigo y colaborador de los mayores exponentes de la cultura catalana católica de su tiempo (Torras y Bagés, Costa y Llobera, Rubió y Lluch, Vidal y Barraquer) y amigo también y mentor de los más jóvenes (Bofill y Mates, Valls Taberner, López-Picó, Rubió y Balaguer, etc.). Fecundísimo en sus publicaciones y con gran sentido de lo popular fue el P. Remigio Vilariño, que, además de la publicación de múltiples escritos difundidísimos, fundó las revistas *De Broma y de Veras* (1911), *Sal Terrae* (1912), para sacerdotes; *Hosanna* (1924), para niños; *Hechos y Dichos* (1934), de temas apologéticos. Durante treinta y siete años dirigió el *Mensajero del Corazón de Jesús*, que llegó a tirar 125.000 ejemplares y en el que él escribió más de 12.000 páginas. También los jesuitas tuvieron buenos científicos, como los PP. Luis Rodés († 1939) y Antonio Romañá, astrónomos del Observatorio del Ebro (Tortosa), dirigido por ellos; el P. José Pérez del Pulgar († 1940), en física; el P. Eduardo Vitoria († 1958), en química; el P. Jaime Pújiula, en biología; el P. Baltasar Merino († 1917) y el P. Longinos Navas († 1938), naturalistas. En las ciencias psicológicas fueron notables los estudios del P. Fernando Palmés († 1963).

También otras órdenes religiosas contaron con hombres eminentes o publicistas, como el carmelita Bartolomé Xiberta (1897-1967), teólogo y medievalista; el psicólogo agustino Marcelino Arnaiz (1867-1930), etc. Bien entendido que detrás de estas figuras más prominentes quedaba una legión de hombres que dedicaban toda o parte de su vida abnegada al estudio, a la docencia y a las publicaciones.

En 1930, un marianista, el P. Domingo Lázaro, y un jesuita, el P. Enrique Herrera, fundaron la FAE (Federación de Amigos de la Enseñanza), institución que intentó y logró coordinar los esfuerzos de la Iglesia para defender y mejorar la enseñanza de los centros privados. Recogían así la siembra de notables pedagogos, como los jesuitas Restrepo, Ruiz Amado, fecundo escritor, este último, de temas pedagógicos; del agustino Teodoro Rodríguez y del ya citado sacerdote Pedro Poveda.

Cuando en julio de 1936, tras unos meses de caos, de violencia y de terror, las dos Españas se encararon con las espadas en alto, sobrevino para la Iglesia española la hecatombe más trágica y más gloriosa al mismo tiempo de toda su historia. Estremece y horroriza leer lo que fue la persecución religiosa en España entre 1936 y 1939 [157]. Aquí baste decir que, según las estadísticas más fehacientes, fueron asesinados 4.184 sacerdotes y seminaristas seculares, 2.365 religiosos y 283 religiosas [158]. No se tiene noticia de una sola apostasía. La cifra más verosímil de seglares fusilados en la retaguardia republicana es de aproximadamente 65.000. Muchos de ellos fueron asesinados sólo por profesarse católicos. De entre los religiosos y religiosas, una parte eran profesores de colegios populares en barriadas y pueblos. Se conservan muchos testimonios del perdón de las víctimas a sus asesinos.

[157] El libro más serio y documentado sobre el tema es el de ANTONIO MONTERO, *Historia de la persecución religiosa en España 1936-1939* (Madrid 1961).
[158] A. MONTERO, o.c., p.762. Salvador de Madariaga, nada sospechoso de clericalismo, escribe: «Nadie que tenga a la vez buena fe y buena información puede negar los horrores de esta persecución [...] que durante meses y aun años bastase el mero hecho de ser sacerdote para merecer pena de muerte, ya de los numerosos 'tribunales' más o menos irregulares que como hongos salían del suelo popular, ya de revolucionarios que se erigían a sí mismos en verdugos espontáneos, ya de otras formas de venganza o ejecución popular, es un hecho plenamente confirmado» (SALVADOR DE MADARIAGA, *España, Ensayo de historia contemporánea* [Buenos Aires ⁷1974] p.502-503).

Para el tema que estudiamos en este capítulo no fue sólo ésa la catástrofe, con ser lo más importante. Pero es que además perecieron en las llamas y bajo el hacha y la profanación de las turbas rojas multitud sin cuento de iglesias, de conventos y de retablos; de cuadros, de imágenes, de custodias y vasos sagrados; de ornamentos preciosos, de bibliotecas, de archivos. Sólo en la diócesis de Huesca desaparecieron 400 retablos, y 765 en la de Santander. Así en todas las de la zona roja. Perecieron obras de Salzillo, de Montañés, de Van Eick, etc. [159]

Está de moda entre ciertos católicos de hoy reconocer las culpas que han tenido y echarse —o echar a «la Iglesia»— las que no han tenido. Pero el historiador tiene que ser veraz antes que asceta. La verdad es que, si los católicos de entonces fueron militantes y se pusieron de parte de las derechas, y así aparecieron como enemigos del proletariado, la causa principal fue la reacción contra aquellas izquierdas feroces, que durante muchos años se dedicaron a perseguir a la Iglesia y al clero. Habían envenenado además al proletariado, mal retribuido y hambriento, haciéndole creer, con amaños y calumnias continuas, que era exacta la frase de Clemenceau: «El clero: he ahí el enemigo», y que había que acabar con él. Revistas hubo dedicadas exclusivamente a inventar y calumniar. Hay que reconocer —eso también— que a los católicos españoles les faltó sentido social, y que eso colaboró a que el mundo obrero se corriera hacia la izquierda. Pero de ahí no puede deducirse que la guerra española fuera una culminación de la lucha de clases, según la simplificación marxista. Una gran parte del pueblo más modesto, sobre todo del campesino seguía siendo católico. Y fue alegre a la guerra bajo el lema «Por Dios y por España». Si la guerra se entendió como una cruzada, fue porque, nos guste o no nos guste ahora, se entendió entonces como una lucha por salvar los valores esenciales de la cultura y del humanismo cristiano y español, que estaban amenazados de muerte segura.

[159] Cf. A. MONTERO, o.c., p.627-53.

CAPÍTULO IX

LA ERA DE FRANCO

En abril de 1939 terminaba la guerra civil con la victoria de Franco. Esta vez pareció que el duelo entre las dos Españas se acababa para siempre por el triunfo rotundo de una sobre otra. Era la victoria de la España tradicional y católica. Todos lo veían así; hasta Pío XII, que en su telegrama de felicitación a Franco por el final de la guerra hablaba de la «deseada victoria de la católica España». En cuanto se venció con las armas, se procuró vencer con las ideas, para que no sucediese lo que «cuando la francesada»: que vencimos a los franceses en los campos de batalla y nos vencieron en el de las ideas y la cultura. Después de una guerra tan larga y tan dura, la victoria fue exultante, más de lo que se puede ponderar. De ella surgió un «Estado católico», es decir, un Estado confesionalmente católico, que entonces por las dos partes, Iglesia y Estado, se veía como el ideal. Jacques Maritain, que había propugnado una separación de Iglesia y Estado, era visto en la Iglesia con mucho recelo, y el concilio Vaticano II, que liquidaría la concepción del «Estado católico», estaba aún muy lejos. Ahora más que nunca se veían ambos, Iglesia y Estado, como consustancialmente unidos para la consecución de una nueva cristiandad hispana, en la que los valores de la cultura quedasen subordinados a los principios de la fe católica. En 1953, la Iglesia y el Estado ratificaron su unión con un concordato que entonces pareció ideal [160].

Ambos, pues, de consuno, se dispusieron a liquidar todo rastro que quedase de liberalismo, masonería o marxismo, a los que se veía como causantes principales de la tragedia española, y a restaurar todos los valores de la que se creía única tradición española: la católica [161].

Se propuso en cátedras, libros y prensa, como profetas y mentores de la nueva era que amanecía para mil años, a Menéndez Pelayo —reeditado en una espléndida Edición Nacional de su *Obras completas* y más citado que meditado e imitado—, a Balmes, a Donoso, a Vázquez de Mella, a Maeztu. El nuevo Estado confió la dirección de la cultura y la

---

[160] A la simbiosis Iglesia-Estado la llaman algunos críticos actuales «nacionalcatolicismo», con término malsonante y peyorativo. Los análisis que hacen de la realidad religioso-social de toda esta época adolecen frecuentemente de falta de objetividad y de comprensión histórica; cf., por ejemplo, FERNANDO URBINA, *Formas de vida de la Iglesia en España. 1939-1975*, en *Iglesia y sociedad en España. 1939-1975* (Madrid 1977) p.85-120.

[161] Exponente de la mentalidad dominante entre los católicos en los años de la guerra civil es el libro, del magistral de Salamanca A. DE CASTRO ALBARRÁN, *El sentido católico del Movimiento nacional español* (Burgos 1938). El mismo autor había escrito, poco antes del Alzamiento, un libro con el título *El derecho a la rebeldía*, considerado como uno de los progenitores doctrinales de la sublevación.

enseñanza a los hombres de Acción Española (Pedro Sainz Rodríguez, José Pemartín, etc.). Se exaltaron los valores de nuestro siglo de oro y el pensamiento de nuestros grandes escolásticos. Era preciso «templar las almas de los españoles con aquellas virtudes de nuestros grandes capitanes y políticos del siglo de oro, formados en la teología católica de Trento, en las humanidades renacentistas y en los triunfos guerreros por tierra y por mar en defensa y expansión de la Hispanidad», decía el preámbulo de la ley de Educación, de 20 de septiembre de 1938. Si en lo político era mayor —aparentemente— el influjo de la Falange, en lo cultural, en lo académico, en lo universitario, era, en realidad, el pensamiento tradicional y tradicionalista el que se extendía y se enseñaba. La Falange era un movimiento juvenil, renovador, impetuoso, de milicias azules y brazo en alto, pero carecía de una ideología o no pudo desarrollarla.

Se introdujo de nuevo la enseñanza obligatoria de la religión en escuelas, institutos y universidades; fueron alejados de las cátedras los profesores que pudieran ser menos ortodoxos o incluso menos escolásticos; se favoreció el acceso a los cargos docentes a los miembros del Opus Dei, que ideológicamente se consideraban continuadores de Acción Española; el ministro de Educación (1939-51), José Ibáñez Martín, fundó en 1939 el *Consejo Superior de Investigaciones Científicas*, para el impulso y la organización investigadora en todos los campos del saber. Entre sus múltiples Institutos —cada uno editaba su revista— estaba el Francisco Suárez, de teología; San Raimundo de Peñafort, de Derecho canónico, Enrique Flórez, de Historia eclesiástica; Luis Vives, de filosofía.

El hecho de la simbiosis Iglesia-Estado es perfectamente explicable en el contexto histórico de la época y tras las dramáticas llamaradas de los incencios, las persecuciones y la guerra. Pero lo cierto fue que la Iglesia y el Estado, a una, tomaron una actitud intransigente y cerrada en los años de la posguerra, que excluía cualquier manifestación cultural que no fuera de la ortodoxia más integrista. No sólo se consideraban peligrosos y vitandos a los intelectuales del 98, sino se miró con recelo a pensadores tan católicos y tan eminentes como Eugenio d'Ors, Javier Zubiri o incluso al sacerdote Juan Zaragüeta, porque no eran escolásticos y porque no habían cortado sus relaciones con los hombres de la Institución. Hubo hasta pastorales de obispos cuya publicación se impidió por no parecer plenamente coherentes con el régimen. El cardenal Isidro Gomá (1869-40), figura preeminente de los años de la guerra, primado de España, tuvo que oponerse a intentos totalitarios excesivos y defender la independencia y los derechos de la Iglesia [162].

---

[162] Sobre la figura del cardenal Gomá y para conocer la situación de la Iglesia en los años de la República, la guerra y la posguerra inmediata es indispensable la obra, de A. GRANADOS, *El cardenal Gomá, primado de España* (Madrid 1969), por su abundante documentación. Gomá no fue sólo el pastor de la Iglesia española en los tiempos más difíciles, sino notable teólogo y divulgador en obras como *María, Madre y Señora* (1920), *La eucaristía y la vida cristiana* (1922), *Santo Tomás de Aquino; época, personalidad y espíritu* (1926), *La mediación de la Virgen y la misión del sacerdocio católico en la Iglesia de Cristo* (1929), *El Evangelio explicado*, 4 vols. (1931), *Jesucristo Redentor* (1932) y otras, además de 330 cartas pastorales, folletos, conferencias, etc.

En suma, que en aquellos primeros momentos no se pensó para nada en integrar y aunar valores, sino en excluir todo lo que no fuera íntegra o integrísticamente tradicional, españolista y católico hasta los extremos.

Pero porque la república de las letras y las artes exige libertad, lenta y tímidamente aparecieron fisuras por las que se introducía de nuevo el interés y la estima de los valores culturales de «los otros». Hubo en este empeño excelentes católicos que habían militado en los frentes nacionales; pero que, llegados a una madurez, tenían un concepto más amplio de Iglesia y de España. Pedro Laín, que había sido dentro de Falange Española de los ideólogos aperturistas de la revista *Escorial*, publicaba en 1949 *España como problema*. En este libro propugnaba la necesidad de integrar, comprender, creer que «todo lo intelectualmente valioso de la historia de España, hiciéranlo católicos o librepensadores, es parte de nuestro patrimonio». Consideraba como propio de la «España esencial» el «sentido católico de la existencia», pero entendido de forma amplia y flexible. Le replicó pronto Rafael Calvo Serer, mentor ideológico por entonces del Opus Dei, en otro libro: *España, sin problema*, en el que volvía a la tesis integrista de que «la única síntesis posible es la hecha sobre la base de la más fiel ortodoxia». Desde los presupuestos antiliberales y contrarrevolucionarios que nos dio Menéndez Pelayo, tenemos «una España sin problemas para que nos sea posible enfrentarnos con los problemas de España».

Años más tarde, el mismo Laín, en un significativo texto, pedía «una España en que, bajo la suprema, consoladora presencia de la verdad de Cristo, fielmente aceptada por sus fieles, íntimamente respetada por todos, convivan de manera eficaz y amistosa el pensamiento de Ortega, la teología del P. Arintero y la poesía de Antonio Machado; la herencia de San Ignacio y la estimación de cuanto de estimable hay en Unamuno; el espíritu de Menéndez Pelayo y el espíritu de Ramón y Cajal» [163].

Fue otro hombre católico, proveniente de la Asociación Católica de Propagandistas, Joaquín Ruiz Jiménez, ministro de Educación (1951-56), quien de nuevo favoreció la apertura, la tolerancia y la integración. Nombró rector de la Universidad de Madrid a Pedro Laín, y de la de Salamanca, a Antonio Tovar; alcanzó la cátedra de Etica José Luis Aranguren, un católico de la izquierda [164]. Se organizaron en la Universidad homenajes a Ortega, Unamuno y Menéndez Pidal. Desde una revista inquietante, *El Ciervo*, y desde otra sacerdotal, *Incunable*, se hacía por entonces autocrítica del catolicismo español con moderadas tendencias aperturistas.

Se puede suponer que estos intentos provocaban alarmas y reaccio-

---

[163] PEDRO LAÍN ENTRALGO, *La razón de un homenaje* [a Ortega después de su muerte], en *Ejercicios de comprensión* (Madrid 1959) p.93.

[164] José L. Aranguren hacía una crítica del catolicismo en sus obras *Catolicismo y protestantismo como formas de existencia* (1952), *El protestantismo y la moral* (1954), *Catolicismo día tras día* (1955). Ejercieron indudable influencia, sobre todo en la juventud universitaria. En una segunda etapa, Aranguren buscaría el encuentro con el neopositivismo y el marxismo.

nes, que se expresaban en revistas y ensayos, provenientes, sobre todo, del equipo del Opus Dei, que entonces controlaba la revista *Arbor* y publicaba, además, *Ateneo, Nuestro Tiempo, Punta Europa* y la *Biblioteca del Pensamiento Actual,* en la que se editaban y reeditaban libros de tendencia antiliberal. El obispo de Las Palmas, Mons. Pildain, uno de los últimos integristas, publicó el año 1953 su pastoral *Don Miguel de Unamuno, hereje máximo y maestro de herejías.* El dominico Santiago Ramírez escribió un libro que levantó larga polémica: *La filosofía de Ortega y Gasset* (1958), en el que, además de exponer el pensamiento del filósofo español, mostraba su agnosticismo e irreligiosidad [165]. Unamuno y Ortega eran vistos por los católicos conservadores como los autores más peligrosos para la juventud intelectual.

Entrados ya los años de la década de los sesenta, tras la apertura económica y política del régimen sobrevino (1966) la apertura ideológica de la prensa y los medios de expresión por obra del ministro de Información y Turismo de entonces, Manuel Fraga Iribarne, y, siguiendo las directrices del concilio Vaticano II, la apertura a la libertad religiosa (1967), impulsada por Fernando María Castiella, un tiempo embajador ante la Santa Sede y ministro de Asuntos Exteriores. Pero estos hechos posconciliares caen ya fuera de la época que aquí historiamos.

Con el sensacional aumento de vocaciones, que llenaron a rebosar seminarios y noviciados de todas las congregaciones religiosas después de la guerra, se multiplicaron los grandes edificios, que albergaban profesores, estudiantes y bibliotecas. El obispo de Salamanca, Enrique Pla y Deniel, restauró en 1940 la Universidad Pontificia de aquella ciudad con las Facultades de Teología y Derecho Canónico, que habían de continuar la tradición gloriosa de la escuela salmantina del siglo de oro. En 1945 restauró la Facultad de Filosofía, a la que posteriormente se agregaron las secciones de Letras Clásicas (1949) y Pedagogía (1963). La ciudad del Tormes quedó circundada por un cinturón de colegios para universitarios eclesiásticos. La Universidad Pontificia de Comillas (Santander) había quedado como única superviviente después de la reforma de los estudios eclesiásticos por Pío XI en la constitución *Deus Scientiarum Dominus* (1931). Expulsados los jesuitas de España, continuó su docencia a través de antiguos alumnos. Ahora en la posguerra y readmitidos los jesuitas fue ensanchada y modernizada por obra, sobre todo, de uno de sus rectores, el P. Francisco Javier Baeza (1943-49), que le dio, además, una proyección hispanoamericana. Salamanca y Comillas formaron una buena parte del alto clero español e hispanoamericano, dentro de un estilo de exigente ascesis preparatoria para el sacerdocio y de

---

[165] A la obra de S. Ramírez replicaron PEDRO LAÍN ENTRALGO, *Los católicos y Ortega;* Cuadernos Hispanoamericanos 34 (1958) 283-96; JOSÉ L. L. ARANGUREN, *La ética de Ortega* (Madrid 1958); ANÓNIMO, *Un libro sobre Ortega:* Religión y Cultura 3 (1958) 321-25; JULIÁN MARÍAS, *El lugar del peligro. Una cuestión disputada en torno a Ortega* (Madrid 1958). A los tres primeros respondió Ramírez con un nuevo libro: *¿Un orteguismo católico? Diálogo amistoso con tres epígonos de Ortega; españoles, intelectuales y católicos* (Salamanca 1958), y a Julián Marías, con otro libro: *La zona de seguridad. «Rencontre» con el último epígono de Ortega* (Salamanca 1959).

tendencias doctrinales clásicas y conservadoras. La «nueva teología», que Pío XII contuvo en la encíclica *Humani generis* (1950), no tenía seguidores en España. Como exponente de la teología española de estos años queda la *Sacrae Theologiae Summa* (1952-58) (4 vols.), compuesta por profesores jesuitas españoles, que se hizo el texto clásico en España y en otros países. Sólo en la época que se aproxima ya el concilio Vaticano II se empezaron a divulgar en España las obras de los teólogos europeos más destacados (Chenu, Lubac, Congar, Rahner, Daniélou, etc.). Los jesuitas tenían en España otras tres facultades de teología (en Oña, en San Cugat del Vallés y en Granada) y otras tres de filosofía (Oña, San Cugat del Vallés y Alcalá de Henares), y los dominicos, la de teología, en el convento de San Esteban, de Salamanca.

El Instituto Francisco Suárez, del Consejo Superior de Investigaciones Científicas, convocaba cada año una Semana de Teología, que era lugar de encuentro para los teólogos. Durante muchos años las moderó el eminente eclesiólogo Joaquín Salaverri, S.I., profesor de la Universidad de Comillas.

Con la paz interna y la protección que el Estado dispensaba a la Iglesia, se hizo posible el estudio, y, cuando acabó la guerra mundial (1945), profesores y alumnos salieron al extranjero, a Roma, Alemania, Lovaina e Innsbruck sobre todo, para abrirse a nuevas ideas. Se lograran así figuras notables en los campos de las ciencias teológicas y jurídico-morales.

Hubo teólogos, moralistas, canonistas, historiadores y liturgistas del clero secular y de las órdenes religiosas que adquirieron buena fama por sus publicaciones y por su docencia, y que, llegada la hora del concilio, asistieron a él como teólogos y peritos y colaboraron con los obispos en las deliberaciones de aquella magna asamblea. Hubo también notables exegetas bíblicos conocedores de las nuevas interpretaciones de la Sagrada Escritura. Algunos tuvieron que sufrir disgustos y dificultades inevitables ante las novedades que aportaban, muchas de las cuales, posteriormente, se han admitido como verdaderas y han ayudado a una comprensión más científica y real de los libros sagrados. La interpretación literal e histórica, en el sentido occidental de esta palabra, de muchos libros de la Escritura, ha tenido que ceder ante el conocimiento científico de los géneros literarios utilizados por los autores inspirados para expresar la palabra de Dios.

También aquí preferimos no dar nombres, porque muchos de estos hombres eminentes aún viven y trabajan, y la historia es ciencia de lo pretérito. Junto a muchos de estos profesionales de las ciencias sagradas y bajo su magisterio, en España y en Roma sobre todo, estudiaron, crecieron y escribieron otros muchos jóvenes investigadores que hoy ocupan cátedras y publican buenos estudios.

Numerosas revistas, en general serias y científicas, publicaron artículos y trabajos sobre todos los temas de estas especialidades y divulgaron su conocimiento [166].

---

[166] Sin intentar hacer una enumeración exhaustiva, debemos citar *Analecta Sacra Ta-*

Una cosa es cierta: que el nivel intelectual de los seminarios y de los escolasticados religiosos de esta época fue más alto y digno que el de todas las anteriores y que los centros superiores se caracterizaban por el rigor con que se llevaba la enseñanza y la severa exigencia de las pruebas antes de conceder los grados académicos. A la actitud defensiva de la fe había sucedido el espíritu científico. Avanzados los años cincuenta, se inició la entrada de aires frescos y renovadores y se permitieron ciertos libros, revistas y películas en los seminarios. Además de algunas obras de teología nueva, se empezó a leer a Bernanos, Graham Green, Mauriac, etc. No todavía a Teilhard de Chardin. Jesuitas y dominicos, principalmente, proveyeron de profesores a los centros universitarios eclesiásticos de Roma, Friburgo, Manila y Latinoamérica.

Una empresa editorial contribuyó como ninguna otra a la difusión de la teología y el pensamiento cristiano en general: la *Biblioteca de Autores Cristianos*, que decía de sí misma —con razón— en la solapa de sus libros que era «el pan de nuestra cultura católica». Iniciada en 1944 por dos dirigentes de La Editorial Católica, Máximo Cuervo y José María Sánchez de Muniain, ha publicado hasta hoy (1979) más de 400 títulos, que ha difundido por todos los países de habla hispana en nueve millones de ejemplares. Es cierto que en toda su primera época publicó más a los clásicos y a los tradicionales que a los modernos e iniciadores. Pero también lo es que en los años posteriores no ha cedido nunca al ansia frívola de lo nuevo y al sensacionalismo y ha mantenido un criterio de seriedad, equilibrio y sentido eclesial que garantiza sus publicaciones.

Otras editoriales más populares (PPC, El Apostolado de la Oración, Sal Terrae, Rialp, Mensajero, El Perpetuo Socorro, etc.) multiplicaron también sus ediciones, porque el pueblo, intensamente catequizado y cultivado en su fe y en sus prácticas religiosas por sus pastores, demandaba el alimento de la palabra escrita.

También entre las religiosas, que tradicionalmente se contentaban con las pláticas de sus capellanes, brotó el deseo de saber y de elevar su cultura teológica. Para su formación religiosa se fundó el Instituto *Regina Virginum*, radicado en Madrid, y este hecho y el que para poder enseñar en sus colegios tuvieran que tener títulos universitarios creó un nuevo ambiente cultural en muchas Congregaciones.

Para los seglares se multiplicaron en todas las diócesis los cursos y las conferencias de alta divulgación teológica. Fueron algunos intelectuales católicos seglares los primeros que hicieron una autocrítica del catolicismo vigente y pidieron una renovación y una toma de postura más vanguardista. En enero, febrero y marzo de 1958 se organizaron

rraconensia, *Analecta Montserratiana, Archivo Teológico Granadino, Augustinus, Burgense, La Ciencia Tomista, La Ciudad de Dios, Confer, Compostellanum, Ecclesia, Eidos, Estudios Bíblicos, Estudios Eclesiásticos, Estudios Filosóficos, Estudios Franciscanos, Estudios Josefinos, Estudios Lulianos, Estudios Marianos, Fomento Social, Hispania Sacra, Ius Canonicum, Litúrgia, Manresa, Miscelanea Comillas, Missionalia Hispanica, Orbis Catholicus, Pensamiento, Proyección, Razón y Fe, Religión y Cultura, Revista Calasanciana, Revista Española de Derecho Canónico, Revista Española de Teología, Revista de Espiritualidad, Salmanticensis, Sal Terrae, Scriptorium Victoriense, Selecciones de Teología, Seminarios, Studia Monastica, Verdad y Vida, Vida Religiosa.*

en la inmensa aula magna de la Facultad de Derecho de Madrid, totalmente llena de universitarios, ciclos de conferencias en las que católicos liberales abordaron los problemas sociales, económicos, políticos y universitarios en un intento de romper lo que ellos consideraban ilegítimo consorcio de religión y catolicismo con orden burgués y capitalista. Las Conversaciones Católicas de San Sebastián, Gredos y Santander constituyeron movimientos intelectuales integrados por seglares y clérigos que ayudaron a crear una inquietud por iluminar desde la fe y la teología los problemas del día [167].

Las clases universitarias de teología, reguladas por la Ley de ordenación universitaria de 1943, fueron perdiendo valor y se atrajeron la desestima y aun el desprecio de los jóvenes. No se supo ponerlas al día, ni se logró despertar el interés de los universitarios por los temas religiosos.

Si de las ciencias sagradas pasamos a la filosofía, hay que decir que en los años de la posguerra predominó en los centros universitarios eclesiásticos y en los seminarios la escolástica y el tomismo, con revividas y vanas escaramuzas de tiempos lejanos entre dominicos del tomismo rígido y jesuitas suarecianos, y otras por el estilo. Las 24 tesis tomistas, promulgadas en 1916 por la Sagrada Congregación de Seminarios y Universidades como obligatorias para todos los centros eclesiásticos y que encerraban los *postulata maiora* del tomismo rígido, hicieron exultar de júbilo a los dominicos y preocuparon a los suarecianos, hasta que la misma Santa Sede, en documentos sucesivos, mitigó sus primeras normas y salvaguardó la justa libertad. Entonces y después se pudo seguir perorando en manuales y clases sobre las *quaestiones disputatae* de la escolástica o sobre lo que habían dicho Cayetano, Suárez, Báñez, Molina o Scoto, más que sobre lo que decían Kant, Nietzsche o Marx. Hay que reconocer que hubo en los años cuarenta y cincuenta una cierta floración neoescolástica, que, si no enseñó a los alumnos la filosofía contemporánea —lo que es de lamentar—, sí les enseñó a pensar con lógica, con claridad y con rigor. Además de los teólogos ya antes citados, que muchas veces hicieron filosofía, conviene recordar a los suarecianos José Hellín, S.I. (1883-1958); Ramón Ceñal, S.I. (1907-77) y Enrique Gómez Arboleya († 1910), sacerdote secular. Entre los mantenedores vivos del pensamiento agustiniano, reseñamos a los PP. Angel Custodio Vega y Victorino Capánaga, los dos de la Orden de San Agustín.

En las universidades civiles, el tomismo también se enseñaba en la posguerra con apertura, dignidad y elevación, pero sin creatividad ni adaptación suficiente a los problemas de las nuevas generaciones. Este hecho y el no haber logrado dar atractivo y modernidad a las ideas religiosas, creó un cierto vacío ideológico, que puede considerarse como una de las causas —no la única— de la seducción que produjeron, ya hacia la década del sesenta y en años sucesivos, las ideologías marxistas

---

[167] Dan idea de lo que fueron este tipo de encuentros el libro de R. CEÑAL, J. L. L. ARANGUREN, etc., *Alfonso Querejazu. Conversaciones católicas de Gredos* (Madrid 1977).

y neopositivistas sobre los universitarios. Ambas fueron utilizadas como instrumentos de crítica del sistema político y de la concepción religiosa de la vida. Enrique Tierno Galván, uno de los principales introductores del neopositivismo, primero, y del marxismo, después, insistía en su *Introducción a la sociología* (1960) en «la conveniencia de que la mentalidad anglosajona corrija la tendencia nacional a la generalización y la abstracción». Llamaba así a nuestra necesidad de vivir de principios altos y no de utilidades inmediatas y positivistas.

Prescindiendo de otros nombres ilustres, hemos de referirnos, al menos, a tres maestros independientes que enseñaron en las aulas universitarias civiles, y que constituyen lo mejor de nuestra filosofía de la posguerra: Manuel G.ª Morente, Juan Zaragüeta y Javier Zubiri.

García Morente (1886-1942), hijo de padre volteriano y madre muy piadosa —como tantos españoles de la época—, había estudiado en Francia y en Alemania pensionado por la Institución Libre de Enseñanza. Estudió en Marbourg con su amigo Ortega. Había oído a Boutroux, a Levy-Bruhl, a Bergson, a Cassirer, a Natorp y a Hermann Cohen. Catedrático ya en la Universidad de Madrid, se dedica al estudio y a la docencia con ejemplaridad y aceptación singulares. Tradujo, con precisión y limpieza admirables, a Kant, Descartes, Husserl, Brentano, Pfander, Leibniz, Spengler, Keyserling; colaboró en la *Revista de Occidente*, publicó excelentes estudios sobre Kant, Bergson, y diversos ensayos sobre cultura y filosofía. De 1931 a 1936 fue decano de la Facultad de Filosofía. En 1932 fue elegido miembro de la Academia de Ciencias Morales y Políticas. Huyó del Madrid rojo. La noche del 29 al 30 de abril de 1937, en París, mientras escuchaba *La infancia de Jesús*, de Berlioz, tuvo una de las experiencias religiosas más extraordinarias y ejemplares de nuestro siglo, que él denominó como el «hecho extraordinario». En esa experiencia recuperó la fe religiosa perdida en su infancia. Marchó a la Argentina y dio cursos en la Universidad de Tucumán (lo que luego serían sus *Lecciones preliminares de filosofía*, 1938). Después de una estancia en Poyo (Pontevedra) con los PP. Mercedarios, entra a los cincuenta y cuatro años en el seminario de Madrid y en 1940 recibe la ordenación sacerdotal. Vestido de sotana, sigue desempeñando su cátedra de la Universidad y estudia el tomismo y la dramática historia de España. Todas las esperanzas puestas en él como hombre excepcional para sintetizar lo antiguo y lo moderno, lo racional y lo cristiano, se frustraron por su muerte, ocurrida el 7 de diciembre de 1942. Después de muerto se publicaron sus *Fundamentos de filosofía* (1943) y sus *Ideas para una filosofía de la historia de España* (1957), en que también él consagra la identidad entre nación y religión [168].

Don Juan Zaragüeta (1883-1974), sacerdote desde 1903, ha sido el patriarca de la filosofía española en la época de la posguerra. Catedrático de Pedagogía y Psicología Racional en la Universidad de Madrid,

---

[168] Sobre García Morente, cf. Mauricio de Iriarte, *El profesor García Morente, sacerdote* (Madrid 1953); Alain Guy, *Les Philosophes espagnols d'hier et d'aujourd'hui* (París 1956) p.233-40.

maestro querido de muchos y eminentes alumnos —Zubiri entre ellos—, neoescolástico suarista de gran apertura y tolerancia, formado en la escuela de Lovaina, y que integra en su pensamiento elementos de Ortega, de Bergson, de Bastide, etc., ha publicado muchos y buenos libros, que no podemos aquí ni enumerar, y más de 200 artículos, por los que se le otorgó en 1971 el Premio Nacional de Literatura. Fue secretario perpetuo de la Academia de Ciencias Morales y Políticas, Presidente de la Sociedad Española de Filosofía, director del Instituto Luis Vives, del C.S.I.C., miembro del Instituto Internacional de Filosofía, etcétera [169].

Javier Zubiri (n. 1898) entra con pleno derecho en un estudio sobre Iglesia y cultura contemporánea por su doble aspecto de católico que no oculta su fe y de filósofo metafísico que se plantea con libertad y sinceridad absoluta las ultimidades de la realidad, y allí necesariamente se encuentra con el Absoluto, que es el Dios de los cristianos. Sólo desde la religación de lo humano y de todo lo real con ese Dios alcanzan todos los seres su última y verdadera explicación. En la filosofía española contemporánea destaca Zubiri sobre todos los otros pensadores sin disputa ninguna. Estudioso itinerante en su primera época (Roma, Lovaina, Munich, Friburgo, Berlín, París), que trató personalmente a Husserl, Mercier, Heidegger, De Wulff, Bergson, Loisy, Sarrailh, Schrödinger, De Broglie, fue capaz de interesarse, siempre con seriedad y profundidad, por problemas de biología, de física, de matemáticas, de lenguas orientales, de Sagrada Escritura, de teología; todo orientado al mejor conocimiento del ser y la verdad, sin concesiones afectivas o fáciles y sin ansia de popularidad. Para Zubiri, la ocupación filosófica es un modo fundamental de la existencia del hombre. Entre 1926 y 1936 fue catedrático de Historia de la Filosofía en la Universidad de Madrid. Después de la guerra enseñó dos años (1940-42) en Barcelona; pero más tarde escogió la vida privada y la enseñanza esotérica a grupos pequeños. Sólo en cursos de invierno extrauniversitarios, desde 1945, ha aparecido en público y convocado junto a sí a lo mejor de la intelectualidad madrileña, que le escuchaba con atención y a veces sin seguir sus razonamientos sutiles. Como Sócrates, ha preferido el diálogo vivo y personal a la divulgación de sus ideas en libros. Pero aun así, sus tres obras principales, *Naturaleza, historia, Dios, Cinco lecciones de filosofía* y *Sobre la esencia,* representan lo más serio y original que ha producido la filosofía española en la época de la posguerra hasta nuestros días. De honda y declarada raigambre metafísica suareciana, Zubiri sabe asumir con autonomía y sentido crítico las intuiciones de los pensadores modernos, a los que ha estudiado de manera exhaustiva. Ha diagnosticado certeramente la situación del pensamiento y de la cultura actuales como afectadas de subjetivismo por el olvido del ser y de la realidad. El hom-

---

[169] Las obras más importantes de D. Juan Zaragüeta han sido *La intuición en la filosofía de Henri Bergson* (Madrid 1941); *El lenguaje y la filosofía* (Madrid 1945); *Filosofía y vida,* 3 tomos (Madrid 1950-54); *Los veinte temas que he cultivado en mis cincuenta años de labor filosófica* (Madrid 1958); *Estudios filosóficos* (Madrid 1963); *Curso de filosofía:* I: *Lógica;* II: *Cosmología y Antropología;* III: *Ontología y Etica* (Madrid 1968).

bre actual quiere poseer verdades para traducirlas en poder subjetivo, cuando la verdadera manera de ser hombre es dejarse poseer por la verdad de las cosas, «vivir en la verdad». Piensa también que la crisis del hombre contemporáneo se resume en dos vocablos: soledad y superficialidad, porque se ha quedado sin mundo y sin Dios. Encerrado el hombre en su subjetivismo, su inteligencia resbala por la superficie de los seres, y así se ha desarraigado de las estructuras más hondas que dan sentido a su vida. Es necesario volver a una metafísica realista y ambital, es decir, que sitúe a la persona en el seno mismo de las cosas, en el conjunto de sus relaciones. Sentidos e inteligencia deben ser los caminos de arraigo del hombre en su esencia real.

No podemos seguir aquí las largas y rigurosas disquisiciones metafísicas de Zubiri. ¡Lástima que el lenguaje zubiriano requiera una no fácil iniciación para comprender su pensamiento! [170]

Pecaríamos de omisión si, junto a los tres filósofos citados, no tuviéramos aquí siquiera un breve recuerdo para el filósofo esteta, original y cultísimo que fue Eugenio d'Ors (1882-1954), cuyas obras filosóficas dan el predominio a la claridad y serenidad clásicas, buscan lo perenne bajo lo caduco, lo uno en lo múltiple, y mantienen la defensa de una jerarquía de valores humanos. El más alto de los cuales es el «ángel» que todos llevamos dentro, y que debe sobreponerse al «demonio», que también todos llevamos. Y debemos recordarle aquí porque todas sus teorías, a través de imágenes y formas paganas y griegas, están inspiradas en el pensamiento católico, que fue hondamente suyo [171].

Además de estos pensadores, fueron puente cultural entre la cultura eclesiástica y la secular hombres como el P. Félix García, el P. César Vaca y el P. Gabriel del Estal, agustinos; el P. Miguel Oromí, O.F.M.; el P. Ramón Ceñal, S.I.; Alfonso Querejazu, etc.

La asistencia de religiosos y religiosas a las aulas universitarias civiles desde los años cincuenta fue muy numerosa, para obtener los títulos exigidos en la docencia de los colegios de la Iglesia. Esto hizo que paulatinamente, algunos de ellos, en número creciente, quedasen incorporados a las cátedras universitarias e incluso llegasen a ser titulares.

Ya que hablamos de Iglesia y universidad, se debe recordar aquí que el ministro de Educación José Ibáñez Martín, al que ya hemos aludido, restauró el año 1942 los colegios mayores con el fin de que ellos completasen la formación universitaria y fuesen cantera de hombres ilustres para la política, la sociedad y la Iglesia, como lo habían sido en los siglos XV al XVIII. Poco a poco fueron surgiendo en las ciudades universitarias grandes colegios mayores masculinos y femeninos, enco-

---

[170] Sobre Zubiri existe una amplia bibliografía, que se encontrará en ALFONSO LÓPEZ QUINTÁS, *Filosofía española contemporánea* (Madrid 1970) p.268-72.

[171] Las obras principales de filosofía escritas por Eugenio d'Ors son *Nuevo Glosario (1920-1943)*, 3 vols. (Madrid 1947-49); *La filosofía del hombre que trabaja y juega* (Barcelona 1914); *Introducción a la filosofía. La doctrina de la inteligencia* (Buenos Aires 1921); *Las ideas y las formas. Estudios sobre morfología de la cultura* (Madrid 1928, 1966); *La concepción cíclica del universo* (Barcelona 1918); *Introducción a la vida angélica* (Buenos Aires 1939); *Estilos de pensar* (Madrid 1945); *Gnómica* (Madrid 1941); *El secreto de la filosofía* (Barcelona 1947).

mendados muchos de ellos a congregaciones religiosas. Las esperanzas, sin embargo, se han visto frustradas. El número excesivo de residentes, la falta de selección, el encarecimiento de las pensiones que hacen los colegios mayores accesibles sólo a las clase adineradas; las inquietudes y rebeldías universitarias, han hecho que los frutos hayan sido escasos.

Reconocida después de la guerra una mayor libertad de enseñanza para la Iglesia, aparecieron en la enseñanza superior nuevas iniciativas para tiempos nuevos. Así, los jesuitas añaden a la carrera de ingeniero que impartían en el Instituto Católico de Artes e Industrias, de Madrid (I.C.A.I.), la de directivos de empresas (I.C.A.D.E.), con tres ramas: universitaria, mandos intermedios y posgraduados. En San Sebastián, en Bilbao, en Barcelona, en Córdoba, en Santander, en Valladolid y en Alicante organizan centros parecidos, que preparan a miles de jóvenes para técnicos de la industria, el comercio, la agricultura y el turismo. Las señoritas, antes excluidas de los centros de la Iglesia, empiezan ahora a frecuentarlos de forma masiva. Angel Herrera funda en Málaga (1948) el Instituto de Ciencias Sociales, que más tarde será trasladado a Madrid. Los Hermanos de las Escuelas Cristianas, el Instituto Superior de Catequética, en Salamanca, que también acabará en Madrid.

Sacerdotes, religiosos y religiosas se encargaron de la enseñanza media y elemental de niños y adolescentes de todas las clases sociales. El año 1963, cuando comenzaba el concilio, la Iglesia tenía 925 centros de enseñanza media, con 199.843 alumnos, mientras que el Estado no dirigía más que 228 centros, con 114.262 alumnos. Sin embargo, lo más característico de esta época fue el aumento de centros de enseñanza laboral (universidades laborales, escuelas de formación profesional industrial, bachilleratos laborales, etc.). En el mismo año de 1963, la Iglesia llevaba 303 centros de formación profesional y laboral, con 36.311 alumnos, lo que significa un inmenso esfuerzo por elevar el nivel técnico y cultural de las clases obreras.

Con respecto a la literatura —teatro, poesía, novela, ensayo—, todos los historiadores reconocen que, al romperse las hostilidades entre las dos Españas (1936), se escribía en nuestra Patria una excelsa poesía lírica y que sucesivas creaciones daban al arte de las letras una altura muy superior a la de los siglos XVIII y XIX. Hemos dado ya nombres y referencias. La guerra aventó a los artistas o los convirtió en guerreros. Acabada la guerra, a medida que pasaban los años y el proceso de liberalización avanzaba, se abrieron camino nuevos poetas, novelistas y dramaturgos.

Entre las figuras literarias más relacionadas con la fe católica y más inspiradas por ella en esta época debemos recordar a José María Pemán (n. 1898), escritor polifacético y fecundísimo, que ha cultivado casi todos los géneros. Se hizo popularísimo con el estreno en 1933 de *El divino impaciente,* que no era sino un relato biográfico de San Francisco Javier. La obra tiene más de lírico y oratorio que de dramático; pero estaba entonces en carne viva en el pueblo español la herida abierta por la expulsión de los jesuitas, y la burguesía entera fue a aplaudir a Ignacio de Loyola y a Javier —a los jesuitas— y a los versos sonoros y apologéticos de Pemán. Escribió después otras dignas obras teatrales del mismo signo hispano-católico: *Cuando las Cortes de Cádiz* (1934), contra el liberalismo afrancesado; *Cisneros* (1934), *La santa virreina* (1939), etc. Escribió también poesía religiosa, de la que lo más destacado es su *Poema de la bestia y el ángel*, «de positivos méritos intrínsecos, injustamente subestimado en nuestros días» [172], aunque buenos críticos reconocen que su realización quedó por debajo del propósito inspirador. José María Pemán editó una antología de *Poesía nueva de jesuitas*, de la que decía en su prólogo: «Se nota en esta poesía jesuítica la presencia de modelos y formas que amplían extraordinariamente el ámbito de su antigua manera académica» [173].

De hondo sentido humano y cristiano fueron también algunas obras de teatro de Joaquín Calvo Sotelo (n. 1905), entre las que destacó *La muralla* (1955), acontecimiento teatral de la época por sus valores intrínsecos y porque, al tocar el tema candente de la obligatoriedad moral de la restitución de lo adquirido ilícitamente, «había acertado a decir en el escenario lo que estaba en el ánimo público» (Marquerie).

La poesía lírica de inspiración religiosa se había dado en todas las generaciones de poetas de la edad de plata, a la que ya nos hemos referido. Leopoldo de Luis, en su *Antología* de poesía religiosa española contemporánea (Madrid 1969), recuerda la frase de Dámaso Alonso «toda poesía es religiosa», y estudia la inspiración «religiosa» de Unamuno, Juan Ramón Jiménez, Antonio Machado, de algunos poetas de la generación del 27. Después de la guerra, junto al «garcilasismo» —olvido por la belleza— y a la «poesía social», creció abundante la poesía religiosa propiamente dicha. Pudo haber en ella la expresión evasiva de una vida dura y con poca libertad, o la del miedo a un porvenir inseguro o la protesta contra una situación represiva, pero hubo muchas veces efusión sincera de una fe vivida con intensidad y radicalismo.

Con respecto al cine, que en la España de la posguerra llegó a ser el espectáculo de masas más característico de nuestro tiempo, se produjeron también, respondiendo al ambiente del momento, filmes católico-patrióticos, como *Raza, Locura de amor, Reina santa, Alba de América, Agustina de Aragón,* etc., que, si no siempre destacaban por sus valores artísticos, conmovían al pueblo, que disfrutaba contemplando las grandes virtudes de la tradición hispana —nobleza, lealtad, fe, compromiso, ideal, sacrificio, magnanimidad, desprecio a la muerte—, encarnadas en los héroes legendarios de nuestra historia. Hubo, además, un cine de tema rigurosamente religioso *(La mies es mucha, La Señora de Fátima,*

---

[172] Carlos Seco Serrano, *Historia de España, Epoca contemporánea* (Barcelona 1968) p.397.
[173] José María Pemán, *Poesía nueva de jesuitas* (Madrid 1948) p.13. El elenco de jesuitas poetas está formado por Augurio Salgado, Angel Martínez, Ricardo García-Villoslada, Eusebio Rey, Francisco X. Lucas, José María Llanos, José A. Sobrino, Juan B. Bertrán, Manuel Linares, Vicente Martínez, Ramón Cué, Francisco Aparicio, Victoriano Rivas, Jorge Blajot.

La guerra de Dios, El Judas, Molokay, Sor Intrépida, Fray Escoba, etc.), del que hay que decir algo parecido. Los críticos de hoy son rigurosos en sus juicios artísticos sobre él, pero el pueblo acudía en masa a ver sus grandes ideas religiosas y cristianas hechas vida y espectáculo emotivo. Por otra parte, era impensable por los años cuarenta y cincuenta un cine del desnudo, de la pornografía y de la anormalidad como el de hoy, porque existía una censura estatal-eclesiástica que lo vetaba severamente, como defensa de la moral pública y del bien común.

En el estilo sencillo del cuento infantil significó uno de los mayores éxitos literarios el relato religioso, de José María Sánchez Silva, *Marcelino Pan y Vino,* que, traducido a todos los idiomas y representado en una bellísima cinta cinematográfica, recorrió el mundo entero.

La arquitectura de la posguerra se expresó en el estilo grandioso, propio de aquella época, que quería ser imperial. Como exponente máximo queda la colosal basílica del Valle de los Caídos, proyectada por Pedro Muguruza, monumento impresionante en que se mezcla lo faraónico y lo escurialense, todo presidido por una imponente cruz, flanqueada en su base por enormes esculturas miguelangélicas realizadas por Juan de Avalos. Hacia 1950 se abandona este estilo, para buscar nuevas formas arquitectónicas más europeas, continuadoras del racionalismo y del funcionalismo. Miguel Fisac, influido por el arte escandinavo, fue uno de los iniciadores de iglesias en estilo nuevo característico del siglo XX, como se venía haciendo en la Europa de la reconstrucción. Levantó dos bellas y originales iglesias para los dominicos: la del colegio de Arcas Reales, en Valladolid (1954), y la de Alcobendas, junto a Madrid (1959). A partir de entonces, todos los nuevos templos, que no fueron pocos, se construyeron con estilos originales y aun desconcertantes, basados en las posibilidades constructivas y estéticas de los nuevos materiales, en un afán de ruptura con todas las formas convencionales del último siglo y en una búsqueda de acomodación a un vivencia más auténtica de la liturgia y la religiosidad comunitarias. En los nuevos templos se dejan a la vista los entramados de hierro que sostienen los techos, no se recubre el cemento o el ladrillo, se buscan plantas poliédricas e irregulares, se procura que el presbiterio y el altar polaricen toda la atención, se suprime el retablo, desaparecen las capillas laterales; a veces, el Santísimo Sacramento se reserva en un oratorio adyacente; se reducen a lo esencial las imágenes y las pinturas, la luz entra por vidrieras asimétricas. En ocasiones se ha caído en la chabacanería al construir templos que más parecen hangares o locales desacralizados, que no inspiran recogimiento ni fraternidad.

En la escultura religiosa hay que destacar la escuela catalana contemporánea. Arranca de José Llimona (1863-1934) y alcanza su plenitud en José Clará, que hacia 1940 hacía una espléndida escultura religiosa. Enrique Monjó es otra de las figuras notables por sus trabajos en Montserrat, en el altar mayor de la iglesia del Espíritu Santo de Tarrasa, etc. En la escuela castellana hay que citar necesariamente al palentino Victorio Macho (1887-1966), cuya escultura alcanza una majestad incomparable dentro del retorno a la sobriedad castellana sin las ficciones decimonónicas. Así, su *Cristo del otero,* en Palencia; su escultura yacente *Hermano Marcelo* (de su propio hermano Marcelo, vestido con el sayal franciscano, se conserva en su casa-museo de Toledo); el *Cristo en la Cruz,* en la Iglesia de Los Corrales (Santander), etc.

La pintura española ha participado de los movimientos revolucionarios de este arte en el siglo XX. Pero en lo religioso ha permanecido como arte figurativa siempre la más propia para expresar, a través de ella, la imaginación y los sentimientos. José María Sert había pintado, con su afán de gigantismo, los murales de la catedral de Vich entre 1904 y 1926; destruidos por los rojos en 1936, los rehízo en 1941. Daniel Vázque Díaz, influido por el cubismo de Picasso, decora con soberbios frescos el monasterio de La Rábida. Juan Antonio Morales, pintor de retratos elegantísimos, pinta una espléndida *Santa Teresa Fundadora.* Excéntrico, sorprendente, discutido en todos sus temas, con gran dominio del escorzo, con técnica objetiva, casi fotográfica, Salvador Dalí ha logrado algún cuadro religioso, como su *Crucifixión,* que pasará a la historia de la pintura.

Por su parte, la música religiosa, que en el siglo XIX había sido dignamente cultivada en las reales capillas y en los monasterios, en los templos y en las catedrales, aunque con tendencia a imitar la música profana, se renovó a partir del *motu proprio* de San Pío X sobre la música sagrada y el canto gregoriano. Hubo congresos de música en Sevilla (1908), Valladolid (1910), Barcelona (1912), Vitoria (1928) y Madrid (1954). Hubo revistas de musicología, como *Musica Sacra, Ilustración Musical Hispano-Americana, El Organista Litúrgico Español, España Sacro-Musical, Revista Parroquial de Música,* etc. Los monjes benedictinos, sobre todo los de Montserrat y los de Silos, no sólo cultivaron el gregoriano y compusieron en él, sino que se dedicaron a la investigación de la música antigua, particularmente de la mozárabe.

Fue considerado como maestro inalcanzable Felipe Pedrell (1841-1922), compositor copiosísimo, científico y al mismo tiempo popular, que transcribió las obras completas de Victoria y algunas de Cabezón, Morales, Guerrero y otros, y que fue un verdadero orientador de otros compositores de música sagrada. Entre los más notables restauradores de la música sagrada según las directrices de San Pío X hay que recordar a Vicente Goicoechea (1854-1916) y a Nemesio Otaño, S.I. (1880-1956). Junto a ellos deben figurar Domingo Mas y Serracant, Arturo Saco del Valle, Luis Romeu, José Comellas Ribó, dom Gregorio María Sunyol y dom Anselmo Ferrer, monjes de Montserrat; José María Beobide, Luis y Juan Iruarrizaga, ambos misioneros del Corazón de María; Norberto Almandoz, los jesuitas Antonio Massana y José Ignacio Prieto, Juan María Tomás, organista y compositor mallorquín, y el docto musicólogo Mons. Higinio Anglés, acreditado por sus numerosos estudios y publicaciones, que mereció en 1947 ocupar la presidencia del Instituto Pontificio de Música Sagrada, en Roma. En los años de la posguerra se estableció en Madrid una Escuela de Música Sagrada para el desarrollo y la creatividad de la buena música religiosa.

CONCLUSIÓN

Hasta aquí la historia, en breve resumen, de esta larga y conflictiva etapa de la vida cultural de la Iglesia española. Con los datos que hemos dado, el lector podrá valorarla. A nuestro juicio, podría trazarse una gráfica expresiva del movimiento cultural de la Iglesia española en estos ciento cincuenta años que tendría sus altos y sus bajos, sus cumbres y sus depresiones; pero la resultante —y es ella la que importa— es ascendente. Desde una actitud belicosa, defensiva, encastillada, intransigente, reducida al problema religioso-político, que fue la que tomó la parte más representativa de la Iglesia oficial a principios del siglo XIX, se ha ido pasando a una actitud mucho más integradora, comprensiva, científica, fecunda y cercana a todos los hombres de buena voluntad. El proceso ha sido lento y tortuoso, porque la humanidad nunca avanza de prisa ni en línea recta, y doloroso, porque el dolor es el precio del ser.

Si nos situamos en la zona de la serenidad para mirar con perspectiva el pasado, aun reconociendo todos los errores, defectos y sombras, parece que también podemos afirmar, sin apasionamiento, que los hombres de la Iglesia española —clérigos y seglares— han colaborado eficaz y abundantemente al desarrollo, promoción y crecimiento de la cultura de todo nuestro pueblo. Hemos reseñado las aportaciones de estos hombres en los campos de la teología, la filosofía, las ciencias antropológicas, las ciencias naturales y las Artes, que a eso se suele llamar cultura, y el balance es altamente positivo. Es preciso, para que se verifique plenamente el concepto de cultura, que todos esos saberes y artes hayan ayudado al hombre, a todos los hombres hispanos, a la estructuración y al desarrollo de unos principios definitivos que den sentido último a su vida y a la creación de unas tablas de valores éticos de comportamiento que nos impulsen al cumplimiento libre de nuestros deberes de relación y respeto a Dios, a los demás y a nosotros mismos. Si los conocimientos que llamamos culturales no logran dar al hombre tales principios y tales valores, se frustran en lo fundamental y sirven de poco. Pero medir hasta dónde, en qué grado y en qué extensión se han logrado estas metas no es posible. Aquí la palabra la tiene sólo Dios.

Lo más doloroso en este siglo y medio ha sido la separación y aun el enfrentamiento de los dos bloques y las dos culturas españolas: la laica y la católica. No es hora de repartir culpas ni de sentar al contrario en el banquillo de los acusados. La culpa ha estado, probablemente, en los dos bandos. En uno, por su anticlericalismo violento, agresivo y cerrado que envolvía en sus acusaciones y en sus ataques todo lo relacionado con la Iglesia. En otro, porque faltó serenidad para distinguir lo que era esencial de lo que era accidental; lo que era revelación, de lo que eran formas históricas de expresión de la fe; lo que era permanente, de lo que podía y debía cambiar al ritmo de los tiempos; lo que era inadmisible de los contrarios y lo que de su pensamiento podía ser asimilado, porque era correcto.

El 8 de diciembre de 1962 se abría el concilio Vaticano II y el 8 de diciembre de 1965 se clausuraba. El cambio de mentalidad que el concilio indujo en la Iglesia toda ha sido tan grande, que hace esperar con fundamento que esa larga antinomia quede dialécticamente superada. El concilio propugnó la apertura de la Iglesia a todos los valores humanos, el acercamiento a todos los hombres de buena voluntad, la acomodación correcta de la religión a todas las culturas, el respeto y la tolerancia con las opiniones ajenas, aun cuando no podamos admitirlas si contradicen nuestra fe; el respeto a las conciencias ajenas, la separación de los fines políticos y de los religiosos, la aceptación, por parte de la Iglesia, de plurales opciones políticas, etc.

Estos planteamientos resultaron tan nuevos y tan desconcertantes para muchos católicos españoles, que han creado crisis y desequilibrios de conservadurismo intransigente y de progresismo insensato; desde la añoranza de la unión del Altar y el Trono, hasta la unión deseada de cristianismo y marxismo; desde la conservación de todos los principios de la tradición, hasta la liquidación de lo religioso para ser sustituido por lo puramente secular.

Pero, como siempre, acabará por imponerse la síntesis moderadora, que identifica y eleva los contrarios; en este caso, bajo la acción del Espíritu Santo, que guía a su Iglesia y a su humanidad. Es una esperanza para la Iglesia y la sociedad española.

OCTAVA PARTE

LA IGLESIA ESPAÑOLA ANTE EL RETO DE LA INDUSTRIALIZACION

Aspectos económicos y sociales

Por Rafael M.ª Sanz de Diego

Cuando desde la perspectiva de hoy se dirige la mirada a la España de comienzos del XIX, se percibe inmediatamente el cambio operado en nuestro país. Además de la evolución política —telón de fondo al que sólo de pasada se aludirá en estas páginas—, se ha producido una evidente transformación económica y social.

Se irá concretando a medida que avancemos en la historia de estos años. Pero algo se debe adelantar ya. A comienzos del siglo pasado, la economía española se basa, casi por igual, en dos pilares: los productos que vienen de América y una agricultura atrasada y mal distribuida. La industria no existe apenas: funcionan, por intereses militares, algunos centros siderúrgicos, una elemental industria corchotaponera, telares en auge y las Reales Fábricas de Tapices y Porcelana. Pero la inmensa mayoría de la población trabajadora se agrupa en el sector agrario. La pérdida de las colonias y la revolución industrial que, aunque con retraso, se introduce en España, transformarán por completo —no sin traumas ni desfases— nuestra economía.

Al cambio económico le sigue el social. El campo se va despoblando en beneficio de las ciudades. La nobleza —cuantitativa y cualitativamente, fuerza importante en el país [1]— irá perdiendo influjo, de forma más aparente que real. Aparecerán nuevas clases sociales: las burguesías y el proletariado. Este como efecto inmediato de la revolución industrial. De las burguesías hay que hablar en plural. Tienen talante muy diferente la mercantil —establecida en los puertos comerciales—, la industrial —catalana y vasca sobre todo—, la financiera —afincada en Madrid— y la terrateniente, nacida tras las desamortizaciones. Políticamente serán fuerzas progresivas hasta que «la Gloriosa» y el sexenio

---

[1] D. Abad de Santillán (*Historia del movimiento obrero español* [Algorta, Ed. Zero, ⁴1970] I 35) cuenta un noble o hidalgo por cada 30 españoles en 1789. J. Mercader (*El siglo XIX* [Barcelona, Seix Barral, 1957]. 12-13) eleva la cifra para 1768: 1 por cada 12 habitantes. Sobre su peso real en la estructura económica y social comentaremos más abajo.

(1868-74) las hagan conservadoras. Económicamente tendrán intereses encontrados. Y junto a las burguesías hay que alinear a clases sociales nuevas: las clases medias, los intelectuales, los burócratas. Es toda la sociedad española la que cambia a lo largo del siglo XIX [2].

¿Y la Iglesia? Se dan también cambios en su seno. Numéricos y cualitativos. Descenderá vertiginosamente el número de vocaciones y de «gente de Iglesia». Pero, sobre todo, se conmoverán sus pilares. A comienzos del XIX, la española es una Iglesia encarnada y popular que irá experimentando dolorosamente el desenganche de la masa. Es también una Iglesia con poder y dinero. Es, igualmente, un cuerpo con clara conciencia de su identidad y tarea: el culto, la beneficencia y la enseñanza. Los avatares políticos y sociales restringirán —en algún momento suprimirán— las dos últimas áreas de su actividad y dificultarán extraordinariamente la primera. De benéfica y limosnera, la Iglesia española pasará a necesitada e indigente en ocasiones. Pero la gran pregunta que nos planteamos en estas páginas no se centra primordialmente en la vida interna de la Iglesia, sino en su actividad *ad extra*. En la España de los dos últimos siglos se producen transformaciones decisivas en cuatro aspectos fundamentales: político, religioso, económico y social. ¿Cómo actuó la Iglesia ante estos dos últimos cambios nacionales? ¿Cómo respondió al reto que supuso la industrialización?

Es obvio que responder a esta pregunta no está exento de dificultades. Desconocemos mucho sobre estos años. Sabemos algo de la superficie política, pero «ignoramos casi todo de la verdadera intimidad de los hechos» y de la «dinámica social y su plasmación en las sucesivas estructuras económicas» [3]. A pesar del tiempo transcurrido desde que se escribieron estas impresiones y del innegable avance historiográfico de los últimos años, la opinión transcrita —sobre todo en lo que se refiere a la Iglesia— conserva su vigencia. Bastantes monografías han ido aclarando aspectos concretos. Pero subsisten muchas lagunas. El lector de estas páginas debe ser consciente de la provisionalidad de no pocas afirmaciones, en espera de nuevos estudios que iluminen nuestro pasado.

Por otra parte, hay que enfrentarse a la pregunta planteada —la acción social de la Iglesia española— con objetividad. Sin ilusos deseos apologéticos —la historia es como pasó, no como hoy nos gustaría que hubiese sido— y sin estériles complejos de inferioridad. Refiriéndose a nuestro pasado reciente, J. Vicéns Vives afirmaba:

> «Por lo que la nueva historiografía va descubriendo, parece que el tribunal de la historia absolverá, en buena parte, a nuestros antepasados» [4].

¿No se podrá decir lo mismo, al menos en parte, de la Iglesia espa-

---

[2] J. VICÉNS VIVES, *Historia social y económica de España y América* (Barcelona, Teide, 1959) t.5 126-27.151-64.169-89.

[3] ID., *Historia económica de España* (Barcelona 1959) 545.

[4] Ibid.

ñola? Creemos que sí, a condición de no caer en anacronismos ni simplificaciones efectistas.

Esto nos introduce ya en el método que vamos a seguir. El siglo y medio largo que deseamos historiar no es algo unívoco. Hemos optado, en consecuencia, por trocearlo en períodos, conscientes de los peligros de subjetividad y discontinuidad que tal división acarrea. El que leyere lo comprenderá como un método didáctico utilizado en aras de la claridad. Dentro de cada período intentaremos abarcar varios aspectos. Ante todo, caracterizaremos —con brochazos rápidos; se trata sólo de recordar puntos de referencia— los años que se historian. Sobre esa base prestaremos atención a cuatro puntos: primero, a la situación económica de la Iglesia española en el período; después a la ideología social de la Iglesia —magisterio y pensadores— y a su acción en un doble terreno: las asociaciones obreras creadas por la Iglesia y la acción de beneficencia y promoción.

Es abundante la bibliografía sobre estos temas. El elenco que sigue es solamente una primera aproximación a dos capítulos generales: el pensamiento social católico en España y la acción social de la Iglesia española. Se recogen tan sólo las obras que estimamos más fundamentales. En nota se irán aportando otros títulos que abarcan aspectos más particulares o monográficos.

ELENCO BIBLIOGRAFICO

I. PENSAMIENTO SOCIAL

a) Textos y comentarios al magisterio pontificio

Doctrina pontificia. III: *Documentos sociales,* ed. preparada por F. RODRÍGUEZ (Madrid, BAC, 1959) XVI + 1235 págs.

Ocho grandes mensajes, ed. preparada por J. IRIBARREN y J. L. GUTIÉRREZ GARCÍA (Madrid, BAC, 1971) 542 págs.

Doctrina social de la Iglesia desde la «Rerum novarum» a la «Mater et magistra», ed. preparada por la COMISIÓN EPISCOPAL DE APOSTOLADO SOCIAL (Madrid 1963) 683 págs.

Direcciones pontificias en el orden social, ed. preparada por J. AZPIAZU (Madrid, Compañía Bibliográfica Española, 1960) 670 págs.

G. JARLOT, *La Iglesia ante el progreso social y político* (Madrid, Península, 1967) 460 págs.

J. L. GUTIÉRREZ GARCÍA, *Conceptos fundamentales en la doctrina social de la Iglesia* (Madrid, Centro de Estudios del Valle de los Caídos) 4 tomos: XXIX + 520; XVII + 532; XVII + 550; XVII + 513 págs.

A. TORRES CALVO, *Diccionario de textos sociales pontificios* (Madrid, Compañía Bibliográfica Española, 1962) XL + 1948 págs.

PROFESORES DEL INSTITUTO SOCIAL LEÓN XIII, *Curso de doctrina social católica* (Madrid, BAC, 1967) XVIII + 966 págs.

VARIOS, *Valoración actual de la doctrina social de la Iglesia* (Madrid, Centro de Estudios Sociales del Valle de los Caídos): Anales de Moral Social y Económica n. 28, 357 págs.

b) Magisterio episcopal

Además de los boletines eclesiásticos y *La Cruz:*

J. IRIBARREN, *Documentos colectivos del episcopado español (1870-1974)* (Madrid, BAC, 1974) XV + 557 págs.

578 *Rafael M.ᵃ Sanz de Diego*

La hiérarchie catholique et le problème social (1891-1931), ed. preparada por la UNION INTERNATIONALE D'ÉTUDES SOCIALES (Ed. Spes, 1931) XVI + 336 págs.

c) **Otras muestras del pensamiento social católico**

1. *Congresos católicos*
   Crónica del I Congreso Católico Nacional Español (Madrid, Tipografía de los Huérfanos, 1889) t.1: VIII + 643 págs.; t.2: XII + 645 págs.
   Crónica del II Congreso Católico Nacional Español (Zaragoza, Tipografía de Mariano Salas, 1891) XXXIX + 808 págs.
   Crónica del III Congreso Católico Nacional Español (Sevilla, Estudio Tipográfico de El Obrero de Nazaret, de C. Torres y Daza, 1893) XXII + 993 págs.
   Crónica del IV Congreso Católico Español (Tarragona, Establecimiento Tipográfico de F. Aris e hijo, 1894) XVI + 810 págs.
   Crónica del V Congreso Católico Español (Burgos, Imprenta y Estenotipia de Polo, 1899) 816 págs.
   Crónica del VI Congreso Católico Nacional Español (Santiago, Imprenta y Encuadernación del Seminario Central, 1903) 760 págs.
   MARTÍ, C., *Congresos católicos*, en *Diccionario de historia eclesiástica de España* I 604-605.
   SANZ DE DIEGO, R. M., *La vertiente social de los congresos católicos españoles (1889-1902):* Revista Fomento Social 126 (1977) 177-87.

2. *Semanas sociales españolas*
   [I Semana, Madrid 1906]: *Crónica del curso breve de cuestiones sociales* (Madrid, Tipografía de la Revista de Archivos, 1907) 458 págs.
   [II Semana, Valencia 1907]: *Semana Social de España. Segundo curso* (Zaragoza, Mariano Salas, 1908) XXXI + 504 págs.
   [III Semana, Sevilla 1908]: No se publicaron las conferencias.
   [IV Semana, Santiago 1909]: *Semana Social de España. Cuarto curso* (Santiago, Juan Balado, 1911) XXVIII + 297 págs.
   [V Semana, Barcelona 1910]: *Semana Social de España. Quinto curso* (Barcelona, Acción Social Popular, 1912) VIII + 706 págs.
   [VI Semana, Pamplona 1912]: *Semana Social de España. Sexto curso* (Pamplona, La Acción Social, 1916) CC + 752 págs.
   [Semana Social de Oviedo, 1926]: *La familia cristiana* (Covadonga 1926).
   [VII Semana Social, Madrid 1933]: *La crisis moral, social y económica del mundo* (s.l. [1934]) LIV + 817 págs.
   [VIII Semana Social, Zaragoza 1934], *Problemas agrarios de España* (s.l. [1936]) XXVI + 726 págs.
   AZNAR, S., *Las ocho primeras Semanas Sociales de España,* en *Crónica de la IX Semana Social* 17-48.
   AZNAR, S., *El P. Vicent en el curso social de Madrid:* Revista Social (1906) 215-25.
   DEL VALLE, F., *Semanas Sociales,* en *Diccionario de historia eclesiástica de España* IV 2420-21.
   GUTIÉRREZ GARCÍA, J. L., *Cartas de la Santa Sede a las Semanas Sociales* (Madrid, Centro de Estudios Sociales, 1978).

3. *Pensadores católicos*
   Además de las obras de cada uno de estos pensadores y de sus comentaristas que se citan al tratar de ellos, debe destacarse la figura de Severino Aznar, pensador e historiador del pensamiento y acción social católicos. Entre sus obras son especialmente interesantes:
   Problemas sociales de actualidad (Barcelona, Acción Social Popular, 1914) 307 págs.
   Estudios religioso-sociales (Madrid, Instituto de Estudios Políticos, 1949) 384 págs.

II. Acción social

a) **Obras generales**

MARTÍ, C., GARCÍA NIETO, J. N., y LLORÉNS, M., *España*, en S. H. SCHOLL, *Historia del movimiento obrero cristiano* (Barcelona, Estela-Nova Terra, 1964) p.202-31.

GARCÍA NIETO, J. N., *El sindicalismo cristiano en España* (Bilbao, Mensajero, 1960) 290 págs.

BENAVIDES, D., *El fracaso social del catolicismo español. Arboleya Martínez. 1870-1951* (Barcelona, Nova Terra, 1973) 832 págs.

MARTÍ, C., *El Sindicalismo católico en España. Nota bibliográfica,* en *Teoría y práctica del movimiento obrero en España (1900-1936)* (Valencia 1977) 79-93.

ANDRÉS GALLEGO, J., *El movimiento obrero cristiano: replanteamiento:* Nuestro Tiempo 285 (1978) 5-38.

Diccionario de historia eclesiástica de España (C.S.I.C.), sobre todo las voces *Beneficencia, Catolicismo social, Sindicalismo cristiano* y las dedicadas a cada uno de los católicos sociales: Aznar, Gafo, Palau, Vicent, etc.

Anuario social de España (de 1916 a 1929).

b) **Círculos obreros católicos**

DEL VALLE, F., *El P. Antonio Vicent y la Acción Social Católica Española* (Madrid, Editorial Bibliográfica Española, 1947) 362 págs.

ARBELOA, V. M., *Organizaciones católico-obreras españolas tras la «Rerum novarum» (1891):* Revista Fomento Social 116 (1974) 407-15.

AZNAR, S., *El P. Antonio Vicent:* Revista Social (1912) 195-201.

ID., *El P. Antonio Vicent. Etapas de una vida gloriosa:* Razón y Fe 123 (1941) 269-78.

GONZÁLEZ GONZÁLEZ, A., *Tradición y modernidad en el pensamiento filosófico de Fr. Ceferino González, O.P. (1831-1894):* Revista de Estudios Políticos 202 (1975) 115-204 (sobre los círculos de Fr. Ceferino trata en la segunda mitad del artículo).

LLORÉNS, M., *El P. Antonio Vicent, S.I. (1837-1912). Notas sobre el desarrollo de la acción social católica en España:* Estudios de Historia Moderna 4 (1954) 395-435.

VICENT, A., *Socialismo y anarquismo* (Valencia, J. Ortega, 1893, XXIV + 502 págs.; Valencia, J. Ortega, 1895, LX + 684 págs., ed. popular).

c) **Sindicatos católicos industriales**

CASTILLO, J. J., *El sindicalismo amarillo en España. Aportación al estudio del catolicismo social español (1912-1923)* (Madrid, Edicusa, 1977) 297 págs.

ARBELOA, V. M., *Los sindicatos católicos en España: un intento de aconfesionalización (1931-1932):* Revista Fomento Social 114 (1974) 201-208.

CARRASCO, S., *El sindicalismo católico libre: sus orígenes y causas de su fracaso:* Escritos del Vedat III (1973) 539-79.

ID., *Los superiores dominicos ante el catolicismo social:* Escritos del Vedat IV (1974) 667-86.

CASTILLO, J. J., *Planteamientos teóricos para el estudio del sindicalismo católico en España:* Revista de Estudios Sociales 17-18 (1976) 37-73.

ID., *Modulaciones ideológicas del catolicismo social en España: de los círculos a los sindicatos:* Revista Española de la Opinión Pública 45 (1976) 37-75.

ID., *Sobre la financiación patronal del sindicalismo católico en España:* Negaciones 2 (1976) 199-219.

ID., *¿Fracaso del sindicalismo católico?:* Revista Fomento Social 127 (1977) 279-88.

ID., *El Comité Nacional circunstancial de la CESO (1936-38):* Revista Española de la Opinión pública 38 (1974) 205-303.

ELORZA, A., *La Confederación Española de Sindicatos Obreros (1935-1938):* Revista de Trabajo 33 (1971) 129-412.

GARCÍA VENERO, M., *La Solidaridad de Obreros Vascos (1911-1937):* Revista de Trabajo 8 (1964) 9-27.

GOROSQUIETA, J., *El drama de la confesionalidad sindical en España (1900-1931):* Revista Fomento Social 116 (1974) 381-89.

SUÁREZ, J., *El dominico P. Gafo (1881-1936):* Vida Nueva 956 (1974) 23-31.

d) **Sindicalismo católico agrario**

CUESTA, J., *Sindicalismo católico agrario en España (1917-1919)* (Madrid, Narcea Ediciones, 1978) 310 págs.

CALERO, A. María, *Historia del movimiento obrero en Granada (1909-1923)* (Madrid, Tecnos, 1973) p.276-86.

CARRASCO, S., *Sindicalismo católico agrario en Andalucía:* Revista de Estudios Sociales 17-18 (1976) 75-100.

CASTILLO, J. J., *Notas sobre los orígenes y primeros años de la Confederación Nacional Católico-Agracia,* en GARCÍA DELGADO, J. L., *La cuestión agraria en la España contemporánea* (Madrid, Edicusa, 1976) 201-57.

HERRERO, A., *Sindicalismo católico agrario en España.* Tesis inédita.

GINER, C., *El pensamiento social de Sisinio Nevares (1878-1946).* Tesis inédita.

Capítulo I

LOS ORIGENES: HASTA 1868

Englobar sesenta años de historia bajo un título tan genérico como «Los orígenes», no equivale a minusvalorar la importancia de lo que ocurrió en esas décadas. Pretende tan sólo subrayar que en este período existe ya la cuestión social —van fraguando el término y la realidad—, pero todavía con características que diferencian estos años de los posteriores. Fundamentalmente, son dos los aspectos que configuran estos años como diferentes:

— el nacimiento de la industrialización española;
— el aislamiento del movimiento obrero español respecto a los europeos.

A partir de 1868, la situación cambiará. Esto justifica la consideración de este largo medio siglo como un período de prehistoria. Prehistoria llena de acontecimientos y significado.

a) Política

Políticamente es una época compleja. El país se ve embarcado en cinco guerras: Independencia, América, Marruecos y las dos carlistas. Se elaboran seis ordenamientos constitucionales —la mitad de los que ha tenido España en toda su historia moderna—, aunque alguno no pase de proyecto. Nacen los partidos políticos. También se van configurando las nuevas clases sociales, como grupos de presión. Desde el punto de vista político, se pueden distinguir cuatro grandes períodos en estos años: la guerra de la Independencia (1808-14), el reinado de Fernando VII (1814-33), las regencias de María Cristina de Nápoles y Espartero (1833-43) y el reinado de Isabel II (1843-68).

b) Economía

El factor político incidirá en la economía [5]. Las guerras serán una sangría para España, y no sólo humana. Es difícil evaluar su coste económico: se impone calcular los gastos (armamento, intendencia y des-

[5] En este y en los demás períodos, las apreciaciones sobre la situación económica general se basan en las historias o monografías dedicadas a este tema; principalmente: J. VICÉNS VIVES, *Historia social y económica de España y América* t.5; M. TUÑÓN DE LARA, *El movimiento obrero en la historia de España* (Madrid, Taurus, 1972); J. BENEYTO, *Historia social de España y de Hispanoamérica* (Madrid, Aguilar ²1975); VARIOS, *Historia social de España. Siglo XIX* (Madrid, Guadiana, 1972); *Siglo XX*, (Madrid, Guadiana, 1976), etc. Es también interesante la consulta de la *Revista de Trabajo* en su última época.

trozos), lo que se deja de ganar —agricultura, ganadería, industria no militar y comercio exterior decaen notablemente— y las consecuencias para la productividad posterior: tras la guerra, muchos combatientes son difícilmente incorporables a la población activa. Con estas matizaciones son sólo aproximadas las cifras que se suelen aducir: 12.000 millones de reales para la guerra de la Independencia, 60 millones de reales al mes para cada uno de los bandos durante la guerra carlista. La pérdida de las colonias americanas —de ellas procedía un 50 por 100 de los ingresos de la metrópoli— hace más precaria la situación. La deuda exterior y la deuda estatal, ambas crecidas desde finales del XVIII, siguen aumentando hasta la época isabelina. En la «década ominosa», la gestión de López Ballesteros palía algo la situación temporalmente. Pero el turbulento período de las regencias hace crecer la deuda nacional. La reforma financiera de Mon (1845) y la «operación de racionalización», que intentó dar coherencia a la economía española en los últimos años de Isabel II, dieron fruto relativo hasta la crisis de 1866.

La gran mayoría de la población activa en los dos primeros tercios del siglo XIX se ocupa en la *agricultura*. El número de campesinos aumenta en este período, y seguirá siendo mayoritario durante todo él, aunque a partir de 1830 crezcan en mayor proporción los obreros industriales. Los problemas específicos del campo español están ya presentes a comienzos del siglo pasado como herencia de épocas anteriores: la desigual distribución de la propiedad —latifundios al sur y minifundios al noroeste—, la falta de estructura que permita una adecuada comercialización y el atraso técnico. A los dos primeros problemas se intentó responder con algunas medidas que afectaban también a la Iglesia: las desamortizaciones y la supresión de los diezmos (que aumentaba el volumen de los productos comercializados). La carencia de infraestructura para la comercialización se fue paliando con el aumento de vías de comunicación, del que nos ocuparemos más adelante.

La producción agrícola se basaba, fundamentalmente, en cuatro pilares: los cereales, sobre todo el trigo castellano, ayudado por medidas proteccionistas; la vid, cuya producción se triplica en este período; el aceite, que experimenta una notable·expansión desde comienzos del segundo tercio del siglo, y los productos hortícolas, todavía en pequeñas cantidades. A principios de esta época, la agricultura es todavía de subsistencia y casi un tercio de los españoles está subalimentado. Ya en el reinado de Isabel II se pasa a una agricultura comercial: la red de transportes, la supresión del diezmo y la extinción de aduanas interiores contribuyeron a ello. Con todo, la situación del mundo agrario no dejó de ser penosa: las crisis periódicas, las cargas fiscales y la persistencia del atraso técnico fueron algunas de las causas. Una evolución paralela siguió la ganadería. Tras la guerra de la Independencia, la cabaña nacional creció en más de 7 millones de cabezas (la cifra corresponde a 1826), pero las guerras sucesivas y la desaparición de los prados concejiles con la desamortización le perjudicaron.

El aumento más espectacular de este período corresponde a la *indus-*

tria. La textil catalana fue la pionera en la industrialización de España. A ello contribuyeron la repatriación de capitales tras la pérdida de América, la mecanización progresiva (el telar mecánico se introduce en 1832; las selfactinas, en 1844), la libertad de industria y los aranceles proteccionistas. En la primera década del reinado isabelino, la producción se decuplica. Al final del reinado, la guerra de secesión norteamericana frena esta expansión al disminuir las importaciones de algodón. Los avances técnicos favorecieron también a la industria siderúrgica, localizada inicialmente, sobre todo, en Andalucía, pero trasladada a Vizcaya por las nuevas exigencias: el empleo del carbón de coque y la comercialización con Inglaterra. El sistema Bessemer transformará más aún, a finales de este período y a principios del siguiente, la industria siderúrgica vizcaína.

También progresa en estos años la *minería.* A pesar de su porvenir, no fue campo tentador para los capitalistas españoles, que preferían invertir con ventajas a más corto plazo. Por eso, el capital invertido en minas fue primordialmente extranjero y estatal. Algo parecido ocurrió con las *vías de comunicación.* A las seis carreteras generales construidas por Floridablanca, se añaden los 4.580 kilómetros realizados bajo Fernando VII, que llegan a 18.000 al final del reinado de Isabel II. Desde 1848 se implanta el ferrocarril en España: en 1866, el tendido supera los 5.000 kilómetros [6]. Material e inversiones procedieron en gran cantidad del extranjero. Otras vías de comercialización —los canales y las compañías navieras— comienzan también a aprovecharse en las décadas que historiamos. Indudablemente, todo ello benefició al *comercio,* que contó además —coincidiendo casi con el bienio progresista— con una ayuda no esperada: la guerra de Crimea.

Para completar el cuadro económico de estos años es preciso añadir un elemento: la *concentración de capitales.* El fenómeno se produce especialmente a partir de la muerte de Fernando VII. A la concentración de propiedad agrícola contribuyeron decisivamente las desamortizaciones. Ya bajo Isabel II se concentran algunas industrias y se crean los bancos, que, a pesar de las crisis (1847, 1866), conservan una fuerte cuota de poder económico y político.

c) **Sociedad**

Esta transformación económica colaboró a la *transformación social.* La antigua división de la sociedad —los tres estados— se diversifica. A finales del XVIII, la *nobleza* española no sólo era proporcionalmente numerosa, sino, además, una fuerza económica. Poseía 15 ciudades, 2.286 villas, 4.267 lugares, 671 aldeas, 612 granjas, 400 cotos redondos y 430 despoblados. Tras el poco airoso papel que buena parte de la nobleza jugó en la guerra de la Independencia, las Cortes de Cádiz, de ideolo-

---

[6] Sobre intentos anteriores a este período, cf. T. M. HERNÁNDEZ SEMPERE, *Los inicios de las concesiones ferroviarias en España,* en *Homenaje al Dr. D. Juan Reglá Campistol* (Valencia 1975) vol.2 287-302. En la n.1 presenta bibliografía sobre el ferrocarril en España en la época posterior.

gía económica liberal-burguesa y en las que sólo participaban 14 aristócratas, abolieron los señoríos, mayorazgos, rentas, foros y aparcerías. Más vigencia que los decretos gaditanos tuvo la decisión de la Corona, que prefirió apoyarse en clases sociales con más valía y menos ansia de poder. Aunque la guerra carlista produjo una nueva floración de títulos, la aristocracia cambió el signo. Isabel II contribuyó a ello haciendo nobles a personajes provenientes del mundo de los negocios —Salamanca— o de la milicia: Narváez, Prim, O'Donnell, etc. Con todo, no se puede deducir apresuradamente el ocaso de la antigua nobleza; desapareció como categoría en los censos oficiales, pero no perdió su lugar predominante en la estructura social del país, ya que conservó y acrecentó buena parte de sus propiedades agrarias.

Más arriba hemos aludido al nacimiento de *las burguesías* al compás de la revolución industrial. Aunque sus intereses concretos eran a veces contrapuestos, se van configurando como clase unificada, pues los aglutina algo común: que se respeten las adquisiciones liberales de Cádiz (libertad de industria y defensa de la propiedad). Hasta que llegue «la Gloriosa», las burguesías serán una fuerza política y económicamente progresiva: las desamortizaciones les han favorecido y a la vez las han ligado a los partidos más avanzados. En la época isabelina apoyarán a los moderados mientras éstos mantengan el orden necesario para su prosperidad económica.

No son totalmente burguesía, pero mucho menos proletariado, los miembros de otra clase que se va configurando como fuerza política: la que genéricamente podemos llamar *clase media*. La forman abogados, médicos, funcionarios, periodistas, etc. Tienen menos poder, pero más impulso progresista que los burgueses.

En estas décadas tenemos muchos datos dispersos sobre la *clase trabajadora*. Varían mucho los salarios de una región a otra; del sector agrícola al industrial (y, aun dentro de éste, de una industria a otra), es diferente la retribución de hombres, mujeres y niños, y a distintas épocas corresponden también salarios y precios diferentes. En obras dedicadas monográficamente a esta temática se pueden encontrar aproximaciones más exactas, que aquí no son precisas [7]. Como orientación genérica, puede decirse que el sueldo de un obrero industrial podía acercarse a los 11 reales/día en el primer tercio del siglo y rondar los 14 en el segundo. Su horario laboral solía ser de 12 horas (aumentadas no raramente hasta 14) y contaba con un día de descanso semanal. La seguridad en el trabajo y la estabilidad en el empleo eran ínfimas. La progresiva industrialización aumentó las cifras de parados; de ahí la airada reacción de algunos obreros contra las selfactinas. El campesino estaba en peores condiciones: su trabajo era aún más eventual y su sueldo osciló entre los 2 y los 12 reales/día (según la provincia y la época del año), a los que se añadía la comida. El trabajo del campo era

---

[7] Por su claridad —agrupa los salarios y precios según las épocas—, remito para este punto a M. Tuñón de Lara, *El movimiento obrero en la historia de España*. Valga esta observación también para los siguientes períodos.

«de sol a sol»: en verano podía alcanzar fácilmente las 16 horas y aun superarlas.

Como punto de comparación —y con las salvedades enunciadas antes— puede valer la siguiente indicación sobre sueldos de las clases más acomodadas: En la década de los 30, un ingeniero de la industria textil percibía 27 reales al día. En los años de Isabel II, los maestros podían cobrar de 7 a 21 reales; los funcionarios, de 16 a 30; los catedráticos, alrededor de 50, y algunos empresarios se embolsaban de 1.300 a 2.200 reales diarios.

El valor real del salario de obreros y campesinos nos lo pueden aclarar algunas indicaciones. Hacia la mitad del siglo, en Barcelona se calculaba que un obrero casado y con dos hijos necesitaba más de 4.000 reales al año para vivir modestamente. La alimentación se llevaba casi un 80 por ciento del presupuesto a pesar de su precariedad: solía consistir en pan, legumbres y bacalao. La carne entraba en la dieta de sólo un 12,5 por ciento de españoles (naturalmente, de clase más elevada). La falta de descanso y de condiciones higiénicas en el trabajo y la vivienda reducían notablemente su esperanza de vida: se calculaba en veinticuatro años para el obrero catalán a comienzos del reinado isabelino. La cantidad de víctimas que se cobraban las epidemias era un signo de este estado sanitario: el cólera de 1833 ocasionó 300.000 muertes; el de 1855, 236.744; el de 1865, 119.000.

El estado cultural de las clases trabajadoras no era mejor que el sanitario. Al comenzar el XIX sabían leer y escribir algo más del 5 por 100 de los españoles. Al comenzar la última década del reinado de Isabel eran casi el 20 por 100. También había aumentado el número de estudiantes de enseñanza media: los 4.480 alumnos de 1851 se habían cuadruplicado en 1860, y quintuplicado al final del período que abarcamos ahora. De todas formas, 25.000 alumnos de enseñanza media no eran una proporción lisonjera para los más de 15 millones de habitantes con que contaba España. Igualmente exiguo era el número de matriculados en enseñanza universitaria: menos de 6.000 en el curso 1859-60, y de ellos, más de 50 por 100 cursaba Leyes. Los hijos de obreros y campesinos no frecuentaban la enseñanza media ni la superior y, ciertamente, no todos asistían a la escuela primaria.

1. SITUACIÓN ECONÓMICA Y SOCIAL DE LA IGLESIA

Para hacerse una idea de la situación económica y social de la Iglesia española en los dos primeros tercios del XIX hay que retroceder hasta mediados del siglo anterior. Para entonces, el catastro del marqués de la Ensenada nos ofrece un punto de partida hasta cierto punto sólido. Luego se suceden avatares político-económicos que transformarán completamente la situación económica de la institución eclesial, que, de tener abundantes propiedades, pasará en unos años a una economía de escasez: guerra de la Independencia, reformas del trienio 1820-23, desamortizaciones y arreglos con la Iglesia que culminarán en el concordato de 1851 y el convenio adicional de 1859-60 [8].

a) Hasta la guerra de la Independencia

Fundamentalmente, eran tres las fuentes de ingresos de la sociedad eclesiástica en el Antiguo Régimen: las rentas de sus propiedades, el producto del diezmo y los derechos de altar y fundaciones culturales.

— Las *propiedades* de la Iglesia en Castilla y León a mediados del XVIII (seguimos el catastro del marqués de la Ensenada; para la Corona de Aragón remitimos al estudio de A. Domínguez Ortiz citado en la nt.8) se elevaban a 347 millones de reales, comprendiéndose ahí las fincas rústicas y urbanas. A esto podían añadirse los 96 millones de reales que sumaba lo patrimonial, que, aunque no era propiedad de la Iglesia, estaba en manos de eclesiásticos. Como datos complementarios puede resultar útil saber que las propiedades que estaban en manos de seglares ascendían en el mismo territorio a más de 2.374 millones de reales y que las rentas por cultivo de las propiedades rústicas que estaban en manos eclesiásticas eran proporcionalmente superiores a las de otras tierras; en parte, por el mayor cuidado de que eran objeto. En extensión, la Iglesia tenía en sus manos, aproximadamente, algo más del 12 por 100 de los bienes inmuebles de la nación.

— Según la misma fuente, los ingresos por *diezmos y primicias* superaban los 80 millones de reales. En su *Diccionario de Hacienda*, Canga Argüelles lo hace subir a 368 millones de reales a comienzos del XIX. Aun así, su producto no pasaba del 1,5 por 100 del producto bruto de la agricultura. Con todo, hay que hacer notar que es ésta una cifra muy variable. Dependía obviamente de las cosechas o crianza de animales. Su cuantía y los bienes a que se aplicaba diferían de unas regiones a otras. Tampoco pagaban diezmo todos los habitantes: legalmente existieron muchas exenciones, hasta que Pío VI las revocó en 1796. Pero el cumplimiento de esta orden no podía ser muy exacto. Finalmente es preciso advertir que no todo el producto del diezmo acababa en la bolsa de la Iglesia: la Hacienda Pública, el rey y los arrendatarios rebañaban, aproximadamente, un tercio de dicha cantidad.

— Igualmente es difícil de evaluar con precisión los *derechos de altar*. Si hemos de hacer caso a Moreau de Jones, en España se celebraban unas 60.000 misas diarias, de las que la mitad correspondían a fundaciones. El estipendio de las otras 30.000 oscilaba entre tres y cuatro reales. Pero estos cálculos, como indica la experiencia, son sólo aproximados. Lo mismo debe decirse de los aranceles por bodas, entierros y bautismos, que, además, no eran iguales en todas partes.

---

[8] Una buena introducción a esta problemática: Q. ALDEA, *Patrimonio eclesiástico*, en *Diccionario de historia eclesiástica de España* III 1890-95 y 1898-1905. También M. GONZÁLEZ, *Vicisitudes de la propiedad eclesiástica en España durante el siglo XIX:* Rev. Esp. de Derecho Canónico (1946) 383-424. Sobre el XVIII: A. DOMÍNGUEZ ORTIZ, *La sociedad española en el siglo XVIII y Las rentas episcopales de la Corona de Aragón en el siglo XVIII*, en J. NADAL-G. TORTELLÁ (eds.), *Agricultura, comercio colonial y crecimiento económico en la España contemporánea* (Barcelona, Ariel, 1974) 13-43. La política de las Cortes gaditanas la estudia J. BRINES, *Las Cortes de Cádiz y la problemática desamortizadora*, en *Homenaje al Dr. D. Juan Reglá Campistol* II 265-77. Aunque sobre las desamortizaciones nos remitiremos a la colaboración del Dr. Cárcel en este libro, no pueden dejar de citarse, por sus análisis de las consecuencias de estas medidas: M. REVUELTA, *La exclaustración (1833-40)* (Madrid, BAC, 1976) y un artículo complementario del mismo autor: *Los pagos de pensiones a los exclaustrados y a las monjas (1835-50):* Estudios Eclesiásticos 204 (1978) 47-76.

Dada la obligada imprecisión de estas partidas, se comprende cuál puede ser el grado de exactitud que tiene la cifra global que para comienzos del XIX suele aducirse como total de los ingresos de la Iglesia española cada año. La cifra de 1.000 millones de reales es forzosamente aproximada y hay que tener en cuenta todas las variantes —regionales y temporales— a que acabamos de aludir. Regionales también: obviamente, no todas las diócesis percibían los mismos ingresos por los capítulos enunciados.

Tan importante como el valor global de los ingresos eclesiásticos —y de su relación con el total de la riqueza nacional— es conocer, al menos, otros dos datos: el número de eclesiásticos, presuntos partícipes de estos ingresos, y el destino que la Iglesia daba a esos bienes.

En la etapa en que nos movemos, la *demografía eclesiástica* presenta unos contornos bastante difusos. Para los primeros años del XIX hay relativa concordancia de testimonios: la «gente de Iglesia» ronda las 200.000 almas; aproximadamente un 2 por 100 de la población española. Se pueden distribuir así:

Clero secular	85.000
Religiosos	70.000
Monjas	30.000
Oficiales de la Inquisición	8.000

Una sencilla división nos haría ver que en este período, en el que la Iglesia conserva aún sus propiedades, los 1.000 millones de renta percibidos anualmente, distribuidos entre todos los eclesiásticos, arrojarían poco más de 13 reales diarios a cada uno. Evidentemente, se trata de una cuenta ficticia. Ni todos los eclesiásticos percibían lo mismo, ni todos los ingresos de la Iglesia redundaban en beneficio del clero. De la beneficencia nos ocuparemos más abajo; sólo ella absorbía buena parte de los fondos eclesiásticos. Digamos alguna palabra sobre otros destinatarios de los bienes de la Iglesia: algunos seglares y la Hacienda Pública.

Ya quedó dicho más arriba que parte del producto de los diezmos no llegaba a manos eclesiásticas. En algunas regiones —Cataluña, por ejemplo—, era corriente que el rey o los señores los percibiesen. En casi todas, los encargados del cobro se embolsaban algunas cantidades. Otros ingresos aparentemente eclesiásticos revertían también al Estado. Así, el producto de la bula de la Cruzada hasta 1849.

Pero, en cualquier caso, la sangría más importante a los bienes eclesiásticos la constituía *la ayuda económica de la Iglesia al Estado*. Venía siendo una constante del Antiguo Régimen. Para hacer frente a los gastos públicos, los reyes habían ido consiguiendo de los papas que la Iglesia española contribuyese a ellos de forma regular. Así, por ejemplo, el rey disponía, habitualmente, de una buena parte de las rentas de las Ordenes Militares (en su calidad de gran maestre), de los espolios y vacantes de las mitras y otras prebendas, de las «medias anatas» (la mitad o la cuarta parte de los productos recibidos en el primer año de disfrute de un beneficio), de parte de los diezmos (las «tercias reales» y el «excusado» o diezmo de la casa mayor), etc. Todo esto en tiempo normal. Cuando la penuria del erario se hacía mayor, la Corona de España fue consiguiendo, además, subsidios extraordinarios; según Canga Argüelles, de 1794 a 1806 la ayuda extraordinaria de la Iglesia al Estado sobrepasó los 400 millones de reales, a los que habría que añadir los 1.600 que, de acuerdo con la estimación de Fernández González y de Cárdenas, alcanzó la desamortización concedida por el papa a petición de Carlos IV.

b) **De la guerra de la Independencia hasta Mendizábal**

La guerra contra los franceses trastornó aún más este estado de cosas. Las tres fuentes principales de ingresos de que disponía la Iglesia —rentas, diezmos, estipendios— quedaron muy disminuidas. Los avatares de la guerra destruyeron o inutilizaron parte de los bienes eclesiásticos. Las necesidades de la población atendida por la beneficencia de la Iglesia aumentaron. También aumentaban las necesidades del Gobierno. Debido a esto, y también a las reticencias hacia los regulares heredadas del pasado, el Gobierno de *José Bonaparte* tomó una serie de medidas económicas que afectaban a la Iglesia: la reducción de conventos a un tercio —emprendida por Napoleón a su paso por Chamartín— la amplió José I hasta la extinción total, confiscando sus bienes, así como el oro y la plata de las iglesias. Estas medidas y otras más, preludio de la desamortización, no eran originales. Ya en los reinados de Carlos III y Carlos IV se habían promulgado resoluciones que tendían a impedir la acumulación de bienes en manos de los regulares: dificultades a la hora de acceder a herencias, enajenación de bienes raíces, que se obligaba a canjear por vales reales, etc. No solamente los afrancesados se apropiaron de bienes eclesiásticos. También la *Junta Central* se sintió obligada a hacerlo por las estrecheces de la situación.

Por su filosofía, más importancia tuvieron las medidas de las *Cortes de Cádiz*. Cuantitativamente, no fueron muchos los bienes eclesiásticos enajenados; las circunstancias de la guerra no lo permitían. Pero detrás del decreto de 17-6-1812 y de la ley de 13-9-1813 latía una filosofía que preludiaba la que inspirará las medidas del trienio y las de Mendizábal: se prescinde del Vaticano a la hora de decidir las operaciones decretadas y se mezcla a las decisiones económicas el firme propósito de realizar el «arreglo del clero» (reducción de conventos, limitación de órdenes y provisión de beneficios, etc.).

Durante el *período absolutista de Fernando VII* (1814-20) se ordenó reintegrar a la Iglesia las propiedades no vendidas e incluso las vendidas, con reparación económica aneja por los bienes dejados de percibir en esos años. Al amparo de estos decretos, las órdenes religiosas volvieron a instalarse en sus antiguas propiedades.

Casi todo ello se disolvió durante el *trienio constitucional* (1820-23). Uno de los primeros actos del Gobierno fue la puesta en vigor de los decretos gaditanos y de la pragmática de Carlos III que suprimía la

Compañía de Jesús. Se reanudó la venta de bienes eclesiásticos. Se pusieron trabas a la salida de dinero vía Roma en concepto de gracias y dispensas. Se redujo al 50 por 100 el producto del diezmo. Es cierto que se asignó, sobre el papel, un presupuesto de más de 423 millones de reales en concepto de dotación de culto y clero. Pero no se arbitraban medidas para reunir esa cantidad. De hecho, los eclesiásticos recibieron menos de un 10 por 100 de lo acordado. Por otra parte, los regulares secularizados (más de 7.000 según Madoz, equivalente casi a un tercio del total) percibieron también, tarde y mal, los tres reales de renta que les habían sido asignados. Como ha escrito un buen conocedor de esta época, «los secularizados, triste herencia humana del trienio, aumentarán la tragicómica clase de los cesantes» [9]. Es decir, vivirán una existencia miserable e insegura y serán un factor más de desequilibrio para la nación.

La última etapa de Fernando VII, la *ominosa década* (1823-33), verá de nuevo imperar el pendulismo: por decreto se vuelve a la situación de 1820. Pero tampoco durará mucho este estado de cosas. A partir de su muerte, se emprenderá el último y definitivo desmantelamiento de las propiedades eclesiásticas.

c) Las desamortizaciones y sus consecuencias

De las dos desamortizaciones de este período —la de Mendizábal y la del bienio progresista— se trata ya en otras páginas de este mismo tomo. Por eso bastará hacer una breve alusión a algunas de sus consecuencias y a los remedios que se fueron arbitrando a lo largo del reinado de Isabel II.

Dejando de lado otras consecuencias de las medidas desamortizadoras —aproximación del clero a los sectores más conservadores, única esperanza de recuperar sus bienes; pérdida de tesoros artísticos y culturales, etc.—, nos centramos fundamentalmente en las repercusiones económicas. La desamortización transformó radicalmente la economía de la Iglesia, y, como consecuencia, la vida y situación social de los eclesiásticos. Por una parte, liquidó dos de sus tres fuentes de ingresos: la renta de sus propiedades y el diezmo, suprimido en 1837. Esto redujo a un tenor de vida más estrecho al clero secular y al regular. Los exclaustrados (más de 24.000 en 1837) y las exclaustradas llevaron una existencia difícil a pesar de las asignaciones prometidas, pocas veces entregadas. Pero, sobre todo, los eclesiásticos tuvieron que cambiar su rol social. De ser limosneros pasaron a una situación precaria. Tuvieron que abandonar casi por completo dos áreas de acción que hasta entonces habían ejercido primordialmente: la beneficencia y la enseñanza. Todo ello suponía tal tambaleo de su identidad, que se ha podido escribir: «Las convulsiones que experimentaron fueron tantas y tan fuertes, que los descompusieron como cuerpo social» [10].

---

[9] M. Revuelta, *Política religiosa de los liberales en el siglo XIX* (Madrid, C. S. I. C., 1973) 333.
[10] A. Jutglar, *Ideologías y clases en la España contemporánea* (Madrid, Edicusa, 1968) I

El Gobierno, sin embargo, no pretendía aniquilar a la Iglesia. Buscaba tan sólo limitar su poder, además de otras finalidades: aligerar la deuda pública, redistribuir la propiedad agraria para hacerla más productiva, acelerar los intercambios comerciales y ganarse a la nueva burguesía, beneficiaria de la desamortización. Por eso, al mismo tiempo que dictaba los decretos desamortizadores, intentaba paliar sus efectos desastrosos para la Iglesia.

Varias medidas se fueron arbitrando, basadas todas en lo que se llamó «dotación del culto y clero». Se llegó a un arreglo de forma definitiva en el concordato de 1851. Pero antes —desde 1834, y, sobre todo, en 1848 con la creación de una Junta Mixta— se acordó una dotación que ascendía a 153 millones de reales anuales. Finalmente, se decidió que los fondos para esta dotación provendrían del Tesoro Público, que, a su vez, los recaudaría de las siguientes fuentes:

— los bienes eclesiásticos no vendidos;
— la bula de la Cruzada;
— las vacantes de las encomiendas y maestrazgos de las Ordenes Militares;
— otras imposiciones hasta completar lo estipulado.

Prácticamente, la cuantía de esta dotación se mantuvo intacta durante este período. Ello suponía que las posibilidades económicas de la Iglesia fueron mermando a medida que descendía el poder adquisitivo de la moneda. Tampoco hay que perder de vista que esta forma de subvención hacía depender notablemente a la sociedad eclesiástica de la civil. Bastantes de los avatares políticos de estos años —el concordato de 1851 y el convenio adicional de 1859 sobre todo— y no pocos de los conflictos que enfrentaron a la Iglesia y al Estado tuvieron su origen en estas disposiciones.

Tras estos arreglos, quedó así la dotación del clero:

Arzobispos	Entre 130.000 y 160.000	reales/año
Obispos	Entre 80.000 y 100.000	» »
Párrocos	Entre 2.200 y 10.000	» »
Coadjutores	Entre 2.000 y 4.000	» »
Seminarios	Entre 90.000 y 120.000	» »
Regulares	Entre 1.095 y 2.190	» »

La dotación asignada a la gran mayoría del clero regular —párrocos y coadjutores— y a los religiosos era, a todas luces, insuficiente. En muchos casos quedaba por debajo del salario de un obrero no cualificado. Hay que tener presente que, además de lo percibido a cuenta del Estado, el clero mantenía otra fuente de ingresos: las donaciones de los

81. A las medidas económicas se unieron también los «arreglos del clero»: prohibición de conferir órdenes, etc., y los ataques violentos: matanzas de frailes. Todo esto explica las consecuencias de esta época en el estamento clerical. Expresa esta situación V. Cárcel Ortí, *El primer documento colectivo del episcopado español:* Scriptorium Victoriense (1974) 152-99. Puede verse también L. Sánchez Agesta, *Historia del constitucionalismo español* (Madrid, Instituto de Estudios Políticos, 1955) 120.

fieles, especialmente por medio de los estipendios y derechos parroquiales. Es ésta una cantidad no fácilmente mensurable por ser aleatoria y por variar según las épocas y regiones. A título orientador, valga el siguiente cuadro, correspondiente a dos fechas extremas de este subperíodo:

	Estepa (1851)	*Jaén (1867)*
Bautismo	—	De 12 a 36 reales
Boda: Amonestaciones ..	—	6 reales
» Desposorios	—	11,50 reales
» Velaciones	—	38 reales
Entierro: Párvulo	10 reales de vellón	De 15 a 111 reales
» Adulto	De 59 a 328 reales de vellón	De 20 a 115 reales
Búsqueda de partida	5 reales de vellón	2 reales
Certificados	—	4 reales

Todo se hacía gratis en caso de pobreza. Hay que notar además que el sacerdote recibía sólo un tercio del total percibido; el resto se distribuía entre sacristán, acólito, organista, fábrica, etc. [11]

Estas indicaciones sumarias nos permiten hacernos una idea aproximada de los ingresos extraconcordatarios con que podían contar los eclesiásticos. Y deducir que, en los años que van desde la muerte de Fernando VII al destronamiento de Isabel II, la situación económica del clero español pasó por dos épocas bastante diferenciadas.

En los años que transcurrieron entre la desamortización de Mendizábal y el primer arreglo económico, la situación fue más precaria. De los años finales de la década de los cuarenta es la exposición a Isabel II que describe con colores muy negros la situación de la archidiócesis primada: el clero, mendigando; el culto, mísero; los templos, en ruina o andrajosos [12]. Todavía se restringirá notablemente la colación de curatos y beneficios en esta época.

Tras los arreglos económicos, la situación fue cambiando. Las asignaciones —suficientes e incluso abundantes para el alto clero— eran muy reducidas para el clero parroquial. Pero las otras fuentes de ingresos —estipendios y limosnas, aunque éstas se dedicaban mayoritariamente a necesidades ajenas— y, sobre todo, la seguridad de que la asignación era concordada variaron un tanto la precaria situación anterior. Con todo, no hay que olvidar que la seguridad se vio afectada por el bienio progresista a los cinco años de la firma del concordato y que el atraso en la entrega de las asignaciones concordadas alcanzó a casi la

---

[11] Para los aranceles de Estepa cf. *Libro de visita* de la parroquia de Santa María (Estepa), volumen correspondiente a 1805s p.38s. Para los de Jaén: Archivo General del Ministerio de Justicia, leg.3.834 exp.15.474.
[12] BULDÚ, *Historia de la Iglesia de España* (Barcelona, Pons, 1857) II 596. Testimonios parecidos en cartas enviadas al nuncio en 24-7 y 3-8-1848: Archivio Segreto Vaticano, Nunziatura de Madrid, 311 tít.6 rúb.3.

mitad de las diócesis españolas en el último bienio isabelino. En 1868 se pensó en reducir el presupuesto de culto y clero [13]. Con todo, a pesar de las estrecheces de 1866-68 —que afectaron a casi toda la población—, la situación económica del clero fue precaria, pero no de miseria, como ocurriría en la época siguiente.

A todo lo anterior habría que añadir una última palabra sobre la *situación social* del estamento religioso en las seis décadas que nos ocupan. Por su origen, el clero español de esta época es mayoritariamente popular. Es más: la jerarquía eclesiástica española no fue elitista por razón de sus orígenes, en contraste con otros países [14]. Si bien es cierto que la Iglesia española no fue ejemplar en la distribución de sus efectivos humanos y económicos, lo fue, en cambio, en su inserción en el pueblo por origen y por tenor de vida, al menos en el primer tercio de siglo. En estos años se puede decir, en general, que la Iglesia vive cercana al pueblo y éste siente cercano al clero. El distanciamiento —hablando en términos generales— se gestará en el reinado isabelino y se consumará en las épocas siguientes. Sin ser su única causa —los orígenes del anticlericalismo español esperan aún su estudio—, parece cierto que el advenimiento de la revolución industrial tuvo mucho que ver con este fenómeno.

2. MAGISTERIO Y PENSADORES CATÓLICOS

En los dos primeros tercios del siglo pasado tuvieron cierto eco en España —además del pensamiento católico— cuatro ideologías sociales [15]. Aludiremos brevemente a ellas para enmarcar en su contexto la doctrina eclesiástica sobre el tema. Sólo así y no desde una ortodoxia atemporal, se puede valorar la aportación doctrinal de la Iglesia.

1) *Epígonos de los economistas del* XVIII (Cabarrús, Campomanes, Jovellanos, etc.). Son una serie de autores preocupados por la cuestión social: Flórez Estrada, Franco Salazar, Orense, Martínez Marina, etc. Además de otras iniciativas sociales —limitación de herencias, salarios y propiedad según las necesidades, etc.—, su ideología partía de dos premisas:
— Redistribución y aprovechamiento de los bienes agrarios desamortizándolos.
— Acción estatal: son herederos del despotismo ilustrado.

[13] Cf. ibid., 423 sez.31.1, leg.17 y 22. En octubre de 1867, los atrasos afectaban a 24 diócesis. El arzobispo de Zaragoza se quejaba al nuncio de que las angustias presupuestarias —la razón real invocada— afectaban al clero y no a las demás clases que dependían del Estado. Su carta del 19-5-1867, ibid., 361.

[14] Aun contando con la imprecisión de los datos disponibles, establece esta conclusión J. M. CUENCA TORIBIO, *Sociología del episcopado español en la crisis del Antiguo Régimen*: Hispania (1976) 567-622 y *El episcopado español en el pontificado de Pío IX* t.1: *Apunte sociológico* (Valencia 1974) 265. Con él coincide R. CARR, *España: 1908-1939* (Barcelona, Ariel, 1959) 58-60.

[15] Zabala presenta sumariamente a los economistas herederos del espíritu del XVIII (*Historia de España y de la civilización española* [Barcelona, J. Gili, 1930] I 243-44). Sobre el socialismo utópico es indispensable consultar la introducción de A. ELORZA, *Socialismo utópico español* (Madrid, Alianza, 1970). Aduce también textos sobre él Clara E. LIDA, *Antecedentes y desarrollo del movimiento obrero español (1835-1888)* (Madrid, Siglo XXI, 1973).

2) *Liberalismo capitalista.* La protección a la propiedad y las iniciativas liberales de Cádiz (libertad de industria, muerte de los gremios) son muestra de una ideología capitalista en germen. La desigualdad de los hombres es una premisa de esta escuela: en Cádiz se mantiene la esclavitud y en las constituciones sucesivas se instaura el sufragio censatario. Cuando en las Cortes se afirma que la pobreza es signo de estupidez, sólo se está expresando de forma más hiriente la convicción básica de este grupo: en la lucha de la vida, los ricos son los que, al triunfar, han demostrado su capacidad superior. El Estado debe aprovechar estas cualidades favoreciéndoles: el proteccionismo y el librecambismo serán también modalidades de este trato de favor.

3) *Socialismo utópico.* Su origen está en Francia e Inglaterra: Fourier, Cabet, Saint Simon, Proudhon, Owen. En España arraigan las dos ramas principales: fourieristas y cabetistas, aunque se dan también pensadores más independientes: Ramón de la Sagra, Sixto Cámara, Ayguals de Izco, Fernando Garrido en su primera época. No son proletarios. Se les suele calificar como más utópicos que socialistas. Es cierto. Pero algunas de las intuiciones del socialismo científico se encuentran ya en las teorías de los utópicos: el análisis del trabajo y el capital, la teoría de la plusvalía, etc. Sus análisis son, con frecuencia, lúcidos; no tanto las soluciones que ofrecieron: Icaria, falansterios. Es notable su aliento mesiánico-religioso y su repudio desconfiado de la política: la revolución se hará desde la base. En este sentido son precursores del anarquismo. Su interés se centra en el mundo campesino y en la promoción integral, no sólo económica, del hombre. Sus escritos y sus realizaciones —mezcla curiosa de aciertos y errores— tuvieron vida efímera, pero indudable interés.

4) *Precursores del movimiento obrero.* Englobamos en este epígrafe los intentos germinales, que cristalizaron, tras «la Gloriosa», en los movimientos marxista y bakuninista. En un primer momento, el proletariado agrícola e industrial sólo sabe reaccionar destruyendo: ataque a las selfactinas, ocupaciones de tierras (Pozal de Gallinas, Arahal, Loja...). Más tarde, la bandera del movimiento obrero será la asociación. Con finalidad mutualista en principio, que pronto cubre una auténtica sociedad de resistencia y presión. El 7-9-1855, 33.000 obreros piden a las Cortes Constituyentes el derecho de asociación. Su gran argumento: que se les otorgue la libertad que tienen otras clases. En 1862, 15.000 obreros reclamarán del Congreso la libertad de asociación para combatir al capital de forma noble y pacífica.

a) Los obispos

Hasta mediados de siglo no es fácil hacerse una idea del magisterio social de los obispos españoles. Los boletines diocesanos irán naciendo hacia la mitad del XIX [16]. Se conservan, evidentemente, pastorales de esta época; pero su exiguo número relativo aconseja no sacar precipitadas conclusiones. Por otra parte, el cúmulo de acontecimientos políticos de esas décadas —cambios de régimen, guerras— y sus repercusiones en la vida de la Iglesia orientaron hacia estos temas una gran parte del interés episcopal. No hay que olvidar que la industrialización entró tardíamente en España y que la teorización suele suceder a la realidad. Por otra parte, los hechos ocurridos entonces, a falta de perspectiva histórica, podían inducir a un tratamiento más tradicional: limosnas y consejos morales. En cualquier caso, nuestro desconocimiento actual del

---

[16] V. Cárcel Ortí, *Los boletines oficiales eclesiásticos de España:* Hispania Sacra 19 (1966) 45-85.

magisterio episcopal de estos años no nos permite establecer afirmaciones contundentes.

Tenemos más datos de los años posteriores a la mitad del siglo. Los boletines y la revista *La Cruz* nos proporcionan fuentes. Las ideologías sociales se van perfilando. Y los hombres de Iglesia, al ver estabilizado su porvenir, se ocupan de los acontecimientos extraeclesiales. En esta época, también buena parte de las intervenciones episcopales están polarizadas por temas eclesiásticos, teológicos y de moral política. Pero al mismo tiempo que la sociedad civil va captando la problemática social —los interesados en el tema son todavía minoría—, la jerarquía eclesiástica española comienza a abordarlo. Como siempre, condicionada por las directrices vaticanas. Desde Roma, Pío IX había dado ya la voz de alerta contra el socialismo y el comunismo [17], a la vez que exaltaba la virtualidad de la doctrina católica como fuente de paz y progreso sociales.

Las intervenciones de los obispos españoles en estos años se hacen eco de la voz del pontífice. En definitiva, se parte de una cierta sacralización del orden establecido: siempre habrá ricos y pobres. La llamada a la resignación se fundamenta, en ocasiones, con una mirada al más allá; así, la conocida pastoral del obispo de Vich, Antonio Palau, durante las huelgas del bienio progresista [18]. El obispo de Barcelona, Costa y Borrás, apelaba al principio de autoridad por las mismas fechas. Ambos prelados aludían, finalmente, al bien de los obreros: la revuelta les perjudicaría. Estos tipos de argumentación podían ser teológicamente irreprochables, pero eran, sin duda, parciales. Ciertamente, no se agotaba en ellos el magisterio episcopal. Hay también en este período exhortaciones a la limosna, a la clemencia, a la justicia en salarios, dirigidas a los gobernantes y a los ricos. Parece claro que la enseñanza de los obispos no captó en un primer momento ni la injusticia de la situación ni la trascendencia del cambio social que se avecinaba. Pero tampoco es justo espigar de sus pastorales los pasajes más alienantes como si nunca hubiesen predicado sus deberes a los poderosos.

Hubo otros campos que también abordaron los prelados: la denuncia del lujo inmoderado. Es, a veces, tema central de algunas exhortaciones; recuérdense las diatribas de Antolín Monescillo, obispo de Jaén. En las pastorales con ocasión de la Cuaresma es también frecuente el tratamiento de este tema —sobre todo en las capitales más prósperas o en la región andaluza—, aunque con un tono más exhortativo y ascético que de denuncia o invitación a un cambio estructural. El ya citado obispo de Jaén publicó en 1868, meses antes de «la Gloriosa», una *Pastoral sobre el pauperismo,* nombre con el que entonces se denominaba la

---

[17] 9-11-1846, *Qui pluribus* 5; 20-4-1849, *Quibus quantisque* 13; 8-12-1849, *Nostis et Nobiscum* 6,17-24,32; 8-12-1846, *Syllabus* apart.4.
[18] Citan párrafos de esta pastoral M. TUÑÓN DE LARA, *El movimiento obrero* 119 y A. JUTGLAR, *Ideologías y clases* I 154. Estudia algo más su contexto. C. MARTÍ, *Datos sobre la sensibilidad social de la Iglesia durante los primeros treinta años del movimiento obrero en España,* en *Aproximación a la historia social de la Iglesia española contemporánea* (El Escorial, La Ciudad de Dios, 1978) 121-140.

cuestión social. Causó revuelo en su tiempo. Hoy nos parece excesivamente conservadora del orden establecido, tímida y temerosa en sus soluciones. Pero no se le puede negar sensibilidad para percibir el problema, ni falta de claridad en las denuncias.

Hubo otro tema que los obispos plantearon con insistencia en los últimos años de Isabel II: el descanso debido a los trabajadores. El problema tenía su vertiente pastoral: sólo así era posible la santificación de las fiestas y el cumplimiento del precepto dominical. Para una población mayoritariamente analfabeta, la homilía de la misa del domingo era el único cauce de formación religiosa. Pero a los obispos les movían también razones humanitarias; los motivos que aducen en sus pastorales y exposiciones lo evidencian. En 1867, el Gobierno llegó a un acuerdo con el Vaticano sobre la reducción de días festivos con obligación de oír misa. Antes de la reducción acordada en la bula *Quum pluries,* llegaban casi a cien al año. La Iglesia no se opuso a esta medida necesaria y siguió presionando para que se asegurase el descanso a los asalariados [19].

b) **Pensadores católicos**

Nos faltan también datos y estudios sobre el tema. Sería interesante un análisis de las fuentes en que nutría su piedad y espiritualidad el cristiano español de las primeras décadas del siglo pasado: sermones, catecismos, revistas piadosas. Un estudio así arrojaría luz sobre el tema que tratamos [20].

Las dos grandes figuras del pensamiento católico español en la primera mitad del siglo pasado —Balmes y Donoso Cortés— encuentran ya tratamiento adecuado en otras páginas de este volumen. Ambos pensadores vislumbraron, en parte, la transcendencia de la industrialización. Ambos denunciaron los excesos del socialismo y fustigaron a la vez el afán capitalista de lucro. Ambos proclamaron su ideal de promoción integral de la persona. El político extremeño fue más idealista, combativo y académico. El filósofo de Vich, más cercano a la realidad industrial por talante y por contexto, se ocupó también de la desamortización y sus consecuencias. En ambos ideólogos hay intuiciones apreciables: los seguros sociales, los arbitrajes laborales, el porvenir de las órdenes religiosas si se dedicaban a las clases humildes, la importancia de una cosmovisión de fe para hacer frente a los cambios producidos por la revolución industrial. Pero el tono en los dos pensadores está todavía lejos de la realidad integral. Sin negar sus atisbos de precursores ni su sensibilidad para captar parte de la situación, no parece que cayesen en la cuenta de la problemática global ni de sus soluciones eficaces; las

---

[19] En el c.6 de *Medio siglo de relaciones Iglesia-Estado: el cardenal Antolín Monescillo y Viso (1811-1897)* estudió la doctrina y la actuación social de este obispo. Valga esta aclaración para ulteriores alusiones.— Documentación sobre la reducción de festivos, en Archivio Segreto Vaticano, Nunziatura di Madrid, 415 cart.70, leg.3 y en *La Cruz* (1867) 2,353s.

[20] Adelanta algunas conclusiones de su tesis doctoral sobre este tema J. A. PORTERO MOLINA, *Ideología católica en los sermones del siglo XIX*, en M. TUÑÓN DE LARA Y OTROS, *Ideología y sociedad en la España contemporánea* (Madrid, Edicusa, 1977) 75-86.

circunstancias no se lo permitían. En otras esferas tampoco brilló en estos años clarividencia sobre el tema [21].

Una cala interesante en el pensamiento social cristiano podría ser el estudio de las revistas religiosas. Muy característica de los últimos años de esta época es *La Cruz*, revista mensual fundada en 1852 y dirigida hasta entrado el siglo XX por su fundador, D. León Carbonero y Sol. La ideología de *La Cruz* estuvo siempre muy ligada a la enseñanza oficial de la Iglesia. El tema social está presente ya desde sus primeras páginas. Leyendo los números de estos años —especialmente los correspondientes al bienio progresista—, se encuentran con frecuencia condenas de los excesos socialistas, de los desórdenes públicos, de las huelgas. Hay apelaciones a la resignación y a la limosna. Pero hay también denuncias fortísimas de la injusticia capitalista.

Exponentes claros de esta denuncia son varias cartas que el entonces vicario de Estepa, Antolín Monescillo, dirigió a León Carbonero y Sol, y que éste publicó en el primer tomo de su revista [22]. Resultan interesantes, porque puede verse en ella un eco de las críticas del socialismo utópico al sistema capitalista. No es el único influjo que la corriente utópica del socialismo ejerció en el campo católico; más tarde nos ocuparemos de otros. Centrándonos ahora en estas cartas, las soluciones aportadas por los primeros socialistas son tajantemente descalificadas con el apelativo de «delirios». Pero, en cambio, se acepta en gran parte su crítica a la injusticia del sistema económico capitalista. Es más, se añade una nueva perspectiva para condenarlo: el Evangelio. El sistema capitalista es la «antítesis completa» del Evangelio. Porque como norma suprema de la actividad económica establece la utilidad y el lucro, olvidándose del hombre. Así se llegó a la «degradación de la especie humana»: la economía antepuesta a la caridad.

Además de esta motivación específicamente cristiana, se aducen otras, coincidentes con las expresadas por los utópicos. Fundamentalmente dos, referidas una al presente y otra al futuro. Al presente: el capitalismo no es original; es sólo una forma nueva de la antigua tiranía y el antiguo feudalismo, que intenta vestirse con el disfraz del adelanto y el progreso. Pero que, en definitiva, se reduce a la antigua esclavitud. Sobre el futuro es también negativo. Como enseñaban los utópicos y repetirán los socialistas científicos más tarde, el capitalismo, tal como existía entonces, no puede subsistir. Y se acabará convirtiendo en un arma que se vuelva contra sus actuales beneficiarios. Otro punto de coincidencia con los utópicos es atribuir al capitalismo la creación del

---

[21] En la ponencia citada en la n.18, C. Martí esboza un acercamiento al pensamiento social de Balmes y Donoso. Lo hacen también F. DEL VALLE, *El P. Antonio Vicent* (Madrid, Ed. Bibliográfica Española, 1947) 86-91, que añade alguna bibliografía en la p.87; O. ALZAGA, *La primera democracia cristiana en España* (Barcelona, Ariel, 1973) 48-53; S. AZNAR, *Estudios religioso-sociales* 131-45. En tono más triunfalista —ve en Balmes un precursor de Ketteler y León XIII— cf. Fr. J. PÉREZ DE URBEL, *La cuestión social y sus remedios según Jaime Balmes* (Ayuntamiento de Vich, 1956). Cf. también J. M. OLLE ROMEU, *Balmes i el moviment obrer a Catalunya del 1840 al 1843*: Serva d'Or (1968).

[22] Están fechadas el 19-12-1852, el 2-2-1853 y el 5-5-1853. En *La Cruz* (1852-53) 142-48, 452-58 y 695-707. Interesan, sobre todo, las dos primeras.

proletariado. Como también coincide con ellos en el diagnóstico: esto es un peligro para toda la sociedad. Por eso, concluía el autor, es más peligroso el capitalismo conservador que los excesos demagógicos. Estos juicios se escriben en 1852, cuando la industrialización cuenta en España con pocos años de vida y poco tiempo después de la publicación del *Manifiesto comunista,* por aquellas calendas todavía desconocido en nuestro país.

A distinto nivel hay que situar otro eco del socialismo utópico en la Iglesia: los intentos del sacerdote mallorquín Jerónimo Babiloni. En 1848 dio a luz su folleto *Cristianos-socialistas.* Tres años más tarde publicó *La nueva doctrina sacada de los Padres de la Iglesia:* Ambos opúsculos son reflejo del atractivo que las premisas utópicas podían tener para una mentalidad cristiana cuando se consideraban a nivel de principios. Cuando se fijaba la atención en las soluciones propuestas o en las realizaciones llevadas a cabo, el juicio era más duro; el segundo folleto fue públicamente censurado en una pastoral del obispo de Barcelona, Costa y Borrás.

Finalmente hay que reseñar al grupo tradicionalista. Su oposición global al liberalismo la extendieron al campo económico. En consecuencia, su postura ante la propiedad privada y ante las formas capitalistas de relación obrero-empresario y el modelo económico que propugnaban los separan de la mayoría de los pensadores católicos. Aludimos a ellos aquí por su explícita confesionalidad, aunque en este campo no coincidían con las líneas generales del pensamiento católico [23].

3. ASOCIACIONES OBRERAS

Dos tipos de asociaciones obreras se suceden en España a lo largo de estos sesenta años: los gremios y las sociedades.

1) Los *gremios* habían sido el marco que encuadraba la actividad artesanal. Sus diferentes nombres —*germandats, germanías, cofradías, confraternidades*— indican que su actividad superaba el campo meramente laboral. La comercialización de los productos, la vida del barrio, la relación social y familiar, el sentimiento religioso y las realizaciones asistenciales se canalizaban a través del gremio.

Los economistas ilustrados habían minado esta institución ya en el XVIII. La industrialización hacía más complejas las leyes de producción y mercado. Las ideas liberales chocaban con la rígida división estamental que favorecían los gremios: maestro, oficial, aprendiz. Esas mismas ideas exigían la libertad de industria. Las Cortes de Cádiz se hicieron eco de estos deseos: en 1813 decretaron el derecho de todo español a ejercer libremente cualquier industria o profesión sin necesidad de afiliarse a un gremio. Aunque Fernando VII abolió también esta disposición a su vuelta a

---

[23] Sobre Babiloni, cf. la ponencia de C. Martí (nt.18). Acerca del tradicionalismo, cf. O. ALZAGA, *La primera democracia cristiana...* 46. En Roma, sin embargo, no se ponía en duda la propiedad privada. Es significativo lo que cuenta G. Martina (*La Iglesia. De Lutero a nuestros días* [Madrid, Cristiandad, 1974] IV 76-77) a propósito del concilio Vaticano.

España, en 1836 la medida volvió a estar en vigor. Esta vez definitivamente.

La libertad de industria fue, evidentemente, un factor de progreso.
Contribuyó también a la creación de un proletariado numeroso y opri-
mido: la ley de la oferta y la demanda le colocaba en situación de inferioridad. Era natural que buscase en su única arma —el número— la posibilidad de equilibrar la balanza. Algo parecido ocurrió en el campo al concentrarse la propiedad agraria tras las desamortizaciones.

2) Las *sociedades* nacieron, pues, como consecuencia de la muerte de
los gremios y como respuesta a la nueva situación. Los patronos estaban ya
unidos desde 1833: *Comisión de Fábricas*.

Las primeras uniones obreras son sólo para manifestar la protesta: sa-
queo de almacenes, incendio de maquinaria, ocupaciones de tierras.
Pronto se unen para fines positivos: en 1834, los textiles barceloneses logran un acuerdo sobre la longitud de las piezas. Y desde 1838 se agrupan
establemente con doble finalidad: mutualidad y resistencia. Esto último
provocó sucesivas prohibiciones, que sólo lograron que la segunda finalidad se camuflase tras la primera. A la inicial *Sociedad de Tejedores* se unieron otras, hasta que en 1854 se crea la *Unión de Clases*, primera confederación obrera en España. Creció también la exaltación sobre el tema: «Asociación o muerte» fue el grito de los huelguistas barceloneses en 1855. Más
arriba se hizo mención de peticiones obreras en este sentido.

Se fundaron también otro tipo de asociaciones: cooperativas de producción, sociedades culturales (el madrileño *Fomento de las Artes*, en 1847;
el *Ateneo Catalán de la Clase Obrera*, en 1861), y a nivel campesino, falansterios (Tempul, República de los Pobres) y grupos con pretensiones políticas:
Loja.

En 1865 se celebra en Barcelona el I Congreso Obrero. Asisten 40 asociaciones. En cambio, la relación con grupos extranjeros —en 1864 se
funda la I Internacional— no se da hasta 1867: los barceloneses envían un
delegado a Lausana.

¿Y la Iglesia? Respecto al asociacionismo obrero, la actividad eclesial
de estos años se puede agrupar en dos tipos de realizaciones: presencia
en asociaciones no creadas por la Iglesia y promoción de sociedades
nacidas en el ámbito eclesial.

Es conocida, y se sale de los límites de este trabajo, la presencia de la
Iglesia en la vida de los antiguos gremios. En las fiestas patronales con
su misa y procesión, en la enseñanza de la doctrina cristiana y en la
asistencia espiritual y material a los miembros de cada gremio existían
cauces para la actividad de la Iglesia. La supresión de los gremios significó también la muerte de estos cauces. En la añoranza hacia el sistema
gremial que se observa en los ambientes eclesiásticos en esta época y en
las siguientes, se puede detectar también la nostalgia de un sistema y
unos tiempos en los que la Iglesia se hallaba presente en el mundo
laboral. Porque, cuando a los gremios les sucedieron las asociaciones, el
panorama cambió de signo. Al principio, la inercia de épocas anteriores
condujo a imitar las situaciones precedentes. La Sociedad de Tejedores
del Algodón barcelonesa tenía como patrono a San Pancracio, celebraba
con solemnidad su fiesta y se dirigía a sus asociados en términos religiosos [24]. Pero la inercia no duró mucho tiempo. Las asociaciones obreras

---

[24] Ver el texto citado en SCHOLL, *Historia del movimiento obrero cristiano* 210.

fueron abandonando estos vestigios gremiales. Y en algunos sectores de la Iglesia empezó a pensarse en la necesidad de promover asociaciones propias.

Fue en 1855 cuando surgió en Barcelona una iniciativa de este género: la *Escuela de la Virtud*. Su fundador fue el carmelita Francisco Palau [25]. En 1851, preocupado por la ignorancia, confusionismo y abandono de las masas proletarias, decidió dar cuerpo sistemáticamente a un programa de enseñanza religiosa para adultos adaptado a los tiempos que corrían.

No fue larga la historia de esta Escuela. El 31 de marzo de 1854 la cerró el gobernador civil tras las huelgas que intranquilizaron a la región catalana. La razón del cierre era su supuesta complicidad en las huelgas recientes. Palau fue desterrado a Ibiza. El obispo Costa y Borrás estuvo también momentáneamente separado de su diócesis. Hoy está aclarado el transfondo de estos sucesos. Lo que asustó a las autoridades era el pasado carlista del fundador de la Escuela de la Virtud, Y el eco que lograba: llegó a reunir en la iglesia de San Agustín a 2.000 oyentes.

La obra de Francisco Palau no fue, en sentido estricto, una asociación obrera. Pero tampoco sería exacto calificarla, sin más, como mera experiencia catequética. Los temas que abordaba su programa tocaban también problemas sociopolíticos. Con perfecta ortodoxia según Palau, aunque más tarde se le acusase de predicar un comunismo católico. Pero examinar la situación de la sociedad y defender el derecho de asociación despertó temores en la autoridad. La Escuela era, además, un cauce de encuentro, reunión y cambio de impresiones para los trabajadores. Y no hay que olvidar que tenía también su vertiente mutualista-asistencial, aunque no dispongamos hoy de documentación concreta a este respecto, sino sólo de indicaciones genéricas.

Al final de este período, en 1865, un joven jesuita aún no sacerdote fundaba su primer *Círculo de Obreros* en Manresa. Era el P. Antonio Vicent. El cambio político de 1868 trajo consigo la expulsión de los jesuitas de España. Vicent continuará su obra en la última veintena del XIX. A su tiempo nos ocuparemos con más detalle de esta presencia eclesial en el mundo de la asociación obrera. Pero dentro aún de esta época hay que señalar la *Asociación de Artesanos Jóvenes,* creada en Madrid en 1867. Es otro paso previo a lo que luego será el asociacionismo obrero católico.

---

[25] No confundir con el jesuita Gabriel Palau, de época posterior. Extrañamente, el *Diccionario de historia de la Iglesia en España* no se hace eco del carmelita. Su figura, interesante desde varios puntos de vista, se estudia en el número extraordinario de la revista *Monte Carmelo* 80 (1972). Sobre la Escuela de la Virtud escribe JOSEFA PASTOR MIRALLES (p.503-75) *La obra sociorreligiosa del P. Francisco Palau en Barcelona (1851-1854).* Debe verse también el artículo de MARÍA TERESA AUBACH, *La Escuela de la Virtud, ¿escuela de socialismo cristiano?:* Analecta Sacra Tarraconensia 44 (1971) 99-150.

4. LA PROMOCIÓN SOCIAL

Si en el campo del asociacionismo obrero la presencia de la Iglesia fue tímida en los comienzos de la industrialización, fue, en cambio, notable y constante en el campo benéfico y de promoción social. Historiar estas actuaciones eclesiásticas en su totalidad es tarea imposible. En primer lugar, por la misma naturaleza de los hechos: muchas de estas ayudas y limosnas permanecieron en el anonimato y no queda constancia sino de algunas. Incluso enumerar lo que conocemos supondría acumular listas de donantes o de obras benéficas. Nos limitaremos, por tanto, a indicaciones generales que orienten al lector sobre este tipo de actuación social de la Iglesia [26].

Hay que atender a dos realidades —económica una y legislativa la otra— para captar el cambio de acento que se realizó durante la primera mitad del XIX en el área de la beneficencia eclesiástica. Por un lado, la desamortización, que privó de sus bienes a multitud de instituciones docentes y asistenciales. Por otro lado, la pretensión estatal de asumir como tarea propia la beneficencia, hasta entonces prácticamente misión de la Iglesia.

Ya desde el siglo XVIII, y aun antes, la Administración se había preocupado por la suerte de los mendigos y vagabundos. Se tendía a recluirlos para reeducarlos o recogerlos, según los casos. La caridad la Iglesia se juzgaba un mal, pues fomentaba la haraganería y dificultaba la inserción en la sociedad de estos pobres. La conciencia de que el bien común material era también competencia del Estado y la realidad de la desamortización estuvieron entre las causas de las sucesivas leyes que desde Cádiz fueron reclamando para el poder civil —estatal y municipal— la ayuda a los desvalidos. Pronto se vio, sin embargo, que ni se podía ni se debía prescindir de la colaboración de la Iglesia. Las leyes de 1849-53 reconocían esta realidad, y en las juntas de beneficencia se reservaron siempre puestos para eclesiásticos: los donantes tenían más confianza en la beneficencia de la Iglesia que en la oficial y orientaban sus aportaciones hacia aquélla.

Eran los vestigios de una larga tradición. A *comienzos del XIX* se calculaba el número de mendigos entre 150.000 y 200.000. Las guerras aumentarían verosímilmente este número. Todas estas personas, más los enfermos, ancianos y niños abandonados, vivían gracias a la beneficencia, mayoritariamente eclesiástica. Para ellos había:

7.347 casas de caridad;
2.231 hospitales;
106 hospicios;
67 asilos de niños expósitos [27].

---

[26] Sobre la beneficencia eclesiástica en la Edad Moderna, cf. MARÍA JIMÉNEZ SALAS, *Historia de la asistencia social en España en la Edad Moderna* (Madrid, C. S. I. C., 1958). De la misma autora es la voz *Beneficencia* en el *Diccionario de historia eclesiástica de España*; el siglo XIX lo estudia en las p.230-36; ibid., 1726-36; J. López Yepes trata de los Montes de Piedad. J. M. Palomares Ibáñez abordó el tema de la asistencia social en la III Semana de El Escorial (1978).

[27] Cf. F. GARRIDO, *Historia de las clases trabajadoras*, (Algorta, Zero, 1970) III 224 y F. MARTÍ GILABERT, *La Iglesia en España durante la Revolución francesa* (Pamplona, Eunsa, 1975) 225.

A esto había que sumar los 3.000 conventos, que eran a la vez centros de enseñanza y beneficencia; los palacios episcopales, etc. Brenan reconoce que la Iglesia era una de las defensas con que contaba el pobre. Raymond Carr añade que muchas ciudades españolas vivían a costa de las instituciones eclesiásticas. El mismo autor señala con finura el triple nivel a que se movía la acción de la Iglesia en este período. Era al mismo tiempo terrateniente, institución de beneficencia y patrono con empleados a sueldo [28]. Habría que añadir a este cuadro la acción docente, especialmente necesaria en un país cuya carencia de escuelas y elevado índice de analfabetismo fue una constante en estos años.

Las *desamortizaciones* modificaron este panorama. Pero no completamente. Es sintomático que en 1842, de los 20 hospitales para incurables que existen en España, 18 los regenta la Iglesia. O que los huérfanos acogidos en el quinquenio 1859-64 lleguen a 18.000. O que en un año las Hijas de la Caridad y otras monjas atiendan a más de 33.000 enfermos.

Las desamortizaciones influyeron también en otro aspecto: la creación de obras benéficas de carácter laical, como *la Cofradía de Piedad y Caridad* (ayuda espiritual y material a los ajusticiados), *la Caridad Cristiana* (visita a enfermos), *la Cofradía de la Doctrina cristiana* (instrucción y ayuda a cárceles, hospitales y asilos infantiles). En ella participaron las principales figuras del catolicismo madrileño de mediados de siglo: José María Laguna, la M. Sacramento, Claret, la marquesa de Malpica, etc. También a mediados de siglo se trasplantaron a España las *Conferencias de San Vicente de Paúl*. Santiago Masarnau, Vicente de la Fuente, Anselmo Duradón y Pedro de Madrazo fueron sus primeros socios. La revolución de 1854 las disolvió, pero resurgieron pronto.

Fueron también numerosas las congregaciones religiosas creadas o establecidas en España con fines asistenciales. Entre las masculinas destaca la fundación de Claret, los Cordimarianos, y la restauración de los Hospitalarios de San Juan de Dios (1867). Pero donde se da una auténtica floración es en las congregaciones femeninas.

Ya en la primera mitad del siglo no escasearon. Y desde 1850 a 1868 surgen 20 órdenes femeninas dedicadas a la beneficencia o educación. Adoratrices (M. Sacramento), Filipenses (Francisco Jerónimo García Tejero), Oblatas (Antonia María de Oviedo) y Misioneras Esclavas del Corazón de María (Esperanza González Puig), todas para la reeducación de la juventud femenina. Entre las dedicadas al cuidado de enfermos destacan: las Hijas de la Caridad de San Vicente de Paúl, Las Hijas de Santa Ana (M. Ráfols), las Carmelitas Misioneras Terciarias Descalzas (P. Francisco Palau), el Instituto de Nuestra Señora de la Consolación (Rosa Molas), etc. Particularmente novedosa fue la creación de las Siervas de María, fundadas por el sacerdote Miguel Martínez Sanz y Santa Soledad Torres Acosta para la asistencia domiciliaria a enfermos. Son también abundantes las congregaciones dedicadas a la enseñanza de niñas pobres: las Carmelitas de la Caridad (Santa Joaquina de Vedruna), las Religiosas del Santo Angel (D. Luis Antonio Ormieres), las Misioneras de la Inmaculada Concepción, las Fili-

---

[28] R. CARR, *España: 1808-1939*, 57-58 y 66-67. El testimonio de BRENAN, *El laberinto español* (París, Ruedo Ibérico, 1962) 90.

penses Misioneras de la Enseñanza, las Religiosas de Nuestra Señora de la Merced, las Esclavas de la Inmaculada y un largo etcétera. Quedan muchas en el tintero. Pero los nombres aducidos bastan para indicar el grado de sensibilidad hacia el problema social en el ámbito de la Iglesia española.

Otro campo imposible de historiar con detalle es el de las limosnas. Basten algunas indicaciones genéricas. Hubo eclesiásticos que se distinguieron extraordinariamente por la generosa distribución de sus bienes entre los necesitados: el cardenal Pedro Quevedo y Quintana, obispo de Orense; Fr. Domingo de Silos Moreno, obispo de Cádiz; Francisco Javier Uriz, obispo de Pamplona; Manuel García Gil, arzobispo de Zaragoza; los sacerdotes Santiago José García Mazo, José Goser Laynez, Manuel José Fafúndez, etc. Durante este período siguieron creándose y manteniéndose fundaciones con fines benéficos; pósitos a labradores, dotes a doncellas, auxilios a encarcelados a su salida del presidio, becas a estudiantes necesitados... Por supuesto, las obras y los hombres de Iglesia multiplicaron su actividad en las grandes calamidades públicas: guerras, hambres, epidemias. Alcanzaron notoriedad los gestos de los prelados de Cuenca y Jaén (Miguel Payé y Antolín Monescillo), ambos destacados en el concilio Vaticano I, que con ocasión de la crisis económica de los últimos años isabelinos ofrecieron sus carruajes para ayuda de los necesitados. Estos gestos, en ellos y en otros muchos hombres de Iglesia, eran sólo la cresta de la ola, lo más notorio de su acción limosnera habitual. A pesar de las imperfecciones del sistema, que ellos mismos conocían, atendieron así a necesidades perentorias que ni organizaciones civiles ni partidos, a pesar de su voluntad y sus proclamas, llegaban a remediar.

5. BALANCE DE ESTE PERÍODO

La industrialización —con su secuela de transformaciones de la realidad nacional— cogió desprevenida a la Iglesia. Otros asuntos ocuparon su atención: la relación con el sistema político liberal, las convulsiones que tambalearon su estructura e identidad, etc. Esto explica la primera reacción: aferrarse al pasado ignorando la novedad de la situación. Los antiguos esquemas y consejos ya no valían. La condena de las novedades —aun justificada doctrinalmente— tampoco abría horizontes de solución. Con todo, a nivel doctrinal y práctico se dieron tímidos intentos en una nueva línea. Y se manifestó de nuevo la generosidad tradicional. Pero la historia seguía otro curso. Frente a las nuevas condiciones de trabajo y de vida, frente a la nueva estructura social con todas sus injusticias, la Iglesia española no asumió la defensa de los oprimidos. Fundamentalmente porque no supo percibir sus problemas.

CAPÍTULO II

EL SEXENIO QUE SIGUIO A «LA GLORIOSA» (1868-74)

No es caprichoso subrayar la importancia de este sexenio dedicándole un estudio específico. En un siglo tan plagado de pronunciamientos como el XIX español, «la Gloriosa» no fue un pronunciamiento más. Se ha podido escribir que en 1868 comienza para España la «baja Edad Contemporánea» y que este período es una introducción al siglo XX. No hay que exagerar las transformaciones ocurridas a corto plazo en estos años. Posiblemente tenía razón Tocqueville: las revoluciones lo cambian todo para que casi todo siga como antes. Pero en los seis años que siguieron a «la Gloriosa» salieron a luz o apuntaron en germen los factores que configuran nuestro pasado más reciente. En política, en estructura social y algo menos en economía.

a) **Política**

La revolución de 1868 fue algo inevitable [29]. Frente a la incapaz política moderantista, los sublevados pretendieron realizar una experiencia democrática a fondo. Noble empeño que no iba a estar exento de contradicciones. Entre otras, la originada por el deseo proletario de una transformación social y la decidida voluntad de evitarla por parte de los partidos burgueses. Las contradicciones acabarían disminuyendo la capacidad de cambio de la revolución. Los vaivenes del sexenio son una de las manifestaciones de su menor fecundidad. En estos años se simultanearán tres guerras —cubana, carlista y cantonal—, además de las algaradas revolucionarias y de las tensiones creadas desde la oposición. Se sucederán dos constituciones: la de 1869 y el proyecto republicano de 1873. Y se ensayarán casi todas las formas posibles de gobierno que recogen los tratados de Derecho político.

b) **Economía**

No fue, en cambio, muy espectacular la evolución económica. En *agricultura* disminuyó algo la producción y la tierra cultivada como efecto de las guerras del final del período. Pero la transformación de algunas tierras de cereales en viñedos, unida a la filoxera que afectó a las viñas francesas, benefició nuestra economía y nuestra balanza exterior; durante algunos años los vinos españoles señorearán en el mer-

---

[29] He sintetizado la génesis y el sentido de «la Gloriosa» en *La legislación eclesiástica del sexenio revolucionario (1868-74)*: Rev. Estudios Políticos 200-201 (1975) 195-223; sobre todo en las p.198-202.

cado internacional. Fue gigantesco el alza en *minería*, aunque los beneficios fueron, sobre todo, para el capital extranjero, favorecido por las medidas librecambistas. La *industria* siderúrgica experimentó también un crecimiento, si bien no tan acusado. Al final del período, la guerra carlista ocasionará un notable descenso. La textil se fue reponiendo del bache sufrido cuando acabó la guerra de secesión norteamericana, que había dificultado la importación de algodón. Obviamente aparecen fenómenos nuevos: aumenta la tensión obrero-patrono. Y no se llega a consumir todo lo que se produce: la masa agrícola y obrera carece de poder adquisitivo. El comercio exterior palió sólo parcialmente esta dificultad.

Las *condiciones de trabajo* mantienen la tendencia del período precedente. La jornada laboral oscila entre las once y las catorce horas, aunque no faltan casos en que se llega a las dieciocho. Se va extendiendo la costumbre de que el obrero viva, o al menos coma, en el sitio de trabajo, con evidente beneficio para el patrón, propietario también de las cantinas. Los salarios se establecen —con variaciones sectoriales y regionales— entre los 6 y los 20 reales diarios. Funcionarios y empleados cobran sólo algo más que los obreros especializados: era raro que llegasen a los 20 reales. Como indicativo del coste de la vida— y a la vez de las *nuevas necesidades* surgidas—, el precio de un viaje en tranvía (en Madrid se inauguraron el 31 de mayo de 1871) alcanzaba medio real para el trayecto barrio de Salamanca-Cibeles, y dos reales si se prolongaba hasta el barrio de Pozas. La situación higiénica y alimentaria de la clase trabajadora era deficiente. Aunque las cifras se refieren también a parte del reinado de Isabel II, el índice de mortalidad en las primeras ciudades españolas era bastante superior al londinense, a pesar de que el clima nos beneficiaba:

En Madrid cada año moría	1	por cada	29	habitantes
En Barcelona	1	»	36	»
En Londres	1	»	42	»

Tampoco mejoró la situación cultural. En 1870 existían en España poco más de 22.000 escuelas; casi 5.000 menos que al final del reinado isabelino.

c) **Sociedad**

Más efectiva y duradera fue la transformación social. Obviamente, la *aristocracia* no se sintió a gusto ni siquiera en el bienio monárquico de Amadeo. Se retiró a sus cuarteles de invierno y esperó, sin grandes pérdidas, la Restauración. Tampoco la *clase media* se sintió excesivamente satisfecha por las realizaciones del sexenio. Tuvo que hacer renuncias, pero no modificó substancialmente su talante y su conducta. Fueron las burguesías y la clase obrera las que experimentaron en mayor medida los cambios de estos años.

Las *burguesías* habían apoyado, en parte, el movimiento revolucionario. Tenían muy poco que esperar ya de la gestión del partido moderado. El pánico producido por la crisis de 1866 precipitó algo su abandono del carro moderado. Por eso no tuvieron inconveniente en aliarse con la revolución. Pero, cuando comprendieron que las aspiraciones de republicanos, demócratas y germinales grupos proletarios iban encaminadas a una reforma social, frenaron su ímpetu. Las burguesías querían reformas políticas, no sociales. Los años siguientes acentuaron su conservadurismo. 1872, el año del debate parlamentario y la posterior supresión de la Internacional en España, marca el comienzo de la inflexión conservadora —ya también en lo político—, de una clase que antes había sido innovadora. La gran burguesía industrial y financiera decidió apoyar al Gobierno para imprimirle su sello. Incluso la pequeña burguesía reformista, que quería democracia, pero necesitaba orden y estabilidad, abandonó casi por completo los ideales revolucionarios.

También el *proletariado* se transformó en estos años. «La Gloriosa» le facilitó una serie de circunstancias que le posibilitaron, en cierta medida, el surgir como clase diferenciada:

—*apertura al exterior;* venida de Fanelli y Lafargue, contacto con los miembros de la I Internacional;
—*ideología de clase,* confusa y superficial al principio, pero luego consolidada;
—*organización propia* antes de la prohibición de la Internacional;
—surgimiento de algunos *líderes.*

Aunque también tuvo el sexenio consecuencias negativas:

—*división,* eco de la habida entre Marx-Bakunin;
—*decepcion* ante la lucha política.

Todo ello marcará su historia en estos años y los venideros.

1.   SITUACIÓN ECONÓMICA Y SOCIAL DE LA IGLESIA

La jerarquía eclesiástica española no manifestó, en principio, oposición a los ideales de «la Gloriosa». En los boletines eclesiásticos de finales de 1868 se observa prudencia, y en algún caso simpatía, hacia la nueva situación. Pero el anticlericalismo de las juntas revolucionarias, prolongado por algunos ministros de los gabinetes sucesivos, dio un tono de innecesaria persecución antieclesiástica a una revolución que en principio no iba contra la Iglesia. Se ha escrito, con razón, que fue en el ámbito eclesiástico donde la revolución dejó huellas más profundas [30]. Los ataques contra la Iglesia no fueron sólo ni principalmente económicos [31]. Pero ahora vamos a fijarnos, sobre todo, en ellos y en sus consecuencias.

Dejamos de lado —no son fáciles de evaluar con precisión— las algaradas de los primeros días revolucionarios, que causaron algunos destrozos en los edificios eclesiásticos. Y los decretos de las primeras sema-

[30]   R. CARR, *España: 1808-1936* 333.
[31]   En el art. cit. en la nt.29 he analizado el talante de estos ataques.

nas del Gobierno provisional, que se adueñó de las casas jesuíticas —la Compañía de Jesús fue expulsada el 12 de octubre de 1868— y de buena parte de los conventos gracias a las forzadas uniones de comunidades que se ordenaron. Comenzaba así la última etapa del proceso desamortizador emprendido treinta años antes. También se suprimió, de la noche a la mañana, la subvención de casi 6 millones de reales que se entregaba a los seminarios. Y se desamortizaron los bienes de obras pías. Más tarde se tocarían los últimos restos de bienes eclesiásticos.

Pese a su importancia, todo esto eran ataques parciales. El cerco económico a la Iglesia se realizaría, sobre todo, por medio de la reducción del presupuesto. El artículo 21 de la Constitución de 1869 había mantenido la asignación de culto y clero (en 1873 esto se prohibía expresamente, pero la Constitución no pasó de proyecto). Sin embargo, a la hora de concretar su cuantía, sucesivos presupuestos la disminuyeron drásticamente. Se restringía la asignación concordada. Y además se reducía el número de piezas eclesiásticas subvencionadas. Como las no reconocidas —alrededor de un tercio— seguían existiendo, la cantidad entregada había que dividirla entre más partícipes de los previstos. Vicente de la Fuente estima que el presupuesto se redujo de hecho en un 80 por 100 [32]. Ni siquiera este presupuesto reducido llegó a ser realidad. Porque tres factores añadidos lo disminuyeron más aún:

> a) *Los atrasos,* habituales al final de la era isabelina, se hicieron endémicos en el sexenio. Percibir las asignaciones con un año de retraso era usual en esta época. Para una economía apretada como la de párrocos y coadjutores, esto suponía un perjuicio considerable. En bastante ocasiones, los atrasos se debían a angustias del Erario público. Pero en no pocas, su origen estuvo en el anticlericalismo de las autoridades provinciales encargadas de hacer llegar los fondos a sus destinatarios.
>
> b) *Los descuentos.*—Incluso cuando se percibían las asignaciones, éstas llegaban disminuidas. En principio se aplicó un 12,67 por 100 de descuento. A partir de 1871, las partidas destinadas a culto y clero sufrieron un descuento del 30 y 20 por 100 respectivamente.
>
> c) *Las suspensiones.*—En abril de 1870, el Gobierno exigió a los eclesiásticos que jurasen la Constitución de 1869. La gran mayoría se negaron por motivos de conciencia. Los que no juraron vieron suspendidas sus asignaciones y recibieron las correspondientes a meses anteriores con retraso aún mayor.

Detrás de todas estas iniciativas existía una real dificultad presupuestaria. También un decidido propósito de relegar a la Iglesia a la sacristía; y aun ahí, de forma precaria. Los fieles ayudaron en escasa medida: también ellos tenían dificultades y no estaban acostumbrados a esta situación. En consecuencia, se limitaron los gastos de culto. Y hubo que cerrar algunos templos: no podían ser reparados. Se cerraron, asimismo, algunos seminarios y numerosos sacerdotes —e incluso algún obispo— debieron abandonar sus puestos para acogerse a la caridad de sus familiares.

---

[32] *Historia eclesiástica de España* (Madrid ²1875) VI 474-75.

Por estos años, la revista *La Cruz* publicaba una estimación de los gastos teóricos del clero [33]. Un párroco rural precisaba para vivir modestamente de 4.300 a 5.300 reales anuales. Su asignación teórica no iba mucho más allá, y en algunos casos era inferior. Los atrasos, descuentos y suspensiones llevaron su situación a extremos insostenibles. En estos años no es retórica decir que el clero pasó de limosnero a mendigo. Las consecuencias de esta situación son fáciles de imaginar.

2. MAGISTERIO Y PENSADORES

Más arriba se ha señalado que una de las consecuencias de «la Gloriosa» fue el proporcionar al proletariado una ideología propia: las circunstancias políticas pusieron en contacto al movimiento obrero español con el europeo. Pero la transformación sociopolítica de los años que siguieron al 68 desencadenó también la plasmación de otras ideologías en el seno de las burguesías, del mismo movimiento obrero y de la Iglesia.

A) *Las burguesías.*—Quedó ya consignado el dato de que, como clase, las burguesías aceptaron al principio los ideales de la revolución. Por supuesto, en sus aspectos políticos e incluso en los que rozaban la vertiente económica: en el sexenio se instauró el sufragio universal, aboliendo el censatario, manifestación patente de la superioridad que la burguesía atribuía a la riqueza en la época anterior. Algunas mentes conservadoras —Cánovas del Castillo por ejemplo— percibieron el peligro: del sufragio universal se pasaría al socialismo, y de ahí a la anarquía. Con todo, el sistema se mantuvo durante los seis años. Más tarde, la burguesía, olvidando las diferencias ante el peligro común, dedicó sus esfuerzos a encauzar la revolución para que no sobrepasase los límites convenientes. El orden público y el carácter intangible de la propiedad fueron los puntos en que basaron su actitud. Es significativo el tono que tomó el debate parlamentario que culminó con la supresión de la Internacional en España. O el título de la revista con que las mejores plumas conservadoras defendieron sus ideas e intereses en los últimos años del sexenio: *La Defensa de la Sociedad.*

B) *El Proletariado.*—Mientras las burguesías se unían en la defensa de sus intereses, en el mundo obrero se mantenían intereses divergentes. Cinco corrientes de pensamiento, al menos, coexisten en la España proletaria de estos años:

a) *Idealistas utópicos:* herederos y últimos epígonos del socialismo precientífico. Ponen su esperanza en la acción de individuos y grupos al margen de la política.

b) *Positivistas:* su ideal es sacar partido inmediato de la situación favorable: elevación de salarios y mejora de las condiciones de trabajo y de vida, sin más pretensiones.

c) *Societarios:* subrayan fuertemente la necesidad de asociarse. Pero limitan la finalidad de las asociaciones a la mutualidad, la resistencia o, en algún caso, la cooperativa de consumo.

d) *Politizados:* es el grupo más influenciado por las ideas de la Internacional. Es también el más fuerte y el que sobrevivirá con más éxito. La política es, en principio, el objetivo primario. Se concreta en la implantación de la república federal. De ahí se irá a otras metas. Más tarde, la política se convertirá en el objetivo final.

Obviamente, la tensión Marx-Bakunin tiene honda repercusión en España. En un primer momento son difusas las fronteras entre ambas co-

[33] Ibid. (1870) I 408-409.

rrientes. El inicial proselitismo de Fanelli —que, creyendo extender las ideas de Marx, predicaba las de Bakunin— y la posterior supresión de la Internacional —que provocó el trasvase de los marxistas a la organización anarquista, no incluida en la supresión— contribuyeron a aumentar el confusionismo en los primeros años. Por otra parte, las doctrinas de la Internacional no siempre fueron entendidas por las bases. Un sector de la masa obrera captaba sólo el señuelo de la abolición de la propiedad y el igualitarismo a ultranza, sin más matizaciones. Con todo, se fueron delimitando las dos posturas a lo largo del sexenio.

a) Los obispos

Frente a este panorama, ¿cuál fue el pensamiento de la Iglesia en estos años? Ante todo hay que observar que el tema social no fue el predominante en las exhortaciones magisteriales de los obispos españoles durante el sexenio. Otros temas reclamaron su atención:

—*problemas de la Iglesia universal:* Vaticano I, pérdida de los Estados pontificios;

—*problemas de la Iglesia española* derivados de la legislación de estos años;

— *problemas políticos españoles:* elecciones, constituciones, guerras.

Con todo, la temática social no estuvo ausente de la literatura magisterial de este período. La reflexión moral sobre la situación e ideologías contemporáneas en el campo socioeconómico ocupó también a los prelados españoles. Por una parte, el análisis de la política económica del sexenio fue, en general, de tomos negativos. Era una manifestación más de la oposición que gradualmente fue adoptando la Iglesia española ante la política de la revolución. Se denunció, ante todo, la ausencia de promoción integral en la timidísima legislación social de estos años. Se protestó también de las ataduras que se impusieron a la Iglesia en su labor benéfica. Como, por otra parte, la situación de los más necesitados se hizo aún más precaria por las agitaciones políticas y por el cierre forzado de los establecimientos asistenciales de la Iglesia, las denuncias tenían una base real. Por último, se criticó otro efecto de «la Gloriosa»: con cantos de sirena se excitaba a las masas, se avivaba su odio y se les apartaba del trabajo, el ahorro y la convivencia constructiva. La coincidencia de estas ideas con los postulados de las clases más conservadoras daban a la enseñanza episcopal un tono necesariamente sospechoso de añoranza indiscriminada hacia tiempos pasados.

Algo parecido ocurría con la condena de las nuevas ideologías proletarias. También aquí coinciden, en parte, las exhortaciones episcopales —la pastoral de Joaquín Lluch y Garriga, obispo de Salamanca, sobre la Internacional, y la de José María Urquinaona, obispo de Canarias, sobre las asociaciones obreras sobre todo— con las ideas expresadas en el Parlamento por los políticos burgueses sobre la peligrosidad de la Internacional. Hay que reconocer tres cosas: que, aunque el fantasma del miedo ensombrecía las tintas, las aprensiones no eran totalmente injustificadas; que no era fácil hacerse una idea clara de las aspiraciones y realizaciones de la sección española de la Internacional, pues menudearon innecesarios extremismos y la clandestinidad no contribuía a aclarar sus pretensiones, y que el punto de vista de los obispos partía de la vertiente moral del problema. Con todo, los intereses conservadores y los eclesiásticos aparecieron de nuevo hermanados ante la masa.

Sin embargo, la coincidencia no era total. En las exhortaciones episcopales hay también párrafos muy tajantes que señalan las diferencias con la cosmovisión de la burguesía. Frente a la tentación conservadora de atribuir los excesos al desvarío de las masas o a la acción de los agitadores, algunos obispos señalaban otros culpables: el lujo, la injusticia y la indiferencia de las clases acomodadas, el desmedido afán de lucro personal que había caracterizado a la época precedente, la falta de atención al precario estado de las clases necesitadas. Exhortaban, por supuesto, a la limosna como solución urgente, pero también a una conversión radical.

No se limitaron sólo a predicar la caridad. También repitieron las obligaciones de justicia. El sínodo diocesano de Jaén (1872) denunciaba como «pecados que claman al cielo» el abuso de la usura —en un momento en que las dificultades económicas arrojaban a los pobres en manos de los prestamistas— y la injusticia que suponía el retraso en pagar los salarios o el aprovecharse de la difícil situación para ajustar salarios de hambre. Todo ello demuestra que la coincidencia entre el magisterio episcopal y los deseos de las clases acomodadas era solamente parcial.

b) **Otras muestras del pensamiento católico**

Lo que ocurrió a la jerarquía se extendió también a los demás sectores eclesiales: se vieron abrumados por otras preocupaciones, y eso les imposibilitó para abordar con detenimiento la cuestión social. Se añadió, además, otro factor: la Iglesia española de esta época secundó mayoritariamente las iniciativas episcopales debido, en parte, al prestigio de varias figuras relevantes. Por eso, cuando se trata el tema social en la revista La Cruz y en otras —a partir, sobre todo, de 1871, cuando los otros problemas dejaban resquicio para abordarlo—, las líneas de pensamiento coinciden con las del magisterio. Se subraya el carácter ateo y anticlerical de algunas organizaciones obreras y se condena el uso de la violencia. Y también se recuerdan sus deberes a los más favorecidos. La situación social en el extranjero —Francia, sobre todo a raíz de La Commune—, y la enseñanza y actuación ante ella de la Iglesia católica encontraron también eco en sus páginas [34].

Aunque sea a título de curiosidad, vale la pena reseñar una iniciativa singular que vio la luz en este sexenio: la Iglesia cristiana-liberal de Villanueva de la Vera. Alma de esta experiencia fue José García Mora, sacerdote en constante conflicto con la autoridad eclesiástica. Por lo que atañe al tema que tratamos, los estatutos de esta Iglesia prohibían a sus sacerdotes percibir sueldo del Estado y cualquier estipendio por sus mi-

---

[34] Alrededor de 200 páginas se dedican en La Cruz al tema social en los años 1871-74.

nisterios, a la vez que les recomendaban la atención especial a los pobres y desvalidos. Es una prueba más de cómo calaron en ciertos sectores de la Iglesia los ideales igualitarios de la época, revestidos de carácter evangélico. Simbiosis esta que se dio también entonces en varios lugares del país [35]. Y que en alguna medida llegó a la jerarquía eclesiástica. En esta época, algunos obispos obtuvieron del papa facultades para conceder dispensas matrimoniales sin acudir a Roma, a fin de ahorrar así gastos a sus diocesanos necesitados.

A otro nivel hay que situar el pensamiento tradicionalista. También en el sexenio se distanció de las pretensiones clasistas de otros partidos burgueses. Así en el debate parlamentario sobre la Internacional [36].

3. Asociaciones obreras

Queda ya dicho más arriba que el sexenio dio a los obreros españoles la oportunidad de asociarse y de conectar con la I Internacional.

Al amparo de las libertades de asociación y reunión, se estructuraron las sociedades obreras, y ya desde 1868 se celebraron varios congresos. La prohibición de la Internacional en España y la división entre las varias corrientes coexistentes debilitaron algo su fuerza. La politización de bastantes de sus acciones restó también eficacia. Con todo, algo se logró. Varias cooperativas agrarias (sobre todo en el bienio 1870-71), la Asociación del Arte de Imprimir, de Madrid, germen del futuro Partido Socialista; las leyes republicanas que regulaban el trabajo de las mujeres y niños e instauraban, por primera vez en Europa, los jurados mixtos, etc.

A pesar de las cifras que los congresos obreros airean sobre el número de representados en las sesiones, en estos años cambiantes no es fácil saber a cuánto ascendían sus efectivos. Parece que eran minoría los obreros asociados establemente. En el Congreso celebrado en Barcelona (1870), varios delegados reconocieron que la mayoría de sus compañeros eran indiferentes o contrarios a la asociación obrera y esperaban la mejora de su situación por otros caminos.

En el ámbito eclesial, el P. Pastells, S.I., creó en Alcoy un *círculo de obreros* (1872). Pero se dedicó mucha más atención al asociacionismo seglar en general como medio de encauzar la presencia pública de la Iglesia, habida cuenta de las nuevas circunstancias, que privaban al clero de sus campos de acción tradicionales o que los disminuían de forma notable. La *Asociación de Católicos* y la *Juventud Católica* tuvieron, por supuesto, algunas actuaciones sociales, dedicadas especialmente a la difusión del pensamiento cristiano y a la discusión teórica de problemas sociales del momento. Pero su orientación no era específicamente obrera y tenía otros objetivos. Las vicisitudes de los tiempos polarizaron

---

[35] Los estatutos de la Iglesia cristiana-liberal de Villanueva de la Vera los he transcrito en el art. cit. en la nt.29 p.220-221. A. Jutglar (*Ideologías y clases en la España contemporánea* I 261-62 y 384 nt.10) transcribe algunas coplas populares, ejemplos también de esta simbiosis.

[36] S. Aznar, *Estudios religioso-sociales* 160-64.

su actividad hacia otros ámbitos necesarios también [37]. Quedó así un hueco sin llenar en la acción eclesial española.

4. LA PROMOCIÓN SOCIAL

La acción social de la Iglesia no experimentó grandes cambios de orientación en el período que ahora historiamos. Sufrió, evidentemente, las consecuencias del cerco económico a que se vio sometida la institución eclesial. Al mes justo del levantamiento de Cádiz, uno de los primeros decretos del Gobierno provisional suprimió de un plumazo las Conferencias de San Vicente de Paúl. Los redactores del decreto imaginaron poder apoderarse de los presuntos bienes cuantiosos de la asociación. Pero esos bienes eran únicamente humanos: cerca de 10.000 socios. Cuando el Gobierno descubrió que no se trataba de una entidad lucrativa, sino que, al contrario, prestaba desinteresadamente servicios a la sociedad, hubo de reconstruirla (a las dos semanas) con otro nombre: Asociaciones Civiles de Caridad. El nuevo decreto señalaba que no podían depender de autoridad extranjera, en clara alusión al papa.

Buena parte de los antiguos asociados siguió ejercitando su labor aisladamente. O se adhirieron a la Asociación de Católicos. La rama de señoras madrileñas de esta Asociación fundó unas escuelas gratuitas que tuvieron más larga vida que los Estudios Generales —especie de universidad libre que funcionó en Madrid y Sevilla— creados por los varones.

También en esta época agitada surgieron en España nuevas congregaciones religiosas dedicadas a lo social.

Aunque la aprobación eclesiástica vendrá más tarde, comenzó en este período la actividad de Vicenta López de Vicuña, dedicada a la protección de las jóvenes del servicio doméstico. Nuevas fundaciones fueron: para atender al cuidado de los enfermos, las Hermanas de San José (María Gay Tibau) y las Religiosas Siervas de Jesús de la Caridad (María Josefa Sancho). Las Hijas de María Madre de la Iglesia y las Terciarias Franciscanas Misioneras de la Madre del Divino Pastor (María Ana Mogas Fontcuberta) alternaban esta labor con la educación. Para personas de la tercera edad que no encontraban acomodo, el sacerdote Saturnino López Novoa y Teresa Jornet crearon las Hermanitas de los Ancianos Desamparados. También a dos fundadores —la M. Cándida María de Jesús y el jesuita P. Herranz— se debe el nacimiento de las Hijas de Jesús. Mujer de escasa cultura, pero de gran visión, la fundadora quiso poner al servicio de la Iglesia un grupo de mujeres que a través de su tarea educativa contribuyesen a crear una nueva sociedad. Mujer del pueblo también, se preocupó, además, de acercarse a las clases más humildes con sus escuelas de sirvientas y los puestos escolares gratuitos. También muy interesante es otra fundación en la que interviene de nuevo un jesuita, el P. Butiñá, y Bonifacia Rodríguez de Castro. Modernas investigaciones han sacado a la luz la intuición

---

[37] *La Cruz* de estos años es una buena fuente para enterarse de las realizaciones de ambas sociedades; su director, D. León Carbonero y Sol, fue uno de los fundadores y propagadores más activos de la Asociación de Católicos. Modernamente, Antonio Aguar Catalán, en su tesis sobre *La Acción Católica a través de sus estatutos* (Pontificia Universidad de Salamanca), se ha interesado por ambas asociaciones.

fundacional: las Siervas de San José son un intento de vivir, con motivaciones y finalidad evangélica, los ideales más nobles del socialismo utópico. Según Jesús Martín Tejedor, los «talleres de Nazaret» serían una especie de falansterios cristianos. Vicisitudes posteriores orientaron hacia otros derroteros —la educación de jóvenes de distintas clases sociales— esta fundación, uno de los ecos más audaces que el socialismo precientífico encontró en el seno de la Iglesia española [38].

Nos llevaría muy lejos seguir historiando la actividad de estas congregaciones religiosas y la de las anteriormente fundadas. Como también el pormenorizar las obras benéficas que en estos años —política, económica y vivencialmente difíciles— siguió manteniendo la Iglesia en España. Estaba en situación muy precaria; incluso ambientalmente se reconocía su pobreza. Sin embargo, siguió preocupándose de los que también sufrían estrecheces en España y fuera de España, en situaciones extremas y en circunstancias normales. Los palacios episcopales, los conventos, las parroquias, siguieron siendo centros asistenciales. Aunque los eclesiásticos pasaron por circunstancias y situaciones muy difíciles, continuaron compartiendo sus escasos recursos con otros necesitados. Como se dijo en el sínodo de Jaén, la Iglesia, antes rica y ahora pobre, concibió la locura evangélica de compartir su propia pobreza con los pobres [39].

5. BALANCE DE ESTE PERÍODO

Fue muy difícil la vida de la Iglesia en el sexenio. Logró sobrevivir con dificultades. No pudo, en cambio, aprovechar las dos oportunidades que se le presentaron: aceptar el liberalismo político y comprender el sustrato justo de las reivindicaciones obreras. Ni liberales ni proletarios facilitaron esta tarea. Se produjo, asimismo, una involución conservadora en las filas eclesiales, resultado de la postura defensiva que le forzaron a adoptar y del apoyo que sólo le prestaron los grupos derechistas. Aunque la cosmovisión eclesial y la conservadora diferían en puntos esenciales, de hecho se hermanaron más de lo justo. La consecuencia obvia fue el divorcio entre la Iglesia y el mundo obrero que nacía en estos años como clase.

---

[38] Cf. J. MARTÍN TEJEDOR, *Francisco Butiñá y los talleres de Nazaret. Utopismo socialista del siglo XIX en el catolicismo español* (Madrid, C. S. I. C., 1977).
[39] *La Cruz* (1872) 1,700-701.

CAPÍTULO III

LA RESTAURACION (1875-1902)

El grito de Sagunto (29-12-1874) restauró la Monarquía borbónica. Se inauguraba así una etapa que finalizaría en 1931. Abarcamos ahora el análisis de su primera parte: hasta la proclamación de Alfonso XIII. En estos años se produce en España una nueva configuración política, una seria transformación económica y una consolidación social: las clases sociales —sus objetivos y las fronteras entre ellas— se delimitan más claramente.

a) Política

Dos etapas pueden distinguirse en este cuarto de siglo. El primer decenio lo ocupa el reinado de Alfonso XII. Desde su muerte (1885) ejercerá la regencia su segunda mujer, María Cristina de Habsburgo. Los primeros años de la etapa inicial se dedicaron a levantar el andamiaje que posibilitase la vida política posterior. Crear un estado legal, no arbitrario, que posibilitase la acción política de todos los grupos existentes; asegurar el orden y lograr un equilibrio entre las aspiraciones de todos fueron los objetivos. Los resultados prácticos resultaron más exiguos: una democracia superficial y un sentido social casi nulo. El habilidoso pero inestable equilibrio de la Constitución de 1876 es la plasmación concreta de estos ideales. Se posibilitó la convivencia nacional durante algunos decenios —todo un récord para las costumbres españolas—, pero a costa de ignorar a una parte del país cada vez más numerosa y concienciada.

Tras la temprana muerte del rey en 1885, la clarividencia de Cánovas y Sagasta, el apoyo de la Iglesia y el deseo popular de continuidad sin riesgos hicieron posible la pervivencia del sistema. Pero ya más erosionado, a pesar de la notoria buena voluntad de la regente. La contienda electoral aparece cada vez más como una farsa. En 1891 se instaura el sufragio universal de los varones. Pero el caciquismo, los «pucherazos» y la consiguiente abstención mayoritaria demuestran que es una concesión meramente formal, que no intranquiliza a las clases establecidas en el poder: el pueblo sigue al margen. También las guerras exteriores aceleraron la inestabilidad del sistema por sus enormes costes. La de Marruecos, en la primera mitad del último decenio, obligó a una movilización de 22.000 hombres, costó 35 millones de pesetas y dejó un ejército desprestigiado e hipertrofiado en su cabeza: más de 1.000 entre generales y coroneles y cerca de 20.000 oficiales. La de Cuba y Filipinas nos llevó a emplear allí hasta el último hombre

(200.000 movilizados) y hasta la última peseta: 1.500 millones. Pero el coste más importante fue el moral. La pérdida de las colonias originará la inmensa decepción de la que se hará eco la generación del 98.

b) **Economía**

Si políticamente el período finaliza en picado tras una etapa inicial de estabilidad, el panorama económico no es muy diferente. Al evidente progreso de los primeros años sucederá una crisis final, en la que sobrenadarán los que se han ido preparando para ello. Porque las características principales de la economía española en estos cinco lustros son el progreso industrial y la concentración en pocas manos del poder económico.

La *agricultura* seguirá ocupando a la mayor parte de la población activa: cerca de 5 millones de hombres y mujeres trabajan en el campo, mientras la industria y los servicios rondan cada una el millón a finales de siglo a pesar de su aumento espectacular. Aumenta también el número de propietarios; pero más notoria es la acumulación de la propiedad en manos de unos pocos. En Andalucía y Extremadura, las grandes familias —del 1 al 5 por 100 de la población total— poseen más del 50 por 100 del terreno, y en alguna provincia, hasta el 72 por 100. Las tierras las arriendan en condiciones ventajosas para ellos al amparo del Código civil de 1885. Decreció la extensión dedicada al trigo, en beneficio del aceite y la naranja. Fueron los vinateros quienes consiguieron más ventajas: triplicaron sus exportaciones de 1879 a 1889. Pero, a partir de la última década, la filoxera invade los viñedos españoles coincidiendo con su erradicación de los franceses, con la consiguiente pérdida de mercado. Producto nuevo de esta época es la remolacha, implantada en España en previsión de lo que ocurriera con Cuba.

Fue también fabuloso el incremento en *minería*. La producción de mineral de hierro superó en 1880 a la francesa, y desde entonces se duplicó hasta el final de siglo. Pero prácticamente dos tercios de los casi 8 millones de toneladas extraídos se destinaban a la exportación, con perjuicio de la industria nacional. También se duplicó en el último decenio la producción de carbón (cerca de 2.500.000 toneladas a final de siglo), que era, con todo, insuficiente para las necesidades del país cuantitativa y cualitativamente. A la misma cantidad, aproximadamente, llegaba la extracción de cobre, en manos extranjeras.

Se dieron, asimismo, aumentos en el campo de la *industria*. En veinticinco años se cuadriplicó la siderurgia; a pesar de todo, muy inferior a la francesa y alemana. La textil se recuperó tras una crisis (1885-88), y, favorecida por el arancel proteccionista de 1891, decuplicó sus exportaciones hasta la pérdida de las colonias. Los dos factores prevalentes en el sector industrial durante este período fueron la concentración de industrias de cabecera, que dio origen a incipientes, pero decididos monopolios, y la aparición de industrias nuevas: química, explosivos, eléctrica, etc.

No fue excepción el ramo de los *transportes*. La red ferroviaria supera los 12.000 kilómetros al morir el siglo y su utilización —los kilómetros recorridos por los trenes— dio un salto hacia adelante desde 1881. Se crean compañías privadas ferroviarias y marítimas: nuevo campo en el que se manifiesta la concentración de capital. También aumentan las carreteras: más de 30.000 kilómetros hay a finales del XIX. Todo ello con evidente ventaja para el comercio.

Finalmente hay que reseñar otros factores más en el orden económico. En primer lugar, la *consolidación de la banca española,* sobre todo tras la repatriación de los capitales coloniales. La reforma Villaverde (1900) dejó más libertad de movimientos al Banco de España, que podrá, juntamente con la banca privada, asumir responsabilidades en la industrialización del país. Pero por los mismos años, a consecuencia de la fuga del oro, de los costes de las guerras y de varios años de malas cosechas, se produjo un abrumador *descenso del valor adquisitivo* de la peseta: en la última década del siglo perdió la mitad de su poder de compra en el mercado internacional. Cara al extranjero, la economía española se colocó en situación parecida a la experimentada en el reinado de Carlos IV.

Finalmente, el *influjo de la situación política:* al concentrarse el poder político en manos de la burguesía, pudieron mantenerse las arcaicas estructuras agrarias, que generaron, a su vez, dos fenómenos: bajo nivel de mercado interior por falta de poder adquisitivo y escasa inversión nacional en bienes productivos a largo plazo (que, en parte, se financian con capital extranjero), con lo que el desarrollo económico queda seriamente comprometido cara al futuro y desequilibrado en el presente. Pero la pervivencia de la estructura agraria era capital no sólo para los propietarios, sino también para los políticos: la estabilidad política descansa en estos años sobre la inercia de la masa rural, pretendidamente marginada del progreso de la nación. Esta inercia de la mayoría quita importancia a la acción de la clase media, más progresiva, derrotada siempre por el número abrumador de los distritos electorales campesinos.

c) **Sociedad**

Hija de esta transformación económica será la social. Las clases se delimitan y consolidan. La Restauración acrecentó el número de *nobles.* Estos y la *gran burguesía* coinciden cada vez más en sus intereses. La *burguesía media y pequeña,* seducida en principio por el auge económico, va desenganchándose a final de siglo al comprobar que la tendencia monopolística la excluye de los grandes beneficios. El ala más avanzada dará origen a los primeros nacionalismos. Pero su preocupación social será mínima.

Por su parte, el *proletariado* va tomando conciencia de clase. Contribuyen a ello la creación de partidos y sindicatos, que reclutan clientela con cierta facilidad dadas las condiciones de vida de los trabajadores [40].

---

[40] Fuente importante para el estudio de la condición de vida de los trabajadores en los últimos decenios del XIX son los informes de la Comisión de Reformas Sociales. Han sido publicados algunos correspondientes a este período por A. ELORZA y MARÍA C. IGLESIAS,

Los salarios de los obreros industriales suben algo a lo largo de estos veinticinco años: entre dos y cinco pesetas es el sueldo diario a raíz de la Restauración, y a final de siglo llegará a oscilar entre las tres y siete pesetas. En el campo, la subida es mayor, aunque lo percibido por los braceros no supera casi nunca las tres pesetas diarias, comida aparte. Hay que tener en cuenta además que el jornalero agrícola puede trabajar sólo entre 90 y 150 días al año y que el obrero industrial, sobre todo en algunos sectores, se encuentra con demasiada frecuencia parado. La jornada laboral va descendiendo: ocupa entre diez y doce horas, aunque no faltan otras más prolongadas. El poder adquisitivo del jornal puede evaluarse atendiendo a estos datos: el presupuesto de alimentación de una familia obrera en Madrid hacia 1885 alcanzaba las tres pesetas diarias. El alquiler de una casa podía llegar a 30 pesetas/mes. Se comprende que hubiese que echar mano del trabajo de la mujer y de los hijos y que la alimentación fuese deficiente: mientras en París cada habitante consumía 80 kilogramos de carne al año, el madrileño no pasaba de la mitad. La tasa de mortalidad era preocupante entre la clase trabajadora. Entre el 15 de agosto y el 9 de octubre de 1884 fallecieron en Madrid:

En el distrito del Congreso (burgués)... 8,84 por 1.000.
En el distrito de la Inclusa (proletario)... 31,72 por 1.000.

Culturalmente es también precaria la situación del país, y especialmente del proletariado. Los sucesivos censos evidencian una disminución del analfabetismo: en 1877 saben leer y escribir el 24,48 por 100; en 1900 aumentarán a 33,45 por 100. Con todo, la escolarización básica fue muy deficiente. En 1885, la Institución Libre de Enseñanza calculaba que sólo asistían a la escuela primaria un 56 por 100 de los que debían hacerlo, y de éstos, un 28 por 100 abandonaba sus estudios acabado el primer año, en gran parte para dedicarse al trabajo. La enseñanza media contaba —en el curso 1878-79— con poco más de 27.000 alumnos, de los que más de la mitad la recibía en colegios privados. La situación cultural de la clase trabajadora distaba, pues, de ser satisfactoria. Y esta circunstancia perpetuaba su condición oprimida cara al futuro. Como, simultáneamente, las clases acomodadas habían mejorado su posición, las distancias sociales se fueron acentuando y quedaron más nítidamente delimitadas las fronteras interclasistas.

Burgueses y proletarios (Barcelona, Laia, 1973). Los reproduce, en parte, *La clase obrera española a finales del siglo* XIX (Algorta, Zero, 1970). Para la región vizcaína, cf. M. GONZÁLEZ PORTILLA, *Evolución del coste de vida, los precios y la demografía en Vizcaya en los orígenes de la revolución industrial*, en M. TUÑÓN DE LARA y J. F. BOTREL, *Movimiento obrero, política y literatura en la España contemporánea* (Madrid, Edicusa, 1974), 53-66. Sobre la vida de *Los mineros de Linares a finales del siglo* XIX, cf. el estudio que con ese título publicó J. C. GAY ARMENTEROS en el *Homenaje al Dr. D. Juan Reglá Campistol* II 405-20.

1. Situación económica y social de la Iglesia

Al abarcar en conjunto la época de la Restauración, se impone la conclusión de que la situación económica y social de la Iglesia en estos años experimenta una notable mejoría, que permitirá, a su vez, una notoria restauración eclesiástica. En los últimos años del XIX se reinstalan en España numerosas órdenes religiosas, mejora la formación intelectual del clero —creación de los seminarios centrales y de la Universidad de Comillas en la última década, restauración neotomista de Fr. Ceferino y la *Aeterni Patris*—, proliferan las manifestaciones de actividad eclesial en muchos campos, etc. En el seno de la Iglesia española se constata también un acercamiento a la burguesía, de la que necesita para sobrevivir. Estas afirmaciones, en gran parte verdaderas, precisan alguna matización. Pues ni la mutua aproximación Iglesia-burguesía fue tan nítida y lineal como pudiera parecer a primera vista —iremos viendo con detalle cómo ni el aburguesamiento de la Iglesia ni la catolización de la burguesía fueron hechos incuestionables— ni todo fue positivo ni fácil en la vida eclesial de estos años. No todo fue positivo: se acentuó el desenganche respecto a la Iglesia de la intelectualidad, del mundo obrero y, finalmente, de la burguesía, y, a la vez, la Iglesia española se vio dramáticamente dividida por la cuestión integrista. Ni todo fácil: las heridas del sexenio, la desarticulación de la estructura eclesiástica y los traumas de la época pasada tardarían en cicatrizar[41]. Tampoco se puede generalizar sobre la situación económica de la Iglesia. Dividiremos, por tanto, la exposición en dos grandes apartados: clero secular y regular. Dentro de estos bloques habrá también notables diferencias.

a) El clero secular

Privado ya de las tierras y del diezmo, el clero secular tuvo cuatro teóricas fuentes de ingresos en el último cuarto de siglo[42]:

- *Presupuesto estatal:* en estos años ronda siempre los 40 millones de pesetas.
- *Títulos de la Deuda pública al 4 por 100* procedentes de los bienes desamortizados. Cantidad difícilmente evaluable, pero de escasa consideración.
- *Aranceles:* con las consabidas variaciones, sirve de muestra el de Jaca (1898): bautizos: de 2 a 15 pesetas; bodas: 20 pesetas; entierro de párvulo: de 3 a 60 pesetas; de adulto: de 16 a 135 pesetas; búsqueda de partidas: 1,25 pesetas. Como siempre, el párroco percibía alrededor de un 25 por 100 de esta cantidad. Y en caso de pobreza no percibía nada.
- *Bulas:* en esta época oscila su producto alrededor de las 700.000 pesetas al año en toda España. Tres quintos (420.000 pesetas) se emplearán en

---

[41] En *La Iglesia española ante la restauración de los Borbones (1874):* Razón y Fe 936 (1976) 31-42 he analizado la situación en que quedó la Iglesia tras el sexenio (resumen en p.36) y los efectos de la política restauradora.
[42] Para los años 1889-1902 es muy apreciable la tesis doctoral de F. García de Cortázar, *La Iglesia española en 1889-1902* (Pont. Univ. de Salamanca. Inédita). Para el producto de la bula, cf. *La Cruz* (1885) 1,87 y (1887) 2,454.

obras benéficas. El resto (280.000 pesetas) se empleaba discrecionalmente por el obispo; preferentemente, en gastos de culto.

Las asignaciones dentro del clero secular eran muy variadas. Mientras el primado de España percibía lo mismo que el jefe de Gobierno (45.000 pesetas anuales), los párrocos ingresaban entre 850 (el sueldo de un carabinero o de un maestro rural bien remunerado) y 2.500: lo mismo que un mozo de audiencia. Obispos y canónigos (3 por 100 de la población clerical) agotaban el 15 por 100 del presupuesto estatal. Como los ingresos por aranceles eran también menores en las iglesias atendidas por el clero más pobre, la situación de éste era muy precaria. A esto hay que añadir los *retrasos* en el pago (en esta época, minoritarios, pero reales en algunas diócesis; tal vez, por complicaciones políticas) y los *descuentos:* 25 por 100 hasta 1882 y 10 por 100 después. No es extraño que hubiese que acudir con frecuencia a la venta de objetos artísticos, que algunos obispos fundasen mutuas o asilos para sacerdotes pobres [43] o que menudeasen las interpelaciones parlamentarias sobre la precaria situación del bajo clero [44]. Por supuesto, parte de lo percibido derivaba a otras necesidades. Más abajo nos ocuparemos de la beneficencia. Consignamos ahora solamente que también el Vaticano era beneficiario de la generosidad clerical a través del *Obolo de S. Pedro, Obra de la Propagación de la Fe* o de las tasas por dispensas matrimoniales y otras gracias [45]. Fuerte desigualdad en las percepciones y precaria situación en la mayoría de los sacerdotes —mejor, con todo, y más segura que en la época precedente— son las notas que caracterizan a la economía del clero secular en los años, aparentemente brillantes, de la Restauración. Obviamente, las dificultades que agobiaban a las clases modestas del país —malas cosechas, inflación, pérdida del valor adquisitivo de la moneda— afectaban también al estamento clerical. La depreciación de la peseta incidió en ellos al igual que en todos los que vivían de rentas fijas: la asignación estatal no sólo no aumentó; disminuyó con el correr de los años.

b) **El clero regular**

Aparentemente era más boyante la situación de los regulares. Como fuentes de ingresos contaban con tres capítulos:

> ● *Un capital inicial,* como producto de la desamortización. Mientras el clero diocesano invertía en fondos estatales, el regular lo hizo preferentemente en bienes industriales, más rentables. Las cantidades que el Estado abonaba por este concepto —detalladas en los presupuestos anuales— eran mínimas.

[43] Así los prelados de Córdoba, Segorbe y Tuy: *La Cruz* (1879) 2,241-51; ibid. (1882) 2,1063; ibid. (1887) 1,372.
[44] Ibid. (1885) 1,679-84; ibid. (1890) 2,15-64; ibid. (1892) 1,617-21.663-74; ibid. (1892) 2,44-71; ibid. (1893) 1,75-106.520-42.551-69.689-96; ibid. (1893) 2,143-57.
[45] En estos capítulos —sobre todo en el último— participaban todos los fieles. Por este último capítulo, la archidiócesis primada remitía a Roma, en los últimos años del siglo, más de 13.000 liras anuales.

● *El fruto del trabajo*, ya fuese en artesanía, enseñanza o trabajos manuales. Cantidad muy variable según los casos.

● *Limosnas:* parece que la mayoría de los donativos procedentes de las clases acomodadas se canalizaron hacia algunas órdenes religiosas, por su cultura y espiritualidad interlocutores más aptos de la burguesía [46].

Más abajo se especificará algo sobre la dedicación que se daba a estos ingresos. Una gran parte se invirtió en obras sociales y educativas o en inmuebles valiosos, pero no realizables en bastantes ocasiones. Hay que hacer notar también que la desigualdad que existió entre el clero secular se dio también en el regular. Las órdenes de nueva fundación y las que por su trabajo o nivel cultural estaban menos en contacto con la burguesía, veían muy disminuidas sus fuentes de ingresos. Con todo, se ha podido escribir que en estos años «España viene a ser un refugio internacional muy importante del capital unido a la Iglesia católica» [47], con evidentes repercusiones en los mecanismos económicos y políticos españoles.

2. MAGISTERIO Y PENSADORES

Toda España despierta al problema social a lo largo del período que abarcamos ahora. No pretende esta afirmación insinuar que una conciencia social lúcida sea patrimonio nacional en el último cuarto de siglo. Su alcance es más modesto: afirmar que la cuestión social deja de ser campo de atención de unas minorías, como hasta aquí, para convertirse en centro de atención e interés de la mayoría. Aunque la forma de abordarla sea parcial, simplista e insuficiente en muchas ocasiones [48]. Una vez más, el punto de vista burgués y proletario —cada vez más distantes— nos sirve de telón de fondo para encuadrar el pensamiento católico.

a) *La burguesía.* —Si el miedo al fantasma de la Internacional unificó las filas de la burguesía durante el sexenio, ahora vuelven a aflorar las divergencias. No coinciden con los dos partidos en el poder, canovista y sagastino, sino con el sustrato ideológico [49].

El grupo más *conservador* mantiene la ideología defendida ya en el sexenio. La propiedad es sagrada: tiene su origen en Dios y en la superioridad de unos hombres sobre otros. El orden es la suprema meta del político. La situación vigente hay que mantenerla a cualquier precio: por ello se empleará la represión contra el movimiento obrero cuantas veces sea necesario. Los decretos antiterroristas, el mantenimiento de la estructura

---

[46] También aquí nos remitimos a la tesis citada en la nt.42.

[47] J. VELARDE FUERTES, *Problemas de la realidad económica española en la época de Alfonso XIII*, en *Historia Social de España. Siglo XX* 21.

[48] Es significativo el *Cátalogo de algunos libros y folletos españoles referentes a la cuestión social*, publicado en *La Cruz* (1891) 1,621-24 a raíz de la *Rerum novarum*. Aunque incompleto y apresurado, consta de casi cien títulos, en su mayoría posteriores al sexenio y a la Restauración. Ver también las traducciones de obras extranjeras sobre el tema que cita O. ALZAGA, *La primera democracia cristiana en España* 51.

[49] Seguimos básicamente en este apartado la introducción a A. ELORZA-M.ª C. IGLESIAS, *Burgueses y proletarios* 19-31.

económica y la pervivencia del andamiaje político (sufragio censo, trabas al derecho de asociación, etc.) serán los medios empleados. Apelarán también al sentimiento católico como instrumento de su política. Sin demasiada convicción personal y eficaz por cierto.

El grupo *reformista* —sus orígenes están en la Institución Libre de Enseñanza sobre todo— defiende también la propiedad y el orden, pero aborda de otra forma la relación con el movimiento obrero. La solución al problema social hay que buscarla en la libertad para asociarse y negociar de cada clase y en la educación y moralización de todo el país. Fueron dos sus principales logros: algunas leyes políticas (sufragio universal, libertad de asociación) y sociales (prohibición de trabajo a menores, seguridad en sectores duros como minería y protección estatal a inválidos y accidentados laborales) y la creación en 1883 de la Comisión de Reformas Sociales, cuerpo asesor del Gobierno en política social formado por empresarios y trabajadores. Primer intento europeo en este sentido, su eficacia fue prácticamente nula, aunque sus informes son un precioso material para conocer la situación de entonces [50].

Ninguno de los dos grupos tuvo interés efectivo en el cambio estructural. Ni el problema agrario ni el fiscal merecieron seriamente su atención. Y el Fisco precisaba una reforma: en 1876, el fiscal del Supremo denunciaba que un 33 por 100 de lo recaudado no llegaba al Gobierno; en 1902 el fraude en la contribución rural se estimaba entre un 50 y un 80 por 100.

b)   *El proletariado.*—Aunque persisten otras ideologías en el mundo del trabajo, nuestra atención tiene que dirigirse a los dos grandes grupos, fruto de la escisión anterior, que aglutinan en estos años las fuerzas proletarias.

El *socialismo.*—Dos documentos de especial importancia nos resumen la ideología fundamental del grupo socialista español a final de siglo: los programas del partido y el *Informe Vera*. En los programas de estos años se repiten los objetivos fundamentales: la posesión de poder político por la clase trabajadora; la transformación en propiedad común de los bienes de producción; la constitución de la sociedad sobre la base de la federación económica, la organización científica del trabajo y la enseñanza integral a todos los ciudadanos; la satisfacción por la sociedad de las necesidades de los impedidos. Junto a estos objetivos se detallaban otros, políticos y sociales. El *Informe Vera*, presentado en 1884 a la Comisión de Reformas Sociales, es la primera exposición de la doctrina marxista —aunque su ortodoxia no es total— aplicada a España con rigor y sin extremismos verbales. Su núcleo es una condena del capitalismo por motivos éticos y prácticos y una defensa de las tesis socialistas [51].

El contacto del socialismo español con la II Internacional motivó otra serie de ideas: la jornada de ocho horas, la presencia en la lucha electoral, la no alianza con fuerzas burguesas y ciertos toques anticlericales de raíz más hispánica: la enseñanza laica, la supresión del presupuesto del clero, etcétera.

El *anarquismo* sufrió dentro de su seno varias divisiones. Unas, por el influjo de Bakunin o Kropotkin. Otras, por la tendencia anarcocolectivista o anarcocomunista: mientras la primera admite una cierta asociación obrera, no política, la segunda confía, sobre todo, en la huelga y la violen-

---

[50] En la nt.40. se ha indicado la publicación de algunos de estos informes. En *Revista de Trabajo* 25 (1969), varios artículos se refieren a esta Comisión, a la ideología burguesa y a la realidad social en estos años.

[51] Los programas socialistas pueden verse en M. ARTOLA, *Partidos y programas políticos. 1808-1936* (Madrid, Aguilar, 1975) II 261-67. El *Informe Vera*, precedido de una introducción de T. JIMÉNEZ ARAYA y editado críticamente, en A. ELORZA-M.ª C. IGLESIAS, *Burgueses y proletarios* 45-71 y 342-98. Se publicó también en *La clase obrera española a finales del siglo* XIX 158-201.

cia. Cataluña y Andalucia estuvieron influidas por las dos tendencias respectivamente. Con todo, antes de la división pueden encontrarse unas líneas ideológicas elementales: en lo político, anárquicos o autonomistas, con exigencia de igualdad de derechos y deberes para todos; ante la propiedad, colectivistas; respecto a la religión, indiferentes o ateos [52].

También la Iglesia despertó a la cuestión social en este último período del XIX mayoritariamente. No es que le faltasen otros problemas. Hemos aludido ya a la reconstrucción estructural y económica de sus efectivos. Habría que insinuar otros dos problemas que bullen en estos años: la aceptación de la tolerancia religiosa y la dramática escisión integrista. Son dos caras de una misma realidad: la difícil adaptación al liberalismo tras las condenas tajantes de Pío IX y a la luz de las nuevas matizaciones de León XIII. Fueron dos combates sangrientos —sobre todo, el segundo— que esterilizaron el pensamiento eclesial al encauzarlo hacia estos temas y absorbieron gran parte de sus energías, que deberían haberse orientado hacia otros campos [53].

Fue, a pesar de esto, abundante la doctrina social que la Iglesia española expuso en el período que historiamos. Su número y variedad aconsejan acometer su análisis a varios niveles: la enseñanza papal y su repercusión en España, el magisterio episcopal, la vertiente social de los congresos católicos y las ideas expuestas por otros pensadores.

a) León XIII y su repercusión en España

El 15 de mayo de 1891, fecha de la publicación de la *Rerum novarum,* marca una línea en la historia del catolicismo social. Aunque, como veremos, el eco que encontró en España no fue al principio ni espectacular ni fulgurante, su influjo a más largo plazo es motivo suficiente para comenzar por esta encíclica el análisis del pensamiento social de la Iglesia española en estos años.

No era la primera vez que el papa Pecci abordaba magisterialmente el tema social. Prescindiendo de sus intervenciones episcopales —la pastoral de Cuaresma de 1877, poco antes de su elección como papa, es la más característica—, ya antes de 1891 se había acercado a la cuestión obrera en cinco documentos al menos. Aunque su tono era más moderno que el de Pío IX, se mantenía todavía en las coordenadas de la época anterior [54].

---

[52] Manifiestos anarquistas en M. ARTOLA, o.c., II 251-57.

[53] Sobre uno de los primeros escarceos Iglesia-Gobierno a propósito de la libertad religiosa, he escrito *La actitud de Roma ante el artículo 11 de la Constitución de 1876:* Hispania Sacra 28 (1975) 167-96. Pero el tema volvió a plantearse muchas veces más en este período, sobre todo con ocasión de la apertura de un templo protestante en Madrid y de la consagración como obispo protestante del ex sacerdote Cabrera. Acerca del integrismo, he sintetizado sus rasgos principales en *El integrismo: un no a la libertad del católico ante el pluralismo político:* Razón y Fe 947 (1976) 43-57. Presento ahí otros artículos y una bibliografía sumaria sobre el tema.

[54] Cf. *Doctrina pontificia* (Madrid, BAC, 1959). t.3: *Documentos sociales.* Estos documentos son: la encíclica inaugural *Quod apostolici* (1878) n.10 y 12; los discursos *C'est avec une particulière satisfaction* (1885) e *Il y a deux ans* (1889); las cartas al Káiser Guillermo II (1890) y al arzobispo de Colonia (1890). *La Cruz* ([1890] 1,479-82 y 610-15) recoge y comenta estas cartas. En (1891) 1,221 incluye otra del papa al obispo de Nancy. Podrían enumerarse, además, los documentos dedicados al tema de la esclavitud, objeto de especial atención por parte de León XIII.

Es ya conocida la génesis de la *Rerum novarum:* sus precedentes más lejanos (Ketteler, Manning, etc.) y las complejas fases de su redacción. A los textos iniciales del cardenal Zigliara, O.P., y del P. Liberatore, S.I., León XIII añadió bastantes observaciones personales a lo largo de los ocho borradores. Tampoco es preciso analizar detenidamente el contenido doctrinal de la encíclica. Baste recordar que, tras una parte negativa, en la que se refuta la teoría socialista más radical sobre la propiedad privada, el cuerpo del documento se aparta también del capitalismo extremo al proclamar la igualdad de todos los hombres, pobres incluidos, y, sobre todo, al postular la triple intervención de la Iglesia, el Estado y las asociaciones de interesados en la cuestión social. Este último aspecto era el más novedoso. Aunque reconocía la necesaria subordinación de estas asociaciones al bien común (y por eso concedía al Estado cierta potestad limitada respecto a ellas) y aunque dejaba voluntariamente sin aclarar si estas sociedades debían ser puras (de sólo obreros o patronos) o mixtas, y también si debían ser o no confesionales, el fundado reconocimiento del derecho de asociación obrera era un avance en la doctrina pontificia. Avance que, justo es decirlo, los conservadores más inteligentes habían tenido que aceptar por la fuerza de los hechos. La justificación doctrinal y el refrendo eclesiástico hacían ahora irreversible, por otro motivo, su aceptación y despojaban al Estado de las atribuciones omnímodas de que en ocasiones quería revestirse.

Por muchas razones, la *Rerum novarum* fue un clarinazo en España. El eco que produjo es buena prueba de ello. Más adelante nos ocuparemos de sus repercusiones en la jerarquía y pensadores católicos. En el mundo político, las reacciones fueron variadas [55]

El Socialista (órgano del PSOE) la acogió con hosquedad: el papa llegaba tarde y el mundo del trabajo le recusaba como juez. *El País* (republicano) no veía en la encíclica ninguna solución eficaz, y opinaba que la mera aportación de la Iglesia no resolvería la cuestión social (cosa que León XIII afirmaba también, aunque los redactores no se hubiesen percatado de ello). A Castelar le causaba «pena hondísima» que el papa hiciese esta incursión en asuntos temporales, viendo en ello —con deformación típicamente conservadora— una vuelta a los esquemas medievales. Por su parte, el Partido Conservador de Cánovas, tras un titubeo inicial, quiso apropiarse del contenido de la Encíclica: *La Epoca* afirmó que eso era lo que se estaba haciendo en España ya, desatando así la ironía de *El Liberal.* En realidad, el único grupo político que de alguna manera podía encontrarse cercano a la doctrina papal era el tradicionalista, desde siempre antiliberal, también en lo económico. Para las pretensiones liberales de Cánovas, la apelación a la tarea del Estado y a las asociaciones era un mal trago: sus discursos anteriores, e incluso uno posterior, en el que calificaba de doctrina angélica —difícilmente aplicable— a las enseñanzas de la encíclica, son una buena prueba. Pero era preciso aceptarlo para no dejar que los carlistas detentasen en exclusiva la bandera social dentro del campo conservador. Esto explica la adhesión posterior.

La doctrina de la *Rerum novarum* resultó incómoda para la clase política y para la burguesía, y cada grupo lo manifestó a su modo. En la España finisecular, la mentalidad ambiente era socialmente muy conservadora. Se ha afirmado, con razón, que los patronos no eran capaces

[55] En *Revista de Trabajo* 16 (1966) 255ss se recogen algunas reacciones contemporáneas.

de percibir la situación de sus obreros y que incluso la sociedad carecía de antenas para ello: el proletariado era un mundo aparte [56]. En estas circunstancias, la enseñanza papal —y la de la Iglesia española en cuanto se hacía eco de ella— resultaba un avance difícil de asimilar.

b) **Los obispos españoles**

Es muy escasa la producción episcopal sobre esta materia antes de la encíclica. La preocupación por las dificultades de la adaptación al liberalismo —tolerancia religiosa e integrismo absorbió increíblemente los esfuerzos de los pastores españoles y no les dejó resquicios para ocuparse del problema social. Además de su intervención en los congresos católicos, de los que hablaremos a continuación, abordaron alguna vez el tema, pero en la línea de épocas anteriores: limosnas, condena del lujo y los desórdenes, defensa del descanso dominical... La discusión parlamentaria de una ley regulando este último aspecto coincidió con la publicación de la *Rerum novarum,* lo que dio ocasión a que comentasen la encíclica en el hemiciclo políticos y obispos-senadores [57].

Pero fue obviamente al margen del Parlamento donde los prelados comentaron la enseñanza papal. Además de varios discursos y sermones —el del obispo de Madrid, Ciriaco María Sancha, alcanzó especial notoriedad—, se pueden contabilizar más de veinte pastorales que glosan la encíclica. El análisis de estos textos deja entrever que, junto a la innegable apertura de horizontes producida por la *Rerum novarum* (que también fue despertador para los obispos), perduran elementos atávicos: conocimiento teórico de la realidad obrera, añoranzas veladas de la época gremial e interés porque la Iglesia encuentre un puesto en la sociedad. La cristianización del mundo del trabajo y de las relaciones laborales interesa, pero más tímidamente.

Hay que destacar, sin embargo, algunas intervenciones: la ya citada del obispo de Madrid, la pastoral de Morgades, obispo de Vich, y, sobre todo, el continuado magisterio del obispo de Orihuela, Juan Maura y Gelabert, que iluminó teóricamente la cuestión social con una larga serie de trece pastorales. Estos pastores más clarividentes espolearon al episcopado, que en sus manifestaciones conjuntas fueron demostrando un horizonte más amplio: el documento de los obispos reunidos en el último Congreso Católico es buena prueba de ello.

Al influjo de la encíclica —en su introducción se alude al tema— pueden deberse también las condenas de la usura, que en los difíciles años noventa hacía aún más desesperada la situación de los que no contaban con reservas. Aunque en años anteriores la Iglesia había hablado

---

[56] Cf. J. VICÉNS VIVES, *Historia social y económica...* 5,212-4. A. Jutglar (*Ideologías y clases...* I 157-62) resume la ideología de la burguesía y aduce, a lo largo de la obra, algunas muestras de su pensamiento. Las intervenciones burguesas ante la Comisión de Reformas Sociales evidencian lo mismo. Véase lo expuesto más arriba sobre la ideología burguesa en estos años.

[57] *La Cruz* se hace eco de este debate y recoge las intervenciones episcopales: arzobispos de Toledo y Santiago de Cuba, obispos de Salamanca, Málaga y Oviedo: ibid. (1891) 1,469-74; ibid. (1891) 2,8-32,37-52,54-63. Cf. también *Revista de Trabajo,* cit. en la nt.55.

sobre el tema, ahora se aborda con más realismo: ya que las exhortaciones no bastan para evitarlo, se tiende a limitar sus efectos reduciendo coyunturalmente el interés, permitido a un 6 por 100, y fomentando el préstamo sin interés.

c) **Los congresos católicos**

Iniciativa específica de estos años son los congresos católicos, reuniones predominantemente seglares, aunque muy patrocinadas y dirigidas por la jerarquía. Siguiendo el ejemplo de otras naciones, también en España se celebraron de 1889 a 1902. Se pretendía lograr que los católicos españoles se uniesen en problemas de interés común, superando así el desgarrón producido por la contienda integrista. Estos temas, a tenor del artículo 1.º de su Reglamento, eran principalmente

> defender los intereses de la religión, los derechos de la Iglesia y del Pontificado, difundir la educación e instrucción cristianas, promover las obras de caridad y acordar los medios para la restauración moral de la sociedad .

La formulación de estos objetivos —«obras de caridad», «restauración moral de la sociedad»— indica ya hasta dónde llegaba el talante social de los congresos. Hemos dedicado en otro lugar unas páginas a este tema; a ellas nos remitimos para justificar lo que ahora simplemente afirmaremos [58].

> El primer Congreso (Madrid 1889) abordó la cuestión social con óptica mayoritariamente benéfica y paternalista. Algo se modificó esta situación en el segundo (Zaragoza 1890): se creó una nueva sección y una Comisión permanente para los asuntos sociales: el Congreso recogió algunas reivindicaciones socialistas y, en general, trató el problema social con más realismo. El Tercer Congreso (Sevilla 1892) se hizo obviamente eco de la *Rerum novarum,* publicada el año anterior. Tarragona fue la sede del cuarto Congreso (1894), muy afectado por cuestiones políticas y por la penuria que atravesaba el país. Aunque las conclusiones avanzaron en realismo, la multitud de temas estudiados restaba eficacia. Por eso, el quinto Congreso (Burgos 1899) se centró en la situación del campo, de indudable interés en la región, aunque no faltaron alusiones a otros problemas nacionales: la emigración y la guerra. Santiago de Compostela (1902) cierra la serie de congresos católicos españoles. Fue aquí donde la cuestión social se analizó de forma más pragmática. Fue también donde se percibió el alcance limitado de este tipo de asambleas.

Porque su eficacia fue muy escasa. Casi nula en el orden práctico y a corto plazo: la Iglesia española no disponía ya de poder moral, económico o político para reformar efectivamente a la sociedad. Con todo, los congresos tuvieron cierta importancia como cauce para tomar conciencia de la situación a nivel eclesial y para fomentar un discreto progreso ideológico. En algunos puntos se avanzó más que la *Rerum novarum:* en

---

[58] R. SANZ DE DIEGO, *La vertiente social de los congresos católicos españoles (1889-1902):* Rev. Fomento Social 126 (1977) 177-87. Ahí se enumera una sumaria bibliografía sobre el tema.

lo referente a la obligatoriedad del salario familiar y en la conveniencia de la participación del obrero en los beneficios. Otros aspectos se aceptaron con más reticencias —la lucha de clases, la sindicación reivindicativa, la licitud de la huelga—, pero en los últimos congresos se defendieron con moderación. Hubo también avance en la comprensión de la tarea asignada a los ricos y al Estado. Mientras inicialmente sólo se pedía a los primeros caridad en sus limosnas, más tarde se les recordó la obligación de respetar la justicia en los salarios y de colaborar al bien común con sus inversiones. Igualmente, al Estado se le exigió algo más que la tutela del descanso dominical: reglamentación de los contratos laborales, preocupación por la higiene en trabajo y vivienda, reforma fiscal y fomento de la inversión.

Hay, por supuesto, algunas posturas muy reaccionarias en la ideología social de los Congresos. Y silencios desazonantes sobre la reforma de la estructura social, industrial y agraria, sobre el fraude fiscal y la evasión de capitales. Pero hay también una cierta valentía a la hora de autocriticar a la institución eclesial: se intentó abrir nuevos cauces a la acción de la Iglesia, se mostró interés por sectores deprimidos y olvidados por otros grupos —presos, emigrantes— y se solicitaron reformas de algunas estructuras eclesiásticas. Por desgracia, no existen muchos ejemplos paralelos de autocrítica en otros sectores de la sociedad.

d) Pensadores católicos

La publicación de la encíclica del papa Pecci influyó notablemente en la forma con que los pensadores católicos abordaron el tema social. Antes de 1891, el tono de las manifestaciones del pensamiento católico coincide con la técnica global de la sociedad que antes hemos descrito como alienada y paternalista. Abundan las defensas sin matices de la propiedad, el miedo y la condena hacia los movimientos obreros, la añoranza de la situación preindustrial y el paternalismo, que reduce los deberes de los ricos a la limosna, y los de los pobres, al trabajo sumiso y al ahorro [59]. Es sintomático el tono de una hoja volante, muy reproducida a final del siglo, titulada *Un cristiano como ha de ser y se necesita*. Se esperan de él manifestaciones de respeto a lo sagrado y al sacerdote, defensa de los intereses de la Iglesia, piedad no vergonzante... Acaba así el retrato:

11) Viste conforme a su posición social, pero modestamente. San Francisco de Sales quería que sus confesadas fuesen las mejor vestidas, pero también las más recatadas.
12) No se deja dominar por la tiranía de la moda.
13) Ora y acompaña su oración con obras buenas.

[59] A. Jutglar (*Ideologías y clases...* II) espiga, con parcialidad, pero con justicia, un ramillete de tesis sociales de pensadores católicos: en congresos católicos (134-35; 158) de Sardá y Salvany (260 nt.62), de Mons. Lluch (282 nt.90), de L. Puig y Savall (131-33), etc. Tono semejante revela la intervención de los sacerdotes de la Congregación de San Pedro ante la Comisión de Reformas Sociales: A. ELORZA-M.ª C. IGLESIAS, *Burgueses y proletarios* 399-402 y *La clase obrera...* 150-52.

Aun sin sacar conclusiones de una hoja volante, es asombroso a qué se reducen los deberes de un buen cristiano.

Son excepción a esta tónica algunos autores. Concepción Arenal, reformista, pero distante del capitalismo dogmático, y varios políticos de la Comunión Tradicionalista que, consecuentes con su historia y su antiliberalismo, mantienen menos estrictamente la propiedad privada y defienden una organización de tipo gremial que salvaguardase los derechos del trabajador. Exponente máximo de la ideología tradicionalista fue D. Juan Vázquez de Mella, precursor en algunos puntos, aunque luego mantuvo una postura menos avanzada que la de León XIII [60].

La publicación de la *Rerum novarum* desencadenó la actividad de un grupo de propagandistas a todos los niveles: conferencias, asambleas diocesanas y regionales de sacerdotes, cinco catecismos que la vulgarizaron. Algunos efectos de la encíclica se produjeron en el siglo XX; los dejamos para entonces. Pero al XIX pertenecen los más tempranos comentarios: *El Estado y la reforma social,* del conde de Lizárraga; *Socialismo y anarquismo,* del P. Antonio Vicent; las obras y conferencias de Sanz Escartín, Durán y Bas y un largo etcétera [61]. Son también de este decenio la *Revista Católica de Cuestiones Sociales,· El Obrero Católico* y el *Boletín del Obrero.*

Sin embargo, estos grupos fueron minoritarios. En su conjunto, los católicos españoles tardaron en asimilar la doctrina papal y se mantuvieron aferrados a los viejos esquemas. Es significativo hojear los números de *La Cruz* correspondientes a esta época. Antes de 1891 encontramos condenas globales del socialismo y anarquismo, sermones sobre la caridad, disertaciones sobre los deberes de «amos y criados». A partir de entonces, la revista debió de comprender que los tiempos habían cambiado. Pero ofrece poco material: resúmenes de debates parlamentarios, crónicas de la peregrinación obrera a Roma, algunos sueltos contra los bailes benéficos y poco más. Ni siquiera se hace eco del magisterio episcopal que glosaba la encíclica. Incluso para católicos de buena voluntad resultaba aventurado el nuevo aire que la Iglesia oficial adoptaba. ¿Qué pensarían otros católicos menos adictos? Cada vez parece más cierto el veredicto de García Escudero: nuestro problema social podía haberse resuelto de no existir «el egoísmo de una burguesía que se denominaba católica» [62], y que se negó a secundar las moderadas reformas que pedía un sector de la Iglesia.

---

[60] Sobre C. Arenal cf. O. ALZAGA, *La primera...* 50-51. Sobre Vázquez de Mella, ibid., 47-48 y S. AZNAR, *Estudios religioso-sociales* 165-69.

[61] Ibid., 169-78. La obra de Vicent conoció dos ediciones —una popular, muy extendida, financiada por el marqués de Comillas—; modernamente ha sido comentada por J. M. CUENCA TORIBIO en la colección Bitácora, de Narcea Ediciones (Madrid 1972) 226 págs.

[62] J. M.ª GARCÍA ESCUDERO, *De Cánovas a la República* (Madrid, Rialp, 1951) 197.

3. ASOCIACIONES OBRERAS

Tiene un interés particular asomarse a este campo de acción eclesial a finales del XIX. Porque en estos años cobran carta de ciudadanía el partido y el sindicato socialista y hacen acto de presencia —«propaganda por el hecho»— los grupos anarquistas.

> De estos últimos es difícil calibrar los efectivos. En 1882 contaban con unos 58.000 federados, pero su número decreció después, tal vez por su recurso a la violencia. De hecho, la *Revista Social* (20.000 ejemplares) dejó de publicarse. Más datos poseemos sobre la implantación del socialismo. Al comenzar el siglo, el número de votantes a los candidatos del PSOE y el de afiliados a UGT era sensiblemente igual: unos 26.000. El grupo socialista logró mantener huelgas difíciles, consiguió algunas reivindicaciones y colocó 27 concejales en toda España en 1901. Fracasó, en cambio, en su intento de conseguir escaños parlamentarios. Por entonces había en Italia 42 diputados socialistas, 75 en Francia y 110 en Alemania.

No se debe a la creación oficial de estos grupos, ni tampoco a la *Rerum novarum,* la aparición de las asociaciones obreras católicas; bastantes se constituyeron con anterioridad. Un cierto orden, más lógico que cronológico, nos ayudará a situarnos en la selva de organizaciones obreras católicas que surgen en esta época. Abordaremos primero dos obras de carácter benéfico-asociativo. Después estudiaremos las dos ramas de círculos obreros católicos (Fr. Ceferino y P. Vicent). Finalmente, algunas asociaciones ligadas a estos últimos; entre ellas, el primer intento de sindicato católico.

a) Obras benéfico-asociativas

Entre las variadas iniciativas surgidas en estos años, a caballo entre la asociación obrera y el mero patronato benéfico, conviene destacar a dos de ellas: la asociación *Amigos de los Obreros* y los *Patronatos de la Juventud Católica* [63].

En 1879 fundó la primera el obispo de Barcelona, José María Urquinaona. Fue una asociación mixta, de suscriptores (burgueses) y suscritos (obreros). Pretendía «mejorar la suerte de los obreros» por medio de ayudas materiales en caso de necesidad y con «premios a la virtud». No fue larga su vida: dependía de la generosidad de la burguesía, y ésta no fue abundante a juzgar por lo recaudado: unas 6.000 pesetas al año. Con ese dinero se remediaron algunas necesidades perentorias y se intentó estimular, mediante premios en metálico, algunas virtudes que contribuían a la promoción del obrero: el buen desempeño del oficio, la creación de un nuevo taller, los estudios adicionales, la santificación de las fiestas, la ayuda a la familia, etc. En 1872 comenzó a denominarse *Patronato del Obrero,* y, tras la muerte del fundador (1883), se asimiló a los círculos del P. Vicent.

---

[63] Acerca de la primera informa M.ª T. AUBACH, *El obispo Urquinaona, fundador de la asociación Amigos de los Obreros,* en *Homenaje al Dr. D. Juan Reglá y Campistol* II 367-78. Sobre los Patronatos de la Juventud Católica, cf. *La Cruz* de 1878 a 1885.

De semejantes características fueron los *Patronatos de la Juventud Católica*. La asociación había nacido en 1868 para defender la religión, a ejemplo de su hermana mayor, la *Asociación de Católicos*. Al final del sexenio tuvo que reducir sus actividades. Al comienzo de la Restauración llevaba una vida lánguida. Se dinamizó en 1877, y desde el año siguiente hasta 1885 creó escuelas, patronatos y círculos, que acabaron también asimilándose a los de Vicent. Las turbulencias de la lucha integrista influyeron notablemente en la vida de la Juventud Católica y en sus obras.

b) Los círculos de Fr. Ceferino

Más importancia —aunque su vida tampoco fue larga— revistió este otro conato de asociación obrera católica [64]. Fray Ceferino González, O.P., cardenal desde 1884, no fue sólo el restaurador del tomismo en España. A su paso por la sede cordobesa impulsó la asociación obrera mediante los círculos obreros católicos, que en esta versión vivieron desde 1877 a 1881.

No tiene mucho sentido preguntarse si la primacía en la introducción de estas asociaciones en España pertenece al obispo de Córdoba o al P. Vicent. Este había comenzado ya la experiencia en 1865, pero la expulsión de los jesuitas en 1868 interrumpió su obra. Tras la Restauración, Fr. Ceferino se adelantó en unos años a la segunda y definitiva época de los círculos de Vicent. En su origen, sin embargo, ambos dependen muy cercanamente de los creados en Francia por Albert de Mun.

Caracterizan a este nuevo tipo de asociación obrera la decisión de unir a las clases sociales, para evitar así su lucha; la confesionalidad y la amplitud de sus fines: instruir y moralizar a la clase obrera, proporcionarle ventajas materiales y ofrecerle un cauce de «expansión honesta».

Hemos aludido ya a la breve vida de los círculos de Fr. Ceferino. Al crearse, en gran parte bajo su inspiración, la Unión Católica, el obispo asimiló aquéllos a ésta. No parece que fuese una solución acertada. La ulterior evolución de los hechos —en la creación de la Unión hay que reconocer la chispa que hizo saltar la tormenta integrista— ligó los círculos cordobeses a una esfera en la que no podían sobrevivir. El traslado de Fr. Ceferino a Sevilla contribuyó también a su extinción. De hecho fueron desapareciendo paulatinamente o se transformaron en asociaciones similares [65]. Mientras vivieron desplegaron una actividad múltiple: cultural (alfabetización, escuelas dominicales y nocturnas), asistencia médica, cajas de ahorro, construcción de pósitos, centros de recreo, subsidios de paro, ayudas en enfermedad y muerte... En total llegaron a existir 16 círculos de esta tendencia, que agruparon a 3.060

---

[64] A. GONZÁLEZ GONZÁLEZ, *Tradición y modernidad en el pensamiento filosófico de Fr. Ceferino González, O.P. (1831-1894)*: Rev. Estudios Políticos 202 (1975) 155-204; *La Cruz*, 1877 a 1881; J. DÍAZ DEL MORAL, *Historia de las agitaciones populares andaluzas* (Madrid, Alianza, 1967) 142-46.

[65] Ibid., 146-48 se habla de La Caridad, asociación mixta fundada por el conde de Torres-Cabrera. Otros círculos se asimilaron a los de Vicent.

obreros y 545 socios honorarios. Montaron 16 escuelas, que impartieron enseñanza a 865 niños. En cuanto a ayudas materiales, sólo el círculo de la capital recaudó en dos años más de 34.000 reales.

c) **Los círculos del P. Vicent**

Habitualmente, se considera al P. Antonio Vicente, S.I., pionero, abanderado y padre de la acción social de la Iglesia en España. Su persona, su ideología y su obra han sido objeto de suficientes estudios [66]. Montserrat Lloréns ha analizado satisfactoriamente la ideología social de Vicent a base de su comentario a la *Rerum novarum* ya citado —*Socialismo y anarquismo*— y de otras obras posteriores. A su estudio nos remitimos.

Para Vicent, la cuestión social no es sólo económica, sino moral. Su origen no está en la desigualdad de siempre, sino en la *actual y monstruosa* desigualdad. Como causas concretas detecta la apostasía de las naciones, el individualismo, que llevó a la destrucción de los gremios, y la usura. Descartadas las soluciones capitalista, anarquista y socialista, propone la cristiana. Hasta aquí su coincidencia con León XIII es total. Lo es también, en parte, en la concepción de los deberes de las clases sociales y del Estado. Pero aquí es también más avanzado: defiende el contrato colectivo, el salario familiar y la participación en los beneficios. Sin embargo, su aportación fundamental es la defensa de la asociación obrera, que en principio propugna mixta y al final de su vida defenderá de sólo obreros.

Esta sumaria descripción de la ideología social de Vicent tiene por objeto introducir al análisis de sus círculos. Ya sabemos que no es una obra plenamente original. Sus antecedentes hay que buscarlos en Francia, Bélgica y en otras realizaciones españolas: los círculos de 1865, la Asociación Protectora de Artesanos Jóvenes (1867), los círculos del P. Pastells (1872) y Fr. Ceferino (1877). Pero Vicent sistematiza, adapta y enriquece estas experiencias previas.

Su ideal será la corporación, la asociación de patronos y obreros que supere la lucha de clases creando intereses comunes. El círculo, fase previa y medio para esta reorganización de la sociedad, sería una organización apolítica, interclasista y dependiente de la jerarquía. Así veía Vicent su cuádruple finalidad y los medios que deberían usarse:

1) *Fin religioso:* consagrar, arraigar y propagar la doctrina católica. *Medios:* las comuniones generales, ejercicios espirituales y otras devociones.

---

[66] F. DEL VALLE, *El P. Antonio Vicent, S.I., y la acción social católica española;* S. AZNAR, *El P. Vicent en el curso social de Madrid:* Revista Social (1906) 215-25; ID., *El P. Vicent:* ibid. (1912) 195-201; ID., *El P. Antonio Vicent. Etapas de una vida gloriosa:* Razón y Fe 123 (1941) 269-78; M. LLORÉNS, *El P. Antonio Vicent, S.I. (1837-1912). Notas sobre el desarrollo de la acción social católica en España:* Estudios de Historia Moderna 4 (1954) 395-435; J. M. CUENCA TORIBIO: cf. nt.61; y *Estudios sobre la Iglesia española en el siglo XIX* (Madrid, Rialp, 1973) 265-85. Cf. también las obras generales de J. N. GARCÍA NIETO, *El sindicalismo...* 66-71.76-84 y 215-26 y C. MARTÍ-J. N. GARCÍA NIETO-M. LLORÉNS, *España,* en SCHOLL, *Historia del movimiento obrero cristiano; Anuario social de España* (1929) 331-34; J. ANDRÉS GALLEGO, *Sobre el inicio de la política obrera contemporánea en Navarra, 1855-1916:* Príncipe de Viana 150-151 (1978) 335-375. Sobre los Círculos (1881-83), p.342-356. En mi opinión, esperan, sin embargo, un estudio a fondo el epistolario de Vicent y el análisis de las repercusiones de la contienda integrista en la vida de los círculos y del mismo Vicent.

2) *Fin instructivo:* difundir, sobre todo entre los obreros, conocimientos religiosos, científicos, técnicos y artísticos. *Medios:* patronatos, escuelas, conferencias, bibliotecas, revistas.

3) *Fin económico:* remediar la angustiosa situación proletaria. *Medios:* cajas de ahorro, socorros mutuos, compra colectiva de semillas o herramientas, cooperativas, bolsas de trabajo, jurados mixtos.

4) *Fin recreativo:* ofrecer cauces de expresión que sean una alternativa a la taberna. *Medio:* salas de recreo.

Estos medios tendían a remediar las causas a las que Vicent atribuía la cuestión social: monstruosa desigualdad, apostasía, individualismo y usura. Su fundador preveía también que los círculos lograrían otras finalidades a largo plazo: la armonía interclasista, la mutua educación e influencia entre las clases sociales y la presión sobre otros patronos y obreros en orden a la creación de un nuevo tipo de relaciones laborales y de una nueva sociedad.

Más adelante veremos hasta qué punto se cumplió este sueño. Diremos ahora una palabra sobre la extensión de los círculos en este período. En 1879 se funda el primer círculo en Tortosa. Desde ahí se extienden a Valencia, a la región levantina y catalana, y pasan luego al campo, castellano y andaluz sobre todo. Dejando para obras especializadas la enumeración más pormenorizada de afiliados [67], baste recordar que a final de siglo rondaban los 50.000 socios (UGT contaba con 26.000), aunque en esa cifra se incluían los patronos asociados.

Lógicamente, las obras proyectadas al abrigo de los círculos (escuelas, cooperativas, etc.) no se realizaron en todos los centros. De hecho, el desinterés patronal redujo algunos de éstos a meras asociaciones piadosas o recreativas. Tampoco surgieron en cantidad suficiente líderes obreros de valía; en parte, por la misma estructura de la obra. Que le faltó garra reivindicativa, lo reconoció el fundador al final de su vida. Pero no parece justo minusvalorar en bloque esta iniciativa. De hecho estimuló actividades y formó la conciencia de hombres de Iglesia y Estado. Fue además el germen del sindicalismo católico del siglo XX y de las boyantes organizaciones agrarias, en cuyo ambiente dominó a otras asociaciones.

Además de las obras aludidas, se debe a los círculos —y al marqués de Comillas, su gran protector— la organización de la peregrinación obrera a Roma (1894). Las dificultades que acompañaron a esta empresa —los violentos ataques en Valencia y las reticencias intraeclesiales, principal, aunque no exclusivamente conectadas con la discordia integrista— no impidieron su realización. Pero arrojan luz sobre la oposición que encontraron en diversos ambientes los círculos obreros católicos. Hay que tener en cuenta estos factores a la hora de evaluar sus resultados.

---

[67] En *Socialismo y anarquismo* se dan datos por diócesis correspondientes a 1893. *La Cruz* y las actas de los congresos católicos recogen también datos y estadísticas parciales.

d) **Asociaciones ligadas a los círculos del P. Vicent**

Acabamos de aludir a la colaboración que el marqués de Comillas prestó a las iniciativas de Vicent. Don Claudio López Bru —figura polémica si se le juzga desde la perspectiva actual, «patrono modelo» en su época— secundó también, con su apoyo moral y económico, otras asociaciones católicas de matiz social [68].

El *Centro de Defensa Social* de Barcelona —en Madrid se creó otro fundado por el duque de Sotomayor— tenía como objetivo prevenir al obrero contra la propaganda republicana, liberal y socialista. Esta finalidad —sospechosamente también política y patronal— no debe hacer olvidar que el Centro será, a comienzos del XX, el impulsor de las Semanas Sociales. Cariz similar tuvo la *Asociación para la defensa de los intereses de la clase obrera*, erigida en 1895. Inspirada en la *Rerum novarum*, abarcaba objetivos más amplios: apostolado, mutuas y bolsas de trabajo.

Mayor importancia revistió el *Consejo Nacional de las Corporaciones Católico-Obreras* [69]. Surgió en Valencia, en 1893, tras varias reuniones diocesanas y nacionales (estas últimas con ocasión de los congresos católicos), que aconsejaban unificar tanto trabajo similar disperso. La reunión de Valencia tuvo como fruto —además de organizar la ya mencionada peregrinación de 1894— la elaboración de un reglamento. En 1896, el Consejo se traslada a Madrid, vinculándose más aún al episcopado español. Pretendía unificar esfuerzos, programar acciones a nivel nacional, impulsar los círculos donde no existiesen, recabar la protección de los poderes públicos. Pese a las resistencias que desencadenó su posible dirigismo unilateral, debe reconocerse al Consejo su labor de fermento ideológico. Algunas de las conclusiones del Congreso Católico de Compostela (1902), inspiradas y asumidas por él, resultaban un notable avance: jurados mixtos, racionalización de inversiones públicas, intervención estatal en los contratos laborales y en otras medidas sociales, participación del trabajador en los beneficios de la empresa, etc.

Paralelamente al movimiento de los círculos había germinado en España el movimiento sindical católico. El mismo Congreso compostelano será escenario del encuentro entre ambas corrientes y dará luz verde a la sindical. Aunque los sindicatos confesionales nacerán en el siglo XX, hay que recordar brevemente sus orígenes en esta época. En el seno de los círculos surgieron algunas inquietudes. En otros sectores eclesiales se propiciaba esta línea: ya en 1892, el futuro cardenal Sancha animaba a los trabajadores del Centro Instructivo del Obrero a encontrar la fuerza y defensa de sus intereses en la unión [70]. Y desde 1897 existió el

---

[68] Véase en *Diccionario de historia eciesiástica de España* (II 1337-38) una breve biografía de D. Claudio López Bru y un elenco de las principales obras escritas sobre él.

[69] J. N. García Nieto, *El sindicalismo cristiano en España* 72-75 y 227-33; V. M. Arbeloa, *Organizaciones católico-obreras españolas tras la «Rerum novarum» (1891)*: Rev. Fomento Social 116 (1974) 407-15. Sobre el Centro de Defensa Social de Barcelona: J. Andrés Gallego, *La política religiosa en España, 1889-1913* (Madrid, Editora Nacional, 1975) 331-4.

[70] Animaba igualmente a enviar al Parlamento representantes que promoviesen reformas legales: *Boletín Eclesiástico del Arzobispado de Toledo* (1898) 326.

primer sindicato católico: el de tipógrafos madrileños, nacido del Círculo Católico.

4. LA PROMOCIÓN SOCIAL

Al hablar de las asociaciones, nos ha salido al paso algo de su labor de promoción social. Al sistematizar ahora en unos párrafos la acción de la Iglesia en este campo, hay que observar, ante todo, dos fenómenos originales de estos años: la proliferación de obras seglares (no falta la aportación de las órdenes religiosas, pero crece la del laicado) y la canalización de algunos esfuerzos de católicos a través de organizaciones estatales. También ahora prescindimos del orden cronológico para englobar en tres grandes capítulos la acción de la Iglesia por la promoción social: educación, beneficencia y transformación de la sociedad.

Además de las escuelas, conferencias, colecciones, bibliotecas y revistas promovidas por los círculos o surgidas a raíz de la encíclica de León XIII, hay que destacar varias *obras educativas*. Las Escuelas del Ave María de Don Andrés Manjón, fundadas en 1888, son la innovación más original en este sector. Regentadas por sacerdotes seculares y destinadas a las clases humildes, son justamente conocidas por sus adelantos pedagógicos. Las órdenes religiosas masculinas se dedican también a la juventud obrera. Además de las órdenes antiguas —escolapios, jesuitas—, dos congregaciones modernas se implantan en España en las últimas décadas del XIX: los salesianos y los Hermanos de las Escuelas Cristianas, que reservan un 80 por 100 de sus plazas para alumnos gratuitos. También son numerosas las órdenes femeninas dedicadas a la enseñanza. Más de 40 congregaciones de mujeres surgen en el país durante el último cuarto de siglo. De ellas, el 80 por 100 se dedican a la enseñanza, casi todas con matiz social. Si hay que destacar algunas, podrían ser la Compañía de Santa Teresa (Enrique de Ossó) y las Esclavas del Sagrado Corazón (Santa Rafaela María Porras). Tampoco hay que olvidar las escuelas gratuitas que desde 1869 mantenía en Madrid la Asociación Católica de Señoras: a final de siglo contaba con 53 escuelas y 11.000 alumnos.

Se imponen dos consideraciones sobre la presencia y actividad de los religiosos en la España de estos años. Ante todo, su proliferación. El régimen de la Restauración facilitó el regreso de antiguas comunidades y la creación de nuevas. Llama la atención la abundancia de órdenes femeninas. Por vez primera en nuestra historia, éstas superan a las masculinas: en 1902 había 10.630 religiosos y 40.030 religiosas. Este florecer de iniciativas entre el mundo femenino —característico de la segunda mitad del XIX, pero acentuado en los últimos lustros— parece ser signo de la inquietud religiosa y de las preocupaciones sociales de este sector eclesial.

Por otra parte, la mayoritaria dedicación a la enseñanza es un fruto —tardío y no buscado— de la desamortización. Rotos los esquemas anteriores, privadas las órdenes antiguas de sus bienes, hay que buscar nuevos cauces de presencia. Se crea así una nueva forma de influjo eficaz en la sociedad: lo que querían evitar las leyes desamortizadoras.

El correr de los tiempos irá ligando a algunas de estas congregaciones con la burguesía urbana, que les reclama y de la que necesitan para subsistir. Con todo, no hay que olvidar que los religiosos españoles enseñaban gratuitamente a 167.000 alumnos en 1902.

Muy atendida también está el área de la *beneficencia*. Continúan existiendo las instituciones y congregaciones anteriores y se crean algunas más. Especialmente notables son las Hermanitas de la Cruz (sor Angela de la Cruz, 1875, Sevilla), de vida austerísima y de total dedicación a los pobres desde su propia pobreza; las Hospitalarias del Sagrado Corazón, fundadas por Josefa del Santísimo Sacramento, que se ocupan de inválidos y dementes desde 1881, y las Carmelitas de San José, obra del obispo Morgades (1900).

Es imposible enumerar todas las obras benéficas de este período. Basten tres botones de muestra:

— Sólo en Madrid, en 1900 se mantenían estas obras:
● *Hermandad del Refugio,* que gastaba 382.109 pesetas en socorro de pobres y 58.432 en enseñanza.
● *Conferencias de San Vicente:* repartieron 80.516 pesetas.
● *Apostolado del Corazón de Jesús:* entregaron 21.838 prendas de vestir, legitimaron 325 matrimonios y distribuyeron 8.000 raciones en Navidad.
● *Asilo de Huérfanos del Sagrado Corazón:* repartieron 200.000 raciones al año.
● *Otras obras:* atendieron a 5.670 enfermos; 430 presos; 2.550 niños asilados; 3.200 adultos; dieron enseñanza gratuita a 15.350 niños [71].

— Los religiosos, además de los 167.000 alumnos gratuitos, atendían en 1900 a
● 28.500 enfermos (en hospitales y a domicilio);
● 1.290 presos;
● 29.000 niños (orfanotrofios, inclusas...);
● 27.000 ancianos (asilos) [72].

— En la misma fecha se mantenían en España, además de los círculos católicos (con sus escuelas, mutuas, cajas de ahorro, etc.):
● 15 asociaciones, con 10.979 socios;
● 26 patronatos, con 9.400 afiliados;
● 6 mutuas, con 2.862 beneficiarios;
● 12 escuelas de adultos, con 2.382 alumnos [73].

Por último, otro sector se dedicó a la *transformación social.* Obviamente, algunas de las obras ya enumeradas tenían también este fin. Pero las que ahora citamos lo hacían de forma especial. En primer lugar, no hay que olvidar que la mayoría de las iniciativas estatales (leyes, comisión de Reformas Sociales, centros benéficos) las promovieron políticos católicos. Fueron realizaciones exiguas, pero se trataba del primer

---

[71] *La Cruz* (1907) 1,351-58.
[72] *Crónica del VI Congreso Católico Español* 559.
[73] Ibid., 561.

paso en este campo. Hay que recordar también las instituciones que se dedican a la reeducación de la juventud, tarea ya emprendida anteriormente por la Iglesia, pero que ahora cuenta con tres agrupaciones nuevas: las Religiosas de la Santísima Trinidad (Francisco de Asís Méndez Casariego) y los terciarios y terciarias capuchinos, obra del obispo Amigó. Finalmente, merece resaltarse la fundación, por Dolores Rodríguez Sopeña, de las Damas Catequistas y su Obra Social y Cultural Sopeña (OSCUS). La fundadora, una señorita de la clase media, movilizó seglares y agrupó religiosas para trabajar con las clases más necesitadas (el infraproletariado, al que ni el Estado, ni los partidos, aun obreros, ni la misma Iglesia llegaba), haciéndolo además en su campo, sin desclasarlos.

5. BALANCE DE ESTE PERÍODO

Cinco lustros de reconstrucción eclesial podían haber permitido un enfrentamiento audaz y evangélico con el problema social por parte de la Iglesia. Se hicieron algunos intentos: los círculos, los congresos católicos, el pensamiento social posterior a 1891. En estos años, la Iglesia española despertó a esta problemática y movilizó sus fuerzas para estar presente ahí. Dejó campos sin roturar. No hay que olvidar lo que sólo ella realizó. Ni tampoco que sus moderados avances encontraron menos eco del que merecían. Pero de hecho, y por motivos diferentes, se ahonda en estos años el abandono de la Iglesia por parte de las dos clases implicadas en el conflicto: burguesía y mundo obrero. Con todo, hay que constatar que la Iglesia empieza a recorrer un camino y a ofrecer soluciones propias.

CAPÍTULO IV

ALFONSO XIII (1902-31)

Cronológicamente comienza el siglo XX. ¿Comienza de verdad? Hay motivos para dudarlo. Si al XIX le caracterizan los problemas políticos, la lucha por la libertad y la democracia; si la gran preocupación del XX es el planteamiento recto y la solución de los problemas sociales, sólo tímidamente y con reservas puede considerarse el reinado alfonsino como parte del siglo XX vital. El centro de gravedad de sus intereses y sus logros pertenece todavía al siglo anterior. Política, economía y sociedad se mueven aún —hablamos en términos generales— en ambiente decimonónico.

a) Política

Hay dos grandes períodos en los casi treinta años del reinado de Alfonso XIII. 1923 —comienzo de la dictadura de Primo de Rivera— es la frontera de ambos. Pero en el fondo, ésta y las otras fechas significativas del reinado (1909: semana trágica; 1917: la gran crisis) muestran la tónica uniforme del período: la imposibilidad de conservar el andamiaje político, económico y social que había levantado la Restauración, que rechazaba la inserción del mundo obrero organizado. Cuando todos los intentos fracasen, quedará sólo una alternativa: el cambio de régimen. Y vendrá la II República. La guerra de Africa contribuirá a acelerar el proceso. Pero los grandes problemas —político, social, regional, religioso— están dentro de la nación.

b) Economía

Hay un primer dato que resalta en estos años: el *aumento de población*, debido primordialmente al descenso de la mortalidad. Los 18.600.000 españoles de 1900 pasan a 23.600.000 en 1930. El porcentaje de población activa sigue, sin embargo, estancado en torno al 35 por 100. Aunque hay un notable corrimiento del sector agrícola al industrial y terciario.

Año	Agricultura	Industria	Servicios
1900	64,24 por 100	16,99 por 100	18,77 por 100
1930	45,51 »	26,51 »	27,98 »

Algunos datos deben completar este cuadro. En el sector terciario se engloban los 275.000 trabajadores empleados en servicio doméstico en la década de los veinte. Por otra parte, el fenómeno migratorio debe ser justamente valorado. Más de 2.500.000 españoles emigraron en las tres primeras décadas del siglo [74]. La emigración interior del campo a la ciudad alcanzó también cotas elevadas. Todo ello, unido al ya aludido cambio de dedicación de la población activa, presta una configuración peculiar al mundo del trabajo en estos años.

Dentro del *sector agrario,* la nota dominante es la concentración de la propiedad. Al comenzar el siglo, un 2 por 100 de la población poseía el 47 por 100 de la tierra cultivada. El fenómeno revestía especial importancia en el sur:

11.000 individuos poseían	... 6.900.000	hectáreas.
35.000 »	»	... 3.500.000	»
7.800.000 »	»	... 9.300.000	»

(De éstos, 6 millones poseían menos de una hectárea.)

Las sucesivas implantaciones de colonos (1907, 1918, dictadura) no modificaron esta estructura: en 1930, el 0,8 por 100 de la población poseía casi el 50 por 100 de la tierra productiva. Si a esto se añade la mayor rentabilidad de la producción (aumentan la naranja, el olivo y la vid, más productivo que el trigo) y la práctica congelación salarial, resulta fácil comprender las ganancias que este sector deparó a los propietarios. Ganancias que no revertían al campo: invertir en otros sectores era más rentable que renovar los métodos de cultivo, supuesta la exigüidad de los salarios. Emigración (a la industria o a ultramar) y falta de poder adquisitivo en el campesinado serán las consecuencias obvias.

Varios períodos pueden distinguirse en la *industria.* De 1902 a 1914 hay un buen crecimiento. La producción eléctrica pasó de 167 millones Kwh (1901) a 377 millones Kwh (1912). Solamente la industria textil se resiente algo por la pérdida del mercado americano. Los años de la guerra europea producen una gran expansión debido a la neutralidad española. La pequeña industria y la agricultura hortícola quedaron perjudicadas. Pero la industria metalúrgica y la minería conocieron una época brillante: hubo sectores en los que los beneficios empresariales superaron el 500 por 100. Ya que no se dio participación a los obreros, al menos pudo haberse aprovechado la ocasión para renovar el utillaje [75]. No se hizo, y, finalizada la contienda, la industria nacional dejó de ser competitiva: en 1922 alcanzó sus cotas más bajas. La protección estatal y las inversiones extranjeras durante la dictadura lograron reactivar a la industria española. Cemento, electricidad y acero duplican su producción en estos siete años. En conjunto, el aumento industrial de 1929 respecto a 1923 será de un 31 por 100. Luego vendrá la gran crisis de 1929.

[74] R. Tamames *(Historia social de España. Siglo XX* 158-59) reduce la emigración neta a un millón. Sin embargo, no justifica esta afirmación.

[75] Han estudiado la economía de estos años J. L. García Delgado y S. Roldán, *La formación de la sociedad capitalista en España, 1914-1920* (Madrid, Confederación de Cajas de Ahorros, 1973). Para la economía de los años siguientes, cf. J. Velarde Fuentes, *Política económica de la Dictadura* (Madrid, Guadiana, 1973).

Data ya de la última década del XIX el protagonismo de la *banca* en la industrialización. Los 1.000 millones «repatriados» de América en estos años y la ventajosa situación de la propiedad agrícola e industrial en los primeros años del XX robustecen la fuerza de los bancos, que, como grupos financieros, còntrolan los *cárteles* y *trusts*. Especialmente propicios para la inversión fueron los años 1901-1909; durante ellos se crean más de 11.000 nuevas sociedades industriales, cuyo capital llegó a 3.500 millones de pesetas. Fue también abundante la inversión extranjera en estos años y en los de la dictadura.

La *política económica* se movió en dos frentes. Aunque en los primeros años del reinado cesan los gastos bélicos, el conflicto marroquí absorbió mucho capital. En 1913 se calculaba el coste diario de la guerra en 1.149.000 pesetas. En 1920-21 se enterraron en Africa 581 millones de pesetas: más de la mitad del presupuesto. El otro frente de la acción económica fue el proteccionismo e intervencionismo estatal. Esto, unido al conservadurismo del sistema fiscal (todavía en los años de la dictadura, el 47 por 100 de los impuestos seguía siendo indirecto), favoreció a la burguesía. Los conflictos sociales que originó esta política retrajeron al capital. Con la dictadura volvieron a reactivarse la industria, las inversiones y el intervencionismo estatal. Alrededor de 200 millones de dólares (1 dólar = 5 pesetas) entraron en España en 1927. Pero el miedo a eventuales nacionalizaciones (a ejemplo de CAMPSA) y la crisis posterior produjeron su retirada. También en lo económico el reinado finalizaba en crisis.

c) **Sociedad**

Las distancias interclasistas de finales del XIX aumentan y se consolidan en estos años. La gran *burguesía* maneja los resortes del poder económico y político y se aferra a ellos con tenacidad. La fuerza progresiva del movimiento obrero acrecentó su miedo. Frente a las asociaciones obreras, se refuerzan las patronales, que se van confederando a lo largo del segundo decenio: Confederación Patronal Española (1914), Asociación de Agricultores de España y Federación Gremial Española (1912), etc. El influjo católico —la *Rerum novarum* impulsaba la intervención estatal—, el aliento ético krausista y el mismo interés político lograron de los partidos en el poder una serie de leyes sociales: creación del Instituto de Reformas Sociales (1903), heredero de la Comisión del mismo nombre; descanso dominical (1904); encuesta del Ministerio de Agricultura (1905); reconocimiento de cooperativas, sindicatos y reglamentos de trabajo (1906); emigración y colonización (1907); Instituto Nacional de Previsión (1908); derecho de huelga y *lock-out* (1909); sucesivas reducciones o límites a la jornada laboral, que en 1919 se establece en ocho horas; creación de tribunales industriales (1918) y del Ministerio de Trabajo (1920). Pero los nuevos ricos de la primera guerra son aún más duros que los antiguos burgueses. Durante la dictadura fueron más numerosas las leyes sociales, efecto del ideario corporativista entonces en boga, y canalizadas por el Consejo Superior del Trabajo. La burguesía colaboró con la dictadura mientras la economía les fue favorable; finalmente la abandonaron.

La *clase media,* numerosa, pero débil y desorganizada, abandonó mayoritariamente los radicalismos y la colaboración con las fuerzas obreras, que tampoco supieron ganar su confianza. Un pequeño sector republicano, inicialmente exiguo, pero que irá creciendo en estos años, aceptará esta colaboración y será el alma de la II República. También esta clase sufrirá las consecuencias del desequilibrado crecimiento económico de este período: subida del coste de la vida, inflación, paro, etc.

Acerca del *proletariado,* los datos económicos iluminan sobre su situación [76]. La media salarial sube hasta 1925 en la industria; mucho menos en el campo.

Año	Industria		Campo	
1900-13	4,35 pesetas	/ día	1,50 pesetas	/ día
1914-25	8,21 »	»	1,85 »	»
1925-30	7,35 »	»	3,00 »	»

Lógicamente, al anotar la media, los salarios reales oscilaban entre límites más amplios. Puede recordarse como dato complementario que escribientes y delineantes cobran como los obreros en el primer período (de 3,50 a 4,60 pesetas/día), mientras son más altos los ingresos de los oficinistas: de 8 a 27 pts.

También los precios aumentan: 21 por 100 de 1900 a 1909; 30 por 100 de 1909 a 1914. La carrera precios-salarios sólo fue superada por éstos en 1921, aunque en los años siguientes vuelven a subir los precios. Fueron los campesinos quienes más sufrieron estos efectos. La renta *per capita* aumentó en un 260 por 100 de 1914 a 1920; pero mientras en los bancos repercutió en un 500 por 100, en los obreros industriales y en los agricultores sólo lo hizo en 56 y 25 por 100, respectivamente. En 1913, los gastos mínimos (sin diversiones, medicinas, cultura) de una familia campesina de cuatro personas se estimaban en 998 pesetas/año (= 2,73 pesetas/día). El agricultor, que además trabajaba sólo unos 200 días al año, debía entregarse en manos del usurero, que le cobraba un interés anual de 30 a 40 por 100.

En cuanto a duración de la jornada laboral, también salía perjudicado el campesino: la industrial se fijó en ocho horas —no raramente incumplidas— en 1918; la del jornalero agrícola seguía siendo «de sol a sol». Las nuevas necesidades de la clase industrial —radio, cine, excursiones, periódicos— seguían siendo un sueño para los braceros. Lo mismo puede decirse respecto a la cultura —los analfabetos son, al final de estos años, el 44 por 100— y a la seguridad en el trabajo, más cuidada en la industria que en el campo.

---

[76] Fundamental para esta época es A. MARVAUD, *La cuestión social en España,* en su texto y apéndices. Cf. también F. ROMEU, *Las clases trabajadoras en España (1898-1930).* Un buen estudio regional es A. M.ª CALERO, *Historia del movimiento obrero en Granada (1909-1923).*

1. SITUACIÓN ECONÓMICA Y SOCIAL DE LA IGLESIA

Los cerca de 85.000 eclesiásticos que hay en España a principios del XX (33.400 sacerdotes seculares, 10.000 religiosos y 40.000 religiosas) disminuyen ligeramente hacia 1930: se cuentan entonces 31.000 sacerdotes, cerca de 20.000 religiosos y 30.000 monjas. Su situación económica marchó sobre los cauces establecidos en el período precedente. Lo cual equivale a decir que la depreciación de la moneda hizo más exiguo su poder adquisitivo.

Esto explica las sucesivas peticiones al poder civil recabando un aumento. En 1907, la prensa católica removió el asunto. En 1910, monseñor López Peláez, obispo de Jaca, publicó su libro *El presupuesto del clero*. En 1925, el primado y 18 obispos volvieron a insistir. En 1928 fueron todos los metropolitanos quienes se dirigieron al Gobierno. Con poco éxito en general. Se consiguió sólo que el descuento —puesto de nuevo en vigor a final del XIX con motivo de las guerras exteriores— se rebajase a un 7 por 100 (1907) y posteriormente se anulase. Primo de Rivera aumentó algo la dotación eclesiástica. Con todo, el presupuesto nacional aumentó en un 21 por 100 en los años 1924-27, mientras lo destinado al clero lo hizo sólo en 2,65 por 100. Si a principios del siglo bastantes párrocos ingresaban unas 850 pesetas anuales y los coadjutores 650, en los años finales de la dictadura el panorama estaba así:

20.000	sacerdotes	percibían	menos		que un	«portero 5.º»	de Ministerio
3.000	»	»	lo mismo		»	»	»
1.250	»	»	»	»	»	«portero 4.º»	»

El sueldo del capellán del Hospital del Rey, de Madrid, era sensiblemente menor que el de un chófer o enfermero del mismo centro. En cuanto a otras fuentes de ingresos, las limosnas eran cada vez más escasas. Ante el aumento del coste de la vida, las posibilidades del clero se veían reducidas año tras año. Unicamente podían adecuar sus ingresos al alza de precios quienes vivían del fruto de su trabajo, enseñanza sobre todo.

2. MAGISTERIO Y PENSADORES

Fuera del ámbito eclesiástico continúan desarrollándose las ideologías surgidas en el XIX.

A) *Burguesía:* se aceptan reformas económicas —leyes que mejoran la situación laboral—, pero se excluyen las medidas que cambien la estructura social, fiscal o agraria. Regeneracionismo, krausismo y doctrina católica influyen parcialmente en esta actitud. Sólo un pequeño núcleo republicano colabora parcialmente con los grupos obreros.

B) *Proletariado:*
a) *Socialistas:* hasta la guerra europea reflejan la ideología de la II Internacional: antibelicismo, colaboración con partidos burgueses, presencia

en los municipios... El programa de 1918 (del PSOE y de la UGT), recoge los principios de los anteriores, agudizando más las reivindicaciones socio-políticas para justificar su poco airoso papel en la huelga de 1917. Después de la guerra europea, tras ciertas vacilaciones, no aceptan la III Internacional. Colaboran con la dictadura.

b) *Anarquistas:* aceptada la creación de un sindicato (CNT) en 1911, radicalizan sus exigencias cara al aparato político, la burguesía y los otros movimientos obreros.

c) *Comunistas:* escindidos definitivamente en 1921 por considerar socialdemócrata o socialfascista al PSOE, se adhieren a la III Internacional. Su meta: revolución mundial y dictadura del proletariado. Hacia 1930 surge el grupo trotskista de Andrés Nin.

En la elaboración del pensamiento social católico de estos treinta años se detecta una novedad. Ya no se trata de ideólogos aislados: hay organizaciones y estructuras en la doble vertiente de obispos y pensadores.

a) **Magisterio episcopal**

Cerca de 90 documentos de obispos españoles sobre temas sociales se recogen en una obra que reseña el magisterio eclesiástico —europeo sobre todo— en esta materia durante los años que nos ocupan [77]. Ciertamente no están todos los que corresponden a España; faltan bastantes documentos; entre ellos, la pastoral colectiva de 1922 y algunas disposiciones sobre Acción Católica.

Con todo, llaman la atención una serie de factores. La abundancia de diócesis representadas: 30; el abanico de facetas tratadas: agrarias, industriales, políticas, sindicales, asistenciales, pastorales, ideológicas; la proliferación de alusiones a organismos dedicados al tema. Si hay que destacar nombres, podrían ser —además de Maura y Gelabert, que prosigue en Orihuela su serie de pastorales— los de Laguarda (Jaén y Barcelona), López Peláez (Jaca y Tarragona), Salvador y Barrera (Tarazona y Madrid), Luis y Pérez (Oviedo), Soto y Mancera (Badajoz), Guisasola y Reig i Casanova (ambos Valencia y Toledo) y Torras i Bagés (Vich) [78].

Como acabamos de señalar, se descubre en estos años un deseo de organización conjunta. Dejamos para después las intervenciones episcopales en las semanas sociales y en la Acción Católica. Nos ocupamos ahora de las pastorales colectivas. Fundamentalmente son dos las que abordan el tema social: las de 1917 y 1922 [79].

Para la Monarquía, 1917 fue el principio del fin. Ejército (Juntas de Defensa), políticos (Asamblea de Parlamentarios) y mundo obrero (huelga general) contestaron el sistema sociopolítico vigente. Excepcionalmente, los tiros no se dirigieron esta vez contra la Iglesia, como en

---

[77] *La hiérarchie catholique et le problème social depuis l'Encyclique «Rerum novarum» (1891-1931)* p.139-51 y 293-94.

[78] El pensamiento social de este último lo estudia M. Brugarola, *Sociología cristiana del Dr. Torras y Bagés*. El de Guisasola, Fernández Conde, en Studium Ovetense II (1974) 142-78.

[79] Cf. J. Iribarren, *Documentos colectivos...* 105-15.

ocasiones precedentes; es un signo de la marginación en que vive. Otra señal es su lentitud en reaccionar. Entre los últimos sucesos revolucionarios y la pastoral colectiva transcurrieron cuatro meses. El tono del documento es, por consiguiente, aéreo y lejano. Los obispos parecen conscientes del escaso apoyo con que cuentan. Las soluciones propuestas son poco concretas y de dudosa eficacia. No porque les falte razón, sino porque pocos las pondrán en práctica. Sin embargo, hay cierta novedad en el tono: la forma de apelar a una autoridad moral, única viable cuando han fallado otras. Y la independencia política del texto.

Muy otro es el talante de la pastoral de 1922. Se convocaba en ella a los católicos para una cruzada: «la gran campaña social». Universidad social que preparase líderes católicos, escuelas, apoyo a sindicatos católicos, prensa y propaganda eran sus objetivos. Tras ella se movía Angel Herrera Oria y El Debate. Contó en principio con bendiciones vaticanas y palaciegas. La aprensión de que así resurgiese un partido católico derechista moderno, la apatía de quienes debían financiar la empresa y la oposición del rey hicieron abortar esta idea, que no llegó a un mes de vida. «Encendió una hoguera de esperanza que apagó un diluvio de egoísmos», se ha escrito sobre este intento [80]. Que fue un símbolo de la acción social de los obispos en estos años: un conato noble, pero ineficaz, interferido por ambigüedades y apatías.

b) Pensadores y propagandistas

Se suelen agrupar en cuatro tendencias los intentos no episcopales de difundir el pensamiento social católico en estos años; de izquierda a derecha serían: el grupo de la Democracia Cristiana, los Propagandistas, el marqués de Comillas —jesuitas y los integristas. Sin negar su claridad de líneas, tal clasificación peca de esquemática y simplista [81]. Baste tenerla como punto inicial de referencia a la hora de enumerar cronológicamente los intentos realizados en este campo [82].

1) *El Consejo Nacional de las Corporaciones Católico-Obreras* continuó su tarea de difusión iniciada a final del XIX. En manos del marqués de Comillas y de Carlos Martín Alvarez, se orientó, con tendencia tradicional, en dos niveles: la asesoría en círculos políticos y la acción más masiva: de su *Manual del propagandista* se repartieron gratis 16.000 ejemplares.

2) *La Asociación general para el estudio y defensa de los intereses de la clase obrera* desarrolló también una labor de asesoramiento ante comisiones parlamentarias y políticas, sin descuidar tampoco la difusión entre la base. Desde 1910 se hizo cargo de la revista *La Paz Social* (hasta

---

[80] Ibid., 29-31 se esboza sumariamente la historia de esta campaña. Ver también D. Benavides, *El fracaso social del catolicismo español* 303-13. Sobre las reticencias que despertó, cf. G. Redondo, *Las empresas políticas de José Ortega y Gasset* (Madrid, Rialp, 1970) I 408-19.

[81] La clasificación es de D. Benavides (*El fracaso social del catolicismo español* 283). El mismo autor reconoce que simplifica. J. J. Castillo (*El sindicalismo amarillo en España* 69-70 nt.144) aduce algunos datos contra este esquematismo. A. Fernández (*Historia contemporánea* [Barcelona, Ed. Vicéns Vives, 1976] 380) modifica ligeramente este esquema.

[82] Para las primeras iniciativas, cf. S. Aznar, *Problemas sociales de la actualidad* 79-224. Es un testimonio excepcionalmente válido. Su autor fue alma de casi todas ellas y supo mantener el equilibrio en un mundo tan dividido como el de los católicos sociales.

entonces dirigida por Severino Aznar), publicó el semanario *El Eco del Pueblo* y repartió infinidad de folletos y circulares de tema social.

3) *Bibliotecas y editoriales.*—Puesto que acabamos de aludir a ello, es ahora el momento de reseñar que en los primeros años del siglo aparecieron en España cerca de 20 colecciones dedicadas a problemática social. La lista de los centenares de libros y folletos es interminable [83]. Su difusión fue muy variada, pero algunos folletos alcanzaron una tirada de 8 millones de ejemplares. En esta empresa colaboraron los mejores pensadores católicos españoles. Se difundieron, además, obras extranjeras traducidas. Lógicamente, el abanico de posturas representadas fue muy amplio.

4) *Asambleas sociales.*—El P. Vicent recorrió la mayoría de las diócesis españolas concienciando a los sacerdotes para la acción social. Además de las diocesanas se celebraron tres asambleas regionales (Valencia, Palencia y Granada).

5) *Cátedras de sociología para clérigos.*—La mentalización del clero se comenzaba en los seminarios. Ya a finales del XIX se establecen las primeras cátedras de doctrina social. En 1914 existen en 51 seminarios, es decir, en prácticamente todas las diócesis. En las órdenes religiosas se impartían enseñanzas similares. El grado de modernidad y realismo de esta enseñanza variaba, lógicamente, de unos lugares a otros. Pero hay que notar que mucho antes de que el Estado introdujese esta disciplina en sus planes de estudio, lo había hecho la Iglesia.

6) *Las semanas sociales* [84].—A imitación de los cursos sociales que la *Volksverein* alemana organizaba desde 1892 y de las semanas sociales francesas (1904), esta institución arraigó también en España. En 1906, Francisco González de Rojas, del *Centro de Defensa Social*, planificó en Madrid un curso social. Al año siguiente recogerán la antorcha el P. Vicent, el profesor Rodríguez de Cepeda, Vázquez de Mella y el marqués de Comillas, aunados todos por el entusiasmo de Severino Aznar. La revista *La Paz Social* se encargó de difundir la idea. Así se consolidó esta institución hasta 1912.

En estos años se celebraron seis semanas sociales. Valencia (1907), Sevilla (1908), Santiago (1909), Barcelona (1910) y Pamplona (1912) fueron sus sedes, además de Madrid (1906).

Los problemas agrarios atrajeron la atención de las primeras semanas. En Barcelona se abordó, sobre todo, el sector industrial. La de Pamplona se ocupó del sindicalismo y el trabajo de la mujer.

Tuvieron un relativo éxito: más de mil semanistas ya en Valencia, progresivo apoyo episcopal y difusión de planteamientos católicos a los asistentes y a la nación por medio de la Prensa. Aspiraban a ser una «universidad ambulante» de cuestiones sociales. En algún caso, los po-

---

[83] Ibid., p.193-219.
[84] Ibid., 128-65; S. AZNAR, *Las ocho primeras Semanas Sociales de España*, en *Crónica de la IX Semana* 17-48; F. DEL VALLE, *Semanas Sociales*, en *Diccionario de historia eclesiástica de España* IV 2420-21; ID., *El P. Antonio Vicent...* 222-41. Ver también las crónicas y actas de cada Semana. Sobre los intentos en la década de los veinte, cf. D. BENAVIDES, *El fracaso social...* 286-88 y 405-10.

nentes adoptaron tonos menos académicos y más combativos. Las divisiones dentro del catolicismo social, las disidencias políticas, que se trasladaron al campo social (Aznar dimitió por este motivo en 1912); las polémicas sobre la intervención del P. Gerard en Pamplona y otros factores fueron la causa de la interrupción de las semanas en 1912.

Se reanudaron efímeramente en 1926. Bajo los auspicios del obispo de Oviedo, Juan Bautista Luis y Pérez, organizada por la Acción Católica diocesana, dirigida por el grupo de la Democracia Cristiana —del que se hablará más tarde—, se celebró en Oviedo una nueva semana social. Un grupo de 800 semanistas analizó el tema *La familia cristiana.* Además de su eco periodístico, lo tuvo también político: al poco tiempo se protegía desde el Gobierno a las familias numerosas, por primera vez en España. Los intentos de continuar esta línea en el bienio 1928-30 se estrellaron contra la voluntad del primado, cardenal Segura, que asumió la iniciativa y en la práctica la bloqueó. Una vez más, las divisiones intraeclesiales hacían abortar el proyecto.

7) *Acción Social Popular.*—Retrocedemos unos años. Poco después de celebrarse el curso social de Madrid, surgía en Barcelona, por obra del jesuita Gabriel Palau, Acción Social Popular [85]. Inspirada también en la *Volksverein* alemana, su finalidad última era la transformación de la sociedad. Para ello pretendía formar hombres, potenciarlos para la acción, crear obras sociales, apoyar reivindicaciones y cambios. Constituyó un aire nuevo en el panorama social español. Además de su acción sindical, la de propaganda fue ingente. Sus 27.352 socios (1915) distribuyeron más de 7 millones de impresos, celebraron 1.884 conferencias y cursos, evacuaron unas 30.000 consultas y prestaron cerca de 90.000 servicios sociales. A ello han de añadirse las publicaciones periódicas: *Revista Social* (que existía antes, dirigida por Ramón Albó, y que desde 1908 se llamó *Revista Social Hispano-Americana), El Social, Archivo Social, hojas volantes,* los primeros *anuarios sociales,* etc.

Obra tan fecunda acabó de golpe en 1916. Su fundador tuvo que trasladarse a Argentina. Las razones, lamentablemente, no fueron nuevas: divisiones, celotipias, choques con otras organizaciones y con la jerarquía. Una nueva agrupación, Acción Popular, intentó sucederla. Formaban parte de ella antiguos colaboradores de Palau (R. Albó) y la plana mayor del catolicismo social español: Aznar, Comillas, Minguijón, etcétera. Sin embargo, perdió la garra personal que le había impreso su fundador.

8) *Los Propagandistas.*—Otro jesuita, el P. Angel Ayala, fue el fundador y animador de uno de los grupos que más presentes estarán en la historia contemporánea del catolicismo español. Don Angel Herrera Oria será la cabeza seglar de la Asociación Católica Nacional de Propa-

---

[85] J. M. BOIX RASPALL, *Acción Social Popular:* Fomento Social 3 (1946) 329-38; S. AZNAR, *Problemas sociales de actualidad* 84-97; F. DEL VALLE, *Palau, Gabriel,* en *Diccionario de historia eclesiástica de España* III 1862; J. TUSSELL, *Historia de la Democracia Cristiana en España* (Madrid, Edicusa, 1974) I 62-71; D. BENAVIDES, *El fracaso social...* 71-75. Ver también el artículo citado en la nt.91, 68-75.

gandistas en estos años [86]. En la mente de Ayala se fraguó la idea de formar una élite de seglares selectos que espabilasen al dormido catolicismo oficial y lo hiciesen presente en el campo social y público. Desde 1908, fecha fundacional, se va concretando la idea: defensa y propagación del pensamiento católico. Primero oralmente, a base de mítines, discursos, conferencias. Pronto se percatan de la importancia de la propaganda escrita. Compran entonces *El Debate* y crean La Editorial Católica. En la base del quehacer de este grupo está la intensa vida espiritual y el rigor científico que el P. Ayala imprimió a los asociados. También su cohesión interna.

La ideología social de los Propagandistas, reflejo fiel de la doctrina pontificia, se recogió en *El Debate* y en el boletín de la Asociación desde 1924. Sus más notables actividades públicas en este campo fueron la Gran Campaña Social y el ciclo de conferencias celebrado en 1926 en la Academia de Jurisprudencia. Los círculos de estudio se centraron frecuentemente en esta temática. Sin ser un partido político, los Propagandistas hicieron presente, de forma equilibradamente avanzada y moderna, el pensamiento sociopolítico de la Iglesia en distintos ambientes, con atención especial a los de mayor influjo. Colaboraron estrechamente con la Confederación Nacional Católico-Agraria, y, aunque con menos entusiasmo, también con el grupo de la Democracia Cristiana.

9) *El Grupo de la Democracia Cristiana.*—En julio de 1919 se publicaba en varios diarios madrileños el manifiesto y el programa de un equipo de intelectuales puestos al servicio de la doctrina social católica. El nombre Democracia Cristiana lo utilizaban en el sentido que le había dado León XIII: la acción social católica. El equipo se definía como «núcleo cultural, círculo de estudios, escuela social». Lo formaban brillantes personalidades del catolicismo social. Severino Aznar lo presidía, y con él se alineaban Maximiliano Arboleya, Ramón Albó, José Calvo Sotelo, José María Boix, Salvador Minguijón, el dominico Gafo y el agustino Ibeas, etc.

Al repasar la lista, se advierten dos ausencias notables. No figura en ella ningún Propagandista ni ningún jesuita. El talante del equipo, bastante renovador en el campo social, marcaba una diferencia con los grupos aludidos y con otros más conservadores aún: los integristas. Por parte de estos últimos, sobre todo, se desató una violenta campaña de acusaciones que llegó hasta el Vaticano. Esta historia ha sido ya minuciosamente relatada por Domingo Benavides, que basa su obra en los escritos y archivos de uno de los hombres más generosos y radicales del grupo, el canónigo Arboleya [87]. También se historia ahí la actividad

---

[86] J. L. GUTIÉRREZ, *Asociación Católica Nacional de Propagandistas y Herrera Oria, Angel,* en *Diccionario de historia eclesiástica de España* I 144-47 y II 1090; D. BENAVIDES, *El fracaso social...* 300-30; O. ALZAGA, *La primera democracia...* 72-80.119-29; J. TUSSELL, *Historia de la Democracia...* I 53-62. J. M.ª GARCÍA ESCUDERO, *Don Angel Herrera y «El Debate» en la evolución de la Iglesia y el catolicismo español,* en *Aproximación a la historia social de la Iglesia española contemporánea* 217-240. Sobre el pensamiento social de Herrera, cf. el discurso de A. MARTÍN ARTAJO, en Anales de la Real Academia de las Ciencias Morales y Políticas 46 (1969).

[87] D. BENAVIDES, *El fracaso social...* 161-281.

propagandística del grupo de la Democracia Cristiana. A una manifestación de ella se ha aludido más arriba: a la Semana Social de Oviedo (1926). La revista *Renovación Social* fue otro de sus cauces. De la acción sindical nos ocuparemos a su tiempo.

10) *Fomento Social.*—Ya en tiempo de la dictadura, un año después de la muerte del marqués de Comillas, los jesuitas españoles establecieron en Madrid un centro de estudio y difusión del pensamiento social de la Iglesia: Fomento Social [88]. Se encargó de esta obra el P. Sisinio Nevares, que contó con la colaboración de los PP. Joaquín Azpiazu, Joaquín Soler y varios más. La difusión oral y escrita de la doctrina social católica la realizaron a través de conferencias, cursos y boletines. Para el estudio se fue creando una selecta biblioteca. La institución continúa hoy sus trabajos y desde 1946 publica la *Revista de Fomento Social.*

11) *Otros grupos y pensadores.*—La abundancia de iniciativas y la escasez de espacio no permiten sino meras alusiones a otras obras de carácter similar que vieron la luz en el ámbito eclesiástico en el primer tercio de este siglo. Además de las revistas citadas y de *La Ciencia Tomista* y *Razón y Fe,* de las que se hablará en el próximo apartado, es preciso recordar, al menos la *Revista Católica de Cuestiones Sociales* (fundada en 1895), *Catalunya Social, La Paraula Cristiana,* etc. En 1920 existían 129 periódicos de orientación social católica.

Entre los pensadores hay que aludir, por el revuelo que causaron sus intervenciones, a dos sacerdotes: Basilio Alvarez y Angel Carbonell [89]. El primero —una vida agitada en todos los terrenos— fustigó con increíble dureza las tres lacras del agro gallego: los foros, el caciquismo y la emigración. Posteriormente abandonó la sotana y militó en el partido de Lerroux, perdida ya la garra que le distinguía cuando era abad de Beiro. Hacia 1928, Carbonell publicó *El colectivismo y la ortodoxia católica,* que negaba que la propiedad privada perteneciese esencialmente a la doctrina de la Iglesia. Se le opusieron, entre otros, los PP. Mostaza y Nevares.

Cae fuera de nuestro horizonte la creación del primer partido democristiano español: el Partido Social Popular (PSP). En su programa incluía puntos capitales de la doctrina social pontificia. Entre las personalidades que lo apoyaban se encontraron algunas procedentes de distintas áreas del catolicismo social. Los avatares y significación de este grupo político han sido objeto de estudios recientes [90].

A la vista de la sumaria exposición precedente, queda claro que la Iglesia española movilizó sus fuerzas ideológicas a todos los niveles en los años que historiamos. El tema social —junto con algún punto de

---

[88] F. DEL VALLE, *Fomento Social,* en *Diccionario de historia eclesiástica de España* II 948-49. Cf. además la tesis inédita de C. GINER, *El pensamiento social de Sisinio Nevares·(1878-1946),* presentada en la Facultad de Filosofía y Letras de la Universidad Complutense (1977).

[89] Sobre la acción social del primero ha presentado un trabajo de licenciatura en la Universidad de Comillas (1977) J. Fernández Muiños. Una evocación biográfica de su figura la hace X. Costa Clavell en *Nueva historia* 12 (1978) 103-109. Sobre Carbonell, cf. la tesis de C. Giner citada en la nt.88.

[90] O. ALZAGA, *La primera democracia cristiana en España* 119-355; J. TUSSELL, *Historia de la democracia cristiana en España* I 104-20.

moral política— fue el objeto principal de la reflexión y propaganda católicas. Se dio una auténtica pluralidad de opiniones. Y no sólo el miedo o la impregnación conservadora, sino también la división intra-eclesial, esterilizó buena parte de las ilusiones e iniciativas que vieron la luz en estos treinta años.

3. ASOCIACIONES OBRERAS

Durante el reinado de Alfonso XIII, las asociaciones obreras progresan en número y en participación en la vida nacional: huelgas, presión política y terrorismo.

— El PSOE conoce su máxima difusión en 1919 (42.113 militantes); decae luego y vuelve a las cifras habituales (14.000) en 1921. La colaboración con la dictadura le restó algunos efectivos. A medida que ésta se atenúa aumentan sus carnés. En 1931 son unos 25.000.
— La UGT comienza el reinado con 32.000 asociados, que casi dobla en 1904. Tras un bajón en 1905, crecen sus afiliados hasta 147.000 (1913). Nuevo descenso y subida en 1920: 211.000 afiliados. Aquí se estanca hasta los años finales de la dictadura. El gran salto viene en 1930: supera el millón de sindicalistas.
— Siguen siendo oscuras las cifras de la CNT, fundada en 1911. Eran más de 700.000 en 1919. Tal vez superaban esta cifra en 1930. En 1927 se crea la FAI.
— Muy minoritario y sin base sindical es el grupo comunista. En 1931 no llegaban a 1.000.
— Un grupo sindical surge en Barcelona en 1919: los Sindicatos Libres de Ramón Sales. Se llaman libres porque no tienen conexión política; sus reivindicaciones son profesionales, de tinte corporativo. Favorecidos por la patronal, degeneraron luego en acciones terroristas.

Las asociaciones creadas por la Iglesia funcionaron a un triple nivel: círculos, sindicatos industriales y sindicatos agrícolas.

a) Los Círculos Católicos

En los primeros años del siglo continúan sobreviviendo bastantes círculos de los creados por Vicent. En 1904 había 25.638 asociados obreros, que equivalían al 9 por 100 de la población obrera asociada [91]. El número de círculos aumentará algo: en 1909 se computan cerca de 300, aunque algunos existen sólo sobre el papel. Pervive también el Consejo Nacional de las Corporaciones Católico-Obreras.

Pero en el seno de los mismos Círculos se oyen voces que reclaman su conversión en sindicatos, es decir, la total autonomía respecto a los patronos. Es un signo de que el obrero católico va cobrando conciencia de clase. En parte porque los promotores de los círculos —Vicent en sus últimos años y Severino Aznar sobre todo— comprenden que la hora

---

[91] Para el tránsito de círculos a sindicatos en la primera década del xx, cf. J. J. CASTI-LLO, *Modulaciones ideológicas del catolicismo social en España: de los Círculos a los Sindicatos:* Revista Española de la Opinión Pública 45 (1976) 37-75.

de los círculos ha pasado. En el período anterior recogimos algunas voces en este sentido. Ahora se intensifican en las asambleas sociales, especialmente en la de Palencia (1907). El deseo de hacer frente al socialismo en su terreno, los incidentes durante la elección para el Instituto de Reformas Sociales en 1908 (la UGT negó el carácter obrero de los círculos) y, sobre todo, la propia realidad propiciaron el cambio, que, con todo, no fue instantáneo. Se aferraban al viejo esquema el Consejo Nacional y algunos ideólogos que propiciaban, al menos, la coexistencia de Círculos y sindicatos con finalidades diferentes.

La creación de sindicatos católicos puros (de sólo obreros) precipitó el paso de los círculos a una vida lánguida. En Vizcaya surge en 1905 la *Federación de Sindicatos Católicos*, y en 1906, la *Asociación Obrera de León XIII*. En 1907, el P. Gabriel Palau funda en Barcelona la *Unión Profesional de Dependientes y Empleados de Comercio*, que sumará 1.500 socios en 1916. En los años siguientes, Valencia, Burgos y otras capitales son escenario del nacimiento de nuevos sindicatos. Con retraso, pero con firmeza, prendía en España la semilla lanzada por León XIII, que en la *Rerum novarum* dejaba abierta la posibilidad de asociaciones de sólo obreros.

b) **Los sindicatos industriales**

A pesar de los precedentes aludidos, es en la segunda década del siglo XX cuando surgen la mayoría de los sindicatos católicos españoles. El año 1912 es la fecha aceptada como comienzo de una nueva etapa. En 1910 se promulgan las reglas sobre federación de las obras católico-sociales, que, sin nombrar al sindicato, lo propician; de ahí surgirá la Federación Católica Nacional de Sindicatos Obreros (puros). Aparecen también *El Eco del Pueblo* y *El Debate*. En 1912 muere el P. Vicent; se celebra la última Semana Social de la primera etapa, con la sonada intervención del P. Gerard; éste comienza su actividad, y por primera vez tenemos noticias de que un sindicato católico (en Bolueta) sostiene una huelga. Todo ello confiere especial significado al año 1912.

El número y variedad de los sindicatos católicos industriales —de los agrarios nos ocuparemos después— aconsejan proceder por pasos. Presentaremos primero los diferentes tipos que históricamente se dieron. Luego abordaremos las múltiple problemática que plantearon [92].

a) *Diversos tipos de sindicatos industriales.*

Tres corrientes fundamentales pueden detectarse en el sindicalismo católico industrial de estos años: los que provienen de los Círculos o se inspiran en ellos, los libres de Gafo y Arboleya, y los vascos.

---

[92] Obras fundamentales para este tema son: J. N. GARCÍA NIETO, *El sindicalismo cristiano en España*; C. MARTÍ-J. N. GARCÍA NIETO-M. LLORÉNS, *España*, en *Historia del movimiento obrero cristiano*; J. J. CASTILLO, *El sindicalismo amarillo en España*; M. GARCÍA VENERO, *Historia de los movimientos sindicalistas Españoles (1840-1933)* 393-401; J. N. GARCÍA NIETO, *Sindicalismo cristiano*, en *Diccionario de historia eclesiástica de España* IV 2485-87. Más abajo citaremos otros libros y artículos de tema más restringido.

1. *Provenientes de los Círculos o inspirados en ellos.*—Queda ya indicado que es en los Círculos de Vicent donde brota la idea del sindicato católico. Allí arraigaron bastantes iniciativas similares. En 1916 existían sindicatos de este tipo en más de 40 poblaciones. Hacia el final de esta época, se ha calculado que alrededor de 60.000 obreros y 35.000 obreras estaban afiliados a estos sindicatos, aunque las cifras son aproximadas, y verosímilmente deben rebajarse a algo menos de la mitad. Entre los sindicatos inspirados en los Círculos merecen destacarse los de ferroviarios y mineros, auspiciados por el P. Nevares y promovidos por Agustín Ruiz y Aurelio Díaz, respectivamente; los de Burgos, de los que fue alma el P. Salaverri, y el Centro Obrero de Madrid, dependiente también de la Compañía de Jesús. Todos estos sindicatos, sin ser descaradamente patronales, contaron con algún apoyo empresarial, sobre todo del marqués de Comillas. Fueron también confesionales. Por eso su garra reivindicativa no fue grande, aunque suponían un avance respecto a los círculos [93].

2. *Los Sindicatos Católico-Libres o independientes.*—No hay que confundir estos sindicatos con los libres de R. Sales, más arriba aludidos, aunque al final confluyan con ellos. El apelativo «libres» subraya su decidida independencia tanto de los patronos como de la práctica religiosa de sus afiliados. Nacen en 1912, cuando el dominico P. Gerard crea en Jerez la Casa del Trabajo. Los propagó el también dominico P. Gafo. El primero apoyó la denominación de «Católico-Libres», aunque mantenía que no se debía exigir ningún tipo de práctica católica a los sindicados. La actividad de Gerard terminó pronto: acusaciones desde la derecha forzaron su retirada. Gafo continuó en la brecha algo más, y en 1923 favoreció la unión con los «Libres» de Sales, que entonces, al parecer, abandonaban el pistolerismo. Más tarde fue consejero de Trabajo en la dictadura y diputado durante la República. Fue asesinado en Madrid en 1936. La obra de estos dos pioneros del sindicalismo no confesional no pudo lograr numerosos adictos —debieron llegar a 10.000—, pero su garra reivindicativa fue evidente [94].

Parecidos a estos sindicatos fueron los independientes que propició Arboleya, aunque su número de afiliados y duración fueron siempre menores: alrededor de 700 socios tenían sus sindicatos en 1915 [95].

3. *Solidaridad de Trabajadores Vascos.*—Esta tercera corriente del sindicalismo católico se distingue de las otras por su abierta aconfesionalidad: aun inspirándose en la doctrina cristiana, no tuvo nunca capellanes ni consiliarios. Fundada en 1911, mantuvo siempre un alto grado de espíritu reivindicativo. «Unión obrera y fraternidad vasca» fue su lema.

[93] Exclusivamente de este tipo de sindicatos, y más en concreto del de ferroviarios y mineros, se ocupa el libro de J. J. Castillo citado en la nota anterior.

[94] A la espera de la publicación de sus tesis doctorales, pueden verse los artículos de J. SUÁREZ, *El dominico P. Gafo (1881-1936):* Vida Nueva 956 (1974) 23-31, y S. CARRASCO, *El Sindicalismo Católico-Libre; sus orígenes y causas de su fracaso:* Escritos del Vedat III (1973) 539-79; *Los superiores dominicos ante el catolicismo social:* ibid. (1974) 667-86; *Sindicalismo católico agrario en Andalucía:* Revista de Estudios Sociales 17-18 (1976) 75-100.

[95] D. BENAVIDES, *El fracaso social...* 45-53.

Lentamente, pero con seguridad, se fue extendiendo por las provincias vascas y por Navarra desde 1925 [96].

b) *Problemática planteada*

En tres apartados se pueden encuadrar los principales problemas historiográficos que plantea hoy el sindicalismo católico: confesionalidad, amarillismo e intentos de unión.

1. *Confesionalidad.*—Fue éste, posiblemente, el problema más debatido intraeclesialmente [97]. A pesar de la apariencia, no se discutía un problema de nombre: la inclusión o supresión del adjetivo «católico» en el título de los sindicatos. Tampoco se ponía en duda la fidelidad a la doctrina católica, que todos admitían. ¿Qué se debatía entonces?

Los partidarios de la confesionalidad se apoyaban en tres argumentos:

    — el sindicato católico busca *el bien integral* del obrero. Por ello, siguiendo la tradición de los círculos, proponían prácticas religiosas para los asociados y exigían de ellos una fe explícita;
    — pretendían afirmar *la identidad cristiana y la presencia eclesial* sin avergonzarse de ello;
    — querían ligar la acción social a la *Acción Católica* y a la jerarquía.

En contra, los aconfesionales argüían:

    — la necesidad de subrayar el *fin económico y profesional* de los sindicatos católicos;
    — era más aconsejable prescindir de la confesionalidad por *razones sociológicas:* la fe real del mundo obrero era escasa;
    — ligar a la Iglesia con la acción de *grupos particulares* no parecía conveniente.

La postura confesional la mantuvieron, sobre todo, los sindicatos inspirados en los Círculos y la revista *Razón y Fe,* por la pluma del P. Noguer. En contra se alinearon los sindicatos de Gafo, Arboleya y la Solidaridad Vasca. *La Ciencia Tomista* fue su órgano de expresión. El Magisterio se orientó en estos años a favor de la confesionalidad. León XIII se inclinaba a ella, la reafirmó Pío X (*Singulari quadam,* 1912) y la ratificó la Congregación del Concilio en 1929. Los sucesivos primados y directores de la Acción Católica (cardenales Aguirre, Guisasola, Almaraz, Reig Casanova y Segura) iban también por esta línea.

La polémica —muy dura— nos parece hoy estéril. Años más tarde se impondrá la aconfesionalidad. Pero eso pertenece a otro período.

2. *Amarillismo.*—Esta fue la gran acusación que UGT y CNT lanza-

[96] M. García Venero, La «Solidaridad de Obreros Vascos» (1911-1937): Rev. del Trabajo 8 (1964) 9-27.
[97] Además de las obras de J. N. García Nieto citadas en la nt.19, cf. J. Gorosquieta, El drama de la confesionalidad sindical en España (1900-1931): Rev. Fomento Social 116 (1974) 381-89. Para lo relacionado con la AC: A. Aguar Catalán, La Acción Católica a través de sus estatutos (tesis doctoral inédita).

ron contra los sindicatos católicos. Modernamente ha afrontado el problema J. J. Castillo [98]. Ciñéndose a los sindicatos de la primera corriente, los califica de amarillos por su marcado carácter antisocialista y por su dependencia de la financiación de algunos patronos. Ambos datos parecen verdaderos; pero, como el mismo autor honestamente reconoce, no puede, sin más, afirmarse que los sindicatos católicos son amarillos, es decir, creados por la patronal para su beneficio. Fue lógica su oposición a la UGT y CNT, de cosmovisión muy distante. Era explicable que algún patrono católico los apoyase por vecindad ideológica, sin tener que recurrir a turbios intereses. Con todo, estos datos ponen de manifiesto la limitada libertad de acción de los sindicatos de la primera corriente. Respecto a los otros, parece que los de Gafo y los vascos fueron más independientes.

Limitándonos incluso a los sindicatos más supuestamente amarillos, no deben olvidarse dos factores. La oposición al socialismo se basaba también en presupuestos no específicamente patronales: deseo de un sindicato apolítico, ideas sobre la religión y la familia, negativa a colaborar en acciones injustas o condenadas al fracaso. Por otra parte, las reivindicaciones exigidas por este sindicato no eran tampoco favorables al empresario: reforma fiscal, huelga, salario familiar, limitación en las condiciones de trabajo, seguros sociales, participación en beneficios, reconocimiento efectivo del sindicato, etc. En su aspecto reivindicativo, el programa de 1919 resiste la comparación con los programas de otros sindicatos [99].

3. *Intentos de unión.*—Se ha aludido ya a las federaciones surgidas antes de 1912. También los sindicatos Católicos-Libres se federaron en 1916, aunque en 1922 se disolvieron para unirse a los Libres de R. Sales. El grupo más numeroso —los sindicatos confesionales— realizó también intentos de unión propiciados por la jerarquía. En esquema son éstos los pasos que se dieron:

1910: desde Burgos se envía una circular proponiendo la unión.
1911: el cardenal Aguirre encarga al P. Palau la elaboración de unos estatutos. Se publica, en 1912.
1915: Unión General de Trabajadores Católicos de España.
1919: Confederación Nacional de Sindicatos Católicos Obreros.
A partir de esta fecha se celebraron varios congresos nacionales y regionales.

La unión de todas las ramas se evidenció como utopía: las separaban puntos de vista muy dispares. Más eficaces fueron las colaboraciones entre sindicatos afines. Para la unión total habrá que esperar al período siguiente.

[98] Cf. la obra citada en la nt.92. Amplía parte del libro citado en *Planteamientos teóricos para el estudio del sindicalismo católico en España:* Rev. Estudios Sociales 17-18 (1976)37-73. Más datos en *Sobre la financiación patronal del sindicalismo católico en España:* Negaciones 2 (1976) 199-219. Ultimamente ha matizado algo en *¿Fracaso del sindicalismo católico?:* Rev. Fomento Social 12 (1977) 279-88.
[99] Cf. J. N. García Nieto, *El sindicalismo...* 247-59. Compárese con el programa del PSOE en 1918: M. Artola, *Partidos y programas...* II 277-81.

c) Los sindicatos agrarios

El campo seguirá siendo el gran problema en estos años. Por razones explicables, será también un sector desatendido por la clase política y sindical. Socialistas y comunistas tendrán muy poca entrada en el medio rural. Unicamente la CNT reclutará ahí parte de su clientela. La acción de la Iglesia, en cambio, se esforzó en proponer y realizar alternativas para la promoción del mundo campesino.

También en este campo fue pionero el P. Vicent. El año de su muerte tomó el relevo su hermano de Orden P. Nevares, que contó con la incansable colaboración de Antonio Monedero. Las razones que explican la presencia eclesial en este medio están ya aludidas: escasa competencia de otras organizaciones, ambiente más tradicional, ausencia de la dificultad que suponían los «patronos católicos» en el mundo industrial y, principalmente, la necesidad de organizaciones que sentía el agro español.

Todo ello configurará el talante de los sindicatos agrarios católicos, marcadamente distinto del que caracterizaba a los industriales[100]. A pesar de ello, existieron siempre buenas relaciones con los sindicatos confesionales, que partían de presupuestos similares. Los agrarios fomentaron mucho las cooperativas, créditos y seguros comunes, respondiendo así a las necesidades de los pequeños propietarios; fue en Castilla, Navarra y Vascongadas donde más se implantaron. En Andalucía arraigaron también, y llevaron a cabo parcelaciones de tierras. La oposición anarquista tronchó algunos de estos proyectos, a pesar de lo cual 50.000 campesinos se convirtieron en propietarios. La armonía entre pequeños propietarios y jornaleros, que defendían los católicos, consiguió mejoras económicas y confirió un talante peculiar a estas asociaciones.

Fueron en este sector más fáciles los intentos de unión. Desde 1912 funcionó la Federación Nacional Católico-Agraria, más tarde Confederación. En 1922 asociaba a 4.000 sindicatos y 600.000 familias. El volumen de dinero manejado por la Confederación en ese año —cooperativas, créditos, seguros, fábricas, prensa, etc.—, superó los 1.000 millones de pesetas. Estos datos generales nos dan idea del volumen alcanzado por el sindicalismo católico-agrario en estos años.

4. LA PROMOCIÓN SOCIAL

Círculos y sindicatos canalizaron buena parte de las iniciativas eclesiales de promoción social, como hemos podido ver. Se ha aludido también a la cooperación de individuos y corporaciones católicas con orga-

---

[100] J. Cuesta, *Sindicalismo católico agrario en España (1917-1919);* es obra de obligada consulta en este tema. Cf. también J. N. García Nieto, *El sindicalismo...* 109-25 y 237-40; J. J. Castillo, *Nota sobre los orígenes... de la CNCA,* en García Delgado (ed.), *La cuestión agraria en la España contemporánea.* Ver también las tesis inéditas de A. Herrero, *Sindicalismo católico agrario en España,* y la de C. Giner sobre Nevares, cit. en la nt.88, así como el último artículo reseñado en la nt.94.

nismos políticos. Durante la dictadura, muchas organizaciones católicas, al igual que el socialismo, colaboraron con el Gobierno: en el ideal corporativo encontraban similitudes que facilitaban el trabajo conjunto.

Sumariamente aludiremos a otros tipos de promoción que se desarrollan estos años. Dentro del campo estrictamente benéfico-asistencial, sólo las Hijas de la Caridad regentaban en 1906 más de 400 instituciones, que atendieron a casi 60.000 personas. Las 15 cocinas económicas repartieron cerca de 22.000 raciones diarias. Las demás órdenes continuaron su labor benéfica emprendida en el siglo anterior [101].

En otro orden de cosas, merece resaltarse la peculiar iniciativa del sacerdote D. Pedro Poveda, que en Guadix comenzó a vivir en cuevas con los gitanos en 1902. Por razones aún no aclaradas, hubo de abandonar la empresa en 1905. Años más tarde fundará la Institución Teresiana, presencia seglar en el mundo de la cultura, marcada también con la preocupación social de su fundador. Fundaciones de tipo más tradicional, dedicadas también a la promoción social, fueron, entre otras, las Damas Apostólicas y las Damas de la Asunción.

5. BALANCE DE ESTE PERÍODO

La marginación de la Iglesia en el mundo sociopolítico se acentúa en estos años. Crece también el anticlericalismo, de distinto signo según sea burgués o proletario. Durante muchos años, la Iglesia, además de adoptar una actitud defensiva, no acaba de encontrar su sitio ante los problemas políticos que afectan a la nación. Sus intentos están además lastrados por pugnas esterilizantes. Con todo, es en este período cuando el pensamiento social católico se extiende más, se crean nuevos cauces de actuación —sindicatos— y pensamiento: Propagandistas, grupo de la Democracia Cristiana, Fomento Social. La escasa audiencia de que goza la Iglesia hace más reducida la eficacia de estos intentos. Sólo en el sector agrario la estructura y la ausencia de otros organismos competitivos permite a la Iglesia actuar con más éxito y realizar una labor que otros cuidaron menos.

[101] Sobre las Hijas de la Caridad: *La Cruz* (1906) 1,150. Sobre las demás órdenes: ibid. (1907) 1,351-58.

CAPÍTULO V

LA II REPUBLICA (1931-36)

Los años de la II República son un cambio, más en lo político y social que en el ecónomico. Su vigencia fue breve: mil días de guerra civil acabarán con la experiencia.

a) Política

La República se proclamó sin sangre y con euforia. En las primeras elecciones accedió al poder, por primera vez en nuestra historia, la izquierda proletaria, aunque acompañada por la izquierda burguesa. La Constitución de 1931 y las leyes subsiguientes fueron reflejo de este cambio: un intento de desmontar los pilares en que se había apoyado el sistema anterior: Iglesia, ejército y terratenientes [102]. Pero esta novedad no supuso una transformación radical del sistema político: las divisiones inter e intrapartidistas, el tejer y destejer, el olvido de los deseos de una parte de la nación, aproximan este período a los anteriores. «Ultimo disfraz de la Restauración»: así se han podido caracterizar las tres etapas políticas de este quinquenio. Con parcialidad, pero con verdad de fondo: las dos Españas ahondan progresivamente el foso que las separa.

b) Economía

La economía mundial no se ha repuesto todavía en 1931 de la crisis del 29. Aunque buena parte de la española se basa en el mercado interior —y por eso se detectan menos los efectos de la crisis—, hay que tener presente el panorama mundial para explicar algunos factores: disminución de exportaciones y emigración sobre todo. La euforia política de los primeros meses hizo olvidar la difícil situación de la economía. Pero no era menos real por eso.

Aumentó la *población* en casi un millón: de 23.563.887 en 1930 a 24.463.665 en 1935. Más por descenso de mortalidad que por crecimiento de natalidad: este índice y el de nupcialidad descienden. La población activa aumenta en casi 700.000. La baja emigración y la vuelta de antiguos emigrantes favorecen la concentración rural, agudizando los conflictos en el campo.

La desigual distribución de la propiedad *agraria,* legado de la situación anterior, sólo muy parcialmente se palia con los diferentes intentos

---

[102] He explicitado el abanico de opciones políticas que se presentaron al elector y las consecuencias políticas del resultado electoral en *Las elecciones para las últimas Cortes Constituyentes (1931):* Razón y Fe 952 (1977) 499-511.

de reforma que se suceden en los tres períodos [103]. La producción de trigo aumenta (fueron espléndidas las cosechas de 1932 y 1934), pero la naranja y la vid se resintieron de la falta de mercado exterior. Mejores perspectivas tuvieron los productos de aplicación industrial: algodón y remolacha.

Fue también desigual la producción *industrial*. Sólo aumentan la de energía eléctrica, productos químicos y alimenticios y algo la textil. Se produce un fuerte descenso en siderurgia y construcción. En *minería* se percibe únicamente auge en el carbón. Dificultades de exportación y disminución de inversiones y huelgas son los factores que influyen en este cuadro.

Con todo, el índice general de producción y la renta *per capita* se estabilizan en la cota alcanzada en 1930. Otras consideraciones inclinan también a pensar que la situación económica no difirió demasiado de la precedente: la ausencia de una auténtica reforma fiscal y el mantenimiento del marco económico y comercial a pesar de las facilidades que otorgaba el artículo 44 de la Constitución.

c) Sociedad

Es éste el sector donde las transformaciones son más profundas. La *burguesía* vuelve a dividirse. Mientras la grande se opone a las reformas y consigue mantener buena parte de sus resortes, la pequeña burguesía y la intelectualidad emprenden un camino reformista con más pretensiones que éxito. La intranquilidad social —paros, huelgas, terrorismo y revoluciones se suceden casi sin pausa— frenará estos deseos de reforma en sectores cada vez más amplios. Por la misma razón, las *clases medias* se irán desenganchando paulatinamente del proceso iniciado. No estuvo ausente de este desenganche la política referente a la Iglesia de los partidos de izquierda.

La situación económica del *proletariado* experimentó sobre el papel alguna mejoría. Los *salarios* medios nacionales aumentaron algo:

	Mínimo	Máximo
Industria (varones)	5,65 ptas./día	10,87 ptas./día
Industria (mujeres)	2,81 ptas./día	4,39 ptas./día
Agrícola (varones)	4,42 ptas./día	7,67 ptas./día
Dependientes y empleados	6,00 ptas./día	20,00 ptas./día

Los *precios* bajaron un poco hasta 1933. Luego subieron, pero no superaron, en general, el índice de 1930. En consecuencia, fue mayor el salario real de estos años. Fue favorable también la jornada laboral: se generaliza la de ocho horas en la industria. En algunas, las horas semanales son 44. No llegaron a cuajar, en cambio, los intentos de asimilar la jornada agrícola con la industrial.

[103] E. Malefakis (*Reforma agraria y revolución campesina en la España del siglo XX*, Barcelona, Ariel, 1971) aborda concienzudamente el problema agrario en esta época.

Para valorar en su justa medida los datos precedentes hay que fijar la atención en otros dos factores. Se extienden las *nuevas necesidades:* cine, excursiones, prensa, radio, vacaciones, transportes, variedad en vestidos, medicinas. Todo ello más en la ciudad e industria que en los medios rurales. El *paro* fue, además, endémico en el quinquenio. En 1934 llegó a afectar a 700.000 trabajadores. Se debió a la dificultad de exportación, a la vuelta de emigrantes, al miedo de los inversores y al desequilibrio en el campo. Evidentemente, este factor contribuyó a la inestabilidad social y a ahondar las diferencias entre las clases.

Un cálculo de esta época supone que una familia obrera —matrimonio con dos hijos menores— precisaba unas 15 pesetas/día (alrededor de 5.000 pesetas/año) para vivir frugalmente y con cierta holgura en una ciudad. El salario del padre difícilmente podía alcanzar esta cantidad [104].

1. SITUACIÓN ECONÓMICA Y SOCIAL DE LA IGLESIA

Sabemos ya cuál era la situación económica del clero al final de la Dictadura: el 78 por 100 percibía menos de 2.000 pesetas/año; el 15 por 100, 2.000; el 6 por 100 superaba esa cantidad. Al día siguiente de aprobarse en las Cortes el artículo 26 de la Constitución —que prohibía toda ayuda estatal a la Iglesia—, el Gobierno suprimía todo el presupuesto de culto y reducía en un 20 por 100 el del clero. Cuando se aprobó la Constitución, se mantuvieron tan sólo —y hasta 1933— 525 pesetas anuales para los 9.222 párrocos mayores de cincuenta años. En el bienio centro-derechista 1934-36 se concedieron dos tercios de su paga a los sacerdotes mayores de cuarenta años con cargo parroquial en poblaciones de menos de 3.000 habitantes. El Frente Popular abrogó esta medida. A esta actividad legislativa hay que añadir la encaminada a dificultar la enseñanza de los centros eclesiásticos y las trabas económicas impuestas a las órdenes y congregaciones religiosas.

Ante la nueva situación, los obispos intentaron negociar para salvar, al menos, el presupuesto estatal y la enseñanza religiosa. Al no lograrlo orientaron sus esfuerzos en otra dirección: recaudar fondos a base de aumentos en las tasas de bulas y aranceles y, sobre todo, reducir gastos y estimular la colaboración de los fieles. A esto último se dirigía la exhortación colectiva de los metropolitanos de 21 de noviembre de 1931. En sucesivas conferencias (1931, 1932, 1933) pretendieron arbitrar recursos y modificar estructuras a fin de atender a los gastos de culto, a la manutención de los casi 30.000 sacerdotes y a la formación de los 3.500 seminaristas [105].

No tuvieron mucho éxito estas medidas. Tampoco se aprovechó la ocasión para efectuar una distribución más racional de los efectivos

---

[104] *Crónica de la Asamblea de Cuestiones Sociales de Vitoria (1933)* I 129-32.
[105] Cf. V. M. ARBELOA, *Lecciones de la nueva experiencia ante el arreglo económico del clero:* Incunable 235 (1969) y *1931: cuando los curas no recibían sueldo del Estado:* Vida Nueva 900 (1973) 22-33.

eclesiales. Se dieron algunas realizaciones de comunicación de bienes. Y el clero pasó una época de dificultades económicas más agudas aún.

2. MAGISTERIO Y PENSADORES CATÓLICOS

El cambio de régimen puso más claramente sobre el tapete los problemas sociales. La nación se enfrentó a ellos con posturas variadas.

— Ya hemos aludido a que un sector de la *burguesía* se opuso a toda reforma. En buena parte, unidos en confederaciones patronales: la Unión Nacional Económica, la Confederación Española Patronal y Agrícola, la Organización de Enlace de las Entidades Económicas de España, etc. De carácter antimarxista, algunas se opusieron también a las mejoras sociales introducidas: jurados mixtos, jornada laboral, etc.

— Otra parte de la burguesía —la que accedió al poder— inició una política que, significando un avance, era moderada de fondo, al dejar casi intacta la estructura fundamental. Falta de previsión, provocaciones innecesarias y oposición de los afectados hicieron aún más difíciles estas realizaciones.

— La ideología del *proletariado* se va radicalizando con el paso del tiempo y la lucha política: los programas y manifiestos piden con frecuencia la socialización de los bienes de producción. Más reducidas fueron las realizaciones. En el primer bienio, por la colaboración con la burguesía. En los cuatro meses de Frente Popular fueron más abundantes —en el sector agrario principalmente—, pero su vigencia fue efímera.

a) Magisterio episcopal

Los problemas políticos —aceptación inicial de la República, dado que la Iglesia es indiferente ante las formas de gobierno— y los de relación con el Estado —negociación primero, defensa y denuncia después— absorbieron la energía de los prelados españoles en los primeros meses republicanos. Al mes de proclamarse la República publicó Pío XI la *Quadragesimo anno*. Los obispos españoles no le dedicaron inicialmente la atención que se merecía. La situación española atraía todo su interés. Influyó también —es una conjetura— la dificultad peculiar que suponía comentarla en el ambiente nacional. Ante la nueva situación económica mundial, el papa hacía conscientes a los cristianos del cambio operado desde la *Rerum novarum*. Y propugnaba luego un nuevo concepto de sociedad. El influjo ambiental le inclinaba veladamente hacia una solución de tipo corporativo. Aplicar en concreto ese esquema al caso español suponía chocar con los grupos en el poder y alistarse con los partidarios de modelos inspirados en el fascismo. Aplicar, en cambio, las ideas pontificias sobre el salario o el contrato de sociedad, podía parecer demasiado cercano a las posturas socialistas. Sea como fuere, los comentarios a la encíclica se dejaron en manos de plumas más privadas. De *Fomento Social* salieron algunos de los más cualificados, obra de los PP. Noguer y Azpiazu [106]. También comentó la encíclica Severino Aznar en las Semanas Sociales.

---

[106] N. Noguer publicó su comentario en 1934. El mismo año, J. Azpiazu editaba por vez primera *El Estado corporativo*. Ambos escritores comentaron profusamente puntos de la

El tema social no está, sin embargo, ausente de la enseñanza episcopal. Ante algunas medidas gubernamentales —la Reforma Agraria sobre todo— procuraron soslayar los puntos más vidriosos, que sonarían a toma de postura clasista o partidista. De otras intervenciones sobre asociaciones católicas nos ocuparemos más adelante.

b) **Pensadores católicos**

Algunos de los pensadores católicos de la etapa precedente orientaron su acción hacia el campo de lo político, inspirando y apoyando el programa social, primero de Acción Popular y más tarde de la CEDA. Por eso, su acción escapa del objeto de estas páginas Lo mismo hay que decir de quienes militaron en partidos regionales de inspiración cristiana: Partido Nacionalista Vasco y Uniò Democrática de Catalunya [107]. Nos limitaremos en este apartado a reseñar la actividad no ligada a partidos políticos.

Acabamos de aludir a *Fomento Social,* que continuó su labor de pensamiento social incluso tras la expulsión de la Compañía de Jesús. Cambió únicamente el nombre de la institución: Asociación Cultural de Estudios Sociales (ACES), y el domicilio. Además de conferencias, cursillos y libros, las páginas de *Razón y Fe* acogieron con frecuencia las colaboraciones de los miembros de la institución [108].

Continuó igualmente su existencia el grupo de los *Propagandistas,* más dedicados ahora a la vertiente social. Parte de sus hombres colaboraron en Acción Popular y la CEDA. Angel Herrera accedió a la presidencia de la Acción Católica, sucediéndole, a partir de 1935, Fernando Martín-Sánchez. *El Debate* siguió siendo portavoz de las ideas del grupo. Desde 1935 se publicó el quincenal —más tarde semanario— *Trabajo.* En estos años se crearon además tres instituciones orientadas a la propaganda social: el Instituto Social Obrero (1932-36), destinado a formar líderes sindicales; el Centro de Estudios Universitarios y los Cursos de Verano de Santander, nacidos ambos en 1933.

Similar al grupo de Herrera fue otra iniciativa nacida en el País Vasco: la AVASC, *Agrupación Vasca de Acción Social Cristiana.* Promovida por Joaquín Azpiazu, S.I., era una especie de universidad social obrera, que agrupó a patronos y obreros para difundir en todos los ambientes el pensamiento social cristiano.

Finalmente, el *Grupo de la Democracia Cristiana* continuó sus tareas de propaganda; en 1935 publicó un *Manifiesto,* en el que exhortaba al «desarme moral» en un momento en que las tensiones se agudizaban, y,

encíclica en *Razón y Fe.* Cf. J. GOROSQUIETA, *El pensamiento social de los jesuitas de 1931 a 1936:* Rev. Fomento Social 121 (1976) 75-93, sobre todo nt.23.

[107] Sobre la política social de la CEDA: J. R. MONTERO, *La CEDA, el catolicismo social y político en la II República* (Madrid, Ed. Revista de Trabajo, 1977), 2 vols., y J. TUSSELL, *Historia de la Democracia Cristiana* t.1, 267-312. Sobre los partidos regionales, ibid., t.2. Acerca del catalán, cf. H. RAGUER, *La Uniò Democrática de Catalunya i el seu temps (1931-1939)* (Publicaciones de la Abadía de Montserrat, 1977).

[108] Cf. en la nt.106 el estudio de J. Gorosquieta sobre el pensamiento social de *Razón y Fe* en estos años.

sobre todo, logró revitalizar con alcance nacional las Semanas Sociales [109]. En 1933 se celebró la de Madrid, con participación destacada del
P. Rutten, O.P. (inspirador de Gerard y Gafo); Alfredo Mendizábal,
Antonio Luna, Arboleya, Herrera, Aznar. El tono fue claramente innovador, más que en la siguiente (Zaragoza, 1934), centrada en el tema
agrario. Aquí se interrumpieron: estaba ya programada la de 1936,
pero los sucesos de este año la dejaron en proyecto. Sólo se reanudarán
en 1949.

3. LAS ASOCIACIONES OBRERAS

El acceso del proletariado al poder trajo consigo un crecimiento ver-
tiginoso de los sindicatos obreros. En 1936, UGT y CNT suman cada
una alrededor de 1.500.000 afiliados. La cifra, sin embargo, refleja
sólo parcialmente la realidad: poseer un carné sindical era, en muchos
casos, condición indispensable para poder trabajar. Y las cifras anarquistas continúan siendo discutidas. La evolución de cada sindicato estuvo
muy condicionada por su posición respecto a los grupos políticos.

> — UGT participó de los avatares del PSOE. Este fue en el primer bie-
> nio árbitro de la situación con tres ministros y 117 diputados. El desgaste
> del poder —compartido con grupos no proletarios— y las divisiones inter-
> nas (Largo Caballero-Prieto-Besteiro), unidas a la oposición de otros grupos
> obreros, mermaron su eficacia. Apartados del poder en 1933, su participa-
> ción en la revolución de octubre de 1934 fue un sangriento error. Unidos
> al Frente Popular en 1936, el maximalismo de Largo Caballero impidió el
> ascenso de Prieto, más capacitado entonces para una acción realista.
> — También el sindicato anarquista se vio escindido en corrientes. La
> FAI protagonizó el mayor extremismo con frecuentes conflictos. La cues-
> tión sindical dividió a los dirigentes: mientras Pestaña y Peiró propugna-
> ban un programa sindical y Gastón Leval lo quería al menos para el sector
> industrial, Federica Montseny y otros dirigentes más radicales se oponían a
> ello. A partir del Congreso de Zaragoza (1936) defienden el comunismo
> libertario.
> — El grupo comunista no llegaba a los 1.000 afiliados al proclamarse la
> República. Crecen rápidamente, pero sin lograr acceso al poder hasta el
> Frente Popular, inspirado por ellos. En 1933 crean un sindicato: Confede-
> ración General del Trabajo Unitaria, que llegó a 150.000 afiliados antes de
> unirse a UGT en 1935. A la izquierda del PCE se crearon el POUM y otros
> grupos regionales.

La confesionalidad, el presunto amarillismo y la división habían sido
los frenos del movimiento sindical católico en la época precedente. A
estos problemas se añadió, durante el quinquenio republicano, la represión violenta ejercida contra los sindicatos católicos desde el Gobierno y
las dos centrales sindicales más numerosas, UGT y CNT. Prohibición
de mítines, asalto a locales, despidos a sindicalistas católicos, fueron algunos episodios de esta represión. Por su parte, la *Confederación Nacio-*

---

[109] D. BENAVIDES, *El fracaso social...* 477-526. Sobre la labor de Arboleya en Asturias,
ibid., 551-78. Ver también J. TUSSELL, *Historia de la Democracia Cristiana* II 251-61.

nal Católico-Agraria fue privada de sus derechos civiles en los primeros meses de la República. Mantuvo en estos años su tónica peculiar, hasta que, finalizada ya la guerra civil, el 21 de febrero de 1940 fue incorporada al aparato sindical del nuevo Estado. Contaba entonces con 2.726 sindicatos, que agrupaban a 275.000 familias.

Bastante más compleja es la historia de los sindicatos industriales [110]. Por eso, procederemos a su estudio en dos pasos: descripción de los diversos tipos de asociaciones obreras católicas e historia de sus intentos de unión.

a) **Diversos tipos de asociaciones católicas**

A los tres tipos de sindicato católico que existen desde la etapa anterior —la *Confederación Nacional de Sindicatos Católicos,* dirigida por el P. Nevares; los *Sindicatos Católico-Libres,* de Gerard y Gafo, unidos en 1923 a los Libres de Sales, y la *Solidaridad de Trabajadores Vascos,* que superará en estos años los 40.000 afiliados—, se añaden varias corrientes parcialmente nuevas en el período republicano.

1) La *Juventud Obrera Católica* (JOC) no es sindicato ni surge en España en este quinquenio. Desde la época de la dictadura existe en varias diócesis. No hay casi coordinación entre los diversos centros y su talante es conservador, cercano al de una cofradía. Se hace ahora mención de ella por la significación que, cara a la unión final del sindicalismo católico, tuvo la Asamblea de Cuestiones Sociales de Vitoria, celebrada en 1933 [111].

2) *Accion Obrerista.*—Como partido político obrero, filial de Acción Popular, surge este grupo capitaneado por Dimas Madariaga. Pretendía ser un complemento del sindicalismo católico. Su programa social —muy afín al del partido inspirado por Herrera— se caracterizaba por su oposición al marxismo y su defensa de los grandes temas del sindicalismo católicc· corporación obligatoria y sindicación libre, salario familiar, participación en beneficios, cogestión, etc. Con el tiempo se plasmó en un pintoresco decálogo [112]. A este grupo estaba unida la *Coalición Española de Trabajadores,* fundada también en 1931, que, de la mano de Madariaga, tomará parte en los intentos de unión.

3) La *Federación Española de Trabajadores* se había unido inicialmente a la Coalición. La presidía Anastasio Inchausti y en ella trabajaban los jesuitas Ayala y Ballesta. La vitalidad de este grupo le llevó a separarse del anterior. Signo de esta vitalidad fue la creación de otras asociaciones: la *Unión Obrera Campesina,* nacida en 1935 bajo la presi-

---

[110] Además de los libros básicos citados en el período precedente (nt.92), cf. A. ELORZA, *La Confederación Española de Sindicatos Obreros (1935-1938):* Revista de Trabajo 33 (1971) 129-412 y V. M. ARBELOA, *Los sindicatos católicos en España: un intento de aconfesionalización (1931-1932):* Rev. Fomento Social 114 (1974) 201-208.

[111] Nos referiremos a ella más abajo. Sobre la JOC de esta época ofrece datos J. CASTAÑO, *Memòries sobre la JOC a Catalunya (1932-1970).* Ver también la tesis de J. J. Tamayo, inédita, presentada en la Pontificia Universidad de Salamanca. Estudia la asociación J. R. MONTERO, *La CEDA...* I 747-779.

[112] Lo reproduce M. ARTOLA, *Partidos y programas...* I 616.

dencia de Tomás Morillo, y la *Juventud Sindicalista Obrera,* que vio la luz el mismo año.

4) Entre los grupos regionales puede destacarse la *Uniò de Treballadors Cristians de Catalunya,* surgida en 1934 a raíz de la revolución de octubre como respuesta católica al anarquismo en uno de sus feudos. Dirigida por Enrique Escamilla, alcanzaría pronto los 3.000 afiliados.

b) **Los pasos hacia la unión**

Tal proliferación de asociaciones paralelas era un contrasentido habida cuenta del peso de las centrales socialista y anarquista. De la época precedente recordamos que uno de los obstáculos que se oponían a la unión era el problema de la confesionalidad, tras el que se agazapaban concepciones divergentes de la estrategia sindical. En este quinquenio, las circunstancias forzarán la superación de la antigua problemática, pero el proceso fue lento; lo resumimos sumariamente a continuación.

A los siete meses de la proclamación de la República, la Conferencia de Metropolitanos abría un pequeño portillo a la desconfesionalización. Se admitía que los sindicatos católicos quedasen adheridos a la Acción Católica en cuanto medios de formación y apostolado, salvando su independencia y responsabilidad en la acción económica y profesional. A instancias del P. Gafo, Vidal y Barraquer proponía a los miembros de la Comisión Permanente la posibilidad de prescindir del adjetivo «católico» en el título de los sindicatos. Por supuesto, no se ponía en duda la inspiración cristiana. La luz verde, con todo, no llegó por el momento.

En 1932 se comenzaría a caminar hacia la unión. El V Congreso de la Confederación de Sindicatos Obreros Católicos no se decidió a suprimir la confesionalidad, pero acordó renovar su directiva —Dimas Madariaga, muy crítico respecto a la marcha de la Confederación, fue elegido presidente—, revisar el programa y distanciarse de la Confederación femenina, demasiado clericalizada entonces. Por su parte, los Sindicatos Libres, que habían tenido dificultades con el poder civil al comienzo de la República, crean una Confederación Vasco-Navarra de Sindicatos Obreros Profesionales. Pronto alcanzará los 25.000 afiliados. Y el ejemplo cunde a otras regiones. Los primeros pasos hacia la unión se dan, en las diversas corrientes, a nivel regional.

Al año siguiente, la JOC organiza en Vitoria la Asamblea de Cuestiones Sociales. De los asuntos tratados nos interesa destacar uno: la defensa del frente único sindical católico que hicieron Blas Goñi y el P. Azpiazu [113]. No se llegó a ningún acuerdo concreto, como tampoco acabó en fusión la reunión mantenida en Madrid en octubre de 1933 por parte de los principales sindicatos de inspiración cristiana y el Secretariado Social de Acción Católica. Había unanimidad de deseos, pero la confesionalidad y sus problemas anejos seguían siendo un escollo.

El empujón final lo dio la revolución de octubre. El poder de las fuerzas socialistas, anarquistas y comunistas espoleó a los dirigentes ca-

---

[113] Este tema se aborda en el t.4 de la *Crónica* de esta Asamblea.

tólicos. A las pocas semanas, todas las centrales no marxistas crean el *Frente Nacional del Trabajo*. Se aglutinaron en él las dos centrales confesionales más relevantes —la Confederación y la Federación—, las uniones de Sindicatos Libres y la CONS, Central Obrera Nacional Sindicalista. Era el primer estadio de la unión. Débil todavía: la oposición antimarxista había aglutinado precipitadamente elementos dispares. No se habían solventado plenamente las dificultades de los confesionales. Al poco tiempo cada grupo proseguía una vía independiente.

La unión definitiva vino en diciembre de 1935. Un Congreso Nacional de todas las fuerzas sindicales católicas crea la CESO, *Confederación Española de Sindicatos Obreros*. Ya se prescinde del adjetivo confesional. Son tal vez 250.000 los sindicalistas afiliados, a pesar de que la CONS y parte de los Libres no se adhieren.

Meses después vendrá el Frente Popular. Asaltos a locales de la Confederación, una docena de muertos, 200 sindicatos clausurados, un millar de sindicalistas presos es el balance. Se ve la necesidad de financiar la CESO con independencia de la Acción Católica. Se proyecta la CESOC: Cruzada Española pro Sindicalismo Obrero Cristiano. Pero la guerra suspenderá estos proyectos. Años después, la CESO, como la Confederación Agraria, se verá integrada en la organización sindical de la España franquista [114].

4. LA PROMOCIÓN SOCIAL

La labor asistencial iniciada en las épocas anteriores se vio lógicamente dificultada en este quinquenio. Las órdenes religiosas y el clero secular vieron muy disminuidas sus posibilidades económicas. Bastantes obras se mantuvieron, aunque precariamente. Pero buena parte de la tarea asistencial se canalizó por medio de otro tipo de instituciones: políticas y, sobre todo, sindicales. Es un signo de la ola politizadora que invade la nación en estos años. Y también de un cambio de acento: el país precisa, sobre todo, dirigir sus esfuerzos hacia las reformas políticas, estructurales y económicas. Ello absorbió también, en buena medida, las energías de la Iglesia.

Con todo, la labor específicamente benéfica no se desatendió. Las Conferencias de San Vicente de Paúl contaban con cerca de 25.000 asociados en 1931. La atención a emigrantes iniciada en la etapa anterior se adaptó a las nuevas circunstancias. Las escuelas y centros de enseñanza cobraron más auge. Con ocasión de la expulsión de los jesuitas se difundieron cifras de su trabajo en este sector. En escuelas diurnas, nocturnas o dominicales atendían gratis (directamente o por medio de asociaciones creadas por ellos) a casi 50.000 adolescentes. Realizaron también intentos de formación profesional masculina y femenina. Y,

---

[114] Sobre esta etapa final, cf. J. J. CASTILLO, *El Comité Nacional circunstancial de la CESO (1936-1938)*: Rev. Española de la Opinión Pública 38 (1974) 205-303.

aunque se salen de este período, hay que resaltar dos obras famosas: la leprosería de Fontilles (fundada en 1908 por P. Ferrís) y el Cottolengo, trasplantado a España por el P. Jacinto Alegre [115].

5. BALANCE DE ESTE PERÍODO

No fue fácil para la Iglesia española este quinquenio. Numerosas tormentas polarizaron su atención. Se vio convertida en beligerante y tuvo que dedicar mucha energía a la negociación política y a la realización posibilista de algunas actividades. Su gran acierto —tardío— fue la luz verde a la desconfesionalización de los sindicatos. Su gran error —además de las endémicas divisiones internas— lo constituyó el no saberse librar de ser una de las partes en lucha. Las dos Españas se van delineando con claridad, y la Iglesia española sólo logró estar con una. No fue la única responsable. Pero el enfrentamiento, que llega a su ápice en este período, acabará en mil días de guerra civil.

BREVE REFLEXIÓN SOBRE UNA HISTORIA LARGA

Sin pretender suplantar al lector en la tarea de formarse un juicio personal sobre la historia que acabamos de sintetizar, queremos plantear unas reflexiones finales que seguirán el hilo de los temas abordados en cada período.

1. No se puede seguir manteniendo el tópico de *la riqueza de la Iglesia*. Desde el segundo tercio del XIX, la Iglesia española dejó de ser rica. En ocasiones pasó por épocas de gran penuria. No supo distribuir evangélica ni racionalmente sus recursos humanos y económicos. Pero ni la extracción social del clero ni su tenor de vida le asimilaron mayoritariamente a las clases acomodadas. A pesar de ello —y hay que preguntarse el porqué—, el pueblo se fue sintiendo cada vez más lejano de la Iglesia.

2. *La ideología* mantenida por los miembros más cualificados de la institución eclesial puede ser una de las causas de esta lejanía. La Iglesia tardó en percatarse de las consecuencias de la industrialización y fue reacia a admitir nuevas concepciones de la sociedad que, justo es decirlo, le eran hostiles y tenían puntos criticables. La fidelidad al Evangelio marcaba un camino a la doctrina eclesial; muchas veces, por ello, la Iglesia tendrá que marchar sola, sin poder identificarse con ideas de clase o partido. Por desgracia, apareció con frecuencia unida a la cosmovisión burguesa, de la que difería en puntos esenciales. Aunque en bastantes problemas no fue así, en otros la enseñanza de la Iglesia supuso un avance que no siempre encontró el eco que merecía. Y hay que tener siempre en cuenta la diversidad de niveles y actitudes que se engloban bajo el nombre de «pensamiento social de la Iglesia».

---

[115] A pesar de su tono triunfalista y no siempre crítico, aporta datos de interés A. GARMENDÍA DE OTAOLA, *Jesuitas y obreros* (Bilbao, Mensajero, 1948) 19-27.

3. Ante el problema de *la asociación obrera,* la Iglesia española intentó varios caminos: la presencia en gremios, la creación de Círculos que lograsen la armonía interclasista, la promoción de sindicatos más o menos reivindicativos. Muchos factores restaron eficacia. Sólo en la era de Franco se superará realmente la polémica sobre la confesionalidad y surgirá otra vía: las asociaciones apostólicas obreras, que lanzarán —y perderán— militantes al campo de la acción política y sindical. Pero esto pertenece a otro capítulo de esta historia.

4. *La acción de beneficencia* se puede criticar con varios argumentos. Lo urgente hizo en algunas épocas abandonar lo más duradero: la promoción. No puede, sin embargo, olvidarse la acción eclesial en este terreno, encomiable no sólo como actitud generosa personal, sino también como remedio a situaciones reales que ni el Estado ni los partidos —burgueses y proletarios— atendían. El que esta acción fuese para algunos tranquilizante que eximía de otros gestos también necesarios, no merma su eficacia ni su necesidad. También en época posterior se intentarán nuevas vías —Plan CCB de Cáritas— y se planteará la presencia eclesial en necesidades olvidadas por otros sectores de la sociedad.

A la vista de esta historia, ¿se puede hablar del fracaso social del catolicismo español? La respuesta deberá ser afirmativa, si se atiende a que el ideal evangélico ni siquiera se formuló a veces en el seno de la Iglesia y tampoco se realizó a nivel social. En rigor podría hablarse también del fracaso social de las ideologías y partidos burgueses y proletarios tampoco ellos han conseguido imponer plenamente su modelo de sociedad y sus valores. Los cristianos españoles no han sido siempre consecuentes con su fe en materia social. Es también un signo de fracaso que pueden compartir con otros grupos.

El autor de estas líneas piensa que la tarea de la Iglesia ante el cambio social no es equiparable a la de otros grupos humanos en su totalidad. Debe ser instancia crítica independiente de otras instancias, voz que defienda a los oprimidos y denuncie la injusticia, motor y estímulo que dinamice, sin pretender desde la fe un modelo único de sociedad. Desde esta óptica, pensamos, debe valorarse su quehacer y determinarse su grado de éxito o fracaso. En cualquier caso, la historia de este quehacer debe hacernos conscientes de las realizaciones, de la capacidad de autocrítica, de la respuesta a problemas que otros olvidaron, de las omisiones por comodidad o acomodamiento, de los engaños producidos aun con buena fe, de las circunstancias en que cada actuación eclesial tuvo lugar. Todo ello con vistas a un presente y un futuro en los que el creyente debe poner, con otros, su grano de arena en la edificación de la sociedad.

Apéndice I

LA IGLESIA ESPAÑOLA DESDE 1939 HASTA 1976

Resumen cronológico

Por Joaquín L. Ortega

INTRODUCCION

Durante más de un tercio de siglo —el convulsionado siglo xx—, la historia de la Iglesia española ocurre en el contexto general definido por la permanencia de un régimen político que condicionó ampliamente su vida y su desarrollo: el franquismo. Cuarenta años de un régimen fuerte y uniforme, salido de la guerra civil que estalló entre los españoles en julio de 1936 y que expiró realmente a la muerte —en noviembre de 1975— de quien había sido su instaurador y su máxima encarnación histórica: el general Franco.

Asentado el régimen de Franco, el Movimiento Nacional, en los principios políticamente fascistas del falangismo y en su propia raíz militar y apuntando desde un principio a lo que se llamó la restauración del espíritu nacional, no podía por menos de establecer estrechos vínculos de proximidad y de amistad con la Iglesia del país. Pero justo es decir que en su estrategia de integración de la Iglesia en los objetivos y en las estructuras del nuevo régimen se encontró éste con amplias y generosas facilidades por parte eclesial, pasando pronto la Iglesia a ser el soporte moral de un sistema que no había arrancado de la voluntad popular manifestada en las urnas, sino de la victoria en una guerra fratricida.

Mas a lo largo de los cuarenta años que duró el régimen de Franco, régimen de desusados poderes personales, los caminos del nuevo Estado y los de la Iglesia española fueron diversificándose notoriamente, hasta el punto de trocarse la inteligencia y la amistad iniciales en un distanciamiento progresivo, que acabaría en conflicto casi permanente en las postrimerías del franquismo. En el ciclo histórico de cuarenta años, se pasaría de las mieles de la armonía a las hieles de la discordia. ¿Cómo fue posible tal mutación? Muchos factores habría que tener en cuenta para explicar cumplidamente este proceso. Además de los de orden histórico general —las mutaciones propias de la época— y de los que cabría llamar específicamente españoles, hay que atribuir especial incidencia en este proceso al contraste entre la esclerosis progresiva del franquismo y la dinamización de las fuerzas eclesiales a partir del concilio Vaticano II.

De todas formas, para entender la inicial concomitancia de la Iglesia española con el franquismo es indispensable tener en cuenta cuáles habían sido las relaciones del catolicismo imperante en el país con el régimen anterior a la guerra civil, la República, instalada en España (en su segunda versión) en abril de 1931. La actitud de creciente y declarada hostilidad que el régimen republicano manifestó hacia la Iglesia católica, secularmente ligada al ser y a la historia españoles y a la sazón absolutamente mayoritaria en el país, forzó en gran manera la reacción de la jerarquía española al proclamarse y afianzarse el Movimiento Nacional en julio de 1936. Con la insurrección militar frente a la República parecían acabarse el sectarismo y la persecución religiosa, para dejar paso a un nuevo régimen que se empeñaba en la recuperación de los valores nacionales (con especial atención a los religiosos), comprometidos o dilapidados por el corto y agitado régimen anterior.

Para una mejor comprensión del proceso histórico que hemos apuntado en las líneas anteriores, dividiremos este apunte sobre la Iglesia española en los tiempos del franquismo en tres etapas, que parecen responder adecuadamente a las alternativas que se experimentan en la relación Iglesia-Estado durante los años que abarca el período de que nos ocupamos.

CAPÍTULO I

DEL FINAL DE LA GUERRA A LA FIRMA DEL CONCORDATO CON LA SANTA SEDE (1939-53)

Terminada la guerra, la gran tarea pendiente era la organización de la paz. Una paz que, debido a la duración y a la radicalidad del enfrentamiento entre los españoles, iba a configurarse más como administración de la victoria de los unos sobre los otros que como búsqueda de la reconciliación entre todos.

En esta intrincada coyuntura histórica hay que reconocer que la Iglesia no dio siempre la talla que de ella cabía esperar. Salvo contadas ocasiones y salvo excepciones personales, careció de la independencia precisa para poder alzar su voz reconciliadora. Justo es también decir que la ideología subyacente en el conflicto y la diferencia de trato que se le dispensara en uno y otro bando le había hecho inclinarse desde el principio por la España del Alzamiento. Pero lo que durante la guerra había sido sólo proximidad, iba a convertirse en práctica solidaridad.

Con el final de la guerra se abre una época de consenso permanente entre la Iglesia y el Estado, que, arrancando en 1939 con la adopción de medidas políticas y legales de amplio sentido confesional, culminará en 1953 con la firma de un concordato entre España y la Santa Sede que viene a sancionar, ante la opinión mundial, el apoyo de la Iglesia al régimen de Franco. El Estado franquista recibe la legitimación que le viene de lo religioso, y otorga a cambio no sólo facilidades, sino también privilegios, para que la Iglesia pueda cumplir con lo que en el momento entiende que es su misión, cosa que deberá hacer dejando a un lado su capacidad crítica y profética. Ese es el límite marcado por su incorporación a las estructuras políticas que iba desarrollando el franquismo.

La presencia de la Iglesia en todos los sectores de la vida nacional iba a ser rotunda. Hasta podría hablarse de una teocratización práctica de la vida española. La Iglesia, con todos los favores oficiales del caso, iba a desarrollar una auténtica pastoral de «cristiandad» que superase el oscuro túnel de los años de la República. Era la restauración de «lo católico» como definitorio de la esencia nacional. La enseñanza, los espectáculos, el mundo sindical y, sobre todo, la propia legislación se abrían generosamente a la acción y al influjo de la Iglesia. Al terminar la guerra mundial en mayo del 45, el cardenal primado, Pla y Deniel, podía escribir: «Desde muchos siglos, no se había reconocido tanto, teórica y prácticamente, la independencia de la Iglesia como por el actual Gobierno».

Era la óptica del momento. La historia posterior enseñaría los límites de tal independencia. La Iglesia de la «España triunfal» adquiriría con tantos favores no pocas hipotecas, de las que posteriormente tendría que liberarse entre roces y conflictos. Pero de momento, en los años cuarenta y hasta el 53 —año del concordato— sólo se veían las mieles de la amistad y de la colaboración. Iglesia y Estado parecían un matrimonio bien avenido. Las hieles que llevarían poco a poco al divorcio irían aflorando después. Quizá a raíz del mismo concordato, que se revelaba así como el límite de todo el proceso. Era, por una parte, la culminación de toda una trayectoria de identificación; pero en la época en que se firmaba, más que en la letra de lo pactado, apuntaban ya las raíces del conflicto. A la hora de ratificarlo sería celebrado por unos como la máxima expresión histórica de un sistema de inteligencia y de colaboración entre la Iglesia y el Estado, el culmen de toda la historia concordataria. Pero otros espíritus no dejarían de captar que la historia caminaba ya por otros rumbos y que el brillante concordato del 53 entre la Santa Sede y la España de Franco nacía sentenciado por su propio anacronismo. La dinámica eclesial desatada años después por el concilio Vaticano II vendría a ratificar plenamente esta intuición.

Pero a la hora de salir España de sus tres años de guerra civil no se divisaba aún en el horizonte la novedad conciliar, y la Iglesia intentaría más consolidar su presente —con la ayuda del Estado— que no proyectar su futuro.

1. Recristianizar a España

De la inmensa tarea de reconstrucción que, finalizada la guerra, se le ofrecía al bando vencedor, la más urgente parecía la de su propia consolidación como régimen. El Alzamiento, su mística, tenía que convertirse en inspirador de un nuevo Estado. Quiere ello decir que la actividad legislativa había de ser necesariamente intensa. Las primeras providencias ya se habían tomado en Burgos mientras ardía la guerra. Llegada la paz, era el momento de asentar y rematar el edificio legislativo y, sobre todo, el constitucional. A través de la tarea de hacer las leyes, el nuevo Estado irá poco a poco definiéndose como un Estado fuerte —articulado más sobre el poder personal de su fundador que no sobre el reconocimiento de los derechos o el funcionamiento de las instituciones—, como un Estado restaurador de la historia y de la tradición españolas, interrumpidas por los años de la República, y como un Estado confesionalmente católico.

En este sentido, ya en los años de la guerra se habían producido las primeras leyes que no sólo derogaban la relativa legislación laica y sectaria del período republicano, sino que, como la orden de 1.º de abril del 39, otorgando la franquicia postal a los obispos, o la del 9 de noviembre del mismo año, restableciendo la dotación del clero a cargo de los presupuestos del Estado, o la de 13 de julio del 40, regulando el descanso dominical, revelaban claramente el propósito del Estado de favorecer a la Iglesia y de contar con ella como pieza fundamental en la organización del orden nuevo salido de la guerra. «Hay que recristianizar a esa parte del pueblo que ha sido pervertida, envenenada por doctrinas de corrupción», decía el propio Franco a la Dirección Central de la Acción Católica Española en abril de 1940. En la tarea el Estado se proponía secundar ampliamente a la Iglesia. Algunas de las leyes entonces promulgadas, como la de represión de la masonería y del comunismo (1.º de marzo del 40), parecían favorecer a los dos por igual.

2. El acuerdo de 1941 con la Santa Sede

Sin embargo, toda la legislación de contenido religioso venía siendo promovia por el Estado, que entendía interpretar así el sentido profundo del pueblo español. En el año 41 se daría en este sentido un paso más comprometedor. En un acuerdo firmado con la Santa Sede, el Gobierno se comprometía «a no legislar sobre materias mixtas o sobre aquellas que puedan interesar de algún modo a la Iglesia sin previo acuerdo con la Santa Sede». Este compromiso aparecía en el texto del primer acuerdo formal suscrito entre Roma y el Gobierno español en la posguerra. Llevaba fecha del 7 de junio de 1941 y lo firmaban el nuncio Cicognani y el ministro de Asuntos Exteriores Serrano Súñer, respectivamente.

En el texto de este acuerdo figuraba ya el compromiso, por parte del Gobierno, de «concluir cuanto antes con la Santa Sede un nuevo concordato inspirado en su deseo de restaurar el sentido católico de la gloriosa tradición nacional» (art.6). Mientras llegaba ese momento, el Gobierno se obligaba también a «observar las disposiciones contenidas en los cuatro primeros artículos del concordato del año 1851». El primero de estos artículos, cuyo vigor se reconocía ahora, rezaba así: «La religión católica, apostólica, romana, que, con exclusión de cualquier otro culto, continúa siendo la única de la nación española, se conservará siempre en los dominios de S. M. Católica con todos los derechos y prerrogativas de que debe gozar según la ley de Dios y lo dispuesto por los sagrados cánones». En consecuencia de este principio, los siguientes tres artículos otorgaban a la Iglesia y a sus pastores amplios favores y exenciones para el desarrollo de su misión.

Con todo, el punto más importante de este *modus vivendi* firmado en el 41 era el relativo a la intervención estatal en el nombramiento de los obispos, que comprendía los cinco primeros artículos. La Santa Sede era contraria a la renovación del privilegio de presentación que secularmente ostentaba la Corona española. Parecía llegado el momento de recuperar la plena libertad en terreno tan importante. Pero Franco no cedió un ápice, consciente de la importancia que para su naciente régimen tenía el control sobre las personas que accedieran a las sedes episcopales españolas. Veinte de entre ellas estaban sin obispo. Unas, por asesinato de sus prelados durante la guerra; otras, por fallecimiento, ya que en los últimos años no se habían producido nombramientos. De los 48 obispos que había en España a la hora de firmar este acuerdo, la mitad eran del tiempo de la Monarquía y la otra mitad habían sido nombrados bajo la República. Franco aspiraba a tener también una jerarquía afecta, y no tuvo prisa en la provisión de sedes hasta que consiguió la ratificación del privilegio tradicional, que le permitiría una intervención eficaz en los nombramientos episcopales. Incorporado este privilegio al futuro concordato del 53, Franco rehusaría después renunciar a él cuando el Vaticano II se lo rogó a los pocos países que aún lo ostentaban y cuando posteriormente, en la primavera del 1968, el papa Pablo VI le pediría en carta personal que declinase su utilización. Frente a este privilegio, que garantizaba la fidelidad de la inmediata generación episcopal al nuevo régimen, los demás favores que como contrapartida otorgaba a la Iglesia el Estado resultaban casi anecdóticos a pesar de su importancia objetiva. De hecho, la utilización de este privilegio a lo largo de los años del franquismo fue el máximo mecanismo de control impuesto a la Iglesia por el Estado. Contra esta cautela se hubiesen estrellado —como de hecho se estrellaron— los intentos de promover al episcopado a hombres de cuya identificación con el régimen no constase suficientemente. Cuando más tarde el paso del tiempo hizo más discutibles los principios del franquismo y más incómoda la existencia de este anacrónico privilegio para la nueva sensibilidad eclesial, sería ocasión de roces permanentes y de la dificultad crónica en la revisión del concordato del 53. Sin embargo, a la hora de ser firmado el acuerdo del 41 fue saludado con júbilo por los sectores nacionales y gubernamentales y sin que hubiese manifestaciones en contra por parte de los círculos eclesiales.

El valor que otorgaba el nuevo Estado a este convenio con la Santa Sede quedaba patente en las declaraciones que el ministro Serrano Súñer hacía al semanario *Signo* (de la Juventud de Acción Católica) en la misma semana de su ratificación: «Es un paso definitivo al pleno restablecimiento de las relaciones de España y el Vaticano —decía el ministro—, pero no el primer paso. El carácter de cruzada del Alzamiento Nacional y todo el sentido de la legislación de la España de Franco... fueron marcando en los días de la guerra y de la paz el propósito decidido de llegar a la más completa armonía con la Santa Sede como en las épocas más gloriosas de nuestra Historia. El Gobierno confía en que muy pronto será un hecho el nuevo concordato, para satisfacción y beneficio de ambas potestades».

3. La Iglesia en el aparato del Estado

Mientras que las leyes que afectaban a la Iglesia o a lo religioso presentaban, bajo las cautelas precisas, el aspecto de una indudable liberalidad, las que iban definiendo la naturaleza del régimen destacaban por su rigidez y por la concentración de poderes que suponían en las manos del jefe del Estado. Este era el caso de la ley de Unidad sindical (26 de enero del 40), que consagraba el verticalismo, y de la ley de Seguridad del Estado (29 de marzo del 41). Lo mismo cabría decir de la ley constitutiva de las Cortes y del Consejo Nacional (17 de julio de 1942), que dejaba intacta la plena capacidad legislativa del jefe del Estado. Esta ley suponía también la incorporación de la Iglesia al aparato del Estado, ya que preveía el nombramiento de algunos prelados entre los procuradores, cuya designación quedaba a la libre decisión del general Franco. En efecto, a la hora de constituirse la primera legislatura, el jefe del Estado haría uso de su atribución nombrando a siete obispos como procuradores en Cortes en febrero del 43.

Esta presencia de la jerarquía eclesiástica en los máximos organismos políticos de la nación sería ya una constante en el franquismo, y sólo en su declive se encontraría con la renuncia o con la reticencia de algunos de los prelados designados, mientras que otros mantenían hasta el final el escaño que recibieran por libre designación de Franco. En este mismo sentido hay que enumerar la Ley Orgánica del Consejo de Estado (25 de noviembre del 44), en cuyo organismo se daba cabida al primado de España, además de a otro prelado, y la ley de Sucesión en la jefatura del Estado (promulgada en abril y votada en referéndum nacional en julio del 47), que preveía, tanto en el Consejo del Reino como en el Consejo de Regencia, la presencia del prelado «de mayor jerarquía y antigüedad entre los que sean procuradores en Cortes».

Con ocasión de la presentación de credenciales en el Vaticano de un nuevo embajador, Domingo de las Bárcenas, ocurrida el 17 de diciembre de 1942, el propio Pío XII había manifestado su entusiasmo por la marcha de las cosas en España, y en particular por el sentido cristiano que iba impregnando su legislación. «Hemos visto a Cristo —dijo el papa en su discurso— triunfar en la escuela, resurgir las iglesias de las ruinas abrasadas y penetrar el espíritu cristiano en las leyes, en las instituciones y en todas las manifestaciones de la vida oficial. Nos, finalmente, hemos contemplado a Dios presente otra vez en vuestra Historia».

A todo esto, tras la muerte de Gomá, ocurrida en Toledo en agosto del 40, le sucedía en la sede primada (en octubre del 41) Pla y Deniel, hasta el momento obispo de Salamanca, donde había restaurado la Universidad Pontificia y donde había asistido al nacimiento del franquismo en los primeros momentos de la guerra. Una guerra que él mismo no dudó entonces en calificar de «cruzada». Con todo, Pla y Deniel, hombre dotado de un altísimo sentido del deber y de la justicia, sería todo menos un primado complaciente, y sabría equilibrar la lealtad al régimen constituido con la libertad para la denuncia cuando el caso lo requiriese. Fue el caso de la enseñanza, que iba también estructurándose a lo largo de estos años, y en cuyo campo Pla y Deniel exigió siempre lo que en el momento se entendía que eran los derechos de la Iglesia. Debido a su acción y a la de otros prelados muy sensibles, en general, a la importancia de la presencia de la Iglesia en el terreno escolar, se consiguió que en una ley como la de ordenación universitaria, promulgada en febrero del 43, se incluyese una declaración como ésta: «La Universidad, inspirándose en el sentido católico, consustancial a la tradición universitaria española, acomodará sus enseñanzas a las del dogma y la moral católica y a las normas del Derecho canónico vigente». En parecidos términos se expresaba también el proemio de la ley de Educación primaria, de 17 de julio de 1945.

Pero todas estas facilidades otorgadas a la Iglesia, entre las que cabe reseñar también la creación (en octubre del 44) de las asesorías eclesiásticas de sindicatos, que ponían en manos del clero una vasta posibilidad de actuación dentro del mundo laboral, no eran obstáculo para que, cuando se juzgaba preciso, se le pusiese el freno a la jerarquía eclesiástica como tal o a determinados obispos en concreto. Ese sería el caso de la carta que sobre el nazismo escribiera en 1942 el obispo de Calahorra y La Calzada D. Fidel García, y cuya difusión fue prohibida en el territorio nacional. Las buenas relaciones que España mantenía en aquel momento con la Alemania de Hítler y lo que en el trasfondo de la doctrina expuesta por el obispo pudiese haber de aplicable al caso español, hacía desaconsejable su circulación. En la misma línea cabe situar la negativa del régimen de Franco a que regresase de su exilio el cardenal Vidal y Barraquer, a quien se le consideraba contrario a la unidad nacional. Todas las gestiones y presiones que se hicieron para su retorno a la sede de Tarragona resultaron inútiles; incluso la petición que en este sentido hicieron al Gobierno en los últimos meses de 1941 todos los obispos de Cataluña con la aprobación del nuncio. Vidal y Barraquer moriría en su exilio el 13 de septiembre de 1943, y, aunque en su testamento dejó escrito que sus restos fuesen enterrados en la catedral de Tarragona, su traslado no fue posible en los largos años del franquismo.

4. CAUSA COMÚN ANTE EL AISLAMIENTO INTERNACIONAL

Al terminar, en la primavera de 1945, la segunda guerra mundial, el régimen de Franco entra en uno de los momentos más delicados de su historia. España había mantenido la neutralidad, pero sus simpatías con el Eje eran notorias. Derrotado éste, los aliados, vencedores ya, no iban a ser demasiado complacientes con la España de Franco, a la que, por otra parte, miraban con recelo debido a la configuración tan escasamente democrática que había ido adquiriendo su régimen mientras transcurría la contienda mundial. En consecuencia, pasados los primeros años de la euforia patriótica y de las privaciones de la posguerra, España tendría que enfrentarse con una implacable confrontación internacional. El mundo democrático le volvía la espalda. No quedaba otro remedio que agrupar las fuerzas del interior y realizar en el edificio estructural del régimen las obras o los retoques oportunos que le hiciesen más tolerable a la opinión pública internacional. Se precisaban ayudas y legitimaciones. También —y en grado muy eminente— las de la Iglesia.

En esta clave de actuación «cara al exterior» hay que situar la promulgación, en julio de 1945 (mientras en Postdam los «tres grandes» decidían la suerte de Europa), del *Fuero de los españoles*. Suspendida de hecho la última Constitución republicana, no había sido sustituida por el nuevo régimen con otro texto constitucional. Los 26 puntos de la Falange y las 16 declaraciones del *Fuero del trabajo* habían llenado de alguna manera el vacío, pero a la altura de 1945 resultaban insuficientes para justificar un estado de derecho y de cara al exterior presentaban hartos resabios totalitarios. El *Fuero de los españoles* estaba llamado a llenar ese vacío.

De entre sus artículos cabe destacar el sexto, que, en virtud de lo pactado en el acuerdo del 41, fue redactado con el conocimiento previo de la Iglesia. Decía así: «La profesión y práctica de la religión católica, que es la del Estado español, gozará de la protección oficial. Nadie será molestado por sus creencias religiosas ni por el ejercicio privado de su culto. No se permitirán otras ceremonias ni manifestaciones externas que las de la religión católica». El cardenal Pla y Deniel, en una carta que escribió con motivo del fin de la guerra y de la publicación de este texto legal, comentaba: «Desde muchos siglos no se había reconocido tanto teórica y prácticamente la independencia de la Iglesia como por el actual Gobierno». Pero, junto a la liberalidad usada con la Iglesia, el cardenal debía de abrigar sus dudas sobre otros puntos cuando en la misma carta escribía: «Esperamos que pronto sea una realidad viva, reconocida en España y en el extranjero, la vigencia práctica e íntegra del *Fuero de los españoles* con la rápida promulgación de las leyes necesarias para el ejercicio de los derechos en él reconocidos».

Idénticas dudas sobre la democraticidad del Estado español eran comunes entre las potencias vencedoras de la guerra y en los organismos internacionales. En unos y en otros sectores fueron registrándose sucesivos rechazos y descalificaciones del régimen de Franco, que culminarían en diciembre del 46 con la condena explícita de la ONU y su recomendación a los países miembros para que declarasen a España el boicot político y diplomático. Franco se quedaba solo. A su lado seguirían únicamente Portugal, Argentina y el Vaticano.

La Santa Sede, en concreto, no interrumpiría en los años del aislamiento internacional sus buenas relaciones con España, sino que seguiría desarrollándolas, con la legitimación que de ahí se seguía para el régimen de Franco frente a la repulsa generalizada de que era objeto. El 18 de noviembre del 45, cuando España sorbía las primeras hieles del rechazo internacional, el papa Pío XII había enviado un cariñoso mensaje a los españoles con motivo de celebrarse el centenario del Apostolado de la Oración. En él hacía un canto a «la fuerza que hoy —y con gran placer lo reconocemos— se muestra en la potente vitalidad católica de vuestra Patria».

Nuevos y no pocos acuerdos se firmarían en estos años entre España y el Vaticano. Muchos de ellos serían incorporados después al concordato de 1953. En este sentido cabe destacar el convenio de 16 de julio del 46 para la provisión de beneficios consistoriales. Otro convenio —8 de diciembre del 46— sobre seminarios y universidades eclesiásticas. El decreto-ley del 15 de julio del 47 reconocía el Tribunal de la Rota, de la Nunciatura Apostólica en Madrid, que había sido restablecido previamente por Pío XII mediante *motu proprio* de 1.º de abril del mismo año. El convenio, por fin, de 5 de agosto de 1950, sobre la jurisdicción castrense y la asistencia religiosa a las fuerzas armadas.

Todos estos acuerdos bilaterales iban acompañados por frecuentes medidas legales de favor hacia el clero y las instituciones de la Iglesia. En unas se les otorgaban exenciones tributarias a personas y bienes. En otras se garantizaba la presencia de la Iglesia en organismos estatales o sociales (censura, prisiones, sindicatos, etc.). Por otra parte, la ayuda económica que el Estado otorgaba para la reconstrucción de templos, seminarios y otros edificios religiosos era notable. Años más tarde, cuando empezaban a asomar los primeros brotes de la contestación clerical al régimen, Franco haría un balance dolorido de estas ayudas estatales. Con motivo de la inauguración del nuevo seminario de Burgos (octubre de 1961), se expresó en los siguientes términos: «En la administración de la victoria por nuestro régimen no ha quedado la Iglesia desamparada. Yo puedo citaros unas cifras elocuentes que dicen más de lo que yo pudiera expresar... Con la ayuda del Estado han sido construidos de nueva planta, reconstruidos o notablemente ampliados, hasta 66 seminarios. Las diócesis son 64. Las cantidades invertidas por el Estado en edificios eclesiásticos desde primeros de abril de 1939 a igual fecha de 1959, suman la cifra de 3.106.718.251 pesetas. Este es el granito de arena de nuestro régimen a la causa de Dios».

5. UNA PASTORAL DE CRISTIANIDAD

Las condiciones creadas por el régimen eran, efectivamente, aptas para una total impregnación cristiana de la sociedad española. La Iglesia tenía en sus manos todos los recursos imaginables. Aunque sabía que tenía también unas fronteras bien delimitadas, más allá de las cuales no debía aventurarse, durante los años del aislamiento internacional se produjo un inevitable repliegue hacia los valores netamente nacionales. Eran años de patriotismo a flor de piel. Lo religioso subió en su cotización como parte esencial de los valores patrios.

La acción pastoral fue intensa, y se caracterizó también por su patriotismo y por su masividad. Se vivía la euforia de una restauración y de una afirmación de valores. Las misiones populares y los ejercicios espirituales llegaban a todas partes: al ejército, a las fábricas y a los ministerios. La Acción Católica —brazo largo de la jerarquía— congregaba a millares de militantes bajo sus banderas y ejercía un notable peso en la vida nacional a través de sus cuadros de cualificados dirigentes. Su órgano oficial, la revista *Ecclesia*, muy ligada al cardenal Pla y Deniel como suprema figura jerárquica, gozaba de un rotundo prestigio, y, dentro de un criterio de aceptación del régimen, abundó por estos años en sus notables editoriales en peticiones de mayores garantías para determinados derechos cívicos y sociales. Era una especie de conciencia del régimen.

En la base cristiana nacieron grupos y movimientos de signo bien diverso. Por estos años fueron gestándose las organizaciones obreras en el seno de la Acción Católica. La HOAC y la JOC sintonizaron en seguida con la situación deprimida del mundo laboral, y sus actuaciones fueron haciéndose progresivamente más críticas, motivando agrios conflictos con el sistema establecido. «Las Hermandades Obreras de Acción Católica —diría en un discurso el cardenal Pla y Deniel—, desde su fundación, nos han costado grandes desvelos y no pocas amarguras para defenderlas».

Por otros rumbos discurría una asociación nacida al calor de los años de la guerra, y que logró en el 1947 la definitiva aprobación pontificia: el Opus Dei. Era una agrupación laical que aportaba a las tareas temporales a que se aplicaban sus miembros toda una mística del trabajo y de la secularidad. A lo largo de los años del franquismo, en cuyas coordenadas se situaba, alcanzaría notable influencia mediante la presencia de sus miembros en la universidad, la prensa, la banca y la política, ya que Franco utilizó ampliamente sus servicios en los últimos gobiernos de su régimen.

Con talante mucho más popular, pero también con gran brío restauracionista, nacía en Mallorca, al final del decenio de los 40, el movimiento de Cursillos de Cristiandad, de fuerte impacto pastoral en todo el decenio posterior. Su espíritu quedó definido con ocasión de la magna peregrinación organizada en julio del 48 a Santiago de Compostela por la Juventud de Acción Católica. En esta ocasión, debido a la movilización de las masas juveniles y a la euforia patriótico-religiosa reinante, tocaría una de sus cimas lo que después iba a llamarse el Nacionalcatolicismo. En la homilía de la ofrenda, que presentó el propio jefe del Estado, el cardenal Pla y Deniel diría, refiriéndose a los años de la guerra: «Al luchar por España, luchábamos por la causa de Dios, que no podía abandonarnos». Y, dirigiéndose al general Franco, añadió: «A vuestra Excelencia cupo llevar a la España nacional a la victoria, y, como siempre, habéis reconocido que la victoria no se consigue sin el auxilio divino». Era una nueva e importante legitimación religiosa para la guerra.

No mucho más tarde, en el mes de diciembre, vendría del Vaticano otra no menos importante para la paz. Con ocasión de la presentación de credenciales del embajador Joaquín Ruiz Giménez, el papa Pío XII haría un gran elogio de la paz española en los siguientes términos: «¡Con cuánta satisfacción le hemos oído aludir a una juventud española y a un pueblo español que quieren tener siempre ante los ojos la verdad católica penetrando la vida pública y social de todos y cada uno, informando las decisiones de su más altos consejos y animando las manifestaciones todas de una nación que se precia de ser y de aparecer fiel hija de la Iglesia y de esta Sede Apostólica!»

6. LOS OBISPOS ROMPEN SU SILENCIO

Pocos meses antes se había registrado, por fin, la primera intervención escrita y colectiva de los obispos españoles, que venían guardando un largo silencio desde la polémica pastoral de julio del 37. La Conferencia de Metropolitanos propiamente dicha se había constituido en 1946, recibiendo sus estatutos la aprobación de la Santa Sede en junio de 1947. El 28 de mayo de 1948 firmaban y divulgaban su primera comunicación pastoral a los fieles españoles. Iba dedicada a la propaganda protestante en España y puntualizaba la doctrina del momento sobre la libertad religiosa y su aplicación a tenor de los textos legales españoles. Es de notar que por aquellos años se experimentaba en España una fuerte ola de proselitismo protestante, que pretendía lograr el paso de la tolerancia de que disfrutaba a la plena libertad. La campaña era apoyada desde el extranjero, donde la falta de libertad religiosa en España se instrumentaba como una pieza más en la ofensiva internacional contra el régimen.

En este sentido, la carta en cuestión era un capote que la jerarquía eclesiástica le echaba al régimen ante la opinión extranjera, a la vez que ratificaba la realidad de la unidad religiosa española como un hecho incontestable. Justo es decir, sin embargo, que, aun dentro de la tónica de lealtad al régimen franquista y junto a los frecuentes panegíricos episcopales que se le dedicaban, no dejaron tampoco de escucharse voces discordantes. Así, por ejemplo, con referencia a la intervención del Estado en el nombramiento de los obispos, monseñor Pildain, obispo de Canarias, no se había recatado de escribir que tal privilegio no pasaba de ser «un vetusto y triste anacronismo que desagrada a la Iglesia, desacredita al Estado y desprestigia enormemente al clero». Por otra parte, el disgusto del Gobierno fue grande cuando más de un obispo no acudió a votar el 6 de julio de 1947 en el referéndum organizado para aprobar la ley de Sucesión, en cuyo primer artículo el Estado se definía como «católico, social y representativo».

Al pisar el umbral de los años cincuenta empieza a clarearse el negro panorama de aislamiento que había soportado España en el lustro anterior. Algunas brechas culturales y económicas —todavía no políticas— empiezan a resquebrajar el rígido bloqueo internacional a que se le había sometido. Desde el interior, esta mutuación se presenta como una vuelta espontánea del extranjero a «la razón de España». El régimen capitaliza el proceso y lo anota en la columna de su autoafirmación.

Son años, sin embargo, en los que apuntan fenómenos hasta entonces desconocidos en la posguerra. En el panorama político, por ejemplo, se registran las primeras manifestaciones de inquietud y descontento en el sector obrero. Ocurren en el 51, y en ellas se aprecia la presencia activa de militantes cristianos. En lo religioso se sientan las bases de un cierto realismo pastoral, que empieza a apuntar como instancia crítica del triunfalismo reinante. En enero del 52 empieza a funcionar una Oficina Estadística de la Iglesia, cuyo proyecto había sido aprobado por los metropolitanos un par de años antes.

Por lo que se refiere al magisterio colectivo de los obispos en estos primeros años del decenio, se registran tres intervenciones escritas de los metropolitanos. La primera lleva fecha de 25 de julio de 1950, y es una exhortación a los periodistas y escritores católicos poniéndoles en guardia sobre la propaganda y publicidad de obras literarias, teatrales y cinematográficas de carácter heterodoxo o inmoral. El episcopado expone para los profesionales de la pluma y del espectáculo la doctrina del pecado de escándalo y de la cooperación con el mal. El segundo texto de esta época data de 3 de junio de 1951, y es una instrucción colectiva sobre los deberes de justicia y de caridad. Se produce en el contexto de la carestía derivada de la segunda guerra mundial, y, a la vez que pondera la política social implantada por el régimen, le recuerda algunos deberes y denuncia conductas, como la especulación y el lujo. La tercera intervención de los metropolitanos ocurre el 29 de septiembre de 1952, y versa sobre derechos y acción de la Iglesia en materia de educación. Aparece en el momento en que el Gobierno envía a las Cortes el correspondiente proyecto de ley, y, al defender los tradicionales derechos de la Iglesia en este terreno, no se ahorran críticas a lo proyectado. En la polémica en torno a esta ley había destacado el salesiano arzobispo de Valencia Olaechea, que, aun después de su aprobación, manifestó su esperanza en la reforma e incluso en la abrogación de la nueva ley.

7. «¡ESPAÑA POR EL PAPA!» Y «¡EL PAPA POR ESPAÑA!»

En la primavera del 52 tuvo lugar en Barcelona el Congreso Eucarístico Internacional, al que asistió como legado pontificio el antiguo nuncio en España cardenal Federico Tedeschini. Fueron jornadas de intensa religiosidad nacional, a las que el Gobierno no regateó su colaboración. El mundo, a través de estas efemérides, empezaba a descubrir y a valorar el espectáculo de una España en paz a la sombra de sus tradiciones religiosas, fomentadas por un Estado católico. El Congreso Eucarístico acrecentaba, por otra parte, la aproximación a Roma, que venía ya de los años atrás, y que tuvo una nueva confirmación en enero del año 53 con el nombramiento cardenalicio de los arzobispos de Santiago (Quiroga Palacios) y Tarragona (Arriba y Castro) y del hasta entonces nuncio apostólico en España Gaetano Cicognani.

La «romanidad» del pueblo español se había puesto de manifiesto de manera rotunda con ocasión de· las últimas grandes conmemoraciones católicas que tuvieron por escenario el Vaticano. La primera de ellas había sido la celebración, a lo largo de todo el 50, del Año Santo. La segunda, dentro del mismo contexto y como su vértice religioso, la definición dogmática —el 1.º de noviembre de 1950— de la Asunción de María, proclamada solemnemente por el papa Pío XII, y que tuvo singular resonancia en España, donde la devoción mariana, y ésta en particular, tenía hondo arraigo tradicional y popular.

Con motivo de estos acontecimientos fueron muchos los españoles que peregrinaron a Roma, manifestando allí su adhesión y su fidelidad al papa con un grito que se hizo tradicional —«¡España por el papa!»—, y al que Pío XII respondería emocionado: «¡Y el papa por España!» Esta mutua corriente de simpatía iba a ser determinante a la hora de sancionar definitivamente, mediante el concordato del 53, las buenas relaciones entre el Vaticano y la España de Franco.

8. UN CONCORDATO MODELO

Efectivamente, el concordato del 53 estaba llamado a ser el hecho culminante en lo religioso, y aun en lo político, de la historia de estos años. No era (ni podía serlo) el fruto de una improvisación, sino la meta de un largo camino. La puerta había quedado ya abierta cuando en el acuerdo del 41 con la Santa Sede el Gobierno español se comprometía formalmente a concluir «cuanto antes» con Roma un nuevo concordato. La debilitación del bloqueo internacional y la corriente de profunda simpatía Roma-España, puesta en evidencia durante el Año Santo, fueron las señales de que los tiempos estaban maduros para la operación.

Ya en el 1949 se había creado en España una ponencia interministerial con el objeto de pergeñar lo que podría ser un anteproyecto de texto concordatario. En ella participaban Martín Artajo (Asuntos Exteriores), Ibáñez Martín (Educación), Fernández Cuesta (Justicia) y el embajador ante el Vaticano, Ruiz-Giménez. En marzo del 50 se aprobaba el texto de esta comisión. La asistencia a Roma durante el Año Santo de delegaciones oficiales españolas favoreció los contactos y las conversaciones previas, en las que, por el Vaticano, tomaron parte tanto el papa Pío XII como los dos prosecretarios de Estado Montini y Tardini. El 6 de abril de 1951, Ruiz-Giménez entregaba a Pío XII el anteproyecto español, acompañado de una carta autógrafa de Franco. Poco después —el 18 de julio del mismo año— se producía un relevo en la embajada ante la Santa Sede. Ruiz-Giménez había ido nombrado ministro de Educación Nacional en el cuarto Gobierno de Franco y su lugar lo ocupaba en Roma Fernando María de Castiella. El y monseñor Tardini llevarían en adelante el peso de la negociación. Las firmas se estamparían definitivamente al pie del texto —36 artículos, más un protocolo final— el 27 de agosto de 1953 en el Palacio Vaticano. Tardini firmaba por parte de la Santa Sede. Martín Artajo y Castiella lo hacían en nombre del Gobierno de Franco.

El concordato arrancaba en su primer artículo con la afirmación de que «la religión católica, apostólica, romana, sigue siendo la única de la nación española y gozará de los derechos y de las prerrogativas que le corresponden en conformidad con la ley divina y el Derecho canónico». De esta rotunda declaración de confesionalidad se derivaban el resto de concesiones y privilegios que se le otorgaban a la Iglesia: el reconocimiento de su personalidad jurídica, la libertad de acción pastoral, de enseñanza y de asociación, la presencia de la Iglesia en todos los niveles de la escuela estatal, el reconocimiento civil del matrimonio canónico, la ayuda estatal al culto y clero, el mantenimiento del patrimonio artístico de la Iglesia y un largo capítulo de exenciones fiscales a favor de las personas y de los bienes eclesiásticos. Por otra parte, se reconocía también la vigencia de los llamados «privilegios clericales» relativos a la exención militar y al fuero propio.

La contrapartida podía parecer leve, ya que no iba mucho más allá de honores y preces para el jefe del Estado, de la asistencia a las fuerzas armadas y de la restauración del Tribunal de la Rota de Madrid. Pero incluía un punto que bien pesaba en la balanza lo que todos los otorgados por el Estado español: la intervención del Gobierno en el nombramiento de los obispos, según las normas del acuerdo estipulado en 1941. Un privilegio que Franco, consciente de su importancia, conservaría y defendería celosamente. En este acuerdo, incorporado al concordato, no se decía nada sobre intervención en el nombramiento de los obispos auxiliares. Esta omisión, voluntaria o deliberada, iba a tener más adelante su importancia al lograr los auxiliares el derecho al voto en la Conferencia Episcopal —en diciembre de 1971—, y con ello un peso específico propio en la marcha de la Iglesia española. Cuando en los años declinantes del franquismo los conflictos Iglesia-Estado bloqueaban casi crónicamente los nombramientos episcopales, algunos nombres que no hubiesen entrado nunca por la puerta grande, lo hicieron por el portillo que el concordato había dejado abierto.

Para el régimen de Franco, de la firma del concordato con Roma se derivaba un beneficio de difícil evaluación política: el respaldo público e internacional que representaba. De hecho, poco más tarde, en septiembre del mismo año 53, se firmaban los primeros acuerdos entre España y los Estados Unidos, con lo que el bloqueo internacional podía darse por terminado.

Por otra parte, y aunque no faltaron voces críticas sobre el contenido y la oportunidad histórica de su conclusión, el coro de alabanzas silenció por completo las pocas interpretaciones negativas. Tanto en Roma como en España se vivió una auténtica euforia de comentarios favorables al concordato español, que era calificado por los expertos civiles y canónicos como el más perfecto técnicamente y aun como el más favorable a la Iglesia de toda la historia concordataria. En la mentalidad y en los comentarios del momento, era el paradigma práctico de hasta dónde podían llegar los principios teóricos sobre las buenas relaciones entre la Iglesia y el Estado. Ni la una ni el otro podían aspirar a más.

Por encima de las loas eclesiásticas y civiles que se le tributaron, iba a escucharse la voz del propio jefe del Estado español, que en su discurso de presentación a las Cortes del texto concordado —el 30 de octubre de 1953— diría lo siguiente: «Al enviar a las Cortes del reino... el texto del concordato concertado entre nuestra nación y la Santa Sede, se adueña de mi espíritu la íntima satisfacción, que espero compartáis, de haber podido prestar a la nación y a nuestra santa madre la Iglesia el servicio más importante de nuestros tiempos».

Era, efectivamente, la cumbre de un proceso. Pero los años y los acontecimientos posteriores se encargarían de demostrar que, al tocar la cumbre, se había llegado también al final. El concordato recibido a la hora de su nacimiento con tantos aplausos, iba a tener una vida relativamente larga, pero también —y sobre todo después del Vaticano II —una existencia poco brillante. Juzgado ya anacrónico, primero por la Iglesia y luego por el propio Estado español, arrastraría una vida lánguida, sin que durante muchos años, y debido a las dificultades que se presentaban para su derogación o sustitución en el declive del franquismo, ni Roma ni Madrid se decidiesen a reconocer su definitiva muerte histórica.

Capítulo II

ENTRE EL CONCORDATO Y EL CONCILIO VATICANO II (1953-65)

Entre la firma del concordato de España con la Santa Sede —agosto de 1953— y el final del concilio Vaticano II —diciembre de 1965— corre un largo decenio. Calificarlo resulta difícil, ya que se presenta, más bien, como un período de transición en la vida española. Cada vez se está más lejos del 36. Incluso la psicología de la posguerra va quedando definitivamente atrás, sin que ello signifique que el régimen abdique de sus postulados. Ocurren, en cambio, hechos de indiscutible novedad. España ha pasado ya la prueba del aislamiento internacional, y empieza a asomarse, aunque muy tímidamente todavía, al concierto de las naciones. Hay un flujo y reflujo de corrientes —la emigración española, que busca trabajo en Europa, y el turismo extranjero, que busca sol y economías en España—, que determinan actitudes sociales y políticas nuevas y que motivan, incluso, una primera y cautelosa apertura.

Son los años de la tecnocracia y del desarrollo. Pero son también los años de los primeros brotes serios de conflictividad en terrenos tan característicos como el universitario y el laboral. Se tiene la impresión de que el monolito político ya no es tan compacto. Ya no sirve la explotación nostálgica del pasado. Hay que apuntar más hacia el futuro, so pena de volver de nuevo al túnel del aislamiento internacional. Pero todo se hará con calma y sin bajar la guardia. El Estado franquista seguirá administrando celosamente la victoria. Si algo se mueve en España, será más por el paso inevitable del tiempo y por la presión internacional que no por un propósito de dinamismo nacido del interior.

En el seno de la Iglesia, ligada hasta el momento al Estado por una fuerte simbiosis, ocurre algo parecido. Son años todavía de triunfalismo y de masividad pastoral; pero hay ya síntomas de un cierto resquebrajamiento. Moviéndose en los límites que le marca el franquismo, la Iglesia española no se muestra especialmente creadora. La prueba está en que el concilio —en los últimos años de este período— le coge un tanto a contrapié. Pero el mismo concilio será un fuerte revulsivo para la vida eclesial. Repuesta de la sorpresa inicial de su convocación, la Iglesia española acudirá a él con escasos bagajes y le hará una aportación más bien modesta. Pero durante su celebración recibirá estímulos suficientes como para despertar del sopor de los años anteriores y aplicarse a una renovación posconciliar ilusionada y comprometida.

Al final de este largo decenio se tiene la impresión de que la Iglesia española, dinamizada por el concilio, camina hacia adelante. El Estado, en cambio, prefiere mantener la fijeza inicial. Se rompe así la sincronía y se inaugura la divergencia. No es todavía el conflicto. Pero tampoco es ya la identificación de los años primeros. Hay un distanciamiento cauteloso, pero creciente. Así es como el concordato, que inaugura este período, revela su verdadera entidad. Había sido una meta de llegada más que un punto de partida. Consagraba y sancionaba un pasado más que abría cauces de relación para el futuro. Serviría aún en los primeros años del decenio, pero el Vaticano II pondría al descubierto sus muchos anacronismos y sus no pocas lagunas.

Mientras en la cumbre pública y visible de las relaciones Iglesia-Estado se producen estas mutaciones, tanto en el seno de la Iglesia como en el cuerpo de la sociedad española ocurren también fermentaciones y movimientos que darán su fruto en la época posterior. En lo eclesial cobran estatura, entre otros, los movimientos especializados de la Acción Católica, que se mueven en una línea pastoral más realista. En lo político-social, con la distancia inevitable de los años triunfales, asoma la cabeza una cierta y cautelosa oposición. Las nuevas generaciones se sentirán cada vez menos interpretadas por un régimen que hunde sus raíces históricas en una guerra que ellas no conocieron. Por este camino se irá progresivamente hacia una diferenciación creciente entre el «país real», desligado del pasado y asomado hacia el futuro, y el «país oficial», tan poco resuelto ante el futuro como nostálgico del pasado.

Curiosamente, este largo decenio de la vida española se abre así con la legitimación que para el franquismo supone la ratificación del concordato y se cierra con un concilio Vaticano II, cuya doctrina —aun sin pretenderlo— pone en cuarentena más de uno de los pilares que sirven de base al régimen español.

1. A CABALLO ENTRE DOS ÉPOCAS

Dicho queda que el largo decenio entre el concordato y el concilio viene a ser como un pasillo de transición para la Iglesia española. Apuntan ya algunas actitudes nuevas, pero predomina —aunque sólo sea por inercia— el talante de los lustros anteriores. En las relaciones Iglesia-Estado no habrá cimas más altas de cordialidad que las alcanzadas antes del 53, pero tampoco se llegará aún a los conflictos futuros. En todo caso, la Iglesia se muestra más prudente y más neutral de lo que venía siendo con respecto al franquismo. Pero, como en todo proceso de transición, se registran contemporáneamente gestos y hechos ambivalentes. Unos anuncian ya el futuro; otros alargan todavía el pasado.

Al terminar el año 53, Franco había sido distinguido por la Santa Sede con una preciadísima condecoración: la Orden Suprema de Cristo. Era el reconocimiento simbólico de Roma a su tarea de gobernante católico y, en concreto, a la firma del concordato. También la jerarquía española le dispensaría, aparte de frecuentes alabanzas, algunos honores simbólicos. En el mes de mayo del 54 era nombrado doctor *honoris causa* por la Pontificia Universidad de Salamanca, pronunciando en esta ocasión un discurso en el que pondría de relieve la cordial aportación de su régimen a la Iglesia. En algunas otras ocasiones, rodeado de buen número de prelados, volvería sobre este argumento. Así, en la inauguración del nuevo seminario de San Sebastián (agosto del 54), en el Congreso Eucarístico Nacional, celebrado en Granada (mayo del 57), y, sobre todo, en la inauguración solemnísima de la basílica del Valle de los Caídos, que tuvo lugar el 1.º de abril de 1959 al cumplirse los veinte de la victoria.

Desde la Nunciatura de Madrid seguía y apoyaba estas manifestaciones un nuevo nuncio: Hildebrando Antoniutti, el mismo que fuera en los años de la guerra encargado de Negocios del Vaticano ante la España nacional. El nuncio Cicognani, concluida su misión de posibilitar la firma del concordato, había sido llamado a Roma y creado cardenal, a la vez que los arzobispos españoles Arriba y Castro (Tarragona) y Quiroga Palacios (Santiago de Compostela). Antoniutti llegaba de nuevo a España en octubre del 53 y permanecería en su misión hasta marzo del 62, siendo siempre hombre grato al régimen.

Sin que llegasen por el momento a empañar la tónica de buena amistad, no dejarían tampoco de producirse por estos años algunas fricciones. La Iglesia parecía intuir una línea de mayor realismo pastoral y empezaba a contar con la ayuda de los medios sociológicos. En 1954 aparece la primera *Guía de la Iglesia en España,* que iría ya desde entonces, y por medio de suplementos anuales, invitando constantemente a la reflexión eclesial. Tampoco dejaba la Iglesia de tener conciencia de las muchas lagunas que el sistema legal vigente en España ofrecía en materia de reconocimiento de los derechos individuales y sociales.

2. La Iglesia toma distancias

La revista *Ecclesia,* dirigida desde el 42 hasta el 54 por Jesús Iribarren y siempre respaldada por el primado de Toledo Pla y Daniel, no se había recatado desde antiguo de señalar estas deficiencias, sobre todo en el terreno de los derechos democráticos de participación política y en los referentes a la libertad de información y de expresión. Lo había hecho ya en el lejano 1943, cuando la censura estatal impuso silencio a las palabras con que Pío XII lamentaba la persecución religiosa en la Alemania de los nazis. Volvió a hacerlo cuando ya en 1954 la misma censura borraba algunos párrafos del mensaje navideño del papa. Esta y otras intervenciones de una revista tan ligada a la jerarquía eclesiástica motivaron algunas tensiones y ciertas polémicas públicas, en las que iban a intervenir, de una parte, además de *Ecclesia,* Pla y Deniel y Herrera Oria, y de la otra, el semanario gubernamental *El Español* y el entonces ministro de Información y Turismo Arias Salgado. Según la jerarquía eclesiástica, hacía falta una ley de Prensa. Según el ministro, el régimen legal existente en España en este terreno se ajustaba fielmente al pensamiento pontificio. No sería el único punto en que se producía esta curiosa situación. En el campo de la legislación sindical, mientras que la Iglesia española pedía por los mismos años mayor adecuación de las leyes a las exigencias de su doctrina social, ministros como Solís Ruiz asegurarían que era fiel trasunto de la doctrina pontificia en la materia. En algunos casos se llegaría hasta afirmar que la normativa española se había adelantado a la doctrina que iban desgranando las encíclicas papales.

En junio de 1957, otro editorial de *Ecclesia* titulado «¿La Iglesia en el poder?» salía al paso de algunas especulaciones que circulaban profusamente con motivo de la consolidación de la influencia política creciente del Opus Dei. En la remodelación del Gabinete que tuvo lugar en febrero del mismo año, Franco había puesto varias carteras en manos de miembros muy cualificados de esta institución. En los próximos años se consolidaría aún más la participación del Opus en el Gobierno, sobre todo en las carteras económicas y técnicas, campos en los cuales los miembros de este instituto secular aportaban personas y programas —los planes de desarrollo— de mayor incidencia y creatividad que los que podría aportar la Falange. Pero la presencia creciente de miembros del Opus en todos los niveles de la vida pública española, el trato de favor que se le dispensaba a su Universidad de Navarra y un cierto halo de misterio que rodeaba las manifestaciones de esta institución, no dejaban de suscitar reservas y animadversiones. La jerarquía eclesiástica tomaba también sus distancias y negaba el pretendido supuesto de un asalto de la Iglesia al poder.

3. Orientaciones episcopales

Por su parte, los obispos españoles procedían, a principios del 56, a una reorganización de sus estructuras, remodelando las comisiones episcopales y creando el Secretariado del Episcopado Español como instrumento de coordinación de todas las actividades promovidas por la jerarquía. El cargo de secretario recaía en el joven obispo de Solsona Vicente Enrique y Tarancón, cuyo influjo posterior en la vida de la Iglesia en España iba a ser determinante.

Las orientaciones colectivas de los obispos españoles durante estos años versarían sobre temas y campos diversos. En marzo de 1955 dirigían una carta a los fieles sobre las áreas y los límites del magisterio de la Iglesia. Frente a la pretensión de quienes preferían reducirles a un magisterio exclusivamente espiritual, reivindicaban su derecho a pronunciarse desde su propia óptica magisterial sobre las realidades sociales, políticas y culturales. Más adelante —en abril de 1956—, los metropolitanos divulgaban una declaración sobre la misión de los intelectuales católicos. Era un texto en el que se presentaba a Menéndez Pelayo (cuyo centenario se conmemoraba) como «un gran maestro y modelo de los intelectuales españoles». Por el contrario, el obispo Pildain, de Canarias, había calificado a Unamuno, en un escrito pastoral de 1953, de «hereje máximo y maestro de herejías».

En agosto de 1956 volvían los metropolitanos a escribir sobre la situación social de España en la línea de su pastoral colectiva de junio del 51. La justa distribución de los bienes y de las rentas, la justicia como criterio social anterior a la caridad y la desaprobación de los lujos y las ostentaciones hirientes eran los principales temas de este texto. Al año siguiente, en mayo de 1957, publicaban una larga *Instrucción sobre la moralidad pública,* en la que denunciaban con criterio rigorista el relajamiento que se había producido en las costumbres de la sociedad española como consecuencia del bienestar material sucesivo de los años de austeridad. En esta instrucción, muy minuciosa en la enumeración de temas y conductas relativos al sexto mandamiento, se daban normas concretas de rigor moral a las que debían ajustarse los miembros de las asociaciones apostólicas.

Entre éstas adquirían una significación cada vez mayor las organizaciones obreras de la Acción Católica —HOAC y JOC—, que tuvieron siempre un infatigable valedor en el cardenal Pla y Deniel. Su existencia no era bien vista en las esferas gubernamentales, donde se les consideraba como una réplica peligrosa al sindicalismo oficial. En el pueblo cristiano alcanzaban altos grados de popularidad por aquellos años las predicaciones tanto del P. Ricardo Lombardi, animador de un movimiento llamado *Por un Mundo Mejor,* que contaba con el alto respaldo de Pío XII, como del P. Peyton, que exhortaba en las concentraciones populares al rezo del rosario en familia. Los Cursillos de Cristiandad estaban también en sus años de máxima expansión.

4. Entre Pío XII y Juan XXIII

En el curso del año 1958 se producía en el panorama político español una novedad: la aprobación aclamatoria —en el mes de mayo— de la Ley de Principios del Movimiento Nacional. En la estrategia de Franco parecía, más que nada, una compensación al sector falangista, que había visto disminuida su influencia en las áreas del poder por la presencia del Opus Dei y de otras formaciones políticas de raíz monárquica o católica. En dicha ley, los principios del Movimiento quedaban descritos como «por propia naturaleza, permanentes e inmutables». En cambio, la Iglesia, a través de *Ecclesia,* los acogía como un paso y no como una meta en el proceso de la evolución política española. El segundo de estos principios decía así: «La nación española considera como timbre de honor el acatamiento a la ley de Dios, según la doctrina de la santa Iglesia católica, apostólica y romana, única verdadera y fe inseparable de la conciencia nacional que inspira su legislación».

Antes de acabar el 58 —en octubre— moría en Roma Pío XII, y con él se cerraba una época en la historia y en el talante del pontificado. Había sido particularmente sensible a la situación española y en España gozaba de una altísima y entusiasmada adhesión, como se puso de manifiesto en los actos masivos que tuvieron lugar en mayo de 1956 al cumplir el papa sus ochenta años. Las más altas magistraturas de la nación, el ejército y las instituciones públicas y privadas tomaron parte junto al pueblo en este masivo homenaje nacional.

Pocos días después de la muerte de Pío XII resultaba elegido para sucederle el patriarca de Venecia, Angel José Roncalli. No era un hombre excesivamente conocido, pero en la brevedad de su pontificado iba a dejar una huella imborrable de su paso por la historia de la Iglesia. En el verano de 1954 había realizado un viaje privado por España, visitando muchas ciudades y lugares de devoción. Su visita se consideró poco grata en los ambientes oficiales.

5. EL PAPA RONCALLI LLAMA A CONCILIO

No habían pasado muchos meses de su elección, cuando Juan XXIII hacía en Roma un anuncio que conmovió al mundo: la convocación de un concilio ecuménico. Era el 25 de enero de 1959. Las primeras reacciones en el mundo y en la Iglesia fueron de desconcierto. Pronto la esperanza fue ocupando el lugar de la sorpresa inicial. De todas formas, en aquellos momentos no cabía adivinar las consecuencias que iban a derivarse de la valerosa decisión del papa Roncalli.

En España, el anuncio de un próximo concilio produjo la misma perplejidad que en el resto del orbe cristiano. En todo caso, un grado más de desconcierto, ya que el país vivía circunstancias peculiares y el relativo aislamiento político todavía existente había determinado también, en los años anteriores, una cierta soledad de la Iglesia española. Con todo, el sentido de fidelidad a Roma y de adhesión al papa, tan tradicional en los españoles y tan cultivado en los últimos lustros, harían que pronto la Iglesia española se dispusiese a secundar la iniciativa de Juan XXIII. Lo que le faltaba de preparación remota para el acontecimiento eclesial, lo supliría con entusiasmo y disponibilidad.

Mientras se iban concretando los objetivos y las características del futuro concilio, los metropolitanos españoles promulgaban un nuevo estatuto para la Acción Católica en noviembre de 1959. La parte doctrinal que le precedía suponía una nueva concepción del apostolado seglar; más abierta a las realidades temporales, más acorde con los tiempos que se adivinaban ya en el horizonte. Este nuevo rumbo motivaría la potenciación de los movimientos especializados, que aportaban un nuevo talante de presencia en el seno de los diversos sectores de la sociedad: el universitario, el laboral y el de la juventud especialmente. Hasta la corrección jerárquica de trayectoria ocurrida en el año 1967, de este impulso iba a vivir la Acción Católica española.

Volvían los metropolitanos a comparecer en la escena pública en enero de 1960 con una *Declaración sobre actitud cristiana ante los problemas morales de la estabilización y el desarrollo económico.* Era una catequesis motivada por el lanzamiento —en julio del 59— de un plan de estabilización económica elaborado por el Gobierno. Los obispos se mostraban en este texto más realistas y más críticos. Sus alusiones a los problemas reales (paro, desigualdades económicas, falta de información y de participación en la gestión pública) eran más concretas. Como había sido más concreta la correspondencia cruzada en el otoño del mismo año entre Pla y Deniel y el ministro del Movimiento Solís Ruiz, a propósito de la HOAC y de los sindicatos oficiales, cuya estructura y concepción no se adecuaban a los modelos propuestos por la doctrina social de la Iglesia.

Por el norte del país se intensificaba ya la oposición al régimen —ETA había nacido en 1958—, y la contestación encontraría también eco en las filas del clero vasco. En mayo del 60, un numeroso grupo de curas entraba en conflicto con el obispo de Bilbao (Gúrpide), al que acusaban de compromiso con el franquismo.

6. España se prepara para el Vaticano II

Al iniciarse el año 1961, los obispos españoles, a título particular y cada uno en sus respectivas diócesis, habían ilustrado a sus fieles sobre el concilio y, sobre todo, les habían encarecido la necesidad de apoyarle espiritualmente. Algunas de estas pastorales, como la del arzobispo Morcillo (Zaragoza) y la del obispo Pont y Gol (Segorbe), tuvieron una cierta notoriedad. Faltaba, no obstante, una manifestación colectiva, que se produciría en febrero del mismo año. Es un texto que revelaba la buena voluntad eclesial del episcopado español y, a la vez, su inicial desorientación. A través de consideraciones históricas y teológicas, exponen los metropolitanos lo que es un concilio y lo que su celebración ha representado en la historia de la Iglesia. Se suman de buen grado a los objetivos propuestos por el papa, pero no aportan consideraciones específicas desde el momento histórico ni desde la realidad española. Quedaba claro que irían a Roma con la mejor disposición del mundo, pero sin llevar nada de particular en sus carpetas.

Mientras los preparativos del concilio seguían su rumbo, Juan XXIII, para conmemorar el 70 aniversario de la encíclica *Rerum novarum*, de León XIII, publicaba en mayo del 61 su primera gran carta pastoral al mundo: la *Mater et Magistra*. Destinada a iluminar «el reciente desarrollo de la cuestión social a la luz de la doctrina cristiana», dejaba bien patentes la grandeza de su espíritu y la novedad de los caminos por donde se proponía llevar a la Iglesia. Era una encíclica realista y progresiva. En España sorprendió su talante en algunos sectores eclesiales, y más aún en ciertos ámbitos del poder. La oposición propiciaba, cada vez con más claridad, manifestaciones y conflictos laborales. En toda la zona Norte fueron tan frecuentes en la primavera del 62, que se llegaría a la suspensión de algunos artículos del *Fuero de los españoles*. En el mes de junio del mismo año, con motivo de un congreso del Movimiento Europeo, se reunieron en Munich políticos y exponentes de la oposición española, provocando la irritación del régimen, que adoptó contra los asistentes severas medidas de represión.

En estas circunstancias, los metropolitanos españoles, por última vez en la historia del magisterio episcopal español (ya que en adelante serían todos los obispos, y no sólo los presidentes de las distintas regiones eclesiásticas, los que firmasen estos documentos), publicaron una «exhortación a los fieles» sobre la elevación de la conciencia social según el espíritu de la *Mater et Magistra*. En realidad era, y así se manifestaba, un intento de aplicación de su doctrina a la realidad de nuestro país.

Antes todavía de que los obispos españoles acudiesen a Roma, se producirían dos hechos de relieve. En el mes de abril del 62 hubo relevo en la Nunciatura de Madrid. Concluida la gestión de Antoniutti, era sustituido por Mons. Antonio Riberi, hombre de talante aperturista, que disfrutaría de simpatías muy inferiores a las que su predecesor había cosechado del régimen. El otro hecho tuvo lugar ya en las fechas inmediatas de la apertura del concilio. El cardenal Montini, arzobispo de Milán, intercedió públicamente por la vida de dos anarquistas —Conill y Mur— que iban a ser juzgados en España. Su intercesión (no del todo bien informada) provocó la irritación del Gobierno y, mediante el relieve que en la prensa se dio al incidente, también del pueblo español, que la consideró como una intromisión inadmisible en los asuntos internos del país. De este poco afortunado suceso surgió una imagen, oficialmente tolerada, de un Montini izquierdista y poco amigo de España, que se mantendría aun después de su subida al pontificado, dando lugar a no pocos equívocos y tensiones.

Cuando la hora del concilio Vaticano II estaba para sonar, había en España 86 obispos y se contaba con dos cardenales en la curia romana: el claretiano Larraona y el benedictino Albareda. Algunos se verían dispensados de acudir por razones de edad. La personalidad española más relevante a lo largo del concilio iba a ser el entonces arzobispo de Zaragoza y luego de Madrid (a partir de mayo de 1964), Mons. Morcillo, que fue uno de los cinco subsecretarios de la asamblea conciliar. Algunos otros obispos españoles fueron seleccionados para las distintas comisiones. Ellos, a su vez, echaron mano de un buen manojo de expertos en los diferentes temas. Con todo, la presencia y la influencia doctrinal española iba a distar mucho de aquella otra —tan brillante— que tuvieron en Trento los obispos y los teólogos españoles.

El 11 de octubre de 1961 se abría la primera sesión del concilio Vaticano II. Los ojos de España, como los de toda la cristiandad, estaban fijos en Roma. Esta primera etapa conciliar iba a articularse en 36 congregaciones generales. La sexta de ellas —el 24 de octubre— estuvo presidida por el cardenal Pla y Deniel, que pertenecía al Consejo de presidencia del concilio. Durante este primer tracto conciliar no dejaron de escucharse las voces de los obispos españoles, pero ninguna de sus intervenciones fue memorable. Otros episcopados, especialmente los centroeuropeos, llevaban más cosas que decir. Tampoco podría decirse que los obispos españoles se situasen en un solo bloque en los diversos frentes que fueron surgiendo. Ciertamente, sus votos iban más hacia las propuestas conservadoras que hacia las aperturistas. Si toda la primera sesión del Vaticano II tuvo el aire de una sesión de rodaje, mucho más lo sería para los prelados españoles. Al terminar —el 8 de diciembre—, puede decirse que habían descubierto el concilio y que volvían dispuestos a centrar en él toda su atención personal y colectiva. Para mejor lograrlo, en la primera intersesión crearon una Comisión de temas del concilio, que actuó como coordinadora del trabajo común. El cardenal Bueno Monreal (Sevilla) fue su presidente.

7. MONTINI SUCEDE A RONCALLI

Durante esta misma intersesión no dejaron de ocurrir acontecimientos decisivos. El primero fue la publicación —el 11 de abril del 63— de la última encíclica de Juan XXIII, titulada *Pacem in terris,* y dirigida por él no ya sólo a los obispos y a los católicos, sino «a todos los hombres de buena voluntad». La carta papal gozó de una acogida excepcionalmente favorable y confirmó la corriente de honda simpatía que se había establecido en todo el mundo entre las gentes de todas las clases y religiones y el papa Juan XXIII. Rodeado del cariño universal, moría Angel José Roncalli el 3 de junio de 1963 tras una larga y ejemplar agonía, que le acercó más y más al corazón de los pueblos. Con su muerte podría haber muerto también el concilio.

A los pocos días, el conclave ya había designado sucesor: Juan Bautista Montini, arzobispo de Milán. En la homilía que celebrara en su catedral a la muerte de Juan XXIII había dicho: «Su herencia no puede quedar encerrada en una tumba». En su primera actuación pública tras la elección, confirmaba ante el mundo que el concilio seguiría su marcha. En España, el nombramiento de Montini fue acogido, sobre todo en los amplios sectores del régimen, con frío respeto y sin una brizna de aquel entusiasmo patriótico-religioso de los tiempos de Pío XII. Pronto las posturas empezarían a endurecerse. En el mes de noviembre, el abad de Montserrat dom Escarré, en declaraciones hechas al diario *Le Monde,* había criticado duramente al régimen poniendo en duda su talante cristiano. Su protesta se unía a otras que habían sonado anteriormente en los medios intelectuales con motivo de la ejecución de Julián Grimau y de algunos militantes anarquistas.

Los obispos estaban de nuevo en Roma para el 29 de septiembre del 63. La segunda sesión se inauguraba con la novedad de Montini —ya Pablo VI— a la cabeza de la Iglesia. El gran tema de esta segunda etapa sería la discusión del esquema *De Ecclesia.* Los obispos españoles hicieron, a diferencia de otros episcopados, más aportaciones personales que colectivas. No era la cohesión su principal virtud. Los debates sobre la colegialidad encontraron en sus filas muchas reticencias, bastantes negativas y sólo un par de adhesiones. Muchos no acertaban a ver cómo semejante principio podría conciliarse con el de la autoridad suprema y primacial del papa.

En España, el concilio se vivía con interés. En los sectores políticos se recelaba del rumbo reformista que parecía ir tomando. En amplios grupos eclesiales empezaba a encenderse una gran esperanza. El concilio podía responder a las intuiciones de los más sensibilizados. En uno y otro caso, lo que iba ocurriendo en Roma no dejaba de mover las aguas de España. En marzo del 64 (durante la segunda intersesión conciliar), un grupo muy nutrido de curas catalanes presentaba a sus obispos una carta sobre las relaciones de la Iglesia con el Estado. Se celebraban oficialmente los veinticinco años de paz, y con este motivo no faltaron ocasiones —como la inauguración de la catedral de Vitoria— en que se repitieron las viejas tesis religiosas del franquismo, que el concilio hacía ahora más viejas.

8. EL CONCILIO ESPAÑOL, ENTRE EL FERVOR Y LA MEDIOCRIDAD

La tercera etapa conciliar —quizá la más densa de todas— tuvo lugar entre el 14 de septiembre y el 21 de noviembre de 1964. Algunos de los textos principales iban tomando cuerpo y encaminándose hacia su aprobación final. La intervención de los españoles se mantiene en la misma tónica de digna mediocridad, sin relumbres especiales. Dos aportaciones polarizaron un mayor interés. La del obispo de Canarias Pildain, que defendió claramente la libertad de la Iglesia en el nombramiento de los obispos, y la de Mons. Guerra Campos, consiliario general de la Acción Católica y recién nombrado obispo auxiliar de Madrid, que disertó sobre las perspectivas de un diálogo entre el marxismo y el cristianismo. Por lo demás, los prelados españoles presentaron mociones, respaldadas con buen número de firmas, sobre la maternidad eclesial de María y sobre la cooperación misionera.

El tema más polémico de esta sesión y el que más iba a afectar al episcopado español era el de la libertad religiosa, que en España tenía connotaciones especiales, dada no sólo la tradición religiosa, sino también por la confesionalidad oficial del Estado. Prácticamente, todos los obispos españoles que hablaron en el aula conciliar sobre este tema, con algunos matices, se mostraron contrarios al principio de la libertad. Incluso tomaron parte activa en los varios intentos que se realizaban en los círculos conciliares para neutralizar el asunto. Muchos de sus nombres aparecen en este punto ligados a lo que se llamó «la minoría conciliar» de signo conservador.

Ello no obstante, la acción pastoral de los obispos españoles en favor del concilio era intensa. Menudean en esta época, tanto en los niveles diocesanos como en el nacional, las conferencias y las pastorales destinadas a poner al alcance de los fieles el contenido de las doctrinas que el concilio iba perfilando. El pueblo fiel español sigue con intensidad estas catequesis conciliares y muestra (como en el caso de las primeras reformas litúrgicas, que fueron aplicándose sobre la misma marcha del concilio) su óptima disposición en orden a la renovación posconciliar futura. La docilidad general inicial se fragmentaría más tarde al intentar los diversos grupos apoyar sus tesis —a veces divergentes— en interpretaciones privativas de la doctrina conciliar.

En el otoño de 1965, la aventura conciliar tocaba ya a su fin. El 14 de septiembre, Pablo VI abría la cuarta y última de las sesiones del Vaticano II. Antes de que concluyese, el papa, en los primeros días de octubre, viajó a Nueva York, y en la sede de las Naciones Unidas pronunció un discurso memorable, en el que diseñó la nueva presencia que, según el concilio, quería ocupar la Iglesia en el mundo contemporáneo. Antes aún, en las intersesiones conciliares, había realizado sendos viajes a Tierra Santa (enero del 64) y a la India (diciembre del 64), propiciando así la reconciliación de la Iglesia con el mundo de la ortodoxia y su encuentro con el Tercer Mundo.

9.   La doctrina del Vaticano II y la libertad religiosa en España

La cuarta etapa discurrió por los cauces ya marcados en las anteriores, y terminó el 8 de diciembre con la aprobación de las constituciones y documentos que habían sido elaborados y discutidos. Los obispos españoles miraban ya al posconcilio. Su capacidad receptora durante los años de la asamblea y su sentido de Iglesia les urgían a una tarea pastoral que se vislumbraba transcendental y no exenta de dificultades. Había que poner la Iglesia de España a la hora y a la altura de la Iglesia universal. Quizá ésa fuese la lección que más y mejor aprendieron en Roma los prelados españoles.

Casi al tiempo que estampaban sus firmas en las actas y documentos del Vaticano II, firmaban, también en Roma y en la misma fecha de la clausura del concilio —8 de diciembre—, una amplia comunicación sobre la acción pastoral en la etapa posconciliar dirigida «a los sacerdotes, religiosos y fieles seglares de España». Era el comienzo oficial del posconcilio. «Ha llegado el momento de la acción —decían—, el de asimilar la doctrina y el de llevar las decisiones a la práctica». Calificaban el concilio de «gracia extraordinaria», «don de Dios a su Iglesia», y prevenían contra dos posibles errores en su interpretación: el inmovilismo y el afán de novedades, recabando para su autoridad magisterial y disciplinar la primacía en la interpretación correcta de las doctrinas conciliares. Exponían a continuación lo que a su entender constituía los tres centros de atención sobre los que había girado el Vaticano II: «la meditación de la Iglesia sobre sí misma, su relación con los cristianos separados y con los hombres de otras creencias y el diálogo con el mundo de nuestros días».

Dentro de esta catequesis conciliar, los obispos españoles ponían especial énfasis en explicar el contenido y el alcance del principio de libertad religiosa sancionado por el concilio. «Sabemos —escriben— el interés con que se ha seguido su debate en España y la preocupación que sienten algunos por su adecuada aplicación en nuestro país». En un gesto de meritoria lealtad eclesial, los obispos exponen cómo algunos de ellos disintieron de esta doctrina durante los debates. «Pero terminó la discusión —añaden—, y lo que importa ahora es atenerse lealmente a la doctrina proclamada». Convencidos de que «el derecho a la libertad religiosa está fundado en la dignidad de la persona humana» y de que «su reconocimiento es parte del bien común de toda la sociedad civil», afirman que esta libertad «no se opone ni a la confesionalidad del Estado ni a la unidad religiosa de una nación». La regulación del ejercicio de la libertad religiosa dentro del respeto a la unidad tradicional de un país «han de hacerla los gobernantes católicos de acuerdo con los principios establecidos por el Concilio y en consonancia con la autoridad de la Iglesia, especialmente cuando exista un concordato con la Santa Sede». El Estado español, comprometido oficialmente a inspirar su legislación en la doctrina de la Iglesia, haría en el año 1967 las modificaciones oportunas para incorporar a su cuerpo legal el derecho a la libertad religiosa.

Dos afirmaciones de los obispos en este documento revestían especial importancia en el momento de escribirlas. La primera era la siguiente: «España está empeñada en un ambicioso plan de desarrollo económico y social, del que es parte un plan de extensión cultural. La plena institucionalización de la vida política es, por otra parte, una preocupación general de la nación». Pero si los obispos denunciaban las deficiencias del marco político, reconocerían también las lagunas de la vida eclesial. «Hemos de confesar —escriben— que nos hemos adormecido, a veces, en la confianza de nuestra unidad católica, amparada por leyes y por tradiciones seculares. Los tiempos cambian. Es necesario vigorizar nuestra vida religiosa dentro del espíritu renovador del Concilio.»

La Iglesia española se disponía a la renovación. En el concilio había recibido estímulos más que suficientes para intentarla. Como instrumento muy calificado para guiar la renovación posconciliar, ya en este mismo texto firmado en Roma al término del Vaticano II, los obispos se comprometían a realizar una reforma estructural «como primer fruto del concilio»: «la Conferencia del episcopado español, que pronto quedará constituida».

Efectivamente, pocos meses después (en febrero del 66) existía ya jurídicamente la Conferencia Episcopal, cuya actuación iba a ser decisiva a lo largo de todo el decenio posconciliar, coincidente con el ocaso del franquismo. Al terminar el concilio, no participaba el régimen de la voluntad o de la capacidad de renovación que acababa de descubrir la Iglesia. Su trayectoria distaba ya mucho de ser creadora. Mientras que la Iglesia española se asomaba al futuro, el franquismo no acertaba a hacerlo, y se refugiaba en la defensa del pasado. Nacía la divergencia, y pronto estallaría el conflicto. Con el final del concilio se abría para la Iglesia española y para el Estado, en cuyo marco estaba incardinada, un decenio tenso y transcendental.

CAPÍTULO III

EL DECENIO POSCONCILIAR DE LA IGLESIA ESPAÑOLA (1965-75)

El último decenio de la vida de la Iglesia española en los tiempos del franquismo tiene dos límites bien precisos. Por una parte, el final del concilio Vaticano II (diciembre de 1965), y, por otra, la muerte del general Franco (noviembre 1975). Entre estas dos fechas se encierra un decenio tenso y dinámico como pocos, marcado por el contraste creciente entre una Iglesia que saca fuerzas nuevas del Concilio y que se apresta a la tarea de aplicarlo, y un régimen que acusa el progresivo envejecimiento de su fundador. Esta divergencia de rumbos irá aumentando implacablemente durante el decenio presente, y llegará a manifestarse no sólo en relaciones Iglesia-Estado, normalmente tensas, sino también en episodios frecuentes de grave conflictividad.

La Iglesia española se había visto sorprendida por el concilio. Pero el mismo episcopado, y, tras sus pasos, toda la Iglesia, experimentaron durante el Vaticano II una suerte de conversión. La aplicación del concilio en España iba a ser mucho más consciente y más comprometida de lo que fueron su preparación y su desarrollo. Y también más rumorosa. Al conflicto progresivo con el Estado franquista, que no se avenía a entender el nuevo talante eclesial posconciliar, hay que sumar la conflictividad interior, la intraeclesial. El pluralismo, el sentido de la autocrítica, la mayor cotización del elemento seglar dentro de la Iglesia, romperían pronto la tradicional uniformidad. En estos años se pasaría del monolito al mosaico; de la calma, a la ebullición. Al socaire de esta pluralidad, el decenio 65-75 iba a abundar en contrastes intraeclesiales entre los sectores más progresistas del clero y del catolicismo español, que patrocinaban una aplicación rápida y total del concilio a la circunstancia eclesial española, y aquellos otros grupos, más reticentes, que a duras penas pudieron asimilar la novedad del concilio, y que consideraron muchas de sus propuestas doctrinales o pastorales como un atentado a los principios de la tradición religiosa española tal y como la entendía el llamado nacionalcatolicismo. En este enfrentamiento nacerían las nuevas versiones del «progresismo» y del «integrismo» católico español, cada cual con sus credos, sus órganos de expresión, sus líderes y sus padrinazgos. El integrismo encontró pronto eco en los sectores más tradicionales del régimen, que lo adoptó como suyo, otorgándole la protección oficiosa del poder. El progresismo fue derivando hacia derroteros democráticos; por una parte, dando origen a un movimiento comunitario de reducidas, pero intensas repercusiones en la base eclesial, y, de otro lado, hacia una creciente politización no sólo de tendencia, sino también de militancia. En primer término, el diálogo con el marxismo y la afirmación posterior de compatibilidad entre su «praxis» y la fe cristiana señalarían las etapas fundamentales de este proceso.

En difícil equilibrio entre las impaciencias progresistas y las nostalgias integristas, se sitúa durante este decenio la labor del episcopado español. La Conferencia Episcopal, nacida con el decenio, iba a ser el instrumento de una acción pastoral colectiva, tan moderada como tenazmente renovadora, en favor de la aplicación del Vaticano II en España. Su importancia pastoral y su eco en el país subirían considerablemente en este decenio. La Conferencia Episcopal iba a polarizar (y así lo demostrarían sus textos y declaraciones colectivos) toda la tensión eclesial y española de estos años. En su pretensión de implantar en España el nuevo talante posconciliar, los obispos no dejarían de apreciar que sus programas pastorales tendrían que ir dirigidos a una sociedad en cambio. El bienestar material —eran los años del desarrollo oficial—, la creciente apertura al exterior por la vía del turismo y otros factores iban determinando una sociedad española más laica y más pluralista, con flagrantes contrastes entre la España oficial —uniforme y católica— y la España real, en cuyo seno bullían ya y se organizaban, si bien en la clandestinidad, todos los grupos políticos posibles.

En este sentido, la muerte de Franco en el final del decenio supondría un desbloqueo de toda la situación anterior, dándose curso, en lo social y en lo político, a la legalización de todas las fuerzas que actuaban en la sombra y posibilitándose un tránsito (que ocurriría no sin dificultades, pero sí en paz) del régimen personalista a las formas estructurales de la democracia. En el terreno Iglesia-Estado, los hombres de la transición política adoptarían un talante nuevo, cuya máxima expresión sería la renuncia, por parte del rey D. Juan Carlos (en agosto de 1976), al secular privilegio de la presentación de los obispos. Era un gesto que cabía interpretar como simbólico para un futuro de relación entre la Iglesia y el Estado planteados sobre las bases de la independencia real y del respeto recíproco.

1. La Conferencia Episcopal Española, en marcha

El acontecimiento eclesial de mayor transcendencia en los comienzos de 1966, a pocos meses de finalizado el Concilio, iba a ser la constitución de la Conferencia Episcopal Española, versión renovada y posconciliar de la antigua Junta de Metropolitanos. Se constituía en cumplimiento del número 37 de la constitución conciliar *Christus Dominus,* y su influjo en el decenio presente iba a ser creciente y preponderante. Reunidos todos los obispos en sesión constituyente del 26 de febrero al 4 de marzo, se aprobaron los primeros estatutos provisionales, que luego sancionaría Roma, y se eligieron los primeros cargos. El cardenal Quiroga (Santiago de Compostela) fue elegido presidente, con la vicepresidencia del arzobispo Morcillo (Madrid) y siendo el obispo Guerra Campos su primer secretario.

Los dos primeros documentos colectivos de la nueva Conferencia Episcopal iban a producirse en el decurso de este año. El primero llevaba fecha de 29 de junio y fue elaborado y divulgado bajo la responsabilidad de la Comisión Permanente en aplicación de las facultades que le otorgaban los nuevos estatutos. Su título era *La Iglesia y el orden temporal a la luz del concilio.* Al aplicar el pensamiento conciliar a la realidad española (en la última parte), se expresaban apreciaciones ligeramente críticas con respecto a la situación nacional y se recomendaba su perfeccionamiento. El segundo documento aparecería meses más tarde —el 6 de diciembre— como apéndice al texto anterior y en ocasión de la III Asamblea Plenaria del Episcopado. Era un comunicado sobre el referéndum español que se celebró el 14 de diciembre para ratificar la Ley Orgánica del Estado. Los obispos recomendaban asépticamente la libertad y la responsabilidad del voto. Mientras la Iglesia entraba en el decenio con aire renovador, el régimen franquista lo hacía caminando hacia su tardía consolidación institucional. Sin embargo, la nueva ley de Prensa (ley Fraga), aprobada en marzo del mismo año, representaba una cierta flexibilización en el terreno de la expresión de las ideas.

El 66 sería también el año de los primeros síntomas graves de la contestación intraeclesial que luego iría en aumento. La abortada «operación Moisés» era el primer capítulo de este fenómeno contestatario en el seno del clero. También hay que situar en este año las primeras escaramuzas de un conflicto que tendería a hacerse crónico: el de la Iglesia —o al menos de algunos de sus sectores— con el Estado. En Barcelona ocurrían episodios como el de la irrupción de la policía en el convento de capuchinos de Sarriá o la manifestación de sacerdotes contra la tortura ante la jefatura de Policía de la ciudad, que fue amplia y desfavorablemente comentada por la prensa oficial.

En los sectores más críticos de la Iglesia se inicia también la contestación del concordato de 1953, ya que, desde la óptica de los principios establecidos por el Vaticano II, algunos de sus puntos, como la confesionalidad del Estado, la intervención civil en el nombramiento de los obispos o las restricciones a la libertad religiosa, parecen de todo punto insostenibles. Mientras tanto, en el seno de la Acción Católica —reunida en el mes de junio en el Valle de los Caídos— se plantea una grave crisis interna, que culminaría ya en los primeros meses de 1967.

2. La crisis de la Acción Católica

Lo que se ha llamado la «crisis de los movimientos especializados de la Acción Católica» supondría, en efecto, el acontecimiento eclesial de mayor trascendencia durante el 67. La pretensión pastoral de estos movimientos —obreros, estudiantiles, rurales— de estar presentes en sus medios respectivos y de actuar en cada uno de ellos con un talante específico, venía de los años 50, y se vio ratificada por las doctrinas conciliares sobre la actividad de los seglares y su presencia en lo temporal. Pero la voluntad de potenciar estos planteamientos especializados chocó bruscamente con la jerarquía. El conflicto surgió en el verano anterior y en las Jornadas Nacionales del Valle de los Caídos, donde ocurrieron duros enfrentamientos entre algunos dirigentes de estos movimientos y los representantes jerárquicos; en concreto, monseñor Morcillo, presidente entonces de la Comisión de Apostolado Seglar, y Mons. Guerra Campos, que unía a su condición de obispo consiliario nacional de la Acción Católica la de secretario general de la Conferencia Episcopal.

Entre la decisión de algunos movimientos de seguir hacia adelante por el camino de la especialización y el freno que la jerarquía pretendía poner a tal línea para conjurar los peligros del temporalismo, las posturas fueron endureciéndose. La oficial de la jerarquía quedaba reflejada en un documento hecho público el 4 de marzo de 1967 al término de la IV Asamblea Plenaria del Episcopado y bajo el título de *Actualización del apostolado seglar en España*. En este texto, además de la doctrina tradicional sobre la Acción Católica, expuesta ahora con especiales cautelas, se planteaba una reforma de los estatutos de la organización con el fin de darle un carácter más orgánico; acentuando, además, en ella los controles jerárquicos. Promulgado este texto, la crisis latente rompió en el abandono de sus puestos por parte de algunos destacados dirigentes y en una especie de continuación larvada de tal crisis durante los años sucesivos.

Otro episodio afectaría en el 67 a la Acción Católica. La desaparición de la revista *Signo*, órgano de su sector juvenil, que había mantenido posturas críticas frente al régimen y hubo de cancelar su actividad bajo presiones oficiales. Algo parecido le ocurría al abad de Montserrat Escarré, que en declaraciones a la prensa extranjera había mostrado divergencias profundas con el sistema, y que se veía obligado a abandonar su sede abacial en el mes de enero de este año.

3. DE LA TOLERANCIA A LA LIBERTAD RELIGIOSA

El año civil se distinguía por la intensa actividad legisladora. Varias leyes de alto rango quedaban aprobadas en el 67. Ya en enero se promulgaba la Ley Orgánica del Estado, votada por referéndum en diciembre del año anterior. Se aprobarían también la Ley Orgánica del Movimiento y del Consejo Nacional y la Ley Orgánica del Consejo del Reino. En junio se daba la aprobación a otra ley de amplia incidencia en el terreno religioso. Era la *Ley sobre el derecho civil a la libertad religiosa.* La doctrina conciliar, expuesta en la constitución *Dignitatis humanae,* hacía inadecuada la legislación española en materia de libertad religiosa, máxime cuando el Estado franquista se comprometía en el artículo 2 de la ley de Principios del Movimiento Nacional a inspirar su legislación en la doctrina católica. En consecuencia, se modificó el artículo 6 del *Fuero de los españoles* en enero del 67 al aprobar la Ley Orgánica del Estado en el sentido de convertir en norma de libertad el criterio de mera tolerancia hasta entonces vigente. Posteriormente, en la ley de 28 de junio se desarrollaban los aspectos legales del principio de libertad, otorgando un estatuto jurídico a las diversas confesiones religiosas existentes en España.

En el mes de julio se había producido un relevo en la Nunciatura Apostólica. Cesaba Mons. Riberi, hombre de talante aperturista, y era sustituido por el moderado Dadaglio, que durante todo el decenio realizaría su función con notable sensibilidad hacia el proceso renovador iniciado y sostenido por la jerarquía española. Durante años de tantas y tan fuertes tensiones entre la Iglesia y el Estado, la gestión de Dadaglio iba a ser decisiva.

Por otra parte, en la renovación de las Cortes, ocurrida en el mes de noviembre, el obispo secretario de la Conferencia, Mons. Guerra Campos, era nombrado procurador por designación del jefe del Estado. Durante los años posteriores, el régimen encontraría en Guerra su principal apoyatura eclesial, no sin la reacción en contra de amplios sectores de la Iglesia, que veían como un anacronismo creciente la presencia de jerarcas eclesiásticos en las estructuras del Estado.

Reunido en Roma, en el otoño, el primer sínodo de los obispos, la representación de la Iglesia española dejaría constancia de que una firme y moderada renovación posconciliar se había iniciado en España.

Con ocasión de la discusión en el Vaticano II del texto conciliar de la libertad religiosa *Dignitatis humanae,* el episcopado español se había manifestado opuesto a toda innovación con respecto a la doctrina tradicional y altamente preocupado sobre el hecho de la aplicación de los nuevos criterios en España. Ante el hecho consumado de la promulgación de esta doctrina conciliar, justo es decir que los obispos españoles secundaron también en este punto las directrices del Vaticano II. Ya en el escrito que dirigieron desde Roma a los fieles españoles, y que firmaron en la fecha misma de la clausura del concilio (8 diciembre 1965), incluían un largo párrafo sobre la libertad religiosa con algunas puntualizaciones que juzgaron pertinentes. Al comienzo de 1968, y una vez introducida en el sistema legal español la rectificación de que hemos hablado, volverían sobre el mismo tema en una larga declaración fechada el 22 de enero. Les preocupaba especialmente que la ruptura de la unidad religiosa pudiese repercutir en el debilitamiento de la unidad nacional y les costaba, a pesar de la claridad con que enunciaban los principios, admitir el hecho y las consecuencias del pluralismo religioso.

En el mismo año volvería a manifestarse el magisterio colectivo español con motivo de la divulgación de la encíclica de Pablo VI *Humanae vitae,* en la que el papa abordaba cuestiones relacionadas con la moral conyugal y con la regulación de la natalidad. Las reticencias y aun las divergencias que la doctrina de esta encíclica suscitaron en el campo católico, movieron a muchos episcopados a publicar mensajes de adhesión a las tesis de Pablo VI. Lo hacían también los obispos españoles en un texto fechado el 27 de noviembre del 68, ya que también en España se habían manifestado discrepancias ante las afirmaciones de la encíclica.

4. Franco defiende el privilegio de presentación

En este mismo año iba a registrarse un intento de replanteamiento de la cuestión corcordataria al más alto nivel. Tanto en Roma como en Madrid se tenía plena conciencia de que las doctrinas del Vaticano II habían envejecido algunos puntos —incluso fundamentales— del concordato de 1953 entre España y la Santa Sede. Pablo VI tomaba la iniciativa dirigiendo, con fecha 29 de abril, una carta personal al jefe del Estado español en la que le pedía directamente lo que ya el concilio había rogado de modo genérico a los gobiernos que aún disfrutaban del correspondiente privilegio: la renuncia a la intervención eficaz en el nombramiento de los obispos, por entender que tal práctica, aun fundamentada en razones históricas legítimas, no estaba ya en concordancia con el espíritu ni con las exigencias de los tiempos. La respuesta del general Franco se produciría por el mismo conducto epistolar y con fecha 12 de junio. El jefe del Estado no se mostraba propicio a consentir en semejante renuncia, y la condicionaba, en todo caso, a la revisión global del concordato y a otras renuncias ofrecidas por Roma como contrapartida. Fracasado el intento del Vaticano, todo el decenio se consumiría en un propósito, nunca alcanzado y pródigo en alternativas, de revisión del instrumento concordatario. No terminaría el año sin que el episcopado español, reunido en su VIII Asamblea Plenaria (noviembre) manifestara su disposición a renunciar a algunos privilegios, como la inviolabilidad de los lugares sagrados, la bula de la Cruzada, etc., que se le reconocían en el ordenamiento jurídico español.

Poco después de firmar la carta referida, el general Franco presidía en Sevilla (en el mismo mes de junio) la clausura del Congreso Eucarístico Nacional, en cuyo desarrollo se advirtió que este tipo de manifestaciones de piedad, no exentas de los gustos del Nacionalcatolicismo, habían entrado en crisis.

En el mes de julio, los obispos daban a conocer un texto colectivo, titulado *Principios Cristianos del Sindicalismo*, ante el anuncio de la elaboración de una futura ley Sindical, en el que se expresaban, entre otros principios y recomendaciones, la libertad sindical, la autonomía y la representatividad.

El 5 de julio fallecía en Toledo el cardenal Pla y Deniel, un hombre que, si bien en los albores del régimen había contribuido notablemente a la divulgación del concepto de «cruzada» aplicado a la guerra civil, posteriormente se había distinguido por sus actitudes de noble y serena independencia, protagonizando incluso algunos roces con el franquismo por su apoyo al movimiento obrero de Acción Católica (HOAC) y a la libertad de expresión en la prensa. En todo caso, Pla y Deniel moría rodeado del respeto general. En el mismo mes (el día 28) fallecía el también cardenal Herrera Oria, hombre que dejaba una profunda huella en diversos campos de la vida nacional merced a las instituciones por él patrocinadas, sobre todo en el terreno de la prensa, del laicado y de la universidad. De las filas de sus instituciones —en concreto, de la A. C. N. de P.— saldrían, a lo largo del franquismo, hombres con los que Franco contó siempre en sus diferentes gabinetes.

5. LA CONTESTACIÓN SACUDE A LA IGLESIA Y AL RÉGIMEN

La contestación aumentó notablemente sus niveles en el presente año y en muy diversos frentes. En el terreno político abundaron los conflictos universitarios, muy generalizados en los primeros meses del 68. Lo mismo ocurría en el campo sindical con la actividad clandestina de Comisiones Obreras y otros movimientos. Particular gravedad adquirían los conflictos en el País Vasco, donde ETA actuaba ya violentamente. Estas alteraciones motivaron la declaración en las provincias vascas del estado de excepción. También el clero vasco protagonizó episodios de contestación eclesial; en casos, teñida de algunos matices políticos, como en las sucesivas ocupaciones del obispado de Bilbao (mes de agosto) y del seminario de Derio (mes de noviembre), llevadas a cabo por grupos de sacerdotes que disentían palmariamente del obispo local, Mons. Gúrpide.

En el mismo año, algunos centenares de sacerdotes (particularmente catalanes y vascos) hacían pública su renuncia a la paga estatal, en un gesto que pretendía ser clarificador de las relaciones entre la Iglesia y el Estado.

La conflictividad política y social será la tónica también del año 1969, que se abre con la declaración (el 24 de enero) del estado de excepción en todo el país y con la consiguiente supresión de algunos artículos del *Fuero de los españoles*.

En las agitaciones que sacudieron la vida española —Pablo VI, en su tradicional discurso a los cardenales, el 24 de junio, con ocasión de su onomástica, haría una alusión a la conflictividad española al repasar el mapa de las preocupaciones mundiales— aparece, cada vez con mayor intensidad y libertad, la preocupación por el futuro. Se habla ya claramente del posfranquismo y se insinúa, incluso en los círculos políticos, que se vive ya dicho posfranquismo aun en vida de Franco. El régimen no es insensible a esas inquietudes, y en julio del 69 culmina una larga y trabajosa operación política, en curso desde años atrás, que lleva a la designación del príncipe Juan Carlos de Borbón como sucesor de Franco a título de rey. Destacados miembros del Opus Dei, muy presentes en los gobiernos franquistas a partir de principios del decenio, prestarían su apoyo a esta decisión de Franco, en la que también el almirante Carrero Blanco, vicepresidente desde septiembre del 67 y verdadero intérprete del franquismo, intervendría con todo el peso de su influencia. El futuro quedaba así, aunque precariamente, atado. Pero el presente se ofrecía harto difícil.

A mediados del año cobró notoriedad el «caso Matesa»; un asunto fundamentalmente económico, pero que, además de destapar ciertos núcleos de corrupción en las esferas gubernamentales, alcanzaría en seguida acentos políticos, determinando enfrentamientos entre las distintas facciones componentes del Gabinete. Opus Dei y Falange protagonizarían estas tensiones.

En el terreno directamente eclesial, los mayores roces se produjeron en el País Vasco, donde en el mes de abril se llegó a la detención del vicario general de Bilbao, José Angel Ubieta, y de otros seis sacerdotes bajo la sospecha de actividades contrarias a la política oficial. El administrador apostólico de Bilbao Mons. Cirarda se opuso enérgicamente a esta medida represiva. Días antes (9 de abril), el Gobierno había pasado a los obispos una «nota verbal» sobre la subversión eclesiástica y el estado de excepción, cuya derogación solicitaron anteriormente —en el mes de febrero— los obispos reunidos en asamblea plenaria.

6. CRECEN EL INTEGRISMO Y LOS ROCES IGLESIA-ESTADO

Precisamente la defensa de los valores tradicionales, tanto de la fe como de la Patria, dio origen en el año 69 a la creación de la Hermandad Sacerdotal

Española, una agrupación de carácter nacional que nunca llegó a obtener el respaldo jerárquico y que encarnaba los postulados del integrismo clerical. En los agudos conflictos ocurridos en los años sucesivos, esta «derecha eclesiástica» fue hábilmente sostenida y manejada desde las esferas gubernamentales. En sus frecuentes pronunciamientos con motivo de tales tensiones intra y extraeclesiales, la Hermandad se mostraba más cercana a los criterios inmovilistas, que fomentaba el régimen, que a los principios renovadores, propiciados por la jerarquía episcopal.

Mientras tanto, la Conferencia Episcopal Española había procedido en el mes de febrero a la primera renovación estatutaria de sus cargos directivos. El arzobispo de Madrid, Mons. Morcillo ocupaba la presidencia, renunciando espontáneamente a su condición de procurador en Cortes por designación del jefe del Estado. El nuevo arzobispo de Toledo, Enrique y Tarancón, pasaba a ser vicepresidente, y al frente de la Secretaría continuaba Mons. Guerra Campos.

Dos documentos colectivos cabe reseñar en este año 69 en el haber del episcopado español. Uno, de fecha 25 de mayo, sobre los valores actuales y permanentes de la devoción al Corazón de Jesús. Arrancaba su motivación de la celebración del cincuentenario de la consagración de España al Sagrado Corazón, realizada por Alfonso XIII el 30 de mayo de 1919 en el Cerro de los Angeles.

El otro, ya en las postrimerías del año (el 2 de diciembre), versaba *Sobre el ministerio sacerdotal,* y quería ser, de algún modo, la introducción doctrinal a un acontecimiento que se preparaba concienzudamente en estos años, y que encontraría su realización en el otoño de 1971: la Asamblea Conjunta de obispos y sacerdotes. El cuarto centenario de la muerte de San Juan de Avila, Patrono del clero español, sirvió de motivo a esta reflexión colectiva de los obispos de cara a los sacerdotes españoles, que recogía ya las tensiones doctrinales y pastorales características del momento posconciliar.

A medida que el decenio avanza, aumentan en España los conflictos. El régimen se ve cada vez más afectado por el declive físico de su fundador, y, al socaire de esta decadencia, bullen y se organizan en todos los frentes las fuerzas de la oposición. Entre la Iglesia y el Estado crecen también los motivos de disentimiento. En la medida en que la Iglesia se aplica a una renovación posconciliar, el Estado ve cómo se aleja de los antiguos esquemas, en los que encontraba con facilidad la legitimación que precisaba.

El eterno problema político-religioso, la renovación del concordato, vuelve a plantearse en el mes de enero de este año con la visita que le hace a Pablo VI el nuevo ministro de Asuntos Exteriores Gregorio López Bravo. Nada sustantivo saldría de esta conversación. La concordia necesaria para concordar de nuevo las materias mixtas parecía no existir.

Durante el 70 estaba en marcha una importante operación en el seno de la Iglesia española —del clero concretamente—: la preparación de la Asamblea Conjunta. Antes de llegar a su celebración venía preparándose con escrúpulo, aunque no con unanimidad de interés ni de adhesión en las diversas diócesis. Instrumento capital en la preparación de esta Asamblea sería la encuesta al clero nacional. Un cuestionario de 268 preguntas sobre los más diversos aspectos —personales, ministeriales, ideológicos, políticos, etc.—, al que respondería la práctica totalidad del clero secular: 20.114 sacerdotes. Las respuestas fueron largamente sorpresivas. En todo caso revelaban el cambio generacional experimentado en el clero y la evolución de sus actitudes ante los problemas más candentes del área tanto eclesial como política. La tradicional afirmación de una estrecha connivencia del clero con el régimen franquista quedaba hecha añicos. Los resultados de esta encuesta, especialmente en sus vertientes políticas, acentuarían la conflictividad externa e interna que acompañó a la celebración de la Asamblea Conjunta.

7. LOS OBISPOS DISIENTEN DE LA POLÍTICA OFICIAL

El magisterio episcopal —cada vez más receptor de las preocupaciones reales del país durante este decenio— se centraba en el mes de julio (con ocasión de la XII Asamblea Plenaria) en un comunicado sobre *La Iglesia y los pobres,* que puede ser calificado como uno de los más proféticos y de los más críticos del posconcilio español. La pobreza se analizaba no sólo en sus vertientes religiosas y materiales, sino también en los aspectos cívicos y políticos, con aplicaciones y denuncias directas sobre la realidad española. El documento, fechado el 11 de julio, llevaba como anexo una nota de la Conferencia Episcopal Española sobre el proyecto en marcha de la Ley general de Educación (ley Villar Palasí), que sería promulgada en agosto del mismo año. Los obispos manifestaban en este texto sus reservas y sus decepciones sobre la política educativa que entrañaba el proyecto. Parecidos ribetes críticos presentaba una nota de la Comisión Episcopal de Apostolado Social hecha pública en el otoño, cuando el proyecto de ley Sindical era presentado en las Cortes. La polémica venía ya de atrás. Mientras que los sectores oficiales interesados se esforzaban por sostener que el sindicalismo español era fiel reflejo de la doctrina social de la Iglesia, los obispos recordaban, una vez más, que la nueva ley no recogía ciertos principios y criterios fundamentales.

Es de notar que estas tomas de postura del episcopado —cada vez más claras y frecuentes— eran posibles merced a la renovación que poco a poco iba operándose en el seno del episcopado. A pesar de las dificultades en el proceso de los nombramientos, el nuncio Dadaglio iba propiciando el acceso al episcopado de hombres identificados con el programa renovador del posconcilio.

Nuevos episodios de conflictividad política —y también religiosa— venían produciéndose en el País Vasco, donde aumentaba peligrosamente la violencia. Ante el próximo enjuiciamiento de presuntos miembros de ETA, entre los cuales se encontraban algunos sacerdotes, los obispos de San Sebastián (Argaya) y Bilbao (Cirarda) habían pedido en el mes de noviembre que el proceso se celebrase a puerta abierta y ante tribunales ordinarios. Esta intervención de los obispos vascos motivó ásperas respuestas. La sensibilidad nacional estaba a flor de piel en la inminencia del llamado «proceso de Burgos». Reunida la Conferencia Episcopal en su XIII Asamblea Plenaria, publicaba, con fecha 1.º de diciembre, tres breves comunicados. En el primero se solidarizaba con la actuación de los obispos Cirarda y Argaya y lamentaba la tergiversación que se hacía, una vez más, de los pronunciamientos episcopales. En el segundo pedía la máxima clemencia (siguiendo el ejemplo de la Santa Sede) para los que iban a ser juzgados en Burgos. Por fin, en el tercero, ante el secuestro del cónsul alemán en San Sebastián realizado por ETA, rogaba a los responsables su devolución y condenaba la violencia.

El año 1970 terminaba con una intensa tormenta de opinión pública internacional desatada por el «proceso de Burgos». Nueve penas de muerte fueron impuestas el 28 de diciembre. Unas fechas después serían todas ellas conmutadas. Era sólo el primer capítulo de un largo conflicto abierto y sangrante a lo largo de los años inmediatamente posteriores.

8. ¿HACE FALTA UN CONCORDATO?

A principios del año 71, los obispos españoles tenían en su poder un anteproyecto o texto *ad referendum* sobre el futuro concordato. Había sido elaborado por Antonio Garrigues, embajador de España ante la Santa Sede, y por Mons. Casaroli, secretario del Consejo para los Asuntos Públicos de la Iglesia. Algunas filtraciones dieron con el texto en manos de grupos eclesiales, que lo consideraron insuficiente para los tiempos nuevos y demasiado parecido al de 1953. Determinados sondeos de opinión —como el realizado entre enero y febrero de este mismo año por la Revista *Vida Nueva* sobre el tema concordatario— pusieron de relieve posiciones muy nuevas en el catolicismo español. Se pedía una revisión mucho más en profundidad. Se optaba largamente por la abolición del concordato y grandes grupos se manifestaban contra la confesionalidad del Estado, así como se propugnaba la total libertad de la Iglesia en la elección de los obispos, la separación entre el matrimonio civil y el religioso y la renuncia, por parte de la Iglesia, a sus privilegios.

Alertada y en cierto modo definida la opinión pública, los obispos consideraron colectivamente este anteproyecto en su XIV Asamblea Plenaria (mes de febrero), aunque los resultados del debate no se conocieron hasta septiembre del mismo año con motivo de la divulgación de las cartas cruzadas entre el cardenal Villot, secretario de Estado, y el ministro español de Justicia Sr. Oriol. La opinión de los obispos (que no eran parte contratante, pero cuyo punto de vista Roma quería y prometía tener muy en cuenta) era muy crítica con respecto al anteproyecto. La jerarquía española apostaba por reformas más sustanciales de las que presentaba el texto. El resultado fue su congelación *sine die*.

En la misma plenaria, los obispos volvieron a manifestar sus discrepancias ante la aplicación de la ley de Educación, denunciando en ella indicios de mentalidad estatificadora. En este mismo sentido volverían a pronunciarse durante el año los obispos de diversas provincias eclesiásticas, como Cataluña, Andalucía y Asturias. No terminaría el año sin que de nuevo volviesen a hablar, también colectivamente, sobre un asunto como éste, por el que sentían particular preocupación. Lo hicieron por medio de una nota fechada el 23 de diciembre, en la que presentaban tres peticiones concretas: universalidad, igualdad y participación en el tratamiento de la enseñanza.

El magisterio colectivo de los obispos se manifestó también durante el 71 de una forma original. Con intervalos de tres meses y componiendo una especie de trilogía doctrinal, los obispos abordaban temas de índole fundamentalmente religiosa en la perspectiva del momento presente español. En marzo aparecía la primera parte, dedicada a *La conservación y predicación del mensaje de la fe*. La segunda (en junio) versaba sobre *La vida moral de nuestro pueblo*. La tercera quedaba para septiembre, y se refería a *La vitalidad espiritual del pueblo cristiano*. Esta catequesis no tuvo gran divulgación ni resonancia, pero servía, entre otras cosas, para desmontar la acusación (muy repetida en estos años por sectores de la derecha) de que los obispos se inclinaban con preferencia a tratar sobre temas «temporales».

9. LA ASAMBLEA CONJUNTA AGUDIZA LAS TENSIONES

Fue en esta derecha eclesial donde surgió en el 71 la revista *Iglesia-Mundo*, que, a pesar de sus propósitos iniciales de moderación, pronto se transformó (y no sin apoyos jerárquicos y gubernamentales) en expresión del Nacionalcatolicismo polémico e intransigente que alentaba entre algunos grupos del clero y del laicado, contribuyendo al enconamiento de las polémicas intraeclesiales durante los años sucesivos. Desde fuera, desde las áreas del poder, venía con frecuencia la acusación de «marxistización» de la Iglesia. Así ocurría en unas declaraciones del ministro de Justicia Oriol hechas a *ABC* en el mes de julio. En el mismo sentido se manifestaban algunos informes oficiales, como el presentado en el mes de enero por el Ministerio de la Gobernación al Consejo Nacional del Movimiento.

Ocurría que la atmósfera se fue cargando de polemicidad en torno a un acontecimiento que se celebraría en el mes de septiembre, y que sería no sólo lo más importante del año eclesial, sino posiblemente de todo el decenio: la Asamblea Conjunta de Obispos y Sacerdotes. Su realización había sido decidida por el episcopado para aplicar un vasto programa pastoral de renovación posconciliar. Pero ya desde su preparación remota estuvo marcada por las tensiones. Los sectores tradicionales del clero miraban con recelo tal Asamblea, y empezaron por impugnar los documentos de trabajo previos a la celebración. A lo largo del 71 fueron celebrándose asambleas parciales en las distintas diócesis, donde el clero había sido ya encuestado a través de un complejo cuestionario, que brindó respuestas reveladoras en materia ideológica, religiosa y política. Era una gran radiografía del clero español en los primeros años del posconcilio. Un clero que se manifestaba más aperturista de lo que cabía esperar y menos franquista de lo que se decía. Un clero que religiosa y ministerialmente gozaba de buena salud a pesar de haberse iniciado ya el fenómeno de las secularizaciones y el descenso vocacional.

La Asamblea se inició el 13 de septiembre en el seminario de Madrid, bajo la presidencia de Mons. Enrique y Tarancón, que se había hecho cargo provisionalmente de la presidencia de la Conferencia Episcopal al fallecer, en el mes de mayo, Mons. Morcillo. Antes de terminar el año, en el mes de diciembre, el mismo Tarancón, ya cardenal desde marzo de 1969, sería nombrado arzobispo de Madrid. La celebración de la Asamblea Conjunta no careció de conflictos. Algunos grupos, disconformes con el rumbo aperturista que iba tomando, pretendieron neutralizarla desde dentro. Desde fuera, el sector gubernamental observaba con recelo, y la prensa politizaba en exceso sus deliberaciones.

La Asamblea desarrolló su trabajo en torno a siete ponencias, que, tomadas en su conjunto, significaban un concienzudo análisis de la realidad religiosa española en el momento. La más polémica de estas ponencias sería la titulada *Iglesia y mundo en la España de hoy*, en la que figuraban juicios y pronunciamientos sobre las realidades presentes y pasadas, como la reinterpretación que se hacía de la participación de la Iglesia en la guerra civil. Este y otros puntos elevaron grandemente el nivel de polemicidad de la Asamblea y acentuaron desde entonces las discrepancias ya existentes entre el régimen franquista y buena parte de la jerarquía y del clero. Una larga y encarnizada polémica siguió a la clausura de la Conjunta, dando origen a la aparición de radicalismos eclesiásticos. Surgieron grupos decididos a impedir la difusión de su «espíritu», en cuyo propósito contaron con el apoyo de la política oficial. Entre los encomios de los unos y los denuestos de los otros, la Conjunta se convertiría en punto inevitable de referencia durante mucho tiempo.

La sanción definitiva por parte del episcopado la recibiría en el mes de diciembre del mismo año con motivo de la XV Asamblea Plenaria, y no sin la oposición de una minoría de cinco obispos, que hicieron pública su discrepancia de fondo con las orientaciones de la Conjunta. No obstante, los votos de los obispos aprobaron ampliamente aquella Asamblea, asumiéndola «como un hecho positivo y dinámico en la vida de la Iglesia de España».

Con esta aceptación, la jerarquía española daba su paso más firme en el camino de la renovación posconciliar, aunque la aplicación práctica posterior de la Asamblea fuese débil y no siempre unánime.

10. LA «DIVISIÓN DE LOS ESPÍRITUS»

Las divergencias existentes en el seno de la comunidad eclesial española fueron acentuándose a lo largo del 72, llegándose a una peligrosa «división de los espíritus». Esas divergencias pasaban necesariamente por la interpretación y aplicación del espíritu del Vaticano II.

Aprobada en el año anterior la Asamblea Conjunta, iba a registrarse, en el comienzo del 72, el último intento por frenar su aplicación. Pocos días antes de celebrarse la XVI Asamblea Plenaria del Episcopado —del 6 al 11 de marzo—, que se proponía distribuir entre las diversas comisiones episcopales las conclusiones de la Conjunta para su realización pastoral, se difundió en España un estudio sobre su contenido que se decía proceder oficialmente de la Congregación Romana del Clero y que descalificaba doctrinal y pastoralmente muchas de las conclusiones de la Conjunta. Hasta que, tras un viaje a Roma del cardenal Tarancón, presidente provisional de la conferencia, se aclaró la verdadera identidad de este trabajo, el desconcierto en la jerarquía y en la opinión pública fue notable. Revelado su verdadero origen y autoridad, quedaba, reducido a un último y desesperado esfuerzo de la derecha eclesial española por bloquear la aplicación del concilio a través de la Conjunta.

De la XVI Asamblea Plenaria salía ratificado el valor de aquella Asamblea en un comunicado final que totalizaba 51 votos a favor y 10 en contra. Era una proporción que se mantendría en los años inmediatos en ocasión de votaciones y pronunciamientos colectivos, y que demostraba el crecimiento de la homogeneidad en el seno de la Conferencia. De una mayoría tradicionalista, se había pasado a que los partidarios de la renovación llevasen la voz cantante. En este proceso tenía especial incidencia la renovación de cargos de la Conferencia operada asimismo en el mes de marzo. Enrique y Tarancón salía elegido presidente, y sería el líder de la tendencia moderada y renovadora durante los años extraordinariamente tensos del final del franquismo. A la vicepresidencia accedía Bueno y Monreal, arzobispo de Sevilla, y Mons. Yanes, auxiliar de Oviedo, sustituía en la Secretaría a Guerra Campos, que se perfilaba, cada vez más, como el jefe de fila de la derecha clerical, con la complacencia de las jerarquías políticas. Así quedaba demostrado en su ausencia voluntaria y reiterada de las sesiones de la Conferencia y en su presencia asidua a las Cortes y exclusiva en los programas religiosos de la televisión oficial. Igualmente, en el apoyo que prestaría en solitario a las Jornadas sacerdotales Internacionales, celebradas en Zaragoza en el mes de septiembre bajo los auspicios de la Hermandad Sacerdotal. Ni Roma ni la Conferencia española respaldaron estas Jornadas. Sólo Guerra Campos, a quien el sector político y religioso, identificado con el nacionalcatolicismo, se complacía en apellidar «el obispo de España». De alguna manera, las Jornadas de septiembre en Zaragoza pretendían ser el dique frente a la liquidación de los valores tradicionales de religión y patria y a la infiltración del marxismo; objetivos que, simplista y polémicamente, se atribuían a otras Jornadas, celebradas durante el mes de julio en El Escorial bajo el título de *Fe cristiana y cambio social en América latina*, y que, efectivamente, contaban con el apoyo del sector progresista de la Iglesia española. Las divergencias intraeclesiales iban en aumento, significándose, por su radicalidad y hasta por su antijerarquismo, la derecha clerical. No en vano meses después, en la primavera del 73, el arzobispo de Tarragona Pont y Gol haría una seria advertencia al decir que, «a título de tradición y so pretexto de ortodoxia», estaba empezando a brotar en España una «Iglesia paralela».

En este panorama eclesial, más lacerado que pluralista, la jerarquía apostaba por una línea pastoral que sólo podría calificarse de moderadamente renovadora y que sólo resultaba estridente en el contexto político y social inmovilista de los últimos años del franquismo. Roma, el papa en persona, manifestó reiteradamente, a lo largo de este año su apoyo y su confianza en el episcopado español, exhortando a la comunidad católica española, con ocasión del Congreso Eucarístico Nacional, celebrado en el mes de mayo en Valencia, a «continuar ese espíritu de renovación conciliar emprendido valientemente por la Iglesia española bajo la guía sabia y segura de sus pastores».

Por su parte, el magisterio episcopal colectivo apuntaba hacia temas de notable incidencia real en la vida del país. Los obispos de Levante analizaban los aspectos positivos y negativos del turismo desde ángulos muy distintos de los que utilizaban las estadísticas oficiales. Los de la provincia tarraconense se ocupaban del pluralismo y de su importancia dentro del contexto nacional. Pero el texto de mayor envergadura doctrinal y de mayor autoridad, por ser fruto colectivo de la XVII Plenaria, celebrada entre noviembre y diciembre, fue el titulado *Orientaciones pastorales sobre el apostolado seglar*. Aunque la opinión pública (tan polémica y tan manipulada en estos años en cuestiones de Iglesia) no le dio gran importancia, bien puede considerarse como uno de los más coherentes y comprometidos del episcopado español en los últimos decenios.

11. SE BUSCA EL RESPETO DESDE LA DISTANCIA

En el terreno de las relaciones Iglesia-Estado todo siguió en su sitio, dentro de una tónica acentuada de distanciamiento y de falta de inteligencia. Los intentos de revisar el concordato estaban paralizados. En la Embajada ante la Santa Sede, el dialogante Garrigues era sustituido por Lojendio, de línea menos flexible. La provisión de sedes episcopales se hacía cada vez más problemática. El Gobierno recelaba de los nombres propuestos por la Nunciatura. Ni un solo nombramiento episcopal se produjo durante el año 72 para las sedes residenciales y sólo cuatro para obispos auxiliares, ya que en este caso no se aplicaba el trámite concordatario de la presentación. El nombramiento de Mons. Setién para auxiliar de San Sebastián resultaría particularmente conflictivo.

La Iglesia parecía caminar por rumbos de mayor independencia con respecto al Estado. Pero lo que ella entendía como recuperación de su propia libertad era interpretado como desacato y enfrentamiento. Uno de los grandes exponentes del régimen, el falangista Girón, en un discurso pronunciado en Valladolid, mantenía la tesis de una Iglesia exclusivamente cultural y espiritualista. El cardenal Tarancón, con el apoyo de la mayoría episcopal, defendía formulaciones como la de «cordialidad desde la independencia», «respeto desde la distancia» o «leal independencia y sana colaboración». En las postrimerías del año iba a producirse un roce. El vicepresidente del Gobierno, almirante Carrero Blanco, en un discurso pronunciado en diciembre ante el Consejo de Ministros, lamentaba la ingratitud de la Iglesia, recordando la cifra indiscriminada de 300 mil millones de pesetas como suma de la ayuda económica prestada a la Iglesia por el régimen de Franco.

Ante la dura reacción suscitada en los sectores jerárquicos y eclesiales por este «mazazo Carrero», como lo apellidó el diario *Pueblo*, el propio general Franco, en su tradicional mensaje de fin de año a los españoles, se encargaba de suavizar la situación. Lo cierto es que, a lo largo del año, algunos seminarios e instituciones de las diócesis consideradas como «ingratas» habían visto canceladas sus subvenciones estatales y que entre los organismos del Estado y los de la Iglesia se hacía difícil el diálogo, y a veces, imposible. Por otro lado, nuevos fenómenos, como el de las homilías multadas o el de los encierros y asambleas laborales en las iglesias, aumentaban la cuota de conflictividad. Mientras tanto, los sondeos sociológicos realizados durante el año acusaban una tendencia generalizada a la indiferencia en la fe y un aflojamiento en la práctica. La polemicidad de todo lo religioso determinaba en el pueblo un acusado desconcierto, lo que hacía pensar que uno de los problemas pastorales más urgentes al final del 72 era precisamente el de la evangelización.

12. LA IGLESIA Y LA COMUNIDAD POLÍTICA

Al comienzo del año 1973, la Iglesia española, guiada por su jerarquía, proseguía su camino renovador, ratificado en nuevos textos del magisterio colectivo y entre la contestación política y eclesial de la derecha, cada vez más crispada ante el proceso de *aggiornamento,* y la de la izquierda, que reclamaba gestos reales y desconfiaba de las declaraciones escritas.

Muy a primeros del año —en el mes de enero—, el ministro de Asuntos Exteriores Gregorio López Bravo mantuvo una entrevista con el papa Pablo VI. No por ello iban a agilizarse las conversaciones concordatarias. Antes bien, la entrevista fue particularmente tensa al pretender el ministro presentar al papa —que lo rechazó— una especie de memorial de agravios de la Iglesia española al régimen.

Poco después de esta visita —el 23 de enero— veía la luz un largo y bien preparado documento episcopal que llevaba por título *La Iglesia y la comunidad política*. Era un documento esperado y temido como ninguno en los últimos treinta y cinco años. En su texto, el episcopado español (que había contado para su publicación con 59 votos favorables, 20 contrarios y 4 abstenciones) ratificaba sus planteamientos pastorales y doctrinales posconciliares. Se pedía la renuncia del Estado a la intervención en el nombramiento de los obispos, se daba mayor importancia al respeto a la libertad religiosa de los ciudadanos que a la confesionalidad del Estado, se definía la misión de la Iglesia como fundamentalmente religiosa, pero extendiéndola también a la relación crítica y profética con el orden temporal, y se aceptaba, entre otras cosas, la pluralidad de opciones políticas desde el nombre cristiano. Tras su publicación, la opinión pública se ocupó ampliamente de este documento, mientras que caía sobre él el silencio oficial.

Otros documentos episcopales de rango colectivo, aunque menor, fueron el de los obispos andaluces, sobre *La conciencia cristiana ante la emigración,* y el de los catalanes, ratificando las aspiraciones y temores eclesiales en materia de enseñanza.

En la base eclesial hacía su aparición, también en el mes de enero, el movimiento *Cristianos para el Socialismo,* con un manifiesto firmado supuestamente en Avila. Representaba una línea eclesial crítica, divergente de la llamada «Iglesia oficial», y se proponía el acercamiento y la integración del cristianismo a las posiciones marxistas. También en línea progresiva (aunque bajo la tutela de la jerarquía) se situaba la Comisión Justicia y Paz, cuyas acciones y manifiestos, orientados fundamentalmente hacia la reclamación de los derechos humanos y sociales, resultaban inevitablemente polémicos.

En el otro extremo del arco —en la derecha— aparecía actuando con agresividad un grupo llamado Guerrilleros de Cristo Rey. En los frecuentes conflictos político-religiosos del último decenio del franquismo tendrían siempre un violento protagonismo, llegando a atacar públicamente y con impunidad a la jerarquía, y particularmente a su cabeza visible, el cardenal Tarancón.

El acontecimiento pastoral del año 73 fue el sínodo de Sevilla, primera experiencia de este tipo en el posconcilio español. Culminó en el mes de junio con la aprobación de 213 compromisos pastorales. Había supuesto una movilización general de la diócesis sevillana, cuyo ejemplo imitaron otras en los años sucesivos. En el mismo orden habría que situar las conclusiones de la XVIII Asamblea Plenaria episcopal —celebrada del 2 al 7 de julio—, dedicada al tema central de *la educación del pueblo en la fe,* y que adoptó un programa en veintiocho puntos para la promoción y renovación del ministerio de la predicación en España. La evangelización volvía a emerger como preocupación prioritaria de los obispos españoles. «La religiosidad española es sincera y positiva —había dicho el cardenal Tarancón en el discurso de apertura en esta Asamblea—, pero no está preparada para el cambio».

13.   EL CONCORDATO Y LA RECONCILIACIÓN, ATASCADOS

En el mes de noviembre ocurría, por fin, algo reseñable en el campo de las desmayadas conversaciones concordatarias: Mons. Casaroli acudía a Madrid (del 1.º al 3 de noviembre) aceptando una invitación del nuevo ministro de Asuntos Exteriores, el opusdeísta, López Rodó, que en julio se había encontrado con él durante la Conferencia para la Seguridad Europea, celebrada en Helsinki. Los sectores más sensibilizados de la Iglesia española reaccionaron vivamente contra el talante oficial que acompañó a esta visita, en la que la jerarquía española parecía marginada. Los frutos no fueron visibles, a pesar de que las declaraciones protocolarias hablaban de que quedaba ya preparada «la fase operativa para la revisión del concordato».

Días antes de la llegada de Casaroli, seis de los siete sacerdotes recluidos en la llamada «cárcel concordataria» de Zamora protagonizaron un grave episodio de protesta contra su situación de aislamiento del resto de los presos políticos e iniciaron una huelga de hambre. Otros encierros y huelgas se prodigaron en el exterior en solidaridad con ellos. El episodio más sonado fue la ocupación, durante casi veinticuatro horas, de la Nunciatura de Madrid, desde donde los encerrados (más de un centenar entre sacerdotes y laicos) divulgaron escritos pidiendo la supresión de la cárcel concordataria, la amnistía para todos los detenidos políticos y un pronunciamiento de la jerarquía en favor del respeto de determinados derechos humanos. El cardenal Jubany (Barcelona) insistió públicamente en este punto de la necesidad de una «ordenación jurídica» de los derechos humanos en España con motivo de las detenciones llevadas a cabo por la policía en el mes de noviembre en la iglesia barcelonesa de María Mediadora.

Cuando el 26 de noviembre dieron comienzo en Madrid las sesiones de la XIX Asamblea del episcopado, el clima político y eclesial era particularmente tenso. A última hora se agravaría aún más con la ocupación del seminario de Madrid por un grupo de cristianos progresistas, que pretendían forzar así un diálogo con la jerarquía sobre «algunos problemas urgentes e importantes que afectan a nuestra Iglesia». Por las mismas fechas se hablaba con insistencia de sendos procesamientos de los obispos de Bilbao (Añoveros) y Segovia (Palenzuela), que no se llevaron a efecto.

En el comunicado final de esta Asamblea se incluía la petición de indulto general con motivo del Año Santo y los obispos se pronunciaban favorablemente sobre la legalización de la objeción de conciencia en España por las mismas fechas en que el tema había sido tratado en las Cortes, y con resultado negativo. Una de las constantes de esta Plenaria fue la reconciliación, tema que en España tomaba una vigencia particular en el momento religioso y político, y que se apoyaba en la declaración hecha por el papa para toda la Iglesia del año 74 como Año Santo de la reconciliación.

El asesinato del almirante Carrero Blanco, presidente del Gobierno desde junio, ponía un triste y lamentable final al 73. Las reacciones y los enfrentamientos que se produjeron con este motivo, protagonizados algunos por los grupos religiosos más radicalizados, vinieron a confirmar la urgencia de una gran reconciliación en el seno de la convulsa sociedad española del momento.

14. EL «CASO AÑOVEROS», UN CONFLICTO GRAVÍSIMO

En la intención de la jerarquía española se abría el 74 con una clara voluntad reconciliatoria. En la práctica, y sobre todo por parte de los grupos políticos y religiosos más radicalizados, no sólo se le negaba esa voluntad, sino que se le acusaba de beligerancia. En las homilías pronunciadas con motivo del asesinato de Carrero, se escucharon elogios a las virtudes personales del presidente y condenaciones unánimes de la violencia terrorista que arreciaba en el país. La Iglesia, en su conjunto, se mostraba independiente, libre de las servidumbres de antaño.

El discurso programático del nuevo presidente Carlos Arias, pronunciado el 12 de febrero ante las Cortes, abrió un paréntesis de esperanza para la sociedad española. Fue calificado unánimemente de aperturista. En él no faltaba una alusión a la política religiosa. Arias hablaba de relaciones Iglesia-Estado en los últimos años, «innegablemente conflictivas». Se pronunciaba en este terreno favorable a «alcanzar un adecuado entendimiento a todas luces factible, sin perdernos en lo accesorio y encontrándonos en lo fundamental». Pero, al abogar por una mutua independencia entre los dos poderes, se expresaba con cierta dureza y no poca ambigüedad. «El Gobierno mantendrá —dijo— las condiciones que permitan a aquélla (la Iglesia) desempeñar sin trabas su sagrada misión y el ejercicio de su apostolado, pero rechazará con la misma firmeza cualquier interferencia en las cuestiones que, por estar enmarcadas en el horizonte temporal de la comunidad, están reservadas al juicio y decisión de la autoridad civil». La determinación —no coincidente entre los eclesiásticos y los políticos— de qué fuese y a qué alcanzase «el horizonte temporal» iba a ser el caballo de batalla de muchas tensiones.

Pero las esperanzas de evolución suscitadas por esta última etapa del franquismo quedaron pronto defraudadas en el terreno político y también en el religioso. La dialéctica terrorismo-represión crecía peligrosamente. En las iglesias de la diócesis de Bilbao se leyó el 24 de febrero una homilía, preparada bajo la responsabilidad del obispo Añoveros, que abordaba moderadamente el tema de los derechos de las minorías étnicas, y en concreto del pueblo vasco. Calificada oficialmente de «gravísimo ataque a la unidad nacional», produjo el más duro enfrentamiento entre la Iglesia y el Estado en toda la historia del régimen. Las pretensiones gubernamentales de alejar al prelado bilbaíno del país dieron al traste con la imagen pretendidamente aperturista de la etapa Arias. El conflicto Iglesia-Estado llegó a su cota más alta de acritud, temiéndose incluso una inmediata ruptura de las relaciones entre España y la Santa Sede; Mons. Añoveros contó con el apoyo de Roma y con la solidaridad del episcopado español, cuya Comisión Permanente estableció largas y trabajosas negociaciones con el Gobierno, mientras manifestaba su «fraterna y cordial comunión con Mons. Añoveros». Para entonces, y tras la muerte de Lojendio, había sido designado embajador ante el Vaticano Fernández de Valderrama.

Las conversaciones concordatarias conocieron en el año nuevas alternativas; pero, como venía siendo habitual, sin resultados concretos. En el mes de abril, Mons. Casaroli hizo una breve escala en Madrid. Más tarde —en junio— volvía a la capital española. Su interlocutor era ahora Pedro Cortina, primer ministro de Asuntos Exteriores de Arias. Las conversaciones, llevadas en una clave distinta de la que tuvieron en tiempos de López Rodó, parecían haber despejado el camino hacia la revisión bilateral del concordato. De hecho, pocos días más tarde, y mientras estaba reunida la XX Plenaria del episcopado, llegaba a Madrid Mons. Acerbi para proseguir la negociación a nivel técnico. Ya en el mes de julio, el ministro Cortina mantenía en el Vaticano las conversaciones más largas: seis días de duración. Nada cambiaría, sin embargo. Ni siquiera se daba solución al problema de la ya larga vacancia de seis sedes episcopales españolas, que parecía ser ahora el motivo más grave en el bloqueo de las conversaciones.

15. ALGUNOS TEXTOS EPISCOPALES

En el terreno del magisterio, de la acción jerárquica hay que registrar un «documento de trabajo» publicado por los obispos de la provincia tarraconense que, bajo el título de _Misterio pascual y acción liberadora,_ abordaba por primera vez las convergencias y divergencias entre el cristianismo y el socialismo de inspiración marxista. Era en Cataluña donde más arraigado parecía el movimiento cristiano para el socialismo.

La XX Asamblea Plenaria del episcopado, celebrada en julio, constataba una ligera recuperación en materia de vocaciones tras la crisis de los años anteriores y sancionaba la ortodoxia de los libros de texto para la enseñanza religiosa aprobados por el episcopado, algunos de los cuales eran acusados de heterodoxia por sectores de la prensa y del pensamiento ligados a la derecha eclesial, y en particular al Opus Dei.

Dos experiencias pastorales tuvieron lugar en el 74. La primera, la iniciación del concilio gallego, de amplias ambiciones y de no tan notables éxitos en su desarrollo posterior. La otra, la reunión —en el mes de octubre— de la Hermandad Sacerdotal, que realizó sus Jornadas en Cuenca al abrigo del obispo de aquella diócesis, Mons. Guerra Campos. Sus conclusiones se revelaban dogmáticas y politizantes y apuntaban hacia rumbos escasamente coincidentes con los que marcaba mayoritariamente la jerarquía episcopal española.

De entre los textos doctrinales del episcopado español durante el año habría que destacar el que en el mes de septiembre emitió la Comisión Episcopal de Apostolado Social sobre _La actitud cristiana ante la actual coyuntura económica._ Abundaba en el tratamiento de los aspectos éticos de la situación; ello no obstante, su enseñanza fue calificada de injerencia en lo temporal por los partidarios de una pastoral verticalista.

La vida pública eclesial concluía este año con la celebración de la XXI Asamblea Plenaria del episcopado en los primeros días del mes de diciembre. La operación asociacionista lanzada por el Gobierno (un eufemismo para evitar la denominación de partidos políticos) estaba en su apogeo. En su comunicado final, los obispos se referían a la necesaria evolución de las estructuras y al reconocimiento de los derechos civiles. No faltaba en su nota una alusión al problema de las homilías conflictivas, que durante el 74 fueron muchas y muy severamente multadas en todo el territorio nacional. Por las mismas fechas, los obispos decidían la elaboración de un texto colectivo que abordase el espinoso problema de la reconciliación nacional. Dentro de esta misma línea, la Comisión Justicia y Paz promovía una gran campaña nacional pro amnistía, en la que llegaría a recoger hasta 170.000 firmas.

Entre tanto, el 74 señalaba ya el principio del final del franquismo. En el mes de julio, el general Franco había estado gravemente enfermo, produciéndose la sustitución provisional en la Jefatura del Estado, que desempeñó, con prudente autoridad, el príncipe D. Juan Carlos de Borbón.

16. IGLESIA-ESTADO: UN DETERIORO CRECIENTE

Al entrar en el último año del franquismo, bien puede decirse que la Iglesia española lo hacía mirando hacia delante, hacia un futuro que se adivinaba cada vez más próximo. Ello significaba la acentuación de su creciente distanciamiento del régimen; operación que levantaba en algunos sectores de la sociedad sospechas y acusaciones de oportunismo, mientras que en otros grupos más identificados con el sistema era interpretado como una suerte de traición. Lo cierto es que la Iglesia, removida por la sacudida autocrítica que significaba el Vaticano II, iba desarrollando una nueva imagen. En esa lenta y difícil operación, necesariamente había de mirar más a su futura presencia en la sociedad española que no a la relación con un régimen cuya contingencia aparecía cada vez más clara. Los caminos del régimen, empeñado en su propia supervivencia como tal, y los de la Iglesia, abiertos hacia el futuro, eran necesariamente divergentes.

Siendo así, los roces y aun los choques tenían que surgir, y surgieron también a lo largo del 75. El más notable fue la supresión, en el mes de marzo, de la primera Asamblea Cristiana de Vallecas. Preparada concienzuda y democráticamente bajo la inspiración del obispo auxiliar de Madrid, Alberto Iniesta, apuntaba hacia formulaciones modernas de la vida y de la acción cristiana comunitarias en un ambiente suburbano tan caracterizado como el de la populosa barriada madrileña. Su realización chocó con la prohibición oficial. Lo mismo ocurriría más tarde —en el mes de mayo— con otra asamblea de parecido signo que venía preparándose en Canarias bajo la dirección del obispo Infantes Florido. También se encontró con la resistencia oficial, registrándose un duro cruce de notas entre las autoridades eclesiásticas y las gubernativas.

Ya para entonces, y en el curso de la XXII Asamblea Plenaria del episcopado (del 3 al 8 de mayo) el cardenal Tarancón había sido reelegido como presidente, ratificando así su liderazgo de los años anteriores y asegurándole para otro trienio, en el que seguiría confirmando su línea de independencia y de moderación. En la Secretaría de la Conferencia seguía contando con el obispo Yanes.

En el mes de abril se hacía público un documento episcopal largamente esperado. Era el titulado *La reconciliación en la Iglesia y en la sociedad*. Con él la Iglesia se sumaba desde la doctrina a la gran operación reconciliatoria, que patrocinaban a la sazón en el seno de la comunidad española cuantos se sentían preocupados por su futuro.

Esa voluntad reconciliatoria, en la que participaban también, desde su ya menos rígida clandestinidad, los grupos y partidos de la oposición, se veía dramática y sistemáticamente rota por grupos terroristas —como ETA—, que multiplicaban sus atentados (sobre todo en el País Vasco) contra las fuerzas de orden público y contra particulares por medio de robos y secuestros. Esta actividad acentuaba, como contrapartida, la represión y frenaba los tímidos tanteos de apertura política que venían intentándose. En este sentido, el otoño iba a ser particularmente caliente. En septiembre —el 18—, los obispos habían publicado una nota en torno al decreto-ley de prevención del terrorismo, que fuera aprobado el 26 de agosto del mismo año. Condenaban en ella los obispos (como lo habían hecho muchos de ellos a título personal y con ocasión de los frecuentes atentados) la violencia y pedían que una justa revisión de las normas y estructuras políticas dejara a salvo los derechos de las personas y de los grupos, propiciando una convivencia asentada sobre el pluralismo.

La conflictividad iba a alcanzar su cresta más alta de los últimos años en el mes de septiembre con motivo del proceso sumario contra un grupo de terroristas. En el interior y en el exterior surgió una poderosa corriente de petición de garantías jurídicas para los procesados y de clemencia después para los condenados. De muchos sectores de la vida nacional se alzaron voces reconciliatorias. No faltaron entre ellas la de los obispos, y tampoco la de Pablo VI, que reiteradamente intercedió de forma personal ante el jefe del Estado. A pesar de tantas voces, en la madrugada del 27 de septiembre eran ejecutados, en diversos puntos del país cinco terroristas. Pocos días después —el 1.º de octubre— era convocada por los sectores gubernamentales una gran manifestación en la plaza de Oriente que pretendía mostrar la adhesión popular al régimen y la repulsa contra el clamor internacional que las ejecuciones habían levantado.

17. Don Juan Carlos de Borbón sucede al general Franco

Sería la última aparición en público del general Franco. Pocos días después se hacía oficial su enfermedad, que, tras un proceso largo y penosísimo, le llevaría a la muerte, ocurrida en las primeras horas del 20 de noviembre. En su testamento a los españoles, leído por el presidente del Gobierno Carlos Arias, hacía profesión de su fe católica, recomendaba la unidad de la Patria y solicitaba la adhesión popular para la figura de su sucesor: el príncipe Juan Carlos de Borbón.

En las homilías pronunciadas por los obispos con ocasión de los funerales de Franco, y salvo matices de interpretación personal, la jerarquía se mostraba respetuosa con la persona y algo más crítica con el régimen; pero, sobre todo, preocupada por el futuro de la convivencia española, que habría de asentarse sobre las bases del respeto de los derechos y del pluralismo político.

Realizada ante las Cortes Españolas la proclamación de D. Juan Carlos como Rey el 22 de noviembre, tuvo lugar el día 27 un solemne acto religioso en la iglesia de San Jerónimo el Real. En el curso de la celebración eucarística, el cardenal Tarancón pronunció una homilía que tuvo en la opinión pública, nacional e internacional, un inmenso eco. En ella, la máxima jerarquía de la Iglesia recordaba a la suprema autoridad del Estado los principios éticos de un orden nuevo, los valores tradicionales del pueblo español y la voluntad de respeto, y a la vez de independencia, por parte de la Iglesia con respecto a la nueva etapa política. La revista *Ecclesia* titulaba esa semana su editorial «Una homilía para la nueva era».

Todo hacía suponer efectivamente, que por esas fechas nacía una nueva era, un nuevo capítulo en la historia de España y en la de su Iglesia.

BIBLIOGRAFIA

Por VICENTE CÁRCEL ORTÍ Y JOAQUÍN L. ORTEGA

A) ESTUDIOS SOBRE EL RÉGIMEN DEL GENERAL FRANCO (1939-75)

J. M. ARMERO, *La política exterior de Franco* (Barcelona, Planeta, 1977).

M. AZNAR, *Franco* (Madrid, Ed. Prensa Española, 1975).

J. BENEYTO, *El nuevo Estado español* (Madrid-Cádiz, Biblioteca Nueva, 1939).

R. DE LA CIERVA, *Historia del franquismo. Orígenes y configuración (1939-1945)* (Barcelona, Planeta, 1975); ID., *Aislamiento, transformación, agonía (1945-1975)* (Barcelona, Planeta, 1978).

F. J. CONDE, *Representación política y régimen español* (Madrid, Subsecretaría de Educación Popular, 1945).

J. DE ESTEBAN y L. LÓPEZ GUERRA, *La crisis del Estado franquista* (Barcelona, Labor, 1977).

R. FERNÁNDEZ CARVAJAL, *La Constitución española* (Madrid, Ed. Nacional, 1969).

M. GALLO, *Histoire de l'Espagne franquiste*. Vol.1: «De la prise du pouvoir a 1950»; vol.2: «De 1952 à aujourd'hui» (París, Marabout, 1969; 2.ª ed. ibid., 1976).

J. GARCÍA FERNÁNDEZ, *El régimen de Franco. Un análisis político* (Madrid, Akal, 1976).

R. GARRIGA ALEMANY, *La España de Franco* (Madrid, G. del Toro, 1977), 2 vols.

J. GEORGEL, *Le franquisme: histoire et bilan. 1939-1969* (París, Éd. du Seuil, 1970).

G. JACKSON, *L'epoca di Franco in prospettiva storica:* Rivista storica italiana 88 (Nápoles 1976) 283-306.

I. M. DE LOJENDIO, *Régimen político del Estado español* (Barcelona, Bosch, 1942).

A. DE MIGUEL, *Sociología del franquismo* (Madrid, Grijalbo, 1978).

P. PRESTON, *Spain in crisis. The evolution and decline of the Franco regime* (New York, Barnes et Noble, 1976).

M. RAMÍREZ, *España 1939-1975 (Régimen político e ideología)* (Madrid, Guadarrama, 1978).

R. A. H. ROBINSON, *Los orígenes de la España de Franco* (Madrid, Grijalbo, 1978).

R. TAMAMES, *La República. La era de Franco* (Madrid, Alianza-Alfaguara, 1973) (= Historia de España Alfaguara: 7).

B) IGLESIA-ESTADO

I. Ensayos de conjunto sobre la Iglesia española (1939-75)

A. ALVAREZ BOLADO, *El experimento del Nacionalcatolicismo. 1939-1975* (Madrid, Cuadernos para el Diálogo, 1976).

V. M. ARBELOA, *Aquella España católica* (Salamanca, Sígueme, 1975).

—*Cambio social y religión en España* (Barcelona, Fontanella).

P. CANTERO CUADRADO, *La hora católica de España* (Madrid 1942).

J. CHAO REGO, *La Iglesia en el franquismo* (Madrid, Felmas, 1976).

J. M. DÍAZ MOZAZ, *La Iglesia de España en la encrucijada* (Madrid 1973).

R. DUOCASTELLA, *Análisis sociológico del catolicismo español* (Barcelona 1967).

M. FERNÁNDEZ AREAL, *La política católica en España* (Barcelona 1970).

F. GIL DELGADO, *Conflicto Iglesia-Estado (España 1808-1975)* (Madrid, Sedmayz, 1975).

R. GÓMEZ PÉREZ, *Política y religión en el régimen de Franco* (Barcelona 1976).

C. MARTÍ, *Datos para un estudio sobre la Iglesia en la sociedad española a partir de 1939:* Pastoral Misionera (1972) marzo-abril.

U. MASSIMO MIOZZI, *Storia della Chiesa Spagnola (1931-1966)* (Roma, Ist. Ed. Mediterráneo, 1967).

J. F. NODINOT, *L'Église et le pouvoir en Espagne* (París, Libr. Techniques, 1973).

A. L. ORENSANZ. *Religiosidad popular española (1940-1965)* (Madrid 1974).

JOAQUÍN L. ORTEGA, *La España del posconcilio:* Vida Nueva n.1.000 (11-10-75) p.61-72.

A. PALENZUELA, *Meditación urgente sobre la Iglesia en España* (Madrid 1972).

S. PETSCHEN, *La Iglesia en la España de Franco* (Madrid 1977).

J. J. RUIZ RICO, *El papel político de la Iglesia católica en la España de Franco* (Madrid, Tecnos, 1977).

VARIOS, *Iglesia y Sociedad en España, 1939-1975* (Madrid, Popular, 1977).

—*Iglesia-Estado en el franquismo:* Historia 16 n.9 (enero 1977) p.71-99.

—*Homilías de los obispos españoles en los funerales del Jefe del Estado, Francisco Franco:* Ecclesia, n.1.772 (3-10 enero 1976) p.32-53.

J. M. VÁZQUEZ - F. MEDÍN - L. MÉNDEZ, *La Iglesia española contemporánea* (Madrid 1973).

II. Estudios sobre aspectos parciales de las relaciones Iglesia-Estado (1939-1975)

P. ABAD, *Spannungen zwischen Kirche und Staat in Spanien:* Orientierung 37 (Zürich 1974) 34-36.

M. ALCALÁ, *Iglesia-Estado, España 1974-75:* Revista de Fomento Social 30 (1975) 59-67.

F. AMOVERI, *Stato cattolico e Chiesa fascista in Spagna. Analisi critiche ed esperienze alternative* (Milano, Celuc, 1973).

—*Il carcere Vaticano. Chiesa e fascismo in Spagna* (Milano, Mazzotta, 1975).

M. ARCONADA, *España y el Vaticano:* Religión y Cultura 10 (1965) 443-452.

C. FLORISTÁN, *Tendencias pastorales en la Iglesia española:* Teología y Mundo Contemporáneo. Homenaje a K. Rahner en su 70 cumpleaños. Ed. por A. Vargas Machuca (Madrid, Cristiandad, 1975) p.491-512.

A. DE FUENTMAYOR, *Estado y religión (El artículo 6.º del Fuero de los españoles):* Rev. de Estudios Políticos 152 (1967) 99-120.

N. GONZÁLEZ, *El nuncio Riberi y la Nunciatura:* Razón y Fe 176 (1967) 109-16.

J. GONZÁLEZ ANLEO, *La Iglesia española en 1970* en *España: perspectiva 1972* (Madrid, Guadiana, 1971).

F. GUTIÉRREZ, *Curas represaliados bajo el franquismo* (Madrid, Akal, 1977).

A. DE LA HERA, *Iglesia y Estado en España (1953-1974):* Études de droit et d'histoire. Mélanges Mgr. H. Wagnon (Lovaina, Biblioth. Centrale de l'U.C.L., 1976) p.183-211.

—*Kirche und Staat in Spanien (1953-1974):* Österreichisches Archiv für Kirchenrecht (Viena) 27 p.107-32.

—*Las relaciones entre la Iglesia y el Estado en España (1953-1974):* Rev. de Estudios Políticos 211 (1977) 5-33.

G. HERMET, *Les rôles politiques de L'Église dans l'Espagne franquiste (1939-1969):* Mélanges offerts à Charles Vincent Aubrun. Éd. por H. V. Sephiha (París, Éd. Hispaniques, 1975) I p.361-74.

J. IRIBARREN, *La Iglesia y el franquismo en la posguerra. «Ecclesia» y el cardenal Pla y Deniel:* Razón y Fe 951 (1977) 426-37.

L. KAUFMANN, *Die Kirche im spanischen «Übergang»:* Orientierung (Zürich) 39 (1975) 238-240.

P. LOMBARDIA, *Chiesa e Stato nella Spagna odierna:* Il Diritto Ecclesiastico 84 (Roma 1973) 1, 133-153.

F. MARGIOTTA BROGLIO, *Chiesa e Stato in Spagna. La missione Casaroli:* Nuova Antologia 521 (Roma 1974) 186-94.

I. MARTÍN, *Estado y religión en la vigente Constitución española:* Lex Ecclesiae. Estudios en honor de Marcelino Cabreros de Anta (Salamanca, Univ. Pont., 1972) p.563-87.

E. MIRET MAGDALENA, *Panorama religioso,* en *España: perspectiva 1968* (Madrid, Guadiana, 1969).

— *Un año confuso de Iglesia:* ibid., 1970 (Madrid 1970).

— *Iglesia:* ibid., 1969 (Madrid 1970).

M. PÉREZ, *Tensiones entre l'Église et l'État en Espagne:* Études 338 (1973) 425-34.

M. PÉREZ, *Surcroît de tensions entre l'Église et l'État en Espagne:* Études 340 (1974) 267-77.

V. PORTELA, *Igreja de Espanha:* Brotéria (Lisboa) 98 (1974) 392-410.

J. PUENTE EGIDO, *El Nacional-catolicismo como desviación del catolicismo:* Iglesia Viva n.30 (nov.-dic. 1970) p.479-496.

H. G. RÖTZER, *Nicht mehr päpstlicher als der Papst. Kirche und Staat in Spanien nach dem Konzil:* Wort und Wahrheit 21 (Viena 1966) 547-54.

G. RULLI, *Alcuni documenti sul «caso Añoveros»:* La Civiltà Cattolica 125 (1974) 2,185-96.

U. SIMINI, *Franco e il catolicesimo. Pio XII benedice la Spagna e il suo capo:* Idea 31 (Roma 1975) 41-43.

G. SPADOLINI, *Chiesa e Stato in Spagna. Dopo le condanne franchiste:* Nuova Antologia (Roma) 159-64.

J. SOTO DE GANGOITI, *Relaciones de la Iglesia católica y del Estado español* (Madrid 1940).

— *La Santa Sede y la Iglesia católica en España* (Madrid 1942).

B. SORGE, *Spagna: La Chiesa di fronte allo Stato:* ibid., 124 (1973) 1,500-10.

A. TARDÍO BERZOCANA, *Relaciones del Estado español con la Iglesia a la luz del concilio Vaticano II:* Revista de Estudios Políticos 178 (1971) 147-73.

La tensión entre l'Église et l'État en Espagne. L'affaire du diocèse de Bilbao (dossier): La Documentation Catholique 71 (1974) 330-35.

Une affaire de l'après-concile. Le Vatican et la Catalogne. La nomination de Mg. González Martín à l'Archevêché de Barcelone - Una qüestiò del post-Concili. El Vaticà Catalunya... (Genève, Ed. de Docum. Catalane, 1967).

Le Vatican et la Catalogne. Le problème de la nomination des évêques dans l'Église d'aujourd'hui, 2.ª ed. bilingüe francesa-catalana (París, Éd. Catalanes, 1971).

M. VILLAR ARREGUI, *Los católicos, la jerarquía y el Estado en España en el segundo tercio del siglo XX:* Hechos y Dichos 47 (1970) 126-52.

F. URBINA, *Ter inleiding: de situatie van de Kerk in Spanje:* Collationes (Gante-Brujas 1973) 405-14.

III. Convenios preconcordatarios

1. Convenio de 1941

R. SÁNCHEZ LAMADRID, *El convenio entre el Gobierno español y la Santa Sede:* Boletín de la Universidad de Granada 13 (1941) 371-85.

A. MARQUINA, *El primer acuerdo del nuevo Estado español y la Santa Sede:* Razón y Fe 197 (1978) n.961 p.132-49.

2. Convenios de 1946

L. PÉREZ MIER, *Convenio entre la Santa Sede y el Gobierno español para la provi-*

sión de beneficios no consistoriales: Revista Española de Derecho Canónico 1 (1946) 723-75.

L. PÉREZ MIER, *El convenio español sobre seminarios y universidades de estudios eclesiásticos:* ibid., 2 (1947) 87-152.

3. Convenio de 1950

M. GARCÍA CASTRO, *El convenio entre la Santa Sede y el Gobierno español sobre la jurisdicción castrense y asistencia espiritual a las fuerzas armadas:* ibid., 5 (1950) 1101-71; 6 (1951) 265-301.695-771.

L. PÉREZ MIER, *El servicio militar del clero y el convenio español de 5 de agosto de 1950:* ibid., 6 (1951) 1063-94.

IV. Concordato de 1953

1. Estudios generales

S. ALVAREZ MENÉNDEZ, *El concordato español de 1853:* Angelicum 41 (1964) 63-86.

E. CIERCO, *Concordato, legislación española y concilio:* Hechos y Dichos 43 (1966) 730-41.823-35.

C. CORRAL, *El concordato español ante los concordatos vigentes:* Razón y Fe 183 (1971) 601-24; 184 (1971) 99-120.

E. FERNÁNDEZ REGATILLO, *El concordato español de 1953* (Santander, Sal Terrae, 1961) (= Bibliotheca Comillensis).

—*Los veinte años del concordato:* Revista Española de Derecho Canónico 29 (1973) 479-89.

E. FOGLIASSO, *El nuevo concordato español y el Derecho público eclesiástico:* ibid., 9 (1954) 43-63.

J. GORRICHO, *El concordato español de 1953. Notas para su historia:* Lumen 23 (1974) 3-26.

N. JUBANY ARNAU, *La función profética de la Iglesia y los concordatos. Reflexiones en torno a los artículos 2 y 24 del concordato español de 1953:* Asociac. Española de Canonistas. Recepción del socio de honor E. Fernández Regatillo (Madrid 1971), p.16-21. Publicado también en *Ecclesia* 32 (1972) 19-36.

J. LÓPEZ DE PRADO, *Actual valor jurídico del concordato español:* Estudios Eclesiásticos 49 (1974) 425-81.

I. MARTÍN MARTÍNEZ, *Concordato de 1953 entre España y la Santa Sede. Texto y comentarios* (Madrid, Fac. de Derecho, 1961).

H. PACIOS, *Trayectoria de un concordato:* Colligite 65 (1971) 50-88.

L. PÉREZ MIER, *El concordato español de 1953. Significación y caracteres:* Rev. Esp. de Derecho Canónico 9 (1954) 7-41.

J. RUIZ GIMÉNEZ, *Historia de las negociaciones:* ibid., 8 (1953) 847-51.

El concordato de 1953 (Madrid 1956). Recoge las conferencias sobre este tema que tuvieron lugar en la Universidad de Madrid durante el curso 1953-54.

2. Aspectos parciales

a) *Bienes y entes eclesiásticos*

A. ARZA ARTEAGA, *Los bienes eclesiásticos en el concordato español de 1953:* Revista de la Universidad de Madrid 61-64 (1967) 233-34.

—*Privilegios económicos de la Iglesia española. Los bienes eclesiásticos en el concordato español de 1953* (Bilbao, Univ. de Deusto, 1973).

T. GARCÍA BARBERENA, *Las iglesias de propiedad privada y el artículo 4.° del concordato:* Anales de Derecho Civil 18 (1965) 823-52.

C. I. MARTÍN SÁNCHEZ, *Notas sobre la personalidad de los entes eclesiásticos en el Derecho español:* Revista de Estudios Políticos 185 (1972) 209-49.

A. MARTÍNEZ ALEGRÍA, *La parroquia de Valcarlos y el nuevo concordato español:* Rev. Esp. de Derecho Canónico 9 (1954) 203-208.

D. PEÑA JORDÁN, *El régimen jurídico de los entes eclesiásticos en España (conside-*

raciones en torno al artículo 4.º del concordato español de 1953): Revista de la Facultad de Derecho de la Universidad de Madrid 5 (1961) 647-49.

b) *Educación y enseñanza*

A. BLANCO MARTÍNEZ, *La conexión de los ordenamientos canónico y estatal español en materia de enseñanza:* Rev. Esp. de Derecho Canónico 28 (1972) 29.57.

E. HERNÁNDEZ SOLA, *La enseñanza religiosa y el concordato:* Sal Terrae 59 (Santander 1971) 223-33.

I. MARTÍN, *La educación en el concordato español de 1953:* Studi giuridici in memoria di F. Vassalli (Torino, U.T.E.T., 1960) p.1063-88.

A. MARTÍNEZ BLANCO, *Eficacia civil de los estudios y títulos en centros de la Iglesia. Principios doctrinales y concordatarios:* Rev. Esp. de Derecho Canónico 29 (1973) 67-107.

I. SANTOS, *Evolución del régimen docente concordatario en España:* Ius canonicum 29 (1975) 311-30.

c) *Matrimonio*

F. ESCUDERO ESCORZA, *Matrimonio de acatólicos en España* (Vitoria, Eset, 1964) (= Victoriensia: 17).

A. DE FUENMAYOR, *El matrimonio y el concordato español:* Ius canonicum 3 (1963) 251-418.

J. M. LÓPEZ NIÑO, *Los sistemas matrimoniales en el Derecho concordatario* (Madrid, Caja de Ahorros, 1971).

M. LÓPEZ ALARCÓN, *Iglesia, Estado y matrimonio: actuales tendencias sobre atribuciones jurisdiccionales:* Anales de la Universidad de Murcia. Derecho 26 (1967-68) 59-82.

—*Los procesos canónicos en el concordato español:* ibid., 30 (1971-72) 371-419.

R. NAVARRO VALLS, *Divorcio: orden público y matrimonio canónico (eficacia en España de las sentencias extranjeras de divorcio)* (Madrid, Montecorvo, 1972).

d) *Privilegios y exenciones*

C. DE DIEGO-LORA, *Ámbito de las jurisdicciones eclesiástica y civil en el concordato español de 1953:* Ius canonicum 3 (1963) 507-677.

C. I. MARTÍN SÁNCHEZ, *El «privilegio del fuero» en el actual concordato español:* Sal Terrae 59 (Santander 1971) 340-57.

A. PÉREZ HERNÁNDEZ, *Exenciones tributarias en el concordato de 1953:* Ius canonicum 3 (1963) 419-506.

A. SANJUÁN, *Privilegios y Concordato:* Sal Terrae 9 (1971) 184-93.

J. TOMÉ PAULE, *Intervención procesal de los clérigos y religiosos:* Revista General de Legislación y Jurisprudencia 219 (1965) 575-614.

V. Convenios y acuerdos posconcordatarios

1. *Convenio de 1962*

L. MALDONADO Y FERNÁNDEZ DEL TORCO, *El convenio de 5 de abril de 1962 sobre el reconocimiento, a efectos civiles, de los estudios de ciencias no eclesiásticas realizados en España en universidades de la Iglesia:* Rev. Española de Derecho Canónico 18 (1963) 137-88.

A. DE FUENMAYOR, *El convenio entre la Santa Sede y España sobre universidades de estudios civiles* (Pamplona, Eunsa, 1966) (= Colección Canónica de la Universidad de Navarra: 12).

2. *Acuerdo de 1976*

P. V. AIMONE-BRAIDA, *Partecipazione del potere civile nella nomina dei Vescovi in accordi conclusi dalla Santa Sede con i governi civili fra il 1965 e il 1976:* Apollinaris 50 (1977) 572-86.

A. BENLLOCH POVEDA, *Conventio inter Sanctam Sedem et Hispanam Nationem (Adnotationes):* Apollinaris 49 (1976) 331-40.

C. CORRAL, *La vía española de los convenios específicos:* Estudios Eclesiásticos 52 (1977) 165-95.

L. DE ECHEVERRÍA, *La recíproca renuncia de la Iglesia y del Estado de los privilegios del fuero y de presentación de obispos:* Estudios Eclesiásticos 52 (1977) 197-221.

—*El convenio español sobre nombramiento de obispos y privilegio del Fuero:* Revista Española de Derecho Canónico 33 (1977) 89-140.

A. DE LA HERA, *Comentario al acuerdo entre la Santa Sede y el Estado español de 28 de julio de 1976:* Ius Canonicum 16 (1976) 153-63.

—*El acuerdo entre la Santa Sede y el Estado español de 28 de julio de 1976:* Ex equo et bono. Festschrift W. M. Plöchl (Innsbruck 1977) p.545-57.

I. RIBEIRO, *A Igreja em Espanha e a mudança política:* Brotéria 103 (Lisboa 1976) 518-42.

VI. Revisión del concordato

J. CALVO, *Concordato y acuerdos parciales: Política y Derecho* (Pamplona, Eunsa, 1977).

C. CORRAL SALVADOR, *El concordato español ante su reforma:* Razón y Fe 179 (1969) 131-52.

—*El concordato español de 1953, en revisión:* Sal Terrae 57 (1969) 83-98.

—*El privilegio español de presentación, en revisión:* ibid., 57 (1969) 179-89.

EQUIPO «VIDA NUEVA», *Todo sobre el concordato* (Madrid 1971).

Konkordatsreform in Spanien: Langsame Fortschritte: Herder-Korrespondenz 28 (Freiburg Br. 1974) 384-86.

J. MAESTRE ROSA, *Los nombramientos episcopales y las circunscripciones eclesiásticas dentro de la problemática que plantea la revisión del concordato español de 1953:* Revista de Estudios Políticos 191 (1973) 171-92.

I. MARTÍN, *Libertad de la Iglesia y concordatos. Reflexiones sobre la reforma del concordato español de 1953:* Rev. de la Fac. de Derecho de la Univ. de Madrid 14 (1970) 7-36.

—*La revisión del concordato de 1953 en la perspectiva del episcopado español* (Madrid, Fundac. Univ. Española, 1974).

J. M. PERO-SANZ, *Un nuevo concordato para España:* Nuestro Tiempo 31 (1969) 152-61.

G. C. SPATINI, *Le relazioni concordatarie in Spagna dal 1931 al 1976 ed i concordati negli ordinamenti democratici e totalitari in una tavola rotonda dell'Università di Parma:* Il Diritto Ecclesiastico (Roma) (1976) 1,317-28.

Relaciones Iglesia y comunidad política, n.2-3 de la revista Salmanticensis 21 (1974).

La Iglesia en España sin Concordato. Una hipótesis de trabajo. Ponencias de las I Jornadas de Reflexión de Profesores, organizadas por la Univ. Pont. de Comillas - Fac. de Derecho Canónico. Madrid 22-24 enero 1976 (Madrid, Eapsa, 1976) (= Publicaciones de la Univ. Pont. de Comillas. Madrid. Serie I, 11).

Revista «Miscelánea Comillas» 35 (1977) n.66 (varios artículos).

VII. Libertad religiosa

C. CORRAL SALVADOR, *La ley española de libertad religiosa ante el derecho comparado de Europa occidental:* Revista Española de Derecho Canónico 22 (1967) 623-64.

E. GUERRERO-J. M. ALONSO, *Libertad religiosa en España. Principios, hechos, problemas* (Madrid, Fe católica, 1962).

J. LÓPEZ DE PRADO, *Recepción de la libertad religiosa en el ordenamiento jurídico español:* Revista Española de Derecho Canónico 22 (1967) 555-621.

I. MARTÍN, *La libertad religiosa en la Ley orgánica del Estado:* Revista de Estudios Políticos 182 (1972) 181-11.

J. SABATER Y MARCH, *Estado católico y libertad religiosa en España:* Arbor 80 (1971) 61-73.

VIII.   **Temas varios**

Asamblea conjunta obispos-sacerdotes. Historia de la Asamblea. Discursos. Texto íntegro de todas las ponencias. Proposiciones. Conclusiones. Apéndices. Edición preparada por el Secretariado Nacional del Clero (Madrid 1971) (= BAC: 328).

D. BENAVIDES, *El fracaso social del catolicismo español (1870-1951)* (Barcelona 1973).

A. BERNÁRDEZ CANTÓN, *Legislación eclesiástica del Estado* (Madrid 1965). Recoge textos legales desde 1938 hasta 1964.

J. CASTAÑO COLOMER, *La JOC en España (1946-1970)* (Salamanca, Sígueme, 1977).

J. CAZORLA PÉREZ, *Las relaciones entre los sistemas eclesial, social y político en la España contemporánea. Un esquema interpretativo,* en *La España de los años setenta,* dirigida por M. Fraga, J. Velardo y S. del Campo (Madrid 1972) III-1 p.383ss.

J. M. DE CÓRDOBA, *Notas para una posible historia de la AC española:* Pastoral Misionera 6 (1969) 681-688.

F. FRANCO-SALGADO ARAÚJO, *Mis conversaciones privadas con Franco* (Barcelona 1976); *Mi vida junto a Franco* (Barcelona, Planeta, 1977).

J. N. GARCÍA NIETO, *El sindicalismo cristiano en España* (Bilbao, El Mensajero, 1960).

R. GARRIGA, *El cardenal Segura y el Nacional-catolicismo* (Barcelona 1977).

J. IRIBARREN, *Documentos colectivos del episcopado español. 1870-1974* (Madrid 1974).

I. MARTÍN, *Panorama del regalismo español hasta el vigente concordato de 1953:* Revista de la Fac. de Derecho de la Univ. de Madrid 5 (1961) 279-303.

A. MARTÍNEZ BLANCO, *Estatuto civil y concordato del patrimonio artístico y documental de la Iglesia:* Anales de la Univ. de Murcia. Derecho 30 (1971-72) 221-54.

P. SAINZ RODRÍGUEZ, *Testimonio y recuerdos* (Barcelona, Planeta, 1978).

L. SÁNCHEZ PORTERO, *Jurisprudencia estatal en materia eclesiástica* (Madrid, Montecorvo, 1968).

R. SERRANO SÚÑER, *Entre el silencio y la propaganda. La Historia como fue* (Barcelona, Planeta, 1977).

X. TUSELL, *La oposición democrática al franquismo. 1939-1962* (Barcelona, Planeta, 1977).

F. URBINA, *Historia de la AC desde 1939 hasta nuestros días:* Pastoral Misionera 10 (1972) 269-363.

—*Reflexión histórico-teológica sobre los movimientos especializados de Acción Católica:* Pastoral Misionera.

APÉNDICE II

DOCUMENTOS

DOCUMENTO I

CONVENIO ENTRE GREGORIO XVI E ISABEL II (27 abril 1845)

(FUENTE: *Mercati,* I p.795-99.)

CONVENTIO inter Ssmum. Dominum Gregorium XVI, Summum Pontificem, et Maiestatem Suam Isabellam II, Hispaniarum Reginam Catholicam.

In nomine Sanctissimae Trinitatis. Sanctitas Sua Summus Pontifex Gregorius XVI, et Maiestas Sua Isabella II, Hispaniarum Regina Catholica in suos respective Plenipotentiarios nominarunt:

Sanctitas Sua, Emmum. Dominum Aloisium, S.R.E. Card. Lambinschini, Episcopum Sabinensem, suum a Secretis Status;

Et Maiestas Sua, Excellentissimum Dominum Josephum del Castillo y Ayensa, Regii Ordinis Caroli III Equitem, nec non Americani Ordinis Isabellae Catholicae, et in Galliarum Ordine Legionis Honoratorum Commendatorem, suum Consiliarium.

Qui post sibi mutuo tradita respectivae plenipotentiae instrumenta, de iis quae sequuntur convenerunt.

Articulus 1. Religio Catholica Apostolica Romana esse pergit Religio totius Hispanicae Nationis, excluso prorsus in ditione Catholicae Majestatis suae quocumque alio cultu.

Art. 2. Cum plura in Hispanicis dominiis territoria sint ab Episcoporum iurisdictione plus minus exempta eorumque nonnulla ad Monasteria pertineant, seu ad collegia quaelibet, vel Dignitates in novissimis publicarum rerum perturbationibus facto ipso sublatas, Summus Pontifex illorum curam commendabit Episcopis suarum vel proximarum Dioecesium, vel respectivae provintiae Archiepiscopo, vel aliis Ecclesiasticis viris, donec collatis cum Regia Sua Maiestate consiliis, deliberabitur de antiquo illorum regimine instaurando, vel de iisdem propriae seu finitimae Dioecesi adiugendis aut stabili alia ratione ordinandis. Atque ad Dioeceses quidem quod attinet, earumque vacantes, provisione interim non retardata, Majestati Suae consilium est postulare a Summo Pontifice novam illarum circumscriptionem; in qua scilicet Episcopatuum numero aucto potius quam inminuto eorundem fines ad spiritualem fidelium utilitatem opportunius disponantur.

Art. 3. Seminaria Ecclesiastica, si desint in aliquibus Dioecesibus, sine mora fundentur, ut nulla postmodum in Hispaniae ditione Ecclesia sit, quae unum saltem seminarium non habeat, quod sui cleri educationi sufficiat. In Seminariis admittentur, atque ad normam sacri Concilii Tridentini informabuntur atque instituentur, pueri et adolescentes, quos Archiepiscopi et Episcopi, pro necessitate vel utilitate Dioecesium, in eadem recipiendos iudicaverint. Horum Seminariorum ordinatio, doctrina, gubernatio, administratio ad ipsos locorum Ordinarios pleno jure pertinebit juxta canonicas sanctiones.

Art. 4. Et quoniam Sacrorum eorundem Antistitum munus est doctrinae fidei et morum, ac religiosae juvenum educationi vigilare in hujus muneris exercitio etiam circa scholas publicas nullo modo impedientur. Eosdem pertinet ut libros a Sede Apostolica proscriptos, et alios quos episcopi ipsi impios, vel Religioni bonisque moribus noxios iudicaverint, e fidelium manibus evellere ad sacrorum canonum tramites studeant.

Art. 5. Insuper Archiepiscopis et Episcopis pro suo pastorali munere liberum erit:

Vicarios, consiliarios, et adiutores administrationis suae constituere Ecclesiasticos viros, quos ad praedicta officia idoneos iudicaverint; ad statum clericalem assumere, atque ad Ordines etiam maiores, servatis canonum praescriptionibus, promovere quos necessarios aut utiles suis dioecesibus iudicaverint; et e contrario quos indignos aut inhabiles censuerint, a susceptione Ordinum arcere.

Item in eos, qui reprehensione digni fuerint, facultatibus uti quae in sacris canonibus et in sancta praesertim tridentina Synodo continentur.

Causas ecclesiasticas ad forum suum spectantes cognoscere, ac de iis sententiam ferre. Causae autem maiores ad Summum Pontificem pertinent. In reliquis etiam liberum est appellare iuxta canonum statuta ad Sanctam Sedem. Ceterum firma in omnibus erunt quae circa causas ad Nuntiaturam Apostolicam, atque ad Tribunal Rotae in ea Matriti constitutum deferendas a Clemente XIV statuta sunt in Apostolicis Litteris datis sub Annulo Piscatoris die vigesima sexta Martii anni millesimi septingentesimi septuagesimi primi.

Praescribere vel indicere preces publicas, aliaque pia opera, cum id pro Ecclesiae bono, vel publicae rei utilitate congruum iudicaverint.

Cum clero et Populo Dioecesano pro munere officii pastoralis communicare, visitare Dioecesim; et suas instructiones et ordinationes de rebus ecclesiasticis libere publicare; praeterea Episcoporum, cleri et Populi communicatio cum Sancta Sede in rebus spiritualibus, et negotiis ecclesiasticis libera erit.

In Beneficiorum collationibus praeter alias Ecclesiasticae Disciplinae regulas servanda erunt, quae conventa sunt inter Summum Pontificem Benedictum XIV et Catholicum Regem Ferdinandum VI die undecima Ianuarii anno millesimo septingentesimo quinquagesimo tertio, quae quidem Conventio tum in hac re, tum in reliquis suis partibus confirmata declaratur. Semper autem Episcopis liberum erit collationem suam canonicam ad Beneficia et institutionem iis denegare, quos indignos aut inhabiles iudicaverint.

Ac generatim Archiepiscopi et Episcopi plena pro iure suo libertate utentur in iis omnibus peragendis, quae sive ex declaratione sive ex dispositione sacrorum canonum, secundum praesentem et a Sancta Sede approbatam Ecclesiae disciplinam, ad pastorale illorum officium pertinent.

Art. 6. Iuxta haec, Maiestas Sua haudquaquam patietur, ut iidem Antistites aliique sacri Ministri in sui muneris functione impediantur seu ob sacri Ministerii opera a quoquam quovis obtentu vexentur; imo vero providebit, ut iisdem debitus iuxta divina mandata honor servetur, nec quidquam fiat quod dedecus ipsis afferre, aut eos in contemptum adducere possit, atque adeo iubebit ut in quacumque occasione ab omnibus Regni Magistratibus peculiari reverentia eorum dignitati debita cum ipsis agatur. Aderit etiam Reginae Maiestas potenti patrocinio suo Episcopis illud pro re nata postulantibus, maxime autem ubi improbitati obsistendum sit hominum, qui fidelium mentes pervertere, vel eorum mores corrumpere conentur, aut divulgatio pravorum noxiorumque librorum impedienda sit.

Art. 7. Omnia quae nunc stant, sanctimonialium coenobia, uti et pauca illa quae supersunt in Hispaniae dominiis Coenobia Virorum conservabuntur. Insuper Maiestas Sua, utilitates considerans, quas Ecclesiae Hispaniarum suaeque Ditionis populus a Religiosis Ordinibus perceperunt, et promptam suam erga sanctam sedem voluntatem ostendere desiderans, alia etiam pro loco et tempore Religiosorum Coenobia inito cum Apostolica ipsa Sede consilio cum dotatione congrua instaurari curabit.

Art. 8. Bona Ecclesiastica cuiusque generis quaecumque post venditiones in praeteriti temporis calamitate ex latarum tum civilium legum praescripto peractas superfuerunt, sive scilicet ad Saecularem Clerum, sive ad Regulares, sive ad alias pias causas pertineant Ecclesiae restituuntur. Horum bonorum procuratio (iis tamen exceptis, quae a Regio Gubernio peculiaribus Ecclesiis seu Beneficiis, piisque aliis Institutis, quorum propria sunt, iam reddita fuerint), tribus selectissimis viris Ecclesiasticis a Summo Pontifice, collatis consiliis cum Catholica Maiestate sua, deputandis interius committetur, qui illa fideliter administrabunt donec modo debito applicentur. Nimirum ad bona quod attinet pertinentia ad Clerum Saecularem, seu ad Instituta quaelibet adhuc extantia curabunt deputati praedicti ut illa quam primum dite fieri potest, eisdem restituant.

Quum vero ad multarum Ecclesiarum viduitatem, aliorumque Beneficiorum vacationem, seu alias ob causas fieri possit, ut quibusdam in casibus restitutionem huiusmodi perficere in praesens non expediat; hinc Deputatis ipsis jus erit retinere in sua administratione hisce in casibus respectiva bona, donec restitui commode valeant; vel in ecclesiasticos alios usus, impetrata a Sede Apostolica auctoritate, destinentur. Bonorum vero ad sublata Religiosorum Coenobia, aut ad alia quae non extent, Instituta spectantium procuratio remanebit penes eosdem Deputatos, donec a Summo Pontifice, collatis cum Majestate Sua consiliis, de illorum applicatione decernatur.

Art. 9. Ad reparandas, quoad fieri possit, jacturas, quas Hispaniarum Ecclesiae in temporalibus suis iuribus novissimi temporis calamitate passa sunt, dabuntur illis sine mora a Catholica Majestate Sua novi proventus, ad divini scilicet cultus impensas, ac Sacrorum Praesulum, Capitulorum, Parochorum, Seminariorum, Clerique universi sustentationem atque ad pios alios et ecclesiasticos usus perpetuo iure destinandi. Qua super re inter Summum Pontificem, et Maiestatem Suam convenit, ut Sacrorum Ministri haudquaquam in conditione ponantur Magistratuum seu Officialium publico stipendio fruentium, sed Hispaniarum Ecclesiis ad praedictos usus ea omnino dos tribuatur, quam Sanctitas Sua uti tutam, iustam et congruam decentemque ac plane liberam seu independentem iudicare ac probare valeat. In hac autem dotatione ratio etiam habenda erit quinquaginta duarum Dignitatum seu Beneficiorum, quae supradicta inter Benedictum XIV et Ferdinandum VI Conventione ad collationem Sedis Apostolicae reservata sunt.

Art. 10. Ecclesia insuper jus habebit novas justo quocumque titulo acquirendi possessiones; eiusque proprietas in omnibus quae possidet, vel in posterum acquiret, sacra et inviolabilis erit. Ecclesiasticarum vero quarumcumque fundationem nulla vel suppressio vel unio fieri poterit absque interventu auctoritatis Sedis Apostolicae, salvis facultatibus a Sacro Concilio Tridentino Episcopis tributis.

Art. 11. Attenta autem utilitate, quae in causam Religionis in hac Conventione dimanatura erit, Summus Pontifex, instante Maiestate Sua, ad tuendam publicam tranquillitatem, spondet se, quum primum Hispaniae Clerus ea, de qua in articulo nono dictum est, nova dotatione potietur, edicturum peculiare

decretum quo illos, qui bona ecclesiastica in novissimis Catholici Regni perturbationibus, ad latarum tunc civilium Legum tramites, emerunt, eorumque posses-
sionem adepti sunt exitum superioris anni millesimi octingentesimi quadrage-
simi quarti, atque alios ab emptoribus ipsis causam habentes nullam ullo tempore habituros molestiam declarabit, neque a Sua Sanctitate neque a Romanis
Pontificibus successoribus suis.

Art. 12. Coetera super quibus in hisce articulis provisum non est, quaecumque ad res, seu personas ecclesiasticas pertinent, dirigentur omnia et admi-
nistrabuntur iuxta vigentem et approbatam a Sede Apostolica Ecclesiae disciplinam. Si vero in posterum supervenerit difficultas, Sanctitas Sua et Regia Maiestas secum conferre, et rem amice componere sibi reservant.

Art. 13. Per praesentem Conventionem leges, ordinationes et Decreta in
Hispaniarum Ditione quomodocumque lata, in quantum illi adversantur, abro-
gata habebuntur; eademque Conventio in Hispaniis Lex Status in futurum
omne tempus valitura declarabitur.

Art. 14. Ut autem quae in supradictis articulis conventa sunt, promptiorem
facilioremque habeant effectum, Summus Pontifex consilium sibi esse declarat
mittere Matritum prope diem ad ea, uti et ad religiosa alia negotia curanda,
Praesulem sibi probatum, ac Delegati Sui Apostolici titulo insignitum, quem
Sanctitas Sua congruis ad eamdem rem mandatis et facultatibus instruet.

Art. 15. Ratificationum hujus Conventionis traditio fiet intra trium men-
sium spatium a die hisce articulis apposita, aut citius si fieri poterit.

Datum Romae, die vigesimo septimo Aprilis, anno millesimo octingentesimo
quadragesimo quinto.

Articuli Secreti

Articulus 1. Viri Ecclesiastici ad Archiepiscopales vel Episcopales Sedes, seu
ad quaecumque Beneficia Consistorialia a Catholica Maiestate sua nominati an-
tequam canonicam a Summo Pontifice institutionem accipiant, nullo unquam
obtentu destinatae sibi Ecclesiae procurationi immiscere se poterunt.

Art. 2. Iidem statuto tempore Romano Pontifici iuramentum canonicae fi-
delitatis ad eam omnino formam quae in Pontificale Romano praescripta est,
absque ulla seu detractione seu additione praestabunt [1].

Art. 3. Cum vacent ad praesens in Ditione Maiestatis Suae quamplures Ecclesiae, in quibus peculiari novi Pastoris sedulitate opus est ad turbatas calamitate temporum sacras res in canonicum ordinem restituendas, convenit inter
Summum Pontificem et Catholicam Maiestatem Suam ut Regiae ad illas nomi-
nationes fiant quantocius, se antea collata cum Delegato Apostolico Matritum
prope diem profecturo; ut ita praesentibus illarum Ecclesiarum indigentiis per
institutum scilicet a Sanctitate Sua de personarum virtute atque idoneitate judi-
cium, adjuvante Domino, consuli promptius ac felicius valeat.

---

[1] Este artículo fue suprimido y su objeto se acordó fuera negociado mediante un
cambio de *notas.*

DOCUMENTO II

CONCORDATO CELEBRADO ENTRE SU SANTIDAD EL SUMO PONTÍFICE PÍO IX Y
S. M. D.ª ISABEL II, REINA DE LAS ESPAÑAS

(16 marzo 1851)

(FUENTE: *Mercati*, I p.771-95.)

En el nombre de la Santísima e individua Trinidad.

Deseando vivamente Su Santidad el Sumo Pontífice Pío IX proveer al bien de la religión y a la utilidad de la Iglesia de España con la solicitud pastoral con que se atiende a todos los fieles católicos, y con especial benevolencia a la ínclita y devota nación española; y poseída del mismo deseo S. M. la reina católica D.ª Isabel II, por la piedad y sincera adhesión a la Sede Apostólica, heredada de sus antecesores, han determinado celebrar un solemne concordato, en el cual se arreglen todos los negocios eclesiásticos de una manera estable y canónica.

A este fin, Su Santidad el Sumo Pontífice ha tenido a bien nombrar su Plenipotenciario al Excmo. Sr. D. Juan Brunelli, arzobispo de Tesalónica, prelado doméstico de Su Santidad, asistente al solio pontificio y nuncio apostólico en los reinos de España, con facultades de legado *a latere;* y S. M. la Reina Católica, al Excmo. Sr. D. Manuel Bertrán de Lis, caballero gran cruz de la Real y Distinguida Orden española de Carlos III, de la de San Mauricio y San Lázaro, de Cerdeña, y de la de Francisco I, de Nápoles, diputado a Cortes y su ministro de Estado, quienes, después de entregadas mutuamente sus respectivas plenipotencias y reconocida la autenticidad de ellas, han convenido en lo siguiente:

Artículo 1.º La religión católica, apostólica, romana, que con exclusión de cualquier otro culto continúa siendo la única de la nación española, se conservará siempre en los dominios de S. M. C. con todos los derechos y prerrogativas de que debe gozar según la ley de Dios y lo dispuesto por los sagrados cánones.

Art. 2.º En su consecuencia, la instrucción en las universidades, colegios, seminarios y escuelas públicas o privadas de cualquier clase será en todo conforme a la doctrina de la misma religión católica; y a este fin, no se pondrá impedimento alguno a los obispos y demás prelados diocesanos encargados por su ministerio de velar sobre la pureza de la doctrina de la fe y de las costumbres y sobre la educación religiosa de la juventud en el ejercicio de este cargo, aun en las escuelas públicas.

Art. 3.º Tampoco se pondrá impedimento alguno a dichos prelados ni a los demás sagrados ministros en el ejercicio de sus funciones, ni los molestará nadie, bajo ningún pretexto, en cuanto se refiera al cumplimiento de los deberes de su cargo; antes bien, cuidarán todas las autoridades del reino de guardarles y de que se les guarde el respeto y consideración debidos, según los divinos preceptos, y de que no se haga cosa alguna que pueda causarles desdoro o menosprecio. S. M. y su real Gobierno dispensarán, asimismo, su poderoso patrocinio y apoyo a los obispos en los casos que les pidan, principalmente cuando hayan de oponerse a la malignidad de los hombres que intenten pervertir los ánimos de los fieles y corromper sus costumbres, o cuando hubiere de impedirse la publicación, introducción o circulación de libros malos y nocivos.

Art. 4.º En todas las demás cosas que pertenecen al derecho y ejercicio de la autoridad eclesiástica y al ministerio de las órdenes sagradas, los obispos y el clero dependiente de ellos gozarán de la plena libertad que establecen los sagrados cánones.

Art. 5.º En atención a las poderosas razones de necesidad y conveniencia que así lo persuaden, para la mayor comodidad y utilidad espiritual de los fieles, se hará una nueva división y circunscripción de diócesis en toda la Península e islas adyacentes. Y al efecto se conservarán las actuales sillas metropolitanas de Toledo, Burgos, Granada, Santiago, Sevilla, Tarragona, Valencia y Zaragoza, y se elevará a esta clase la sufragánea de Valladolid.

Asimismo, se conservarán las diócesis sufragáneas de Almería, Astorga, Avila, Badajoz, Barcelona, Cádiz, Calahorra, Canarias, Cartagena, Córdoba, Coria, Cuenca, Gerona, Guadix, Huesca, Jaén, Jaca, León, Lérida, Lugo, Málaga, Mallorca, Menorca, Mondoñedo, Orense, Orihuela, Osma, Oviedo, Palencia, Pamplona, Plasencia, Salamanca, Santander, Segorbe, Segovia, Sigüenza, Tarazona, Teruel, Tortosa, Tuy, Urgel, Vich y Zamora.

La diócesis de Albarracín quedará unida a la de Teruel; la de Barbastro, a la de Huesca; la de Ceuta, a la de Cádiz; la de Ciudad Rodrigo, a la de Salamanca; la de Ibiza, a la de Mallorca; la de Solsona, a la de Vich; la de Tenerife, a la de Canarias; la de Tudela, a la de Pamplona.

Los prelados de las sillas a que se reúnen otras añadirán al título de obispos de la Iglesia que presiden el de aquella que se les une.

Se erigirán nuevas diócesis sufragáneas en Ciudad Real, Madrid y Vitoria.

La silla episcopal de Calahorra y La Calzada se trasladará a Logroño; la de Orihuela, a Alicante, y la de Segorbe, a Castellón de la Plana, cuando en estas ciudades se halle todo dispuesto al efecto y se estime oportuno, oídos los respectivos prelados y cabildos.

En los casos en que, para el mejor servicio de alguna diócesis, sea necesario un obispo auxiliar, se proveerá a esta necesidad en la forma canónica acostumbrada.

De la misma manera, se establecerán vicarios generales en los puntos en que, con motivo de la agregación de diócesis prevenida en este artículo o por otra justa causa, se creyeren necesarios, oyendo a los respectivos prelados.

En Ceuta y Tenerife se establecerán, desde luego, obispos auxiliares.

Art. 6.º La distribución de las diócesis referidas, en cuanto a la dependencia de sus respectivas metropolitanas, se hará como sigue:

Serán sufragáneas de la Iglesia metropolitana de Burgos las de Calahorra o Logroño, León, Osma, Palencia, Santander y Vitoria.

De la de Granada, las de Almería, Cartagena o Murcia, Guadix, Jaén y Málaga.

De la de Santiago, las de Lugo, Mondoñedo, Orense, Oviedo y Tuy.

De la de Sevilla, las de Badajoz, Cádiz, Córdoba e islas Canarias.

De la de Tarragona, las de Barcelona, Gerona, Lérida, Tortosa, Urgel y Vich.

De la de Toledo, las de Ciudad Real, Coria, Cuenca, Madrid, Plasencia y Sigüenza.

De la de Valencia, las de Mallorca, Menorca, Orihuela o Alicante y Segorbe o Castellón de la Plana.

De la de Valladolid, las de Astorga, Avila, Salamanca, Segovia y Zamora.

De la de Zaragoza, las de Huesca, Jaca, Pamplona, Tarazona y Teruel.

Art. 7.º Los nuevos límites y demarcación particular de las mencionadas diócesis se determinarán con la posible brevedad y del modo debido *(servatis servandis)* por la Santa Sede, a cuyo efecto delegará en el nuncio apostólico en estos reinos las facultades necesarias para llevar a cabo la expresada demarcación, entendiéndose para ello *(collatis consiliis)* con el Gobierno de S. M.

Art. 8.º Todos los RR. Obispos y sus Iglesias reconocerán la dependencia canónica de los respectivos metropolitanos, y en su virtud cesarán las exenciones de los obispados de León y Oviedo.

Art. 9.º Siendo, por una parte, necesario y urgente acudir con el oportuno remedio a los graves inconvenientes que produce en la administración eclesiástica el territorio diseminado de las cuatro Ordenes Militares de Santiago, Calatrava, Alcántara y Montesa, y debiendo, por otra parte, conservarse cuidadosamente los gloriosos recuerdos de una institución que tantos servicios ha hecho a la Iglesia y al Estado, y las prerrogativas de los reyes de España, como grandes maestres de las expresadas Ordenes por concesión apostólica, se designará en la nueva demarcación eclesiástica un determinado número de pueblos que formen coto redondo, para que ejerza en él, como hasta aquí, el gran maestre la jurisdicción eclesiástica, con entero arreglo a la expresada concesión y bulas pontificias.

El nuevo territorio se titulará Priorato de las ordenes militares, y el prior tendrá el carácter episcopal con título de Iglesia *in partibus.*

Los pueblos que actualmente pertenecen a dichas Ordenes Militares y no se incluyan en su nuevo territorio, se incorporarán a las diócesis respectivas.

Art. 10. Los M. RR. Arzobispos y RR. Obispos extenderán el ejercicio de su autoridad y jurisdicción ordinaria a todo el territorio que en la nueva circunscripción quede comprendido en sus respectivas diócesis; y, por consiguiente, los que hasta ahora por cualquier título la ejercían en distritos enclavados en otras diócesis, cesarán en ella.

Art. 11. Cesarán también todas las jurisdicciones privilegiadas y exentas, cualesquiera que sean su clase y denominación, incluso la de San Juan de Jerusalén. Sus actuales territorios se reunirán a las respectivas diócesis en la nueva demarcación que se hará de ellas, según el art. 7.º, salvas las exenciones siguientes:

1.ª La del procapellán mayor de S. M.

2.ª La castrense.

3.ª La de las cuatro Ordenes Militares de Santiago, Calatrava, Alcántara y Montesa en los términos prefijados en el artículo 9.º de este concordato.

4.ª La de los prelados regulares.

5.ª La del nuncio apostólico *pro tempore* en la Iglesia y Hospital de Italianos de esta corte.

Se conservarán también las facultades especiales que corresponden a la Comisaría General de Cruzada en cosas de su cargo, en virtud del breve de delegación y otras disposiciones apostólicas.

Art. 12. Se suprime la Colecturía General de Espolios, Vacantes y Anualidades, quedando por ahora unida a la Comisaría General de Cruzada la comisión para administrar los efectos vacantes, recaudar los atrasos y sustanciar y terminar los negocios pendientes.

Queda, asimismo, suprimido el Tribunal Apostólico y Real de la Gracia del Excusado.

Art. 13. El cabildo de las iglesias catedrales se compondrá del deán, que será siempre la primera silla *post pontificalem;* de cuatro dignidades, a saber: la de arcipreste, la de arcediano, la de chantre y la de maestrescuela, y además la de tesorero en las iglesias metropolitanas; de cuatro canónigos de oficio, a saber: el magistral, el doctoral, el lectoral y el penitenciario, y del número de canónigos de gracia que se expresan en el art. 17.

Habrá además en la Iglesia de Toledo otras dos dignidades, con los títulos respectivos de capellán mayor de Reyes y capellán mayor de Muzárabes; en la de Sevilla, la dignidad de capellán mayor de San Fernando; en la de Granada, la de capellán mayor de los Reyes Católicos, y en la de Oviedo, la de abad de Covadonga.

Todos los individuos del cabildo tendrán en él igual voz y voto.

Art. 14. Los prelados podrán convocar el cabildo y presidirle cuando lo crean conveniente: del mismo modo podrán presidir los ejercicios de oposición a prebendas.

En estos y en cualesquiera otros actos, los prelados tendrán siempre el asiento preferente, sin que obste ningún privilegio ni costumbre en contrario; y se les tributarán todos los homenajes de consideración y respeto que se deben a su sagrado carácter y a su cualidad de cabeza de su iglesia y cabildo.

Cuando presidan tendrán voz y voto en todos los asuntos que no les sean directamente personales, y su voto, además, será decisivo en caso de empate.

En toda elección o nombramiento de persona que corresponda al cabildo, tendrá el prelado tres, cuatro o cinco votos, según que el número de capitulares sea de dieciséis, veinte o mayor de veinte. En estos casos, cuando el prelado no asista al cabildo, pasará una comisión de él a recibir sus votos.

Cuando el prelado no presida el cabildo, lo presidirá el deán.

Art. 15. Siendo los cabildos catedrales el senado y consejo de los M. RR. Arzobispos y RR. Obispos, serán consultados por éstos para oír su dictamen o para obtener su consentimiento, en los términos en que, atendida la variedad de los negocios y de los casos, está prevenido por el Derecho canónico, y especialmente por el sagrado concilio de Trento. Cesará, por consiguiente, desde luego toda inmunidad, exención, privilegio, uso o abuso que de cualquier modo se haya introducido en las diferentes iglesias de España en favor de los mismos cabildos, con perjuicio de la autoridad ordinaria de los prelados.

Art. 16. Además de las dignidades y canónigos que componen exclusivamente el cabildo, habrá en las iglesias catedrales beneficiados o capellanes asistentes, con el correspondiente número de otros ministros y dependientes.

Así las dignidades y canónigos como los beneficiados y capellanes, aunque para el mejor servicio de las respectivas catedrales se hallen divididos en presbiterales, diaconales y subdiaconales, deberán ser todos presbíteros, según lo dispuesto por Su Santidad; y los que no lo fueran al tomar posesión de sus beneficios, deberán serlo precisamente dentro del año, bajo las penas canónicas.

Art. 17. El número de capitulares y beneficiados en las iglesias metropolitanas será el siguiente:

Las iglesias de Toledo, Sevilla y Zaragoza tendrán veintiocho capitulares, y veinticuatro beneficiados la de Toledo, veintidós la de Sevilla y veintiocho la de Zaragoza.

Las de Tarragona, Valencia y Santiago, veintiséis capitulares y veinte beneficiados, y las de Burgos, Granada y Valladolid, veinticuatro capitulares y veinte beneficiados.

Las iglesias sufragáneas tendrán, respectivamente, el número de capitulares y beneficiados que se expresa a continuación:

Las de Barcelona, Cádiz, Córdoba, León, Málaga y Oviedo tendrán veinte capitulares y dieciséis beneficiados. Las de Badajoz, Calahorra, Cartagena, Cuenca, Jaén, Lugo, Palencia, Pamplona, Salamanca y Santander, dieciocho capitulares y catorce beneficiados. Las de Almería, Astorga, Avila, Canarias, Ciudad Real, Coria, Gerona, Guadix, Huesca, Jaca, Lérida, Mallorca, Mondoñedo, Orense, Orihuela, Osma, Plasencia, Segorbe, Segovia, Sigüenza, Tarazona, Teruel, Tortosa, Tuy, Urgel, Vich, Vitoria y Zamora, dieciséis capitulares y doce beneficiados.

La de Madrid tendrá veinte capitulares y veinte beneficiados, y la de Menorca, doce capitulares y diez beneficiados.

Art. 18. En subrogación de los cincuenta y dos beneficiados expresados en el concordato de 1753, se reservan a libre provisión de Su Santidad la dignidad de chantre en todas las iglesias metropolitanas y en las sufragáneas de Astorga, Avila, Badajoz, Barcelona, Mondoñedo, Orihuela, Oviedo, Plasencia, Salamanca, Santander, Sigüenza, Tuy, Vitoria y Zamora; y en las demás sufragáneas, una canonjía de las de gracia que quedará determinada por la primera provisión que haga Su Santidad. Estos beneficiados se conferirán con arreglo al mismo concordato.

La dignidad de deán se proveerá siempre por S. M. en todas las iglesias y en cualquier tiempo y forma que vaque. Las canonjías de oficio se proveerán, previa oposición, por los prelados y cabildos. Las demás dignidades y canonjías se proveerán, en rigurosa alternativa, por S. M. y los respectivos arzobispos y obispos. Los beneficiados o capellanes asistentes se nombrarán, alternativamente, por S. M. y los prelados y cabildos.

Las prebendas, canonjías y beneficiados expresados que resulten vacantes por resigna o por promoción del poseedor a otro beneficio, no siendo de los reservados a Su Santidad, serán siempre y en todo caso provistos por S. M.

Asimismo, lo serán los que vaquen sede vacante o los que hayan dejado sin proveer los prelados a quienes correspondía proveerlos al tiempo de su muerte, traslación o renuncia.

Corresponderá asimismo a S. M. la primera provisión de las dignidades, canonjías y capellanías de las nuevas catedrales y de las que aumenten en la nueva metropolitana de Valladolid, a excepción de las reservadas a Su Santidad y de las canonjías de oficio, que se proveerán como de ordinario.

En todo caso, los nombrados para los expresados beneficios deberán recibir la institución y colación canónicas de sus respectivos ordinarios.

Art. 19. En atención a que, tanto por efecto de las pasadas vicisitudes como por razón de las disposiciones del presente concordato, han variado notablemente las circunstancias del clero español, Su Santidad, por su parte, y S. M. la reina, por la suya, convienen en que no se conferirá ninguna dignidad, canonjía o beneficio de los que exigen personal residencia a los que por razón de cualquier otro cargo o comisión estén obligados a residir continuamente en otra parte. Tampoco se conferirá a los que estén en posesión de algún beneficio de la clase indicada ninguno de aquellos cargos o comisiones, a no ser que renuncien a uno de dichos cargos o beneficios, los cuales se declaran, por consecuencia, de todo punto incompatibles.

En la Capilla Real, sin embargo, podrá haber seis prebendados de las iglesias catedrales de la Península; pero en ningún caso podrán ser nombrados los que ocupan las primeras sillas, los canónigos de oficio, los que tienen cura de almas ni dos de su misma iglesia.

Respecto de los que en la actualidad, y en virtud de indultos especiales o generales, se hallen en posesión de dos o más de estos beneficios, cargos o comisiones, se tomarán desde luego las disposiciones necesarias para arreglar su situación a lo prevenido en el presente artículo, según las necesidades de la iglesia y la variedad de los casos.

Art. 20.   En sede vacante, el cabildo de la iglesia metropolitana o sufragánea, en el término marcado y con arreglo a lo que previene el sagrado concilio de Trento, nombrará un solo vicario capitular, en cuya persona se refundirá toda la potestad ordinaria del cabildo sin reserva o limitación alguna por parte de él y sin que pueda revocar el nombramiento una vez hecho ni hacer otro nuevo; quedando, por consiguiente, enteramente abolido todo privilegio, uso o costumbre de administrar en cuerpo, de nombrar más de un vicario o cualquier otro que bajo cualquier concepto sea contrario a lo dispuesto por los sagrados cánones.

Art. 21.   Además de la capilla del Real Palacio se conservarán:

1.º   La de Reyes y la Muzárabe, de Toledo, y las de San Fernando, de Sevilla, y de los Reyes Católicos, de Granada.

2.º   Las colegiatas sitas en capitales de provincia donde no exista silla episcopal.

3.º   Las de patronato particular cuyos patronos aseguren el exceso de gasto que ocasionará la colegiata sobre el de iglesia parroquial.

4.º   Las colegiatas de Covadonga, Roncesvalles, San Isidoro de León, Sacromonte de Granada, San Ildefonso, Alcalá de Henares y Jerez de la Frontera.

5.º   Las catedrales de las sillas episcopales que se agreguen a otras en virtud de las disposiciones del presente concordato, se conservarán como colegiatas.

Todas las demás colegiatas, cualquiera que sea su origen, antigüedad y fundación, quedarán reducidas, cuando las circunstancias locales no lo impidan, a iglesias parroquiales, con el número de beneficiados que, además del párroco, se contemplen necesarios tanto para el servicio parroquial como para el decoro del culto.

La conservación de las capillas y colegiatas expresadas deberá entenderse siempre con sujeción al prelado de la diócesis a que pertenezcan y con derogación de toda exención y jurisdicción *vere* o *quasi nullius* que limite en lo más mínimo la nativa del ordinario.

Las iglesias colegiatas serán siempre parroquiales, y se distinguirán con el nombre de parroquia mayor si en el pueblo hubiese otra u otras.

Art. 22.   El cabildo de las colegiatas se compondrá de un abad presidente, que tendrá aneja la cura de almas, sin más autoridad o jurisdicción que la directiva y económica de su iglesia y cabildo; de dos canónigos de oficio, con los títulos de magistral y doctoral, y de ocho canónigos de gracia. Habrá además seis beneficiados o capellanes asistentes.

Art. 23.   Las reglas establecidas en los artículos anteriores, así para la provisión de las prebendas y beneficios o capellanías de las iglesias catedrales como para el régimen de sus cabildos, se observarán puntualmente en todas sus partes respecto de las iglesias colegiatas.

Art. 24.   A fin de que en todos los pueblos del reino se atienda con el esmero debido al culto religioso y a todas las necesidades del pasto espiritual, los M. RR. Arzobispos y RR. Obispos procederán desde luego a formar un nuevo arreglo y demarcación parroquial de sus respectivas diócesis, teniendo en cuenta la extensión y naturaleza del territorio y de la población y las demás circunstancias locales, oyendo a los cabildos catedrales, a los respectivos arciprestes y a los fiscales de los tribunales eclesiásticos, y tomando por su parte todas las disposiciones necesarias a fin de que pueda darse por concluido y ponerse en ejecución el precitado arreglo, previo el acuerdo del Gobierno de S. M., en el menor término posible.

Art. 25. Ningún cabildo ni corporación eclesiástica podrá tener aneja la cura de almas, y los curatos y vicarías perpetuas que antes estaban unidas *pleno iure* a alguna corporación quedarán en todo sujetas al derecho común. Los coadjutores y dependientes de las parroquias y todos los eclesiásticos destinados al servicio de ermitas, santuarios, oratorios, capillas públicas o iglesias no parroquiales, dependerán del cura propio de su respectivo territorio y estarán subordinados a él en todo lo tocante al culto y funciones religiosas.

Art. 26. Todos los curatos, sin diferencia de pueblos, de clases ni del tiempo en que vaquen, se proveerán en concurso abierto con arreglo a lo dispuesto por el santo concilio de Trento, formando los ordinarios ternas de los opositores aprobados, y dirigiéndolas a S. M. para que nombre entre los propuestos. Cesará, por consiguiente, el privilegio de patrimonialidad y la exclusiva o preferencia que en algunas partes tenían los patrimoniales para la obtención de curatos y otros beneficios.

Los curatos de patronatos eclesiásticos se proveerán nombrando el patrono entre los de la terna que del modo ya dicho formen los prelados, y los de patronato laical nombrando el patrono entre aquellos que acrediten haber sido aprobados en concurso abierto en la diócesis respectiva, señalándose a los que no se hallen en este caso el término de cuatro meses para que hagan constar haber sido aprobados sus ejercicios hechos en la forma indicada, salvo siempre el derecho del ordinario de examinar al presentado por el patrono, si lo estima conveniente.

Los coadjutores de las parroquias serán nombrados por los ordinarios, previo examen sinodal.

Art. 27. Se dictarán las medidas convenientes para conseguir, en cuanto sea posible, que por el nuevo arreglo eclesiástico no queden lastimados los derechos de los actuales poseedores de cualesquiera prebendas, beneficios o cargos que hubieren de suprimirse a consecuencia de lo que en él se determina.

Art. 28. El Gobierno de S. M. C., sin perjuicio de establecer oportunamente, previo acuerdo con la Santa Sede y tan pronto como las circunstancias lo permitan, seminarios generales en que se dé la extensión conveniente a los estudios eclesiásticos, adoptará por su parte las disposiciones oportunas para que se creen sin demora seminarios conciliares en las diócesis donde no se hallen establecidos, a fin de que en lo sucesivo no haya en los dominios españoles Iglesia alguna que no tenga al menos un seminario suficiente para la instrucción del clero.

Serán admitidos en los seminarios y educados e instruidos del modo que establece el sagrado concilio de Trento, los jóvenes que los arzobispos y obispos juzguen conveniente recibir, según la necesidad o utilidad de las diócesis; y en todo lo que pertenece al arreglo de los seminarios, a la enseñanza y a la administración de sus bienes se observarán los decretos del mismo concilio de Trento.

Si de resultas de la nueva circunscripción de diócesis quedasen en algunas dos seminarios, uno en la capital actual del obispado y otro en la que se le ha de unir, se conservarán ambos mientras el Gobierno y los prelados, de común acuerdo, los consideren útiles.

Art. 29. A fin de que en toda la Península haya el número suficiente de ministros y operarios evangélicos de quienes puedan valerse los prelados para hacer misiones en los pueblos de su diócesis, auxiliar a los párrocos, asistir a los enfermos y para otras obras de caridad y utilidad pública, el Gobierno de S. M., que se propone mejorar oportunamente los colegios de misiones para Ultramar, tomará desde luego las disposiciones convenientes para que se establezcan donde sea necesario, oyendo previamente a los prelados diocesanos, casas y congregaciones religiosas de San Vicente de Paúl, San Felipe Neri y otra orden de las aprobadas por la Santa Sede, las cuales servirán, al propio tiempo, de lugares de retiro para los eclesiásticos, para hacer ejercicios espirituales y para otros usos piadosos.

Art. 30. Para que haya también casas religiosas de mujeres, en las cuales puedan seguir su vocación las que sean llamadas a la vida contemplativa y a la activa de la asistencia de los enfermos, enseñanza de niñas y otras obras y ocupaciones tan piadosas como útiles a los pueblos, se conservará el instituto de las Hijas de la Caridad, bajo la dirección de los clérigos de San Vicente de Paúl, procurando el Gobierno su fomento.

También se conservarán las casas de religiosas que a la vida contemplativa reúnan la educación y enseñanza de niñas u otras obras de caridad.

Respecto a las demás órdenes, los prelados ordinarios, atendidas todas las circunstancias de sus respectivas diócesis, propondrán las casas de religiosas en que convenga la admisión y profesión de novicias y los ejercicios de enseñanza o de caridad que sea conveniente establecer en ellas.

No se procederá a la profesión de ninguna religiosa sin que se asegure antes su subsistencia en debida forma.

Art. 31. La dotación del M. R. Arzobispo de Toledo será de 160.000 reales anuales.

La de los de Sevilla y Valencia, de 150.000.

La de los de Granada y Santiago, de 140.000.

Y la de los de Burgos, Tarragona, Valladolid y Zaragoza, de 130.000.

La dotación de los RR. Obispos de Barcelona y Madrid será de 110.000 reales.

La de los de Cádiz, Cartagena, Córdoba y Málaga, de 110.000.

La de los de Almería, Avila, Badajoz, Canarias, Cuenca, Gerona, Huesca, Jaén, León, Lérida, Lugo, Mallorca, Orense, Oviedo, Palencia, Pamplona, Salamanca, Santander, Segovia, Teruel y Zamora, de 90.000 reales.

La de los de Astorga, Calahorra, Ciudad Real, Coria, Guadix, Jaca, Menorca, Mondoñedo, Orihuela, Osma, Plasencia, Segorbe, Sigüenza, Tarazona, Tortosa, Tuy, Urgel, Vich y Vitoria, de 80.000 reales.

La del patriarca de las Indias, no siendo arzobispo u obispo propio, de 150.000, deduciéndose en su caso de esta cantidad cualquiera otra que por vía de pensión eclesiástica o en otro concepto percibiese del Estado.

Los prelados que sean cardenales disfrutarán de 20.000 reales sobre su dotación.

Los obispos de Ceuta y Tenerife y el prior de las órdenes tendrán 40.000 reales anuales.

Estas dotaciones no sufrirán descuento alguno ni por razón del coste de las bulas, que sufragará el Gobierno, ni por los demás gastos que por éstas puedan ocurrir en España.

Además, los arzobispos y obispos conservarán sus palacios y los jardines, huertas o casas que en cualquiera parte de la diócesis hayan estado destinadas para su uso y recreo y no hubiesen sido enajenados.

Queda derogada la actual legislación relativa a espolios de los arzobispos y obispos, y, en su consecuencia, podrán disponer libremente, según les dicte su conciencia, de lo que dejaren al tiempo de su fallecimiento, sucediéndoles abintestato los herederos legítimos con la misma obligación de conciencia; exceptúanse en uno y otro caso los ornamentos y pontificales, que se considerarán como propiedad de la mitra y pasarán a sus sucesores en ella.

Art. 32. La primera silla de la iglesia catedral de Toledo tendrá la dotación de 24.000 reales; las de las demás iglesias metropolitanas, 20.000; las de las iglesias sufragáneas, 18.000, y las de las colegiatas, 15.000.

Los dignidades y canónigos de oficio de las iglesias metropolitanas tendrán 16.000 reales; los de las sufragáneas, 14.000, y los canónigos de oficio de las colegiatas, 8.000.

Los demás canónigos tendrán 14.000 reales en las iglesias metropolitanas, 12.000 en las sufragáneas y 6.600 en las colegiatas.

Los beneficiados o capellanes asistentes de las iglesias metropolitanas tendrán 8.000 reales, 6.000 los de las sufragáneas y 3.000 los de las colegiatas.

Art. 33. La dotación de los curas en las parroquias urbanas será de 3.000 a 10.000 reales; en las parroquias rurales, el mínimum de la dotación será de 2.200.

Los coadjutores y ecónomos tendrán de 2.000 a 4.000 reales.

Además, los curas propios, y en su caso los coadjutores, disfrutarán las casas destinadas a su habitación y los huertos o heredades que no se hayan enajenado, y que son conocidos con la denominación de iglesiarios, mansos u otras.

También disfrutarán los curas propios y sus coadjutores la parte que les corresponda en los derechos de estola y pie de altar.

Art. 34. Para sufragar los gastos del culto tendrán las iglesias metropolitanas anualmente de 90 a 140.000 reales; las sufragáneas, de 70 a 90.000, y las colegiatas, de 20 a 30.000.

Para los gastos de administración y extraordinarios de visita tendrán de 20 a 30.000 reales los metropolitanos, y de 16 a 20.000 los sufragáneos.

Para los gastos del culto parroquial se asignará a las iglesias respectivas una cantidad anual que no bajará de 1.000 reales, además de los emolumentos eventuales y de los derechos que por ciertas funciones estén fijados o se fijaren para este objeto en los aranceles de las respectivas diócesis.

Art. 35. Los seminarios conciliares tendrán de 90 a 120.000 reales anuales, según sus circunstancias y necesidades.

El Gobierno de S. M. proveerá por los medios más conducentes a la subsistencia de las casas y congregaciones religiosas de que habla el art. 29.

En cuanto al mantenimiento de las comunidades religiosas, se observará lo dispuesto en el art. 30.

Se devolverán desde luego y sin demora a las mismas, y en su representación a los prelados diocesanos en cuyo territorio se hallen los conventos o se hallaban antes de las últimas vicisitudes, los bienes de su pertenencia que están en poder del Gobierno y que no han sido enajenados. Pero, teniendo Su Santidad en consideración el estado actual de estos bienes y otras particulares circunstancias, a fin de que con su producto pueda atenderse con más igualdad a los gastos del culto y otros generales, dispone que los prelados, en nombre de las comunidades religiosas propietarias, procedan inmediatamente y sin demora a la venta de los expresados bienes por medio de subastas públicas hechas en la forma canónica y con intervención de persona nombrada por el Gobierno de S. M. El producto de estas ventas se convertirá en inscripciones intransferibles de la Deuda del Estado del 3 por 100, cuyo capital e intereses se distribuirán entre todos los referidos conventos en proporción de sus necesidades y circunstancias para atender a los gastos indicados y al pago de las pensiones de las religiosas que tengan derecho a percibirlas sin perjuicio de que el Gobierno supla como hasta aquí lo que fuere necesario para el completo pago de dichas pensiones hasta el fallecimiento de las pensionadas.

Art. 36. Las dotaciones asignadas en los artículos anteriores para los gastos del culto y del clero, se entenderán sin perjuicio del aumento que se pueda hacer en ellas cuando las circunstancias lo permitan. Sin embargo, cuando por razones especiales no alcance en algún caso particular alguna de las asignaciones expresadas en el art. 34, el Gobierno de S. M. proveerá lo conveniente al efecto: del mismo modo proveerá a los gastos de las reparaciones de los templos y demás edificios consagrados al culto.

Art. 37. El importe de la renta que se devengue en la vacante de las sillas episcopales, deducidos los emolumentos del ecónomo, que se diputará por el cabildo en el acto de elegir al vicario capitular, y los gastos para los reparos precisos del palacio episcopal, se aplicará por iguales partes en beneficio del seminario conciliar y del nuevo prelado.

Asimismo, de las rentas que se devenguen en las vacantes de dignidades, canonjías, parroquias y beneficios de cada diócesis, deducidas las respectivas cargas, se formará un cúmulo o fondo de reserva a disposición del ordinario para atender a los gastos extraordinarios e imprevistos de las iglesias y del clero, como también a las necesidades graves y urgentes de la diócesis. Al propio efecto ingresará igualmente en el mencionado fondo de reserva la cantidad correspondiente a la duodécima parte de su dotación anual, que satisfarán por una vez dentro del primer año los nuevamente nombrados para prebendas, curatos y otros beneficios; debiendo, por tanto, cesar todo otro descuento que por cualquier concepto, uso, disposición o privilegio se hiciese anteriormente.

Art. 38. Los fondos con que ha de atenderse a la dotación del culto y del clero serán:

1.º El producto de los bienes devueltos al Clero por la ley de 3 de abril de 1845.

2.º El producto de las limosnas de la Santa Cruzada.

3.º Los productos de las encomiendas y maestrazgos de las cuatro órdenes militares vacantes y que vacaren.

4.º Una imposición sobre las propiedades rústicas y urbanas y riqueza pecuaria en la cuota que sea necesaria para completar la dotación, tomando en cuenta los productos expresados en los párrafos 1.º, 2.º y 3.º y demás rentas que en lo sucesivo, y de acuerdo con la Santa Sede, se asignen a este objeto.

El clero recaudará esta imposición, percibiéndola en frutos, en especie o en dinero, previo concierto, que podrá celebrar con las provincias, con los pueblos, con las parroquias o con los particulares, y en los casos necesarios será auxiliado por las autoridades públicas en la cobranza de esta imposición, aplicando al efecto los medios establecidos para el cobro de las contribuciones.

Además se devolverán a la Iglesia, desde luego y sin demora, todos los bienes eclesiásticos no comprendidos en la expresada ley de 1845, y que todavía no hayan sido enajenados, inclusos los que restan de las comunidades religiosas de varones. Pero atendidas las circunstancias actuales de unos y otros bienes y la evidente utilidad que ha de resultar a la Iglesia, el Santo Padre dispone que su capital se convierta, inmediatamente y sin demora, en inscripciones intransferibles de la Deuda del Estado del 3 por 100, observándose exactamente la forma y reglas establecidas en el art. 35 con referencia a la venta de los bienes de las religiosas.

Todos estos bienes serán imputados por su justo valor, rebajadas cualesquiera cargas, para los efectos de las disposiciones contenidas en este artículo.

Art. 39. El Gobierno de S. M., salvo el derecho propio de los prelados diocesanos, dictará las disposiciones necesarias para que aquellos entre quienes se hayan distribuido los bienes de las capellanías y fundaciones piadosas aseguren los medios de cumplir las cargas a que dichos bienes estuvieren afectos.

Iguales disposiciones adoptará para que se cumplan del mismo modo las cargas piadosas que pesaren sobre los bienes eclesiásticos que han sido enajenados con este gravamen.

El Gobierno responderá siempre y exclusivamente de las impuestas sobre los bienes que se hubieren vendido por el Estado libres de esta obligación.

Art. 40. Se declara que todos los expresados bienes y rentas pertenecen en propiedad a la Iglesia, y que en su nombre se disfrutarán y administrarán por el clero.

Los fondos de Cruzada se administrarán en cada diócesis por los prelados diocesanos, como revestidos al efecto de las facultades de la bula para aplicarlos según está prevenido en la última prórroga de la relativa concesión apostólica, salvas las obligaciones que pesan sobre este ramo por convenios celebrados con la Santa Sede. El modo y forma en que deberá verificarse dicha administración se fijará de acuerdo entre el Santo Padre y S. M. C.

Igualmente administrarán los prelados diocesanos los fondos del indulto cuadragesimal, aplicándolos a establecimientos de beneficencia y actos de caridad en las diócesis respectivas, con arreglo a las concesiones apostólicas.

Las demás facultades apostólicas relativas a este ramo y las atribuciones a ellas consiguientes se ejercerán por el arzobispo de Toledo en la extensión y forma que se determinará por la Santa Sede.

Art. 41. Además, la Iglesia tendrá el derecho de adquirir por cualquier título legítimo, y su propiedad, en todo lo que posee ahora o adquiriere en adelante será solemnemente respetada. Por consiguiente, en cuanto a las antiguas y nuevas fundaciones eclesiásticas, no podrá hacerse ninguna supresión o unión sin la intervención de la autoridad de la Santa Sede, salvas las facultades que competen a los obispos según el santo concilio de Trento.

Art. 42. En este supuesto, atendida la utilidad que ha de resultar a la religión de este convenio, el Santo Padre, a instancia de S. M. C. y para proveer a la tranquilidad pública, decreta y declara que los que durante las pasadas circunstancias hubiesen comprado en los dominios de España bienes eclesiásticos, al tenor de las disposiciones civiles a la sazón vigentes, y estén en posesión de ellos, y los que hayan sucedido o sucedan en sus derechos a dichos compradores, no serán molestados en ningún tiempo ni manera por Su Santidad ni por los sumos pontífices sus sucesores; antes bien, así ellos como sus causahabientes, disfrutarán segura y pacíficamente la propiedad de dichos bienes y sus emolumentos y productos.

Art. 43. Todo lo demás perteneciente a personas o cosas eclesiásticas, sobre lo que no se provee en los artículos anteriores, será dirigido y administrado según la disciplina de la Iglesia canónicamente vigente.

Art. 44. El Santo Padre y S. M. declaran quedar salvas e ilesas las reales prerrogativas de la Corona de España en conformidad a los convenios anteriormente celebrados entre ambas potestades. Y, por tanto, los referidos convenios, y en especialidad el que se celebró entre el Sumo Pontífice Benedicto XIV y el rey católico Fernando VI en el año 1753, se declaran confirmados y seguirán en su pleno vigor en todo lo que no se altere o modifique por el presente.

Art. 45. En virtud de este Concordato, se tendrán por revocadas, en cuanto a él se oponen, las leyes, órdenes y decretos publicados hasta ahora, de cualquier modo y forma, en los dominios de España, y el mismo concordato regirá para siempre en lo sucesivo como ley del Estado en los propios dominios. Y, por tanto, una y otra de las partes contratantes prometen, por sí y sus sucesores, la fiel observancia de todos y cada uno de los artículos de que consta. Si en lo sucesivo ocurriese alguna dificultad, el Santo Padre y S. M. C. se pondrán de acuerdo para resolverla amigablemente.

Art. 46 y último. El canje de las ratificaciones del presente concordato se verificará en el término de dos meses, o antes si fuere posible.

En fe de lo cual, Nos los infrascritos plenipotenciarios hemos firmado el presente concordato y selládolo con nuestro propio sello en Madrid, a 16 de marzo de 1851.—Firmado, MANUEL BERTRÁN DE LIS (Lugar del sello) — Firmado, JUAN BRUNELLI, arzobispo de Tesalónica (Lugar del sello).

Por tanto, mandamos a todos los tribunales, justicias, jefes, gobernadores y demás autoridades, así civiles como militares y eclesiásticas, de cualquier clase y dignidad, que guarden y hagan guardar la presente ley en todas sus partes.

Dado en Palacio, a 17 de octubre de 1851. — YO LA REINA. — El ministro de Gracia y Justicia, VENTURA GONZÁLEZ ROMERO.

DOCUMENTO III

ACUERDO ENTRE PÍO IX E ISABEL II (25 agosto 1859)

(FUENTE: *Mercati* I p.920-29.)

En el nombre de la Santísima e individua Trinidad.

El Sumo pontífice Pío IX y Su Majestad Católica D.ª Isabel II, reina de España, queriendo proveer de común acuerdo al arreglo definitivo de la dotación del culto y clero en los dominios de Su Majestad en consonancia con el solemne concordato de 16 de marzo de 1851, han nombrado, respectivamente, por sus plenipotenciarios:

Su Santidad, al Emmo. y Rvmo. Sr. Cardenal Santiago Antonelli, su secretario de Estado;

Y su Majestad, al Excmo. Sr. D. Antonio de los Ríos y Rosas, su embajador extraordinario cerca de la Santa Sede, los cuales, canjeados sus plenos poderes, han convenido en lo siguiente:

Artículo 1.º El Gobierno de Su Majestad Católica, habida consideración a las lamentables vicisitudes por que han pasado los bienes eclesiásticos en diversas épocas, y deseando asegurar a la Iglesia perpetuamente la pacífica posesión de sus bienes y derechos y prevenir todo motivo de que sea violado el solemne concordato celebrado en 16 de marzo de 1851, promete a la Santa Sede que en adelante no se hará ninguna venta, conmutación de los dichos bienes sin la necesaria autorización de la misma Santa Sede.

Art. 2.º Queriendo llevar definitivamente a efecto de un modo seguro, estable e independiente el plan de dotación del culto y clero prescrito en el mismo concordato, la Santa Sede y el Gobierno de Su Majestad Católica convienen en los puntos siguientes:

Art. 3.º Primeramente, el Gobierno de Su Majestad reconoce de nuevo formalmente el libre y pleno derecho de la Iglesia para adquirir, retener y usufructuar en propiedad y sin limitación ni reserva toda especie de bienes y valores, quedando en consecuencia derogada por este convenio cualquier disposición que le sea contraria, y señaladamente y en cuanto se le oponga, la ley de 1.º de mayo de 1855.

Los bienes que en virtud de este derecho adquiera y posea en adelante la Iglesia no se computarán en la dotación que le está asignada por el concordato.

Art. 4.º En virtud del mismo derecho, el Gobierno de Su Majestad reconoce a la Iglesia como propietaria absoluta de todos y cada uno de los bienes que le fueron devueltos por el concordato. Pero, habida consideración al estado de deterioro de la mayor parte de los que aún no han sido enajenados, a su difícil administración y a los varios, contradictorios e inexactos cómputos de su valor en renta, circunstancias todas que han hecho hasta ahora la dotación del clero incierta y aun incongrua, el Gobierno de Su Majestad ha propuesto a la Santa Sede una permutación, dándose a los obispos la facultad de determinar, de acuerdo con sus cabildos, el precio de los bienes de la Iglesia situados en sus respectivas diócesis, y ofreciendo aquél, en cambio de todos ellos y mediante su cesión hecha al Estado, tantas inscripciones intransferibles del papel del 3 por 100 de la deuda pública consolidada de España cuantas sean necesarias para cubrir el total valor de dichos bienes.

Art. 5.º   La Santa Sede, deseosa de que se lleve inmediatamente a efecto una dotación cierta, segura e independiente para el culto y para el clero, oídos los obispos de España, y reconociendo en el caso actual, y en el conjunto de todas las circunstancias, la mayor utilidad de la Iglesia, no ha encontrado dificultad en que dicha permutación se realice en la forma siguiente.

Art. 6.º   Serán eximidos de la permutación y quedarán en propiedad de la Iglesia en cada diócesis todos los bienes enumerados en los artículos 31 y 33 del concordato de 1851, a saber, los huertos, jardines, palacios y otros edificios que en cualquier lugar de la diócesis estén destinados al uso y esparcimiento de los obispos. También se le reservarán las casas destinadas a la habitación de los párrocos, con sus huertos y campos anejos, conocidos bajo las denominaciones de *iglesarios, mansos* y otras. Además, retendrá la Iglesia en propiedad los edificios de los seminarios conciliares con sus anejos, y las bibliotecas y casas de corrección o cárceles eclesiásticas, y en general todos los edificios que sirven en el día para el culto, y los que se hallan destinados al uso y habitación del clero regular de ambos sexos, así como los que en adelante se destinen a tales objetos.

Ninguno de los bienes enumerados en este artículo podrá imputarse en la dotación prescrita para el culto y clero en el concordato.

En fin, siendo la utilidad de la Iglesia el motivo que induce a la Santa Sede a admitir la expresada permutación de valores, si en alguna diócesis estimare el obispo que por particulares circunstancias conviene a la Iglesia retener alguna finca sita en ella, aquella finca podrá eximirse de la permutación, imputándose el importe de su renta en la dotación del clero.

Art. 7.º   Hecha por los obispos la estimación de los bienes sujetos a la permutación, se entregarán inmediatamente a aquéllos títulos o inscripciones intransferibles, así por el completo valor de los mismos bienes como por el valor venal de los que han sido enajenados después del concordato. Verificada la entrega, los obispos, competentemente autorizados por la Sede Apostólica, harán al Estado formal cesión de todos los bienes que con arreglo a este convenio están sujetos a la permutación.

Las inscripciones se imputarán al clero como parte integrante de su dotación, y los respectivos diocesanos aplicarán sus réditos a cubrirla en el modo prescrito en el concordato.

Art. 8.º   Atendida la perentoriedad de las necesidades del clero, el Gobierno de Su Majestad se obliga a pagar mensualmente la renta consolidada correspondiente a cada diócesis.

Art. 9.º   En el caso de que, por disposición de la autoridad temporal, la renta del 3 por 100 de la deuda pública del Estado llegue a sufrir cualquiera disminución o reducción, el Gobierno de Su Majestad se obliga desde ahora a dar a la Iglesia tantas inscripciones intransferibles de la renta que se sustituya a la del 3 por 100 cuantas sean necesarias para cubrir íntegramente el importe anual de la que va a emitirse en favor de la Iglesia; de modo que esta renta no se ha de disminuir ni reducir en ninguna eventualidad ni en ningún tiempo.

Art. 10.   Los bienes pertenecientes a capellanías colativas y a otras semejantes fundaciones piadosas familiares que, a causa de su peculiar índole y destino y de los diferentes derechos que en ellos radican, no pueden comprenderse en la permutación y cesión de que aquí se trata, serán objeto de un convenio particular celebrado entre la Santa Sede y Su Majestad Católica.

Art. 11. El Gobierno de Su Majestad, confirmando lo estipulado en el art. 39 del concordato, se obliga de nuevo a satisfacer a la Iglesia, en la forma que de común acuerdo se convenga, por razón de las cargas impuestas, ya sobre los bienes vendidos como libres por el Estado, ya sobre los que ahora se le ceden, una cantidad alzada que guarde la posible proporción con las mismas cargas. También se compromete a cumplir por su parte en términos hábiles las obligaciones que contrajo el Estado por los párrafos primero y segundo de dicho artículo.

Se instituirá una comisión mixta con el carácter de consultiva que en el término de un año reconozca las cargas que pesan sobre los bienes mencionados en el párrafo primero de este artículo y proponga la cantidad alzada que en razón de ellas ha de satisfacer el Estado.

Art. 12. Los obispos, en conformidad con lo dispuesto en el art. 35 del concordato, distribuirán entre los conventos de monjas existentes en sus respectivas diócesis las inscripciones intransferibles correspondientes, ya a los bienes de su propiedad que ahora se cedan al Estado, ya a los de la misma procedencia que se hubieren vendido en virtud de dicho concordato, o de la ley de 1.º de mayo de 1855. La renta de estas inscripciones se imputará a dichos conventos como parte de su dotación.

Art. 13. Queda en su fuerza y vigor lo dispuesto en el concordato acerca del suplemento que ha de dar el Estado para el pago de las pensiones de los religiosos de ambos sexos, como también cuanto se prescribe en los artículos 35 y 36 del mismo acerca del mantenimiento de las casas y congregaciones religiosas que se establezcan en la Península, y acerca de la reparación de los templos y otros edificios destinados al culto. El Estado se obliga además a construir a sus expensas las iglesias que se consideren necesarias, a conceder pensiones a los pocos religiosos existentes legos exclaustrados y a proveer a la dotación de las monjas de oficio, capellanes, sacristanes y culto de las iglesias de religiosos en cada diócesis.

Art. 14. La renta de la Santa Cruzada, que hace parte de la actual dotación, se destinará exclusivamente en adelante a los gastos del culto, salvas las obligaciones que pesan sobre aquélla por convenios celebrados con la Santa Sede.

El importe anual de la misma renta se computará por el año común del último quinquenio en una cantidad fija, que se determinará de acuerdo entre la Iglesia y el Estado.

El Estado suplirá, como hasta aquí, la cantidad que falte para cubrir la asignación concedida al culto por el art. 34 del concordato.

Art. 15. Se declara propiedad de la Iglesia la imposición anual que para completar su dotación se estableció en el párrafo cuarto del art. 38 del concordato, y se repartirá y cobrará dicha imposición en los términos allí definidos. Sin embargo, el Gobierno de Su Majestad se obliga a acceder a toda instancia que por motivos locales o por cualquiera otra causa le hagan los obispos para convertir las cuotas de imposición correspondientes a las respectivas diócesis en inscripciones intransferibles de la referida deuda consolidada, bajo las condiciones y en los términos definidos en los artículos 7, 8 y 9 de este convenio.

Art. 16. A fin de conocer exactamente la cantidad a que debe ascender la mencionada imposición, cada obispo, de acuerdo con su cabildo, hará a la mayor brevedad un presupuesto definido de la dotación de su diócesis, ateniéndose al formarlo a las prescripciones del concordato. Y para determinar fijamente en cada caso las asignaciones respecto de las cuales se ha establecido en aquel un *máximum* y un *mínimum,* podrán los obispos, de acuerdo con el Gobierno, optar por un término medio cuando así lo exijan las necesidades de las iglesias en todas las demás circunstancias atendibles.

Art. 17. Se procederá inmediatamente a la nueva circunscripción de parroquias, al tenor de lo conferenciado y concertado ya entre ambas potestades.

Art. 18. El Gobierno de Su Majestad, conformándose a lo prescrito en el art. 36 del concordato, acogerá las razonables propuestas que para aumento de asignaciones le hagan los obispos en los casos previstos en dicho artículo, y señaladamente las relativas a seminarios.

Art. 19. El Gobierno de Su Majestad, correspondiendo a los deseos de la Santa Sede, y queriendo dar un nuevo testimonio de su firme disposición a promover no sólo los intereses materiales, sino también los espirituales de la Iglesia, declara que no pondrá óbice a la celebración de sínodos diocesanos cuando los respectivos prelados estimen conveniente convocarlos.

Asimismo declara que, sobre la celebración de sínodos provinciales y sobre otros varios puntos arduos e importantes, se propone ponerse de acuerdo con la Santa Sede, consultando al mayor bien y esplendor de la Iglesia.

Por último, declara que cooperará por su parte con toda eficacia a fin de que se lleven a efecto sin demora las disposiciones del concordato que aún se hallan pendientes de ejecución.

Art. 20. En vista de las ventajas que de este nuevo convenio resultan a la Iglesia, Su Santidad, acogiendo las repetidas instancias de Su Majestad Católica, ha acordado extender, como de hecho extiende, el benigno saneamiento contenido en el art. 42 del concordato a los bienes eclesiásticos enajenados a consecuencia de la referida ley de 1.º de mayo de 1855.

Art. 21. El presente convenio, adicional al solemne y vigente concordato celebrado en 16 de marzo de 1851, se guardará en España perpetuamente como ley del Estado, del mismo modo que dicho concordato.

Art. 22. El canje de las ratificaciones del presente convenio se verificará en el término de tres meses, o antes si fuere posible.

En fe de lo cual, los infrascritos plenipotenciarios han firmado y sellado el presente convenio con sus respectivos sellos.

Dado en Roma en dos ejemplares, a 25 de agosto de 1859. G. Card. Anto-nelli (L. ✠ S.). Antonio de los Ríos y Rosas (L. ✠ S.).

DOCUMENTO IV

CONVENIO ENTRE PÍO X Y ALFONSO XIII SOBRE LA SITUACIÓN JURÍDICA DE LAS ÓRDENES RELIGIOSAS EN ESPAÑA (19 JUNIO 1904)

(FUENTE: *Mercati* I p.1091-94.)

Su Santidad el Sumo Pontífice Pío X y Su Majestad el Rey Católico de España Don Alfonso XIII, con el fin de aclarar las dudas suscitadas sobre la situación jurídica de las órdenes religiosas en España y la interpretación y alcance que debe darse en esa materia así a los artículos del concordato vigente como a los preceptos de la ley de Asociaciones de 30 de junio de 1887 y a las autorizaciones otorgadas a las órdenes y casas religiosas existentes y resoluciones dictadas por diferentes gobiernos sobre este particular, han resuelto celebrar un convenio, a cuyo efecto han nombrado por sus plenipotenciarios, a saber:

Su Santidad el Sumo Pontífice, a Su E. Mons. Arístides Rinaldini, arzobispo de Heraclea, gran cruz de la Real y Distinguida Orden de Carlos III y de Leopoldo, de Bélgica; nuncio apostólico en el reino de España, etc., etc., etc., y

Su Majestad el Rey Católico de España, al Excmo. S. D. Faustino Rodríguez San Pedro, gran cruz de la Real y Distinguida Orden de Carlos III, de la de Santiago y la Espada, de Portugal; senador vitalicio del reino, su ministro de Estado, etc., etc., etc.

Quienes, después de haber canjeado sus plenos poderes, hallados en buena y debida forma, han convenido en los artículos siguientes:

Artículo 1.º Las órdenes y congregaciones religiosas existentes en España en la fecha de la ratificación del presente convenio y que hayan cumplido antes de ella con las formalidades establecidas en la real orden circular de 9 de abril de 1902 gozarán de la personalidad jurídica de que hoy están en posesión; se considerarán comprendidas en la excepción establecida en el párrafo primero del artículo segundo de la ley de 30 de junio de 1807 y se regirán por sus reglas y disciplina propia y por las disposiciones de este mismo convenio.

Art. 2.º Las órdenes y congregaciones religiosas no tendrán derecho a subvención ni auxilio alguno del presupuesto del Estado y estarán sometidas, en cuanto a su régimen canónico, a los diocesanos y prelados propios, según las reglas de sus estatutos y las disposiciones del Derecho canónico y de la disciplina eclesiástica vigente, y en cuanto a sus relaciones con el poder civil, a las leyes generales del reino. En caso de discordia, la Santa Sede y el Gobierno de Su Majestad se entenderán amigablemente para allanar las dificultades que pudieran surgir.

Art. 3.º Las casas o conventos de las citadas órdenes y congregaciones religiosas estarán sujetas a los impuestos del país por sus bienes o por las profesiones e industrias que ejerzan, en condiciones de igualdad respecto de las demás personas jurídicas o súbditos españoles, y no serán objeto de ninguna tributación o exacción especial.

Art. 4.º Se mantendrán las casas y conventos que a la fecha de la ratificación de este convenio tengan establecidas las órdenes y congregaciones religiosas citadas en el artículo primero, pero no podrá abrirse ni establecerse ninguna otra en la que se haga vida común sin previo consentimiento del prelado diocesano y sin autorización dictada por real orden. Estas autorizaciones se publicarán necesariamente en la *Gaceta de Madrid*.

Art. 5.º Las casas o conventos de las órdenes y congregaciones religiosas en que haya menos de doce individuos que hagan vida común, se suprimirán, agregándose los religiosos o religiosas a otros conventos o casas de la misma orden y quedando los edificios y propiedades en que se hallasen establecidos los que se supriman, a la libre disposición de los superiores. Se exceptúan del anterior precepto las comunidades religiosas que no hacen vida conventual o que en virtud de su instituto se dedican a obras de beneficencia, enseñanza, caridad y asistencia a los enfermos, a los ancianos, a los pobres y abandonados; como también las casas de procura y los sanatorios que pudiesen tener las diferentes órdenes y congregaciones en algunos lugares especiales. El presente artículo tendrá fuerza ejecutiva transcurridos que sean seis meses de la publicación de este convenio en la *Gaceta de Madrid*.

Art. 6.º No se podrá establecer en España ninguna orden o congregación nueva sin que esté autorizada por Su Santidad y sin previo acuerdo del Gobierno con la Santa Sede consignado en real decreto publicado en la *Gaceta de Madrid*.

Art. 7.º La Orden de los PP. Escolapios continuará en las mismas condiciones, derechos y beneficios que hoy disfruta.

Art. 8.º Las Asociaciones para fines religiosos cuyos individuos no estén unidos por vínculo de profesión religiosa ni hagan vida común, y que, por lo tanto, no tengan el carácter de orden o congregación religiosa, se entiende que, sin perjuicio de la autoridad que corresponde a los obispos en la dirección del régimen espiritual y religioso de las mismas, se regirán por la ley general de Asociaciones y los principios del derecho común, sin limitación alguna para el presente ni para lo por venir; debiendo inscribirse en el Registro especial a que se refiere el artículo séptimo de la mencionada ley de Asociaciones de 30 de junio de 1887 y cumplir los demás preceptos de la misma.

Art. 9.º Los extranjeros no podrán constituir en España órdenes y congregaciones religiosas de las mencionadas en el artículo primero sin haberse naturalizado previamente en el reino con arreglo a la ley común. Los religiosos que, conservando su condición legal de extranjeros, ingresen o residan en algún convento o casa religiosa existente en España, seguirán sujetos a todas las disposiciones del derecho común vigentes para los súbditos extranjeros.

Art. 10. En el Ministerio de Gracia y Justicia se abrirá un Registro especial en el que se inscribirán las órdenes y congregaciones religiosas a que se refiere este convenio y las que por acuerdo de ambas potestades se constituyan en lo sucesivo.

Art. 11. El Ministerio de Gracia y Justicia, de acuerdo con el Consejo de Ministros y en concordia con la Santa Sede, dictará las medidas reglamentarias y aclaratorias que pudiera necesitar la ejecución del presente convenio en lo relativo a las órdenes y congregaciones religiosas establecidas o que se establezcan por acuerdo de las dos potestades.

Art. 12. El canje de las ratificaciones del presente convenio se verificará en Madrid lo antes que fuere posible.

En fe de lo cual, los respectivos plenipotenciarios han firmado el presente convenio y le han autorizado con su sello.

Hecho, por duplicado, en Madrid, a 19 de junio de 1904.—✠ A. RINALDINI, arzobispo de Heraclea, nuncio apostólico. (L. S.) — FAUSTINO RODRÍGUEZ SAN PEDRO. (L. S.)

DOCUMENTO V

ACUERDO ENTRE PÍO X Y ALFONSO XIII PARA INTRODUCIR ALGUNAS
MODIFICACIONES AL CONCORDATO DE 1851 RELATIVAS A LOS GASTOS DEL
CULTO Y CLERO (12 JULIO 1904)

(FUENTE: *Mercati* I p.1094-95.)

Su Santidad el Sumo Pontífice, a Su E. Mons. Arístides Rinaldini, arzobispo
fonso XIII, deseando vivamente llegar a un común acuerdo acerca de la necesidad y forma de introducir alguna modificación en el concordato de 1851 en
cuanto se refiere a los gastos del culto y del clero y su mejor distribución, han
nombrado con este objeto sus plenipotenciarios; a saber:

Su Santidad el Sumo Pontífice, a Su E. Mons. Arístides Rinaldini, arzobispo
de Heraclea, gran cruz de la Real y Distinguida Orden de Carlos III y de la de
Leopoldo de Bélgica, nuncio apostólico en el reino de España, y

Su Majestad el Rey Católico de España, al Excmo. S. D. Faustino Rodríguez
San Pedro, gran cruz de la Real y Distinguida Orden de Carlos III, de la de
Santiago y la Espada, de Portugal; senador vitalicio del reino, su ministro de
Estado, etc., etc.

Los cuales, después de haber canjeado sus plenos poderes y hallarlos en
debida forma, han convenido en formalizar el presente protocolo.

Artículo 1.º De igual modo que se hizo para el concordato de 1851, se
creará, dentro del plazo de un mes, contado desde la ratificación de este protocolo, una Junta o Comisión mixta, la mitad de cuyos miembros será nombrada
por su Santidad, y la otra mitad por el Gobierno de Su Majestad Católica.

Art. 2.º Será presidente de esta Junta o Comisión mixta el M. Rvdo. Arzobispo de Toledo.

Art. 3.º Dicha Junta o Comisión mixta tendrá las atribuciones siguientes:

A. Estudiar y trazar una nueva división y circunscripción de las diócesis de
toda la Península e islas adyacentes, completándola con las modificaciones de
parroquias y demás a que esto pueda dar lugar.

B. Proponer, si por resultas de sus trabajos la creyese oportuna y útil, la
supresión de alguna o algunas de las expresadas diócesis o circunscripciones,
haciendo esta propuesta a los fines del artículo siguiente.

C. A la vez que lleve a cabo los trabajos antes referidos, deberá examinar
atenta y detenidamente la posibilidad y la forma de realizar en los gastos del
culto y del clero otras economías que, sin perturbar gravemente el estado de la
Iglesia en España, alivien la situación del erario público.

D. Examinar y proponer de igual manera las medidas que juzgue más
prácticas y oportunas para mejorar la situación económica de los párrocos rurales.

Art. 4. Las propuestas de esta Junta o Comisión mixta se considerarán y
tendrán en su conjunto por la Santa Sede y el Gobierno de Su Majestad Cató-

lica como bases y punto de partida para llegar a un acuerdo definitivo sobre los puntos indicados en este protocolo.

Art. 5. Este protocolo será ratificado, y las ratificaciones canjeadas en Madrid en el más breve plazo posible.

En fe de lo cual, los plenipotenciarios han firmado el presente protocolo y le han autorizado con su sello en Madrid, a 12 de julio de 1904.— (L. S.) Aristides Rinaldini, arzobispo de Heraclea, nuncio apostólico.—(L. S.) Faustino Rodríguez San Pedro.

DOCUMENTO VI

CONVENIO ENTRE LA SANTA SEDE Y EL GOBIERNO ESPAÑOL (7 junio 1941)

(FUENTE: A.A.S. 33 [1941] p.480-81; *Mercati* II p.251-52.)

La Santa Sede y el Gobierno español han convenido en los puntos siguientes:

1. Tan pronto como se haya producido la vacante de una sede arzobispal o episcopal (o de una administración apostólica con carácter permanente, es decir, las de Barbastro y Ciudad Rodrigo), o cuando la Santa Sede juzgue necesario nombrar un coadjutor con derecho de sucesión, el nuncio apostólico, de modo confidencial tomará contacto con el Gobierno español, y, una vez conseguido un principio de acuerdo, enviará a la Santa Sede una lista de nombres de personas idóneas, al menos en número de seis.

2. El Santo Padre elegirá tres de entre aquellos nombres y, por conducto de la Nunciatura Apostólica, los comunicará al Gobierno español, y entonces el jefe del Estado, en el término de treinta días, presentará oficialmente uno de los tres.

3. Si el Santo Padre, en su alto criterio, no estimase aceptables todos o parte de los nombres comprendidos en la lista, de suerte que no pudiera elegir tres o ninguno de entre ellos, de propia iniciativa completará o formulará una terna de candidatos, comunicándola, por el mismo conducto, al Gobierno español.

Si éste tuviera objeciones de carácter político general que oponer a todos o a algunos de los nuevos nombres, las manifestará a la Santa Sede.

En caso de que transcurriesen treinta días desde la fecha de la susodicha comunicación sin una respuesta del Gobierno, su silencio se interpretará en el sentido de que éste no tiene objeciones de aquella índole que oponer a los nuevos nombres; quedando entendido que entonces el jefe del Estado presentará, sin más, a Su Santidad uno de los candidatos incluidos en dicha terna.

Por el contrario, si el Gobierno formula aquellas objeciones, se continuarán las negociaciones aun transcurridos los treinta días.

4. En todo caso, aun cuando el Santo Padre acepte tres nombres de los enviados, siempre podrá, además, sugerir nuevos nombres, que añadirá a la terna, pudiendo entonces el jefe del Estado presentar indistintamente un nombre de los comprendidos en la terna o alguno de los sugeridos complementariamente por el Santo Padre.

5. Todas estas negociaciones previas tendrán carácter absolutamente secreto, guardándose de manera especial el secreto con respecto a las personas hasta el momento de su nombramiento.

6. El Gobierno español, por su parte, se compromete formalmente a concluir cuanto antes con la Santa Sede un nuevo concordato, inspirado en su deseo de restaurar el sentido católico de la gloriosa tradición nacional.

El presente convenio estará en vigor hasta que se incorporen sus normas al nuevo concordato.

7. En lo relativo a la provisión de los beneficios no consistoriales, en el mismo momento de la firma de este convenio se iniciará la oportuna negociación para concluir otro en el que se establezcan las normas para su provisión.

La Iglesia, a la que por derecho propio y nativo corresponde la provisión incluso de aquellos beneficios no consistoriales sobre los que el rey de España gozaba de particulares privilegios, está dispuesta, no obstante, a hacer también en este punto algunas concesiones al Gobierno español.

8. Hasta que la cuestión quede definitivamente arreglada en el futuro concordato, los prelados podrán proceder, libremente, a la provisión de las parroquias, dentro de las normas del Derecho canónico, sin más que notificar los nombramientos al Gobierno, con anterioridad a la toma de posesión, para el caso excepcional de que éste tuviera que formular alguna objeción contra el nombramiento por razones de carácter político general.

9. Entre tanto se llega a la conclusión de un nuevo concordato, el Gobierno español se compromete a observar las disposiciones contenidas en los cuatro primeros artículos del concordato del año 1851.

10. Durante el mismo tiempo el Gobierno se compromete a no legislar sobre materias mixtas o sobre aquellas que puedan interesar de algún modo a la Iglesia, sin previo acuerdo con la Santa Sede.

Hecho por duplicado en Madrid, a 7 de junio de 1941. *Por la Santa Sede,* ✠ CAYETANO CICOGNANI. *Por el Gobierno español,* RAMÓN SERRANO SÚÑER.

DOCUMENTO VII

CONVENIO ENTRE LA SANTA SEDE Y EL GOBIERNO ESPAÑOL PARA LA PROVISIÓN DE BENEFICIOS NO CONSISTORIALES (16 julio 1946)

(FUENTE: *Mercati* II p.252-55.)

Artículo 1.º La provisión de los beneficios no consistoriales pertenece a la autoridad eclesiástica, la cual los confiere en conformidad con el Código de Derecho canónico, salvo cuanto, por concesión de la Santa Sede en consideración de las tradiciones católicas de España, se dispone en el presente convenio.

Art. 2.º Los ordinarios diocesanos procederán a la provisión de las parroquias a tenor del canon 459 y previo concurso general y abierto, de acuerdo con el párrafo cuarto de dicho canon.

Antes de publicar los nombramientos de los párrocos, los notificarán reservadamente al Gobierno para el caso excepcional en que éste tuviera que oponer alguna dificultad de carácter político general.

En caso de divergencia entre el ordinario y el Gobierno, se acudirá a la Santa Sede, la cual, de acuerdo con el jefe del Estado, tomará la decisión que convenga.

Transcurridos treinta días desde la antedicha comunicación sin que el Gobierno haya dado respuesta, su silencio se interpretará en el sentido de que no existe objeción alguna, y el nombramiento será publicado sin más.

Las disposiciones de este artículo en nada afectarán al régimen de provisión de curatos de patronato particular.

Art. 3.º § 1. Cuando se trate de proveer la dignidad de deán de los cabildos metropolitanos y catedrales, el obispo, después de oír al cabildo sobre los varios candidatos, formará una lista de tres eclesiásticos dignos y la enviará al jefe del Estado, el cual escogerá y presentará a la Santa Sede una de las personas que componen la terna.

§ 2. La provisión de la dignidad de chantre corresponderá siempre a la libre colación de la Santa Sede.

§ 3. La provisión de las demás dignidades de los cabildos metropolitanos y catedrales será efectuada por la Santa Sede, alternativamente: *a)* por libre colación, y *b)* por presentación previa del jefe del Estado. En este segundo caso se procederá como se indica en el párrafo primero del presente artículo.

§ 4. Para el nombramiento de abad de los cabildos colegiales, el obispo, previa oposición, formará y enviará al jefe del Estado una lista de tres eclesiásticos que hayan sido reputados dignos en dicha oposición. El jefe del Estado escogerá y presentará a la Santa Sede uno de los nombres comprendidos en la terna.

§ 5. Para el nombramiento de capellán mayor de la capilla de los Reyes de Toledo; de los Reyes Católicos, de Granada, y de San Fernando, de Sevilla, el jefe del Estado presentará al obispo un candidato escogido de una terna formada al efecto por el mismo obispo según lo establecido en el párrafo primero de este artículo.

Art. 4.º Las canojías de oficio de las iglesias catedrales y colegiatas serán conferidas previa oposición, efectuándose la elección del candidato por el obispo y el cabildo.

Para ser nombrado dignidad o canónigo de oficio, se necesita poseer grado mayor en filosofía, teología o Derecho canónico, o haber desempeñado meritoriamente el ministerio eclesiástico en funciones de gobierno, como vicario general, provisor, secretario de cámara, o en cargo de magisterio, como profesor de filosofía, teología o Derecho canónico.

Art. 5.º § 1. Las canonjías simples y los beneficios menores de las iglesias catedrales y colegiatas se proveerán una mitad previa oposición y la otra mitad en la forma llamada «de gracia». Cuando el número de las prebendas fuera impar, la unidad sobrante se sumará al grupo de las de oposición. En la mitad correspondiente a oposición se entenderán incluidos los beneficios denominados de oficios.

§ 2. Al proveer estos beneficios, el obispo conserva la facultad de imponerles, oído el cabildo, cargas particulares, principalmente de ministerio.

§ 3. Bien sea que haya habido oposición o que se proceda en forma «de gracia», las canonjías y los beneficios a que se refiere el párrafo primero serán conferidos por el obispo, alternativamente: *a)* por libre colación, después de haber oído al cabildo, y *b)* por presentación previa del jefe del Estado.

En este segundo caso, el jefe del Estado escogerá al candidato que ha de presentar de una lista de tres eclesiásticos dignos que el obispo formará a base de los resultados de la oposición o, después de oír al cabildo sobre los varios candidatos, por su libre designación.

Art. 6.º § 1. Las prebendas del priorato *nullius* de Ciudad Real se conferirán de conformidad con su régimen tradicional establecido en la bula *Ad Apostolicam.*

§ 2. Para el nombramiento de capellanes y beneficiados menores de las capillas de los Reyes, de Toledo, de los Reyes Católicos, de Granada, y de San Fernando, de Sevilla, se procederá previa presentación del jefe del Estado. La terna de los eclesiásticos de entre los cuales el jefe del Estado escogerá el nombre que habrá de presentar al obispo, la hará el mismo obispo después de oír el parecer del cabildo y de la respectiva corporación sobre los varios candidatos.

§ 3. Los capellanes, párrocos y beneficiados mozárabes serán nombrados según las constituciones propias de su cabildo.

§ 4. Salvo lo dispuesto en el artículo 8, las iglesias colegiatas de Santa María de Roncesvalles, de San Isidoro de León, y la de Gandía, lo mismo que las iglesias magistrales del Sacro Monte y de Alcalá de Henares, conservarán su régimen tradicional.

§ 5. Se conservará también el régimen peculiar de conferir las prebendas en las colegiatas de patronato particular.

Art. 7.º § 1. Cuando la provisión de un beneficio haya de hacerse por oposición, podrán participar en ella sacerdotes de todas las diócesis españolas, con el consentimiento de los ordinarios interesados, y se efectuará aquélla según las normas que dicte la Santa Sede.

§ 2. Cuando la elección del candidato a un beneficio se efectúe, previa oposición, por el ordinario y el cabildo, corresponderán en aquélla al prelado tres, cuatro o cinco votos, según que el número de capitulares sea de dieciséis o menos, de veinte o de más de veinte.

§ 3. Cuando la provisión de un beneficio se efectúe, previa oposición, para el turno en que corresponde al jefe del Estado la presentación, el ordinario formará la lista de tres eclesiásticos dignos a base de los resultados de la oposición; pero, si no le es posible reunir ese número, podrá elevar una lista incompleta, exponiendo el motivo que haya tenido para ello.

§ 4. La presentación por parte del jefe del Estado se efectuará siempre en plazo de treinta días, a contar desde aquel en que el ordinario haya transmitido al Ministerio competente la terna formada por él. Transcurrido dicho plazo sin que se realice la presentación, la provisión del beneficio será considerada como libre.

§ 5. La autoridad eclesiástica diocesana dará comunicación oficial al Gobierno de las provisiones efectuadas para los efectos oportunos.

Art. 8.º Quedando firmes los principios generales del Código de Derecho canónico acerca de las reservas pontificias, la Santa Sede consiente en que no se apliquen las prescripciones del canon 1435 § 1, números 1.º, 2.º y 4.º, cuando, según los términos del presente convenio, la provisión de un beneficio no consistorial tenga lugar previa presentación del jefe del Estado.

Las provisiones de los beneficios eclesiásticos que quedaren vacantes «por resulta» serán consideradas en todo igual a las otras provisiones, y, por tanto, se ajustarán a las normas que para cada caso se establecen en este convenio, salvo cuando se haya producido la vacante a consecuencia de la provisión de un beneficio no consistorial efectuada por libre colación de la Santa Sede, en cuyo caso se aplicarán las normas del Código de Derecho canónico.

Art. 9.º El Gobierno español conservará las dotaciones señaladas a los beneficios objeto del presente convenio, en la cuantía consignada actualmente.

Si en el futuro se verificasen cambios notables en las condiciones económicas generales, las dotaciones del Gobierno se acomodarán a la nueva situación en medida no inferior al valor real de las asignadas actualmente.

Art. 10. El presente convenio se aplicará a todos los beneficios que estén vacantes en el acto de la firma y permanecerá en vigor hasta que sus normas sean incorporadas al nuevo concordato.

El Gobierno español renueva, a este propósito, el empeño de observar las disposiciones contenidas en los cuatro primeros artículos del concordato de 1851 y de no legislar sobre materias mixtas o que de algún modo puedan interesar a la Iglesia, sin previo acuerdo con la Santa Sede.

Hecho en doble ejemplar.

Madrid, 16 de julio de 1946. ✠ CAYETANO CICOGNANI, ALBERTO MARTÍN ARTAJO.

CONVENIO ENTRE LA SANTA SEDE Y EL GOBIERNO ESPAÑOL SOBRE
SEMINARIOS Y UNIVERSIDADES DE ESTUDIOS ECLESIÁSTICOS (8 diciembre 1946)

(FUENTE: *Mercati* II p.255-61.)

Artículo 1.º Las diócesis tendrán, libremente y de conformidad con el Derecho canónico, seminarios eclesiásticos, cuya organización y dirección corresponde a las competentes autoridades de la Iglesia.

Art. 2.º El Estado español contribuirá, con arreglo al presente convenio, a la dotación de los seminarios menores y mayores establecidos en armonía con las prescripciones del Derecho canónico y las disposiciones ejecutivas emanadas del episcopado español.

Art. 3.º El Estado español contribuirá a la dotación de un seminario menor en cada diócesis por los siguientes conceptos:
  a) Personal directivo y docente.
  b) Gastos de conservación y reparaciones, biblioteca y material.

Art. 4.º Asimismo, para la formación religiosa y científica de los eclesiásticos, el Estado español contribuirá, con arreglo al cuadro B, a la dotación del seminario mayor en las siguientes diócesis:
  Provincia eclesiástica de Burgos: Burgos, Calahorra, León, Palencia, Santander y Vitoria.
  Provincia eclesiástica de Granada: Granada, Almería, Cartagena, Jaén y Málaga.
  Provincia eclesiástica de Santiago: Santiago, Lugo, Mondoñedo, Orense, Oviedo y Tuy.
  Provincia eclesiástica de Sevilla: Sevilla, Badajoz, Cádiz, Córdoba, Las Palmas y Tenerife.
  Provincia eclesiástica de Tarragona: Tarragona, Barcelona, Gerona, Lérida, Tortosa, Solsona, Urgel y Vich.
  Provincia eclesiástica de Toledo: Toledo, Coria, Cuenca, Madrid-Alcalá, Sigüenza y Plasencia.
  Provincia eclesiástica de Valencia: Valencia, Mallorca y Orihuela.
  Provincia eclesiástica de Valladolid: Valladolid, Astorga, Avila, Salamanca, Zamora y Segovia.
  Provincia eclesiástica de Zaragoza: Zaragoza, Huesca, Pamplona, Tarazona y Teruel.
  Priorato *nullius:* Ciudad Real.
  Para la dotación que en lo futuro pudiera considerarse necesaria para otros seminarios, se estará a lo que de común acuerdo entre ambas potestades se convenga.

Art. 5.º Teniendo presente que la finalidad de los seminarios es la de formar sacerdotes santos y doctos, y que a esta finalidad deben contribuir profesores dotados de adecuadas condiciones religiosas, morales, eclesiásticas y culturales, los nombramientos para las cátedras dotadas con arreglo al presente convenio los hará el obispo diocesano previa oposición, a la cual podrá permitir que concurran también sacerdotes de otras diócesis que posean las cualidades indicadas y tengan el permiso de su propio prelado. Por lo que se refiere a las cualidades culturales, podrán concurrir los sacerdotes que presenten calificaciones correspondientes a las exigencias de la enseñanza a la cual aspiran, como son trabajos científicos que merezcan consideración, o bien reúnan las siguientes condiciones:

a) Para las cátedras del curso Humanístico: los que estén en posesión de grados académicos en filosofía, teología o derecho canónico, y con preferencia los que estuvieran graduados en lenguas clásicas o en historia.

b) Para las cátedras del curso filosófico: los que estén en posesión de grados académicos mayores en filosofía, teología o derecho canónico, o que estuvieren graduados en filosofía y letras o en ciencias.

c) Para las cátedras del curso teológico: los que estén en posesión de grados académicos mayores por una universidad o facultad teológico-jurídica de estudios eclesiásticos.

Los profesores designados por el prelado en virtud del concurso quedarán en prueba por tres años, como extraordinarios, antes de ser nombrados ordinarios o definitivamente.

Corresponde igualmente al obispo, que podrá libremente obrar «según su conciencia», remover a los profesores por motivo de doctrina o moralidad y de disciplina eclesiástica, por infracciones graves de sus deberes escolares o por inadecuada eficiencia en el desempeño de su misión instructiva y formativa.

Art. 6.º El estudio de la lengua, literatura, geografía e historia de España será obligatorio en los seminarios, en extensión no inferior al plan de enseñanza media en España, y las autoridades eclesiásticas cuidarán de que en la enseñanza de estas disciplinas se inculque el más acendrado sentimiento patriótico español.

Los prelados comunicarán al Ministerio de Educación Nacional los textos, programas y horarios de las disciplinas que no sean filosóficas o teológicas.

Tal comunicación tendrá carácter puramente informativo.

En consecuencia, los alumnos de los seminarios que, además del curso clásico (cinco años), hubieren aprobado el curso filosófico (tres años), quedarán habilitados legalmente para sufrir las pruebas finales establecidas para la obtención del título de bachiller.

Art. 7.º El Estado español reconoce las universidades de estudios eclesiásticos erigidas por la Silla Apostólica, dotando las actuales existentes en España sobre la base de:

1.º La constitución apostólica *Deus Scientiarum Dominus,* de 24 de mayo de 1931, con las ordenaciones de 12 de junio de 1931.

2.º Los estatutos respectivos, debidamente aprobados por la Santa Sede.

Para la dotación de las facultades universitarias que en lo futuro pudieran crearse, se estará a lo que de común acuerdo se convenga, dentro de lo prescrito por el presente convenio.

Art. 8.º Las dotaciones objeto de los artículos 3.º, 4.º y 7.º que preceden se ajustarán a las cifras que figuran en los cuadros A, B y C del anejo al presente convenio, y su cuantía será modificada paralela y proporcionalmente a las retribuciones del profesorado similar de los establecimientos docentes del Estado.

Art. 9.º Los prelados respectivos comunicarán al Ministerio de Justicia los nombramientos y vacantes de profesores de cátedras dotadas en los seminarios, así como el decreto de convocatoria de las oposiciones, con carácter puramente informativo, para su publicación en los periódicos oficiales. Este decreto se publicará dentro de los dos meses de haberse producido la vacante.

Por lo que atañe a los nombramientos, vacantes y convocatorias referentes al profesorado de las universidades de Estudios eclesiásticos de Salamanca y de Comillas, el prelado y el superior mayor, respectivamente, en su calidad de cancilleres y con arreglo a los propios estatutos, harán análogas comunicaciones al Ministerio de Justicia y a los mismos fines y plazo indicados.

Art. 10. Las dotaciones para los profesores no constituirán piezas eclesiásticas y se entienden asignadas a las cátedras que se indican, debiendo ser pagadas por nómina a los profesores de las mismas, a través del ordinario diocesano, en la medida que éste las reciba del Gobierno.

Art. 11. Las normas del presente convenio entrarán en vigor el día de su firma y serán incorporadas al nuevo concordato; debiendo las autoridades competentes adoptar las medidas oportunas para su inmediata ejecución.

Art. transitorio. Los profesores actuales que sean reconocidos idóneos por el ordinario diocesano en relación a la finalidad de los seminarios, podrán ser confirmados por el mismo ordinario en la enseñanza a la cual estaban consagrados, aunque no posean grados académicos.

Hecho en doble ejemplar.

Madrid, a ocho de diciembre de 1946, festividad de la Inmaculada Concepción, Patrona de España.—(L. ✠ S.) CAYETANO CICOGNANI.—(L. ✠ S.) ALBERTO MARTÍN ARTAJO.

CUADRO A

Dotación de los seminarios menores

	Pesetas
Cinco Profesores de latín y castellano, a 8.000 pesetas	40.000
Un profesor de griego	8.000
Un profesor de geografía e historia	6.000
Un profesor de religión y francés	6.000
Un rector	4.000
Un padre espiritual	4.000
Un prefecto de estudios	3.000
Gastos de entretenimiento y reparaciones	6.000
Biblioteca y material	6.000
TOTAL	83.000

CUADRO B

Dotación de los seminarios mayores

	Pesetas
Tres profesores de Filosofía, a 8.000 pesetas	24.000
Un profesor de matemáticas y ciencias físicas y naturales	8.000
Un profesor de literatura castellana, griega y latina	8.000
Un profesor de dogmática fundamental	8.000
Un profesor de introducción general a la Sagrada Escritura, griego bíblico y lengua hebraica	8.000

748 *Apénd.II. Documentos*

Pesetas

Un profesor de Sagrada Escritura (introducción especial y 8.000
Un profesor de historia eclesiástica (prolegómenos), historia
eclesiástica con patrística, bellas artes, arqueología y liturgia doctrinal 8.000
Un profesor de dogmática especial 8.000
Un profesor de Sagrada Escritura (introducción especial y
exégesis) 8.000
Un profesor de Derecho canónico y Derecho público eclesiástico 8.000
Un auxiliar de historia civil 6.000
Un rector 4.000
Un prefecto de estudios 3.000
Un padre espiritual 3.000
Biblioteca, museo y laboratorio 18.000
Reparaciones 8.000

TOTAL 138.000

CUADRO C

Universidad eclesiástica de Salamanca.
Facultad de Teología

Pesetas

a) Un profesor ordinario de teología fundamental 12.000
Cuatro profesores ordinarios de teología dogmática especial 48.000
Dos profesores ordinarios de moral especial 24.000
Un profesor ordinario de moral fundamental 12.000
Dos profesores ordinarios de historia eclesiástica y de arqueología 24.000
Un profesor ordinario de Introducción general a la Sagrada Escritura y de lengua hebrea y griego bíblico .. 12.000
Dos profesores ordinarios de Sagrada Escritura (exégesis
del A. y N. Testamento) y de teología bíblica 24.000
Un profesor ordinario de historia de la teología y de la
teología española 12.000
Un profesor ordinario de teología pastoral, de instituciones histórico-sistemáticas de liturgia y pedagogía catequística 12.000
Un profesor *ad tempus* de instituciones de Derecho canónico y de principios de derecho 10.000

Facultad de Derecho canónico

Pesetas

a) Tres profesores ordinarios de *Codex Iuris Canonici* 36.000
Un profesor ordinario de filosofía del derecho y Derecho
público eclesiástico 12.000
Un profesor ordinario de historia del Derecho canónico y
del Derecho concordatario 12.000

Pesetas

Un profesor *ad tempus* de instituciones de Derecho romano 10.000
Un profesor *ad tempus* de instituciones de Derecho civil . 10.000
Un profesor *ad tempus* de fundamentos de Derecho internacional según Francisco de Vitoria 10.000

Facultad de Filosofía

Pesetas

a) Un profesor ordinario de introducción a la filosofía y la lógica 12.000
Un profesor ordinario de cosmología 12.000
Un profesor ordinario de psicología 12.000
Un profesor ordinario de ontología 12.000
Un profesor ordinario de crítica del conocimiento 12.000
Un profesor ordinario de teología natural 12.000
Un profesor ordinario de ética y Derecho natural 12.000
Un profesor *ad tempus* de historia de la filosofía española 10.000

Comunes a todas las Facultades

Pesetas

Un rector 6.000
Tres decanos, a 2.500 pesetas 7.500
Un secretario ecónomo 12.000
Un bibliotecario 4.000
Personal auxiliar y subalterno 18.000

b) Para biblioteca y laboratorio 50.000
Para publicaciones 20.000
Para material 17.000

TOTAL 508.500

Universidad Pontificia de Comillas. Facultad de Teología

Pesetas

a) Un profesor ordinario de teología fundamental 12.000
Dos profesores ordinarios de dogmática especial 24.000
Un profesor ordinario de Sagrada Escritura 12.000
Un profesor ordinario de historia eclesiástica y patrología
.... 12.000
Un profesor *ad tempus* de historia de los dogmas e historia de la teología 10.000
Un profesor *ad tempus* de instituciones canónicas 10.000
Un profesor *ad tempus* de teología moral 10.000

Facultad de Filosofía

Pesetas

a) Un profesor ordinario de ontología y cosmología 12.000
Un profesor ordinario de psicología racional y psicología experimental 12.000
Un profesor ordinario de ética y teodicea 12.000
Un profesor ordinario de introducción a la filosofía e historia de la filosofía 12.000

Pesetas

Un profesor ordinario de ciencias físico-químicas relacionadas con la filosofía 12.000

Un profesor *ad tempus* de textos de Santo Tomás y Aristóteles 10.000

Un profesor *ad tempus* de ciencias naturales relacionadas con la filosofía 10.000

Facultad de Derecho canónico

Pesetas

a) Tres profesores ordinarios de *Codex Iuris Canonici* 36.000

Un profesor ordinario de filosofía del derecho y Derecho público eclesiástico 12.000

Un profesor *ad tempus* de instituciones de Derecho civil concordatario 12.000

Un profesor *ad tempus* de instituciones de Derecho civil . 10.000

Un profesor *ad tempus* de instituciones de Derecho romano 10.000

Comunes a todas las Facultades

Pesetas

Un rector 6.000

Tres decanos, a 2.500 pesetas 7.500

Un secretario ecónomo 12.000

Un bibliotecario 4.000

Personal auxiliar y subalterno 18.000

b) Para biblioteca y laboratorio 50.000

Para publicaciones 20.000

Para material 17.000

TOTAL 384.500

DOCUMENTO IX

CONVENIO ENTRE LA SANTA SEDE Y EL ESTADO ESPAÑOL SOBRE LA
JURISDICCIÓN CASTRENSE Y ASISTENCIA RELIGIOSA DE LAS FUERZAS ARMADAS
(5 agosto 1950)

(FUENTES: AAS 44 [1951] p.80-86; *Mercati* II p.265-69.)

La Santa Sede y el Gobierno español, deseando llegar a un acuerdo sobre la jurisdicción castrense y asistencia religiosa a las Fuerzas Armadas, han nombrado, con este objeto, sus plenipotenciarios, a saber:
Su Santidad el Sumo Pontífice, a su E. Rvdma. Mons. DOMENICO TARDINI, secretario de la Sagrada Congregación de Asuntos Extraordinarios; y
el jefe del Estado español, al Exmo. Sr. Dr. D. JOAQUÍN RUIZ-GIMÉNEZ, embajador de España cercà de la Santa Sede.
Los cuales, después de haber canjeado sus plenos poderes y hallarlos en debida forma, han convenido en los artículos siguientes:

Artículo 1.º La Santa Sede constituye en España un Vicariato Castrense para atender al cuidado espiritual de los militares de Tierra, Mar y Aire.

Art. 2.º La Santa Sede procederá al nombramiento del vicario general castrense, previa presentación del Jefe del Estado, según lo establecido en el convenio en vigor entre la misma Santa Sede y España sobre provisión de las sedes arzobispales y episcopales y el nombramiento de coadjutores con derecho de sucesión.
El vicario general castrense será elevado a la dignidad arzobispal.

Art. 3.º Al quedar vacante el Vicariato Castrense, el teniente vicario de la Primera Región Militar más antiguo en este cargo asumirá interinamente las funciones del vicario general castrense, con las limitaciones pertinentes, por carecer de la dignidad episcopal.

Art. 4.º El ingreso en el Cuerpo de Capellanes tendrá lugar previa oposición, según las normas aprobadas por la Santa Sede, si bien no se requirirán necesariamente títulos académicos para ser admitidos a la oposición y siempre a salvo las disposiciones del presente convenio.
Para el ascenso al grado de teniente vicario será preciso poseer la licenciatura o el doctorado en teología o en Derecho canónico y haber sido declarado canónicamente apto, previo examen, por el vicario general castrense.

Art. 5.º El nombramiento eclesiástico de los capellanes se hará por el vicario general castrense, quien les expedirá el correspondiente título.
El ingreso en el Cuerpo y el destino a unidad o establecimiento se hará por el Ministerio correspondiente, a propuesta del vicario general castrense.

Art. 6.º Los capellanes militares ejercen su sagrado ministerio bajo la jurisdicción del vicario general castrense, asistido por su propia curia.
Dado el carácter sagrado de los capellanes, en el caso en que deban ser

sancionados por consecuencia de un expediente de carácter puramente militar, se dará cuenta al vicario general castrense, quien dispondrá se cumpla la sanción en el lugar y en la forma que estime más adecuados.

El vicario general castrense podrá suspender o destituir de su oficio por causas canónicas y «ad normam iuris canonici» a los capellanes militares, comunicando la suspensión o remoción al Ministerio competente, el cual, sin otro trámite, procederá, en el primer caso, a declararlos en situación de disponibles y, en el segundo, a darles de baja en el Cuerpo.

Los capellanes militares como sacerdotes y *ratione loci* estarán sujetos también a la disciplina y vigilancia de los ordinarios diocesanos, quienes en casos urgentes podrán tomar las oportunas providencias canónicas, debiendo en tales casos hacerlas conocer en seguida al vicario general castrense.

Art. 7.º La jurisdicción del vicario general castrense y de los capellanes es personal, se extiende a todos los militares de Tierra, Mar y Aire en situación de servicio activo (esto es bajo las armas), a sus esposas legítimas e hijos menores cuando vivan en su compañía y a los alumnos de las Academias y de las Escuelas Militares, quedando excluidos los civiles que de cualquiera otra manera estén relacionados con los mismos militares o presten servicio en los Ejércitos.

La misma jurisdicción se extiende también a los miembros del Cuerpo de la Guardia Civil y de la Policía Armada.

Art. 8.º Los capellanes militares tienen competencia parroquial en lo tocante a las personas mencionadas en el artículo precedente.

Por lo que se refiere a la asistencia canónica al matrimonio, tendrán presente la disposición del canon 1097, 2, del Código de Derecho canónico que prescribe: «Pro regula habeatur ut matrimonium coram sponsae parocho celebretur, nisi iusta causa excuset»; y en caso de celebrarse el matrimonio ante el capellán castrense, éste deberá atenerse a todas las prescripciones canónicas, y de manera particular a las del canon 1103 § 1 y 2.

Sin perjuicio de lo que prescribe el canon 1962 del Código de Derecho canónico, está reservado a los ordinarios del lugar conocer de las causas matrimoniales concernientes a personas sujetas a la jurisdicción eclesiástica castrense.

Art. 9.º Como quiera que la jurisdicción castrense se ejerce dentro del territorio de diferentes diócesis, es cumulativa con la de los ordinarios diocesanos. Sin embargo, en los cuarteles, aeropuertos, arsenales militares, residencia de las jefaturas militares, Academias y Escuelas Militares, hospitales, tribunales, cárceles, campamentos y demás lugares destinados a las tropas de Tierra, Mar y Aire, usarán de ella primaria y principalmente el vicario general castrense y los capellanes militares; y subsidiariamente, aunque siempre por derecho propio, los ordinarios diocesanos y los párrocos locales, cuando aquéllos falten o estén ausentes, mediante los oportunos acuerdos, por regla general, con el vicario general castrense, quien informará a las autoridades militares correspondientes.

Fuera de los lugares arriba señalados, ejercerán libremente su jurisdicción los ordinarios diocesanos y, cuando así les fuese solicitado, los párrocos locales.

Art. 10. Cuando los capellanes castrenses, en funciones de su sagrado ministerio con los militares, tengan que oficiar fuera de los templos, establecimientos, campamentos y demás lugares destinados regularmente a ellos, deberán dirigirse con anticipación a los ordinarios diocesanos o a los párrocos o rectores locales para obtener el oportuno permiso.

Art. 11. El vicario general castrense se pondrá de acuerdo con los obispos diocesanos y los superiores mayores religiosos, para designar entre sus súbditos, un número adecuado de sacerdotes, que, sin dejar los oficios que tengan en sus diocesanos y los superiores mayores religiosos, para designar entre sus súbditos un número adecuado de sacerdotes que, sin dejar los oficios que tengan en sus

Tales sacerdotes y religiosos ejercerán su ministerio con los militares a las órdenes del vicario general castrense, del cual recibirán las necesarias facultades «ad nutum», y serán retribuidos a título de gratificación o estipendio ministerial.

Art. 12. El Estado español reconoce que los clérigos y religiosos, ya sean profesos, ya novicios, en virtud de los cánones 121 y 614 del Código de Derecho canónico, están exentos de todo servicio militar.

1) En tiempo de paz, el vicario general castrense, previo acuerdo con los ordinarios diocesanos o superiores mayores religiosos, puede llamar en la medida que sea necesario, y por un tiempo no superior en todo caso a la duración del servicio militar en filas, a los sacerdotes y religiosos profesos que hayan alcanzado los treinta años de edad, a prestar en los Ejércitos funciones de su sagrado ministerio o asistencia religiosa de las fuerzas armadas, con exclusión de todo otro servicio.

2) Los seminaristas, postulantes y novicios diferirán en tiempo de paz, el cumplimiento de todas las obligaciones militares, solicitando prórrogas anuales durante el tiempo que les falte para recibir el sagrado presbiterado o para emitir sus votos, respectivamente.

Los rectores de los seminarios y los superiores de las casas religiosas enviarán, sin pérdida de tiempo, a las autoridades militares correspondientes nota de aquellos seminaristas, postulantes y novicios que, disfrutando de dichas prórrogas, abandonaren el Seminario o el Instituto religioso.

La misma obligación tendrán los señores obispos y los superiores mayores religiosos respecto de los clérigos que, a tenor de los cánones, hubieran sido reducidos al estado laical o de los religiosos que, no habiendo recibido órdenes sagradas y estando en edad militar, abandonaren el Instituto.

3) Todos los clérigos, seminaristas y religiosos, incluso los novicios y postulantes, quedarán excluidos de las movilizaciones que se decreten con fines de instrucción.

Art. 13. En los casos de movilización general por causa de guerra, los sacerdotes seculares o regulares que tuviesen la edad a que alcance la movilización y fuesen necesarios a juicio del vicario general castrense, serán llamados a ejercer su sagrado ministerio en las fuerzas armadas como capellanes, disfrutando de la consideración de oficiales.

En los casos de movilización por causa de guerra, los clérigos y religiosos no sacerdotes, así como los seminaristas, postulantes y novicios en edad a la que alcance la movilización y en la medida que el vicario general castrense estimare necesaria, serán destinados a ayudar a los capellanes en su ministerio espiritual, o a otros servicios compatibles con su carácter eclesiástico. De entre ellos, los que en el momento de decretarse la movilización estén preparándose para el sacerdocio, disfrutarán de permisos prorrogables que, en cada caso, a juicio del vicario castrense, autoricen las circunstancias, con el fin de que prosigan sus estudios en el seminario o casa religiosa a la cual pertenecen.

Cesarán en su disfrute si abandonan los estudios o cuando terminen la carrera, circunstancias que los rectores o superiores respectivos comunicarán inmediatamente a la autoridad militar.

El seminarista o novicio en cuyo nombre se presente voluntariamente un sacerdote del clero regular o secular, debidamente autorizado por sus superiores eclesiásticos, para prestar servicio de vanguardia propio de su ministerio sacerdotal, disfrutarán en todo caso de estos permisos.

Art. 14. En los casos de movilización general por causa de guerra quedan exceptuados del cumplimiento de las obligaciones militares los sacerdotes que tengan cura de almas. Se consideran tales los ordinarios, los párrocos, los vicepárrocos y los rectores de iglesias abiertas al culto.

Asimismo serán dispensados de las obligaciones antedichas, aun en los casos de movilización general por causa de guerra, los obispos titulares, los rectores de los seminarios y los misioneros, a saber: aquellos sacerdotes y religiosos que, con la debida autorización de la competente autoridad eclesiástica, se consagran al apostolado en los territorios de misión.

Art. 15. El vicario general castrense o el teniente vicario que interinamente asuma sus funciones podrá solicitar de la Santa Sede la concesión y sucesiva renovación de las facultades, gracias y privilegios que estimen convenientes.

Art. 16. Este convenio será ratificado y las ratificaciones canjeadas en el más breve plazo posible. Hecho por duplicado en la Ciudad del Vaticano, a 5 de agosto de 1950.—L. ✠ S. DOMENICO TARDINI.—L. ✠ S. JOAQUÍN RUIZ-GIMÉNEZ.

CONCORDATO ENTRE LA SANTA SEDE Y ESPAÑA

(27 agosto 1953)

(FUENTES: AAS 45 [1953] p.625-56; *Mercati,* II, p.271-94)

En el nombre de la Santísima Trinidad.

La Santa Sede Apostólica y el Estado español, animados del deseo de asegurar una fecunda colaboración para el mayor bien de la vida religiosa y civil de la nación española, han determinado estipular un concordato que, reasumiendo los convenios anteriores y completándolos, constituya la norma que ha de regular las recíprocas relaciones de las altas partes contratantes, en conformidad con la ley de Dios y la tradición católica de la nación española.

A este fin, Su Santidad el Papa Pío XII ha tenido a bien nombrar por su plenipotenciario a S. E. Rvdma. Mons. Domenico Tardini, prosecretario de Estado para los Asuntos Eclesiásticos Extraordinarios; y S. E. el jefe del Estado español, D. Francisco Franco Bahamonde, ha tenido a bien nombrar por sus plenipotenciarios al Excmo Sr. D. Alberto Martín Artajo, ministro de Asuntos Exteriores, y al Excmo. Sr. D. Fernando María Castiella y Maíz, embajador de España cerca de la Santa Sede,

quienes, después de entregadas sus respectivas plenipotencias y reconocida la autenticidad de las mismas, han convenido lo siguiente:

Artículo 1.º   La religión católica, apostólica, romana sigue siendo la única de la nación española y gozará de los derechos y de las prerrogativas que le corresponden en conformidad con la ley divina y el Derecho canónico.

Art. 2.º 1.   El Estado español reconoce a la Iglesia católica el carácter de sociedad perfecta y le garantiza el libre y pleno ejercicio de su poder espiritual y de su jurisdicción, así como el libre y público ejercicio del culto.

2.   En particular, la Santa Sede podrá libremente promulgar y publicar en España cualquier disposición relativa al gobierno de la Iglesia y comunicar sin impedimento con los prelados, el clero y los fieles del país, de la misma manera que éstos podrán hacerlo con la Santa Sede.

Gozarán de las mismas facultades los ordinarios y las otras autoridades eclesiásticas en lo referente a su clero y fieles.

Art. 3.º 1.   El Estado español reconoce la personalidad jurídica internacional de la Santa Sede y del Estado de la Ciudad del Vaticano.

2.   Para mantener, en la forma tradicional, las amistosas relaciones entre la Santa Sede y el Estado español, continuarán permanentemente acreditados un embajador de España cerca de la Santa Sede y un nuncio apostólico en Madrid. Este será el decano del Cuerpo Diplomático, en los términos del derecho consuetudinario.

Art. 4.º 1. El Estado español reconoce la personalidad jurídica y la plena capacidad de adquirir, poseer y administrar toda clase de bienes a todas las instituciones y asociaciones religiosas existentes en España a la entrada en vigor del presente concordato, constituidas según el Derecho canónico; en particular a las diócesis con sus instituciones anejas, a las parroquias, a las órdenes y congregaciones religiosas, las sociedades de vida común y los institutos seculares de perfección cristiana canónicamente reconocidos, sean de derecho pontificio o de derecho diocesano, a sus provincias y a sus casas.

2. Gozarán de igual reconocimiento las entidades de la misma naturaleza que sean ulteriormente erigidas o aprobadas en España por las autoridades eclesiásticas competentes, con la sola condición de que el decreto de erección o de aprobación sea comunicado oficialmente por escrito a las autoridades competentes del Estado.

3. La gestión ordinaria y extraordinaria de los bienes pertenecientes a entidades eclesiásticas o asociaciones religiosas y la vigilancia e inspección de dicha gestión de bienes corresponderán a las autoridades competentes de la Iglesia.

Art. 5.º El Estado tendrá por festivos los días establecidos como tales por la Iglesia en el Código de Derecho canónico o en otras disposiciones particulares sobre festividades locales, y dará, en su legislación, las facilidades necesarias para que los fieles puedan cumplir en esos días sus deberes religiosos.

Las autoridades civiles, tanto nacionales como locales, velarán por la debida observancia del descanso en los días festivos.

Art. 6.º Conforme a las concesiones de los Sumos Pontífices San Pío V y Gregorio XIII, los sacerdotes españoles diariamente elevarán preces por España y por el jefe del Estado, según la fórmula tradicional y las prescripciones de la sagrada liturgia.

Art. 7.º Para el nombramiento de los Arzobispos y obispos residenciales y de los coadjutores con derecho de sucesión, continuarán rigiendo las normas del acuerdo estipulado entre la Santa Sede y el Gobierno español el 7 de junio de 1941.

Art. 8.º Continuará subsistiendo en Ciudad Real el Priorato *nullius* de las Ordenes Militares.

Para el nombramiento del obispo prior se aplicarán las normas a que se refiere el artículo anterior.

Art. 9.º 1. A fin de evitar, en lo posible, que las Diócesis abarquen territorios pertenecientes a diversas provincias civiles, las altas partes contratantes procederán, de común acuerdo, a una revisión de las circunscripciones diocesanas.

Asimismo, la Santa Sede, de acuerdo con el Gobierno español, tomará las oportunas disposiciones para eliminar los enclaves.

Ninguna parte del territorio español o de soberanía de España dependerá de obispo cuya sede se encuentre en territorio sometido a la soberanía de otro Estado, y ninguna diócesis española comprenderá zonas de territorio sujeto a soberanía extranjera, con excepción del principado de Andorra, que continuará perteneciendo a la diócesis de Urgel.

2. Para la erección de una nueva diócesis o provincia eclesiástica y para otros cambios de circunscripciones diocesanas que pudieran juzgarse necesarios, la Santa Sede se pondrá previamente de acuerdo con el Gobierno español, salvo si se tratase de mínimas rectificaciones de territorio reclamadas por el bien de las almas.

3. El Estado español se compromete a proveer a las necesidades económicas de las diócesis que en el futuro se erijan aumentando adecuadamente la dotación establecida en el artículo 19.

El Estado, además, por sí o por medio de las corporaciones locales interesadas, contribuirá con una subvención extraordinaria a los gastos iniciales de organización de las nuevas diócesis; en particular subvencionará la construcción de las nuevas catedrales y de los edificios destinados a residencia del prelado, oficinas de la curia y seminarios diocesanos.

Art. 10. En la provisión de los beneficios no consistoriales se seguirán aplicando las disposiciones del acuerdo estipulado el 16 de julio de 1946.

Art. 11. 1. La Autoridad eclesiástica podrá libremente erigir nuevas parroquias y modificar los límites de las ya existentes.

Cuando estas medidas impliquen un aumento de contribución económica del Estado, la autoridad eclesiástica habrá de ponerse de acuerdo con la competente autoridad del Estado por lo que se refiere a dicha contribución.

2. Si la autoridad eclesiástica considerase oportuno agrupar, de modo provisional o definitivo, varias parroquias, bien sea confiándolas a un solo párroco, asistido de uno o varios coadjutores, bien reuniendo en un solo presbiterio a varios sacerdotes, el Estado mantendrá inalteradas las dotaciones asignadas a dichas parroquias. Las dotaciones para las parroquias que estén vacantes no pueden ser distintas de las dotaciones para las parroquias que estén provistas.

Art. 12. La Santa Sede y el Gobierno español regularán, en acuerdo aparte y lo antes posible, cuanto se refiere al régimen de capellanías y fundaciones pías en España.

Art. 13. 1. En consideración de los vínculos de piedad y devoción que han unido a la nación española con la patriarcal basílica de Santa María la Mayor, la Santa Sede confirma los tradicionales privilegios honoríficos y las otras disposiciones en favor de España contenidos en la bula *Hispaniarum fidelitas,* del 5 de agosto de 1953.

2. La Santa Sede concede que el español sea uno de los idiomas admitidos para tratar las causas de beatificación y canonización en la Sagrada Congregación de Ritos.

Art. 14. Los clérigos y los religiosos no estarán obligados a asumir cargos públicos o funciones que, según las normas del Derecho canónico, sean incompatibles con su estado.

Para ocupar empleos o cargos públicos, necesitarán el *Nihil obstat* de su ordinario propio y el del ordinario del lugar donde hubieren de desempeñar su actividad. Revocado el *Nihil obstat,* no podrán continuar ejerciéndolos.

Art. 15. Los clérigos y religiosos, ya sean éstos profesos o novicios, están exentos del servicio militar, conforme a los cánones 121 y 614 del Código de Derecho canónico.

Al respecto, continúa en vigor lo convenido entre las altas partes contratantes en el acuerdo de 5 de agosto de 1950 sobre jurisdicción castrense.

Art. 16. 1. Los prelados de quienes habla el párrafo 2 del canon 120 del Código de Derecho canónico no podrán ser emplazados ante un juez laico sin que se haya obtenido previamente la necesaria licencia de la Santa Sede.

2. La Santa Sede consiente en que las causas contenciosas sobre bienes o derechos temporales en las cuales fueren demandados clérigos o religiosos sean

tramitadas ante los tribunales del Estado previa notificación al ordinario del lugar en que se instruye el proceso, al cual deberán también ser comunicadas en su día las correspondientes sentencias o decisiones.

3.   El Estado reconoce y respeta la competencia privativa de los tribunales de la Iglesia en aquellos delitos que exclusivamente violan una ley eclesiástica, conforme al canon 2198 del Código de Derecho canónico.

Contra las sentencias de estos tribunales no procederá recurso alguno ante las autoridades civiles.

4.   La Santa Sede consiente en que las causas criminales contra los clérigos o religiosos por los demás delitos, previstos por las leyes penales del Estado, sean juzgadas por los tribunales del Estado.

Sin embargo, la autoridad judicial, antes de proceder, deberá solicitar, sin perjuicio de las medidas precautorias del caso y con la debida reserva, el consentimiento del ordinario del lugar en que se instruye el proceso.

En el caso en que éste, por graves motivos, se crea en el deber de negar dicho consentimiento, deberá comunicarlo por escrito a la autoridad competente.

El proceso se rodeará de las necesarias cautelas para evitar toda publicidad.

Los resultados de la instrucción así como la sentencia definitiva del proceso, tanto en primera como en ulterior instancia, deberán ser solícitamente notificados al ordinario del lugar arriba mencionado.

5.   En caso de detención o arresto, los clérigos y religiosos serán tratados con las consideraciones debidas a su estado y a su grado jerárquico.

Las penas de privación de libertad serán cumplidas en una casa eclesiástica o religiosa que, a juicio del ordinario del lugar y de la autoridad judicial del Estado, ofrezca las convenientes garantías; o, al menos, en locales distintos de los que se destinan a los seglares, a no ser que la autoridad eclesiástica competente hubiera reducido al condenado al estado laical.

Les serán aplicables los beneficios de la libertad condicional y los demás establecidos en la legislación del Estado.

6.   Caso de decretarse embargo judicial de bienes, se dejará a los eclesiásticos lo que sea necesario para su honesta sustentación y el decoro de su estado, quedando en pie, no obstante, la obligación de pagar cuanto antes a sus acreedores.

7.   Los clérigos y los religiosos podrán ser citados como testigos ante los tribunales del Estado; pero, si se tratase de juicios criminales por delitos a los que la ley señale penas graves, deberá pedirse la licencia del ordinario del lugar en que se instruye el proceso. Sin embargo, en ningún caso podrán ser requeridos, por los magistrados ni por otras autoridades, a dar informaciones sobre personas o materias de las que hayan tenido conocimiento por razón del sagrado ministerio.

Art. 17.   El uso del hábito eclesiástico o religioso por los seglares o por aquellos clérigos o religiosos a quienes les haya sido prohibido por decisión firme de las autoridades eclesiásticas competentes, está prohibido y será castigado, una vez comunicada oficialmente al Gobierno, con las mismas sanciones y penas que se aplican a los que usan indebidamente el uniforme militar.

Art. 18.   La Iglesia puede libremente recabar de los fieles las prestaciones autorizadas por el Derecho canónico, organizar colectas y recibir sumas y bienes, muebles e inmuebles, para la prosecución de sus propios fines.

Art. 19.   1.   La Iglesia y el Estado estudiarán, de común acuerdo, la creación de un adecuado patrimonio eclesiástico que asegure una congrua dotación del culto y del clero.

2.   Mientras tanto, el Estado, a título de indemnización por las pasadas desamortizaciones de bienes eclesiásticos y como contribución a la obra de la Iglesia en favor de la nación, le asignará anualmente una adecuada dotación. Esta comprenderá, en particular, las consignaciones correspondientes a los Arzobispos y obispos diocesanos, los coadjutores, auxiliares, vicarios generales, los cabildos catedralicios y de las colegiatas, el clero parroquial, así como las asignaciones en favor de seminarios y universidades eclesiásticas y para el ejercicio del culto.

Por lo que se refiere a la dotación de beneficios no consistoriales y a las subvenciones para los seminarios y las universidades eclesiásticas, continuarán en vigor las normas fijadas en los respectivos acuerdos del 16 de julio y 8 de diciembre de 1946.

Si en el futuro tuviese lugar una alteración notable de las condiciones económicas generales, dichas dotaciones serán oportunamente adecuadas a las nuevas circunstancias, de forma que siempre quede asegurado el sostenimiento del culto y la congrua sustentación del clero.

3.   El Estado, fiel a la tradición nacional, concederá anualmente subvenciones para la construcción y conservación de templos parroquiales y rectorales y seminarios; el fomento de las órdenes, congregaciones o institutos eclesiásticos consagrados a la actividad misional y el cuidado de los monasterios de relevante valor histórico en España, así como para ayudar al sostenimiento del Colegio Español de San José y de la iglesia y residencia españolas de Montserrat, en Roma.

4.   El Estado prestará a la Iglesia su colaboración para crear y financiar instituciones asistenciales en favor del clero anciano, enfermo, o inválido. Igualmente asignará una adecuada pensión a los prelados residenciales que, por razones de edad o salud, se retiren de su cargo.

Art. 20.   1.   Gozarán de exención de impuestos y contribuciones de índole estatal o local:

a)   las iglesias y capillas destinadas al culto, y, asimismo, los edificcios y locales anejos destinados a su servicio o a sede de asociaciones católicas;

b)   la residencia de los obispos, de los canónigos y de los sacerdotes con cura de almas, siempre que el inmueble sea propiedad de la Iglesia;

c)   los locales destinados a oficinas de la curia diocesana y a oficinas parroquiales;

d)   las universidades eclesiásticas y los seminarios destinados a la formación del clero;

e)   las casas de las órdenes, congregaciones e institutos religiosos y seculares canónicamente establecidos en España;

f)   los colegios u otros centros de enseñanza, dependientes de la jerarquía eclesiástica, que tengan la condición de benéfico-docentes.

Están comprendidos en la exención los huertos,. jardines y dependencias de los inmuebles arriba enumerados, siempre que no estén destinados a industria o a cualquier otro uso de carácter lucrativo.

2.   Gozarán igualmente de total exención tributaria los objetos destinados al culto católico, así como la publicación de las instrucciones, ordenanzas, cartas pastorales, boletines diocesanos y cualquier otro documento de las autoridades eclesiásticas competentes referente al gobierno espiritual de los fieles, y también su fijación en los sitios de costumbre.

3.   Están igualmente exentas de todo impuesto o contribución, las dotaciones del culto y clero a que se refiere el artículo 19, y el ejercicio del ministerio sacerdotal.

4.   Todos los demás bienes de entidades o personas eclesiásticas, así como los ingresos de éstas que no provengan del ejercicio de actividades religiosas

propias de su apostolado, quedarán sujetos a tributación conforme a las leyes generales del Estado, en paridad de condición con las demás instituciones o personas.

5. Las donaciones, legados o herencias destinados a la construcción de edificios del culto católico o de casas religiosas, o, en general, a finalidades de culto o religiosas, serán equiparados, a todos los efectos tributarios, a aquellos destinados a fines benéficos o benéfico-docentes.

Art. 21. 1. En cada diócesis se constituirá una comisión que, bajo la presidencia del ordinario, vigilará la conservación, la reparación y las eventuales reformas de los templos, capillas y edificios eclesiásticos declarados monumentos nacionales, históricos o artísticos, así como de las antigüedades y obras de arte que sean propiedad de la Iglesia o le estén confiadas en usufructo o en depósito y que hayan sido declaradas de relevante mérito o de importancia histórica nacional.

2. Estas comisiones serán nombradas por el Ministerio de Educación Nacional y estarán compuestas, en una mitad, por miembros elegidos por el obispo y aprobados por el Gobierno y, en la otra, por miembros designados por el Gobierno con la aprobación del obispo.

3. Dichas comisiones tendrán también competencia en las excavaciones que interesen a la arqueología sagrada, y cuidarán con el ordinario para que la reconstrucción y reparación de los edificios eclesiásticos arriba citados se ajusten a las normas técnicas y artísticas de la legislación general, a las prescripciones de la liturgia y a las exigencias del arte sagrado.

Vigilarán, igualmente, el cumplimiento de las condiciones establecidas por las leyes, tanto civiles como canónicas, sobre enajenación y exportación de objetos de mérito histórico o de relevante valor artístico que sean propiedad de la Iglesia o que ésta tuviera en usufructo o en depósito.

4. La Santa Sede consiente en que, caso de venta de tales objetos por subasta pública, a tenor de las normas del Derecho canónico, se dé opción de compra, en paridad de condiciones, al Estado.

5. Las autoridades eclesiásticas darán facilidades para el estudio de los documentos custodiados en los archivos eclesiásticos públicos exclusivamente dependientes de aquéllas. Por su parte, el Estado prestará la ayuda técnica y económica conveniente para la instalación, catalogación y conservación de dichos archivos.

Art. 22. 1. Queda garantizada la inviolabilidad de las iglesias, capillas, cementerios y demás lugares sagrados, según prescribe el canon 1160 del Código de Derecho canónico.

2. Queda igualmente garantizada la inviolabilidad de los palacios y curias episcopales, de los seminarios, de las casas y despachos parroquiales y rectorales y de las casas religiosas canónicamente establecidas.

3. Salvo en caso de urgente necesidad, la fuerza pública no podrá entrar en los citados edificios, para el ejercicio de sus funciones, sin el consentimiento de la competente autoridad eclesiástica.

4. Si por grave necesidad pública, particularmente en tiempo de guerra, fuese necesario ocupar temporalmente alguno de los citados edificios, ello deberá hacerse previo acuerdo con el Ordinario competente.

Si razones de absoluta urgencia no permitiesen hacerlo, la autoridad que proceda a la ocupación deberá informar inmediatamente al mismo ordinario.

5. Dichos edificios no podrán ser demolidos sino de acuerdo con el ordinario competente, salvo en caso de absoluta urgencia, como por motivo de guerra, incendio o inundación.

6. En caso de expropiación por utilidad pública, será siempre previamente oída la autoridad eclesiástica competente, incluso en lo que se refiere a la cuantía de la indemnización. No se ejercitará ningún acto de expropiación sin que los bienes a expropiar, cuando sea el caso, hayan sido privados de su carácter sagrado.

7. Los ordinarios diocesanos y los superiores religiosos, según su respectiva competencia, quedan obligados a velar por la observancia, en los edificios citados, de las leyes comunes vigentes en materia de seguridad y la sanidad pública.

Art. 23. El Estado español reconoce plenos efectos civiles al matrimonio celebrado según las normas del Derecho canónico.

Art. 24. 1. El Estado español reconoce la competencia exclusiva de los tribunales y dicasterios eclesiásticos en las causas referentes a la nulidad del matrimonio canónico y a la separación de los cónyuges, en la dispensa del matrimonio rato no consumado y en el procedimiento relativo al privilegio paulino.

2. Incoada y admitida ante el tribunal eclesiástico una demanda de separación o de nulidad, corresponde al tribunal civil dictar, a instancia de la parte interesada, las normas y medidas precautorias que regulen los efectos civiles relacionados con el procedimiento pendiente.

3. Las sentencias y resoluciones de que se trate, cuando sean firmes y ejecutivas, serán comunicadas por el tribunal eclesiástico al tribunal civil competente, el cual decretará lo necesario para su ejecución en cuanto a efectos civiles y ordenará —cuando se trate de nulidad, de dispensa «super rato» o aplicación del privilegio paulino— que sean anotadas en el Registro del estado civil al margen del acta de matrimonio.

4. En general, todas las sentencias, decisiones en vía administrativa y decretos emanados de las autoridades eclesiásticas en cualquier materia dentro del ámbito de su competencia, tendrán también efecto en el orden civil cuando hubieren sido comunicados a las competentes Autoridades del Estado, las cuales prestarán, además, el apoyo necesario para su ejecución.

Art. 25. 1. La Santa Sede confirma el privilegio concedido a España de que sean conocidas y decididas determinadas causas ante el Tribunal de la Rota de la Nunciatura Apostólica, conforme al *motu proprio* pontificio del 7 de abril de 1947 que restablece dicho tribunal.

2. Siempre formarán parte del Tribunal de la Sagrada Rota Romana dos auditores de nacionalidad española que ocuparán las sillas tradicionales de Aragón y Castilla.

Art. 26. En todos los centros docentes de cualquier orden y grado, sean estatales o no estatales, la enseñanza se ajustará a los principios del dogma y de la moral de la Iglesia católica.

Los ordinarios ejercerán libremente su misión de vigilancia sobre dichos centros docentes en lo que concierne a la pureza de la fe, las buenas costumbres y la educación religiosa.

Los ordinarios podrán exigir que no sean permitidos o que sean retirados los libros, publicaciones y material de enseñanza contrarios al dogma y a la moral católica.

Art. 27. 1. El Estado español garantiza la enseñanza de la religión católica como materia ordinaria y obligatoria en todos los centros docentes, sean estatales o no estatales, de cualquier orden o grado.

Serán dispensados de tales enseñanzas los hijos de no católicos cuando lo soliciten sus padres o quienes hagan sus veces.

2. En las escuelas primarias del Estado, la enseñanza de la religión será dada por los propios maestros, salvo el caso de reparo por parte del ordinario contra alguno de ellos por los motivos a que se refiere el canon 1381 párrafo 3.º del Código de Derecho canónico. Se dará también, en forma periódica, por el párroco o su delegado por medio de lecciones catequísticas.

3. En los centros estatales de enseñanza media, la enseñanza de la religión será dada por profesores sacerdotes o religiosos y, subsidiariamente, por profesores seglares nombrados por la Autoridad civil competente a propuesta del ordinario diocesano.

Cuando se trate de escuelas o centros militares, la propuesta corresponderá al vicario general castrense.

4. La autoridad civil y la eclesiástica, de común acuerdo, organizarán para todo el territorio nacional pruebas especiales de suficiencia pedagógica para aquellos a quienes deba ser confiada la enseñanza de la religión en las universidades y en los centros estatales de enseñanza media.

Los candidatos para estos últimos centros, que no estén en posesión de grados académicos mayores en las ciencias sagradas (doctores o licenciados o el equivalente en su orden si se trata de religiosos), deberán someterse también a especiales pruebas de suficiencia científica.

Los tribunales examinadores para ambas pruebas estarán compuestos por cinco miembros, tres de ellos eclesiásticos, uno de los cuales ocupará la presidencia.

5. La enseñanza de la religión en las universidades y en los centros a ella asimilados se dará por eclesiásticos en posesión del grado académico de doctor, obtenido en una universidad eclesiástica, o del equivalente en su orden, si se tratase de religiosos. Una vez realizadas las pruebas de capacidad pedagógica, su nombramiento se hará a propuesta del ordinario diocesano.

6. Los profesores de religión nombrados conforme a lo dispuesto en los números 3, 4 y 5 del presente artículo, gozarán de los mismos derechos que los otros profesores y formarán parte del claustro del centro de que se trate.

Serán removidos cuando lo requiera el ordinario diocesano por alguno de los motivos contenidos en el citado canon 1381 párrafo 3.º del Código de Derecho canónico.

El ordinario diocesano deberá ser previamente oído cuando la remoción de un profesor de religión fuese considerada necesaria por la autoridad académica competente por motivos de orden pedagógico o de disciplina.

7. Los profesores de religión en las escuelas no estatales deberán poseer un especial certificado de idoneidad expedido por el ordinario propio.

La revocación de tal certificado les priva, sin más, de la capacidad para la enseñanza religiosa.

8. Los programas de religión para las escuelas, tanto estatales como no estatales, serán fijados de acuerdo con la competente autoridad eclesiástica.

Para la enseñanza de la religión, no podrán ser adoptados más libros de texto que los aprobados por la autoridad eclesiástica.

Art. 28. 1. Las universidades del Estado, de acuerdo con la competente autoridad eclesiástica, podrán organizar cursos sistemáticos, especialmente la filosofía escolástica, sagrada teología y derecho canónico, con programas y libros de texto aprobados por la misma autoridad eclesiástica.

Podrán enseñar en estos cursos profesores sacerdotes, religiosos o seglares, que posean grados académicos mayores otorgados por una universidad eclesiástica, o títulos equivalentes obtenidos en su propia orden, si se trata de religiosos, y que estén en posesión del *Nihil obstat* del ordinario diocesano.

2. Las autoridades eclesiásticas permitirán que, en algunas de las universidades dependientes de ellas, se matriculen los estudiantes seglares en las facul-

tades superiores de sagrada teología, filosofía, Derecho canónico, historia eclesiástica, etc., asistan a sus cursos —salvo a aquellos que por su índole estén reservados exclusivamente a los estudiantes eclesiásticos— y en ellas alcancen los respectivos títulos académicos.

Art. 29. El Estado cuidará de que en las instituciones y servicios de formación de la opinión pública, en particular en los programas de radiodifusión y televisión, se dé el conveniente puesto a la exposición y defensa de la verdad religiosa por medio de sacerdotes y religiosos designados de acuerdo con el respectivo ordinario.

Art. 30. 1. Las universidades eclesiásticas, los seminarios y las demás instituciones católicas para la formación y la cultura de los clérigos y religiosos, continuarán dependiendo exclusivamente de la autoridad eclesiástica y gozarán del reconocimiento y garantía del Estado.

Seguirán en vigor las normas del acuerdo de 8 diciembre de 1946 en todo lo que concierne a los seminarios y universidades de estudios eclesiásticos.

El Estado procurará ayudar económicamente, en la medida de lo posible, a las casas de formación de las órdenes y congregaciones religiosas, especialmente a aquellas de carácter misional.

2. Los grados mayores en ciencias eclesiásticas conferidos a clérigos o a seglares por las facultades aprobadas por la Santa Sede, serán reconocidos, a todos los efectos, por el Estado español.

3. Dichos grados mayores en ciencias eclesiásticas serán considerados título suficiente para la enseñanza, en calidad de profesor titular, de las disciplinas de la sección de Letras en los centros de enseñanza media dependientes de la autoridad eclesiástica.

Art. 31. 1. La Iglesia podrá libremente ejercer el derecho que le compete, según el canon 1375 del Código de Derecho canónico, de organizar y dirigir escuelas públicas de cualquier orden y grado, incluso para seglares.

En lo que se refiere a las disposiciones civiles relativas al reconocimiento, a efectos civiles, de los estudios que en ellas se realicen, el Estado procederá de acuerdo con la competente autoridad eclesiástica.

2. La Iglesia podrá fundar colegios mayores o residencias, adscritos a los respectivos distritos universitarios, los cuales gozarán de los beneficios previstos por las leyes para tales instituciones.

Art. 32. 1. La asistencia religiosa a las fuerzas armadas seguirá regulada conforme al Acuerdo del 5 de agosto de 1950.

2. Los ordinarios diocesanos, conscientes de la necesidad de asegurar una adecuada asistencia espiritual a todos los que prestan servicio bajo las armas, considerarán como parte de su deber pastoral proveer el vicariato castrense de un número suficiente de sacerdotes celosos y bien preparados para cumplir dignamente su importante y delicada misión.

Art. 33. El Estado, de acuerdo con la competente autoridad eclesiástica, proveerá lo necesario para que en los hospitales, sanatorios, establecimientos penitenciarios, orfanatos y centros similares, se asegure la conveniente asistencia religiosa a los acogidos, y para que se cuide la formación religiosa del personal adscrito a dichas instituciones.

Igualmente procurará el Estado que se observen estas normas en los establecimientos análogos de carácter privado.

Art. 34. Las asociaciones de la Acción Católica Española podrán desenvolver libremente su apostolado, bajo la inmediata dependencia de la jerarquía eclesiástica, manteniéndose, por lo que se refiere a actividades de otro género, en el ámbito de la legislación general del Estado.

Art. 35. 1. La Santa Sede y el Gobierno español procederán de común acuerdo en la resolución de las dudas o dificultades que pudieran surgir en la interpretación o aplicación de cualquier cláusula del presente concordato, inspirándose para ello en los principios que lo informan.

2. Las materias relativas a personas y cosas eclesiásticas de las cuales no se ha tratado en los artículos precedentes serán reguladas según el Derecho canónico vigente.

Art. 36. 1. El presente concordato, cuyos textos en lengua española e italiana hacen fe por igual, entrará en vigor desde el momento del canje de los instrumentos de ratificación, el cual deberá verificarse en el término de los dos meses subsiguientes a la firma.

2. Con la entrada en vigor de este concordato, se entienden derogadas todas las disposiciones contenidas en leyes decretos, órdenes y reglamentos que, en cualquier forma, se opongan a lo que en él se establece.

El Estado español promulgará, en el plazo de un año, las disposiciones de derecho interno que sean necesarias para la ejecución de este concordato.

En fe de lo cual, los plenipotenciarios firman el presente concordato.

Hecho en doble original.

Ciudad del Vaticano, 27 de agosto de 1953. DOMENICO TARDINI. L. ✠ S. ALBERTO MARTÍN ARTAJO, L. ✠ S. FERNANDO MARÍA CASTIELLA Y MAÍZ.

PROTOCOLO FINAL

En el momento de proceder a la firma del concordato que hoy se concluye entre la Santa Sede y España, los plenipotenciarios que suscriben han hecho, de común acuerdo, las siguientes declaraciones que formarán parte integrante del mismo concordato:

En relación con el artículo 1.º

En el territorio nacional seguirá en vigor lo establecido en el artículo 6 del *Fuero de los españoles*.

Por lo que se refiere a la tolerancia de los cultos no católicos, en los territorios de soberanía española en Africa continuará rigiendo el *statu quo* observado hasta ahora.

En relación con el artículo 2.º

Las autoridades eclesiásticas gozarán del apoyo del Estado en el desenvolvimiento de su actividad, y, al respecto, seguirá rigiendo lo establecido en el artículo 3 del concordato de 1851.

En relación con el artículo 23

A) Para el reconocimiento, por parte del Estado, de los efectos civiles del matrimonio canónico, será suficiente que el acta del matrimonio sea transcrita en el Registro civil correspondiente.

Esta transcripción se seguirá llevando a cabo como en el momento presente. No obstante, quedan convenidos los siguientes extremos:

1.   En ningún caso la presencia del funcionario del Estado en la celebración del matrimonio canónico será considerada condición necesaria para el reconocimiento de sus efectos civiles.

2.   La inscripción de un matrimonio canónico que no haya sido anotado en el Registro inmediatamente después de su celebración, podrá siempre efectuarse a requerimiento de cualquiera de las partes o de quien tenga un interés legítimo en ella.

A tal fin, será suficiente la presentación en las oficinas de Registro civil de una copia auténtica del acta de matrimonio extendida por el párroco en cuya parroquia aquél se haya celebrado.

La citada inscripción será comunicada al párroco competente por el encargado del Registro civil.

3.   La muerte de uno o de ambos cónyuges no será obstáculo para efectuar dicha inscripción.

4.   Se entiende que los efectos civiles de un matrimonio debidamente transcrito regirán a partir de la fecha de la celebración canónica de dicho matrimonio. Sin embargo, cuando la inscripción del matrimonio sea solicitada una vez transcurridos los cinco días de su celebración, dicha inscripción no perjudicará los derechos adquiridos, legítimamente, por terceras personas.

B)   Las normas civiles referentes al matrimonio de los hijos, tanto menores como mayores, serán puestas en armonía con lo que disponen los cánones 1034 y 1035 del Código de Derecho canónico.

C)   En materia de reconocimiento de matrimonio mixto entre personas católicas y no católicas, el Estado pondrá en armonía su propia legislación con el Derecho canónico.

D)   En la reglamentación jurídica del matrimonio para los no bautizados, no se establecerán impedimentos opuestos a la ley natural.

En relación con el artículo 25

La concesión a que se refiere el apartado número 2 del presente artículo se entiende condicionada al compromiso por parte del Gobierno español de proveer al sostenimiento de los dos auditores de la Sagrada Rota Romana.

En relación con el artículo 32

El artículo 7.º del acuerdo de 5 de agosto de 1950 sobre la jurisdicción castrense y asistencia religiosa de las fuerzas armadas queda modificado en la siguiente forma:

«La jurisdicción del vicario general castrense y de los capellanes es personal; se extiende a todos los militares de Tierra, Mar y Aire en situación de servicio activo (esto es bajo las armas), a sus esposas e hijos cuando vivan en su compañía, a los alumnos de las Academias y de las Escuelas Militares y a todos los fieles de ambos sexos, ya seglares, ya religiosos, que presten servicio establemente, bajo cualquier concepto, en el ejército, con tal de que residan habitualmente en los cuarteles o en los lugares reservados a los soldados.

La misma jurisdicción se extiende también a los miembros del Cuerpo de la Guardia Civil y de la Policía Armada, así como a sus familiares, en los mismos términos en que se expresa el párrafo anterior».

Ciudad del Vaticano, 27 de agosto de 1953. DOMENICO TARDINI. (L. ✠ S.) ALBERTO MARTÍN ARTAJO, (L. ✠ S.) FERNANDO MARÍA CASTIELLA Y MAÍZ.

DOCUMENTO XI

INTERCAMBIO DE NOTAS SOBRE LA INTERPRETACIÓN DEL ARTÍCULO 16, 1 DEL
CONCORDATO DE 1953

(4 junio-6 julio 1957)

(FUENTE: *I Concordati di Pio XII,* a cura di P. Ciprotti ed A. Talamanca [Milano
1976] p.74-75. No publicado en AAS.)

NOTA VERBAL

La Nunciatura Apostólica saluda atentamente al excelentísimo Ministerio de
Asuntos Exteriores y, en correspondencia a su atenta nota verbal número 29,
de 8 de mayo último, relativa a la interpretación del párrafo 1.º del artículo 16
del vigente concordato, hecha en conformidad a cuanto se halla previsto en el
artículo 35, número 1, del mismo concordato, tiene el honor de comunicarle
que puede ser publicada la siguiente aclaración.

«No podrán ser emplazados ante un tribunal laical, sin que se haya obtenido
previamente la necesaria licencia de la Santa Sede, los cardenales, los legados de
la Santa Sede, los obispos, aunque sólo sean titulares; los abades y prelados
nullius, los oficiales mayores de la curia romana por asuntos pertenecientes a sus
cargos y los superiores supremos de las órdenes y congregaciones religiosas clericales exentas. La misma norma se aplicará también a los moderadores supremos de las demás congregaciones e institutos religiosos de Derecho pontificio,
tanto de varones como de mujeres, aunque no gocen de exención; pero éstos
sólo en el caso de que sean demandados por actos inherentes al ejercicio de las
funciones privativas de sus cargos».

La Nunciatura Apostólica aprovecha esta oportunidad para reiterar al excelentísimo Ministerio de Asuntos Exteriores la seguridades de su más alta y distinguida consideración.

Madrid, 4 de junio de 1957.

Al Excmo. Ministerio de Asuntos Exteriores.

NOTA VERBAL

El Ministerio de Asuntos Exteriores saluda atentamente a la Nunciatura
Apostólica y, en respuesta a su nota verbal número 910, de 4 de junio último,
relativa a la interpretación del párrafo 1.º del artículo 16 del vigente concordato, hecha en conformidad a cuanto se halla previsto en el artículo 35, número
1, del mismo concordato, tiene la honra de comunicarle que se encuentra de
acuerdo en que se haga pública la siguiente aclaración:

. . . .

El Ministerio de Asuntos Exteriores aprovecha esta oportunidad para reiterar a la Nunciatura Apostólica las seguridades de su más alta y distinguida consideración.

Madrid, 6 de julio de 1957.

A la Nunciatura Apostólica.

DOCUMENTO XII

CONVENIO ENTRE LA SANTA SEDE Y EL ESTADO ESPAÑOL SOBRE EL RECONOCIMIENTO DE EFECTOS CIVILES DE LOS ESTUDIOS DE CIENCIAS ECLESIÁSTICAS HECHOS EN ESPAÑA, EN UNIVERSIDADES DE LA IGLESIA

(5 abril 1962)

(FUENTE: *Boletín Oficial del Estado,* 20 julio 1962.)

La Santa Sede y el Estado español, deseando llegar —en aplicación de lo dispuesto en el art. 31, n.1 del concordato— a un acuerdo sobre el reconocimiento, a efectos civiles, de los estudios de ciencias no eclesiásticas realizados en universidades erigidas por la Iglesia en España, han nombrado, con este objeto, sus plenipotenciarios, a saber:

Su Santidad el Sumo Pontifice Juan XXIII, a Su Ex. Rvdm. Mons. Hildebrando Antoniutti, arzobispo titular de Sínnada y nuncio apostólico en España; y S. E. el jefe del Estado español, D. Francisco Franco Bahamonde, al Ex. S. D. Fernando M. Castiella y Maíz, ministro de Asuntos Exteriores.

Los cuales han convenido las siguientes disposiciones:

Artículo 1.º El Estado español reconoce, conforme al artículo 31 del concordato vigente, a las universidades de la Iglesia, creadas, dentro de su territorio, con arreglo al canon 1376 del *Codex Juris Canonici.* Reconoce, asimismo, efecto civiles a los estudios que se realicen en las facultades y escuelas técnicas superiores de las mismas dedicadas a ciencias no eclesiásticas, con los requisitos que se expresan en el presente convenio.

Art. 2.º El reconocimiento de cada una de esas universidades para atribuirles efectos en la esfera del Estado español tendrá que ser acordado individualmente por la autoridad civil, la cual determinará por decreto cuáles son las facultades (y secciones en su caso) y en las escuelas técnicas superiores (y especialidades en su caso) de la universidad eclesiástica a que se refiere, a las que se reconocen tales efectos.

El gobierno de las universidades de la Iglesia se regirá por sus propios estatutos, los cuales no podrán contener, para la facultades y escuelas cuyos estudios gocen de efectos civiles, normas contrarias a las establecidas en el presente convenio.

Art. 3.º En consideración a lo establecido en la Ley de ordenación universitaria, de 24 de julio de 1943, que proclama el catolicismo oficial de la universidad española, confirmado también por el art. 26 del concordato entre la Santa Sede y el Estado español, las universidades erigidas por la Santa Sede en España se llamarán universidades de la Iglesia.

Art. 4.º El reconocimiento de efectos civiles únicamente podrá referirse a estudios de las facultades que el Estado español tenga establecidas en sus propias universidades, o de las escuelas superiores de enseñanza técnica que también existan oficialmente en España.

Sólo podrán reconocerse efectos civiles, dentro de cada universidad de la Iglesia, a aquellas facultades y escuelas técnicas superiores que se encuentren en efectivo funcionamiento y que estén situadas, en el territorio nacional, dentro la misma provincia eclesiástica (Arzobispado) que su sede central.

En lo sucesivo, antes de crear la Iglesia una nueva universidad, o bien una facultad o escuela técnica superior dentro de alguna universidad ya existente, dedicadas a ciencias no eclesiásticas, en la misma provincia civil donde ya existan otros centros estatales análogos, la Santa Sede se pondrá previamente de acuerdo para ello con el Gobierno español.

Art. 5.º Los estudios cursados por estudiantes españoles en las facultades o escuelas técnicas superiores de las universidades de la Iglesia para los que se haya acordado así, conforme a todo lo previsto en el artículo anterior, serán equiparados en sus efectos civiles a los de las respectivas facultades universitarias o escuelas técnicas superiores del Estado a partir del momento en que dichos centros docentes de la Iglesia reúnan de modo efectivo todas las condiciones siguientes:

1) Que en la selección y tiempo de escolaridad de los alumnos se cumpla con lo que la legislación española exige para las facultades universitarias o escuelas técnicas superiores civiles de España.

2) Que los planes de estudio de cada facultad o escuela técnica superior sean iguales a los de los centros oficiales del Estado.

3) Que las pruebas académicas de asignaturas, cursos y grados sean las mismas que en las universidades y escuelas técnicas del Estado.

4) Que en la facultad o escuela técnica superior de la universidad de la Iglesia de que se trate, la plantilla de catedráticos sea igual a la de los centros civiles correspondientes y esté ocupada efectivamente, al menos en sus tres cuartas partes, por profesores que tengan el título civil de catedrático numerario de universidad de la respectiva asignatura.

Las cátedras que constituyen el resto de la plantilla, no ocupado por catedráticos numerarios del escalafón del Estado, habrán de estar desempeñadas por profesores que hayan recibido del Ministerio de Educación Nacional una habilitación especial. Esta habilitación sólo podrá concederse mediante unos exámenes convocados por el Ministerio, a solicitud de la universidad de la Iglesia, que sean iguales en todo a las oposiciones a cátedras del escalafón correspondiente, tanto en lo que se refiere a las condiciones de los candidatos como a la composición del tribunal y al número, naturaleza y práctica de los ejercicios. Esta habilitación sólo será válida para aquella asignatura, facultad o escuela superior técnica y universidad de la Iglesia de que se trate, y no producirá derecho ninguno en los así habilitados en relación con los centros del Estado.

También podrá admitirse que tengan a su cargo alguna cátedra, dentro de esa parte de la plantilla de las mismas que puede estar cubierta por quienes no sean catedráticos numerarios del escalafón del Estado, conforme a la proporción que se ha dejado precisada, los extranjeros que hayan ocupado, como titulares, es decir, como profesores ordinarios, una cátedra de la misma facultad y asignatura en otra universidad.

Sin embargo, se concede un plazo, que comprende los cinco primeros cursos académicos en que una facultad o escuela técnica superior de una universidad de la Iglesia funcione como acogida al régimen de este artículo, para dar pleno cumplimiento al requisito del porcentaje de catedráticos numerarios del Estado y de profesores habilitados, debiendo llenarse, entre tanto, en el primer curso, una proporción mínima del treinta por ciento de catedráticos y el 15 por 100 de habilitados; al cabo de los tres primeros cursos, del 50 por 100 de catedráticos y el 20 por 100 de habilitados; y al cabo de los cinco primeros cursos, del 75 por 100 de catedráticos y el 25 por 100 de habilitados, es decir, la proporción normal que establecen los dos primeros párrafos de este número 4). El resto de las cátedras de la plantilla estará encomendado durante ese tiempo a encargados de curso.

Tanto estos encargados de curso como los que tengan a su cargo, mientras son provistas normalmente, las vacantes que puedan producirse una vez cubierto el porcentaje de catedráticos a que se refiere el primer párrafo de este número 4), habrá de tener el mismo grado académico y requisitos que los de los centros oficiales civiles.

5) Que el rector de la universidad sea de nacionalidad española.

6) Que el régimen de protección escolar sea el mismo de la universidad oficial.

7) Que el régimen corporativo estudiantil sea el mismo que se aplica a los estudiantes universitarios del Estado.

En cada una de estas universidades existirá un representante del Ministerio de Educación Nacional, que habrá de ser necesariamente catedrático numerario de universidad o escuela técnica superior del Estado, el cual informará al Ministerio del régimen y las condiciones de las enseñanzas y exámenes, especialmente en una memoria anual. Con objeto de poder desempeñar debidamente su misión, el representante del ministerio gozará de libre acceso a todos los actos académicos, de enseñanza y exámenes que tengan lugar a la universidad.

Art. 6.º También podrán ser reconocidos efectos civiles a los estudios realizados en las facultades o escuelas técnicas superiores de las universidades de la Iglesia en las que, reuniéndose los demás requisitos indicados, no se cumpla con lo que se exige en el número 4) del artículo anterior, con tal de que los alumnos acrediten, al final de los estudios, que poseen una formación y capacidad no inferior a la que se exige en los centros oficiales para el título de que se trate, mediante la aprobación de una prueba de conjunto, teórica y práctica, que se verificará de modo igual a las que mencionan el artículo 20 de la Ley de Ordenación de la universidad española, para las facultades universitarias, y el artículo 6 de la Ley de Ordenación de enseñanzas técnicas, para las escuelas técnicas superiores, y que será juzgada por un tribunal, nombrado por el Ministerio de Educación Nacional y compuesto por un Presidente, que habrá de tener título de rango igual a los catedráticos numerarios de los centros; dos vocales, catedráticos numerarios civiles de la rama de las enseñanzas de que se trate, y dos vocales, profesores numerarios civiles de la facultad o escuela técnica superior de la Iglesia. La concesión de efectos civiles al título de doctor sólo podrá hacerse para los alumnos que previamente tengan reconocidos los efectos civiles de su licenciatura mediante el examen de su tesis doctoral por un tribunal compuesto como acaba de indicarse.

En estos casos será necesario que los profesores de la facultad o escuela técnica superior de la universidad de la Iglesia que ocupen las cátedras tengan título superior.

También en estos casos, cuando un alumno desee pasar, antes de terminar sus estudios, de una universidad de la Iglesia a una universidad o escuela técnica superior del Estado, deberá superar las pruebas, tanto teóricas como prácticas, que discrecionalmente estableza, en cada caso, el centro civil en el cual va a continuar su carrera.

Art. 7.º Igualmente podrán gozar de efectos civiles los estudios cursados en aquellas facultades o escuelas técnicas superiores de una universidad de la Iglesia que no reúnan las condiciones necesarias requeridas en el artículo 5.º, ni las que se precisan en el artículo 6.º, si sus alumnos rinden en una universidad o escuela técnica superior del Estado todas las pruebas académicas de asignaturas, cursos y grados que con carácter general se establezcan en los planes y reglamentos de las respectivas facultades o escuelas técnicas civiles.

Los centros acogidos al sistema de este artículo serán reconocidos como adscritos a una determinada universidad civil.

Art. 8.º En caso de pérdida de los requisitos necesarios para la aplicación de uno de los tres sistemas de reconocimiento de efectos civiles prevenidos en los artículos anteriores, la facultad o escuela técnica de la universidad de la Iglesia podrá acogerse a otro de ellos.

Art. 9.º Las enseñanzas en las universidades de la Iglesia cuyos estudios tengan reconocidos efectos civiles, habrán de ser conformes con las Leyes Fundamentales de la nación.

Los profesores de dichas universidades habrán de contar con la previa conformidad del Estado, salvo los que pertenezcan al escalafón de catedráticos numerarios del mismo, o hayan obtenido la habilitación a que se refiere el número 4) del artículo 5.º de este convenio, y todos ellos deberán prestar, antes de comenzar sus funciones, el mismo juramento que se exija a los catedráticos de la universidad estatal.

Art. 10. El Estado español aplicará a los estudiantes extranjeros de las universidades a que se refiere el presente convenio el mismo régimen que prevén las leyes y los correspondientes acuerdos internacionales en materia de convalidación de estudios.

Art. 11. Los alumnos de las universidades acogidas al sistema establecido en el artículo 5.º del presente convenio satisfarán, a su tiempo, las tasas correspondientes a la expedición del título oficial; los de las universidades acogidas al sistema del artículo 6.º, tendrán que abonar las tasas académicas correspondientes al examen final de conjunto y, en su caso, las tasas que se exijan por la expedición del título; y los de las universidades que se acojan al tercer sistema satisfarán las mismas tasas académicas y administrativas que los alumnos oficiales de las universidades del Estado.

DISPOSICIÓN FINAL

La Santa Sede y el Gobierno español procederán de común acuerdo en la resolución de las dudas o dificultades que pudieran surgir en la interpretación o aplicación de cualquier norma del presente Convenio, de conformidad con lo establecido en el artículo 35 del vigente concordato.

DISPOSICIÓN ADICIONAL

Como la Santa Sede tiene ya pedido al Gobierno español el reconocimiento de los estudios cursados en la universidad de la Iglesia con sede central en Pamplona, el Gobierno español, inmediatamente que el presente convenio tenga fuerza de obligar, por el canje de los instrumentos de ratificación correspondientes, dictará un decreto por el que se reconozcan los efectos civiles prevenidos en el mismo a todas aquellas facultades y escuelas técnicas superiores de dicha universidad que reúnan las condiciones requeridas para ello en el propio convenio. Disposiciones sucesivas irán reconociendo, también a petición de la Santa Sede, a medida que vayan cumpliendo tales requisitos, otras facultades o escuelas técnicas superiores de universidades de la Iglesia, ya creadas o que puedan crearse en el futuro.

El presente convenio entrará en vigor desde el momento del canje de los instrumentos de ratificación, el cual deberá verificarse en el término de dos meses subsiguientes a la firma.

En fe de lo cual, los plenipotenciarios mencionados firman el presente convenio en Madrid a 5 de abril de 1962.—I. Card. ANTONIUTTI, *Pro N. A.*—FERNANDO MARÍA CASTIELLA.

ACUERDO ENTRE LA SANTA SEDE Y EL ESTADO ESPAÑOL
(28 julio 1976).

(FUENTE: AAS vol.68 [1976] p.509-12.)

La Santa Sede y el Gobierno español, a la vista del profundo proceso de transformación que la sociedad española ha experimentado en estos últimos años aun en lo que concierne a las relaciones entre la comunidad política y las confesiones religiosas y entre la Iglesia católica y el Estado;

considerando que el concilio Vaticano II, a su vez, estableció como principios fundamentales, a los que deben ajustarse las relaciones entre la comunidad política y la Iglesia, tanto la mutua independencia de ambas partes, en su propio campo, cuanto una sana colaboración entre ellas, afirmó la libertad religiosa como derecho de la persona humana; derecho que debe ser reconocido en el ordenamiento jurídico de la sociedad; y enseñó que la libertad de la Iglesia es principio fundamental de las relaciones entre la Iglesia y los poderes públicos y todo el orden civil;

dado que el Estado español recogió en sus leyes el derecho de libertad religiosa, fundado en la dignidad de la persona humana (ley de 1.º de julio de 1967), y reconoció en su mismo ordenamiento que debe haber normas adecuadas al hecho de que la mayoría del pueblo español profesa la religión católica,

juzgan necesario regular, mediante acuerdos específicos, las materias de interés común que en las nuevas circunstancias surgidas después de la firma del concordato de 27 de agosto de 1953 requieren una nueva reglamentación;

se comprometen, por tanto, a emprender, de común acuerdo, el estudio de estas diversas materias, con el fin de llegar, cuanto antes, a la conclusión de acuerdos que sustituyan gradualmente las correspondientes disposiciones del vigente concordato.

Por otra parte, teniendo en cuenta que el libre nombramiento de obispos y la igualdad de todos los ciudadanos frente a la administración de la justicia tienen prioridad y especial urgencia en la revisión de las disposiciones del vigente concordato, ambas partes contratantes concluyen, como primer paso de dicha revisión, el siguiente acuerdo:

Artículo 1.º 1) El nombramiento de arzobispos y obispos es de la exclusiva competencia de la Santa Sede.

2) Antes de proceder al nombramiento de arzobispos y obispos residenciales y de coadjutores con derecho a sucesión, la Santa Sede notificará el nombre del designado al Gobierno español, por si respecto a él existiesen posibles objeciones concretas de índole política general, cuya valoración corresponderá a la prudente consideración de la Santa Sede.

Se entenderá que no existen objeciones si el Gobierno no las manifiesta en el término de quince días.

Las diligencias correspondientes se mantendrán en secreto por ambas partes.

3) La provisión del Vicariato General Castrense se hará mediante la propuesta de una terna de nombres, formada de común acuerdo entre la Nunciatura Apostólica y el Ministerio de Asuntos Exteriores y sometida a la aprobación

de la Santa Sede. El rey presentará, en el término de quince días, uno de ellos para su nombramiento por el Romano Pontífice.

4) Quedan derogados el artículo 7.º y el párrafo 2.º del artículo 8.º del vigente concordato, así como el acuerdo estipulado entre la Santa Sede y el Gobierno español el 7 de junio de 1941.

Art. 2.º 1) Queda derogado el artículo 16 del vigente concordato.

2) Si un clérigo o religioso es demandado criminalmente, la competente autoridad lo notificará a su respectivo ordinario. Si el demandado fuera obispo o persona a él equiparada en el Derecho canónico, la notificación se hará a la Santa Sede.

3) En ningún caso, los clérigos y los religiosos podrán ser requeridos por los jueces u otras autoridades para dar información sobre personas o materias de que hayan tenido conocimiento por razón de su ministerio.

4) El Estado español reconoce y respeta la competencia privativa de los tribunales de la Iglesia en los delitos que violen exclusivamente una ley eclesiástica conforme al Derecho canónico. Contra las sentencias de estos tribunales no procederá recurso alguno ante las autoridades civiles.

El presente acuerdo, cuyos textos en lengua española e italiana hacen fe por igual, entrará en vigor en el momento del canje de los instrumentos de ratificación.

Hecho en doble original.

Ciudad del Vaticano, 28 de julio de 1976.—✠ GIOVANNI, Card. VILLOT.—MARCELINO OREJA AGUIRRE.

ACUERDO JURÍDICO ENTRE LA SANTA SEDE Y EL GOBIERNO ESPAÑOL

Firmado en el Vaticano, el 3 de enero de 1979, por el cardenal Jean Villot, secretario de Estado, y el ministro de Asuntos Exteriores, Marcelino Oreja Aguirre.

La Santa Sede y el Gobierno español, prosiguiendo la revisión del Concordato vigente entre las dos partes, comenzada con el acuerdo firmado el 28 de julio de 1976, cuyos instrumentos de ratificación fueron intercambiados el 20 de agosto del mismo año, concluyen el siguiente

ACUERDO

Artículo 1.º 1. El Estado español reconoce a la Iglesia católica el derecho de ejercer su misión apostólica y le garantiza el libre y público ejercicio de las actividades que le son propias y en especial las de culto, jurisdicción y magisterio.

2. La Iglesia puede organizarse libremente. En particular, puede crear, modificar o suprimir diócesis, parroquias y otras circunscripciones territoriales, que gozarán de personalidad jurídica civil en cuanto la tengan canónica y ésta sea notificada a los órganos competentes del Estado.

La Iglesia puede asimismo erigir, aprobar y suprimir órdenes, congregaciones religiosas, otros institutos de vida consagrada y otras instituciones y entidades eclesiásticas.

Ninguna parte del territorio español dependerá de obispo cuya sede se encuentre en territorio sometido a la soberanía de otro Estado y ninguna diócesis o circunscripción territorial española comprenderá zonas de territorio sujeto a soberanía extranjera.

El principado de Andorra continuará perteneciendo a la diócesis de Urgel.

3. El Estado reconoce la personalidad jurídica civil de la Conferencia Episcopal Española, de conformidad con los estatutos aprobados por la Santa Sede.

4. El Estado reconoce la personalidad jurídica civil y la plena capacidad de obrar de las órdenes, congregaciones religiosas y otros institutos de vida consagrada y sus provincias y sus casas y de las asociaciones y otras entidades y fundaciones religiosas que gocen de ella en la fecha de entrada en vigor del presente acuerdo.

Las órdenes, congregaciones religiosas y otros institutos de vida consagrada y sus provincias y sus casas que, estando erigidas canónicamente en esta fecha, no gocen de personalidad jurídica civil y las que se erijan canónicamente en el futuro adquirirá la personalidad jurídica civil mediante la inscripción en el correspondiente registro del Estado, la cual se practicará en virtud de documento auténtico en el que conste la erección, fines, datos de identificación órganos representativos, régimen de funcionamiento y facultades de dichos órganos. A los efectos de determinar la extensión y límites de su capacidad de obrar y, por tanto, de disponer de sus bienes, se estará a lo que disponga la legislación canónica, que actuará en este caso como derecho estatutario.

Las asociaciones y otras entidades y fundaciones religiosas que, estando erigidas canónicamente en la fecha de entrada en vigor del presente acuerdo, no gocen de personalidad jurídica civil y las que se erijan canónicamente en el futuro por la competente autoridad eclesiástica podrán adquirir la personalidad jurídica civil con sujeción a lo dispuesto en el ordenamiento del Estado, mediante la inscripción en el correspondiente registro en virtud de documento auténtico en el que consten la erección, fines, datos de identificación, órganos representativos, régimen de funcionamiento y facultades de dichos órganos.

5. Los lugares de culto tienen garantizada su inviolabilidad con arreglo a las leyes. No podrán ser demolidos sin ser previamente privados de su carácter sagrado. En caso de su expropiación forzosa será antes oída la autoridad eclesiástica competente.

6. El Estado respeta y protege la inviolabilidad de los archivos, registros y demás documentos pertenecientes a la Conferencia Episcopal Española, a las curias episcopales, a las curias de los superiores mayores de las órdenes y congregaciones religiosas, a las parroquias y a otras instituciones y entidades eclesiásticas.

Art. 2.º La Santa Sede podrá promulgar y publicar libremente cualquier disposición referente al gobierno de la Iglesia y comunicar sin impedimento con los prelados, el clero y los fieles, así como ellos podrán hacerlo con la Santa Sede.

Los ordinarios y las otras autoridades eclesiásticas gozarán de las mismas facultades respecto del clero y de sus fieles.

Art. 3.º El Estado reconoce como días festivos todos los domingos. De común acuerdo se determinará qué otras festividades religiosas son reconocidas como días festivos.

Art. 4.º 1. El Estado reconoce y garantiza el ejercicio del derecho a la asistencia religiosa de los ciudadanos internados en establecimientos penitenciarios, hospitales, sanatorios, orfanatos y centros similares, tanto privados como públicos.

2. El régimen de asistencia religiosa católica y la actividad pastoral de los sacerdotes y de los religiosos en los centros mencionados que sean de carácter público serán regulados de común acuerdo entre las competentes autoridades de la Iglesia y del Estado. En todo caso quedará salvaguardado el derecho a la libertad religiosa de las personas y el debido respeto a sus principios religiosos y éticos.

Art. 5.º 1. La Iglesia puede llevar a cabo por sí misma actividades de carácter benéfico o asistencial.

Las instituciones o entidades de carácter benéfico o asistencial de la Iglesia o dependientes de ella se regirán por sus normas estatutarias y gozarán de los mismos derechos y beneficios que los entes clasificados como de beneficencia privada.

2. La Iglesia y el Estado podrán, de común acuerdo, establecer las bases para una adecuada cooperación entre las actividades de beneficencia o de asistencia, realizadas por sus respectivas instituciones.

Art. 6.º 1. El Estado reconoce los efectos civiles al matrimonio celebrado según las normas del Derecho canónico.

Los efectos civiles del matrimonio canónico se producen desde su celebración. Para el pleno reconocimiento de los mismos será necesaria la inscripción en el Registro Civil, que se practicará con la simple presentación de certificación eclesiástica de la existencia del matrimonio.

2. Los contrayentes, a tenor de las disposiciones del Derecho canónico, podrán acudir a los tribunales eclesiásticos solicitando declaración de nulidad o pedir decisión pontificia sobre matrimonio rato y no consumado. A solicitud de cualquiera de las partes, dichas resoluciones eclesiásticas tendrán eficacia en el orden civil si se declaran ajustadas al Derecho del Estado en resolución dictada por el tribunal civil competente.

3. La Santa Sede reafirma el valor permanente de su doctrina sobre el matrimonio y recuerda a quienes celebren matrimonio canónico la obligación grave que asumen de atenerse a las normas canónicas que lo regulan y, en especial, a respetar sus propiedades esenciales.

Art. 7.º La Santa Sede y el Gobierno español procederán de común acuerdo en la resolución de las dudas o dificultades que pudieran surgir en la interpretación o aplicación de cualquier cláusula del presente Acuerdo, inspirándose para ello en los principios que lo informan.

Art. 8.º Quedan derogados los artículos 1, 2, 3, 4, 5, 6, 8, 9, 10 (y el acuerdo de 16 de julio de 1946), 11, 12, 13, 14, 17, 22, 23, 24, 25, 33, 34, 35, y 36 del vigente Concordato y el protocolo final en relación con los artículos 1, 2, 23 y 25. Se respetarán, sin embargo, los derechos adquiridos por las personas afectadas por la derogación del artículo 25 y por el correspondiente protocolo final.

DISPOSICIONES TRANSITORIAS

1. Las órdenes, congregaciones religiosas y otros institutos de vida consagrada, sus provincias y sus casas y las asociaciones y otras entidades o fundaciones religiosas que tienen reconocida por el Estado la personalidad jurídica y la plena capacidad de obrar, deberán inscribirse en el correspondiente Registro del Estado en el más breve plazo posible. Transcurridos tres años desde la entrada en vigor en España del presente Acuerdo, sólo podrá justificarse su personalidad jurídica mediante certificación de tal registro, sin perjuicio de que pueda practicarse la inscripción en cualquier tiempo.

2. Las causas que estén pendientes ante los tribunales eclesiásticos al entrar en vigor en España el presente Acuerdo seguirán tramitándose ante ellos y las sentencias tendrán efectos civiles a tenor de lo dispuesto en el artículo 24 del Concordato de 1953.

PROTOCOLO FINAL

En relación con el artículo 6.º, 1

Inmediatamente de celebrado el matrimonio canónico, el sacerdote ante el cual se celebró entregará a los esposos la certificación eclesiástica con los datos exigidos para su inscripción en el Registro Civil. Y en todo caso, el párroco en cuyo territorio parroquial se celebró el matrimonio, en el plazo de cinco días transmitirá al encargado del Registro Civil que corresponda el acta del matrimonio canónico para su oportuna inscripción, en el supuesto de que ésta no se haya efectuado ya a instancia de las partes interesadas.

Corresponde al Estado regular la protección de los derechos que, en tanto el matrimonio no sea inscrito, se adquieran de buena fe por terceras personas.

DOCUMENTO XV

ACUERDO ENTRE LA SANTA SEDE Y EL GOBIERNO ESPAÑOL SOBRE ENSEÑANZA Y ASUNTOS CULTURALES

Firmado en el Vaticano, el 3 de enero de 1979, por el cardenal Jean Villot, secretario de Estado, y el ministro de Asuntos Exteriores, Marcelino Oreja Aguirre.

El Gobierno español y la Santa Sede, prosiguiendo la revisión de los textos concordatarios en el espíritu del acuerdo de 28 de julio de 1976, conceden importancia fundamental a los temas relacionados con la enseñanza.

Por una parte, el Estado reconoce el derecho fundamental a la educación religiosa y ha suscrito pactos internacionales que garantizan el ejercicio de este derecho.

Por otra parte, la Iglesia debe coordinar su misión educativa con los principios de libertad civil en materia religiosa y con los derechos de las familias y de todos los alumnos y maestros, evitando cualquier discriminación o situación privilegiada.

Los llamados medios de masas se han convertido en escuela eficaz de conocimientos, criterios y costumbre. Por tanto, deben aplicarse en la ordenación jurídica de tales medios los mismos principios de libertad religiosa e igualdad sin privilegios que Iglesia y Estado profesan en materia de enseñanza.

Finalmente, el patrimonio histórico, artístico y documental de la Iglesia sigue siendo parte importantísima del acervo cultural de la nación; por lo que la puesta de tal patrimonio al servicio y goce de la sociedad entera, su conservación y su incremento justifican la colaboración de Iglesia y Estado.

Por ello, ambas partes contratantes concluyen el siguiente

ACUERDO

Artículo 1.º   A la luz del principio de libertad religiosa, la acción educativa respetará el derecho fundamental de los padres sobre la educación moral y religiosa de sus hijos en el ámbito escolar.

En todo caso, la educación que se imparta en los centros docentes públicos será respetuosa con los valores de la ética cristiana.

Art. 2.º   Los planes educativos en los niveles de Educación Preescolar, de Educación General Básica (EGB) y de Bachillerato Unificado Polivalente (BUP) y grados de Formación Profesional correspondientes a los alumnos de las mismas edades, incluirán la enseñanza de la religión católica en todos los centros de educación, en condiciones equiparables a las demás disciplinas fundamentales.

Por respeto a la libertad de conciencia, dicha enseñanza no tendrá carácter obligatorio para los alumnos. Se garantiza, sin embargo, el derecho a recibirla.

Las autoridades académicas adoptarán las medidas oportunas para que el hecho de recibir o no recibir la enseñanza religiosa no suponga discriminación alguna en la actividad escolar.

En los niveles de enseñanza mencionados, las autoridades académicas correspondientes permitirán que la jerarquía eclesiástica establezca, en las condiciones concretas que con ella se convenga, otras actividades complementarias de formación y asistencia religiosa.

Art. 3.º En los niveles educativos a los que se refiere el artículo anterior, la enseñanza religiosa será impartida por las personas que para cada año escolar sean designadas por la autoridad académica entre aquellas que el ordinario diocesano proponga para ejercer esta enseñanza. Con antelación suficiente el ordinario diocesano comunicará los nombres de los profesores y personas que sean consideradas competentes para dicha enseñanza.

En los centros públicos de Educación Preescolar, de EGB y de Formación Profesional de primer grado, la designación, en la forma antes señalada, recaerá con preferencia en los profesores de EGB que así lo soliciten.

Nadie estará obligado a impartir enseñanza religiosa.

Los profesores de religión formarán parte, a todos los efectos, del claustro de profesores de los respectivos centros.

Art. 4.º La enseñanza de la doctrina católica y su pedagogía en las escuelas universitarias de formación del profesorado en condiciones equiparables a las demás disciplinas fundamentales, tendrá carácter voluntario para los alumnos.

Los profesores de las mismas serán designados por la autoridad académica en la misma forma que la establecida en el artículo 3 y formarán también parte de los respectivos claustros.

Art. 5.º El Estado garantiza que la Iglesia católica pueda organizar cursos voluntarios de enseñanza y otras actividades religiosas en los centros universitarios públicos, utilizando los locales y medios de los mismos. La jerarquía eclesiástica se pondrá de acuerdo con las autoridades de los centros para el adecuado ejercicio de estas actividades en todos sus aspectos.

Art. 6.º A la jerarquía eclesiástica corresponde señalar los contenidos de la enseñanza y formación religiosa católica, así como proponer los libros de texto y material didáctico relativos a dicha enseñanza y formación.

La jerarquía eclesiástica y los órganos del Estado, en el ámbito de sus respectivas competencias, velarán por que esta enseñanza y formación sean impartidas adecuadamente, quedando sometido el profesorado de religión al régimen general disciplinario de los centros.

Art. 7.º La situación económica de los profesores de religión católica, en los distintos niveles educativos, que no pertenezcan a los cuerpos docentes del Estado, se concertará entre la Administración Central y la Conferencia Episcopal Española, con objeto de que sea de aplicación a partir de la entrada en vigor del presente Acuerdo.

Art. 8.º La Iglesia católica puede establecer Seminarios menores diocesanos y religiosos, cuyo carácter específico será respetado por el Estado.

Para su clasificación como centros de Educación General Básica, de Bachillerato Unificado Polivalente o Curso de Orientación Universitaria, se aplicará la legislación general, si bien no se exigirá ni número mínimo de matrícula escolar ni la admisión de alumnos en función del área geográfica de procedencia o domicilio de familia.

Art. 9.º Los centros docentes de nivel no universitario, cualquiera que sea su grado y especialidad, establecidos o que se establezcan por la Iglesia, se acomodarán a la legislación que se promulgue con carácter general, en cuanto al modo de ejercer sus actividades.

Art. 10. 1. Las Universidades, Colegios Universitarios, Escuelas Universitarias y otros centros universitarios que se establezcan por la Iglesia católica se acomodarán a la legislación que se promulgue con carácter general, en cuanto al modo de ejercer estas actividades.

Para el reconocimiento a efectos civiles de los estudios realizados en dichos centros se estará a lo que disponga la legislación vigente en la materia en cada momento.

2. El Estado reconoce la existencia legal de las Universidades de la Iglesia establecidas en España en el momento de la entrada en vigor de este Acuerdo, cuyo régimen jurídico habrá de acomodarse a la legislación vigente, salvo lo previsto en el artículo 17, 2.

3. Los alumnos de estas Universidades gozarán de los mismos beneficios en materia de sanidad, seguridad escolar, ayudas al estudio y a la investigación y demás modalidades de protección al estudiante que se establezcan para los alumnos de las Universidades del Estado.

Art. 11. La Iglesia católica, a tenor de su propio derecho, conserva su autonomía para establecer Universidades, Facultades, Institutos superiores y otros centros de ciencias eclesiásticas para la formación de sacerdotes, religiosos y seglares.

La convalidación de los estudios y el reconocimiento por parte del Estado de los efectos civiles de los títulos otorgados en estos centros superiores serán objeto de regulación específica entre las competentes autoridades de la Iglesia y del Estado. En tanto no se acuerde la referida regulación, las posibles convalidaciones de estos estudios y la concesión de valor civil a los títulos otorgados se realizará de acuerdo con las normas generales sobre el tema.

También se regularán de común acuerdo la convalidación y reconocimiento de los estudios realizados y títulos obtenidos por clérigos o seglares en las Facultades aprobadas por la Santa Sede fuera de España.

Art. 12. Las Universidades del Estado, previo acuerdo con la competente autoridad de la Iglesia, podrán establecer centros de estudios superiores de teología católica.

Art. 13. Los centros de enseñanza de la Iglesia de cualquier grado y especialidad y sus alumnos tendrán derecho a recibir subvenciones, becas, beneficios fiscales y otras ayudas que el Estado otorgue a centros no estatales y a estudiantes de tales centros, de acuerdo con el régimen de igualdad de oportunidades.

Art. 14. Salvaguardando los principios de libertad religiosa y de expresión, el Estado velará para que sean respetados en sus medios de comunicación social los sentimientos de los católicos y establecerá los correspondientes acuerdos sobre estas materias con la Conferencia Episcopal Española.

Art. 15. La Iglesia reitera su voluntad de continuar poniendo al servicio de la sociedad su patrimonio histórico, artístico y documental y concertará con el Estado las bases para hacer efectivos el interés común y la colaboración de ambas partes, con el fin de preservar, dar a conocer y catalogar este patrimonio cultural en posesión de la Iglesia, de facilitar su contemplación y estudio, de lograr su mejor conservación e impedir cualquier clase de pérdidas en el marco del artículo 46 de la Constitución.

A estos efectos, y a cualesquiera otros relacionados con dicho patrimonio, se creará una comisión mixta en el plazo máximo de un año a partir de la fecha de entrada en vigor en España del presente acuerdo.

Art. 16. La Santa Sede y el Gobierno español procederán de común acuerdo en la resolución de las dudas o dificultades que pudieran surgir en la interpretación o aplicación de cualquier cláusula del presente acuerdo, inspirándose para ello en los principios que lo informan.

Art. 17. 1. Quedan derogados los artículos 26, 27, 28, 29, 30 y 31 del vigente Concordato.

2. Quedan asegurados, no obstante, los derechos adquiridos de las universidades de la Iglesia establecidas en España en el momento de la firma del presente acuerdo, las cuales, sin embargo, podrán optar por su adaptación a la legislación general sobre universidades no estatales.

DISPOSICIONES TRANSITORIAS

1. El reconocimiento a efectos civiles de los estudios que se cursen en las universidades de la Iglesia actualmente existentes seguirán rigiéndose, transitoriamente, por la normativa ahora vigente, hasta el momento en que para cada centro o carrera se dicten las oportunas disposiciones de reconocimiento, de acuerdo con la legislación general, que no exigirá requisitos superiores a los que se impongan a las universidades del Estado o de los entes públicos.

2. Quienes al entrar en vigor el presente acuerdo en España estén en posesión de grados mayores en Ciencias Eclesiásticas y, en virtud del párrafo 3 del artículo 30 del Concordato, sean profesores titulares de las disciplinas de la sección de letras en centros de enseñanza dependientes de la autoridad eclesiástica, seguirán considerados con titulación suficiente para la enseñanza en tales centros, no obstante la derogación de dicho artículo.

PROTOCOLO FINAL

Lo convenido en el presente Acuerdo, en lo que respecta a las denominaciones de centros, niveles educativos, profesorado y alumnos, medios didácticos, etcétera, subsistirá como válido para las realidades educativas equivalentes que pudieran originarse de reformas o cambios de nomenclatura o del sistema escolar oficial.

DOCUMENTO XVI

ACUERDO ECONÓMICO ENTRE LA SANTA SEDE Y EL GOBIERNO ESPAÑOL

Firmado en el Vaticano, el 3 de enero de 1979, por el cardenal Jean Villot, secretario de Estado, y el ministro de Asuntos Exteriores, Marcelino Oreja Aguirre.

La revisión del sistema de aportación económica del Estado español a la Iglesia católica resulta de especial importancia al tratar de sustituir por nuevos acuerdos el Concordato de 1953.

Por una parte, el Estado no puede ni desconocer ni prolongar indefinidamente obligaciones jurídicas contraídas en el pasado. Por otra parte, dado el espíritu que informa las relaciones entre Iglesia y Estado, en España resulta necesario dar nuevo sentido tanto a los títulos de la aportación económica como al sistema según el cual dicha aportación se lleve a cabo.

En consecuencia, la Santa Sede y el Gobierno español concluyen el siguiente

ACUERDO

Artículo 1.º La Iglesia católica puede libremente recabar de sus fieles prestaciones, organizar colectas públicas y recibir limosnas y oblaciones.

Art. 2.º 1. El Estado se compromete a colaborar con la Iglesia católica en la consecución de su adecuado sostenimiento económico, con respeto absoluto del principio de libertad religiosa.

2. Transcurridos tres ejercicios completos desde la firma de este acuerdo, el Estado podrá asignar a la Iglesia católica un porcentaje de rendimiento de la imposición sobre la renta o el patrimonio neto u otra de carácter personal, por el procedimiento técnicamente más adecuado. Para ello será preciso que cada contribuyente manifieste expresamente en la declaración respectiva su voluntad acerca del destino de la parte afectada. En ausencia de tal declaración, la cantidad correspondiente se destinará a otros fines.

3. Este sistema sustituirá a la dotación a que se refiere el apartado siguiente, de modo que proporcione a la Iglesia católica recursos de cuantía similar.

4. En tanto no se aplique el nuevo sistema, el Estado consignará en sus presupuestos generales la adecuada dotación a la Iglesia católica, con carácter global y único, que será actulizada anualmente.

Durante el proceso de sustitución, que se llevará a cabo en el plazo de tres años, la dotación presupuestaria se minorá en cuantía igual a la asignación tributaria recibida por la Iglesia católica.

5. La Iglesia católica declara su propósito de lograr por sí misma los recursos suficientes para la atención de sus necesidades. Cuando fuera conseguido este propósito, ambas partes se pondrán de acuerdo para sustituir los sistemas de colaboración financiera expresada en los párrafos anteriores de este artículo, por otros campos y formas de colaboración económica entre la Iglesia católica y el Estado.

Art. 3.º No estarán sujetas a los impuestos sobre la renta o sobre el gasto o consumo, según proceda:

a) Además de los conceptos mencionados en el artículo 1 de este acuerdo, la publicación de las instrucciones, ordenanzas, cartas pastorales, boletines diocesanos y cualquier otro documento de las autoridades eclesiásticas competentes y tampoco su fijación en los sitios de costumbre.

b) La actividad de enseñanza en seminarios diocesanos y religiosos, así como de las disciplinas eclesiásticas en universidades de la Iglesia.

c) La adquisición de objetos destinados al culto.

Art. 4.º 1. La Santa Sede, la Conferencia Episcopal, las diócesis, las parroquias y otras circunscripciones territoriales, las órdenes y congregaciones religiosas y los institutos de vida consagrada y sus provincias y sus casas, tendrán derecho a las siguientes exenciones:

A) Exención total y permanente de la Contribución Territorial Urbana de los siguientes inmuebles:

1) Los templos y capillas destinados al culto y, asimismo, sus dependencias o edificios y locales anejos destinados a la actividad pastoral.
2) La residencia de los obispos, de los canónigos y de los sacerdotes con cura de almas.
3) Los locales destinados a oficinas de la curia diocesana y a oficinas parroquiales.
4) Los seminarios destinados a la formación del clero diocesano y religioso y las universidades eclesiásticas en tanto en cuanto impartan enseñanzas propias de disciplinas eclesiásticas.
5) Los edificios destinados primordialmente a casas o conventos de las órdenes, congregaciones religiosas e institutos de vida consagrada.

B) Exención total y permanente de los impuestos reales o de producto, sobre la renta y sobre el patrimonio.

Esta exención no alcanzará a los rendimientos que pudieran obtener por el ejercicio de explotaciones económicas ni a los derivados de su patrimonio, cuando su uso se halle cedido, ni a las ganancias de capital, ni tampoco a los rendimientos sometidos a retención en la fuente por impuestos sobre la renta.

C) Exención total de los impuestos sobre sucesiones y donaciones y transmisiones patrimoniales, siempre que los bienes o derechos adquiridos se destinen al culto, a la sustentación del clero, al sagrado apostolado y al ejercicio de la caridad.

D) Exención de las contribuciones especiales y de la tasa de equivalencia, en tanto recaigan estos tributos sobre los bienes enumerados en la letra A) de este artículo.

2. Las cantidades donadas a los entes eclesiásticos enumerados en este artículo y destinados a los fines expresados en el apartado C) darán derecho a las mismas deducciones en el impuesto sobre la renta de las personas físicas que las cantidades entregadas a entidades clasificadas o declaradas benéficas o de utilidad pública.

Art. 5.º Las asociaciones y entidades religiosas no comprendidas entre las enumeradas en el artículo 4.º de este Acuerdo y que se dediquen a actividades religiosas, benéfico-docentes, médicas u hospitalarias o de asistencia social tendrán derecho a los beneficios fiscales que el ordenamiento jurídico-tributario del Estado español prevé para las entidades sin fin de lucro y en todo caso los que se conceden a las entidades benéficas privadas.

Art. 6.º La Santa Sede y el Gobierno español procederán de común acuerdo en la resolución de las dudas o dificultades que pudieran surgir en la interpretación o aplicación de cualquier cláusula del presente Acuerdo, inspirándose para ello en los principios que lo informan.

Art. 7.º Quedan derogados los artículos 18, 19, 20, y 21 del vigente Concordato y el acuerdo entre la Santa Sede y el Estado español sobre seminarios y universidades de estudios eclesiásticos de 8 de diciembre de 1946.

PROTOCOLO ADICIONAL

1. La dotación global en los presupuestos generales del Estado se fijará cada año, tanto durante el plazo exclusivo de tal ayuda como durante el período de aplicación simultánea del sistema previsto en el artículo 2.º, apartado 2, de este Acuerdo, mediante la aplicación de los criterios de cuantificación que inspiren los correspondientes presupuestos generales del Estado, congruentes con los fines a que destine la Iglesia los recursos recibidos del Estado en consideración a la memoria a que se refiere el párrafo siguiente.

La aplicación de los fondos, proyectada y realizada por la Iglesia, dentro del conjunto de sus necesidades, de las cantidades a incluir en el presupuesto o recibidas del Estado en el año anterior, se describirá en la memoria que, a efectos de la aportación mencionada, se presentará anualmente.

2. Ambas partes, de común acuerdo, señalarán los conceptos tributarios vigentes en los que se concretan las exenciones y los supuestos de no sujeción enumerados en los artículos 3.º a 5.º del presente acuerdo.

Siempre que se modifique sustancialmente el ordenamiento jurídico-tributario español, ambas partes concretarán los beneficios fiscales y los supuestos de no sujeción que resulten aplicables de conformidad con los principios de este acuerdo.

3. En el supuesto de deudas tributarias no satisfechas en plazo voluntario por alguna entidad religiosa comprendida en el número 1) del artículo 4.º, o en el artículo 5.º de este Acuerdo, el Estado, sin perjuicio de la facultad de ejecución que en todo caso le corresponde, podrá dirigirse a la Conferencia Episcopal Española para que ésta inste a la entidad de que se trate al pago de la deuda tributaria.

DOCUMENTO XVII

ACUERDO ENTRE LA SANTA SEDE Y EL GOBIERNO ESPAÑOL SOBRE ASISTENCIA RELIGIOSA A LOS CATÓLICOS DE LAS FUERZAS ARMADAS Y SERVICIO MILITAR DE CLÉRIGOS Y RELIGIOSOS

Firmado en el Vaticano, el 3 de enero de 1979, por el cardenal secretario de Estado, Jean Villot, y el ministro de Asuntos Exteriores, Marcelino Oreja Aguirre.

La asistencia religiosa a los miembros católicos de las Fuerzas Armadas y el servicio militar de los clérigos y religiosos constituyen capítulos específicos entre las materias que deben regularse dentro del compromiso adquirido por la Santa Sede y el Estado español de revisar el Concordato de 1953.

Por tanto, ambas parte han decidido actualizar las disposiciones hasta ahora vigentes y concluyen el siguiente

ACUERDO

Artículo 1.º La asistencia religioso-pastoral a los miembros católicos de las Fuerzas Armadas se seguirá ejerciendo por medio del vicariato castrense.

Art. 2.º El vicariato castrense, que es una diócesis personal, no territorial, constará de:

A) Un arzobispo, vicario general, con su propia curia, que estará integrada por:
1. Un provicario general para todas las Fuerzas Armadas, con facultades de vicario general.
2. Un secretario general.
3. Un vicesecretario.
4. Un delegado de Formación Permanente del Clero; y
5. Un delegado de Pastoral.

B) Además contará con la cooperación de:
1. Los vicarios episcopales correspondientes.
2. Los capellanes castrenses como párrocos personales.

Art. 3.º La provisión del vicariato general castrense se hará de conformidad con el artículo 1.º, 3 del Acuerdo entre la Santa Sede y el Estado español de 28 de julio de 1976, mediante la propuesta de una terna de nombres, formada de común acuerdo entre la Nunciatura Apostólica y el Ministerio de Asuntos Exteriores y sometida a la aprobación de la Santa Sede.

El Rey presentará, en el término de quince días, uno de ellos para su nombramiento por el Romano Pontífice.

Art. 4.º Al quedar vacante el vicariato castrense y hasta su nueva provisión, asumirá las funciones de vicario general el provicario general de todas las Fuerzas Armadas, si lo hubiese, y si no, el vicario episcopal más antiguo.

Art. 5.º Los clérigos y religiosos están sujetos a las disposiciones generales de la ley sobre el servicio militar.

1. Los seminaristas, postulantes y novicios podrán acogerse a los beneficios comunes de prórrogas anuales por razón de sus estudios específicos o por otras causas admitidas en la legislación vigente, así como a cualesquiera otros beneficios que se establezcan con carácter general.

2. A los que ya sean presbíteros se les podrán encomendar funciones específicas de su ministerio, para lo cual recibirán las facultades correspondientes del vicario general castrense.

3. A los presbíteros a quienes no se encomienden las referidas funciones específicas y a los diáconos y religiosos profesos no sacerdotes se les asignarán misiones que no sean incompatibles con su estado, de conformidad con el Derecho Canónico.

4. Se podrá considerar de acuerdo con lo que establezca la ley, como prestación social sustitutoria de las obligaciones específicas del servicio militar, la de quienes durante un período de tres años bajo la dependencia de la jerarquía eclesiástica se consagren al apostolado, como presbíteros, diáconos o religiosos profesores, en territorios de misión o como capellanes de emigrantes.

Art. 6.º A fin de asegurar la debida atención pastoral del pueblo, se exceptúan del cumplimiento de las obligaciones militares en toda circunstancia, los obispos y asimilados en derecho.

En caso de movilización de reservistas se procurará asegurar la asistencia parroquial proporcional a la población civil. A este fin, el Ministerio de Defensa oirá el informe del vicario general castrense.

Art. 7.º La Santa Sede y el Gobierno español procederán de común acuerdo en la resolución de las dudas o dificultades que pudieran surgir en la interpretación o aplicación de cualquier cláusula del presente Acuerdo, inspirándose para ello en los principios que lo informan.

Art. 8.º Quedan derogados los artículos 15, 32 y el protocolo final en relación al mismo del Concordato de 27 de agosto de 1953 y, consecuentemente, el Acuerdo entre la Santa Sede y el Gobierno español sobre la jurisdicción castrense y asistencia religiosa de las Fuerzas Armadas de 5 de agosto de 1950.

PROTOCOLO FINAL

En relación con el artículo 8.º

1. No obstante la derogación ordenada en el artículo 8.º, subsistirá durante un plazo de tres años la posibilidad de valerse de la disposición prevista en el número 1 del artículo 12 del convenio de 5 de agosto de 1950.

2. Los sacerdotes y diáconos ordenados antes de la fecha de entrada en vigor del presente acuerdo y los religiosos que hubiesen profesado igualmente con anterioridad, conservarán, cualquiera que fuera su edad, el derecho adquirido a la exención del servicio militar en tiempo de paz, conforme el artículo 12 del citado convenio que se deroga.

3. Quienes estuvieren siguiendo estudios eclesiásticos de preparación para el sacerdocio o para la profesión religiosa en la fecha de entrada en vigor de este acuerdo podrán solicitar prórroga de incorporación a filas de segunda clase, si desean acogerse a este beneficio y les corresponde por su edad.

Anexo I

Artículo 1.º Los capellanes castrenses ejercen su ministerio bajo la jurisdicción del vicario general castrense.

Art. 2.º La jurisdicción del vicario general castrense y de los capellanes es personal. Se extiende, cualquiera que sea la respectiva situación militar, a todos los militares de Tierra, Mar y Aire, a los alumnos de las academias y de las escuelas militares, a sus esposas, hijos y familiares que viven en su compañía, y a todos los fieles de ambos sexos ya seglares, ya religiosos, que presten servicios establemente bajo cualquier concepto o residan habitualmente en los cuarteles o lugares dependientes de la Jurisdicción Militar. Igualmente se extiende dicha jurisdicción a los huérfanos menores o pensionistas y a las viudas de militares mientras conserven este estado.

Art. 3.º Los capellanes castrenses tienen competencia parroquial respecto a las personas mencionadas en el artículo precedente.

En el caso de celebrarse el matrimonio ante el capellán castrense, éste deberá atenerse a las prescripciones canónicas.

Art. 4.º 1. La jurisdicción castrense es cumulativa con la de los ordinarios diocesanos.

2. En todos los lugares o instalaciones dedicados a las Fuerzas Armadas u ocupados circunstancialmente por ellas usarán de dicha jurisdicción, primaria y principalmente, el vicario general castrense y los capellanes. Cuando éstos falten o estén ausentes, usarán de su jurisdicción subsidiariamente, aunque siempre por derecho propio, los ordinarios diocesanos y los párrocos locales.

El uso de esta jurisdicción cumulativa se regulará mediante los oportunos acuerdos entre la jerarquía diocesana y la castrense, la cual informará a las autoridades militares correspondientes.

3. Fuera de los lugares arriba señalados, y respecto a las personas mencionadas en el artículo 2.º de este anexo, ejercerán libremente su jurisdicción los ordinarios diocesanos y, cuando así les sea solicitado, los párrocos locales.

Art. 5.º 1. Cuando los capellanes castrenses, por razón de sus funciones como tales tengan que oficiar fuera de los templos, establecimientos, campamentos y demás lugares destinados regularmente a las Fuerzas Armadas, deberán dirigirse con anticipación a los ordinarios diocesanos o a los párrocos o rectores locales para obtener el oportuno permiso.

2. No será necesario dicho permiso para celebrar actos de culto al aire libre para fuerzas militares desplazadas con ocasión de campañas, maniobras, marchas, desfiles u otros actos de servicio.

Art. 6.º Cuando lo estime conveniente para el servicio religioso-pastoral, el vicario castrense se pondrá de acuerdo con los obispos diocesanos y los superiores mayores religiosos para designar un número adecuado de sacerdotes y religiosos que, sin dejar los oficios que tengan en sus diócesis o institutos, presten ayuda a los capellanes castrenses. Tales sacerdotes y religiosos ejercerán su ministerio a las órdenes del vicario general castrense, del cual recibirán las facultades «ad nutum» y serán retribuidos a título de gratificación o estipendio ministerial.

Anexo II

Artículo 1.º 1. La incorporación de los capellanes castrenses tendrá lugar según las normas aprobadas por la Santa Sede, de acuerdo con el Gobierno.

Para el desempeño de la función de vicario episcopal será preciso:

a) Poseer una licenciatura, o título superior equivalente, en aquellas disciplinas eclesiásticas o civiles que el vicario general castrense estime de utilidad para el ejercicio de la asistencia religioso-pastoral a las Fuerzas Armadas; *b)* haber sido declarado canónicamente apto, según las normas que establezca el vicario general castrense.

2. El nombramiento eclesiástico de los capellanes se hará por el vicario general castrense.

El destino a unidad o establecimiento se hará por el Ministerio de Defensa a propuesta del vicario general castrense.

Art. 2.º Los capellanes, en cuanto sacerdotes o «ratione loci», estarán también sujetos a la disciplina y vigilancia de los ordinarios diocesanos, quienes en casos urgentes podrán tomar las oportunas providencias canónicas, debiendo en tales casos hacerlas conocer en seguida al vicario general castrense.

Art. 3.º Los ordinarios diocesanos, conscientes de la necesidad de asegurar una adecuada asistencia espiritual a todos los que prestan servicios bajo las armas, considerarán como parte de su deber pastoral proveer al vicario general castrense de un número suficiente de sacerdotes, celosos y bien preparados, para cumplir dignamente su importante y delicada misión.

INDICE DE AUTORES

ACABÓSE DE IMPRIMIR ESTE VOLUMEN QUINTO (ÚLTIMO)
DE LA «HISTORIA DE LA IGLESIA EN ESPAÑA», DE
LA BIBLIOTECA DE AUTORES CRISTIANOS, EL
DÍA 2 DE MAYO DE 1979, FESTIVIDAD DE SAN
ATANASIO, OBISPO Y DOCTOR DE LA
IGLESIA, EN LOS TALLERES DE
LA IMPRENTA FARESO, S.A.,
PASEO DE LA DIREC-
CIÓN, 5, MADRID

LAUS DEO VIRGINIQUE MATRI

ULTIMAS NOVEDADES DE LA BAC

B A C   Enciclopedias

HISTORIA DE LOS DOGMAS. Edición dirigida por M. Schmaus, A. Grillmeier y L. Scheffczyk.
T. I cuad. 6: *El método teológico*, por J. Beumer (ISBN 84-220-0797-5).
T. III. cuad. 3a-b: *Eclesiología. Escritura y Patrística hasta San Agustín*, por P. V. Dias y Th. Camelot (ISBN 84-220-0891-2).
T. III cuad. 3c y 3d: *Eclesiología. Desde San Agustín hasta nuestros días*, por Y. Congar (ISBN 84-220-0434-8).
T. IV cuad. 5: *El sacramento del Orden*, por L. Ott (ISBN 84-220-0666-9).

B A C   Maior

16. HISTORIA DE LA IGLESIA EN ESPAÑA (5 vols.). Obra en colaboración por un equipo de especialistas bajo la dirección de R. García Villoslada. T. I: *La Iglesia en la España romana y visigoda*.
17. HISTORIA DE LA IGLESIA EN ESPAÑA. T.V: *La Iglesia en la España contemporánea*.

B A C   Normal

401. LA INFALIBILIDAD DE LA IGLESIA. *Respuesta a Hans Küng*. Obra en colaboración dirigida por K. Rahner (ISBN 84-220-0880-7).
402. SAN JUAN BOSCO. *Obras fundamentales*. Ed. dirigida por J. Canals y A. Martínez Azcona (ISBN 84-220-0878-5).
403. TEOLOGIA Y ESPIRITUALIDAD DEL AÑO LITURGICO, por J. Ordóñez Márquez (ISBN 84-220-0886-6).
404. EL HUMANISMO DE MAX SCHELER. *Estudio de su antropología filosófica*, por A. Pintor Ramos (ISBN 84-220-0892-0).
405. LA VERDAD DE JESUS. *Estudios de cristología joanea*, por I. de la Potterie (ISBN 84-220-0890-4).

B A C   Minor

47. ILUSTRISIMOS SEÑORES, por A. Luciani (ISBN 84-220-0877-7).
48. TEOLOGIA DE LA LIBERACION, por la Comisión Teológica Internacional (ISBN 84-220-0879-3).
49. ESPIRITUALIDAD MISIONERA, por J. Esquerda Bifet (ISBN 84-220-0882-3).
50. SIGNO DE CONTRADICCION, por K. Wojtyla (ISBN 84-220-0881-5).
51. PROBLEMAS DEL CRISTIANISMO, por J. Marías (ISBN 84-220-0893-9).
52. MENSAJE A LA IGLESIA DE LATINOAMERICA, por Juan Pablo II (ISBN 84-220-0898-X).

B A C   Popular

13. LOS INSTITUTOS DE VIDA CONSAGRADA. *Hacia un nuevo Derecho*, por J. Beyer (ISBN 84-220-0862-9).
14. EL PAN NUESTRO DE CADA DIA, por M. Malinski (ISBN 84-220-0871-7).
15. EL HERMANO FRANCISCO. *El santo que no muere*, por D. Elcid (ISBN 84-220-0875-0).
16. DIOS CON NOSOTROS. *Meditaciones*, por K. Rahner (ISBN 84-220-0896-3).

Ediciones litúrgicas

ORACIONAL. *Nuevo Devocionario del cristiano*, por A. Pardo (ISBN 84-220-0799-1).
MISAL DOMINICAL Y FESTIVO. Edición preparada por A. Pardo (ISBN 84-220-0861-0).

EDICA, S. A. Mateo Inurria, 15, Madrid-16

DEMCO